W9-AWW-571

EMC Español Avanzado

¡A toda vela!

Second Edition

Carmen Herrera
Paul Lamontagne

ST. PAUL

Editorial Director: Alex Vargas
Developmental Editor: Elizabeth Millán
Production Specialist: Julie Johnston
Associate Editor: Tanya Brown
Copy Editor: Kristin Hoffman

Cover Designer: Leslie Anderson
Text Designer: Leslie Anderson
Reviewers: Ana García, Anne Gaston
Illustrator: Rolin Graphics, Inc.
Cover Image: GettyImages; Sail and Sky, Johner collection

Art and Photo Credits: Credits are included in the back matter of this text.

ISBN 978-0-82196-277-0

875 Montreal Way
St. Paul, MN 55102
E-mail: educate@emcp.com
Web site: www.emcp.com

Printed in the United States of America

21 20 19 18 17 16 15 14 13 12 1 2 3 4 5 6 7 8 9 10

To the Student

Welcome to *EMC Español Avanzado ¡A toda vela!*, a comprehensive advanced Spanish language text that uses integrated skills and tasks to help you develop competence and confidence in reading, writing, listening, and speaking in Spanish. Perfect for any advanced Spanish course, *¡A toda vela!* also provides the breadth and depth of material to make it a valuable resource for you to prepare for the current Advanced Placement Spanish Language exam or any other upper level high school or college Spanish exam in your future.

¡A toda vela! uses authentic written and recorded materials, which include subjects as diverse and interesting as travel, art, geography, history, current events, literature, music, sports, movies, dance, social studies, sociology, and contemporary culture. These topics will give you unique insight into the Spanish-speaking world, as well as other cultures, and inspire thought-provoking in-class discussions.

As you polish your Spanish-language skills through a variety of activities—often in pairs or groups—you'll take part in guided conversations, blogs, and forums; complete challenging vocabulary and grammar exercises in context; analyze quotes or sayings; observe fun facts; and take part in preparing presentations, essays, and projects. The unique grammar exercises compel you to use your prior knowledge in order to personalize a solid and meaningful response to Spanish grammar.

Are you ready to meet the challenges and opportunities that *¡A toda vela!* holds for you?

Acknowledgments

We wish to express our sincere appreciation to the following colleagues for the many valuable suggestions they offered and their indispensable support to finalize this important project: Kent Ahern, Daniel Bender, Bant Breen, Raúl Camacho, Candelaria Díaz, Sol Gaitán, Glorianne Hamm, Michele Landry, Juan Lizcano, Don Nicole, Raquel Quintero, Isabel Segundo, Mari Sierra Ramos, Nuria Bueso, and colleagues at New Trier High School (Winnetka, Illinois) and The Dalton School (New York City).

We also extend our sincere appreciation to the staff at EMC Publishing: Alex Vargas, Editorial Director; Charisse Litteken, Product Manager; Leslie Anderson, Senior Graphic Designer; Julie Johnston, Production Specialist; Bob Dreas, Production Editor; Hannah da Veiga and Tanya Brown, Associate Editors; and Kristin Hoffman, Copy Editor. And a special thanks goes to our editor, Elizabeth Millán.

Last, but not least, *gracias* to Alejandro and Nicholas Breen-Herrera for their great patience and unconditional love.

Carmen Herrera   Paul Lamontagne

Capítulo 1 ¡Buen viaje! 1

Temas

- Los viajes
- El turismo
- La inmigración

Capítulo 2 ¡Gente joven! 59

Capítulo 3 ¡Que aproveche! 117

Temas

- Comidas típicas
- Alimentos
- Restaurantes

Capítulo 4 Personalidad y personalidades 175

Temas

- Cómo es el ser humano
- Héroes, villanos y otros famosos
- Hispanos influyentes

Capítulo 6 *Puro deporte* 301

Temas

- Los deportes
- Los atletas
- Los Juegos Olímpicos

Capítulo 7 ¡Conéctese a su mundo! 359

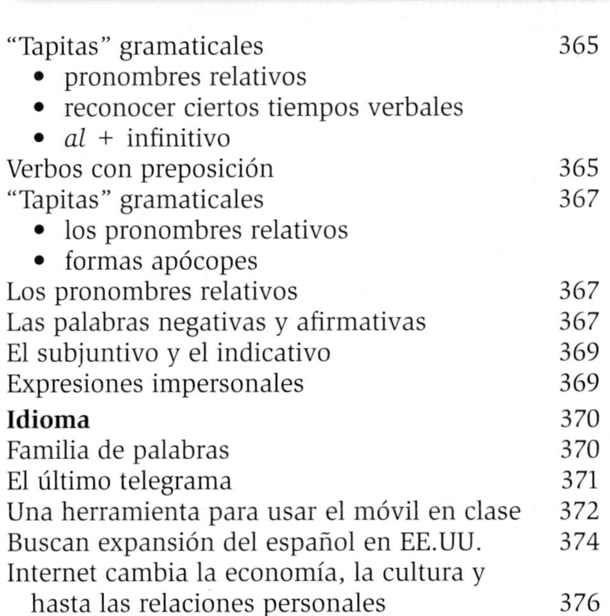

Capítulo 8 — *Festival de Arte* — 419 

Temas

- El arte
- El baile
- La música
- El cine, la radio y la televisión

Apéndice

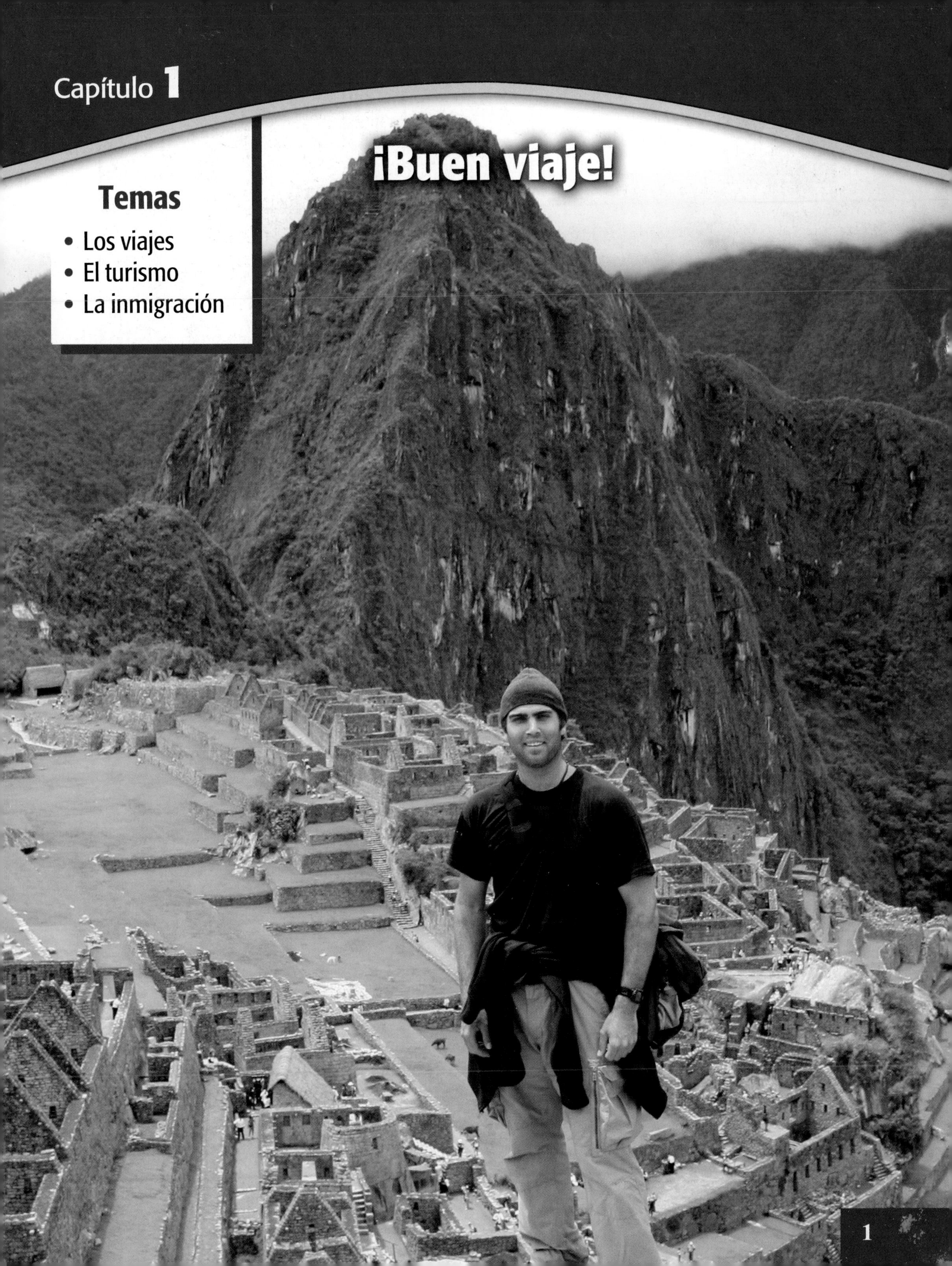

Capítulo 1

¡Buen viaje!

Temas

- Los viajes
- El turismo
- La inmigración

Lección

A

Objetivos

Comunicación

- Hablar de viajar, de los viajes y modos de transporte
- Justificar un viaje cultural
- Describir un hotel
- Hablar del mercado turístico
- Hablar del impacto de la tecnología sobre el turismo

Gramática

- El presente, pretérito e imperfecto del indicativo

"Tapitas" gramaticales

- *lo que* y *el que*
- adverbios
- *al* + infinitivo
- algunos usos del subjuntivo
- *aquel* y *aquello*
- el orden de los adjetivos
- reconocer ciertos tiempos verbales
- *solo* y *sólo*
- género y número
- adverbios

Cultura

- El archipiélago San Blas (Panamá)
- Toledo (España)
- Machu Picchu (Perú)
- Hoteles originales
- La vuelta al mundo
- Cómo viajan los latinos de los EE.UU.
- Un viaje por Internet

Para empezar

1 Conteste las preguntas

Piense en las respuestas a las siguientes preguntas. Ud. puede tomar notas si lo considera necesario. Cuando termine, compare sus respuestas —pero sin mirar sus notas— con las de un/a compañero/a.

1. ¿Por qué le atrae (o no) viajar?
2. Haga una lista de diferentes medios de transporte.
3. ¿Qué medio de transporte prefiere Ud. para viajar? ¿Por qué?
4. Nombre cinco cosas que no le permiten a uno llevar en un avión.
5. ¿Ha viajado Ud. alguna vez al extranjero? ¿Adónde? ¿Adónde le gustaría ir? ¿Por qué?
6. En sus viajes, ¿cuáles han sido los lugares que más le han llamado la atención?
7. ¿Estaría Ud. interesado/a en explorar un lugar lejano? ¿Cuál o cuáles? ¿Por qué?
8. ¿Qué lugares del mundo hispanohablante le gustaría visitar?
9. Nombre algunos edificios, monumentos o zonas famosos para visitar en distintos países.
10. ¿Qué piensa de los viajes de aventura? ¿Despiertan estos viajes su interés? ¿Por qué?

Toda la familia disfruta de un día en el campo.

Cita

No hay ninguna razón para alarmarse, y esperamos que disfruten del vuelo. Por cierto, ¿hay alguien a bordo que sepa pilotar un avión?

—De la película *Aterriza cómo puedas;* título original: *Airplane*

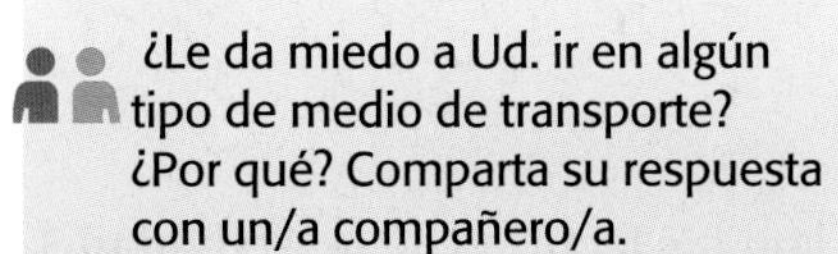

¿Le da miedo a Ud. ir en algún tipo de medio de transporte? ¿Por qué? Comparta su respuesta con un/a compañero/a.

¿Sabía que existe el síndrome del acento extranjero? Existen casos en los que un individuo termina hablando inconscientemente con acento distinto al de su lengua natal o incluso en un idioma irreconocible, producto de lo que ha oído.

2 Mini-diálogos

Ud. va a crear un mini-diálogo con un/a compañero/a. Lea la descripción de la conversación antes de empezar. Puede tomar notas para organizar sus ideas, pero no las mire mientras conversa.

Escena: Dos amigos/as están en una cafetería y hablan sobre viajes que han hecho.

A:	Entable una conversación sobre viajar. Pregúntele a su compañero/a sobre un viaje que hizo.
B:	Hable sobre un viaje reciente.
A:	Hágale dos preguntas sobre su viaje.
B:	Conteste las preguntas y hágale preguntas sobre su viaje.
A:	Conteste las preguntas con algún dato interesante o sorprendente.
B:	Reaccione con sorpresa.
A:	Haga una comentario sobre su reacción. Despídase cordialmente.
B:	Despídase cordialmente.

Vocabulario y gramática en contexto

3 Un foro

Túrnese con un/a compañero/a para leer los comentarios que dos personas han escrito en un foro sobre viajar. Fíjese en las palabras que aparecen en azul (relacionadas con el vocabulario) y en rojo (relacionadas con la gramática), ya que en las siguientes actividades se le harán preguntas sobre ellas.

Viajar

Yolanda

Los aviones me dan pánico, además los considero muy incómodos. Desde que despega el avión hasta que aterriza estoy siempre estresada, deseando llegar a mi destino. Menos mal que los auxiliares de vuelo son bastante amables y te distraen como pueden con aperitivos, y cuando te recuerdan que te abroches el cinturón o que subas la mesita. Lo que más me estresa es cuando haces cola en el pasillo y los pasajeros se empujan los unos a los otros mientras [5] que sacan impacientemente el equipaje de mano del avión. Este verano nos vamos de viaje y ya les he dicho a mis amigos que me niego a que vayamos en avión a ningún lugar.

Nacho

Para mí, la mejor forma de viajar es en tren. No puedes ir en uno de esos viajes programados porque no te relajas al estar siempre preocupado de un horario y las rutas. A mí, lo que de verdad me gusta es coger mi mochila y lanzarme a la aventura con un mapa en la mano. Intento evitar los lugares turísticos y trato de ir con tiempo suficiente, de manera que si me apetece quedarme más tiempo en un sitio pueda hacerlo. Llevo bastante tiempo [10] recorriendo diferentes lugares, y considero que es importante que tenga la flexibilidad de hacer las caminatas que quiera y cuando quiera.

4 Amplíe su vocabulario

Clasifique las palabras que aparecen en azul en las lecturas anteriores según sean sustantivos, adjetivos, verbos o expresiones relacionadas con viajar.

5 El presente del indicativo

Conteste estas preguntas o haga las siguientes actividades relacionadas con las lecturas de la Actividad 3.

1. ¿Cuándo se usa el presente del indicativo en español?
2. Busque dos usos diferentes del presente del indicativo en los comentarios del foro.
3. ¿Cómo se traduce *llevo* en este contexto?
4. Haga una lista de cinco verbos que aparecen en los foros y cuya forma en la primera persona del singular es irregular. Escriba el infinitivo del verbo y la primera persona singular.
5. Haga una lista de siete verbos que recuerde que sean irregulares en más de una persona. No es necesario que aparezcan en el texto.
6. Haga una lista de cuatro verbos de cambio vocálico en el presente que se usan en los foros. Escriba el infinitivo e indique el cambio vocálico. Aparte de estos verbos, ¿cuáles son los otros cambios vocálicos que siguen los verbos? Dé varios ejemplos de otros verbos.
7. Haga una lista de al menos un verbo compuesto de cada uno de los siguientes: *hacer, tener, poner, traer* y *venir*. Por ejemplo: *hacer, rehacer*.
8. El verbo *escoger* tiene un cambio ortográfico en la primera persona singular del presente. ¿Cuál es el cambio y por qué se hace? Muestre los cambios que sufren los verbos con la terminación en *-uir, -gir, -guir* y *-cir/-cer*, dando un ejemplo de cada caso.
9. Conjugue *actuar* y *enviar*. ¿Dónde se coloca el acento? Escriba otros verbos que sigan la regla.

6 "Tapitas" gramaticales

Conteste estas preguntas basadas en las lecturas de la Actividad 3.

1. ¿Qué significa *lo que* en inglés? Explique la diferencia entre *lo que* y *el que*.
2. ¿Qué significa *impacientemente* en inglés? ¿Qué otros ejemplos hay de adverbios en las lecturas? Escriba una lista de otros cinco adverbios que conozca.
3. ¿Cómo traduciría *al estar* en la segunda lectura? ¿Hay otro significado de *al* más el infinitivo? ¿Cuál es?
4. Diga de qué tiempo verbal se trata *tenga* en la expresión *es importante que tenga* y por qué se usa en esta situación.
5. Diga de qué tiempo verbal se trata *quiera* en la expresión *cuando quiera* y por qué se usa en esta situación.

7 ¿Qué opina?

Reaccione a lo que cada persona ha escrito en el foro y comparta su opinión con un/a compañero/a. Incluya palabras de las lecturas que aparecen en azul.

8 Un viaje 

Lea con atención el siguiente artículo, prestando atención a las palabras en azul y rojo, ya que se le harán preguntas sobre ellas. Después, resuma lo que leyó en una frase.

De viaje en moto

Era todavía de noche cuando mi hermano y yo nos marchamos de casa. Dejamos atrás a nuestros padres con una sonrisa forzada, diciéndonos adiós con la mano por un buen rato. Nunca les gustaron las despedidas. Alejandro y yo teníamos el mismo dolor en el estómago, una mezcla de nuestras emociones en aquel momento. Por fin habíamos logrado hacer el viaje con el que siempre habíamos soñado. Íbamos a recorrer Sudamérica en la vieja moto de nuestro abuelo. El viento nos golpeaba la cara, y apenas oíamos lo que el otro decía. Aun así manteníamos largas y apasionadas conversaciones. La niebla de la mañana apenas nos dejaba ver la carretera, lo que hacía todo mucho más interesante, más desafiante. Fue el comienzo de una gran aventura, nuestra gran aventura que nos cambiaría la vida. Un viaje lleno de retos, sorpresas, percances y descubrimientos. En cada cuesta rezábamos en silencio para que la pobre moto pudiera continuar su camino. Ahí estaba, todo un mundo a nuestro alcance.

9 Amplíe su vocabulario

Mire las palabras de la primera columna, que aparecen en la lectura anterior, y busque su definición en la segunda columna.

1. despedida	a. atravesar un lugar o un espacio
2. lograr	b. momento en el que se dice adiós a una persona
3. recorrer	c. incidente, contratiempo, algo que no está previsto
4. apenas	d. conjunto de nubes que no permite ver con claridad
5. niebla	e. conseguir algo con esfuerzo
6. desafiante	f. algo que está cerca, que puedes conseguir
7. reto	g. casi no
8. percance	h. objetivo, meta
9. estar a tu alcance	i. que requiere estímulo y esfuerzo para ser logrado

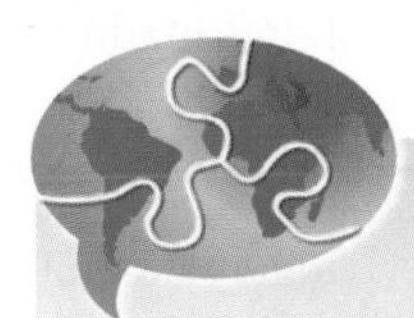

Compare

¿Cuál es el transporte más usado para viajar por las personas que viven en donde Ud. vive?

10 El tiempo

Con un/a compañero/a haga una lista de las palabras o expresiones que conozcan relacionadas con el tiempo atmosférico. Piensen en otras palabras o expresiones relacionadas que les gustaría saber y búsquenlas en el diccionario.

11 El imperfecto del indicativo

Conteste estas preguntas relacionadas con el artículo "De viaje en moto".

1. Haga una lista de todos los verbos en pretérito, y al menos cinco en imperfecto, que aparecen en el texto.
2. Conjugue tres verbos de diferentes terminaciones en imperfecto. Diga cuáles son los verbos irregulares en este tiempo y conjúguelos. ¿Dónde se coloca el acento?
3. Explique el uso del imperfecto del indicativo.

12 "Tapitas" gramaticales

Conteste estas preguntas basadas en "De viaje en moto".

1. ¿Por qué decimos *aquel momento* y no *aquello*?
2. ¿Por qué dice el autor *gran aventura* y *vieja moto*? ¿Por qué cree Ud. que pone el adjetivo delante del sustantivo? ¿Es posible decir *grande aventura*? ¿Por qué?
3. ¿Qué tiempo verbal es *habíamos soñado*? ¿Es simple o compuesto? ¿Cómo se expresarían el presente perfecto y futuro perfecto del indicativo y el presente perfecto del subjuntivo?
4. ¿Qué tiempo verbal sigue a la expresión *para que*? Escriba la misma oración en presente.

13 Escriba

Conteste este correo electrónico de un amigo.

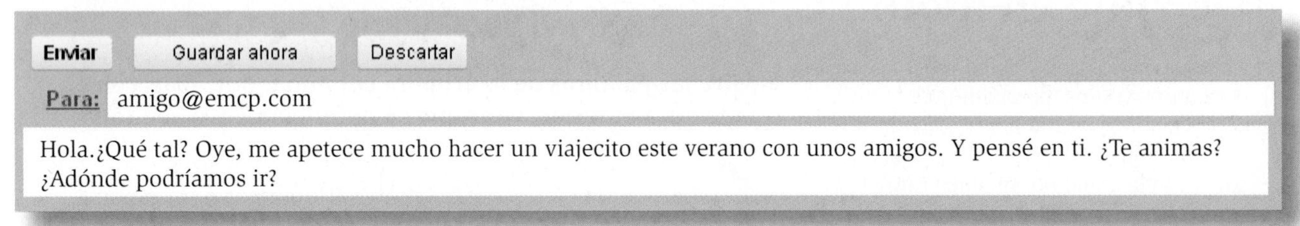

Enviar
Guardar ahora
Descartar
Para: amigo@emcp.com
Hola.¿Qué tal? Oye, me apetece mucho hacer un viajecito este verano con unos amigos. Y pensé en ti. ¿Te animas? ¿Adónde podríamos ir?

- Sugiera un recorrido para ir juntos/as.
- Hable de las ventajas o desventajas de este medio de transporte.
- Hable de los retos del viaje.

14 ¿Pretérito o imperfecto?

Échele una ojeada al texto que sigue, prestando atención a las palabras en azul y rojo, ya que se le harán preguntas sobre ellas. Luego lea el texto y complételo con el pretérito o el imperfecto del verbo en paréntesis según el contexto. En los casos de *ser / estar*, primero elija el verbo apropiado y después conjúguelo.

No creo que quiera ser más aventurero después de mi experiencia en mi último viaje. __1.__ (*Ser / Estar*) un desastre. En cuanto __2.__ (*llegar*) a la aduana, __3.__ (*acercarse*) un policía y __4.__ (*deshacer*) todo mi equipaje. Después de un par de horas por fin me __5.__ (*dejar*) ir. Más tarde un extrañísimo taxista me __6.__ (*dejar*) abandonado en una calle que __7.__ (*ser / estar*) bastante oscura, y en un lugar muy solitario. Apenas __8.__ (*haber*) gente por allí. En [5] cuanto __9.__ (*alejarse*) me di cuenta de que se había llevado mi cartera en su taxi sin querer, así que me puse a caminar. A este punto __10.__ (*ser / estar*) completamente mojado por la lluvia y hambriento, y he de reconocer que __11.__ (*tener*) hasta un poco de miedo. __12.__ (*Ser / Estar*) muy débil y no __13.__ (*tener*) fuerzas ni para hacer una llamada a mis padres para pedirles ayuda. __14.__ (*Ser / Estar*) agotado física y moralmente y me __15.__ (*doler*) los huesos. [10] Ese __16.__ (*ser / estar*) sólo el comienzo de un agotador viaje. Yo __17.__ (*querer*) aventura..., bien, ¡pues la __18.__ (*tener*)!

15 Amplíe su vocabulario

Ponga la palabra en el espacio adecuado. Haga los cambios convenientes.

acercarse agotador alejarse cartera débil deshacer equipaje
mojado oscuro solitario

1. Iba a ir con amigos pero al final decidí hacer mi viaje en ___.
2. Llegué, ___ mi maleta y salí a dar un paseo por la ciudad.
3. ¡No me lo podía creer! Cuando llegué a Málaga me dijeron que había perdido mi ___.
4. No salimos por la noche porque las calles estaban muy ___.
5. Cuando llegamos al primer pueblo yo ___ a un anciano a pedirle direcciones.
6. En cuanto vimos que el lugar no era seguro todos ___ de allí.
7. Gracias a Dios llevaba dinero en mi ___.
8. Después de la lluvia los chicos estaban muy ___.
9. El viaje fue largo y ___ pero lo haría otra vez.
10. Al no comer mucho, después de la caminata estaba un poco ___.

16 El pretérito y el imperfecto 

Conteste estas preguntas relacionadas con el texto de la Actividad 14.

1. ¿Qué verbos aparecen en pretérito? ¿Y en imperfecto?
2. ¿Cuándo se usa el pretérito, y cuándo el imperfecto? Incluya ejemplos.
3. ¿Cuál es la diferencia entre estas oraciones?

Conocimos a un vagabundo.	Conocíamos a un vagabundo.
Ángela no quiso salir.	Ángela no quería salir.
José Manuel tuvo unas ideas estupendas.	José Manuel tenía unas ideas estupendas.
El carro costó una millonada.	El carro costaba una millonada.

¿Puede pensar en algún otro ejemplo similar? ¿Cuál?

17 "Tapitas" gramaticales 

Conteste estas preguntas basadas en el texto de la Actividad 14.

1. ¿Cuál es la diferencia entre *solo* y *sólo*?
2. Hable sobre el género y número de la palabra *policía*.
3. ¿Qué hacemos cuando tenemos dos adverbios seguidos en una oración?

Cita

He descubierto que no hay forma más segura de saber si amas u odias a alguien que hacer un viaje con él.
—Mark Twain (1835–1910), escritor y periodista estadounidense

¿Está Ud. de acuerdo con lo que dice? ¿Por qué? Hable con un/a compañero/a sobre esto. Compartan sus experiencias.

¡Dato curioso!

¿Sabía que México significa "en el ombligo de la luna"? La palabra viene del idioma náhuatl *Metztli* (luna) y *xictli* (ombligo). Los aztecas lo pronunciaban *Meshico*. Los españoles lo escribían *México* ya que no existía la pronunciación de la *j*. Cuando cambió la grafía de la *x* a la *j* se le empezó a llamar *Méjico* pero se siguió escribiendo *México*.

Idioma

18 Familia de palabras

Complete la tabla con el verbo, sustantivo o adjetivo apropiado, y la traducción correspondiente.

Verbos		Sustantivos		Adjetivos	
acercarse (a)	________	la cercanía	*closeness, proximity*	________	*close*
________	*to adapt oneself (to)*	la adaptación	________	adaptable	*adaptable, versatile*
alejarse (de)	________	la lejanía	________	lejano	________
________	*to rent*	________	*rent*	________	*rented*
arriesgarse (a)	*to risk*	________	*risk*	arriesgado	*risky*
asustarse (de)	________	el susto	________	________	*easily frightened*
________	*to land*	el aterrizaje	________	X	
atreverse (a)	________	el atrevimiento	*daring*	________	*brave, daring*
comenzar (a)	________	________	*beginning*	X	
divertirse	________	________	*fun*	divertido	________
emocionarse	*to be moved, excited*	________	*excitement*	emocionado	*moved, excited*
llover	________	________	________	________	*rainy*
________	*to obtain, achieve*	el logro	*achievement*	X	
________	*to sit down*	________	*seat*	(estar) sentado	________
sorprenderse (de)	*to be surprised (by)*	la sorpresa	*surprise*	________	*surprising*

19 ¿Verbo, sustantivo o adjetivo?

Complete las oraciones usando la forma correcta de las palabras que aparecen en la tabla, ya sea verbo, sustantivo o adjetivo. En el caso del sustantivo puede que necesite artículo. Siga el modelo.

MODELO Carmen siempre nos cuenta historias muy ___ (*divertirse*).
divertidas

1. Cuando ___ (*acercarse*) las vacaciones de verano algunas mujeres buscan la fórmula mágica para obtener una nueva figura.
2. Según las autoridades, durante esta semana, si viaja por carretera existirá siempre ___ (*arriesgarse*) de encontrar un atasco.
3. Desde ___ (*comenzar*) acordaron separarse si alguno de los dos deseaba cambiar de ruta.
4. Los turistas por lo general están ___ (*sorprenderse*) por la cordialidad y hospitalidad de la gente de la isla.
5. Si la nueva programación infantil del hotel no resultara ___ (*divertirse*), podrían producirse bajas de hasta un 30 por ciento.
6. Lo importante es ser ___ (*atreverse*). Con miedo jamás descubrirás nuevas experiencias.
7. Se paralizarán las reformas del aeropuerto por encontrarse muy ___ (*acercarse*) a un complejo turístico.
8. Cuando perdimos el equipaje el miércoles pasado, nos llevamos un buen ___ (*asustarse*).
9. ¡Reserve hoy su ___ (*sentarse*) en la guagua para visitar la zona histórica de Santo Domingo!
10. Aviso: En caso de que hoy ___ (*llover*), quedarán suspendidas las actividades al aire libre.

Cita

Cuando se viaja en avión solamente existen dos clases de emociones: el aburrimiento y el terror.

—Orson Welles (1915–1985), actor y director de cine estadounidense

¿Está de acuerdo con lo que dice? ¿Por qué? Hable sobre sus experiencias o las de alguien conocido.

¡Dato curioso!

El origen de las banderas de los países fue militar. Según cuentan, se empezaron a usar para no confundirse y no atacar al ejército equivocado. La bandera de Bolivia tiene tres rayas. La roja representa la lucha popular, la amarilla la riqueza del suelo y la verde la agricultura.

20 Panamá

Échele una ojeada al artículo que sigue para ver de qué se trata, prestando atención a las palabras en azul, ya que se le harán preguntas sobre su significado después. Luego lea el artículo y decida cuál de las dos palabras entre paréntesis es la correcta para completar cada oración y escríbala. Después, resuma lo que leyó en una frase.

Un destino para los Robinson del siglo XXI

FRANCISCO LÓPEZ-SEIVANE

El archipiélago de San Blas lo componen una ringlera de islitas que __1.__ (*se ubicaron / se ubican*) a lo largo de la costa caribeña de Panamá. Los indios kuna, dueños y señores de __2.__ (*los / las*) islas y de la larga franja de tierra firme que __3.__ (*se extiende / se extienda*) frente a ellas a lo largo de 226 kilómetros, sólo __4.__ (*ocupa / ocupan*) unas pocas y no permiten que nadie __5.__ (*construye / construya*) hoteles en sus paraísos. Prefieren que los visitantes __6.__ (*llegan / lleguen*) con cuentagotas, dispuestos a __7.__ (*alojan / alojarse*) en los precarios chamizos de que disponen. La fórmula funciona para __8.__ (*aquel / aquellos*) viajeros que, huyendo de las playas masificadas, buscan refugio en lugares auténticos, donde la falta de comodidades se ve ventajosamente compensada por el sosiego, __9.__ (*el / la*) belleza incontaminada, el contacto directo con __10.__ (*un / una*) naturaleza de tarjeta postal y el atractivo de __11.__ (*descubren / descubrir*) la cultura indígena.

Lo primero que se __12.__ (*percibe / perciben*) nada más descender de la pequeña avioneta que nos __13.__ (*trae / traer*) dando saltos desde Panamá es que el tiempo discurre con gran parsimonia y la gente __14.__ (*se mueve / se mueven*) con extraña lentitud, como si __15.__ (*el / la*) realidad formara parte de una película a cámara lenta. __16.__ (*Los / Las*) sonrisas duran una eternidad en los rostros y nadie parece tener prisa en dar __17.__ (*el / la*) siguiente paso. Sobre el barrizal de la selva, alguien ha __18.__ (*haga / hecho*) un camino de sacos de arena que __19.__ (*hay / haya*) que transitar hasta la playa. Me acompaña en silencio __20.__ (*un / una*) muchedumbre colorida y curiosa de indios kuna que __21.__ (*ha / han*) acudido a recibir el avión de la mañana. Soy el único pasajero, así que me acomodo a mis anchas en el pequeño cayuco a motor que __22.__ (*espera / espere*) en la orilla y __23.__ (*un / unos*) minutos más tarde desembarcamos en Uaguitupu ("la casa del delfín"), __24.__ (*una / unas*) de las 400 islas del archipiélago.

www.elmundo.es

21 ¿Qué significa?

Mire las palabras de la primera columna, que aparecen en la lectura anterior, y busque su traducción en la segunda columna.

1. a lo largo de	a. elevarse del piso/suelo con un impulso y volver a caer
2. dueño	b. cara
3. permitir	c. multitud, gran cantidad de personas
4. paraíso	d. es parecido a la tierra y la encuentras en las orillas de ríos, mares au océanos
5. dispuesto	e. salir de un barco, avión o tren
6. masificado	f. la extensión de tierra más cercana al mar, río o lago
7. falta de	g. propietario
8. sosiego	h. hermosura, armonía, encanto
9. belleza	i. sentirse a gusto
10. lo primero que	j. pasar
11. dar saltos	k. a través de
12. discurrir	l. con demasiadas personas
13. lentitud	m. jungla
14. rostro	n. calma, estado de paz, armonía
15. siguiente paso	o. preparado a, decidido para hacer algo
16. selva	p. lo contrario de rapidez
17. arena	q. ausencia de, escasez de
18. muchedumbre	r. lugar idílico, muy agradable
19. a mis anchas	s. dejar, consentir; lo contrario de prohibir
20. orilla	t. lo contrario de "lo último que"
21. desembarcar	u. lo próximo

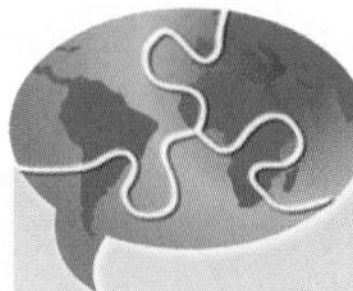

Compare

¿Hay alguna zona protegida cerca de donde vive? ¿Cómo cree que el turismo ha cambiado para bien o para mal en lugares emblemáticos de su país?

22 Una invitación misteriosa 

Échele una ojeada al artículo que sigue para ver de qué se trata, prestando atención a las palabras en azul, ya que se le harán preguntas sobre ellas. Luego lea el artículo y decida qué forma de las palabras entre paréntesis es la correcta y escríbala. Después conteste la siguiente pregunta: ¿Qué pregunta sería apropiada para hacerle al director del hotel?

Para los amantes del misterio, del miedo y del suspense

Ocio, diversión y mucha imaginación

Una alternativa especial para un fin de semana diferente

Patricia Iglesias/Redacción digital

Se trata de __1.__ (*un*) fin de semana en una casa rural a las afueras de San Martín de Montalbán (Toledo), conocida como *La Quinta de la Casa de Melque*. Esta casa rural, con capacidad para veinticinco personas, __2.__ (*servir*) de telón de fondo para __3.__ (*un*) noche muy especial. Los visitantes o viajeros —junto a un grupo de actores— serán los protagonistas de una misteriosa historia llena de miedo y suspense que se __4.__ (*desarrollar*) en el interior de la casa rural de la Quinta de Melque y en sus recintos exteriores, como el Cementerio de la familia Montalbán, la Noria, el Pozo...

Un viaje alternativo para __5.__ (*el*) amantes de los viajes curiosos y originales y para los que sencillamente __6.__ (*buscar*) pasar un fin de semana inolvidable y __7.__ (*lleno*) de emociones.

__8.__ (*El*) guión se nutre de __9.__ (*aquel*) leyendas urbanas que todos hemos __10.__ (*escuchar*) alguna vez y cuenta, además, con referencias cinéfilas a clásicos del género como __11.__ (*El*) *otros* o *La residencia*.

Antes de __12.__ (*el*) llegada a __13.__ (*el*) mansión —previa reserva de plaza— el visitante recibe por correo, email o fax una carta de Doña Julia Almazán, viuda de Sotogrande, __14.__ le (*invitar*) a su casa tras un largo retiro de la vida pública. La misiva también __15.__ (*hacer*) algunas recomendaciones para asistir a su casa: "incluir en __16.__ (*el*) equipaje indumentaria apropiada para el banquete y una prenda de abrigo por si __17.__ (*hacer*) frío en las inmediaciones de la casa. Por razones personales, __18.__ (*el*) anfitriona no permitirá el uso de teléfonos móviles, entre otras cuestiones".

Al __19.__ (*caer*) el sol, el séquito de sirvientes de la Sra. Almazán recibe a los invitados y los conduce a __20.__ (*el*) habitaciones, último refugio de luz en una casa condenada a la penumbra por la __21.__ (*extraño*) enfermedad que __22.__ (*padecer*) su dueña...

Gracias a sus actores, guionistas y especialistas es posible __23.__ (*remontarse*) a otra época formando parte de aventuras en las que se puede __24.__ (*ser*) ayudado por un mago, aconsejado por un anciano arqueólogo, __25.__ (*perseguir*) por ladrones del desierto, cautivado por una bailarina del vientre, aventuras con __26.__ (*el*) piratas...

www.lavozdegalicia.com

23 ¿Qué palabra es?

Mire las palabras de la primera columna, que aparecen en la lectura anterior, y busque su sinónimo, antónimo o definición en la segunda columna.

1. a las afueras de	a. ropa
2. telón	b. salida
3. protagonista	c. lo que se recuerda
4. desarrollar	d. casada
5. amante	e. invitada
6. inolvidable	f. cortina
7. guión	g. primero
8. llegada	h. sufrir
9. reserva de plaza	i. enemigo
10. viuda	j. en el centro
11. indumentaria	k. personaje principal
12. anfitriona	l. progresar
13. último	m. pedir una habitación
14. penumbra	n. andar tras de
15. padecer	o. sol
16. perseguir	p. lo que leen los actores

24 Lea, escuche y escriba/presente

Vuelva a leer los textos completos de las Actividades 20 y 22. Luego escuche la grabación "Al encuentro de la aventura" y tome las notas necesarias. Escriba un ensayo o haga una presentación en clase contestando esta pregunta: "¿Qué hace que las personas sientan la necesidad de irse de aventura?" No se olvide de citar las fuentes debidamente.

Cita

Viajar es una buena forma de aprender y de superar miedos.
—Luis Rojas Marcos (1943–), psiquiatra español

¿Está de acuerdo con lo que dice? ¿Por qué? Dé ejemplos que ilustren esta cita y compártalos con un/a compañero/a.

¡Dato curioso!

Los indios mazatecas en México viven en el estado de Oaxaca. En su idioma se llaman *ha shuta enima*, que quiere decir "los que trabajamos el monte, humildes, gente de costumbre". Su idioma es tonal, y por eso a los que no son de la región les parece una lengua silbada o cantada.

Compare

¿Qué actividades o viajes originales se pueden hacer en los EE.UU? Hable sobre tres de ellos.

25 Machu Picchu 

Lea el artículo y decida cuál de las palabras entre paréntesis es la correcta para completar cada oración. Después conteste las siguientes preguntas:

- ¿Cuál es el propósito del artículo?
- ¿Cómo resumiría el artículo en una frase?
- Si quisiera consultar otra fuente, ¿podría pensar en un posible título de una publicación?
- ¿Qué pregunta sería apropiada para hacerle al autor después de leer el artículo?

Machu Picchu

Viaje y turismo

Machu Picchu, desde __1.__ (*a / que*) fuera descubierta __2.__ (*el / en*) 24 de julio de 1911 __3.__ (*por / con*) el norteamericano Hiram Bingham, ha sido considerada, por su asombrosa magnificencia 5 y armoniosa construcción, __4.__ (*como / es*) uno de los monumentos arquitectónicos y arqueológicos más importantes __5.__ (*en el / del*) planeta.

Localizada a 2,400 m.s.n.m.*, en la provincia __6.__ (*de / en*) Urubamba, departamento del Cusco, 10 Machu Picchu (*Cumbre Mayor, en castellano*) sorprende por la forma __7.__ (*como / en*) que las construcciones __8.__ (*en / de*) piedra se despliegan sobre una loma estrecha y desnivelada, __9.__ (*cuyos / cuales*) bordes —un farallón de 400 metros 15 de profundidad— forman el cañón por el que se llega __10.__ (*hacia / al*) río Urubamba.

Machu Picchu es una ciudadela rodeada de misterio porque __11.__ (*hasta / para*) ahora los arqueólogos __12.__ (*sí / no*) han podido descifrar 20 la historia y __13.__ (*el / la*) función de esta pétrea ciudad de __14.__ (*más / casi*) un kilómetro de extensión, erigida __15.__ (*por / para*) los incas en una mágica zona geográfica, __16.__ (*donde / dónde*) confluyen lo andino y lo amazónico.

25 Quizás el misterio de Machu Picchu nunca __17.__ (*es / sea*) descifrado del todo; hasta ahora, __18.__ (*solo / sólo*) existen hipótesis y conjeturas. __19.__ (*Por / Para*) algunos, fue un puesto de avanzada de las proyecciones expansionistas incaicas; 30 otros creen que fue un monasterio, __20.__ (*donde / dónde*) se formaban las niñas (*acllas*) que servirían __21.__ (*a / al*) Inca y al Willac Uno (*Sumo sacerdote*). Se presume porque de los 135 cuerpos encontrados __22.__ (*por / en*) las investigaciones, 35 109 fueron de mujeres.

__23.__ (*El / La*) sorprendente perfección y belleza de los muros de Machu Picchu —construidos __24.__ (*unidos / uniendo*) piedra sobre piedra,

__25.__ (*o / sin*) cemento ni pegamento— han hecho 40 surgir mitos sobre su edificación.

Cuentan __26.__ (*de / que*) un ave llamada Kak`aqllu, conocía la fórmula __27.__ (*por / para*) ablandar las piedras, pero que por un mandato, quizás de los antiguos dioses incaicos, se __28.__ (*la / le*) arrancó 45 la lengua. También __29.__ (*se / él*) dice que existía una planta mágica que disolvía la roca y podía compactar __30.__ (*le / la*).

Pero más allá __31.__ (*en / de*) los mitos, el verdadero encanto de Machu Picchu, declarado Patrimonio 50 Cultural de la Humanidad, __32.__ (*es / está*) en sus plazuelas, en sus acueductos y torreones de vigilancia, __33.__ (*en / por*) sus observatorios y en __34.__ (*su / sus*) Reloj Solar, evidencias __35.__ (*de / por*) la sabiduría y la técnica 55 de los constructores andinos.

*m.s.n.m.= metros sobre el nivel del mar

www.enjoyperu.com

26 ¿Qué significa?

Mire las palabras de la primera columna, que son de la lectura anterior, y busque su traducción en la segunda columna.

1. asombroso	a. to soften
2. localizada	b. depth
3. loma	c. to emerge
4. estrecho	d. uneven
5. desnivelado	e. speculation
6. profundidad	f. revealed
7. rodeado	g. small square
8. pétreo	h. astonishing
9. descifrado	i. glue
10. conjetura	j. narrow
11. muro	k. surrounded
12. pegamento	l. of stone
13. surgir	m. wall
14. edificación	n. to pull out
15. ablandar	o. located
16. arrancar	p. hill
17. plazuela	q. building
18. sabiduría	r. wisdom

27 Lea, escuche y escriba/presente

Vuelva a leer el texto completo sobre Machu Picchu, y luego escuche la grabación "Recorriendo el Camino Inca". Tome notas de las dos fuentes y escriba un ensayo o haga una presentación en clase sobre "Razones por las que se aconseja hacer un viaje cultural". No se olvide de citar las fuentes debidamente.

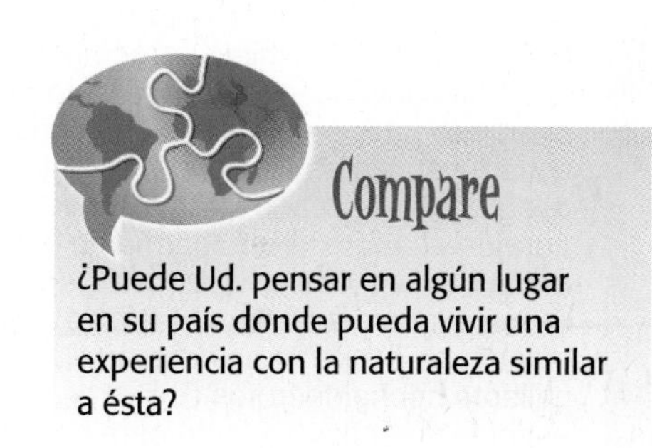

Compare

¿Puede Ud. pensar en algún lugar en su país donde pueda vivir una experiencia con la naturaleza similar a ésta?

28 Hoteles originales 

Échele una ojeada al artículo que sigue para ver de qué se trata, prestando atención a las palabras en azul, ya que se le harán preguntas sobre ellas. Luego lea el artículo y decida cuáles son las palabras que mejor completan las oraciones y escríbalas. No se olvide de escribir y acentuar las palabras correctamente.

Especial: Hoteles

Dulces (y originales) sueños

Entrar __1.__ (*en / x*) prisión, dormir bajo __2.__ (*el / a*) agua, refugiarse en un faro o alojarse en un iglú __3.__ (*son / están*) algunas de las originales alternativas para pasar __4.__ (*el / la*) noche frente __5.__ (*a / x*) los tradicionales hoteles de las grandes urbes. De Europa a Oceanía, damos __6.__ (*el / la*) vuelta al mundo y rescatamos los alojamientos __7.__ (*tan / más*) innovadores, divertidos y originales del atlas. Desde __8.__ (*un / una*) cárcel en Australia hasta un submarino en Florida, sin olvidar un palacio __9.__ (*en / de*) sal en Bolivia, el hotel sólo para niños de Londres, una fábrica de té en Sri Lanka o __10.__ (*un / una*) antigua estación de tren de Cádiz.

Un clásico del hielo

La vida se puede ver de muchos colores y en Jukkasjarvi predomina __11.__ (*el / x*) blanco. En la Escandinavia profunda de hielos y nieves perpetuas, hay __12.__ (*que / x*) ser un poco esquimal para sobrevivir. En este entorno, __13.__ (*una / la*) idea de un hotel de hielo parece hasta lógica, pero si además convencen __14.__ (*para / a*) artistas de todo el mundo __15.__ (*por / para*) que cada temporada construyan las habitaciones, la rentabilidad está asegurada. Así, cada iglú __16.__ (*es / está*) distinto, aunque en todos el equipamiento es básico: una cama de hielo cubierta de pieles de reno y sacos de dormir contra la hipotermia. __17.__ (*por / para*) la mañana el cliente se despierta con una bebida caliente hecha de frutos silvestres, __18.__ (*un / una*) especie de anticongelante para poder desayunar a continuación. __19.__ (*Unas / Las*) actividades son incontables, desde pesca en hielo __20.__ (*por / hasta*) baño nocturno en un jacuzzi.

Suecia. Jukkasjarvi. Tel: 00 46 980 66 800 Internet: www.icehotel.com Habitaciones: 30 / Precio: 1.900 coronas

The Tea Factory

"Reciclaje" industrial

Estamos en la antigua Ceilán, ante __21.__ (*de / un*) paisaje increíble __22.__ (*donde / dónde*) la niebla roza __23.__ (*en / las*) montañas de Nuwara Eliya. Entre __24.__ (*el / la*) densidad de los arbustos del té, un edificio blanco se perfila en el horizonte — The Tea Factory, una antigua procesadora de té convertida __25.__ (*para / en*) hotel. La plantación __26.__ (*estuvo / fue*) el sueño del señor Flowerdew, un inglés victoriano __27.__ (*cual / que*) eligió Ceilán como hogar. __28.__ (*Por / Después*) de muchos años y diferentes dueños, la fábrica se cerró en 1973. Veinte años __29.__ (*en / más*) tarde y después de un gran trabajo de rehabilitación, pasó a __30.__ (*estar / ser*) un hotel. Las vistas __31.__ (*son / están*) espectaculares y las actividades dentro y __32.__ (*en / fuera*) del hotel incontables. Como toque sentimental, el edificio __33.__ (*hay / tiene*) una pequeña fábrica __34.__ (*para / donde*) los clientes, tras recolectar las hojas de té, asisten __35.__ (*al / por*) proceso de secado y empaquetado.

Sri Lanka. Kandapola, Nuwara Eliya. Reservas en Aitken Spence Hotels (315 Vauxhall St. Colombo, 2.Tel: 0094 11 230 84 08. Internet: www.aitkenspence-hotels.com/teafactory). Habitaciones: 57 / Precio: 115 dólares.

Cuevas Pedro Antonio de Alarcón

Tiempo de bandoleros

Así de primeras, lo de las cuevas suena __36.__ (*a / en*) troglodita o a bandolero, pero __37.__ (*un / una*) vez que se visitan __38.__ (*el / la*) realidad es bien distinta. Las cuevas son las originales, y datan __39.__ (*de / por*) la época en que los moros __40.__ (*estuvieron / fueron*) expulsados de Granada; aquéllos __41.__ (*que / cuales*) se resistían a abandonar el aire andaluz construyeron unas cuevas como refugio. __42.__ (*Cada / X*) cueva es un pequeño apartamento con cocina, salón, dormitorio y cuarto __43.__ (*de / x*) baño. En algunas __44.__ (*hay / están*) chimenea y en todas, calefacción. En verano no __45.__ (*hay / hace*) falta aire acondicionado ya __46.__ (*que / x*) la propia construcción mantiene __47.__ (*el / la*) temperatura constante __48.__ (*de / para*) 19 grados. Además hay cuevas para todos __49.__ (*el / los*) gustos, con jacuzzi __50.__ (*por / para*) parejas románticas, con dos habitaciones para los __51.__ (*que / quienes*) viajan con niños... El edificio central alberga un restaurante y una sala de conferencias. __52.__ (*También / Tampoco*) tiene piscina.

Granada. Barriada San Torcuato. Guadix. Tel: 958 664 986. Internet: www.andalucia.com/cavehotel/cuevas.htm.

www.elmundo.es

29 ¿Qué significa?

Mire las palabras de la primera columna, que aparecen en la lectura anterior, y busque su traducción en la segunda columna.

1. faro
2. alojamiento
3. fábrica
4. predominar
5. profundo
6. temporada
7. asegurado
8. reno
9. saco de dormir
10. silvestre
11. nocturno
12. paisaje
13. rozar
14. convertido
15. hogar
16. vista
17. toque
18. bandolero
19. de primeras
20. datar
21. salón
22. chimenea
23. calefacción
24. para todos los gustos
25. albergar

a. porción de terreno que se ve desde un sitio
b. lo que usas para dormir en una tienda de campaña
c. apenas tocar
d. antiguo ladrón de caminos
e. casa
f. el paisaje que ves
g. transformado
h. lugar temporal donde te quedas a dormir
i. lugar industrial donde se producen objetos
j. que está distante, interna, muy dentro
k. poner la fecha a cuando algo fue construido o hecho
l. animal con cuernos que vive en las zonas frías, apreciado por cazadores
m. torre alta en la costa que avisa a los que navegan
n. para todas las formas de apreciar las cosas, todas las preferencias
o. nota, característica
p. lugar con fuego que usas en casa para calentarte
q. ser numeroso, abundante
r. (que hace cosas) por la noche
s. aparato eléctrico que calienta la casa
t. en principio
u. segura
v. admitir en tu casa o lugar al que perteneces
w. espacio de tiempo
x. que crece solo, de forma natural en el campo
y. habitación en la casa donde te reúnes o recibes visitas

30 Su hotel 

Ud. es una persona muy creativa y aventurera y acaba de abrir un hotel muy original. Haga una descripción del hotel similar a las que aparecen en la lectura anterior. Se la va a mandar a la sección de anuncios de un periódico, para así captar a posibles clientes. Escriba el artículo usando el tiempo presente e intente usar algunas de las "tapitas" gramaticales y el vocabulario que ha repasado en esta lección.

Cita

Si quieres viajar hacia las estrellas, no busques compañía.

—Heinrich Heine (1797–1856), escritor alemán

¿Está de acuerdo con este comentario? ¿Por qué cree que hay gente que prefiere viajar sola?

¡Dato curioso!

¿Dónde está la Península "No entiendo"? La península de Yucatán (México) tiene ese curioso nombre. Se cuenta que al llegar los conquistadores españoles a ese lugar, preguntaron cómo se llamaba. Los indígenas les contestaron: "Yucatán, Yucatán". Y así se le llamó Yucatán a la península. *Yucatán* en el idioma indígena significaba "No entiendo".

¡A leer!

31 Antes de leer

¿Ha viajado Ud. —o le gustaría viajar— a muchos sitios? ¿Por qué? ¿Le gustan los viajes en los que ve muchas cosas en poco tiempo? ¿Por qué? ¿Sabe quién era Julio Verne?

32 Un viaje 

Lea con atención el siguiente artículo. Después conteste las siguientes preguntas:

- ¿Cuál es el propósito del artículo?
- ¿Cómo resumiría el artículo en una frase?
- Si quisiera consultar otra fuente, ¿podría pensar en un posible título de una publicación?
- ¿Qué pregunta sería apropiada para hacerle al autor después de leer el artículo?

El viaje

Un pulso a Julio Verne

JAVIER PÉRES DE ALBÉNIZ

Cuando recojo la maleta en el aeropuerto de Barajas mis articulaciones chirrían como goznes oxidados. Tengo en los riñones el recuerdo de 30 despegues y aterrizajes, y en los músculos el castigo de 75 horas de vuelo. No lo veo, ni lo siento, pero sé que mi trasero tiene la forma del asiento de un Boeing 767 de Lan Chile. Once nuevos sellos de otros tantos países ilustran mi pasaporte, y en la cabeza me bulle un torbellino de sensaciones. Acabo de dar la vuelta al mundo y ¡me río de los que sienten el jet lag! Cuando das la vuelta al mundo en 15 días ni te paras a pensar en estos pequeños inconvenientes: comes, duermes y vives sumergido en ese jet lag, una sensación algodonosa que te mantiene las 24 horas del día en una nube. Cuando das la vuelta al mundo en 15 días viajas contra el tiempo, desprecias la lógica, desafías la razón y pones tu cuerpo contra las cuerdas. Tus experiencias anteriores no sirven de nada: dar la vuelta al mundo es comenzar a viajar. Es iniciar una nueva forma de vida. Julio Verne imaginó una vuelta al mundo en un tiempo récord: 40 días. Phileas Fogg era un tipo adinerado y flemático, pero muy lento. Cien años después de la muerte del escritor francés hemos rebajado esa cifra soñada hasta dejarla en 15 días. Quince días, once países de los cinco continentes, 75 horas de vuelo, 50.598 kilómetros... ¿Se puede disfrutar de un viaje realizado a esta velocidad?

¿Es posible ver o aprender algo, desplazándose a este frenético ritmo? La respuesta es sí. Sí, siempre que los vuelos se coordinen con precisión milimétrica, que estén muy claros los lugares a visitar y que el viajero no se arrugue ante la falta de sueño o de comodidades. «¡Lejos! ¡Lejos! ¡Aquí el lodo está formado por nuestros llantos!», escribió un Baudelaire que pensaba que cada viaje es un cambio de vida, y que los verdaderos viajeros son aquéllos que parten por partir. (...) Nunca es sencillo regresar de un buen viaje. No es fácil poner en orden tantas imágenes, sensaciones, cambios de olor, de horario... Julio Verne tenía razón, se puede dar la vuelta al mundo en 15 días, pero hubiese preferido hacerlo en 40.

—Pareces cansado, tienes mala cara —me dice mi hija.

—No son los años, cariño, son los kilómetros —le contesto imitando a Indiana Jones.

www.elmundo.es

33 ¿Qué significa?

Mire las palabras de la primera columna, que aparecen en la lectura anterior, y busque su traducción en la segunda columna.

1.	recoger	a.	el momento en el que el avión inicia el vuelo
2.	maleta	b.	la parte que une los huesos en el cuerpo
3.	articulaciones	c.	coger
4.	riñón	d.	pasarlo bien
5.	despegue	e.	rapidez
6.	aterrizaje	f.	bajar
7.	nube	g.	mezcla de tierra y agua
8.	desafiar	h.	hacer arrugas (líneas en la piel)
9.	adinerado	i.	simple
10.	rebajar	j.	el momento en el que el avión termina su vuelo y toca tierra
11.	cifra	k.	tener cara de cansado o enfermo
12.	disfrutar	l.	mi amor, mi corazón (palabra afectiva)
13.	velocidad	m.	órgano del cuerpo que limpia la sangre
14.	arrugar	n.	bolsa de viaje grande o equipaje
15.	lodo	o.	acumulación de vapor en el cielo
16.	sencillo	p.	retar, animar a alguien a hacer algo difícil
17.	tener mala cara	q.	rico
18.	cariño	r.	número, cantidad

34 ¿Ha comprendido?

1. ¿Qué le ocurre al protagonista de la historia en el aeropuerto de Barajas?
   a. Pierde su maleta.
   b. Describe sus últimas horas de viaje.
   c. Recuerda su viaje en avión.
   d. Describe la sensación de cansancio que tiene.

2. ¿Qué acaba de hacer el autor del texto?
   a. Se ha recuperado del *jet lag*.
   b. Se ríe recordando su travesía.
   c. Ha dado la vuelta al mundo.
   d. Ha pasado una quincena en casa con su hija.

3. ¿Qué piensa nuestro escritor acerca de un viaje tan rápido?
   a. No es posible disfrutar a ese ritmo.
   b. Aprendes mucho, pero sobre todo de la precisión de los aviones.
   c. La falta de sueño te impide sentirte bien en este viaje.
   d. Es una buena experiencia, con la que se aprende y disfruta si se descansa y si todo está bien organizado.

4. ¿Qué cambiaría el protagonista de este viaje?
   a. Visitaría menos países.
   b. Nada, de esta forma le parece perfecto.
   c. Lo pensará cuando ponga en orden sus ideas.
   d. Quince días están bien, pero preferiría hacerlo en 40.

5. ¿Qué ocurre con su hija a la llegada al aeropuerto?
   a. Su hija está muy agotada y de muy mal humor.
   b. Le dice cuántos años ha estado viajando.
   c. Tiene una corta conversación con una pequeña broma.
   d. Hablan sobre cine.

35 ¿Cuál es la pregunta?

Según lo que acaba de leer, escriba una pregunta lógica para estas respuestas.

1. Treinta veces
2. Once
3. Quince días
4. Julio Verne
5. Phileas Fogg
6. Muchísima organización
7. Setenta y cinco
8. Su hija
9. Con humor

36 ¿Qué piensa Ud.?

¿Qué cree que significa la expresión "viajar por viajar"? ¿Y otras similares como "comer por comer", "hablar por hablar" y "leer por leer"?

37 ¿Recuerda,...?

¿Ha leido Ud. la novela del escritor francés Julio Verne *La vuelta al mundo en 80 días*? Si no, puede buscar la información. Tome la identidad de Phileas Fogg y haga un resumen de su viaje.

- Explique donde vivía y en qué época.
- ¿Qué le hizo viajar?
- ¿Qué medios de transporte usó?
- Hable de algunos de lugares que visitó y cuál le gustó más.

Cita

Olviden toda idea acerca de ciudades perdidas, viajes exóticos y agujerear el mundo. No hay mapas que lleven a tesoros ocultos y nunca hay una X que marque el lugar.

—De la película *Indiana Jones y la última cruzada*

¿Piensa que existen tesoros ocultos? Si encontrara Ud. un mapa que mostrara donde hay un tesoro, ¿lo buscaría o se lo daría a las autoridades? Hable de lo que haría con un/a compañero/a.

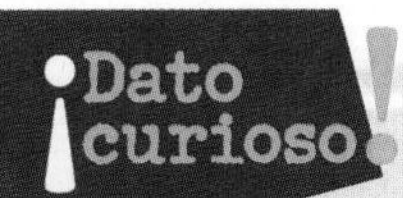

Cuando Colón llegó a Costa Rica vio que muchos nativos llevaban bonitas joyas alrededor del cuello. Por eso los españoles pensaron que habían llegado a una costa muy rica.

38 Antes de leer

¿Cuál es el medio de transporte preferido por la gente en su ciudad o país? ¿Y por su familia? ¿Y por Ud.? ¿Suele Ud. comprar algún recuerdo cuando viaja? ¿Qué recuerdos le gusta comprar (o recibir)?

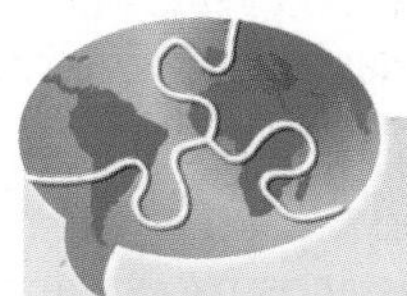

Compare

¿Cuánto cree que tardaría en llegar desde donde vive a la capital de los siguientes países: España, Chile, Argentina, Panamá y México?

39 Los latinos

Lea con atención el siguiente artículo. Después conteste las siguientes preguntas:

- ¿Cuál es el propósito del artículo?
- ¿Cómo resumiría el artículo en una frase?
- Si quisiera consultar otra fuente, ¿podría pensar en un posible título de una publicación?

Viajan y gastan más

Los latinos de este país hacen más paseos en auto, tren o avión que otros grupos minoritarios

Lourdes López
Redactora de Vida y Estilo

Un estudio reciente de la Asociación Estadounidense de la Industria de Viajes (TIAA) mostró cómo los latinos encabezan la lista de viajeros respecto a otros grupos minoritarios, ya sea en automóvil, autobús, tren o [5] avión. Esto ha ayudado al repunte del sector turismo, el cual fue uno de los más afectados a consecuencia de los atentados del 11 de septiembre de 2001.

"Hemos detectado un fuerte mercado entre las familias latinas con un 20% de crecimiento en dos [10] años, comenta la portavoz de TIAA, Cathy Keefe, quien enfatiza un ascenso en el crecimiento del sector turismo paralelo al aumento de la población, al referirse especialmente a la minoría más grande de Estados Unidos. "Los resultados del estudio *The Minority* [15] *Traveler* indicaron viajes más frecuentes entre los latinos y con un mayor número de personas debido a la tendencia de viajar con la familia, incluyendo niños y otros parientes".

Les gusta la compañía

Según el estudio de TIAA, el 33% de los latinos [20] prefiere viajar con tres o más miembros de la familia, incluyendo hijos menores de 18 años. El estudio también descubrió que prefieren más el automóvil a otros medios de transporte. "El 75% de ese grupo utiliza el automóvil en sus viajes y en promedio tienen [25] una edad de 45 años, un poco más joven del promedio nacional que es de 47 años", explica Keefe.

"Un poco más de tres cuartos del total de este grupo viaja por recreación y sólo el 10% lo hace por negocios. Se ha notado también que los latinos prefieren primero [30] lugares abiertos, más económicos, y también les gusta visitar lugares históricos, festivales y eventos con diferentes actividades". Los diez estados con mayor número de viajeros latinos son: California, Texas, Florida, Nuevo México, Nueva York y Arizona.

Recursos

[35] TIAA ha creado un sitio de la Internet, especial para apoyar y facilitar el itinerario a los aficionados a los viajes. Ingrese a seeamerica.org desde el sitio de TIIA, donde encontrará información detallada de los estados y los destinos más importantes de este país.

[40] "El sitio seeamerica.org es una herramienta eficiente y de uso fácil para programar un viaje en este país", explica Keefe. "La información está dividida por regiones, por parques nacionales y cuenta con mapas, fotos, itinerarios y la descripción de destinos más [45] populares. También se describen las principales atracciones, ofertas, paquetes, consejos y otros".

Otros resultados

- El estudio de TIAA también detectó que los viajeros latinos tienden a pasear a lugares cercanos a su domicilio, con excepción de familias que tienen [50] parientes en otros estados o países.
- Los latinos gastan en viajes un promedio de 523 dólares por año sin incluir el transporte.
- Un tercio de sus viajes incluyen a menores de 18 años.
- [55] Las preferencias del 34% de este grupo son las compras, le siguen los sitios abiertos en un 16%, y en el 14% se ubican los parques de diversiones. Los paseos a sitios históricos y playas ascienden ambos a un 13% respectivamente.
- [60] Sólo el 15% de los viajeros latinos opta por utilizar el avión. Existe una tendencia a usar el autobús y el tren.
- Ciudades preferidas por los viajeros latinos: Las Vegas, NV; San Antonio, TX; San Diego, [65] CA; Houston, TX; Orlando, FL; Riverside/San Bernardino, CA; Phoenix-Mesa, AZ; Orange County, CA; San Francisco, CA.

www.laopinion.com

40 Vocabulario

Mire las palabras que aparecen en la primera columna abajo y que también aparecen en azul en la lectura anterior. Busque su correspondiente sinónimo o definición entre las palabras de la segunda columna.

1.	reciente	a.	estar entre los primeros
2.	encabezar	b.	subir
3.	portavoz	c.	la media
4.	pariente	d.	¾
5.	en promedio	e.	instrumento utilizado para trabajar manualmente
6.	tres cuartos	f.	persona que representa algo o a alguien
7.	itinerario	g.	ruta, camino sugerido con paradas y lugares de interés
8.	herramienta	h.	⅓
9.	un tercio	i.	familiar
10.	ascender	j.	de hace poco

41 ¿Ha comprendido?

1. ¿A qué ha ayudado la movilidad de los latinos en Estados Unidos?
   a. Al resto de minorías que viven en Estados Unidos
   b. A la mejora del tren y otros medios de transporte
   c. A superar el trágico 11 de septiembre de 2001
   d. A la mejora económica del sector turístico

2. ¿Por qué ha crecido el turismo de los latinos en Estados Unidos?
   a. Son una parte importante del mercado.
   b. Son la minoría más grande en el país.
   c. Viajan varios miembros de una misma familia al mismo tiempo.
   d. Todas las respuestas anteriores

3. ¿Cuál es el propósito más común de los viajes de los latinos?
   a. Usar el automóvil como medio de transporte
   b. Negocios, fundamentalmente
   c. Viajes de ocio a lugares económicos y con diferentes actividades
   d. Viajar con tres o más miembros de la familia

4. ¿Qué proporciona el sitio Web seeamerica.org?
   a. Información sobre el turismo en algunos estados de Estados Unidos
   b. Foros para aficionados a los viajes internacionales
   c. Información para programar un viaje por Estados Unidos
   d. Itinerarios, lugares de interés fuera de Estados Unidos

5. ¿Qué opción es la preferida entre los viajeros latinos?
   a. Parques de diversiones
   b. Sitios históricos y playas
   c. Lugares abiertos y festivales
   d. Viajes organizados

42 Responda brevemente

¿Cree Ud. que existe un mercado turístico destinado solamente a los grupos minoritarios? Si su respuesta es afirmativa, ¿qué lugares son? Si su respuesta es negativa, ¿qué destinos crearía Ud. para algunos grupos minoritarios?

43 Se titula...

Piense en otro título para el artículo que acaba de leer. ¿Por qué lo ha escogido?

44 Lea, escuche y escriba/presente 

Vuelva a leer el texto completo de "Viajan y gastan más" y luego escuche la grabación "Un domingo sin automóviles, compromiso ciudadano". Tome notas y escriba un ensayo o haga una presentación en clase contestando la pregunta, "¿Hacemos un uso responsable del transporte?" Mencione las consecuencias ambientales y no se olvide de citar las fuentes debidamente.

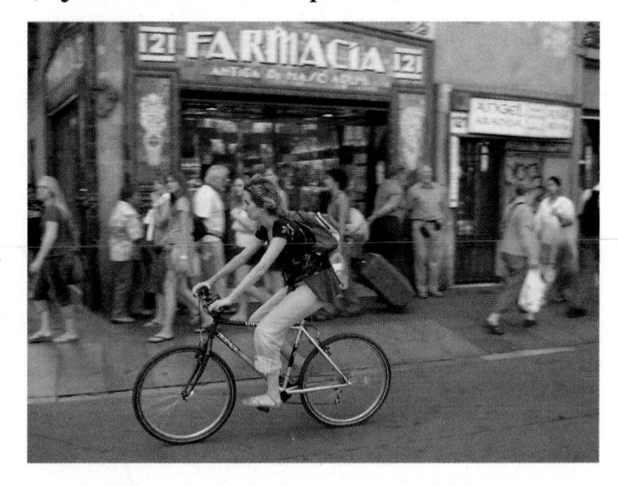

45 Antes de leer

¿Cómo suele Ud. planear un viaje? ¿Ha ido alguna vez a una agencia de viajes? ¿Qué piensa de las agencias de viajes en en el lugar donde vive? ¿Cree que terminarán desapareciendo? Después de un viaje, ¿con quién comparte sus experiencias cuando regresa?

46 Los viajes

Lea con atención el siguiente artículo. Después conteste las siguientes preguntas:

- ¿Cuál es el propósito del artículo?
- ¿Cómo resumiría el artículo en una frase?
- Si quisiera consultar otra fuente, ¿podría pensar en un posible título de una publicación?

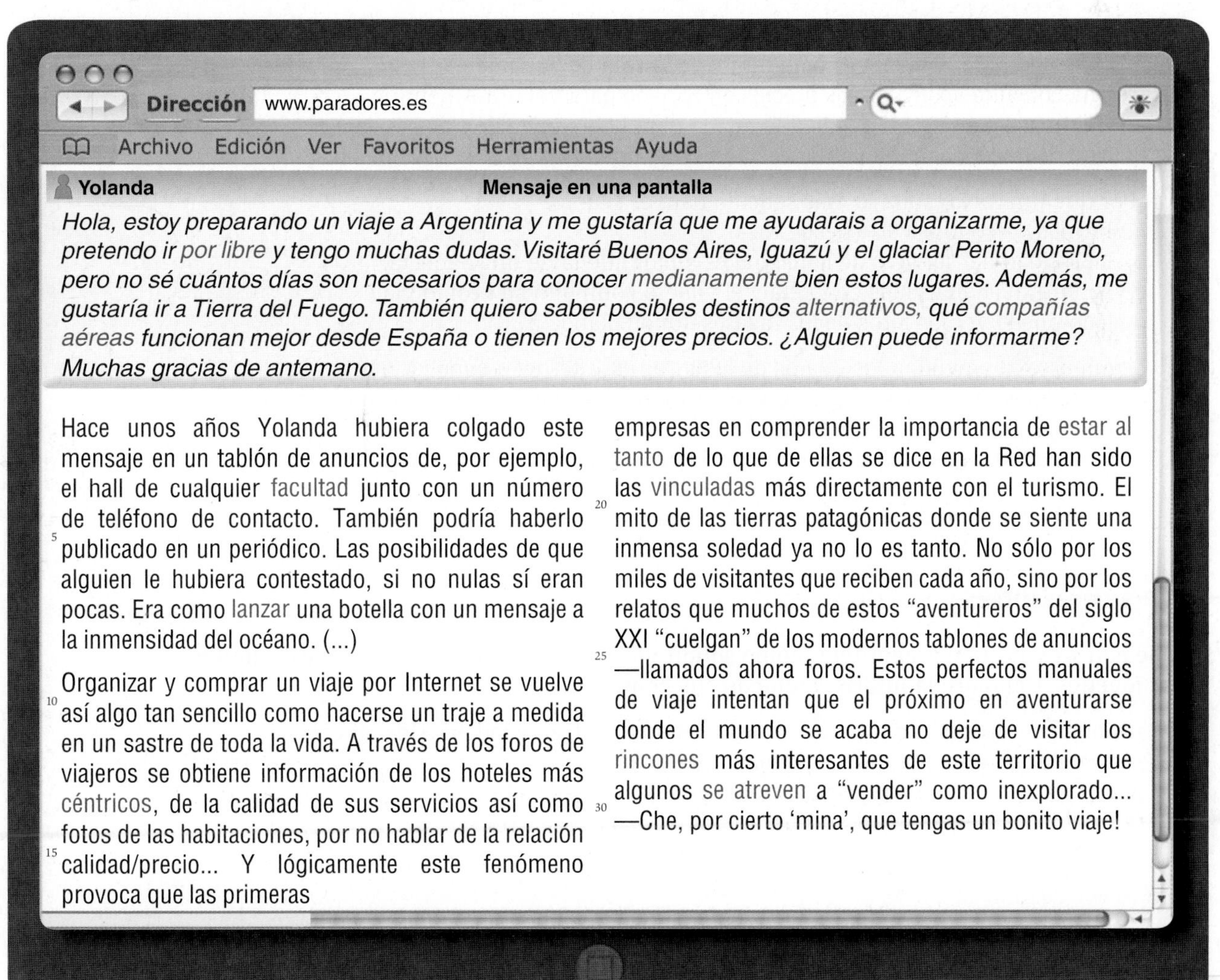

Dirección www.paradores.es

Archivo Edición Ver Favoritos Herramientas Ayuda

Yolanda **Mensaje en una pantalla**

Hola, estoy preparando un viaje a Argentina y me gustaría que me ayudarais a organizarme, ya que pretendo ir por libre y tengo muchas dudas. Visitaré Buenos Aires, Iguazú y el glaciar Perito Moreno, pero no sé cuántos días son necesarios para conocer medianamente bien estos lugares. Además, me gustaría ir a Tierra del Fuego. También quiero saber posibles destinos alternativos, qué compañías aéreas funcionan mejor desde España o tienen los mejores precios. ¿Alguien puede informarme? Muchas gracias de antemano.

Hace unos años Yolanda hubiera colgado este mensaje en un tablón de anuncios de, por ejemplo, el hall de cualquier facultad junto con un número de teléfono de contacto. También podría haberlo publicado en un periódico. Las posibilidades de que alguien le hubiera contestado, si no nulas sí eran pocas. Era como lanzar una botella con un mensaje a la inmensidad del océano. (...)

Organizar y comprar un viaje por Internet se vuelve así algo tan sencillo como hacerse un traje a medida en un sastre de toda la vida. A través de los foros de viajeros se obtiene información de los hoteles más céntricos, de la calidad de sus servicios así como fotos de las habitaciones, por no hablar de la relación calidad/precio... Y lógicamente este fenómeno provoca que las primeras empresas en comprender la importancia de estar al tanto de lo que de ellas se dice en la Red han sido las vinculadas más directamente con el turismo. El mito de las tierras patagónicas donde se siente una inmensa soledad ya no lo es tanto. No sólo por los miles de visitantes que reciben cada año, sino por los relatos que muchos de estos "aventureros" del siglo XXI "cuelgan" de los modernos tablones de anuncios —llamados ahora foros. Estos perfectos manuales de viaje intentan que el próximo en aventurarse donde el mundo se acaba no deje de visitar los rincones más interesantes de este territorio que algunos se atreven a "vender" como inexplorado... —Che, por cierto 'mina', que tengas un bonito viaje!

47 Vocabulario

Mire las palabras que aparecen en la primera columna abajo y que también aparecen en azul en la lectura anterior. Busque su correspondiente sinónimo o definición entre las palabras de la segunda columna.

1. por libre	a. otra opción
2. medianamente	b. tirar, arrojar
3. alternativo	c. por cuenta propia, solo
4. compañía aérea	d. lugar escondido
5. facultad	e. situado en el centro de una ciudad
6. lanzar	f. unir, relacionar
7. céntrico	g. empresa que organiza el vuelo
8. estar al tanto	h. más o menos, aproximadamente
9. vincular	i. parte de la universidad
10. rincón	j. arriesgarse a hacer algo
11. atreverse a	k. informado, saber qué pasa

48 ¿Ha comprendido?

1. ¿De qué se trata el artículo?
   a. Sobre alguien que pide ayuda en la preparación de su viaje
   b. Sobre los comentarios y respuestas que uno encuentra en un blog
   c. Sobre viajeros que usan Internet como la herramienta más útil antes de un viaje
   d. Las agencias de viajes y su futuro en el siglo XXI

2. ¿Qué escribe Yolanda?
   a. Un email a un compañero para indicarle la ruta de su viaje
   b. Una consulta acerca de los precios en España para volar a Argentina
   c. Un mensaje en un blog pidiendo ayuda para la organización de su viaje
   d. Una respuesta a un comentario en un blog argentino

3. ¿Por qué Internet resulta lo más sencillo para el viajero?
   a. Es más cómodo hacerlo desde casa.
   b. La calidad del servicio de la página es mejor que la de una agencia.
   c. La información es más concreta y el viajero configura su propio viaje.
   d. Uno puede ver las fotos de los lugares donde planea ir.

4. Según el texto, ¿ayudan los relatos de los foros en Internet a conocer nuevos lugares?
   a. Sí, son los nuevos manuales de viajes, donde uno puede encontrar información detallada de lugares desconocidos.
   b. No ayudan cuando alguien quiere realizar un viaje a un lugar inexplorado.
   c. Sí, ayudan, pero hay que ser cauto porque muchas veces no son reales.
   d. No ayudan, porque siempre quieren vender algo nuevo.

49 Conexiones

Hable con su familia y pregúnteles cómo solían viajar y cómo hacían las reservas cuando eran jóvenes. Compare la información con sus compañeros.

1. ¿Dónde buscaban sus padres los viajes cuando tenían su edad? ¿Y Uds. ahora?
2. ¿Adónde solían ir y por qué? ¿Y Uds. ahora?
3. ¿Qué medio de transporte usaban por lo general? ¿Y Uds. ahora?
4. ¿Con quiénes solían viajar? ¿Y Uds. ahora?

50 ¿Inglés o español?

En el texto anterior aparece la palabra hall. ¿Cree que existe esta palabra en español? Piense en otras palabras de origen inglés que han pasado a formar parte del castellano, y las de origen español que ya son parte del inglés. Dé algunos ejemplos.

51 Lea, escuche y escriba/presente 

Vuelva a leer el artículo completo de "Mensaje en una pantalla", y luego escuche la grabación "Viajes por la cara". Tome notas y escriba un ensayo o haga una presentación en clase contestando la pregunta, "¿Cómo han cambiado los viajes con la tecnología?" Incluya información de las dos fuentes citándolas debidamente.

Cita

Jamás viajo sin mi diario. Siempre debería llevarse algo estupendo para leer en el tren.
—Oscar Wilde (1854–1900), dramaturgo y novelista irlandés

Cuando viaja Ud., ¿escribe en su diario? ¿Piensa que es una buena idea? Comparta su opinión con un/a compañero/a.

¡Dato curioso!

La palabra *guagua* significa autobús en varios países de Latinoamérica como Cuba y la República Dominicana. Dicen que tiene su origen en la época en la que los americanos llegaron a Cuba, a principios del siglo XX cuando trajeron unos carros a los que llamaban *wagon*. Al no saber los cubanos pronunciar la palabra en inglés bien, de ahí surgió la palabra.

Las cataratas de Iguazú son las más grandes de Latinoamérica. Las cataratas lindan con Argentina y Brasil, y están a pocos kilómetros de Paraguay.

¡A escuchar!

52 Vacaciones: ¿una verdadera pesadilla?

Esta grabación trata de las vacaciones, con las cuales no siempre se termina teniendo una buena experiencia. La grabación dura aproximadamente 7.5 minutos. Lea las posibles respuestas primero y después escuche la grabación "Vacaciones, ¿una verdadera pesadilla?" Luego, escoja la mejor respuesta para cada pregunta. Después, conteste la pregunta: ¿Cuál es el propósito del artículo?

1. ¿Qué parece ocurrir entre las familias durante la época de vacaciones?
   a. Salen a visitar a familiares.
   b. Toman su descanso con armonía.
   c. Desaparece el bienestar y todo se complica.
   d. En ocasiones el tiempo o el hotel puede ocasionar imprevistos.
2. ¿Qué se recomienda antes de viajar de vacaciones?
   a. Planearlo todo previamente para evitar imprevistos.
   b. No crear falsas ilusiones para evitar sentirse frustrado con el mundo real.
   c. Evitar viajar con niños porque se ponen insoportables.
   d. Asegurarse de que el tráfico, el hospedaje y el tiempo serán favorables.
3. ¿Por qué surge el deterioro de la pareja durante las vacaciones?
   a. Porque cada uno tiene una idea diferente de las vacaciones y distintos gustos por las actividades que quieren realizar
   b. Porque no existe comunicación entre ambos y en ocasiones no hablan más de 20 minutos al día
   c. Porque la pareja no está preparada para afrontar una convivencia así de intensa
   d. Las respuestas a y c
4. ¿Cuál es la diferencia entre las expectativas masculinas y femeninas?
   a. El hombre valora más el descanso mientras que la mujer prefiere el lujo.
   b. La mujer prefiere este tiempo para realizar algún deporte pero el hombre se inclina por la relajación y el descanso.
   c. La mujer desea tomar el tiempo como descanso y el hombre prefiere realizar otras actividades.
   d. El lujo y la comodidad son más importantes para el hombre; para la mujer, basta con el descanso.

53 Hoteles originales

Esta grabación es sobre hoteles originales como el hotel Jules' Undersea Lodge que está bajo el agua, el hotel Library Hotel que cuenta con una amplia gama de libros en cada habitación, el Hotel Palacio de Sal que está en un salar en Uyuni o el Pippa Pop-ins de Londres, no apto para mayores. La grabación dura aproximadamente 5.5 minutos. Escuche las grabaciones sobre "Hoteles originales" y luego conteste las preguntas. Después piense en una pregunta que sería apropiada para hacerle al director de cada hotel.

Primer hotel

1. ¿Qué se les da a los clientes cuando llegan al hotel?
2. ¿Quién les lleva la comida a las habitaciones?
3. ¿Cómo se entretienen en el hotel?

Segundo hotel

1. ¿Dónde se encuentra este hotel?
2. ¿Qué es especial de este hotel?
3. ¿Quiénes son los dos escritores que se mencionan?
4. Mencione tres temas diferentes de los libros que hay en las habitaciones que uno puede reservar.

Tercer hotel

1. ¿Qué tipo de hotel es?
2. ¿Dónde está ubicado?
3. ¿Qué se hace con el ingrediente que se menciona?
4. ¿A qué se parece el paisaje que rodea el hotel?
5. ¿Cuál es la mejor época del año para ir? ¿Por qué?

Cuarto hotel

1. ¿Dónde se encuentra este hotel?
2. ¿Cuál es el requisito para poder ser un cliente de este hotel?
3. ¿Cómo entretienen a los jóvenes?
4. ¿Cómo se visten para las cenas de gala?
5. ¿Qué hacen con los huéspedes antes de irse a dormir?

54 Participe en una conversación

Ud. va a participar en una conversación. Primero lea la descripción de la conversación y piense en algunas palabras o expresiones que le serían útiles. Organice sus ideas, haciendo predicciones sobre lo que se le pueda preguntar o comentar. Una descripción de lo que va a escuchar aparece abajo en color. Participe en la conversación grabando las respuestas o escribiéndolas en su cuaderno.

Escena:	Ya están planeando Macarena y Ud. una escapada para el fin de semana.
Macarena:	(*Suena el teléfono.*) Macarena llama por teléfono.
Ud.:	• Conteste.
Macarena:	Le explica por qué ha llamado.
Ud.:	• Dele una excusa.
Macarena:	Sigue la conversación. Le hace una pregunta.
Ud.:	• Conteste su pregunta, sorprendido/a por su sugerencia.
Macarena:	Sigue la conversación. Le hace otras preguntas.
Ud.:	• Háblele sobre sus preferencias para estos tipos de viajes. Explique las razones.
Macarena:	Sigue la conversación y le hace más preguntas.
Ud.:	• Haga un comentario y despídase.

¡A escribir!

55 Texto informal: un correo electrónico 

Responda al correo electrónico.

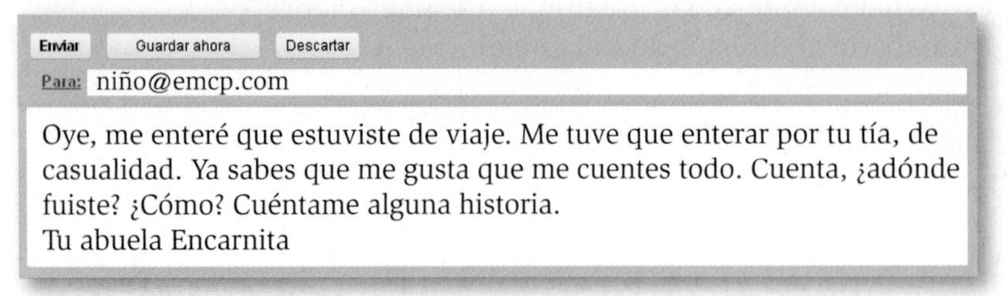

Enviar
Guardar ahora
Descartar
Para: niño@emcp.com
Oye, me enteré que estuviste de viaje. Me tuve que enterar por tu tía, de casualidad. Ya sabes que me gusta que me cuentes todo. Cuenta, ¿adónde fuiste? ¿Cómo? Cuéntame alguna historia.
Tu abuela Encarnita

Incluya los siguientes detalles en el mensaje:

- Su destino
- El medio de transporte y cómo le fue
- Una anécdota
- Termine con una pregunta

Consejo

Antes de empezar, lea las pautas para escribir textos informales en la pág. 480 del Apéndice. Mientras escribe el texto tenga presente los objetivos. Cuando termine, verifique que ha cumplido con todo lo que se describe en la lista y reflexione sobre su trabajo.

56 Texto informal: un consejo 

Conteste esta pregunta hecha en Internet.

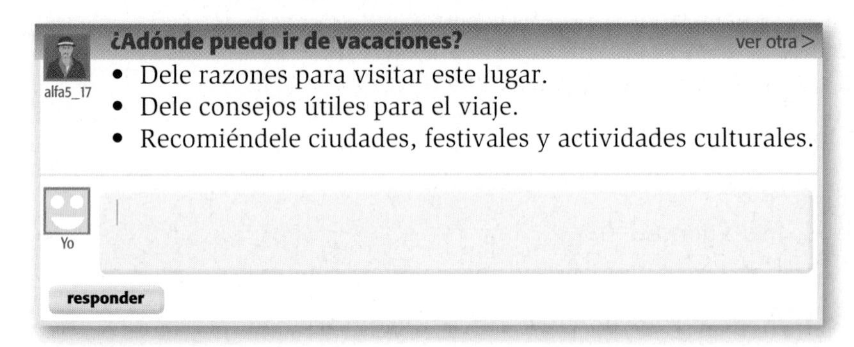

¿Adónde puedo ir de vacaciones?
ver otra >
alfa5_17
• Dele razones para visitar este lugar.
• Dele consejos útiles para el viaje.
• Recomiéndele ciudades, festivales y actividades culturales.
Yo
responder

Consejo

Antes de empezar, lea las pautas para escribir ensayos en la pág. 480 del Apéndice. Mientras escribe el ensayo tenga presente los objetivos, y no se olvide de ponerle un título original. Cuando termine, verifique que ha cumplido con todo lo que se describe en la lista y reflexione sobre su trabajo.

57 Ensayo: viajar

Escriba un ensayo contestando la pregunta, "¿Por qué es bueno viajar?"

58 Ensayo: ¿Cómo fue su experiencia? 

Escriba un ensayo sobre su viaje real o ficticio a un país hispanohablante. Hable de su experiencia cultural.

59 En parejas

Intercambie sus ensayos con los de un/a compañero/a. Exprésele su opinión sobre el contenido y el uso del idioma.

¡A hablar!

60 Charlemos en el café

Ud. va a debatir los siguientes temas con un/a compañero/a. Uno estará a favor de lo que se ha dicho y otro en contra. El debate durará varios minutos. El/La estudiante que esté de acuerdo comenzará el debate y hablará por unos dos minutos. Cuando el/la profesor/a lo indique, el/la otro/a estudiante tomará la palabra y expresará su opinión por otros dos minutos, y así sucesivamente.

1. La gente joven sabe viajar mejor que los mayores.
2. La mejor época para viajar es el verano.
3. Los políticos deberían viajar frecuentemente a otros países.
4. El presidente de un país debería hablar al menos un idioma.
5. Es mejor viajar solo que acompañado.

61 ¿Qué opinan?

Converse con un/a compañero/a sobre estas situaciones o preguntas.

1. Hablen sobre las ventajas y desventajas de hacer un viaje con un gran presupuesto o con bajo presupuesto.
2. ¿Cuáles cree que son los dos países hispanohablantes más visitados? ¿A qué se debe?

62 Presentemos en público

Conteste una de las siguientes preguntas o haga una presentación sobre uno de los temas durante varios minutos en clase. Organice sus ideas antes de hacer la presentación, busque las palabras necesarias y, después de practicar, presente en clase sin mirar las notas.

1. ¿Cree que viajar hace que uno aprecie más su país? ¿Por qué?
2. Si pudiera ser embajador/a de Estados Unidos en algún país hispanohablante, ¿adónde le gustaría ir? ¿Por qué?
3. Va a ser un gran experto sobre un país hispanohablante. Presente el país a sus compañeros. Hable de su historia, sistema político, lugares para visitar, fauna, etc., y prepárese para las preguntas que le harán.
4. Explique cómo los viajes o ideas de los exploradores, inventores, escritores, viajeros o historiadores han tenido un impacto en la vida de los demás.

Consejo

Antes de empezar, lea las pautas para presentaciones formales en la pág. 481 del Apéndice. Mientras formula su presentación tenga presente los objetivos. Cuando termine la presentación, verifique que ha cumplido con todo lo que se describe en la lista y reflexione sobre el trabajo que hizo.

Proyectos

63 ¡Manos a la obra! 

Trabaje en un grupo de cuatro o cinco estudiantes para llevar a cabo uno de los siguientes proyectos y presentarlo en clase.

1. El ayuntamiento de tu ciudad ha decidido mejorar la imagen de tu ciudad para impulsar el turismo. Va a haber un concurso para decidir a qué compañía le darán el proyecto. Su objetivo es convencer al representante del área de turismo de que su compañía es la mejor para llevar a cabo el proyecto.
   a. Piensen en el nombre de su compañía.
   b. Hablen sobre la experiencia que tiene en este campo y los trabajos anteriores que hicieron.
   c. Presenten los problemas que hay en su ciudad.
   d. Propongan ideas para mejorar la imagen de su ciudad.

2. Les han encargado que trabajen en la sección de viajes del periódico local y les han pedido que escriban sobre un país hispano. Les han dado dos hojas del periódico para hacerlo. Decidan el país y los diferentes temas; por ejemplo, la historia, el ocio, los lugares de interés, y los formatos: la publicidad, las cartas al director, las tiras cómicas. Luego elaboren los artículos.
3. Presenten un país del mundo hispano a la clase. Hablen de su historia, situación geográfica, sistema de gobierno, gastronomía, tradiciones y turismo.
4. Hagan un anuncio para promover el uso del transporte público en su ciudad. Decidan si va a ser un anuncio gráfico, de radio o de televisión.
5. Inventen un producto que haga que los viajes sean más placenteros. Preséntenselo a sus posibles compradores/compañeros. Puede ser un producto realmente interesante o absurdo. En cualquier caso, deben pensar en una buena estrategia para convencer al público.

Vocabulario

Verbos

abrocharse	to fasten
albergar	to house
apetecer	to feel like
arrancar	to pull up/out, start
arrugar(se)	to wrinkle
ascender (ie)	to raise
asegurar	to ensure
caber	to fit
colgar (ue)	to hang (up)
convencer	to convince
desafiar	to challenge
discurrir	to go by (time, life)
encabezar	to lead, head
golpear	to hit
guiar	to guide
influir	to influence, have influence
intentar	to try
lanzar	to throw
lograr	to achieve, obtain
padecer	to suffer
perseguir (i)	to pursue
pretender	to expect, to try
provocar	to cause
rebajar	to lower
recoger	to pick up
recorrer	to travel, go through
reñir (i)	to quarrel
soler (ue)	to be in the habit of
surgir	to come up
volar (ue)	to fly
volver(se) (ue)	to go back, to become

Verbos con preposición

verbo + a:

atreverse a	to dare to
conducir a	to drive to
llegar a	to arrive at
regresar a	to return to

verbo + con:

abrigarse con	to keep warm with
quedar con	to arrange to meet with

verbo + de:

acabar de + infinitivo	to have just finished doing something
alejarse de	to move away from
datar de	to date from
disfrutar (de)	to enjoy (doing something)
marcharse de	to go away from
regresar de	to return from

verbo + en:

alojarse en	to stay in
quedar en + infinitivo	to agree to do something
sentarse (ie) en	to sit down in/on

verbo + por:

conducir por	to drive by
pasar por	to go by

Sustantivos

el	**alojamiento**	accommodations
el/la	**anfitrión/anfitriona**	host, hostess
la	**arena**	sand
el	**atasco**	bottleneck
el	**aterrizaje**	landing
la	**belleza**	beauty
la	**bienvenida**	welcome
la	**calefacción**	heat
la	**caminata**	long walk
el	**cariño**	affection; *in direct speech:* darling
la	**cifra**	figure
el	**cinturón**	seatbelt, belt
la	**despedida**	good-bye
el	**despegue**	takeoff
el	**destino**	destination
el/la	**dueño/a**	owner
la	**edificación**	building
el	**entorno**	environment, surroundings
la	**época**	period
el	**equipaje**	luggage
el	**guión**	script
la	**herramienta**	tool
el	**hogar**	home
el	**horario**	schedule
la	**lentitud**	slowness
la	**llegada**	arrival
la	**muchedumbre**	crowd
la	**niebla**	fog
la	**nube**	cloud
la	**orilla**	shore, riverbank
el	**paisaje**	landscape, scenery
el	**paraíso**	paradise
el/la	**pariente/a**	relative, family member
el	**percance**	mishap

la	**piedra**	stone
el/la	**portavoz**	spokesperson
la	**profundidad**	depth
el	**promedio**	average
el	**relato**	tale, story
el	**reto**	challenge
el	**rostro**	face
la	**sabiduría**	wisdom
el	**salón**	living room
el	**sello**	stamp
la	**soledad**	loneliness; solitude
el	**sosiego**	serenity, peace
el	**tablón de anuncios**	bulletin board
la	**temporada**	season
el	**tercio**	(one) third
el	**toque**	touch
el/la	**viajero/a**	traveler
la	**vista**	view
la	**viuda**	widow

Adjetivos

adinerado, -a	rich
apasionado, -a	enthusiastic
asombroso, -a	amazing, astonishing
aventurero, -a	adventurous
desafiante	challenging
desnivelado, -a	uneven
dispuesto, -a	willing
entusiasmado, -a	excited
espantoso, -a	horrible
estrecho, -a	narrow
estupendo, -a	wonderful
forzado, -a	forced
inolvidable	unforgettable
lujoso, -a	luxurious
mareado, -a	dizzy, seasick
masificado, -a	overcrowded
nocturno, -a	night, nocturnal
peligroso, -a	dangerous
poblado, -a	populated
profundo, -a	deep
rebajado, -a	reduced
reciente	recent
rodeado, -a	surrounded
sencillo, -a	simple
silvestre	wild
último, -a	last

Adverbios

a menudo	often
demasiado	too, too much
lógicamente	logically
rara vez	rarely, not usually
temprano	early

Expresiones

a las afueras de	in the outskirts of
a lo largo de	along, through
(acomodarse) a sus anchas	(to make oneself) at home
con retraso	delayed
dar la bienvenida	to welcome
dar pánico	to get scared by smthg
dar saltos	to jump
de primeras, en principio	at first
estar al alcance de	to be reachable, obtainable
estar al tanto de	to be up-to-date
estar dispuesto a	to be willing to
(la) falta de	(the) lack of
hacer cola	to wait in line
(la) hora de vuelo	flight time
lo primero que	the first (thing) that
muchas gracias de antemano	to thank beforehand
no perder de ojo/vista	not to lose sight of
para todos los gustos	for all tastes
¡Qué va!	No way!
(la) reserva de plaza	reservation
(el) siguiente paso	(the) next step
tener falta de sueño	to be deprived of sleep
tener mala cara	to look bad/sick
tres cuartos de	three quarters of

A tener en cuenta

Formación de sustantivos

Algunos nombres se forman con el participio de un verbo:
comer, la comida; entrar, la entrada
ir, la ida; llegar, la llegada
mirar, la mirada; salir, la salida
volver, la vuelta

Sustantivos femeninos:
-dad: la ciudad, la soledad
-ión: la excursión, la impresión
-tad: la dificultad, la facultad
-umbre: la costumbre, la muchedumbre
las islas: las Baleares, las Malvinas
las letras del abecedario: la *a*, la *b*, la *c*, la *d*,...

Sustantivos masculinos:
-aje: el equipaje, el pasaje
-án: el holgazán, el huracán
los colores: el azul, el gris, el morado
los números: el uno, el veintitrés
los días y meses: el lunes, el último octubre
los árboles: el manzano, el naranjo
los lagos, océanos, ríos, mares y montañas: el Amazonas, los Andes, el Everest
algunos que terminan en *-ma*: el clima, el dilema, el idioma
nombres compuestos: el abrelatas, el paraguas, el rascacielos

Objetivos

Comunicación

- Hablar de la inmigración
- Explorar las tribulaciones y el impacto del turismo
- Discutir el bilingüismo y el biculturalismo
- Hablar de las tradiciones

Gramática

- El pretérito y el imperfecto del indicativo

"Tapitas" gramaticales

- el género de los sustantivos
- el sufijo *-ísimo*
- palabras negativas
- verbos reflexivos
- apócopes: *algún/alguno*; *cualquier/cualquiera*
- algunos usos del subjuntivo
- verbos como *gustar*
- usos de *e, al, la mayoría de* y *todos los*

Cultura

- La inmigración
- Tradiciones y costumbres
- Cochabamba (Bolivia)
- Los indígenas y sus lenguas

Para empezar

1 Conteste las preguntas

Piense en las respuestas a las siguientes preguntas. Ud. puede tomar notas si lo considera necesario. Cuando termine, compare sus respuestas —pero sin mirar sus notas— con las de un/a compañero/a.

1. Explique la diferencia entre "viajar por placer" y "viajar por obligación".
2. Nombre diferentes situaciones en las que las personas se ven obligadas a viajar.
3. ¿Qué piensa de la inmigración? ¿Por qué son necesarios los inmigrantes para un país?
4. ¿Hay muchos inmigrantes en la zona donde vive? ¿De dónde viene la mayoría de ellos?
5. ¿Cree que es fácil para los hijos de los inmigrantes adaptarse al nuevo país? ¿Por qué?
6. ¿Qué piensa que ocurre con la cultura y tradiciones cuando una persona se muda a otro país?
7. ¿Es fácil adaptarse a otras culturas? ¿Por qué? ¿Ha tenido Ud. problemas para comunicarse con gente que habla otro idioma?
8. ¿Cree que las personas saben apreciar otras culturas y costumbres cuando viajan? ¿A qué se debe?
9. ¿Piensa que el turismo puede afectar a la gente de un país o región? ¿De qué manera?
10. ¿Qué tradiciones de otros países conoce?

La Tomatina

2 Mini-diálogos

Ud. va a crear un mini-diálogo con un/a compañero/a. Lea la descripción de la conversación antes de empezar. Puede tomar notas para organizar sus ideas, pero no las mire mientras conversa.

Escena: En la parada del metro dos amigos/as ven a una persona con una extraña vestimenta, típica de su país, y comienzan una conversación sobre las tradiciones.

A:	Comience la conversación. Exprese su opinión sobre las tradiciones.
B:	Hágale preguntas sobre sus comentarios. Pregúntele su opinión al respecto.
A:	Exprese su opinión. Pregúntele sobre su tradición preferida.
B:	Contéstele. Hable sobre algo que es tradicional en su familia.
A:	Reaccione a su comentario. Hable sobre algo que es tradicional en su familia.
B:	Reaccione a su comentario. Háblele de una tradición en un país hispanohablante.
A:	Reaccione a su comentario. Háblele de otra tradición en un país hispanohablante.
B:	Despídase cordialmente.
A:	Despídase cordialmente.

Cita

La tradición no se hereda, se conquista.

—André Malraux (1901–1976), novelista y político francés

¿Está Ud. de acuerdo con lo que dice? ¿Por qué? ¿Qué tradiciones sigue su familia? Comparta su opinión con un/a compañero/a.

¡Dato curioso!

La tomatina es una tradición en España. Se celebra en Buñol, un pueblo de Valencia. Todos los años la semana de celebraciones en honor a su santo termina con la gran batalla final, en la que los participantes se tiran más de 90.000 libras de tomates. Por la mañana, las casas y tiendas se preparan. Se cubren con plásticos mientras que empiezan a llegar los numerosos camiones cargados de tomates.

Vocabulario y gramática en contexto

3 Un foro

Túrnese con un/a compañero/a para leer los comentarios que dos personas han escrito en un foro sobre sus diferentes experiencias en otros países. Fíjese en las palabras que aparecen en azul (relacionadas con el vocabulario) y en rojo (relacionadas con la gramática), ya que en las siguientes actividades se le harán preguntas sobre ellas.

Mi trabajo

Pedro Ruíz

Cuando acepté el trabajo pensé que todo iba a ser de otra forma. No es que no me interesara lo que hacía, el problema era que siempre estaba con mi maleta para arriba y para abajo. Algunos colegas tenían celos de mí porque pensaban que tenía la oportunidad de ver sitios nuevos e ir a hoteles lujosos. Sin embargo no era oro todo lo que relucía. De las ciudades a las que iba sólo veía el aeropuerto, a mi taxista y la sala de reuniones. Por otro lado nunca disfrutaba de los hoteles ya que estaba muerto de cansancio y sólo quería dormir en cuanto llegaba de mis reuniones de negocios, y al día siguiente solía madrugar. Lo peor de todo es que no pude gozar de mi familia durante esos años, pues apenas la veía. Eso sí, mi mujer estaba contentísima porque conseguí muchas millas para volar a Florida con la familia. Aunque gané bastante dinero y tuve mucho éxito profesional, no conseguí acostumbrarme a este estilo de vida. Cuando mi jefe oyó lo desgraciado que era me despidió al instante. Sorprendí a mi jefe cuando lo abracé unas cien veces. Estoy seguro de que nunca pensó que un empleado reaccionaría así al recibir este tipo de noticia.

Nuestra tierra

Isabel Segundo

Nunca me explicaron muy bien mis padres por qué se vinieron a vivir aquí pero sé que a menudo se acordaban de su tierra. Siempre me decían que preferían no hablar del tema y cambiaban de conversación inmediatamente, al igual que hacían cuando veían a un político platicar en las noticias. "Tonterías" —decían los dos al mismo tiempo en cuanto los oían. A mi hermana y a mí nos hacía gracia y siempre nos mirábamos y nos reíamos. Las dos nacimos acá, pero somos de allá según nuestros padres. Aunque nunca les dijimos nada, en el fondo nos resultaba difícil sentirnos de algún sitio que nunca habíamos visto. Mis padres siempre quisieron llevarnos un día a "nuestra tierra" —como ellos la solían llamar. Siempre lo decían, aunque nunca lo hacían. "Un día iremos todos juntos" —gritaban emocionados cuando durante la sobremesa nos contaban anécdotas de los parientes que dejaron allá. Pero creo que en el fondo tenían miedo de ser extranjeros en su propia tierra, de que ya no se sintieran de ningún país. Nosotros siempre asentíamos y les decíamos "¡Claro que sí!, un día vamos todos". Por desgracia, tal y como siempre sospeché, los años pasaron y no conseguimos ir a "nuestra tierra" como ellos la llamaban. Quizás ese día nunca llegue. Mis padres fallecieron y ya no sería lo mismo.

4 Amplíe su vocabulario

Defina en español o escriba un sinónimo o expresión similar para cada una de las palabras o expresiones que aparecen en azul en las lecturas anteriores.

5 El pretérito

Trabaje con un/a compañero/a y conteste estas preguntas basadas en, o relacionadas con, los textos de la Actividad 3.

1. ¿Qué verbos del texto están en pretérito?
2. Conjuguen los verbos *subir, ir, dar* y *despedirse* en pretérito.
3. Escriban el pretérito de estos verbos en la primera y tercera persona singular: *saber, andar, querer, venir, producir, caber, traducir, obtener.*
4. ¿Cuál es el pretérito de *haber*?
5. Escriban el pretérito de estos verbos en la primera persona del singular y plural, y escriban su significado: *equivocarse, tragar, sacar, marcar, ahogarse, alcanzar, colgar, aterrizar.*
6. ¿Cuál es el pretérito de la segunda y tercera persona del singular de *huir, concluir* y *caerse*?
7. ¿Cuál es el pretérito de los siguientes verbos: *advertir, seguir, conseguir, reír*?

6 "Tapitas" gramaticales

Conteste estas preguntas basadas en las lecturas de la Actividad 3.

1. Explique por qué usamos las siguientes palabras en el género indicado: *el problema, la oportunidad, el taxista, unas cien veces, ese tema, un día.* Piense en otros ejemplos para cada caso y escriba dos ejemplos de cada uno.
2. ¿Por qué se usa la palabra *e* en la frase "ver sitios nuevos e ir a hoteles lujosos"? Piense en otros ejemplos que ilustren la regla.
3. Explique *contentísima.* Piense en la regla, incluyendo las formas irregulares. No se olvide de ilustrar su explicación con ejemplos.
4. Explique *aunque gané.* ¿De qué tiempo verbal se trata? ¿Podemos decir *aunque gane*? Explique su respuesta.
5. Explique el uso de las palabras negativas en *nunca les dijimos nada.* ¿Por qué usamos *nada* y no *algo*? Haga una lista de las palabras negativas al lado de su correspondiente afirmativa. Escriba las reglas.
6. ¿Son verbos reflexivos *mirar* y *reír*? Explique *nos mirábamos* y *nos reíamos.* Ilustre la explicación con otros ejemplos.
7. Explique por qué se utiliza *algún* en la frase *de algún sitio.* ¿Cuándo se utilizan *alguno* y *algunos*?
8. ¿De qué tiempo verbal se trata en la oración "Quizás ese día nunca llegue"? Explique por qué se usa en este contexto. *Llegue* es también la conjugación para otro tiempo verbal. ¿De cuál se trata?

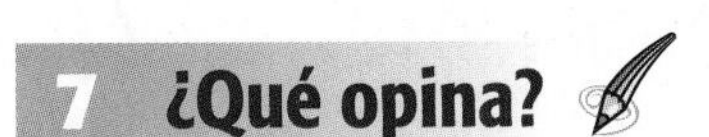

7 ¿Qué opina?

Reaccione a lo que cada persona ha escrito en el foro y hágale un comentario por escrito a cada uno. Incluya palabras del vocabulario nuevo que aparecen en azul y algunas "tapitas" gramaticales de la Actividad 6.

8 En mi opinión...

Ud. es auxiliar de vuelo. Escriba su opinión en un foro de trabajo.

- Hable de las razones por las que Ud. eligió este trabajo.
- Cuente algo que le pasó en uno de sus viajes.
- Diga si se lo recomendaría a otra persona. Explique su respuesta.

9 Una gira

Lea con atención el siguiente artículo, prestando atención a las palabras en azul y rojo, ya que se le harán preguntas sobre ellas. Después, resuma lo que leyó en una frase.

De gira

El grupo tuvo sus retos en sus comienzos. Aunque eran jóvenes y no les importaba viajar, no siempre resultaba fácil. Al contar con bajo presupuesto, cada viaje era siempre una pequeña aventura. En la mayoría de las ocasiones viajaban largas horas en autobuses públicos, compartiendo asientos con otras personas que al verlos con esas vestimentas, los examinaban de arriba abajo desaprobando su ropa y tatuajes. Siempre estaban faltos de sueño antes de un concierto, tuvieron un par de accidentes leves e innumerables incidentes. Debían pasar 24 horas al día juntos durante estas largas giras por lo que terminaban con una pelea prácticamente diaria, como nos relata con una sonrisa uno de ellos. No obstante, según cuentan, esos viajes, todas esas horas juntos, les aseguró una amistad para toda la vida. Con tres Grammys ganados, es un grupo que sigue prefiriendo viajar en autobús por mucho que ganen. Eso sí, ya no van como antes pues ni toman transporte público ni comparten la misma habitación. Ahora van siempre en tres autobuses privados cualquiera que sea su destino, decorados como los más lujosos hoteles de cinco estrellas y con todas las comodidades imaginables como un jacuzzi, sala de masajes y otros pequeños antojos que los ricos y famosos se pueden permitir.

10 Amplíe su vocabulario

Defina las palabras o expresiones que aparecen en azul, o escriba un sinónimo o expresión similar para cada una.

11 El pretérito y el imperfecto

¿Cuándo usamos cada tiempo? Escriba una oración para cada situación en la que se use el pretérito o el imperfecto.

12 "Tapitas" gramaticales

Conteste las siguientes preguntas relacionadas con el artículo anterior.

1. Explique qué es especial del verbo *importar*. Escriba una lista de otros ocho verbos que siguen la misma regla.
2. ¿Cuál es la diferencia entre *al contar* y *al verlos*? ¿Significa *al* lo mismo en las dos frases?
3. ¿Se puede usar *la mayoría de* en masculino?
4. *Diario* significa "todos los días". ¿Cómo cree que se dice "todos los meses"? ¿Y "todos los años"?
5. ¿Por qué decimos *cualquiera que sea* y no *cualquier que sea*? ¿Qué diferencia hay entre las dos palabras?
6. ¿Por qué usamos *ni...ni* y no *o...o* después de la expresión *ya no*?

13 Conexiones

¿Qué personas famosas estudió en sus clases de arte o historia que tuvieron que viajar por motivos de trabajo? Haga una lista y explique brevemente por qué tuvieron que hacerlo.

14 ¿Por qué dejó su trabajo?

Responda al correo electrónico.

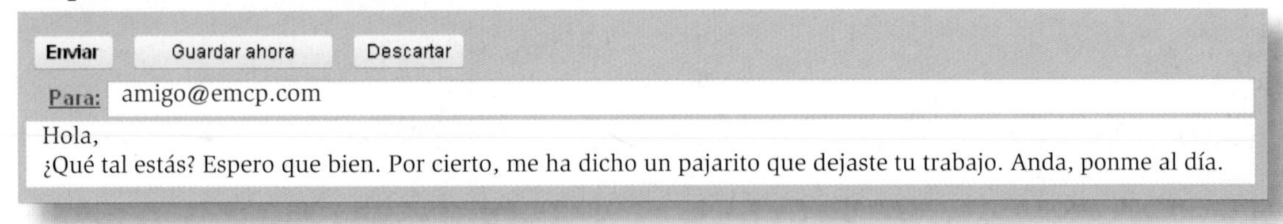

Enviar | Guardar ahora | Descartar

Para: amigo@emcp.com

Hola,

¿Qué tal estás? Espero que bien. Por cierto, me ha dicho un pajarito que dejaste tu trabajo. Anda, ponme al día.

- Explíquele en qué consistía su trabajo.
- Cuéntele por qué tenía que viajar tanto.
- Comparta alguna anécdota.

Cita

El mundo es un libro, y los que no viajan leen solamente una página.

—San Agustín (354–439), obispo, filósofo y Padre de la Iglesia Latina

¿Está de acuerdo con lo que dice? ¿Por qué? Hable sobre sus experiencias o las de alguien conocido con un/a compañero/a.

¡Dato curioso!

Uno de los medios de transporte más populares en Argentina es el "colectivo". Aunque hay más de cien líneas diferentes de autobuses en Buenos Aires, cada una tiene un color distinto según la línea que sea. Otro tipo de autobús —aunque más caro— es el "diferencial", donde ofrecen aperitivos y bebidas, y puede hasta tener asientos reclinables y aseo.

Idioma

15 Familia de palabras

Complete la tabla con el verbo, sustantivo o adjetivo apropiado y la traducción correspondiente.

Verbos		Sustantivos		Adjetivos	
aspirar	*to aspire*	________	*aspiration, ambition*	X	
beneficiar	________	________	*benefit*	________	*useful, beneficial*
________	*to cross*	________	*crossing*	cruzado	*crossed*
decepcionar	________	________	*disappointment*	decepcionante, decepcionado	________
desarrollar	________	________	*development*	________	*developed*
________	*to descend, fall*	el descenso	*fall*	descendente	*descending*
________	*to lead, head*	el encabezamiento, el encabezado	*heading*	X	
impulsar	*to promote, stimulate*	________	*impulse, stimulus*	impulsivo	*impulsive*
ingresar	*to come in, enter*	________	*entry, admission*	X	
mover	________	el movimiento	________	________, movible	*mobile, movable*
________	*to protect*	________	*protection*	________	*protective*
________	*to separate*	________	*separation*	separado, separatista	*separated, separatist*
sorprender	________	________	________	________	*surprising*
transportar	*to transport; to take*	________	*transportation*	transportable	________
vivir	________	________	*life*	________	*alive*

16 ¿Verbo, sustantivo o adjetivo?

Complete las oraciones usando la forma correcta de las palabras que aparecen en la tabla, ya sea verbo, sustantivo o adjetivo. En el caso del sustantivo puede que necesite artículo. Siga el modelo.

MODELO Desgraciadamente, el gobierno no se preocupa de ___ (*vivir*) digna de ese grupo étnico.
la vida

1. Manifestó ante la multitud que admiraba el valor de quienes dejaban sus países porque ___ (*aspirar*) a una vida mejor.
2. La compañía aérea está actualmente promocionando ___ (*beneficiar*) de tener una tarjeta de fidelidad con ellos.
3. Parece ser que hubo un accidente grave en ___ (*cruzarse*) que hay por aquí cerca.
4. La nueva cadena hotelera de origen alemán ha despertado reacciones que van desde la ilusión hasta la completa ___ (*decepcionar*). Compruébelo visitando el foro de clientes.
5. La mayoría de los sociólogos que he tenido ocasión de conocer, defienden la importancia de los inmigrantes en ___ (*desarrollar*) de la parte norte del país.
6. Según los últimos estudios, hace unos años ___ (*descender*) el número de estudiantes que viaja con esa agencia de viajes.
7. Puerto Vallarta ___ (*encabezar*) la lista de los principales destinos en la costa de México.
8. No le dieron el trabajo a Juan como auxiliar de vuelo por considerarlo una persona demasiado ___ (*impulsar*) y con gran dificultad para controlar sus emociones.
9. No olvide de leer las condiciones de ___ (*ingresar*) para ciudadanos con nacionalidad puertorriqueña.
10. Gracias a la tecnología, especialmente al uso del teléfono ___ (*mover*), la distancia y el tiempo dejaron de ser un problema en su profesión.
11. En esta zona existían numerosas áreas ___ (*proteger*) pero ha costado mucho que sean respetadas tanto por los gobiernos, como por la misma población.

12. Hace poco leí en la prensa sobre un juicio muy famoso en el que una aerolínea hizo que una madre de nacionalidad argentina viajara ___ (*separar*) de su hijo de diecinueve meses. ¡No me lo puedo creer!
13. Es ___ (*sorprender*) que esa línea aérea no haya aumentado las tarifas.
14. Van a tener que hacer algo con el problema del ___ (*transportar*) en esta ciudad. Hoy he tardado una hora y media en llegar.
15. Después de nuestro viaje a Brasil, ya pude apreciar cómo ___ (*vivir*) los indígenas de ese país.

17 Un viaje peligroso

Lea el artículo y complete los espacios con la palabra adecuada. Después conteste las siguientes preguntas:

- ¿Cuál es el propósito del artículo?
- ¿Cómo resumiría el artículo en una frase?
- Si quisiera consultar otra fuente, ¿podría pensar en un posible título de una publicación?
- ¿Qué pregunta sería apropiada para hacerle al autor después de leer el artículo?

Con el miedo al mar en el cuerpo

Ellos tuvieron suerte, otros no __1.__ (*pueden / puedan*) contarlo. Sambú, Sirifo, Jerry y Ansu lo tienen claro: no __2.__ (*vuelvan / volverían*) a cruzar el Atlántico en patera. La experiencia __3.__ (*fue / era*) tan dura que les ha dejado huella. Pero ahora no piensan en __4.__ (*vuelven / volver*). De momento __5.__ (*conseguían / han conseguido*) llegar a España y ya __6.__ (*duermen / duerman*) y __7.__ (*coman / comen*) caliente. Ahora les __8.__ (*queda / quedan*) por delante la difícil tarea de conseguir un trabajo. En principio todos miran al otro extremo del país, hacia Girona y Barcelona donde __9.__ (*residen / residan*) sus familiares y amigos y donde tienen más posibilidades de conseguir un empleo. Será en condiciones de miseria pero, en __10.__ (*ellas / sus*) circunstancias, sin papeles y con __11.__ (*un / una*) orden de expulsión a la espalda, a poco más __12.__ (*pueden / puedan*) aspirar.

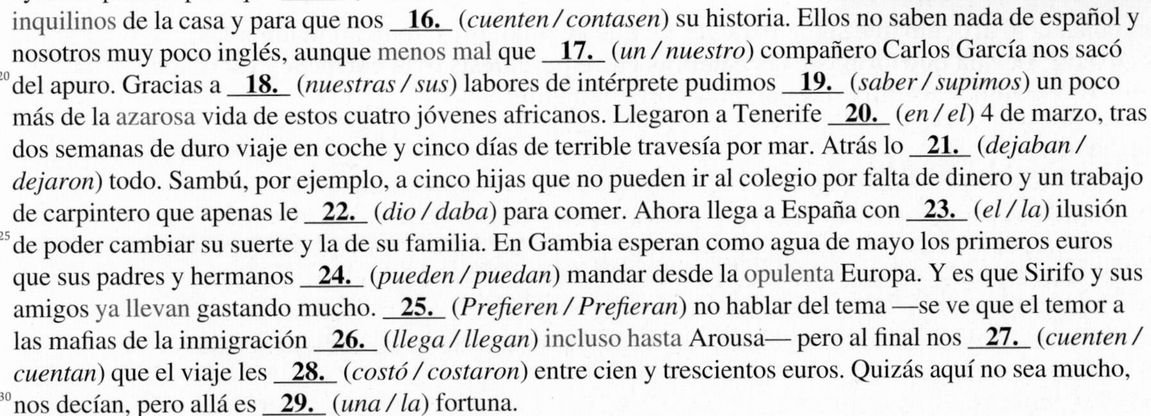

Mientras no alcanzan su El Dorado, __13.__ (*el / los*) cuatro gambianos descansan ya en el centro de acogida que Cáritas tiene en Vilaxoán. Francisco Rodríguez y Manuel Castroagudín nos __14.__ (*abrían / abrieron*) ayer sus puertas para que __15.__ (*conozcan / conociésemos*) a los nuevos inquilinos de la casa y para que nos __16.__ (*cuenten / contasen*) su historia. Ellos no saben nada de español y nosotros muy poco inglés, aunque menos mal que __17.__ (*un / nuestro*) compañero Carlos García nos sacó del apuro. Gracias a __18.__ (*nuestras / sus*) labores de intérprete pudimos __19.__ (*saber / supimos*) un poco más de la azarosa vida de estos cuatro jóvenes africanos. Llegaron a Tenerife __20.__ (*en / el*) 4 de marzo, tras dos semanas de duro viaje en coche y cinco días de terrible travesía por mar. Atrás lo __21.__ (*dejaban / dejaron*) todo. Sambú, por ejemplo, a cinco hijas que no pueden ir al colegio por falta de dinero y un trabajo de carpintero que apenas le __22.__ (*dio / daba*) para comer. Ahora llega a España con __23.__ (*el / la*) ilusión de poder cambiar su suerte y la de su familia. En Gambia esperan como agua de mayo los primeros euros que sus padres y hermanos __24.__ (*pueden / puedan*) mandar desde la opulenta Europa. Y es que Sirifo y sus amigos ya llevan gastando mucho. __25.__ (*Prefieren / Prefieran*) no hablar del tema —se ve que el temor a las mafias de la inmigración __26.__ (*llega / llegan*) incluso hasta Arousa— pero al final nos __27.__ (*cuenten / cuentan*) que el viaje les __28.__ (*costó / costaron*) entre cien y trescientos euros. Quizás aquí no sea mucho, nos decían, pero allá es __29.__ (*una / la*) fortuna.

De momento, Sambú y __30.__ (*su / sus*) compañeros pasarán unos días en la casa de San Cibrán, compartiendo vida con otras personas sin hogar entre los __31.__ (*quienes / cuales*) hay, también, inmigrantes como ellos. Franklin y Sadu ya llevan una temporadita allí, de modo que __32.__ (*puedan / podrán*) enseñarles cómo funciona el centro. Cáritas da comida, ropa, cobijo y cariño pero también tiene un fantástico invernadero y una hermosa huerta en la que __33.__ (*hay / haya*) mucho por hacer. Lo próximo que toca es plantar patatas, así que no sería raro ver a Jerry y Ansu con el *sacho* en la mano.

www.lavozdegalicia.es

18 ¿Qué significa?

Elija la mejor definición de cada palabra o expresión entre las dos opciones dadas.

1. tenerlo claro
   a. tener duda   b. no tener duda
2. dejar huella
   a. dejar olor   b. dejar una marca
3. quedar por delante
   a. quedar todavía, no haberse terminado algo   b. queda en la parte de enfrente
4. conseguir
   a. lograr   b. seguir, continuar
5. residir
   a. vivir   b. resumir
6. aspirar
   a. tratar de   b. respirar aire
7. alcanzar
   a. conseguir   b. comprender
8. acogida
   a. bienvenida   b. despedida
9. inquilino
   a. cliente que alquila   b. persona que alquila su casa
10. menos mal
    a. gracias a Dios   b. hay menos cosas malas
11. azaroso
    a. bonito   b. difícil
12. opulento
    a. que pertenece al Opus Dei   b. rico, lujoso
13. ya llevar
    a. hace tiempo que, por ahora   b. usar algo, llevar ropa
14. incluso hasta
    a. hasta   b. ingresado
15. compartir
    a. dar la mitad   b. dar una parte de algo
16. temporadita
    a. período de tiempo   b. época
17. de modo que
    a. así que   b. mientras que
18. funcionar
    a. trabajar   b. ir bien, hacer su función
19. cobijo
    a. lugar para protegerse   b. lugar donde cocinar
20. raro
    a. único   b. extraño

19 En sus propias palabras  

Haga un resumen oral o por escrito de lo que acaba de leer.

20 Los inmigrantes 

Échele una ojeada al artículo que sigue para ver de qué se trata, prestando atención a las palabras en azul. Decida qué forma de las palabras entre paréntesis es la correcta y escríbala. No se olvide de escribir y acentuar las palabras correctamente.

Nuestra buena gente

Hablar sobre los inmigrantes es oscilar entre dos extremos

Los manifiestos públicos sobre los extranjeros que han ____1.____ (*llegar*) a vivir en este país ____2.____ (*ir*) de un lado a otro: o se ____3.____ (*hacer*) discursos grandiosos y casi siempre muy generales indicando lo beneficiosos que ____4.____ (*ser*) para esta sociedad, o se ____5.____ (*el*) denigra indicando ____6.____ (*el*) que roban, ____7.____ (*el*) que quitan, ____8.____ (*el*) que consumen en servicios públicos.

Pero cada día, en ____9.____ (*este*) ciudad (y en muchas otras), ____10.____ (*mil*) de inmigrantes trabajan. Y no ____11.____ (*el*) hacen sólo en el campo, en la fábrica, en el restaurante o en ____12.____ (*el*) esquina. También ____13.____ (*ser*) maestros, científicos, artistas, escritores, religiosos, periodistas y ____14.____ (*tanto*) otras profesiones que no ____15.____ (*pertenecer*) a ____16.____ (*ninguno*) grupo o raza en particular.

www.laopinion.com

21 ¿Cuál no está relacionada? 

Mire las palabras a continuación. De cada grupo de cuatro, escoja la que no esté relacionada con la palabra del artículo anterior.

1. oscilar
   a. variar b. oponer
   c. fluctuar d. vacilar
2. extranjero
   a. nacional b. ajeno
   c. extraño d. remoto
3. beneficioso
   a. provechoso b. útil
   c. costoso d. benéfico
4. denigrar
   a. difamar b. desacreditar
   c. denotar d. calumniar
5. pertenecer
   a. ser de b. corresponder
   c. ser aceptado d. provocar
6. ninguno en particular
   a. todos b. ni uno solo
   c. ningunos d. nadie

22 Lea, escuche y escriba/presente 

Vuelva a leer el texto completo de "Nuestra buena gente". Luego escuche la grabación "Inmigrantes y mercado laboral" y tome las notas necesarias. Escriba un ensayo o haga una presentación en clase desde el punto de vista de un inmigrante, y sugiera algunas soluciones para el problema de la falta de trabajo en su país. Puede consultar otras fuentes, pero cite todas debidamente.

Refrán

Más vale lo malo conocido, que lo bueno por conocer.

¿Está de acuerdo con este refrán? ¿Piensa que se puede aplicar a la vida de un inmigrante? ¿Cree que puede aplicarlo a otros contextos que no estén relacionados con viajar? Dé ejemplos y compártalos con un/a compañero/a.

Es tradición arrojarle arroz a los novios. Esto comenzó en una época de escasez, cuando se lo tiraba a los jóvenes para desearles que tuvieran suficiente alimento y prosperidad. En Babilonia y Mesopotamia echaban dulces a los esposos frente a la puerta de su nuevo hogar, para compartir con ellos lo dulce y lo bueno que puede ofrecer la vida en pareja.

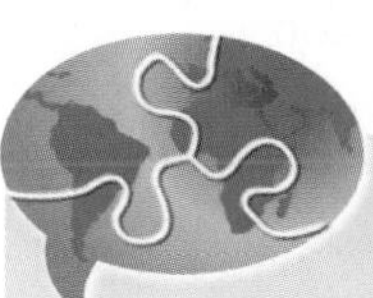

Compare

¿Cómo celebran las bodas en donde vive? ¿Ha oído hablar de otras tradiciones populares en las bodas en otros lugares o países?

23 Un turista 

Lea el artículo y complete los espacios con la palabra adecuada. Después conteste las siguientes preguntas:

- ¿Cómo resumiría el artículo en una frase?
- ¿Qué pregunta sería apropiada para hacerle al autor después de leer el artículo?

Tribulaciones de un turista en Shangai

En __1.__ (*a / un*) reciente viaje organizado a China, viví muchas anécdotas por culpa de las diferencias __2.__ (*de la / del*) idioma. En __3.__ (*las / los*) calles de Shangai, muchos letreros no __4.__ (*son / están*) escritos en inglés sino en un ininteligible mandarín. Era verano y hacía mucho calor de bochorno. Me __5.__ (*entró / tuve*) sed y le dije al guía que me separaba un momento del grupo __6.__ (*por / para*) entrar en una tienda a comprar una botella de agua. "¿Necesita ayuda?", dijo amablemente el encargado de la agencia de viajes. "No __7.__ (*hace / es*) falta, ya llevo un diccionario", indiqué. Entré en la tiendecilla y pedí agua al venerable anciano que estaba sentado en el mostrador junto a unos nietos. "Shuí", pronuncié muy despacio __8.__ (*al / mientras*) leía la palabra en el diccionario. El hombre sonrió, se metió en un rincón y volvió con unas frutas. "Shuî gûo", contestó con una sonrisa. __9.__ (*Tuve / Puse*) cara de decepción y repetí "Shuí".

El viejo y los nietos asintieron y rebuscaron en unas estanterías. Pero __10.__ (*trajo / volvió*) con unas gafas de sol. "Shuí", insistió __11.__ (*en / con*) una sonrisa cortés. Desesperado, abrí el frigorífico y tomé una botella de agua mineral. "Shuí", aclaré mientras la ponía en el mostrador. __12.__ (*Un / El*) dependiente y los niños mostraron una cara __13.__ (*de / con*) sorpresa y luego se __14.__ (*les / los*) iluminó el rostro. No paraban __15.__ (*x / de*) reír y de repetir "Shuí". __16.__ (*Con / Sin*) entender nada, puse un billete grande en su mano y, tras hacer una reverencia, me marché con mi botella. __17.__ (*El / La*) guía me explicó que gafas, fruta o agua __18.__ (*se / los*) pronuncian parecido pues sólo varía el acento, que puede ser ascendente, descendente o plano. __19.__ (*Solo / Sólo*) un nativo es capaz de apreciar la diferencia. __20.__ (*Todas / Todos*) los días se aprende algo nuevo.

www.europamochila.es

24 ¿Cuál no pertenece?

Mire las palabras a continuación. De cada grupo de cuatro, escoja la que no esté relacionada con la palabra de la lectura.

1. reciente
   a. ayer — b. esta mañana
   c. hace años — d. hace poco
2. por culpa de
   a. por error — b. en nombre de
   c. debido a — d. culpable
3. letrero
   a. licenciado — b. cartas
   c. anuncio — d. cartel
4. ininteligible
   a. poco claro — b. muy inteligente
   c. difícil de comprender — d. sin mucho sentido
5. mostrador
   a. que molesta — b. mueble para servir
   c. que muestra — d. mesa
6. rincón
   a. lugar — b. esquina
   c. ritmo — d. sitio
7. cortés
   a. bien educado — b. amable
   c. agradable — d. antipático
8. desesperado
   a. muy molesto — b. disgustado
   c. sin esperanza — d. muy feliz
9. billete
   a. libro — b. moneda
   c. dinero (en papel) — d. en efectivo

25 Lea, escuche y escriba/presente 

Vuelva a leer el texto completo de "Tribulaciones de un turista en Shangai" y luego escuche la grabación "El bilingüismo le da seguridad". Tome notas de las dos fuentes y escriba un ensayo o haga una presentación en clase sobre "Los desafíos de viajar a un país donde no hablen su idioma". No se olvide de citar las fuentes debidamente.

26 Las tradiciones 

Lea el artículo y complete los espacios con la palabra adecuada. Después conteste las siguientes preguntas:

- ¿Cómo resumiría el artículo en una frase?
- ¿Qué pregunta sería apropiada para hacerle al autor después de leer el artículo?

Las uvas de la suerte

___1.___ (*Hay / Haya*) muchas tradiciones ___2.___ (*que / cuales*) se han llevado a cabo en un país o región durante años, pero hay ___3.___ (*ninguna / algunas*) que son más recientes de ___4.___ (*el / lo*) que creemos o que han tenido un origen muy diferente ___5.___ (*a / al*) que nos imaginábamos. Es el caso de las uvas de fin de año, que se ha convertido en una de las tradiciones más esperadas en España. Me contaron que ___6.___ (*el / x*) origen en este caso no fue ni cultural ni religioso, ___7.___ (*sino / si no*) que fue más bien económico. A ___8.___ (*principio / principios*) del siglo XIX los productores de uvas no sabían qué hacer con un excedente que tuvieron ese año. Un grupo de empresarios ___9.___ (*tuvo / tenía*) una original idea, creando ___10.___ (*un / una*) tradición que se continúa desde entonces. Hoy en día todos celebran esta costumbre, que consiste ___11.___ (*en / sobre*) tomarse estas doce uvas al son de las campanadas para ___12.___ (*tenga / tener*) buena suerte el resto del año. Yo me río ___13.___ (*de / a*) estas cosas, y más ahora que me he enterado ___14.___ (*de / x*) cómo surgió. No obstante cumplo con la tradición ya que tampoco me atrevo ___15.___ (*a / x*) no tomar las uvas. Por lo tanto todos los años, en Noche Vieja, una a una me ___16.___ (*los / las*) tomo todas bien calladita... por si acaso. ¿Y ___17.___ (*si / sí*) fuera verdad?

27 Lea, escuche y escriba/presente  

Vuelva a leer el texto completo de "Las uvas de la suerte" y luego escuche la grabación "El luto en diferentes países". Tome notas de las dos fuentes y escriba un ensayo o haga una presentación en clase sobre "El origen de las tradiciones". No se olvide de citar las fuentes debidamente.

¡Dato curioso!

En muchos países latinos la Navidad es una gran celebración; es cuando las familias se reúnen y siguen muchas de las tradiciones. En Venezuela por ejemplo encontramos en estas fechas las parrandas, las paraduras del niño, las patinatas, los aguinaldos, el pesebre, las gaitas, las misas de aguinaldos, la mesa navideña, las danzas de los pastores o el velorio del niño Jesús, El día de los Santos inocentes, el día de Los locos y locaínas, los Reyes Magos, el año nuevo y el año viejo, entre otras.

Cita

Si rechazas las costumbres, tienes miedo de la religión, evitas hablar a la gente y nunca pruebas la comida, mejor quedarte en casa.

—James Michener (1907–1997), escritor estadounidense

¿Por qué piensa que pudo haber hecho este comentario? Comparta su opinión con un/a compañero/a.

Compare

¿Qué tradiciones conoce en su país o en otros para celebrar el último día del año?

¡A leer!

28 Antes de leer

¿Su familia siempre ha vivido donde vive ahora? ¿Se ha mudado en alguna ocasión? ¿De dónde? ¿Cuáles son los motivos por los que una familia se muda a otro lugar o a otro estado? Cuando alguien se muda, ¿qué cree que es lo que suele hacer para adaptarse mejor? ¿Le gustaría vivir en otro lugar? ¿Adónde se iría a vivir? ¿Qué haría para adaptarse mejor a la nueva situación? ¿Cree que le costaría hacerlo? ¿Por qué?

29 Una carta 

Lea con atención la siguiente carta que es parte del guión de la película *Spanglish*. Después conteste la siguiente pregunta: ¿Cuál es el propósito del artículo?

Para el Decano de Admisiones.
Universidad de Princeton

La persona más influyente: mi mamá. Sin comparación.

Creo que he estado preparándome para esta redacción desde hace... doce años, en México, el día en que mi papá se fue.

Tanta era la necesidad de mi mamá de protegerme, que no me dejaba verla llorar. El truco consistía en superarlo cuanto antes y lo más a solas posible. Tanta era mi necesidad de protegerla a ella, que yo siempre fingía que no la oía.

Mi mamá me retuvo en México todo el tiempo que pudo para arraigarme en todo lo latino hasta que por fin vio llegar nuestra última oportunidad para cambiar.

Nos iríamos a Estados Unidos. "No más de una lágrima. No más de una... una... pero bien 'llorá'".

Ella sería mi México. Como esta solicitud de admisión es un documento público diré simplemente que nuestro viaje a los Estados Unidos lo hicimos en... tercera clase.

Para poder educarme debidamente mi mamá necesitaba toda la seguridad posible de su propia cultura. Así que pasamos de largo Texas, con sólo el 34% de hispanos, camino de Los Ángeles, con el 48% de hispanos.

Unos pocos minutos perdidas en un ambiente extranjero y a la vuelta de la esquina, volvíamos a estar en casa.

La prima favorita de mi mamá, Mónica, nos dio cobijo. En los seis años siguientes ninguna de nosotras se aventuró al exterior de nuestra nueva comunidad. Mamá hacía dos trabajos, cobrando un total de 450 dólares a la semana. Y las dos hacíamos todo lo posible para que las cosas funcionasen. Estábamos contentas y bien. Ojalá hubiera tenido siempre seis años... pero yo estaba floreciendo y... quedó claro que tendría que dejar su trabajo nocturno para tenerme vigilada.

A los pocos días se dirigía a una entrevista de trabajo. Necesitaba 450 dólares de un sólo empleo y eso significaba que después de estar tanto tiempo en Estados Unidos, por fin entraba en una tierra extranjera.

Cristina Moreno

30 ¿Cuál es la palabra?

Mire las palabras de la primera columna, que aparecen en la lectura anterior, y busque su traducción en la segunda columna.

1. decano	a. to pretend
2. influyente	b. application
3. redacción	c. to charge
4. dejar ver	d. own
5. consistir en	e. to pass through
6. cuanto antes	f. dean
7. fingir	g. everything possible
8. arraigarse	h. interview
9. solicitud	i. as soon as possible
10. propio	j. influential
11. pasar de largo	k. to consist of
12. cobrar	l. written piece
13. todo lo posible	m. to take root
14. entrevista	n. to allow to see

31 ¿Ha comprendido?

1. ¿Qué edad tiene Cristina Moreno?
2. ¿Por qué sentía la madre de Cristina Moreno la necesidad de protegerla?
3. ¿Cómo cree Ud. que llegaron a Estados Unidos?
4. ¿Cómo encontraron la seguridad que iban buscando en Estados Unidos? ¿Por qué era tan esencial para su madre?
5. ¿Cuánto tiempo se quedaron con Mónica?
6. Explique el significado de la última oración: "...eso significaba que después de estar tanto tiempo en Estados Unidos, por fin entraba en una tierra extranjera".
7. En esta carta que escribe para el decano hay muchas connotaciones culturales. Nómbrelas.
8. ¿Qué empleo piensa Ud. que termina consiguiendo la madre de Cristina? ¿Qué otras posibilidades hay para un extranjero que no sepa hablar inglés muy bien?

32 Lea, escuche y escriba/presente

Vuelva a leer el guión de la película *Spanglish* y luego escuche la grabación "Entre dos mundos". Tome notas de las dos fuentes y escriba un ensayo o haga una presentación en clase sobre el siguiente tema: "Viviendo entre dos culturas". No se olvide de citar las fuentes debidamente.

33 Antes de leer

Cochabamba está en Bolivia. Mire la siguiente información y haga predicciones. Diga si la siguiente información es verdadera o falsa.

1. Cochabamba está en un valle rodeado de montañas de los Andes.
2. El clima es muy duro durante todo el año. Se le llama "La ciudad de la eterna primavera".
3. Cochabamba está en Colombia. Se llama así porque está en Colombia y bailan mucha samba.
4. Cochabamba tiene una estatua del Cristo de la concordia que es mayor que la famosa estatua de Brasil.

34 Cochabamba

Lea con atención el siguiente artículo. Después conteste las siguientes preguntas:

- ¿Cuál es el propósito del artículo?
- Si quisiera consultar otra fuente, ¿podría pensar en un posible título de una publicación?

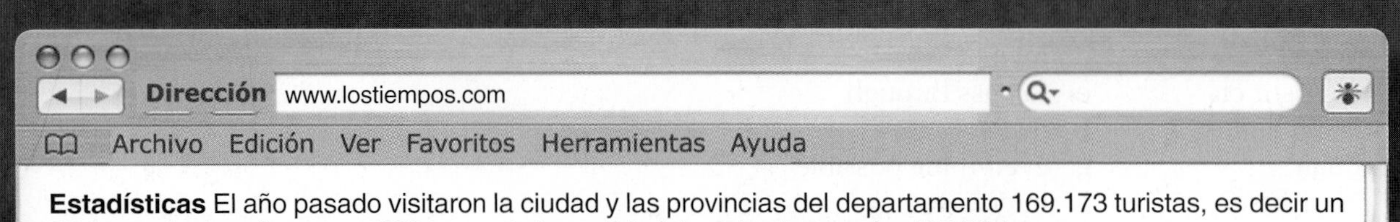

Estadísticas El año pasado visitaron la ciudad y las provincias del departamento 169.173 turistas, es decir un 26,5 por ciento más que en 2004 cuando la cantidad de visitantes llegó a 133.294.

Turismo reportó altas ganancias este año; esperan un año similar

La práctica del turismo en Cochabamba generó un movimiento económico aproximado de 11,4 millones de dólares durante la gestión este año y se constituyó en una de las principales actividades generadoras de empleo.

Representantes del sector prevén que el próximo año el rubro experimente también buenas ganancias, especialmente por la estabilidad.

Según estadísticas de la Unidad de Turismo de la Prefectura, del total de ingresos percibidos por la actividad turística, el rubro de la hostelería se benefició con 27,2 por ciento, alimentos con 15,9 por ciento, transporte con 13,7, artesanías con 10,6, recreación con 12,9 y otros, como el comercio, con el 19,7 por ciento.

El año pasado llegaron a la ciudad y a las provincias del departamento 169.173 turistas (32.545 extranjeros y 136.628 nacionales), es decir un 26,5 por ciento más que en 2004 cuando la cantidad de visitantes fue de 133.294 (22.827 extranjeros y 110.467 nacionales).

Considerando que los visitantes tienen una permanencia promedio de dos noches y realizan un gasto promedio diario de 50 dólares los extranjeros y 30 dólares los nacionales, se establece que el turismo dejó un beneficio neto de $11,4 millones para el departamento, sin tomar en cuenta el movimiento económico generado por el turismo familiar o comunitario, muy frecuente en los últimos años.

Esta última modalidad turística capta visitantes extranjeros y nacionales en viviendas familiares de la ciudad o comunidades campesinas de las provincias, con un promedio de permanencia que supera los cinco días y gastos promedio día de 25 a 30 dólares, que van en directo beneficio de los anfitriones, que les proporcionan hospedaje y alimentación a precios módicos.

No existen estadísticas sobre la cantidad de visitantes y el movimiento económico que genera este tipo de turismo, pero se estima que uno de cada 10 turistas que llega a Cochabamba opta por el turismo comunitario o solidario, que es impulsado por varios municipios de las 16 provincias del departamento.

El jefe de la Unidad de Turismo de la Prefectura, Salvador Lobo, dice que este año la afluencia de turistas puede fácilmente registrar un crecimiento mayor al 30 por ciento, considerando que todos los indicadores económicos, sociales e incluso políticos son favorables, para convertirse en una de las principales actividades generadoras de empleo y movimiento económico en Cochabamba y el país.

Laguna en Pairumani (Cochabamba)

Entre los indicadores mencionó la estabilidad social, la transitabilidad de las carreteras, la capacidad hotelera instalada en la ciudad y el trópico de Cochabamba, la cada vez mayor conciencia en autoridades municipales sobre la incidencia del turismo en el desarrollo regional, el clima y la variedad de comidas, la diversidad de pisos ecológicos, la arquitectura colonial de las provincias, la arqueología incaica y más de 1.000 atractivos.

35 ¿Qué palabra es? 

Complete las oraciones con la palabra apropiada del recuadro. Escriba el artículo cuando sea necesario.

por ciento	según	alimentos	promedio de
beneficio neto	precios módicos	crecimiento	

1. ___ los expertos, el turismo ha mejorado este año.
2. Los turistas pasan ___ una semana en las playas.
3. ___ de los productos les atraen a los consumidores.
4. Mi negocio va muy bien. Tuve ___ de más de $75.000. Es casi el cincuenta ___ más de lo que gané el año pasado.
5. En aquel país, casi todos ___ son importados.
6. ___ de la economía ha ayudado a muchos trabajadores a vivir mejor que sus padres.

36 ¿Ha comprendido?

1. ¿Por qué se esperan buenas ganancias para la economía de Cochabamba?
   a. Porque vendrá un mayor número de turistas
   b. Porque el crecimiento se mantendrá estable
   c. Porque en este año habrá más empleo
   d. Por la nueva gestión de la economía

2. ¿Qué actividad se benefició más del turismo?
   a. Las actividades de ocio
   b. El sector hotelero
   c. Los medios de transporte
   d. El comercio de artesanía

3. ¿Qué grupos turísticos generan, con total seguridad, mayor riqueza en Cochabamba?
   a. El nuevo turismo familiar
   b. Los turistas que provienen del mismo país
   c. Los visitantes de otros países
   d. Los turistas que pernoctan dos noches

4. ¿Por qué la afluencia de turismo superará el 30%?
   a. Porque generará más empleo
   b. Porque existen favorables indicadores económicos, políticos y sociales
   c. Por la mejora en las infraestructuras, el clima y la diversidad de pisos ecológicos
   d. Las respuestas b y c

5. ¿Parece positiva la incidencia de turistas en Cochabamba?
   a. No para las autoridades municipales
   b. Sí, por generar empleo
   c. Sí, porque ayuda a mover la economía del país
   d. Las respuestas b y c

¡Dato curioso! El español es el idioma oficial en Bolivia. Entre los principales idiomas indígenas están los siguientes por este orden: Quechua, Aymara, Guaraní y otros. Aunque es uno de los dos países con mayores reservas de gas en Latinoamérica es uno de los países más pobres de Latinoamérica y uno con el mayor número de indígenas. También es uno de los mayores productores mundiales de coca. Muchos campesinos ven esto como la única forma de supervivencia. Evo Morales fue elegido presidente en 2005. Es un gran cambio en el país al pertenecer a la población indígena mayoritaria. Él mismo fue un campesino que producía coca, por lo que ha defendido la producción de la hoja de coca entre los indígenas. Evo Morales es un indio aymara muy sencillo y pobre que criaba llamas.

37 Conexiones

¿Quiénes se benefician y quiénes se perjudican con el impacto del turismo? Haga una lista con las personas que Ud. cree que se benefician y se perjudican del turismo en Cochabamba y las razones. Compare esta información con la zona en la que Ud. vive y el impacto del turismo en donde vive.

38 Lea, escuche y escriba/presente  

Vuelva a leer el texto sobre el turismo en Cochabamba y luego escuche la grabación "España aumenta un 6% la llegada de turistas extranjeros en el primer semestre, con 25,5 millones". Tome las notas necesarias de las dos fuentes y escriba un ensayo o haga una presentación en clase contestando la pregunta, "¿Qué influencia tiene el turismo en la economía de un país?" No se olvide de citar las fuentes debidamente.

39 Antes de leer 

¿Qué sabe Ud. de las poblaciones indígenas? ¿Cree que existen muchos grupos indígenas en la actualidad? ¿Piensa que hay alguno que no haya sido influenciado por las civilizaciones occidentales? ¿Cómo se benefician y cómo se perjudican estas poblaciones con la influencia de la cultura occidental?

Una mujer ecuatoriana

Un hombre peruano

Una señorita ecuatoriana

40 Los indígenas

Lea con atención el siguiente artículo. Después conteste las siguientes preguntas:

- ¿Cuál es el propósito del artículo?
- ¿Qué pregunta sería apropiada para hacerle al autor después de leer el artículo?
- Si quisiera consultar otra fuente, ¿podría pensar en un posible título de una publicación?

Los indígenas: los sacrificados

Son aproximadamente el 5% de la población mundial, y están en franca desventaja frente al empuje arrollador de la cultura occidental. A pesar de ser pocos, representan más del 90% de la [5] diversidad cultural de nuestro planeta. En medio de la tempestad, tratan de mantener su modo de vida, su cultura, su identidad. Muchos de ellos conservan costumbres que desde el mundo que se autodenomina "civilizado" calificamos como [10] ancestrales o primitivas. Desde occidente se observa con curiosidad —y con impertinencia a veces— sus pinturas corporales, sus plumas y abalorios, sus rituales y sus tradiciones. Se estudian sus leyendas, sus mitos y sus [15] comportamientos. Valoran sobremanera la fuerza del grupo porque son conscientes de que sólo así es posible sobrevivir. Los yanomamis no comprenden la avaricia. Los esquimales no sabrían vivir sin un profundo sentido de la [20] solidaridad. Y se cuenta que en Borneo, los penan tienen una sola palabra para designar los conceptos "él", "ella" y "ello", sin embargo tiene seis formas distintas de referirse a "nosotros". ¿Qué forma de vida se esconde detrás de eso? [25] ¿Qué podrían enseñarnos sobre la relación con los demás?

Lo cierto es que es imposible trazar características en común. Si acaso podría decirse que todos conservan, de formas distintas y en distintas [30] intensidades, un mismo tesoro: el contacto con la naturaleza y con la tierra, algo que la cultura occidental ha ido progresivamente perdiendo. La naturaleza es la fuente de todos los remedios que necesitamos, pero su conocimiento está [35] lógicamente en manos de quienes no han perdido el contacto con la tierra. Empresas de varios sectores han visto en este conocimiento la gallina de los huevos de oro, una incalculable fuente de beneficios con un coste ridículo. Por [40] eso las multinacionales persiguen la sabiduría indígena, por los enormes beneficios que ello les reporta. Para elaborar un medicamento, un laboratorio necesita experimentar con alrededor de 10.000 plantas. Cuando echa mano del [45] conocimiento de las tribus del Amazonas, o de Papúa Nueva Guinea, se elabora un fármaco por cada dos plantas que estudia, con la consiguiente multiplicación de las ganancias. Desde anticonceptivos hasta neutralizadores de [50] veneno de serpientes, desde anticancerígenos hasta laxantes. La naturaleza es la farmacia más completa, si se sabe dónde buscar. Muchas organizaciones en todo el mundo luchan por preservar estas civilizaciones, ayudándoles a [55] mantener sus derechos frente al empuje del mercado.

www.revistafusion.com

41 ¿Qué significa?

Empareje las palabras de la primera columna con las de la segunda columna.

1. aproximadamente
2. población
3. desventaja
4. empuje arrollador
5. identidad
6. conservar
7. ancestral
8. corporal
9. valorar
10. avaricia
11. profundo
12. sin embargo
13. si acaso
14. remedio
15. la gallina de los huevos de oro
16. ridículo
17. alrededor
18. fármaco

a. solución
b. absurdo
c. gusto por acumular riquezas
d. tener en estima
e. tal vez
f. más o menos
g. de los antepasados
h. gran ventaja
i. medicina
j. habitantes
k. aproximadamente
l. cuerpo
m. pero
n. hondo
o. guardar
p. prejuicio
q. gran fuerza
r. descripción

42 ¿Ha comprendido?

1. ¿Cómo se encuentra la población indígena en el mundo?
   a. Intentan preservar su civilización frente al abuso occidental.
   b. Tienen una ventaja con Occidente de un 90%.
   c. Intentan influir en la cultura occidental.
   d. Son pocos pero están en una situación ventajosa.
2. ¿Cuál es su idea de supervivencia?
   a. Piensan que el individuo es el centro de la cultura.
   b. No usan la avaricia para acumular riqueza.
   c. Refuerzan la idea de comunidad y grupo frente al individualismo.
   d. Se encomiendan a la divinidad en sus rituales.
3. ¿Existe algún aspecto que compartan todos los indígenas del planeta?
   a. No es posible encontrar un rasgo en común.
   b. No, entienden el mundo de forma diferente.
   c. Sí, comparten una oposición al mundo occidental.
   d. Sí, comparten un acercamiento al mundo natural.
4. Según el texto, ¿cuál es la posición de las compañías farmacéuticas?
   a. Intentan encontrar nuevas soluciones acudiendo al mundo indígena.
   b. Les interesa encontrar la fórmula indígena para ahorrar costes.
   c. Utilizan los métodos de los indígenas aunque tengan menos ganancias.
   d. No existe una conexión entre el mundo indígena y el mundo globalizado.
5. ¿Por qué recurren al mundo indígena las compañías farmacéuticas?
   a. Amplían sus ganancias con los conocimientos indígenas.
   b. El mundo natural es más eficaz.
   c. Con los conocimientos, los indígenas ganan en rentabilidad.
   d. Las compañías ayudan al desarrollo indígena.

43 Los dos lobos dentro de ti 

Lea el siguiente cuento y haga un breve resumen.

El joven indio se sentó junto a su padre. Su padre era el viejo jefe indio de una pequeña tribu que estaba al pie de la montaña. El jefe siempre había sido un hombre de pocas palabras pero al que todos admiraban. Estaba anocheciendo. Los dos estaban sentados enfrente del otro junto al fuego bajo la luna llena. El joven indio observaba con admiración la piel de 5 oso que cubría los hombros de su padre. Su padre se dio cuenta y le dijo, "Pertenecía a tu abuelo".

- "¿Cómo era el abuelo? Nunca lo conocí". - preguntó el joven.
- "Tu abuelo fue un buen hombre. No obstante, durante los últimos años de su vida pasó una época difícil. Hubo una pelea entre los dos lobos dentro de él", siguió el anciano mientras 10 que respiraba profundamente. "Todos los seres humanos tenemos esa pelea a diario dentro de nosotros. Uno de los lobos representa la envidia, la avaricia, la arrogancia y la maldad. El otro por otro lado representa el amor, la generosidad, la esperanza, y la bondad".

Pasaron un par de horas. Ninguno de los dos dijo nada más. Tan solo se oía el chasquido de las ramas al arder en la hoguera. Pronto llegaría el duro invierno y tendrían que mudarse 15 otra vez para buscar comida para alimentar a su tribu.

- "¿Y cuál de los lobos ganó, padre?"
- "El que tu abuelo alimentó", contestó. El joven indio creyó observar una pequeña sonrisa en el rostro de su padre.

44 Lea, escuche y escriba/presente 

Vuelva a leer "Los indígenas: los sacrificados" y el cuento de "Los dos lobos dentro de ti". Luego escuche la grabación "Conocer el mundo". Tome las notas necesarias de las dos fuentes y escriba un ensayo o haga una presentación en clase contestando estas preguntas: "¿La creencia de un pueblo es fruto de su cultura? ¿Qué sucede con la cultura de un país o región cuando llegan personas con otras tradiciones y culturas?" No se olvide de citar las fuentes debidamente. Póngale un título original al ensayo.

Cita

Para conocer a la gente hay que ir a su casa.

—Johann Wolfgang Goethe (1749–1832), poeta, novelista y dramaturgo alemán

¿Cree que solamente podemos llegar a conocer a las personas en su país? ¿Por qué? ¿A qué se debe? Hable sobre sus experiencias o las de alguien conocido.

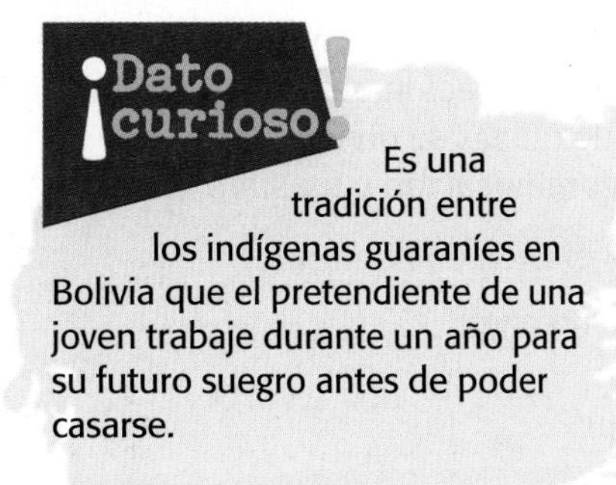

Es una tradición entre los indígenas guaraníes en Bolivia que el pretendiente de una joven trabaje durante un año para su futuro suegro antes de poder casarse.

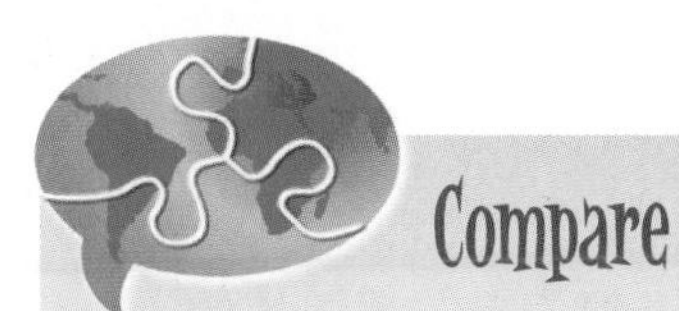

Compare

¿Qué leyó o aprendió en la clase de historia o estudios sociales sobre los indígenas norteamericanos? ¿Puede encontrar similitudes con lo que leyó en el artículo de los indígenas sacrificados?

¡A escuchar!

45 Benditos sean los animales

Esta grabación trata de la antigua celebración anual en la que se llevan animales a la iglesia para ser bendecidos. La grabación dura aproximadamente 4.5 minutos. Lea las preguntas primero y después escuche la grabación "Benditos sean los animales". Luego conteste las preguntas.

1. Escriba el nombre de cinco animales que nombran en la grabación.
2. ¿Qué tipo de celebración es?
3. ¿Desde cuándo se celebra?
4. ¿Cuál es el animal que normalmente encabeza la procesión?
5. ¿Qué animales eran los más escandalosos?
6. ¿Participaba algún político?
7. ¿Por qué se celebra esta tradición?
8. Si quisiera consultar otra fuente, ¿podría pensar en un posible título de una publicación?

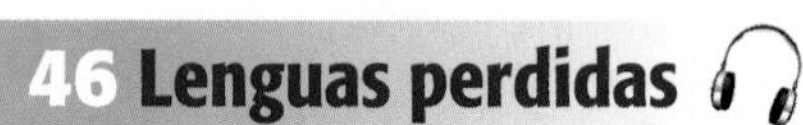

46 Lenguas perdidas

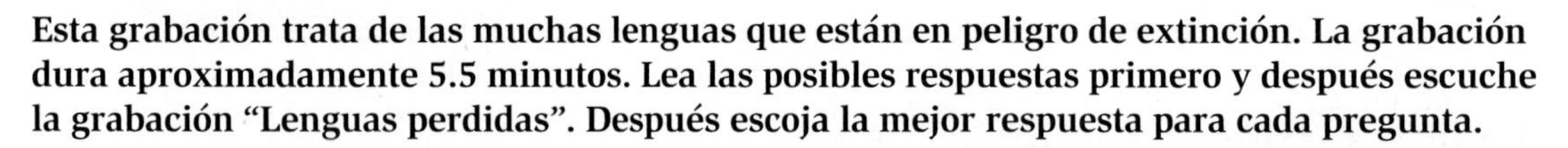

Esta grabación trata de las muchas lenguas que están en peligro de extinción. La grabación dura aproximadamente 5.5 minutos. Lea las posibles respuestas primero y después escuche la grabación "Lenguas perdidas". Después escoja la mejor respuesta para cada pregunta.

1. ¿Cuántas lenguas están en peligro de extinción?
   a. Entre 30.000 y 60.000
   b. Entre 3.000 y 6.000
   c. Entre 13.000 y 16.000
   d. Entre 3.000 y 16.000
2. ¿Qué constituye una lengua para un pueblo?
   a. Un símbolo de una cultura pero no necesariamente un medio de comunicación
   b. Un medio de comunicación pero no es importante para la cultura
   c. Una cultura que quizás se olvide
   d. Un medio de comunicación y un símbolo de una cultura
3. ¿Cuántas lenguas existen en el mundo?
   a. Entre 13.000 y 60.000
   b. Sólo veinte
   c. Más de seis mil
   d. Unas seis mil
4. ¿Cuántas personas deben hablar una lengua para que sobreviva?
   a. Unas 3.000
   b. 6.000
   c. Sólo veinte
   d. Más de 100.000

5. ¿Por qué se está imponiendo el inglés a otras lenguas?
   a. Porque lo hablan millones de personas
   b. Porque lo hablan más de 100.000 personas
   c. Porque tiene su origen en el esperanto
   d. Porque tiene una gramática fácil y por Internet
6. ¿Qué le pasa a las lenguas que tienen menos acceso a Internet?
   a. Que sus hablantes nunca aprenderán inglés
   b. Que estarán más protegidas y se harán más fuertes
   c. Que tendrán más riesgo de desaparecer
   d. Que terminarán siendo salvadas por la tecnología

47 Participe en una conversación 

Ud. va a participar en una conversación. Primero lea la descripción de la conversación y piense en algunas palabras o expresiones que le serían útiles. Organice sus ideas, haciendo predicciones sobre lo que se le pueda preguntar o comentar. Una descripción de lo que va a escuchar aparece abajo en color. Participe en la conversación grabando las respuestas o escribiéndolas en su cuaderno.

Escena: Ud. es una persona muy conocida y por su posición tiene que viajar mucho. Hoy, le hacen una entrevista en un programa de televisión.

El presentador: En un programa de televisión el presentador le pide algo.

Ud.:
- Conteste.
- Dele la información que le pide.

El presentador: Sigue la conversación. Le hace una pregunta.

Ud.:
- Conteste su pregunta.
- Cuente una anécdota muy corta.

El presentador: Sigue la conversación. Le hace una pregunta.

Ud.:
- Háblele sobre sus preferencias. Explique las razones.

El presentador: Sigue la conversación. Le hace otra pregunta.

Ud.:
- Contéstele y dele detalles sobre lo que le pide.

El presentador: Sigue la conversación y le pide algo.

Ud.:
- Haga un comentario e intente usar una expresión que ha aprendido o repasado en esta lección.

¡A escribir!

48 Texto informal: un correo electrónico 

Responda al email. Tome el papel de un/a inmigrante ilegal. Escríbale un correo electrónico a su madre hablándole de su experiencia. Incluya lo siguiente:

- Háblele de su experiencia para poder llegar a su destino.
- Hable del medio, o de los medios, de transporte que usó.
- Describa su primera impresión de su nuevo destino.
- Despídase.

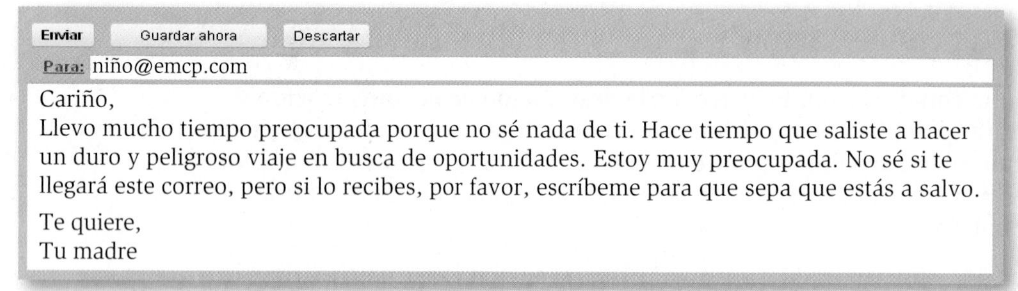
Enviar | Guardar ahora | Descartar

Para: niño@emcp.com

Cariño,

Llevo mucho tiempo preocupada porque no sé nada de ti. Hace tiempo que saliste a hacer un duro y peligroso viaje en busca de oportunidades. Estoy muy preocupada. No sé si te llegará este correo, pero si lo recibes, por favor, escríbeme para que sepa que estás a salvo.

Te quiere,
Tu madre

Consejo

Antes de empezar, lea las pautas para escribir textos informales en la pág. 480 del Apéndice. Mientras escribe el texto tenga presente los objetivos. Cuando termine, verifique que ha cumplido con todo lo que se describe en la lista y reflexione sobre su trabajo.

49 Texto informal: un correo electrónico

Ud. ha decidido ir a pasar un mes en un país hispanohablante para aprender español. Las cosas no son tan fáciles como esperaba. Responda al correo electrónico de su amigo.

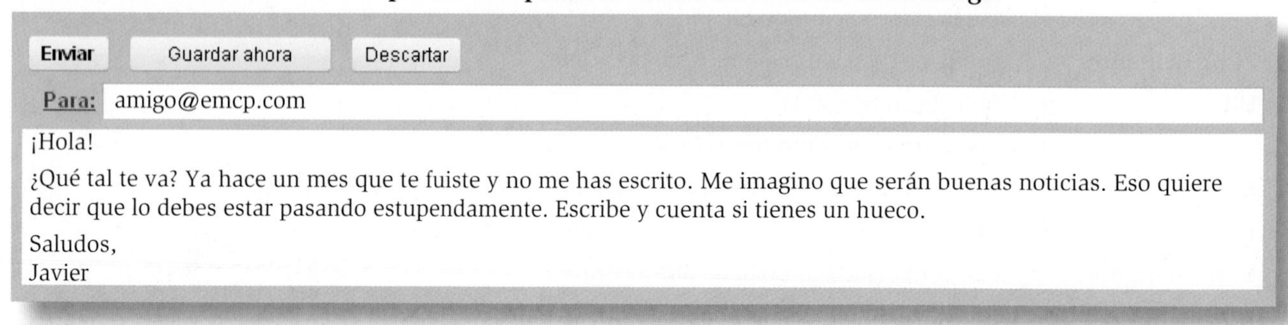
Enviar | Guardar ahora | Descartar

Para: amigo@emcp.com

¡Hola!

¿Qué tal te va? Ya hace un mes que te fuiste y no me has escrito. Me imagino que serán buenas noticias. Eso quiere decir que lo debes estar pasando estupendamente. Escribe y cuenta si tienes un hueco.

Saludos,
Javier

Incluya lo siguiente en su respuesta:

- Describa el país en el que está.
- Describa sus primeros días.
- Hable de sus retos y sus miedos.
- Piense en ideas para mejorar la situación.

Consejo

Antes de empezar, lea las pautas para escribir ensayos en la pág. 480 del Apéndice. Mientras escribe el ensayo tenga presente los objetivos, y no se olvide de ponerle un título original. Cuando termine, verifique que ha cumplido con todo lo que se describe en la lista y reflexione sobre su trabajo.

50 Ensayo: estudiar en el extranjero 

Escriba un ensayo contestando la pregunta, "¿Piensa que debe ser obligatorio que todos los estudiantes estudien en otro país?"

51 Ensayo: la inmigración 

Escriba un ensayo en el que compare las ventajas y desventajas de la inmigración en un país. Su profesor/a le va a decir si debe tomar la postura de un/a inmigrante o de un/a ciudadano/a del país.

52 En parejas

Intercambie sus ensayos con los de un/a compañero/a. Exprésele su opinión sobre el contenido y el uso del idioma.

¡A hablar!

53 Charlemos en el café

Hable con sus compañeros sobre estos temas.

1. ¿Está igualmente aceptado que viaje una madre o un padre por cuestiones laborales? ¿Qué consecuencias tienen estos viajes en la familia?
2. Haga una lista de cinco personas famosas que se ven obligadas a viajar. Hable de los motivos por los que lo deben hacer y su posible impacto en otras personas al viajar.
3. ¿Son todos los inmigrantes tratados por igual? ¿Cuáles serán las razones por las que unos son más aceptados que otros por la sociedad? Explique su respuesta.
4. Cuando Ud. nota que alguien habla con acento extranjero, ¿cómo reacciona? ¿Cómo cree que otras personas reaccionan? ¿Cómo reaccionan otras personas al escuchar su acento cuando habla en español?
5. ¿Cómo cree que el acento extranjero de una persona influye en la percepción que se tiene de ella?

Clienta mexicana en un supermercado de Estados Unidos

54 ¿Qué opinan?

Converse con un/a compañero/a sobre estas preguntas.

1. ¿Cuáles son las costumbres o tradiciones más conocidas de los Estados Unidos?
2. ¿Cuáles son las costumbres o tradiciones más conocidas de otros países?
3. ¿Piensa que en los Estados Unidos se valora el aprendizaje de idiomas? ¿A qué se debe?

55 Presentemos en público

Hable sobre uno de los siguientes temas durante varios minutos en clase. Organice sus ideas antes de hacer la presentación, busque las palabras necesarias y, después de practicar, presente en clase sin mirar las notas.

1. Hable sobre los retos que tienen los hijos de inmigrantes.
2. Hable sobre el choque entre diferentes culturas. ¿Por qué sucede? Conforme pasa el tiempo, ¿piensa que somos más o menos tolerantes? Proponga una solución al problema de la intolerancia con respecto a otras culturas.
3. Hable sobre los diferentes tipos de turistas.
4. ¿Qué piensa de la globalización y de su impacto en las tradiciones y cultura de un país?
5. Hable de las diferentes tradiciones en España.
6. Hable de las diferentes tradiciones en México.
7. Hable de las diferentes tradiciones en Venezuela.

Consejo

Antes de empezar, lea las pautas para presentaciones formales en la pág. 481 del Apéndice. Mientras formula su presentación tenga presente los objetivos. Cuando termine la presentación, verifique que ha cumplido con todo lo que se describe en la lista y reflexione sobre el trabajo que hizo.

Proyectos

56 ¡Manos a la obra!

Trabaje en un grupo de cuatro o cinco estudiantes para llevar a cabo uno de los siguientes proyectos y presentarlo a la clase.

1. Investiguen sobre una tradición o fiesta original en un país del mundo hispano. Intenten que sea una no muy conocida por los otros compañeros de clase. Promocionen la tradición o fiesta en su escuela o universidad, e intenten conseguir que venga el máximo número de participantes a verla. Pueden usar carteles, camisetas, concursos, etc. para promocionar la fiesta o tradición.
2. Los miembros de su grupo tuvieron que emigrar a otro país. Expliquen en una rueda de prensa los motivos por los que tomaron esta decisión. Hablen de su viaje (pueden mostrar fotos y recuerdos), de los retos, del país donde están ahora y su adaptación al mismo. Prepárense para responder a las preguntas de sus compañeros.
3. Hagan una lista de consejos y reglas para ser un buen turista. Preséntenlo en un cartel, un folleto o en una presentación electrónica.
4. Hagan una rueda de prensa en la que hablan de una persona que ha ganado un premio por ser "el/la mejor turista". Expliquen a la clase qué es lo que hizo para merecer dicho premio.
5. Piensen en películas o series de televisión donde aparezcan personas de otros países o culturas. Hablen sobre las películas y series y describan los personajes. ¿Cómo son tratados? ¿Son estereotipos de extranjeros? ¿Creen que reflejan el problema del choque cultural? Propongan un tema para una película que refleje lo que han aprendido o repasado en este capítulo.

La tradición del gaucho sigue vigente en Argentina y Uruguay.

Vocabulario

Verbos

alcanzar	to reach
arraigarse	to take root, establish oneself in a place
asentir (ie, i)	to agree, consent
cobrar	to charge
compartir	to share
conseguir (i)	to achieve, obtain
conservar	to conserve, keep
denigrar	to discredit
enfrentarse	to face
equivocarse	to be wrong, be mistaken
fingir	to pretend
funcionar	to work
madrugar	to wake up early
pertenecer	to belong
perturbar	to disturb
rechazar	to reject
residir	to live, reside
valorar	to value, to give importance

Verbos con preposición

verbo + a:

acostumbrarse a	to get accustomed to
aprender a	to learn to
dirigirse a	to go to, head toward
renunciar a	to resign

verbo + con:

acabar con	to finish off, end
amenazar con	to threaten to/with
soñar (ue) con	to dream about

verbo + de:

aprovecharse de	to take advantage of
huir de	to run away from
olvidarse de	to forget about
tratar de	to try to

verbo + en:

entrar en	to go into
incluir en	to include in/on
tardar en	to take time to

verbo + por:

luchar por	to fight for
preocuparse por	to worry about

Sustantivos

la	**acogida**	welcome, reception
el	**antepasado**	ancestor
el	**antojo**	craving
el	**beneficio**	benefit
el	**billete**	bill
el/la	**campesino/a**	agricultural worker; peasant
la	**censura**	censorship
el/la	**ciudadano/a**	citizen
el	**crecimiento**	growth
el	**desfile**	parade
la	**desventaja**	disadvantage
el	**dilema**	dilemma
el	**discurso**	speech
la	**economía**	economy
el	**empleo**	employment
el	**empuje**	push, drive
la	**entrevista**	interview
el	**extranjero**	foreigner
el	**fármaco**	medicine
el/la	**gobernante**	leader
la	**igualdad**	equality
el	**letrero**	sign
el/la	**líder**	leader
la	**meta**	goal
la	**moneda**	coin, currency
la	**pobreza**	poverty
el	**rechazo**	denial
el	**riesgo**	risk
el	**rincón**	corner
la	**solicitud**	application

Adjetivos

anual	annual
cortés	polite
desesperado, -a	desperate
diario, -a	daily
influyente	influential
mensual	monthly
opulento, -a	affluent
propio, -a	own
provechoso, -a	profitable, worthwhile
raro, -a	strange

Adverbios

apenas	barely
bastante	sufficiently, quite
debidamente	properly
ya no	no longer

Expresiones

el acuerdo de paz	peace treaty
al + infinitivo	on, when + *-ing* form of verb
al igual que	like, just like
bien educado, -a	well-mannered
la crisis económica	economic crisis
cualquiera que sea su destino/punto de vista/raza	whatever the destination/point of view/race
cuanto antes	as soon as possible
de modo que	so that
de otra forma	in another way
dejar huella	to leave a trace, mark
en el fondo	deep down
en la mayoría de las ocasiones	most of the time
estar falto de sueño	to lack sleep
estar muerto de cansancio/sueño/hambre	to be dead tired/sleepy/hungry
haber para todos los gustos	to be for all tastes
hacer falta	to need
hacer todo lo posible	to do whatever is possible
(la) mayoría de las veces	most of the time
menos mal	thank goodness
por ciento	percent
por culpa de	because of, through the fault of
por desgracia	unfortunately
por lo que	by what
el régimen político	political regime
según	according to
tenerlo claro	to have no doubt about something
tener miedo de	to be afraid of

A tener en cuenta

Verbos como *gustar*

aburrir	to bore
agradar	to be pleasing, please
apetecer	to crave, yearn for
bastar	to suffice, be enough
convenir	to suit, be convenient
doler (ue)	to hurt
encantar	to delight, charm
faltar	to lack
fascinar	to fascinate
fastidiar	to bother, annoy
hacer falta	to need
importar	to matter
interesar	to interest
molestar	to bother
parecer	to seem
preocupar	to worry
quedar	to be left
sobrar	to be more than enough, be too much
sorprender	to surprise

Capítulo 2

¡Gente joven!

Temas

- Cómo se definen y qué valoran
- Cómo viven
- Cómo hablan

Lección A

Objetivos

Comunicación

- Estar a la moda
- Los valores de los jóvenes
- Cómo se definen los jóvenes
- Las aspiraciones de los jóvenes

Gramática

- *Ser, estar* y *haber*
- Verbos reflexivos y construcciones reflexivas
- *Por* y *para*

"Tapitas" gramaticales

- *acabar* + gerundio
- *pero, sino, sino que*

Cultura

- La influencia de la moda
- Los jóvenes en su tiempo libre
- Metas y aspiraciones de los jóvenes
- El lenguaje de la gente joven
- La mayoría de edad

Para empezar

1 Conteste las preguntas

Piense en las respuestas a las siguientes preguntas. Ud. puede tomar notas si lo considera necesario. Cuando termine, compare sus respuestas —pero sin mirar sus notas— con las de un/a compañero/a.

1. ¿Qué suele hacer los fines de semana? ¿Hasta qué hora se queda cuando sale? ¿A qué dedica el domingo?
2. ¿Cree que Ud. cambió mucho cuando llegó a la adolescencia? ¿En qué notó los cambios?
3. ¿Qué tipo de ropa llevan los jóvenes ahora? ¿En qué se diferencia de la ropa que llevan los adultos? ¿Cree que a los mayores les gusta esta moda o que la comprenden?
4. ¿Quiénes están más a la moda? ¿Los quinceañeros, los veinteañeros o los treintañeros?
5. ¿Cómo son los piratas informáticos vistos por su generación?
6. ¿Qué imagen suelen tener los jóvenes de sí mismos?
7. ¿Los jóvenes de su generación tienen más o menos interés en la política que sus padres? ¿A qué se debe?
8. ¿Cómo es el lenguaje de los jóvenes? ¿Cómo se diferencia del lenguaje de sus padres? ¿Y del de sus abuelos?
9. ¿Hasta qué edad se es joven? ¿Se considera joven? ¿Qué marca el final de la juventud?
10. ¿Los jóvenes pueden mejorar el mundo a su alrededor? ¿De qué forma?

2 Mini-diálogos

Ud. va a crear un mini-diálogo con un/a compañero/a. Lea la descripción de la conversación antes de empezar. Puede tomar notas para organizar sus ideas, pero no las mire mientras conversa.

Escena: En una de sus clases, entre ejercicio y ejercicio su amigo/a y Ud. hacen planes para el fin de semana.

A:	Entable una conversación sobre el fin de semana. Pregúntele sobre sus planes.
B:	Reaccione con frustración. Dígale que no tiene planes. Pregúntele sobre los suyos.
A:	Conteste su pregunta. Invítelo/la.
B:	Acepte la invitación. Sugiérale otra actividad.
A:	Reaccione con emoción. Sugiérale otra actividad.
B:	Reaccione con emoción. Dele su número del móvil.
A:	Hágale un comentario sobre su profesor(a). Despídase.
B:	Despídase. Haga un comentario positivo sobre sus planes del fin de semana.

Cita

De mis disparates de juventud lo que más pena me da no es el haberlos cometido, sino el no poder volver a cometerlos.

—Pierre Benoît (1886–1962), novelista francés, miembro de la Acadèmie française

¿Cree que se cometen muchos disparates por ser joven? ¿A qué se deberá? ¿Se arrepiente de ellos? Comparta sus opiniones con un/a compañero/a.

¡Dato curioso! El concepto de *joven* ha cambiado con el paso del tiempo. En la época medieval una persona de veintidós años no era considerada joven, al ser ésta la media de esperanza de vida en aquellos tiempos. También influye el país y la cultura sobre el concepto de ser joven.

Vocabulario y gramática en contexto

3 Una fiesta

Túrnese con un/a compañero/a para leer lo que una chica escribió sobre una fiesta. Fíjese en las palabras que aparecen en azul (relacionadas con el vocabulario) y en rojo (relacionadas con la gramática), ya que en las siguientes actividades se le harán preguntas sobre ellas.

Fiesta

Yolanda

El otro día mis amigos y yo fuimos a una fiesta. Estuvo muy bien aunque al principio era un poco rollo. Yo no estaba muy segura de que quisiera salir ese día. Paula me mandó [5] un mensaje al móvil y me dijo que estaba lista, que me daba media hora para que me arreglara. Yo, aunque estaba muerta de sueño, no pude decirle que no. Estaba tan ilusionada... Ella es muy buena gente y somos íntimas [10] desde hace siglos. Así que me puse un vestido verde muy mono y salimos. Fuimos a una fiesta donde había mucha gente y allí vimos a Fernando. Él y yo nunca nos habíamos llevado bien pero nos quedamos hablando por horas. [15] Mi amiga se acercaba de vez en cuando y me murmuraba al oído: "Pero, ¿estás ciega? ¿No ves quién es?" A mí, nada de esto me importaba. ¡Estaba tan atento y gracioso! En la fiesta, tomamos unas tapas riquísimas que [20] había preparado Alex. Eran unos dátiles con bacon que estaban increíbles. Fue una noche inolvidable. ¡Ah, se me olvidaba! Desde aquel día Fernando y yo estamos saliendo. Sí, ahora somos novios, y cuando mi amiga me recuerda [25] con una sonrisita que lo odiaba, yo suspiro y le digo con ojos de enamorada: "¿No dicen que el amor es ciego? Hay que hacerle caso a las emociones". Y le guiño un ojo amistosamente.

4 Amplíe su vocabulario

Defina en español las palabras o expresiones que aparecen en azul, o escriba un sinónimo o expresión similar para cada una.

5 Ser, estar y haber

Con un/a compañero/a, haga estas actividades relacionadas con la lectura anterior.

1. Hagan una lista con las palabras y expresiones que aparecen con *ser* y *estar* en la lectura y expliquen la regla para su uso.
2. Escriban los ejemplos donde el verbo *haber* ha sido usado.
3. Ya saben que el significado de algunos adjetivos cambia según se use *ser* o *estar*. Por ejemplo, en la lectura se usa *estar seguro* para significar *to be sure*. ¿Qué significa *ser seguro*? Piensen en otros cinco adjetivos que cambian de significado según se usen con *ser* o *estar*. Pueden usar algunos ejemplos de la lectura además de sus propios ejemplos.

6 ¿Ser, estar o haber?

Complete el texto con el verbo *ser, estar* o *haber* en el tiempo correspondiente.

Ayer por la noche hubo una reunión para los estudiantes que __1.__ en la clase de mi hermano este curso. __2.__ para formar un club de cine pues todos __3.__ unos fanáticos de la gran pantalla. Aunque yo __4.__ agotado anoche fui para acompañarlo. Al principio no pudimos encontrar la sala, ya que iba a __5.__ en un edificio pero luego __6.__ en otro. Cuando por fin encontramos la clase, ya __7.__ llegado casi todo el mundo. Apenas __8.__ asientos libres. La reunión __9.__ divertida, todos __10.__ muy agradables y las conversaciones __11.__ muy vivas. Alfonso __12.__ el líder de este grupo y __13.__ bastante listo y vivo. __14.__ estado interesado en el cine durante mucho tiempo. Seguramente __15.__ un actor o director algún día aquí en Argentina. Nos dijo a todos que __16.__ que hacer carteles y hablar con más chicos para que se unan al club. El club __17.__ abierto a todos aquellos que quieran participar. Así que si __18.__ interesado, tú también puedes __19.__ miembro. ¡Anímate! ¡__20.__ muy bien, en serio!

7 Escriba

Con un/a compañero/a, escriba un diálogo entre jóvenes en el que hablen sobre un club o página de Internet. Subraye los verbos *ser, estar y haber* que haya usado.

8 En una novela 

Lea el siguiente texto literario. Fíjese en las palabras que aparecen en azul y rojo, ya que en las siguientes actividades se le harán preguntas sobre ellas. Después, resuma lo que leyó en una frase.

Era uno de esos días que te pasas tumbada en la cama sin nada que hacer. Aquel día decidí que intentaría conseguir mi primera cita con Mauricio. En cuanto le hablé de él a mi amiga Carmen, se empeñó en que tenía que arriesgarme y tratar de vernos.

Le llamé a su móvil y le dije:

—Hola. Soy Gema Enríquez. Nos conocimos el otro día por el centro. ¿Te acuerdas?

—Pues claro que lo recuerdo. Nos conocimos hace una semana, ¿verdad? Fue cuando me quitaste el sitio para aparcar. Eres tú, ¿no?

En ese momento me puse nerviosísima y comencé a tartamudear. ¿Cómo pude haber olvidado ese pequeño detalle? No me hizo nada de gracia que me recordara el incidente. Me esforcé por sonar normal y fue cuando empezó a reírse y me dijo que nos tomáramos algo fresquito juntos.

"Vaya, vaya. Un gracioso", pensé.

Tenía la costumbre de recordar sólo lo bueno que me pasaba cada día, es por lo que había olvidado que el día que nos vimos por primera vez era finales de julio. Me había enfadado porque acababa de discutir con Virginia, de quien no te puedes fiar ni un pelo. Estaba de muy mal humor. Así que me fui de compras pero el aparcamiento estaba lleno. Vi que un coche iba a aparcar y le quité el sitio. El conductor era Mauricio, a quien no conocía entonces. Su amigo se enfadó mucho conmigo por lo ocurrido, pero Mauricio me defendió y consoló cuando empecé a llorar como loca. Sí, se me había olvidado esa parte de nuestro primer encuentro. ¡Qué cosas! Ahora tenía una cita con el chico a quien le quité el aparcamiento un par de semanas antes.

Eran las once y diez. Como era de esperar, llegué diez minutos tarde a mi cita para hacerme la interesante. La cena fue inolvidable. Nos reímos a carcajadas por horas, nos divertimos como nunca y nos dimos cuenta de que teníamos mucho en común. Se portó como un auténtico caballero conmigo. Nos miramos el uno al otro y nos despedimos en mi portal. Cuando me volví y miré por encima del hombro, ya no estaba. Se había marchado. Entonces lo vi. Vi a un tipo muy raro con una chaqueta de cuero y una navaja en la mano que se acercaba hacia mí rápidamente. Estaba claro que quería robarme. Me puse nerviosa. Las manos y las piernas me temblaban. Se me cayeron las llaves al suelo y no me dio tiempo recogerlas. Menos mal que en ese momento apareció Mauricio. Acabamos saliendo un par de meses, hasta que choqué con otro coche que conducía este chico muy simpático... Pero eso ya es otra historia.

Gema

9 Amplíe su vocabulario

Con un/a compañero/a traduzca al inglés las palabras de "En una novela" que aparecen en azul.

10 Verbos reflexivos y construcciones reflexivas

Con un/a compañero/a, haga estas actividades relacionadas con la lectura de la Actividad 8.

1. Hagan una lista de los verbos reflexivos que aparecen y tradúzcanlos.
2. Escriban los verbos que se usan para indicar que algo es recíproco.
3. ¿Qué función tiene *el uno al otro*?
4. Hagan una lista de otros diez verbos reflexivos que conozcan.
5. Algunos verbos cambian su significado cuando son reflexivos. Escriban diez verbos que cambien su significado según lleven pronombre reflexivo o no e incluya la traducción al inglés. Por ejemplo: despedir: *to fire*; despedirse: *to say good-bye.*
6. ¿Cómo traduciría al inglés *se me cayeron las llaves*? ¿Cuál es la traducción literal? ¿Cuál es la regla?

11 "Tapitas" gramaticales

Conteste estas preguntas basadas en la lectura de la Actividad 8.

1. ¿Cómo se traduce *acabamos saliendo*? Escriba una frase parecida usando *acabar* más el gerundio.
2. ¿Cómo se traduce *pero*? Escriba tres oraciones que ilustren el uso de *pero, sino* y *sino que.*

12 ¿Reflexivo o no? 

Lea el siguiente texto y escriba la forma correcta de los verbos en pretérito, imperfecto o infinitivo. Decida si hay que usar el pronombre reflexivo o no.

Ayer yo __1.__ (*levantar / levantarse*) enfermo y como quien dice con el pie izquierdo; lo único que __2.__ (*apetecer / apetecerme*) era __3.__ (*acostar / acostarse*) de nuevo, pero Pablo __4.__ (*hacer / hacerse*) que fuera a clase. Cuando yo __5.__ (*ir / irse*) de camino a clase, __6.__ (*tropezar / tropezarse*) dos veces con algo que había en el piso. Al principio __7.__ (*creer / creerse*) que sólo fue casualidad y __8.__ (*decir / decirse*) que mi suerte iba a cambiar. Evidentemente no fue así.

Llegué tarde a mi primera clase que era con el profesor más duro de toda la universidad. Este señor a menudo __9.__ (*preguntar / preguntarse*) sobre la lección anterior a dos o tres de los alumnos, así que nada más entrar y siguiendo mi mala racha me __10.__ (*tocar / tocarse*) a mí. Obviamente yo no __11.__ (*acordar / acordarse*) de nada. De repente empecé a temblar y a tartamudear, y __12.__ (*poner / ponerse*) muy nervioso por lo que un par de mis amigos se rieron al verme así. Lo único en lo que yo pensaba era en __13.__ (*acostar / acostarse*) otra vez. Es por lo que __14.__ (*ir / irse*) a mi casa justo después de esa clase; creo que __15.__ (*enfermar / enfermarse*) más del mal rato que había pasado. Cuando Pablo me vio pensó que era una excusa y __16.__ (*enojar / enojarse*) conmigo. Pero no __17.__ (*preocupar / preocuparse*) lo que me decía. Sabía que necesitaba unas horitas más de sueño. __18.__ (*Negar / Negarse*) rotundamente a __19.__ (*levantar / levantarse*). __20.__ (*Quitar / Quitarse*) los zapatos y __21.__ (*meter / meterse*) directamente en la cama. Cerré los ojos y __22.__ (*dormir / dormirse*) en seguida. Ya se sabe, lo que mal empieza peor acaba...

13 Un diálogo

Con un/a compañero/a escriba un diálogo entre jóvenes sobre algo que les pasó (real o ficticio). Subraye los verbos reflexivos que use.

14 Un mensaje en el teléfono

Lea el siguiente mensaje que un joven le dejó a un amigo en su móvil. Despues, mándele un mensaje a su móvil contestándole.

Hola Marcos:

Soy Francisco. Pasaba por tu casa cuando iba para el trabajo y me paré un momento para saludarte. Tengo un empleo a tiempo parcial por las tardes cerca de tu casa. Para ser una cosa temporal no está mal. Lo hago para sacarme un dinero extra para las vacaciones. Oye, ¿qué tal si quedamos para mañana por la mañana? Podemos irnos juntos a clase y si nos da tiempo nos vamos por la moto que me compré. Voy a pedirle a Ángel que vaya a trabajar mañana por mí por un par de horas. Para eso están los amigos, ¿a que sí? Llámame. Ay, por cierto, ayer vi por casualidad a Enrique y dice que se va para Cartagena en dos días. Me preguntó por ti. Bueno, ya te cuento.

15 Por y para

Trabaje con un/a compañero/a para hacer estas actividades relacionadas con el mensaje anterior.

1. Hagan una lista de las frases en las que *por* y *para* aparecen en el texto, tradúzcanlas al inglés y expliquen por qué se usa la preposición en cada caso.
2. Expliquen las reglas de cuándo se usa *por* y *para* y escriba una oración para cada una.
3. Escriban diez expresiones que usen *por* o *para*.

16 Un fin de semana

Escriba una composición sobre su fin de semana en la que muestre los distintos usos de *por* y *para*. Numere cada uso y escriba la regla al lado. Comparta su composición con la de un/a compañero/a. Comenten sobre la forma y el contenido.

Compare

Elija un país de habla hispana. Compare lo que piensa que hacen los jóvenes en ese país con lo que hacen los jóvenes en el suyo.

17 Más con por y para

Lea los siguientes diálogos y complételos con *por* o *para*.

Diálogo 1

Santiago: Hola Luis. ¿Cómo te va? Estaba __1.__ llamarte pero he tenido un mal día. __2.__ fin me han dado la nota del proyecto en el que tanto trabajé y estoy muy frustrado. Ya sabes que estuve trabajando __3.__ lo menos __4.__ dos semanas en el proyecto y __5.__ lo visto mi profesor cree que no he puesto suficiente interés. No comprendo __6.__ qué me ha puesto esta nota. __7.__ todo lo que trabajé, no me la merezco.

Luis: Bueno, no te preocupes __8.__ ahora, ¡que es sábado! ¿__9.__ qué no dejas todos estos problemas __10.__ el lunes? Venga, que hoy he salido __11.__ ti. Ya sabes que me quería quedar en casa __12.__ ver el partido que echaban hoy.

Santiago: De acuerdo. ¿__13.__ qué no vamos __14.__ la casa de Marcos? Creo que hoy tiene una fiesta __15.__ celebrar su cumpleaños. Creo que me mandó su dirección __16.__ correo electrónico. ¿Tú la tienes?

Luis: Sí, claro, __17.__ supuesto. ¿__18.__ cuánto tiempo crees que nos quedaremos? __19.__ lo visto la fiesta empieza pronto, quizás volvamos a tiempo __20.__ ver el partido. __21.__ si acaso, voy a llevar mi carro.

Diálogo 2

Verónica: Mañana voy __1.__ Guayaquil, y voy __2.__ mi boleto de tren ahora porque no quiero quedarme sin él. __3.__ lo visto al ser fiesta el lunes me han recomendado que lo compre con tiempo __4.__ si se acaba.

Pepe: Pero, ¡qué lata! ¿__5.__ cuándo estarás de vuelta?

Verónica: Hijo, Pepe, no te enfades __6.__ esto. Sé __7.__ qué lo preguntas y no quiero que te preocupes. Estaré aquí __8.__ ver juntos el partido de fútbol. __9.__ lo visto es la final y no quiero perdérmela. Pepe, si quieres de camino a tu casa voy __10.__ algo __11.__ comer. ¿Qué piensas?

Pepe: ¡Hecho! Pues si no te importa, hay un restaurante en una esquina, __12.__ ahí cerca de tu casa que prepara un ceviche y un pollo frito que están riquísimos. No sé si te gustará pero __13.__ mí es el más rico del mundo. Además __14.__ un poco de plata comemos __15.__ al menos dos días. Y no exagero, es que ponen unas porciones enormes.

Verónica: Perfecto. Y si quieres después podemos jugar a algún videojuego nuevo. ¿Jugaste ya a este último que acaban de sacar? __16.__ mí no merece la pena lo que cuesta. Es carísimo, ¿no crees?

Pepe: __17.__ supuesto que podemos jugar a algún juego después. Y no, no lo compré porque querían que pagara mucho dinero __18.__ este videojuego. Estoy de acuerdo. No merece la pena pagar tanto. Bueno,… luego charlamos. En cuanto a la comida,… estaba pensando que podemos hacer el pedido de la comida __19.__ teléfono. Creo que tienen servicio a domicilio. __20.__ si acaso, sacaré unas salchichas __21.__ preparar unos perros calientes. __22.__ ser joven, soy bastante organizado. ¿No crees? Mi madre estaría orgullosa de mí. (Risas)

Verónica: __23.__ eso sabes que prefiero pedir yo la comida. Si no siempre terminamos comiendo perro caliente siempre. ¡No lo soporto más! (Risas) Bueno, que me voy. Luego nos vemos cariño.

Pepe: Sí, y,… ¡no tardes!

Cita

Haría cualquier cosa por recuperar la juventud, excepto hacer ejercicio, madrugar o ser un miembro útil de la comunidad.

– Oscar Wilde (1854–1900), dramaturgo y novelista irlandés

¿Qué es lo que le da más rabia de ser joven? ¿Qué es lo que más le gusta de ser joven? Comparta su opinión con un/a compañero/a.

¡Dato curioso!

Mientras que muchos mayores suspiran por esos recuerdos de la juventud, y en ocasiones hacen lo imposible por mantenerla, muchos jóvenes y niños están deseando ser mayores. Por el contrario, a muchos de los "baby boomers", estadounidenses nacidos entre 1946 y 1964, les cuesta renunciar a la idea de que ya no son jóvenes.

Idioma

18 Familia de palabras

Complete la tabla con el verbo, sustantivo o adjetivo apropiado, y la traducción correspondiente.

Verbos		Sustantivos		Adjetivos	
agradecer	*to be grateful, appreciate*	el agradecimiento	________	________	*grateful*
aislar	________	el aislamiento	________	________	*isolated*
consentir	*to allow, consent*	el consentimiento	________	consentido	*spoiled*
consumir	*to consume*	el consumismo;	________	________	________
		el/la consumidor(a)	________		
________	*to experiment*	la experiencia	*experience*	experimentado	________
influir	________	________	________	influyente	________
mentir	*to lie*	________	________	mentiroso	________
oprimir	________	la opresión	*oppression*	oprimido	________
rebelarse	________	la rebeldía	________	________	________
________	*to remember*	el recuerdo	*memory*	recordado	*remembered*
tranquilizar	*to calm (down)*	________	________	________	*calm, quiet, peaceful*
valorar	________	el valor	________	valorado; valioso	________; *valuable*

19 ¿Verbo, sustantivo o adjetivo?

Complete las oraciones usando la forma correcta de las palabras que aparecen en la tabla, ya sea verbo, sustantivo o adjetivo. En el caso del sustantivo puede que necesite artículo.

1. Todos coinciden en ___ (*influir*) que tienen los famosos en la moda.
2. Mis padres dicen que mi hermana se ha puesto muy ___ (*rebelarse*) últimamente.
3. Siempre hemos ___ (*agradecer*) el respeto que nos muestran los profesores.
4. Almudena ha enfermado al sentirse ___ (*aislar*) en la clase.
5. El encargado trató de mostrar ___ (*tranquilizar*) todo el tiempo durante la crisis, al tratarse de gente joven.
6. El joven *yuppie* se hizo famoso a base de muchas ___ (*mentir*).
7. Los chicos a menudo se quejaban de ___ (*oprimir*) que sentían para sacar buenas notas.
8. Muchos quisieron ___ (*experimentar*) cuando llegaron a la universidad por lo que se tiñeron el pelo y se dieron un corte raro.
9. Siempre hemos estado ___ (*agradecer*) por el trato recibido por nuestros profes.
10. No tengo muchos ___ (*recordar*) de mi infancia. ¡Qué rabia! Me frustra muchísimo.

Cita

A diferencia de la vejez, que siempre está de más, lo característico de la juventud es que siempre está de moda.

—Fernando Savater (1947–), filósofo español

¿Está de acuerdo con este comentario? ¿Por qué? ¿Qué otras características tiene la juventud? ¿Y la vejez? Comparta su opinión con un/a compañero/a.

¡Dato curioso! El reggaetón es muy popular entre los jóvenes latinos. Aunque esta música es criticada por muchos, otros dicen que les proporciona una identidad cultural a los jóvenes hispanos. Algunos artistas están usando su música para concienciar a sus seguidores e involucrarlos en el proceso político.

20 ¡Y hasta lleva arete...!

Lea el artículo y complete los espacios con la palabra adecuada. Después conteste las siguientes preguntas:

- ¿Cuál es el propósito del artículo?
- ¿Cómo resumiría el artículo en una frase?

¡Y hasta lleva arete...!

LUCÍA LEMOS

Javier **1.** (*fue / era*) un niño muy tranquilo y juicioso hasta que **2.** (*terminó / terminaba*) la primaria. Sus padres jamás tenían motivo para retarle y **3.** (*se sintieron / se sentían*) muy orgullosos de él. En las vacaciones previas a **4.** (*su / sus*) ingreso a la secundaria, sin embargo, su actitud **5.** (*comenzó / comenzaba*) a cambiar y, con ello, **6.** (*vinieron / venían*) **7.** (*los / las*) dolores de cabeza de los papás. ¡ **8.** (*Es / Está*) otro chico!, decían, se **9.** (*ha vuelto / volvía*) revoltoso, y con mal genio; ni **10.** (*el / él*) mismo **11.** (*sepa / sabe*) lo que **12.** (*quiere / quiera*).

Efectivamente, esos **13.** (*sean / son*) **14.** (*los / las*) síntomas de que el niño **15.** (*esté / está*) dejando de serlo y pasa por **16.** (*ese / esa*) etapa difícil, que **17.** (*asuste / asusta*) a padres y madres de familia, **18.** (*llamado / llamada*) adolescencia.

Alrededor de los 11 años en todos **19.** (*los / las*) seres humanos se **20.** (*produzcan / producen*) cambios importantes, que **21.** (*vayan / van*) desde lo físico y hormonal, hasta **22.** (*el / la*) carácter y **23.** (*el / la*) comportamiento. **24.** (*El / La*) educación y **25.** (*el / la*) comunicación juegan **26.** (*un / uno*) papel muy importante cuando se **27.** (*esté / está*) pasando por **28.** (*este / esta*) situación. Los chicos y chicas, como ya **29.** (*digamos / dijimos*), están atravesando momentos difíciles.

Sin retos ni sermones, ellos, aunque no **30.** (*parece / parezca*), están ávidos de oír a sus padres, están asustados, **31.** (*se sientan / se sienten*) vulnerables y necesitan a alguien en **32.** (*quien / quienes*) confiar pero que, a **33.** (*el / la*) vez, los **34.** (*deja / deje*) actuar y desarrollarse.

www.hoydomingo.com

---

21 ¿Qué significa?

Mire las palabras de la primera columna, que aparecen en la lectura anterior, y busque su traducción en la segunda columna.

1. juicioso	a. forma de portarse
2. primaria	b. parar de
3. retar	c. señal
4. orgulloso	d. con miedo
5. actitud	e. discurso
6. revoltoso	f. actuar en cierta manera
7. mal genio	g. tener seguridad en sí mismo
8. síntoma	h. personalidad
9. dejar de	i. pasar por
10. pasar por una etapa difícil	j. escuela antes de secundaria
11. carácter	k. desafiar
12. comportamiento	l. que actúa con madurez
13. jugar un papel	m. tener mucha autoestima, a veces demasiada
14. atravesar	n. carácter fuerte
15. sermón	o. rebelde
16. asustado	p. posición
17. confiar	q. estar en un período difícil

22 Influenciados por la moda

Lea el artículo y complete los espacios con la palabra adecuada. Después conteste las siguientes preguntas:

- ¿Cuál es el propósito del artículo?
- ¿Cómo resumiría el artículo en una frase?

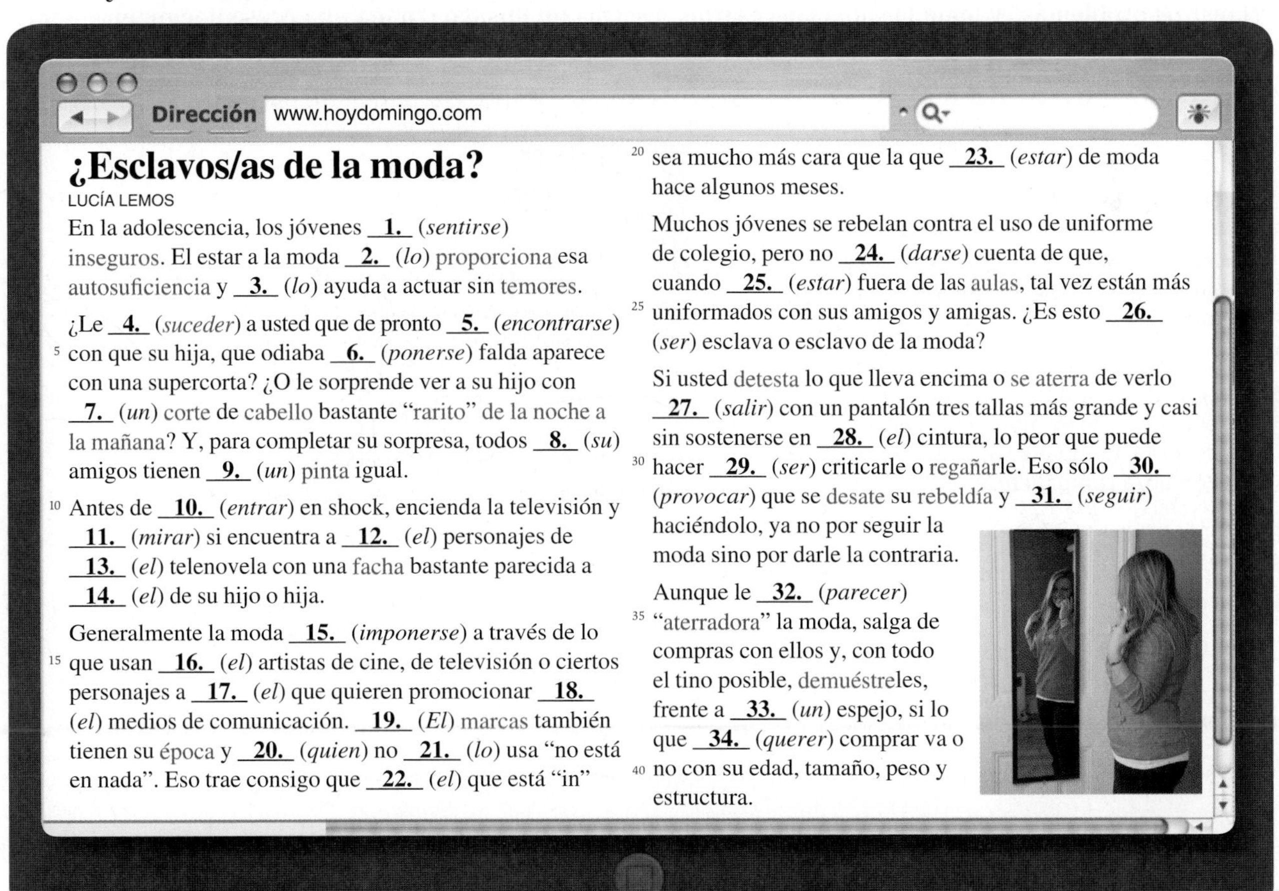

Dirección www.hoydomingo.com

¿Esclavos/as de la moda?

LUCÍA LEMOS

En la adolescencia, los jóvenes __1.__ (*sentirse*) inseguros. El estar a la moda __2.__ (*lo*) proporciona esa autosuficiencia y __3.__ (*lo*) ayuda a actuar sin temores.

¿Le __4.__ (*suceder*) a usted que de pronto __5.__ (*encontrarse*) con que su hija, que odiaba __6.__ (*ponerse*) falda aparece con una supercorta? ¿O le sorprende ver a su hijo con __7.__ (*un*) corte de cabello bastante "rarito" de la noche a la mañana? Y, para completar su sorpresa, todos __8.__ (*su*) amigos tienen __9.__ (*un*) pinta igual.

Antes de __10.__ (*entrar*) en shock, encienda la televisión y __11.__ (*mirar*) si encuentra a __12.__ (*el*) personajes de __13.__ (*el*) telenovela con una facha bastante parecida a __14.__ (*el*) de su hijo o hija.

Generalmente la moda __15.__ (*imponerse*) a través de lo que usan __16.__ (*el*) artistas de cine, de televisión o ciertos personajes a __17.__ (*el*) que quieren promocionar __18.__ (*el*) medios de comunicación. __19.__ (*El*) marcas también tienen su época y __20.__ (*quien*) no __21.__ (*lo*) usa "no está en nada". Eso trae consigo que __22.__ (*el*) que está "in" sea mucho más cara que la que __23.__ (*estar*) de moda hace algunos meses.

Muchos jóvenes se rebelan contra el uso de uniforme de colegio, pero no __24.__ (*darse*) cuenta de que, cuando __25.__ (*estar*) fuera de las aulas, tal vez están más uniformados con sus amigos y amigas. ¿Es esto __26.__ (*ser*) esclava o esclavo de la moda?

Si usted detesta lo que lleva encima o se aterra de verlo __27.__ (*salir*) con un pantalón tres tallas más grande y casi sin sostenerse en __28.__ (*el*) cintura, lo peor que puede hacer __29.__ (*ser*) criticarle o regañarle. Eso sólo __30.__ (*provocar*) que se desate su rebeldía y __31.__ (*seguir*) haciéndolo, ya no por seguir la moda sino por darle la contraria.

Aunque le __32.__ (*parecer*) "aterradora" la moda, salga de compras con ellos y, con todo el tino posible, demuéstreles, frente a __33.__ (*un*) espejo, si lo que __34.__ (*querer*) comprar va o no con su edad, tamaño, peso y estructura.

23 ¿Qué palabra es?

Mire las palabras de la primera columna, que aparecen en la lectura anterior, y busque su sinónimo o definición en la segunda columna.

1. inseguro	a. ocurrir
2. proporcionar	b. desobediencia
3. autosuficiencia	c. odiar
4. temor	d. extraño
5. suceder	e. de pronto
6. corte	f. clase
7. cabello	g. miedo
8. rarito	h. que da pánico, mucho miedo
9. de la noche a la mañana	i. reñir
10. pinta	j. enseñar
11. marca	k. período
12. época	l. estilo
13. aula	m. ofrecer
14. detestar	n. de un fabricante concreto
15. aterrarse	o. soltar, dar salida a algo
16. regañar	p. independencia
17. desatar	q. asustarse
18. rebeldía	r. sin seguridad
19. aterradora	s. pelo
20. demostrar	t. facha

24 Lea, escuche y escriba/presente 

Vuelva a leer los textos completos de las Actividades 20 y 22 y después escuche la grabación "Nuestros problemas" y tome las notas necesarias. Escriba un ensayo o haga una presentación en clase contestando esta pregunta: "¿Por qué les gusta a los jóvenes estar a la moda?" No se olvide de citar las fuentes debidamente.

Cita

La moda que se adelanta diez años a su época es indecente; diez años después de ésta resulta horrorosa; un siglo después se convierte en romántica.

—Anónimo

¿Está de acuerdo con lo que dice? ¿Por qué? Dé ejemplos que ilustren esta cita. Comparta sus opiniones con un/a compañero/a.

¡Dato curioso!

La ropa de moda es un negocio de miles de millones de dólares. Cada vez más jóvenes tienden a comprar ropa de marca de diseñadores famosos. Aunque sean accesorios o cosméticos, pocos jóvenes se escapan de las campañas publicitarias destinadas a atraerlos como clientes.

25 ¿Qué quieres ser cuando seas mayor? 

Lea el artículo y complete los espacios con la palabra adecuada. Después conteste las siguientes preguntas:

- ¿Cuál es el propósito del artículo?
- ¿Cómo resumiría el artículo en una frase?
- Si quisiera consultar otra fuente, ¿podría pensar en un posible título de una publicación?
- ¿Qué pregunta sería apropiada para hacerle al autor después de leer el artículo?

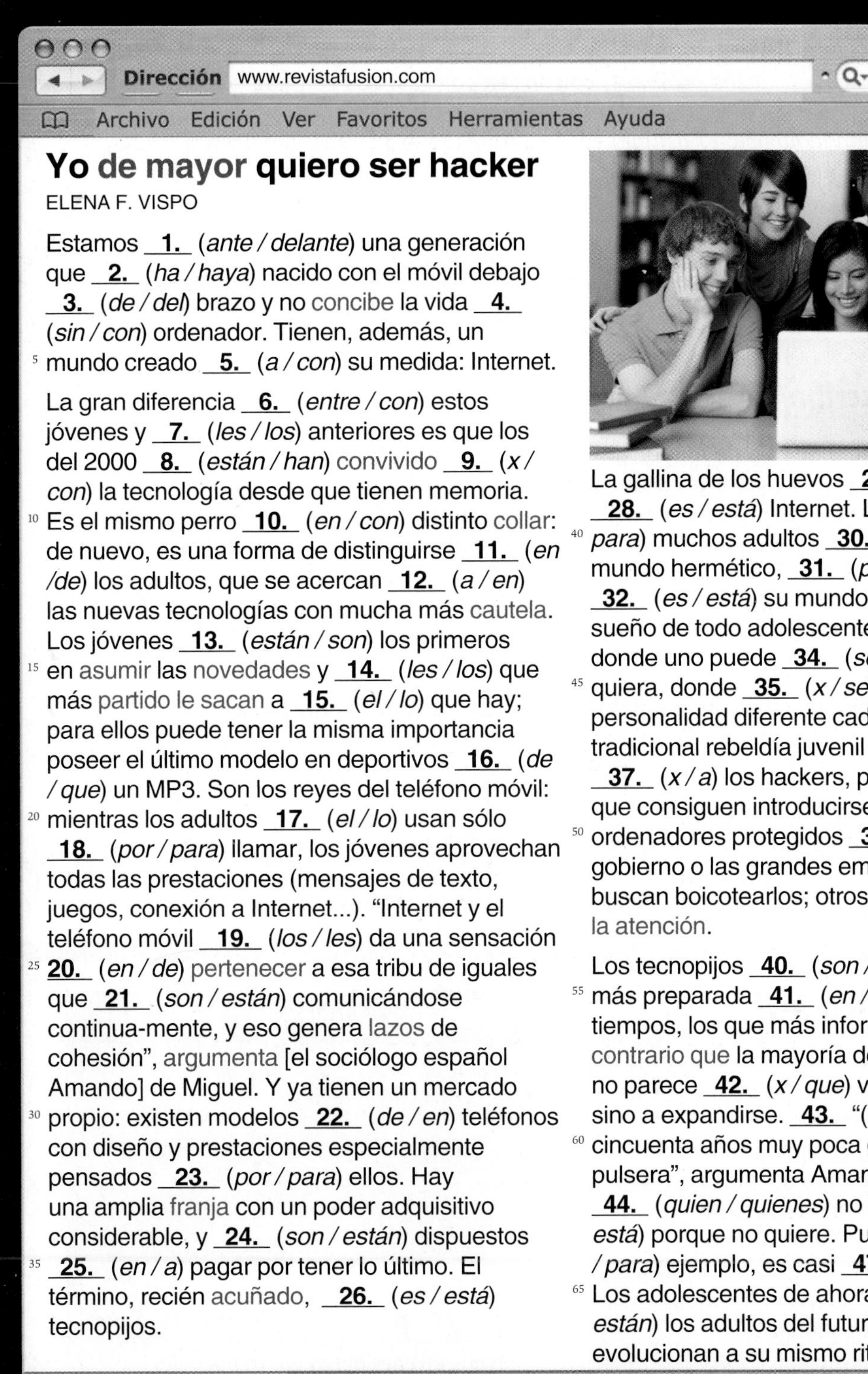

Yo de mayor quiero ser hacker

ELENA F. VISPO

Estamos __1.__ (*ante / delante*) una generación que __2.__ (*ha / haya*) nacido con el móvil debajo __3.__ (*de / del*) brazo y no concibe la vida __4.__ (*sin / con*) ordenador. Tienen, además, un mundo creado __5.__ (*a / con*) su medida: Internet.

La gran diferencia __6.__ (*entre / con*) estos jóvenes y __7.__ (*les / los*) anteriores es que los del 2000 __8.__ (*están / han*) convivido __9.__ (*x / con*) la tecnología desde que tienen memoria. Es el mismo perro __10.__ (*en / con*) distinto collar: de nuevo, es una forma de distinguirse __11.__ (*en /de*) los adultos, que se acercan __12.__ (*a / en*) las nuevas tecnologías con mucha más cautela. Los jóvenes __13.__ (*están / son*) los primeros en asumir las novedades y __14.__ (*les / los*) que más partido le sacan a __15.__ (*el / lo*) que hay; para ellos puede tener la misma importancia poseer el último modelo en deportivos __16.__ (*de / que*) un MP3. Son los reyes del teléfono móvil: mientras los adultos __17.__ (*el / lo*) usan sólo __18.__ (*por / para*) llamar, los jóvenes aprovechan todas las prestaciones (mensajes de texto, juegos, conexión a Internet...). "Internet y el teléfono móvil __19.__ (*los / les*) da una sensación __20.__ (*en / de*) pertenecer a esa tribu de iguales que __21.__ (*son / están*) comunicándose continua-mente, y eso genera lazos de cohesión", argumenta [el sociólogo español Amando] de Miguel. Y ya tienen un mercado propio: existen modelos __22.__ (*de / en*) teléfonos con diseño y prestaciones especialmente pensados __23.__ (*por / para*) ellos. Hay una amplia franja con un poder adquisitivo considerable, y __24.__ (*son / están*) dispuestos __25.__ (*en / a*) pagar por tener lo último. El término, recién acuñado, __26.__ (*es / está*) tecnopijos.

La gallina de los huevos __27.__ (*en / de*) oro __28.__ (*es / está*) Internet. Lo que __29.__ (*por / para*) muchos adultos __30.__ (*es / está*) un mundo hermético, __31.__ (*por / para*) ellos __32.__ (*es / está*) su mundo. __33.__ (*Es / Está*) el sueño de todo adolescente: representa un lugar donde uno puede __34.__ (*ser / estar*) lo que se quiera, donde __35.__ (*x / se*) puede escoger una personalidad diferente cada día. __36.__ (*El / La*) tradicional rebeldía juvenil toma como modelo __37.__ (*x / a*) los hackers, piratas informáticos que consiguen introducirse __38.__ (*en / dentro*) ordenadores protegidos __39.__ (*por / para*) el gobierno o las grandes empresas. Algunos buscan boicotearlos; otros, simplemente llaman la atención.

Los tecnopijos __40.__ (*son / están*) la generación más preparada __41.__ (*en / de*) los últimos tiempos, los que más información manejan. Y, al contrario que la mayoría de las tribus urbanas, no parece __42.__ (*x / que*) vayan a desaparecer, sino a expandirse. __43.__ "(*Hace / Atrás*) cincuenta años muy poca gente llevaba reloj de pulsera", argumenta Amando de Miguel, "y hoy __44.__ (*quien / quienes*) no lo lleva __45.__ (*es / está*) porque no quiere. Pues el móvil, __46.__ (*por / para*) ejemplo, es casi __47.__ (*el / lo*) mismo". Los adolescentes de ahora __48.__ (*son / están*) los adultos del futuro; y las tecnologías evolucionan a su mismo ritmo.

26 ¿Cuál de las dos?

Escoja la mejor palabra para completar cada oración.

1. Si uno hace algo con mucha cautela, lo hace con mucha ___ (*prisa / precaución*).
2. Sacarle partido es ___ (*jugar con / aprovecharse de*) algo.
3. Si convives con tu hermano, vives ___ (*separado de / con*) él.
4. Una palabra nueva es una recién ___ (*argumentada / acuñada*).
5. Marta es parte de nuestro grupo; ella ___ (*pertenece / concibe*) al grupo.
6. Yo no imagino el mundo sin mi teléfono móvil. No ___ (*convivo / concibo*) la idea de vivir sin él.
7. Ricardo siempre tiene las últimas ___ (*franjas / novedades*) de la tecnología.
8. Ellos intentan mantener los ___ (*lazos / collares*) con sus ex colegas. Los ven una vez al mes.
9. Cecilia siempre ___ (*llama la atención / asume*) con esa ropa tan exagerada que lleva.
10. La abogada ___ (*concibe / argumenta*) que las zonas verdes están desapareciendo.
11. Mi hermanito dice que ___ (*de mayor / al contrario que*) quiere ser periodista.
12. ___ (*Una franja / Un collar*) es un adorno.
13. Hay que ___ (*asumir / concebir*) responsabilidad cuando uno es mayor de edad.
14. Les comenté a mis compañeros que deben de (*sacar partido / llamar la atención*) al Internet y les di algunos buenos trucos.

27 Lea, escuche y escriba/presente 

Vuelva a leer el texto completo de "Yo de mayor quiero ser hacker", y luego escuche la grabación "Historias de crackers y hackers". Tome notas de las dos fuentes y escriba un ensayo o haga una presentación en clase para contestar la pregunta, "¿Qué piensa del hecho de que muchos jóvenes sueñen con ser hackers?". No se olvide de citar las fuentes debidamente.

28 ¿Qué opinan? 

Lea el artículo y complete los espacios con la palabra adecuada. Después conteste las siguientes preguntas:

- ¿Cuál es el propósito del artículo?
- ¿Cómo resumiría el artículo en una frase?
- Si quisiera consultar otra fuente, ¿podría pensar en un posible título de una publicación?
- ¿Qué pregunta sería apropiada para hacerle al autor después de leer el artículo?

Y tú, ¿qué valoras?

La solidaridad y el voluntariado __1.__ valores en alza entre los jóvenes. Eso de donar tiempo y trabajo en favor __2.__ los más desprotegidos __3.__ una idea apoyada __4.__ gran número de jóvenes. Los espacios de más aceptación __5.__ los referidos a la defensa de los derechos humanos y enfermos __6.__ SIDA. Ecología, pacifismo, ayuda a refugiados __7.__ inmigrantes y movimientos a favor __8.__ la mujer le siguen en la lista __9.__ preocupaciones sociales.

Muchos jóvenes optan por trabajar de voluntarios en comedores de beneficencia.

¿Qué haces __10.__ fines de semana?

La oferta __11.__ muy variada. Su tiempo __12.__ lo ocupan en ir de cafés o cafeterías, ir al cine o teatro, salir de discoteca, ir de excursión, practicar deportes, asistir 15 a conciertos, etc. Ahora no oiremos __13.__ nadie decir __14.__ se va de monte, sino __15.__ hace trekking. El pádel ha desbancado al tenis y el snowboard __16.__ esquí. La escalada libre, el puenting, el 20 hidrospeed, el rafting... cuentan __17.__ día con más adeptos. Prima el deporte de riesgo y aventura, aunque el tumbing también tiene sus seguidores. No __18.__ deporte nuevo pero sí muy adecuado __19.__ amenizar 25 los domingos, después __20.__ haberse levantado tarde. Consiste __21.__ tumbarse en un sofá a ver la televisión, echen __22.__ que echen, cambiando de canal __23.__ intercambiando algún que otro sueñecito.

¿Cómo ves __24.__ los políticos?

30 Directamente les otorgan un "cero patatero", como diría un famoso político. Los jóvenes constituyen el sector de población __25.__ menos vota; valoran negativamente la política, castigándola __26.__ la indiferencia. 35 Se ríen __27.__ la imagen que dan nuestros políticos __28.__ en plena campaña electoral visitan los mercados —poniendo cara de normales—, dando la mano __29.__ los tenderos y a las mujeres __30.__ cesta de 40 la compra y monedero en mano. Les consideran "un grupo de desencantados de __31.__ década prodigiosa que no hablan el lenguaje __32.__ la vida. Sólo exponen utopías y cosas abstractas __33.__ nadie entiende y 45 que luego tergiversan __34.__ llegan al poder", asegura Luis F. __35.__ veintidós años.

www.revistafusion.com

29 Vocabulario

Mire las palabras que aparecen en azul en el artículo anterior y complete las siguientes frases. No necesita usar todas las palabras. Haga los cambios que considere necesarios.

1. Mi amigo me ha comentado que va a ayudar en la ____ del nuevo presidente.
2. Me encantaría que conocieran al nuevo ____ en el puesto de frutas en la calle. Es muy amable.
3. Me niego a hacer puenting contigo. Y sí, ¡claro que creo que tirarse de un puente cabeza abajo es un deporte ____!
4. ¿Viste que mis amigos salieron cantando con su grupo en el ____ local de la televisión?
5. Le molesta que nosotros ____ en el sofá por horas. No lo entiendo.
6. En algunos países se juega un popular deporte parecido al tenis y raqueta de playa que se llama ____
7. Los cantantes del grupo dicen que ellos ____ lo que ganen a una causa humanitaria
8. Es muy posible que a mi ____ mis padres por verme fumar el otro día.
9. Creo que es el momento ____ para charlar sobre los "bullies" en la clase.

30 ¿Cuáles son tus aficiones?

Escriba un artículo para un periódico en el que hable sobre las aficiones de los jóvenes de su edad. ¿En qué están interesados? ¿Cómo pasan los fines de semana? Use algunas de las "tapitas" gramaticales y el vocabulario de la lección.

Cita

Oh capitán, mi capitán.
—De la película *El club de los poetas muertos* (*Dead Poets' Society*)

¿Ha visto la película *El club de los poetas muertos*? ¿Qué profesores le han inspirado o le han servido de modelos? ¿Cree que es importante tener buenos modelos? ¿Por qué? Comparta sus opiniones con un/a compañero/a.

¡Dato curioso!

Algo más del 55 por ciento de los usuarios de videoconsolas tienen más de 18 años. Hoy en día se contratan a escritores de prestigio para idear el guión y se cuenta incluso con actores que recrean las expresiones faciales de los personajes y con especialistas que sirven como modelos para que los movimientos sean más realistas.

¡A leer!

31 Antes de leer

¿Qué cree que piensan los adultos de los jóvenes? ¿Qué cinco adjetivos usaría Ud. para describir a los jóvenes de su edad? ¿En quién se fijan como modelo los jóvenes de su edad? ¿Por qué?

32 ¿Qué se dice de algunos jóvenes españoles? 

Lea con atención el siguiente artículo. Después conteste las siguientes preguntas:

- ¿Cuál es el propósito del artículo?
- ¿Qué pregunta sería apropiada para hacerle al autor después de leer el artículo?
- Si quisiera consultar otra fuente, ¿podría pensar en un posible título de una publicación?

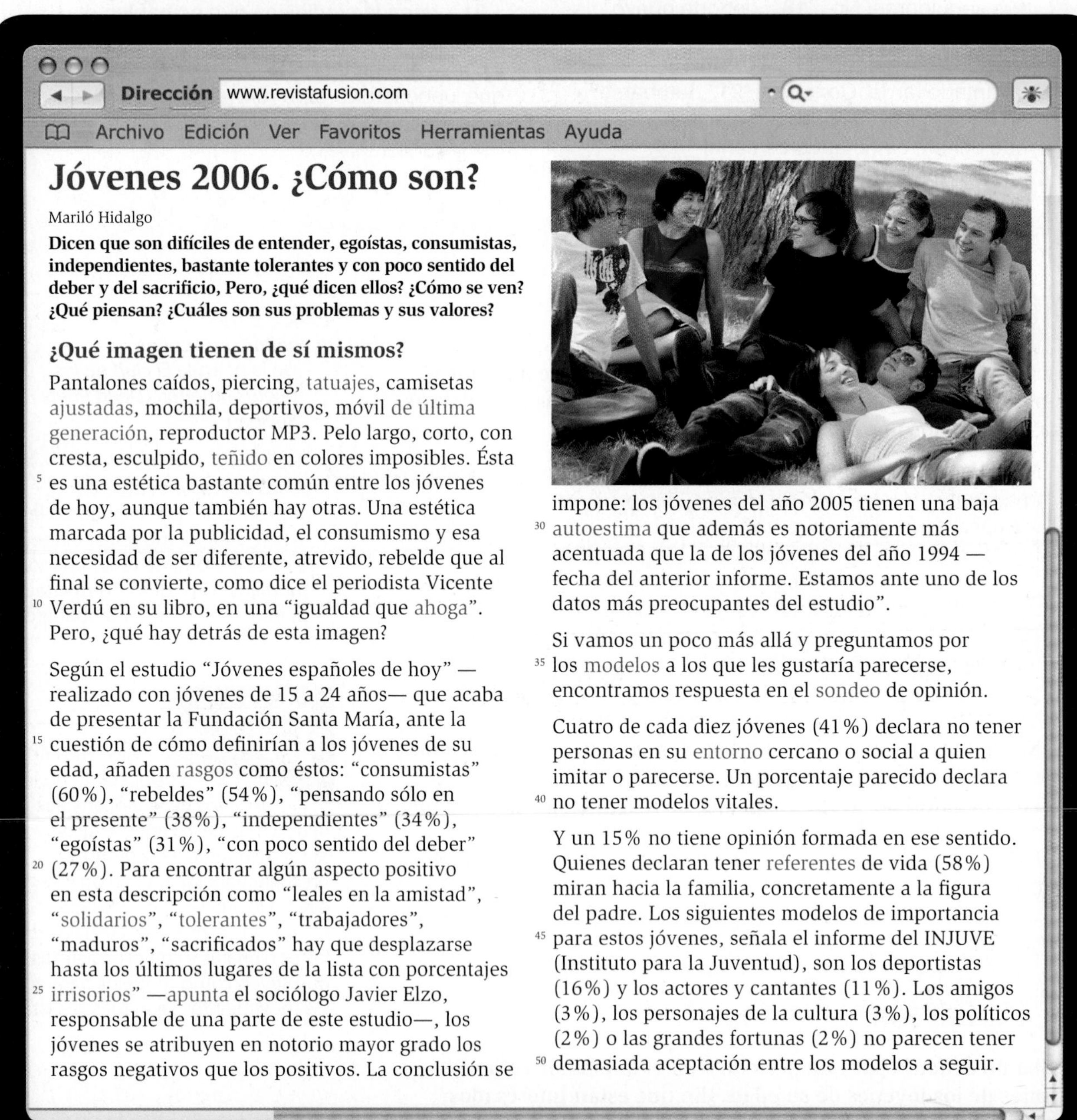

Dirección www.revistafusion.com

Archivo Edición Ver Favoritos Herramientas Ayuda

Jóvenes 2006. ¿Cómo son?

Mariló Hidalgo

Dicen que son difíciles de entender, egoístas, consumistas, independientes, bastante tolerantes y con poco sentido del deber y del sacrificio, Pero, ¿qué dicen ellos? ¿Cómo se ven? ¿Qué piensan? ¿Cuáles son sus problemas y sus valores?

¿Qué imagen tienen de sí mismos?

Pantalones caídos, piercing, tatuajes, camisetas ajustadas, mochila, deportivos, móvil de última generación, reproductor MP3. Pelo largo, corto, con cresta, esculpido, teñido en colores imposibles. Ésta es una estética bastante común entre los jóvenes de hoy, aunque también hay otras. Una estética marcada por la publicidad, el consumismo y esa necesidad de ser diferente, atrevido, rebelde que al final se convierte, como dice el periodista Vicente Verdú en su libro, en una "igualdad que ahoga". Pero, ¿qué hay detrás de esta imagen?

Según el estudio "Jóvenes españoles de hoy" —realizado con jóvenes de 15 a 24 años— que acaba de presentar la Fundación Santa María, ante la cuestión de cómo definirían a los jóvenes de su edad, añaden rasgos como éstos: "consumistas" (60%), "rebeldes" (54%), "pensando sólo en el presente" (38%), "independientes" (34%), "egoístas" (31%), "con poco sentido del deber" (27%). Para encontrar algún aspecto positivo en esta descripción como "leales en la amistad", "solidarios", "tolerantes", "trabajadores", "maduros", "sacrificados" hay que desplazarse hasta los últimos lugares de la lista con porcentajes irrisorios" —apunta el sociólogo Javier Elzo, responsable de una parte de este estudio—, los jóvenes se atribuyen en notorio mayor grado los rasgos negativos que los positivos. La conclusión se impone: los jóvenes del año 2005 tienen una baja autoestima que además es notoriamente más acentuada que la de los jóvenes del año 1994 —fecha del anterior informe. Estamos ante uno de los datos más preocupantes del estudio".

Si vamos un poco más allá y preguntamos por los modelos a los que les gustaría parecerse, encontramos respuesta en el sondeo de opinión.

Cuatro de cada diez jóvenes (41%) declara no tener personas en su entorno cercano o social a quien imitar o parecerse. Un porcentaje parecido declara no tener modelos vitales.

Y un 15% no tiene opinión formada en ese sentido. Quienes declaran tener referentes de vida (58%) miran hacia la familia, concretamente a la figura del padre. Los siguientes modelos de importancia para estos jóvenes, señala el informe del INJUVE (Instituto para la Juventud), son los deportistas (16%) y los actores y cantantes (11%). Los amigos (3%), los personajes de la cultura (3%), los políticos (2%) o las grandes fortunas (2%) no parecen tener demasiada aceptación entre los modelos a seguir.

33 ¿Qué significa?

Mire las palabras de la primera columna, que aparecen en el artículo anterior, y busque su definición o sinónimo en la segunda.

1. tatuaje
2. ajustado
3. de última generación
4. teñido
5. ahogar
6. rasgo
7. solidario
8. tolerante
9. irrisorio
10. apuntar
11. autoestima
12. modelo
13. sondeo
14. entorno
15. referente

a. característica
b. ridículo
c. encuesta
d. confianza en sí mismo
e. alrededor
f. pintura en el cuerpo
g. referencia
h. oprimir, no permitir respirar
i. lo más reciente
j. ejemplo
k. estrecho
l. pintado
m. unido a otros por intereses y responsabilidades
n. que respeta a los demás
o. anotar

34 ¿Ha comprendido?

1. Según el texto, ¿cuál es la estética de los jóvenes de hoy?
   a. Llevan pantalones grandes y el pelo de color.
   b. Usan siempre el móvil y escuchan música.
   c. Intentan ir todos iguales.
   d. Van según la publicidad y la norma de consumo.

2. ¿Se consideran los jóvenes a sí mismos tolerantes?
   a. Sí, lo colocan a la cabeza de la lista.
   b. No, se consideran a sí mismos intolerantes.
   c. No es un valor que destaquen de sí mismos.
   d. Sí, es su segunda característica después de la consumista.

3. ¿Por qué se atribuyen los jóvenes de hoy malos hábitos?
   a. Porque los han educado así
   b. Porque se consideran inferiores, con poca estima hacia sí mismos
   c. Porque están preocupados por los estudios
   d. Porque piensan sólo en el presente

4. Según los sondeos realizados, ¿tienen los jóvenes del 2005 algún modelo o ejemplo?
   a. Sí, los encuentran en la publicidad deportiva.
   b. Sí, es la figura paterna en el 90% de los casos.
   c. Los amigos son el modelo principal.
   d. La mayoría no tiene un modelo claro en quien inspirarse.

35 ¿Cuál es la pregunta?

Según lo que acaba de leer, escriba una pregunta lógica para estas respuestas.

1. La publicidad y el querer sentirse diferente
2. En 2005
3. Está en el último lugar de la lista de los jóvenes.
4. Porque no se valoran a sí mismos
5. La figura del padre
6. En un estudio del Instituto de la Juventud

36 Resuma en un gráfico

Haga un gráfico en el que resuma lo que dice la autora del artículo.

37 Haga una encuesta y un gráfico

Trabajen en grupos pequeños. Hagan una lista de preguntas para averiguar cuales son las cosas que les interesan, les preocupan y les influyen a los otros miembros de la clase. Después de entrevistar a sus compañeros de clase, hagan un gráfico con los resultados para compartirlo con los otros grupos.

Cita

Los jóvenes de hoy no parecen tener respeto alguno por el pasado ni esperanza alguna por el porvenir.

—Hipócrates (460–377 a. de J. C.), médico griego, llamado "el padre de la medicina moderna"

¿Piensa que los adultos siempre han opinado igual de los jóvenes? ¿Cree que tienen razón? ¿Piensa que cuando eran jóvenes actuaban de forma diferente? ¿A qué se debe? Comparta su opinión con un compañero/a.

¡Dato curioso!

Hoy los jóvenes de España son chicos muy preparados: han salido al extranjero, hablan varios idiomas y han hecho estudios superiores, pero sólo cuatro de cada diez llegarán a tener un trabajo acorde con sus estudios. Los sueldos de los otros jóvenes son muy bajos y les cuesta conseguir vivienda e independizarse.

38 Antes de leer 

¿Cree que los jóvenes tienen un lenguaje diferente al de los adultos? ¿Qué palabras o frases son típicas de su generación? ¿Ud. usa muchos vocablos propios de su generación? ¿Cambia Ud. cómo habla, dependiendo de con quién hable? ¿Escribe de la misma manera cuando lo hace por Internet? ¿Comete más o menos faltas de ortografía cuando usa un medio electrónico? ¿Usa la gente joven palabras en otro idioma para sonar más moderna?

39 Las jergas

Lea con atención el siguiente artículo. Después conteste las siguientes preguntas:

- ¿Cómo resumiría lo que leyó en una frase?
- Si quisiera consultar otra fuente, ¿podría pensar en un posible título de una publicación?

Jergas: cada día nace una nueva palabra

Elena F. Vispo

El lenguaje es algo vivo, y las palabras nacen, crecen, evolucionan y, en ocasiones, mueren. A veces ocurre tan rápido que los académicos no lo asimilan y no queda constancia de ellas.

Muchas palabras nacen y mueren con la costumbre, y otras evolucionan con ella. Una de las acepciones de *ocupar* es tomar posesión de un edificio; *okupar*, en cambio, es 5 una forma de vida.

Si bien el objetivo fundamental de estas jergas es diferenciar al que las habla del que no las habla (en este caso, al joven del adulto, o a un grupo o tribu de otra), lo cierto es que casi 10 nunca se inventa nada. La palabra *guiri* (por extranjero), que hace pocos años se empezó a oír en las zonas turísticas, ya la usaba Galdós en sus *Episodios nacionales*. Las palabras de jerga son en su mayoría compuestas, o extraídas 15 por algún tipo de afinidad con su significado original, como *loro* (radiocassette, porque en los años ochenta se puso de moda llevarlo por la calle apoyado en el hombro) o *ciego* (borracho o drogado, porque ve mal).

20 El filón es, de nuevo, la tecnología. Este es el terreno donde la jerga tiene un sentido excluyente, especialmente para los adultos. Si no *controlas* no es fácil entender que "en un 25 chat me enteré de una web donde bajar archivos piratas de MP3". No es otro idioma, aunque a muchos se lo parezca. O quizá sí: es el lenguaje de Internet. Un lugar donde no hay puntos ni comas, ni mayúsculas, ni acentos, cosa de la que muchos educadores están alertando: los 30 exámenes universitarios con faltas de ortografía y problemas a la hora de expresarse ya no son una excepción. Y no es que los jóvenes sean incultos; saben mucho, pero sólo de lo que les interesa.

35 La madre de casi todas estas jergas es el inglés, la lengua de las nuevas tecnologías. Los jóvenes del 2000 tienen un inglés fluido; quizá no sea muy académico, pero es más que suficiente para apañarse en la red. De modo que ya no se 40 molestan en traducirlo en los otros terrenos de la vida. Especialmente en la música: durante un *rave party* (fiestas *techno* que suelen durar, al menos, un par de días), lo mejor es reponer fuerzas en un *chill-out* (sesión de música 45 *ambient* suave). Está por todas partes: aunque no te dé *feeling*, ahora mismo es más *fashion* el *look* de *bad boy* que el *grunge*.

Muchas de estas palabras permanecerán. Así ocurrió con *ratón* y *colega*. Y muchas otras 50 desaparecerán, pero tampoco importa: siempre habrá jóvenes que necesiten, generación tras generación, reinventar el mundo a través del lenguaje.

www.revistafusion.com

40 Vocabulario

Mire las palabras que aparecen en la primera columna abajo y que también aparecen en la lectura anterior. Busque su correspondiente sinónimo o definición entre las palabras de la segunda columna.

1. jerga	a. recobrar la energía
2. controlar	b. error que se comete al escribir
3. mayúscula	c. que no tiene conocimientos
4. falta de ortografía	d. así que
5. inculto	e. vocabulario típico de un grupo social
6. apañarse	f. lo contrario de minúscula
7. de modo que	g. llevar un período largo de tiempo
8. durar	h. dominar
9. reponer fuerzas	i. en cada lugar
10. por todas partes	j. ser autosuficiente

41 ¿Ha comprendido?

1. ¿Qué significa que una palabra nace y muere?
   a. Que cambia continuamente su significado
   b. Que proviene de otra lengua
   c. Que se usaba en el castellano antiguo
   d. Que se usa durante poco tiempo

2. ¿Cuál es la función de las jergas?
   a. Inventar nuevas palabras
   b. Servir de distintivo social y cultural
   c. Recordar palabras antiguas
   d. Que sólo nos entiendan nuestras amistades

3. ¿De dónde provienen muchas de las nuevas palabras?
   a. De Internet
   b. De la música
   c. Casi siempre, del inglés
   d. De los chats

42 Responda brevemente

¿Le gusta hablar con sus amigos con un lenguaje especial que suelen usar los jóvenes? ¿Por qué? ¿Qué piensa cuando un adulto usa este tipo de lenguaje?

43 Se titula...

Piense en otro título para el artículo que acaba de leer. Explique por qué lo ha elegido.

44 Lea, escuche y escriba/presente

Vuelva a leer "Jergas: cada día nace una nueva palabra" y luego escuche la grabación "¿Qué es el lenguaje de los jóvenes?". Escriba un ensayo o haga una presentación en clase contestando la pregunta, "¿Por qué los jóvenes crean su propio lenguaje?". No se olvide de citar las fuentes debidamente.

45 Antes de leer

¿Cuál cree que es el período más feliz de la vida de una persona: la infancia, la juventud, la madurez o la vejez? ¿Le gusta o le molesta cumplir años? ¿Cree que cambiará de opinión en unos años? ¿Por qué?

46 ¿Cuándo se es adulto?

Lea con atención el siguiente artículo. Después conteste las siguientes preguntas:

- ¿Cómo resumiría lo que leyó en una frase?
- ¿Qué pregunta sería apropiada para hacerle a un joven?

¿A qué edad nos convertimos en adultos?

Ya soy mayor

Se mire por donde se mire, la infancia es el período más feliz (A). Es cierto que nos pasamos toda la niñez deseando crecer, pero inevitablemente, llegados a la edad adulta, tarde o temprano aflora la añoranza del mundo infantil.

Los científicos han querido cuantificar hasta qué grado llega esta nostalgia. El último informe sobre la juventud española elaborada por INJUVE (Instituto de la Juventud) revela, por ejemplo, que el 43% de los jóvenes de entre 15 y 29 años asegura que los niños son mucho más felices (B). Sólo un 6% muestra malos recuerdos de su niñez.

Posiblemente, los datos serían similares si se inquiriera a personas de entre 40 y 50 años sobre sus recuerdos de juventud porque, al fin y al cabo, crecer no es otra cosa que ir dejando atrás etapas que nunca más volverán ¿o, quizás, no?

Hay gente que piensa que el proceso de desarrollo y crecimiento del ser humano es muy simple, que es algo que está escrito en nuestros genes y que, con la compresión completa del genoma conseguiremos un conocimiento pleno del comportamiento de nuestra especie en las diferentes etapas de su vida. Pero otros científicos consideran que la cosa no es tan sencilla y que, en realidad, los pasos de la evolución del ser humano no son tan evidentes. En otras palabras, que no existe respuesta rápida a la pregunta: ¿cuándo dejamos de ser niños?

Basta volver a los datos del informe del INJUVE antes mencionado (C). Dicho estudio sobre la población juvenil española utilizó como muestra a personas de entre 15 y 29 años. Desde el punto de vista de un psicólogo, estas dos edades serían pues, las que marcan el umbral de entre la juventud y la infancia, por debajo, y la juventud y la edad adulta, por arriba. Hoy en día, se considera joven, sin ninguna duda, a una persona menor de 30 años. Pero hace apenas unas décadas (no digamos hace un par de siglos) un treintañero estaba ya en la plenitud de su adultez.

En la Edad Media, con 30 años se era ya un anciano. A los 19 años Arthur Rimbaud había escrito la totalidad de su obra importante; a los 21, Cleopatra era una veterana reina de Egipto; a los 22, Charles Darwin empezaba a revolucionar el mundo de la biología a

bordo del *Beagle*... Pero en España de comienzos del siglo XXI, a un hombre o una mujer de 29 años se les considera muestra representativa de la juventud y se les pregunta sobre sus miedos antes de convertirse en adulto.

Depende de la cultura y del período histórico

No es extraño. La consideración de la juventud no es homogénea entre distintos pueblos, ni entre diferentes períodos históricos. Existen factores sociológicos, biológicos, psicológicos y legales que hacen variar los umbrales de entre los diferentes estados evolutivos. Veamos algunos de ellos. Desde el punto de vista social, la madurez se identifica con la capacidad de desenvolverse de manera independiente afectiva, económica y legalmente en el entorno en que se vive. Si se pregunta a los jóvenes españoles cuándo consideran que van a dejar de serlo, la edad promedio resultante es 34 años. Esos mismos jóvenes creen que dejaron de ser niños, (D), a los 15 años. O sea, que la propia percepción de la juventud que tienen los que de ella aún disfrutan es diferente a la que tienen los adultos. Para un sociólogo, se deja de ser joven a los 30; para un joven, se empieza a ser adulto a los 34.

Si en las sociedades tradicionales el paso de la infancia a la responsabilidad madura era casi directo —el niño se convertía en guerrero y la niña en madre en un solo acto— ahora ese salto es más complejo. Los niños dejan de serlo pronto, sí, pero no para hacerse "mayores" sino para ingresar en una larga etapa de juventud que sólo se abandona cuando se quiere, o se puede dejar el hogar familiar. Y es que cuesta mucho dejar de ser joven.

Revista *Muy Interesante*

47 Vocabulario

Mire las palabras a continuación. De cada grupo de cuatro, escoja la que no esté relacionada con la palabra de la lectura.

1. añoranza
   a. melancolía   b. olvido
   c. nostalgia   d. recuerdo
2. inquirir
   a. interrogar   b. preguntar
   c. consultar   d. encontrar
3. etapa
   a. parada   b. fase
   c. período   d. ciclo
4. pleno
   a. total   b. completo
   c. 100%   d. a mitad
5. mencionar
   a. referir   b. nombrar
   c. omitir   d. citar
6. umbral
   a. entrada   b. final
   c. comienzo   d. portal
7. desenvolverse
   a. manejarse   b. apañarse
   c. valerse   d. dormirse
8. ingresar
   a. salir   b. entrar
   c. incorporarse   d. formar parte

48 ¿Ha comprendido?

1. Según el artículo, ¿es la infancia un período feliz en nuestras vidas?
   a. No, solemos tener malos recuerdos de nuestra niñez.
   b. Sí, pero estamos todo el tiempo con nostalgia.
   c. Sí, los niños suelen ser más felices que los mayores.
   d. No, porque nos preocupamos por cosas sin importancia.
2. Hoy en día, en España, ¿cuándo deja una persona de ser joven?
   a. Depende de su comportamiento.
   b. Tiene que decidirlo un psicólogo.
   c. Es adulto a partir de los 30 años.
   d. Se es adulto con 29 años.
3. ¿La edad en la que empieza y termina la juventud es universal?
   a. Sí, las etapas están muy definidas en la sociedad en general.
   b. No, cada persona decide cuándo deja de ser joven.
   c. Sí, un adulto hoy en día es igual en todos los países.
   d. Existen generalidades, pero depende del tiempo y los valores culturales.
4. ¿Qué quiere decir la expresión "Se mire por donde se mire"?
   a. Es importante observar...
   b. Posiblemente...
   c. Considerando todos los aspectos...
   d. Parece ser...

49 ¿Dónde va?

Las siguientes frases han sido extraídas del artículo anterior. Vuelva a leer las oraciones donde hay una letra en color. Escriba la letra correspondiente al lado de las frases a continuación. Hay una frase que sobra.

1. que los adultos
2. para comprender cuán difíciles son las definiciones en este terreno
3. quienes se creían mayores
4. como media
5. de nuestras vidas

50 Lea, escuche y escriba/presente 

Vuelva a leer el artículo "¿A qué edad nos convertimos en adultos?" y luego escuche la grabación, que es parte del mismo artículo. Tome notas y escriba un ensayo o haga una presentación en clase contestando la pregunta, "¿Cree que los niños dejan de ser niños demasiado pronto?" Incluya información de las dos fuentes, citándolas debidamente.

Cita

Los cuarenta son la edad madura de la juventud; los cincuenta la juventud de la edad madura.

—Victor Hugo (1802–1885), escritor francés

¿Hasta que edad cree Ud. qué se es joven? ¿Cree que nuestra sociedad valora demasiado o muy poco la juventud? ¿A qué se debe? Comparta sus opiniones con un/a compañero/a.

¡Dato curioso!

¿Qué es el síndrome de Peter Pan? Los psicólogos lo atribuyen a la resistencia a asumir las responsabilidades propias de la edad adulta. El síndrome fue identificado por el estadounidense Dan Kiley y se manifiesta como un estado de ansiedad e inseguridad permanente, ligado a la negativa a independizarse del entorno maternal.

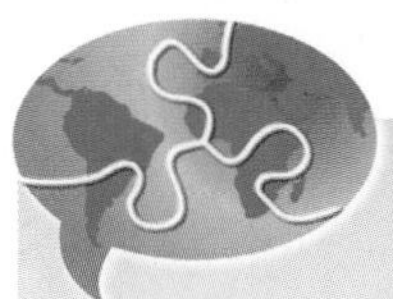

Compare

¿Qué fechas importantes se celebran en los EE.UU. en diferentes culturas y religiones cuando se pasa de la niñez a la adolescencia? Compárelas con las de otros países.

Unas jóvenes latinas celebran una fiesta de quinceañera.

¡A escuchar!

51 Wall Street

Esta grabación es sobre Rivas, un joven inmigrante dominicano que está interesado en trabajar en el mundo de la banca de inversión en Wall Street. La grabación dura aproximadamente 5.5 minutos. Lea las posibles respuestas primero y después escuche la grabación "Con el punto de mira en Wall Street". Luego escoja la mejor respuesta para cada pregunta. Después, conteste la pregunta: ¿Cuál es el propósito del artículo?

1. ¿Por qué es Daniel Rivas un muchacho tan motivado?
   a. Porque sus padres nunca pudieron darle una educación
   b. Porque es latino, y no quiere olvidar sus raíces
   c. Porque sus padres siempre le prometieron una educación
   d. Porque tuvo que trabajar duro para pagar su propia educación

2. ¿Daniel es de familia numerosa?
   a. Sí, tiene cinco hermanos.
   b. Sí, tiene ocho hermanos.
   c. Sí, tiene cuatro hermanos.
   d. No se menciona nada al respecto.

3. ¿Qué ha conseguido Daniel?
   a. Ha trabajado como agente de bolsa en Wall Street.
   b. Ha trabajado en la Universidad de Long Island.
   c. Ha recibido un prestigioso premio otorgado a minorías.
   d. Ha estado empleado por casi un año en el Credit Suisse de Nueva York.

4. ¿Qué metas tiene este joven latino?
   a. Ser bailarín de salsa profesional y profesor de la Universidad de Long Island
   b. Trabajar para el SEO y ser bailarín de salsa
   c. Tener un puesto fijo en la banca y ganar más premios
   d. Tener un puesto fijo en la banca y motivar a otros jóvenes

52 ¿Somos mayores ya?

Esta grabación es sobre temas que los jóvenes valoran hoy en día, y nos ofrece varias estadísticas. La grabación dura aproximadamente 3.5 minutos. Escuche la grabación "¿A qué edad nos convertimos en adultos? Ya soy mayor" y luego conteste las siguientes preguntas.

1. ¿Cuáles son los tres puntos importantes para los jóvenes?
2. ¿Por qué los jóvenes se demoran tanto para marcharse de la casa de los padres?
3. ¿Están los jóvenes abiertos a otros modelos de familia? ¿Cual es la razón?
4. ¿Quieren los jóvenes comprometerse con una pareja?
5. ¿Cómo resumiría lo que escuchó en una frase?

53 Participe en una conversación

Ud. va a participar en una conversación. Primero lea la descripción de la conversación y piense en algunas palabras o expresiones que le serían útiles. Organice sus ideas, haciendo predicciones sobre lo que se le pueda preguntar o comentar. Una descripción de lo que va a escuchar aparece abajo en color. Participe en la conversación grabando las respuestas o escribiéndolas en su cuaderno.

Escena: Su padre habla con usted sobre los programas televisivos que ve su hermano pequeño.

Padre: Plantea el problema.

Ud.:
- Conteste.
- Dele su opinión.

Padre: Elabora el problema.

Ud.:
- Exprésele su opinión.

Padre: Sigue elaborando el problema.

Ud.:
- Dele su opinión.
- Sugiérale una solución.

Padre: Sigue la conversación.

Ud.:
- Anímele.
- Propóngale una actividad para realizar en familia.

Padre: Interrumpe la conversación.

¡A escribir!

54 Texto informal: un blog

Escriba en un blog. Hable sobre sus gustos y los de sus amigos. Incluya lo siguiente:

- Hable sobre la ropa que se lleva.
- Hable sobre el tipo de música que se escucha.
- Termine con una pregunta.

Consejo
Antes de empezar, lea las pautas para escribir textos informales en la pág. 480 del Apéndice. Mientras escribe el texto tenga presente los objetivos. Cuando termine, verifique que ha cumplido con todo lo que se describe en la lista y reflexione sobre su trabajo.

55 Texto informal: un correo electrónico 

Sus padres quieren saber más sobre lo que le gusta a su generación. Explíqueles en un correo cómo han cambiado los gustos en relación a su generación.

- Hábleles sobre lo que se lleva y lo que es más "in".
- Compare su generación con la de sus padres.
- Recomiéndeles participar en una actividad con sus amigos.

56 Ensayo: los niños mimados 

Escriba un ensayo contestando la pregunta, "¿Cree que los niños de hoy en día están demasiado mimados por sus padres?"

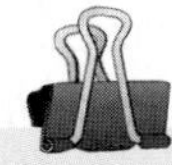

Consejo
Antes de empezar, lea las pautas para escribir ensayos en la pág. 480 del Apéndice. Mientras escribe el ensayo tenga presente los objetivos, y no se olvide de ponerle un título original. Cuando termine, verifique que ha cumplido con todo lo que se describe en la lista y reflexione sobre su trabajo.

57 Ensayo: los videojuegos

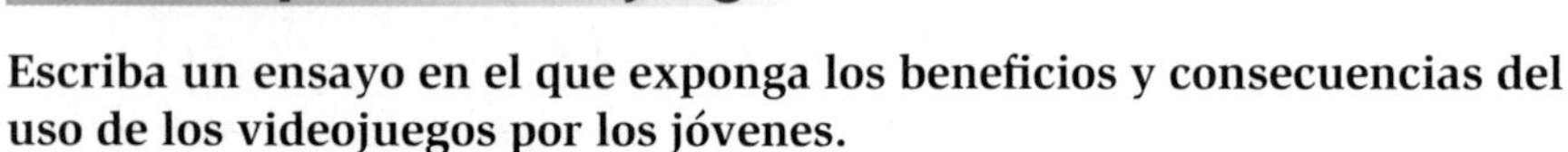

Escriba un ensayo en el que exponga los beneficios y consecuencias del uso de los videojuegos por los jóvenes.

58 En parejas

Intercambie sus ensayos con un/a compañero/a. Exprésele su opinión sobre el contenido y el uso del idioma.

¡A hablar!

59 Charlemos en el café

Ud. va a debatir los siguientes temas con un/a compañero/a. Uno estará a favor de lo que se ha dicho y otro en contra. El debate durará varios minutos. El/La estudiante que esté de acuerdo comenzará el debate y hablará por unos dos minutos. Cuando el/la profesor/a lo indique, el/la otro/a estudiante tomará la palabra y expresará su opinión por otros dos minutos, y así sucesivamente.

1. Los jóvenes de hoy en día son víctimas de la publicidad.
2. Los niños de hoy en día consiguen todo lo que quieren. Están demasiado mimados.
3. Debido a las nuevas tecnologías los jóvenes no saben relacionarse entre ellos.
4. Los jóvenes siguen la moda para ser aceptados por los demás.
5. Los móviles aíslan a los jóvenes.
6. Ud. tomaría una píldora que le permitiera ser joven toda su vida.

60 ¿Qué opinan?

Converse con un/a compañero/a sobre estas situaciones o preguntas.

1. ¿Cuáles son las cinco cosas más importantes para los jóvenes de su edad? Escríbanlas en orden de importancia y expliquen por qué son importantes.
2. ¿Qué está de moda entre los jóvenes de su generación? ¿Qué está pasado de moda? Hablen sobre música, ropa, deportes, comida, aparatos tecnológicos, etc.

61 Presentemos en público 

Conteste una de las siguientes preguntas durante varios minutos en clase. Organice sus ideas antes de hacer la presentación, busque las palabras necesarias y, después de practicar, presente en clase sin mirar las notas.

1. ¿Es fácil ser joven en estos tiempos? ¿Cuáles son las ventajas y los inconvenientes?
2. ¿Está deseando dejar de ser joven?
3. ¿Cuáles son las mejores películas del año?
4. ¿Cuáles son las películas sobre jóvenes con más éxito?
5. ¿Cuáles son los cinco mejores libros para gente de su edad?

Consejo

Antes de empezar, lea las pautas para presentaciones formales en la pág. 481 del Apéndice. Mientras formula su presentación tenga presente los objetivos. Cuando termine la presentación, verifique que ha cumplido con todo lo que se describe en la lista y reflexione sobre el trabajo que hizo.

Proyectos

62 ¡Manos a la obra! 

Trabaje en un grupo de cuatro o cinco estudiantes para llevar a cabo uno de los siguientes proyectos y presentarlo a la clase.

1. Les han encargado que trabajen en la sección de gente joven del periódico y les han pedido que diseñen toda esta sección. Tienen asignadas dos hojas del periódico para hacerlo. Decidan los diferentes temas; por ejemplo, música, pasatiempos, los lugares de interés, y los formatos: la publicidad, las cartas al director, las tiras cómicas.
2. Presenten a un joven típico de su edad. Hablen de su vida, metas, amistades, pasatiempos, gustos, etc.
3. Presenten a un joven de su edad, pero esta vez a modo irónico, según la forma en la que los jóvenes son percibidos por algunos mayores.
4. Propongan un nuevo club del colegio o de la universidad que refleje los nuevos gustos y tendencias. Descríbanlo, denle un nombre e intenten captar a nuevos miembros cuando se lo presenten a sus compañeros.
5. Entrevisten a una persona de un país hispanohablante, y pregúntenle sobre los jóvenes en su país. Elaboren de quince a veinte preguntas interesantes y graben las respuestas.

Vocabulario

Verbos

abrocharse	to fasten
añorar	to miss
asegurar	to assure
asumir	to assume, take on
atravesar	to go through
castigar	to punish
consolar (ue)	to console, comfort
desanimar	to discourage
desear	to wish
donar	to donate
durar	to last; to take time
echar de menos	to miss
encajar	to fit in
manejar	to handle; to drive
otorgar	to grant
parecerse	to look like
pasarse	to go too far
ponerse	to become; to place oneself
portarse	to behave
regañar	to scold, rebuke, tell off
reponer fuerzas	to recover
retar	to challenge
señalar	to point (to)
soportar	to stand, bear
suceder	to occur, happen
tartamudear	to stutter
tumbarse	to lie down

Verbos con preposición

verbo + a:

arriesgarse a	to risk
exponerse a	to expose oneself to
pertenecer a	to belong to

verbo + con:

conformarse con	to be satisfied with
contentarse con	to be happy/satisfied with; to make do with
convivir con	to live with
entretenerse con	to amuse oneself with
quedar bien/mal con	to make a good/bad impression on
romper con	to break up with

verbo + de:

avergonzarse (ue) de	to be ashamed of
burlarse de	to make fun of
cansarse de	to become tired of
depender de	to depend on
presumir de	to think one is, boast of being
quejarse de	to complain about

verbo + en:

apoyarse en	to lean/rely on
empeñarse en	to make an effort to, insist on
esforzarse (ue) en	to try very hard to

verbo + para:

tener motivos para	to have reasons for

verbo + por:

interesarse por	to take an interest in
tener por	to take for, considered

Sustantivos

el/la	**adepto/a**	follower, supporter
el	**agradecimiento**	gratitude
la	**amistad**	friendship
el/la	**anciano/a**	elderly man/woman
la	**autoestima**	self-esteem
el	**carácter**	character
el	**comportamiento**	behavior
el	**concepto**	concept, idea
el	**cuero**	leather
los	**deportes de riesgo**	extreme sports
los	**derechos humanos**	human rights
el	**desempleo**	unemployment
el	**diseño**	design
el	**disparate**	silly/stupid thing or action
la	**edad adulta**	adulthood
la	**etapa**	stage
la	**facha**	appearance *(colloquial)*
el	**fallo**	fault, mistake
la	**falta de ortografía**	spelling mistake
el	**filón**	gold mine *(colloquial)*
el	**ingreso**	entry
la	**jerga**	slang
el	**lazo**	link
el	**mando**	remote control
la	**marca**	brand
la	**mayúscula**	capital letter
la	**navaja**	pocketknife, penknife
la	**niñez**	childhood
el	**pacifismo**	pacifism
el	**paso**	step
el	**peso**	weight
la	**pinta**	appearance
el	**portal**	doorway
el/la	**quinceañero/a**	fifteen-year-old
el	**rasgo**	feature
el	**recuerdo**	memory
el	**rollo**	bore *(slang)*

el	**síntoma**	symptom
el	**sondeo**	poll
el	**tamaño**	size
el	**tatuaje**	tattoo
el	**temor**	fear
el	**terreno**	field
el	**tipo**	type, sort, guy
el/la	**treintañero/a**	thirty-year-old
el/la	**veinteañero/a**	twenty-year-old
el	**voluntariado**	voluntary service

Adjetivos

ajustado, -a	tight
atrevido, -a	daring
caído, -a	fallen; hanging, droopy
capacitado, -a	qualified, trained
complejo, -a	complex
gracioso, -a	funny
inculto, -a	uncultured, uneducated
influyente	influencial
inseguro, -a	unsafe; insecure
leal	loyal
maduro, -a	mature
orgulloso, -a	proud
preocupante	worrisome, worrying
prodigioso, -a	marvelous
realista	realistic
rebelde	rebellious
revoltoso, -a	rebellious
solidario, -a	in solidarity, supportive
teñido, -a	dyed
tolerante	tolerant

Adverbios

alrededor	around
de pronto	suddenly
efectivamente	effectively

Expresiones

a pesar de	in spite of
al fin y al cabo	finally
de última generación	most recent
de verdad	really
desde el punto de vista de	from the point of view of
en serio	seriously
hacer locuras	to do crazy things
no estar para bromas	not to be in a joking mood
no ser para tanto	it's not such a big deal
para ser sincero	to be sincere
por lo visto	apparently
por más que	no matter how hard
por poco	by little
por si acaso	if by any chance
por supuesto	of course
por todas partes	everywhere
por último	finally
¡Qué lata!	What a bore!
¡Qué lío!	What a mess!
sacar partido de	to profit from
se mire por donde se mire	wherever one looks
sin embargo	nevertheless
sin ninguna duda	without (any) doubt
tarde o temprano	sooner or later

A tener en cuenta

Usos de *se*:

1. Cuando tenemos dos pronombres. *Le* se convierte en *se*.
   ¿Le diste la fotocopia? Sí, se la di.
2. Reflexivos. Tercera persona.
   Siempre se equivoca cuando maneja el carro.
3. Construcción recíproca.
   No se miran a la cara.
4. El *se* accidental.
   Se me cayeron las hojas al suelo.
5. Impersonal.
   Se busca secretaria / cantante para grupo / informático/a / diseñador(a) de páginas web.

Lección

B

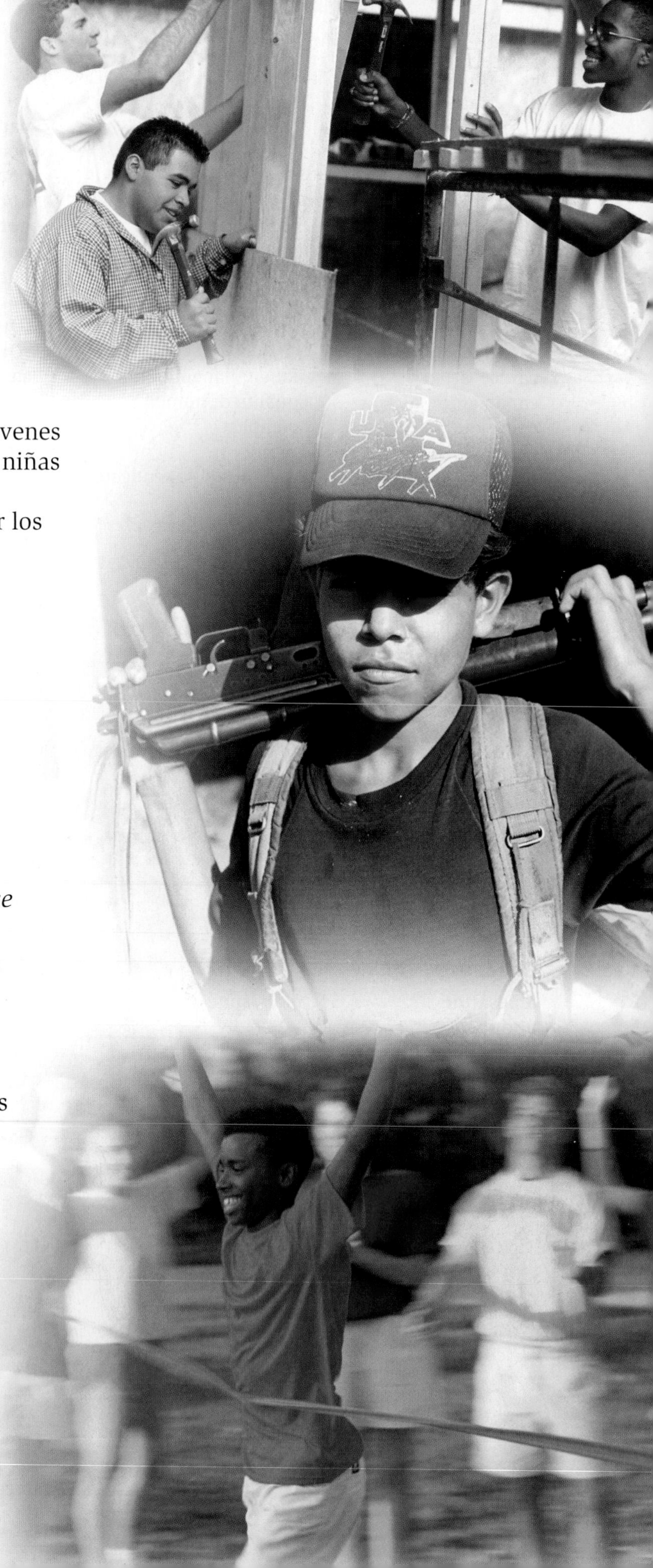

Objetivos

Comunicación

- Conocer los problemas de otros jóvenes
- Describir el mundo de los niños y niñas de la calle
- Hablar de la importancia de seguir los estudios

Gramática

- El futuro
- Los tiempos perfectos
- Los participios pasados
- La voz pasiva

"Tapitas" gramaticales

- algunos usos del subjuntivo
- *tomar* y *hacer*
- *respeto* y *respecto*
- *volverse, ponerse, hacerse, quedarse*

Cultura

- Los jóvenes indígenas
- Albergues para jóvenes
- La emancipación de los jóvenes
- Los niños soldados
- Los hispanoamericanos en Estados Unidos
- Los niños y niñas de la calle
- Los peligros de la tecnología

Para empezar

1 Conteste las preguntas

Piense en las respuestas a las siguientes preguntas. Puede tomar notas si lo considera necesario. Cuando termine, compare sus respuestas —pero sin mirar sus notas— con las de un/a compañero/a.

1. ¿Cuáles son los retos que tienen los jóvenes de Estados Unidos?
2. ¿En qué actividades de la comunidad participan los jóvenes?
3. ¿Qué tipo de voluntariado le gustaría hacer a Ud.? ¿Por qué? ¿Qué tipo de voluntariado hace? ¿Por qué?
4. ¿Qué tipo de problemas tienen los jóvenes de su generación? ¿Cómo suelen resolver estos problemas?
5. ¿Qué problemas cree que afrontan los jóvenes de las comunidades indígenas? ¿Son similares a los suyos?
6. ¿A qué edad se suelen emancipar los jóvenes estadounidenses? ¿Por qué cree que muchos jóvenes españoles y latinoamericanos se emancipan más tarde?
7. A la hora de elegir una universidad, ¿suelen los estadounidenses elegir una que esté cerca de casa? ¿La distancia es un factor que influye en su elección? ¿Qué otros factores influyen?
8. ¿Están los niños de todo el mundo protegidos actualmente? ¿Qué problemas afrontan muchos de los jóvenes?
9. ¿Qué sabe de los niños de la calle?
10. ¿Por qué razones dejan algunos jóvenes de estudiar?

2 Mini-diálogos

Ud. va a crear un mini-diálogo con un/a compañero/a. Lea la descripción de la conversación antes de empezar. Puede tomar notas para organizar sus ideas, pero no las mire mientras conversa.

Escena: En el gimnasio Ud. y su amigo/a mantienen una conversación sobre sus ídolos.

A:	Hable con su compañero/a sobre alguien famoso que admire. Pregúntele qué piensa de esta persona.
B:	Exprese su opinión. Pregúntele más sobre esta persona.
A:	Conteste sus preguntas. Pregúntele sobre una de las personas que admira.
B:	Conteste su pregunta. Dele detalles.
A:	Exprese descontento. Dele razones por la que no le gusta esa persona.
B:	Defienda a su ídolo. Y dígale cómo ha influido en su vida.
A:	Discúlpese por lo que piensa decirle, pero continúe con sus comentarios. Despídase amistosamente.
B:	Despídase de mal humor.

Refrán

El joven conoce las reglas, pero el viejo las excepciones.

Hable sobre el significado de este refrán. ¿Cree que es cierto? Comparta su opinión con un/a compañero/a.

¡Dato curioso!

Los jóvenes perciben de forma diferente la influencia de sus familias en función de su edad y su nivel económico, pero no por ser chicos o chicas.

Vocabulario y gramática en contexto

3 Niñas soldados

Lea el siguiente texto literario. Fíjese en las palabras que aparecen en azul (relacionadas con el vocabulario) y en rojo (relacionadas con la gramática), ya que en las siguientes actividades se le harán preguntas sobre ellas.

Niñas Soldados

—Hemos acordado que esta noche será la noche. Pensamos escapar del campamento de madrugada, cuando todos estén dormidos. Lo hemos planeado minuciosamente durante meses. Les prepararemos la cena a los soldados como de costumbre, mientras que conversamos con las otras chicas del campamento. Después Ana y yo nos escaparemos en cuanto veamos el momento adecuado. Saldremos de esta pesadilla, seremos libres y volveremos con nuestros seres queridos. Seremos cuidadosas y no despertaremos ninguna sospecha, todo saldrá bien. Aquí nos estamos volviendo locas. Nos iremos juntas y podremos, ...pero ¿qué será ese ruido? ¿quién gritará tanto?...

De golpe todos los gritos cesaron. Sólo se oía un leve murmullo. María tiró su diario al piso y se acercó a donde estaba el bullicio, abrió paso entre la multitud y allí vio a su amiga. Ana yacía inmóvil. Estaba muerta, aunque tenía una extraña sonrisa de vencedora. De alguna forma había podido escapar de allí. Había triunfado. María siguió con sus planes. "Lo haré sola. Como no lo haga esta noche, nunca saldré viva de aquí". Y así lo hizo.

Hoy en día reside en Nueva York. Habrá publicado su primer libro en unos meses. En la portada veremos una fotografía de las dos íntimas amigas, sonrientes, antes de que fueran secuestradas por la guerrilla. "¿Será más fácil para mi hija pequeña? ¡Disfruto tanto oyéndola hablar sobre lo que quiere ser de mayor!" —piensa mientras le cepilla el pelo a la niña. "Te recogeré el pelo y te haré una coleta. A Ana le encantaba que la peinara así." —le dice a su hija. María sonríe, aunque se ha puesto un poco sentimental. Las dos amigas se escaparon en algún modo juntas. Sabe que Ana siempre estará a su lado.

4 ¿Qué significa?

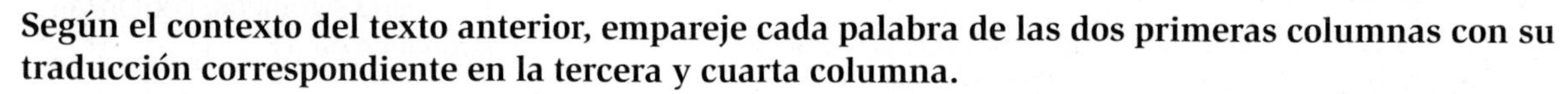

Según el contexto del texto anterior, empareje cada palabra de las dos primeras columnas con su traducción correspondiente en la tercera y cuarta columna.

1. acordar	15. bullicio	a. camp	o. winner
2. campamento	16. multitud	b. to wake up	p. close
3. madrugada	17. yacer	c. to cease	q. motionless
4. minuciosamente	18. inmóvil	d. thoroughly	r. ponytail
5. de costumbre	19. vencedor	e. to decide	s. as usual
6. en cuanto	20. triunfar	f. murmur	t. suspicion
7. ser querido	21. residir	g. multitude	u. loved one
8. despertar	22. portada	h. cover	v. suddenly
9. sospecha	23. íntimo	i. to triumph	w. to lie
10. salir bien	24. secuestrado	j. kidnapped	x. to reside
11. de golpe	25. coleta	k. light, slight, trivial	y. dawn
12. cesar	26. en algún modo	l. as soon as	z. somehow
13. leve		m. to go well	
14. murmullo		n. uproar	

5 El futuro

Conteste estas preguntas relacionadas con la lectura de la Actividad 3.

1. ¿Cómo se forma el futuro de los verbos regulares?
2. Escriba 13 verbos irregulares que recuerde en el futuro en la tercera persona del singular. Puede usar verbos compuestos.
3. ¿Qué otros verbos o expresiones se usan para indicar el futuro? Escriba un ejemplo.
4. Haga una lista de los verbos que aparecen en futuro en el texto de la Actividad 3.
5. ¿Cómo se traduce *I hope you will come*? ¿Qué tiempo es?
6. *¿Qué será? ¿Quién gritará? ¿Será más fácil?* ¿Qué tiempo verbal ha sido usado? ¿Por qué se usa en este contexto? ¿Cómo lo traduciría? Escriba otro ejemplo.

6 "Tapitas" gramaticales

Conteste estas preguntas basadas en la lectura de la Actividad 3.

1. ¿Cómo traduciría "Como no lo haga esta noche"? ¿De qué tiempo verbal se trata? Escriba una frase similar.
2. ¿Qué tiempo verbal es *peinara*? Escriba una frase similar usando el mismo tiempo.
3. ¿Cómo se traduce "se ha puesto un poco sentimental"? ¿Puede pensar en otros ejemplos con *ponerse*? ¿Cuáles son? ¿Cuál es la diferencia entre *ponerse, hacerse, quedarse* y *volverse*?

7 Entrevistando a María 

Usted es un/a periodista que ha leído sobre la historia de María, quien fue secuestrada y obligada a ser una niña soldado. Le han pedido a Ud. que le haga una entrevista. Escriba diez preguntas para hacerle a María. Incluya el vocabulario y las "tapitas" gramaticales de las actividades anteriores.

8 Los jóvenes indígenas 

Lea el siguiente artículo, prestando atención a las palabras en azul y rojo, ya que se le harán preguntas sobre ellas. Después, resuma lo que leyó en una frase.

Estos nuevos tiempos representan un reto para los jóvenes indígenas de nuestro país. Todo a nuestro alrededor se mueve a un ritmo acelerado. No obstante, un grupo de jóvenes ha llamado recientemente la atención de los medios de comunicación por su actitud positiva ante las dificultades y por su capacidad de lucha. Han escrito miles de cartas a políticos y a empresarios destacados solicitando ayuda para mejorar la situación. Por fin, y en gran parte gracias a la prensa, que ha difundido la noticia, y a su continua lucha y esfuerzo, han sido oídos. Para finales de año habrán abierto una organización sin ánimo de lucro que desempeñará un papel muy importante para apoyar la creciente inquietud de nuestros jóvenes. Quieren superarse y conseguir sus metas, y están dispuestos a hacer todo lo que sea necesario. Saben que son el futuro, y por eso luchan por sus derechos. Han hecho todo lo que está en sus manos y han conseguido un cambio histórico. En una sociedad donde los adultos toman todas las decisiones, los jóvenes han logrado ser escuchados. Según los medios, en unos meses habrán hecho mejoras importantes. Durante todo este proceso los jóvenes indígenas han demostrado que han aprendido mucho sobre las nuevas tecnologías, han mejorado sus destrezas y su formación para ser personas cultas, y han llegado a conocerse más como individuos. A la luz de los acontecimientos, los mayores, siempre tratados con respeto, y quienes se habían opuesto tajantemente a cualquier cambio, se han comprometido a hacer un esfuerzo para comprender sus demandas.

9 ¿Qué significa?

Complete las siguientes oraciones con la palabra que sea apropiada del recuadro. Haga los cambios que sean convenientes.

alrededor	destacado	prensa	difundir	esfuerzo
sin ánimo de lucro	desempeñar	apoyar	creciente	superarse
meta	lograr	mejora	destreza	culto
a la luz de	acontecimiento	tajantemente		

1. La noticia sobre los abusos a los indígenas saltó a la luz gracias a la ___.
2. No sabemos con precisión cuántas personas asistieron, me imagino que ___ de un millón.
3. Parece ser que un grupo conocido por anónimo ___ los documentos en la Red.
4. Les agradezco a todos de corazón su ___ para ayudar a estos chicos.
5. Anoche cenamos con políticos ___ para tratar el grave problema.
6. Ana y yo hemos decidido apuntarnos a una organización ___ para ayudar a los demás.
7. ¿No te suena la cara de este señor? Él ___ un papel muy importe en nuestra ciudad.
8. Nos impresiona que tantos chicos ___ a este artista aunque se comporte tan mal.
9. Nuestra ___ es superar nuestros miedos.
10. Es necesario que yo ___ tener una entrevista con estos chicos para hablar del tema.
11. El uso del pegamento como droga es un ___ problema en algunos países.
12. Les impresiona que tantos chicos minusválidos ___ y consigan mejorar su situación con su lucha.
13. ¿Sabes que todos se opusieron ___ a las reformas en la universidad?
14. No nos sorprendió en absoluto la ___ en su comportamiento. Es un buen chico.
15. ___ de los acontecimientos, decidieron aplazar al concierto.
16. El país se quedó boquiabierto al ver las noticias sobre los ___ violentos.
17. Sorprendió a todos pues el chico demostró ser una persona muy ___.
18. ¿Podrías echarme una mano? No tengo mucha ___ con la tecnología.

10 Un resumen

Con un/a compañero/a haga un resumen del artículo "Los jóvenes indígenas" en un gráfico o dibujo y preséntelo a la clase.

11 Los tiempos perfectos: el presente perfecto, el pluscuamperfecto, el futuro perfecto

Conteste estas preguntas relacionadas con la lectura de la Actividad 8.

1. ¿Cómo se conjuga un verbo en presente perfecto? ¿Y en pluscuamperfecto? ¿Y en futuro perfecto?
2. Haga una lista de diez participios pasados irregulares.
3. ¿Por qué lleva acento el verbo *oír* en el participio pasado? ¿Qué otros verbos siguen esta regla? Escriba el participio pasado de cinco de estos verbos.
4. Haga una lista de los verbos que aparecen en presente perfecto, pluscuamperfecto o futuro perfecto en el texto.

12 El participio pasado

Conteste estas preguntas relacionadas con la lectura de la Actividad 8.

1. ¿Cómo se forma el participio pasado?
2. ¿Qué sucede cuando se usa un participio pasado como adjetivo?
3. Busque casos en los que el participio es usado como adjetivo en la lectura anterior.
4. Escriba cuatro oraciones con participios usados como adjetivos.

13 "Tapitas" gramaticales

Conteste estas preguntas basadas en la lectura de la Actividad 8.

1. ¿Por qué decimos *están dispuestos* y no *son dispuestos*?
2. ¿Por qué se usa el subjuntivo en la frase *hacer todo lo que sea necesario*?
3. ¿Por qué decimos *tomar decisiones* y no *hacer decisiones*?
4. ¿Cuándo se usa *respeto* y cuándo *respecto*?

14 Nuestros retos 

Ud. es uno de los jóvenes descritos en el artículo anterior. Escríbale un correo electrónico a un/a amigo/a en el que describa sus experiencias durante todo el proceso. No se olvide de usar el vocabulario y las "tapitas" gramaticales de la lectura.

- Hable de las razones por las que decidió unirse a la lucha.
- Hable de las metas, los logros y los retos.
- Comente sus expectativas para el futuro.

Un dentista voluntario examina a un paciente en Honduras.

15 Los tiempos verbales

Lea el siguiente texto y complételo con el presente perfecto, pluscuamperfecto, futuro perfecto o participio de los verbos entre paréntesis, según el contexto. Después, conteste la pregunta; ¿Cuál cree que es el propósito de este correo electrónico?

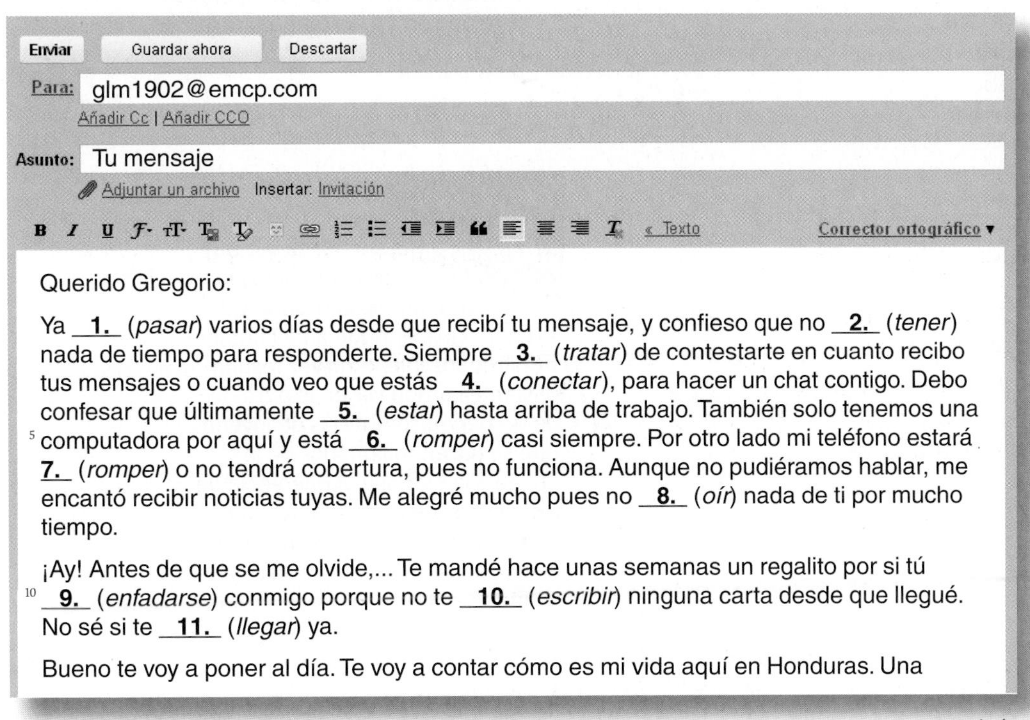

Enviar | Guardar ahora | Descartar

Para: glm1902@emcp.com

Añadir Cc | Añadir CCO

Asunto: Tu mensaje

Adjuntar un archivo Insertar: Invitación

« Texto Corrector ortográfico ▾

Querido Gregorio:

Ya __1.__ (*pasar*) varios días desde que recibí tu mensaje, y confieso que no __2.__ (*tener*) nada de tiempo para responderte. Siempre __3.__ (*tratar*) de contestarte en cuanto recibo tus mensajes o cuando veo que estás __4.__ (*conectar*), para hacer un chat contigo. Debo confesar que últimamente __5.__ (*estar*) hasta arriba de trabajo. También solo tenemos una computadora por aquí y está __6.__ (*romper*) casi siempre. Por otro lado mi teléfono estará __7.__ (*romper*) o no tendrá cobertura, pues no funciona. Aunque no pudiéramos hablar, me encantó recibir noticias tuyas. Me alegré mucho pues no __8.__ (*oír*) nada de ti por mucho tiempo.

¡Ay! Antes de que se me olvide,... Te mandé hace unas semanas un regalito por si tú __9.__ (*enfadarse*) conmigo porque no te __10.__ (*escribir*) ninguna carta desde que llegué. No sé si te __11.__ (*llegar*) ya.

Bueno te voy a poner al día. Te voy a contar cómo es mi vida aquí en Honduras. Una

continúa

amiga y yo **12.** (*inscribirse*) en un programa de voluntariado que se llama *Manos Abiertas*, con el que yo ya **13.** (*trabajar*) en varias ocasiones cuando estaba en nuestra
15 ciudad. Ya **14.** (*hacer*) varios trabajos de voluntariado junto a mis colegas y todos **15.** (*ser / estar*) bastante gratificantes. Hace poco, por haber **16.** (*escribir*) un cuento corto para los niños de aquí me **17.** (*otorgar*) un premio. Dudo que lo acepte. Ya me conoces y siempre **18.** (*ser / estar*) muy vergonzosa para esas cosas, pero lo agradezco igualmente.

20 Gregorio, en tan solo un par de semanas nosotros **19.** (*terminar*) nuestra misión aquí y **20.** (*marcharse*) de aquí. Nos **21.** (*proponer*) que nos quedemos aquí un semestre más, pero la semana que viene volvemos. Espero verte muy pronto porque te extraño mucho. Aquí todos mis compañeros me **22.** (*tratar*) como a una reina, pero no es lo mismo sin ti.

Un abrazo muy fuerte

Gabriela

P.D. Te **23.** (*incluir*) unas fotos que nos **24.** (*hacer*) hace poco.

16 La voz pasiva

Escriba oraciones completas con las palabras que aparecen a continuación. Use el verbo *ser* en futuro y el segundo verbo como participio pasado, más otras palabras que desee añadir. Siga el modelo.

MODELO programa / ser / ver *El programa será visto por millones de personas.*

1. gritos / ser / oír
2. políticos / ser / secuestrar
3. fuego / ser / apagar
4. niños / ser / obligar
5. armas / ser / romper
6. programa / ser / ver
7. noticia / ser / leer
8. artículo / ser / imprimir
9. ventanas / ser / abrir
10. ensayo / ser / escribir
11. equipaje / ser / proveer
12. patatas / ser / freír

Refrán

La juventud vive de la esperanza, la vejez del recuerdo.

¿Está de acuerdo con esta afirmación? ¿Por qué? Comparta su opinión con un/a compañero/a.

¡Dato curioso! Cada vez hay más jóvenes que triunfan en el mundo de los negocios. Aunque antes hubiera sido impensable, cada vez resulta bastante común ver en la portada de un periódico noticias de jóvenes que se hacen millonarios de la noche a la mañana. A diferencia de los jóvenes de otras generaciones que simplemente soñaban con el éxito, éstos luchan por realizar sus sueños.

Idioma

17 Familia de palabras

Complete la tabla con el verbo, sustantivo o adjetivo apropiado, y la traducción correspondiente.

Verbos		Sustantivos		Adjetivos	
abusar	*to abuse*	el abuso	*abuse*	abusado	*abused*
agravar	___	___	*seriousness*	grave	___
apresar	___	el preso	*prisoner*	apresado	___
encarcelar	___	la cárcel	___	___	*jailed*
experimentar	___	la experiencia	___	___	*experienced*
fracasar	___	___	*failure*	fracasado	___
luchar	___	la lucha	___	___	___
___	___	la mejora	___	mejor, mejorado	___, ___
oprimir	___	___	*oppression*	oprimido	___
___	*to promote*	la promoción	___	promovido	___
secuestrar	___	el secuestro	___	___	*kidnapped*
tratar	___	el trato	*treatment*	tratado	___
violar	___; ___	la violación	*violation; rape*	violado	___; ___

18 ¿Verbo, sustantivo o adjetivo? 

Complete las oraciones usando la forma correcta de las palabras que aparecen en la tabla, ya sea verbo, adjetivo o sustantivo. En el caso del sustantivo puede que necesite artículo.

1. Unos empresarios han sido juzgados por ___ (*tratar*) que le han dado a sus empleados.
2. La prensa ha logrado llamar la atención sobre el chico y pensamos que al final no irá a ___ (*encarcelar*).
3. A partir del mes que viene, la organización sin ánimo de lucro en la que trabaja mi hermana ___ (*promover*) el aprendizaje de otro idioma entre los jóvenes.
4. Un grupo de personas cultas hará un estudio sobre ___ (*fracasar*) escolar de estos jóvenes.
5. Una multitud se ha acercado al alcalde para denunciar ___ (*agravar*) de la situación.
6. A la luz de los acontecimientos, ¿___ (*mejorar*) la seguridad en este barrio? Nadie quiere que más jóvenes sean ___ (*violar*).
7. El gobernador ha recibido muchos halagos por apoyar tajantemente ___ (*mejorar*) de las escuelas de la zona.
8. Ha sido muy gratificante comprobar que gracias a que Pili es una gran ___ (*luchar*), ha logrado lo que nadie logró.
9. Seguramente nunca se recuperará, después de ___ (*oprimir*) sufrida en su niñez.
10. Seguramente no le habrán otorgado el premio a Gloria por haber ___ (*fracasar*) en su anterior proyecto.

Refrán

¡Si el joven supiera y el viejo pudiera!

¿Qué cree que significa este refrán? Comparta su opinión con un/a compañero/a. Piensen en ejemplos. Intenten escribir otro refrán con un significado similar.

¡Dato curioso! Cada vez hay más organizaciones y encuentros para promover las habilidades, capacidades creativas y fluidez tecnológica en los niños. Un ejemplo de ello es la organización FRIDA, Fondo Regional para la Innovación Digital en América Latina y el Caribe.

19 Acogiendo a jóvenes 

Lea el artículo y complete los espacios con la palabra adecuada. Después conteste las siguientes preguntas:

- ¿Cuál es el propósito del artículo?
- ¿Cómo resumiría el artículo en una frase?
- Si quisiera consultar otra fuente, ¿podría pensar en un posible título de una publicación?
- ¿Qué pregunta sería apropiada para hacerle al autor después de leer el artículo?

Al rescate de los jóvenes

Andrea Marchetti, director de programas de Jóvenes Inc., __1.__ (*explicó / explicaba*) que el albergue de emergencia __2.__ (*está / es*) preparado para acoger a siete muchachos. Se __3.__ (*les / le*) brinda la oportunidad para que __4.__ (*comiencen / comienzan*) a cambiar __5.__ (*su / sus*) vidas. En la vivienda eventual, __6.__ (*pueden / puedan*) estar hasta 18 meses y la __7.__ (*ofrecen / ofrezcan*) a los jóvenes que demuestran que necesitan un lugar estable donde vivir mientras alcanzan sus metas como __8.__ (*terminar / terminen*) de estudiar y __9.__ (*ahorrar / ahorran*) para un apartamento.

"__10.__ (*Hay / Haya*) varias condiciones para __11.__ (*el / la*) vivienda eventual. Los jóvenes tienen que __12.__ (*estar / estén*) trabajando y tener __13.__ (*algún / alguna*) meta que __14.__ (*quieran / quieren*) alcanzar. Por supuesto que no se __15.__ (*les / los*) permite __16.__ (*ninguna / ningún*) tipo de droga y tienen que __17.__ (*comportarse / se comporten*) bien", señaló Marchetti.

El padre Estrada __18.__ (*agregó / agregaba*) que la idea de los albergues surgió para __19.__ (*atender / atiendan*) a los jóvenes inmigrantes indocumentados que venían __20.__ (*huyendo / huían*) de la guerra de Centroamérica o de la pobreza en México en la década de los 80 y que por __21.__ (*cualquiera / cualquier*) motivo terminaban solos frente a la Placita Olvera.

"Al principio __22.__ (*eran / fueron*) jovencitos de 11 a 15 años a __23.__ (*quien / quienes*) se atendía en los albergues. Con el tiempo se ha ido modificando y ahora __24.__ (*son / sean*) jóvenes de 18 a 24 años, en la mayoría inmigrantes, que necesitan un lugar donde los guíen para ser productivos", dijo el padre Estrada. "__25.__ (*Uno / Un*) 90% de los jóvenes que ayudamos son inmigrantes, hay __26.__ (*algún / alguno*) que otro afroamericano y asiático, pero en su mayoría son latinos".

Otro de __27.__ (*los / las*) programas de esta organización sin fines de lucro __28.__ (*es / sea*) el Centro de Aprendizaje, donde __29.__ (*dan / den*) clases de computación, de inglés y, además, __30.__ (*los / les*) enseñan cómo conseguir trabajo. Este centro __31.__ (*atiende / atienda*) a tres grupos de veinte muchachos cada uno y trabaja en conjunto con preparatorias locales y con el Departamento de Servicios Familiares del Condado.

www.laopinion.com

20 Amplíe su vocabulario

Mire las palabras de la primera columna, que aparecen en el artículo anterior, y busque su definición o sinónimo en la segunda.

1. acoger	a. lo contrario de gastar
2. brindar	b. añadir
3. estable	c. ofrecer
4. alcanzar	d. no pretende ganar dinero
5. ahorrar	e. admitir, proteger
6. agregar	f. que no cambia
7. sin fines de lucro	g. conseguir

21 Jóvenes con identidad

Lea el artículo y complete los espacios con la palabra adecuada. Después conteste las siguientes preguntas:

- ¿Cuál es el propósito del artículo?
- ¿Cómo resumiría el artículo en una frase?
- Si quisiera consultar otra fuente, ¿podría pensar en un posible título de una publicación?
- ¿Qué pregunta sería apropiada para hacerle al autor después de leer el artículo?

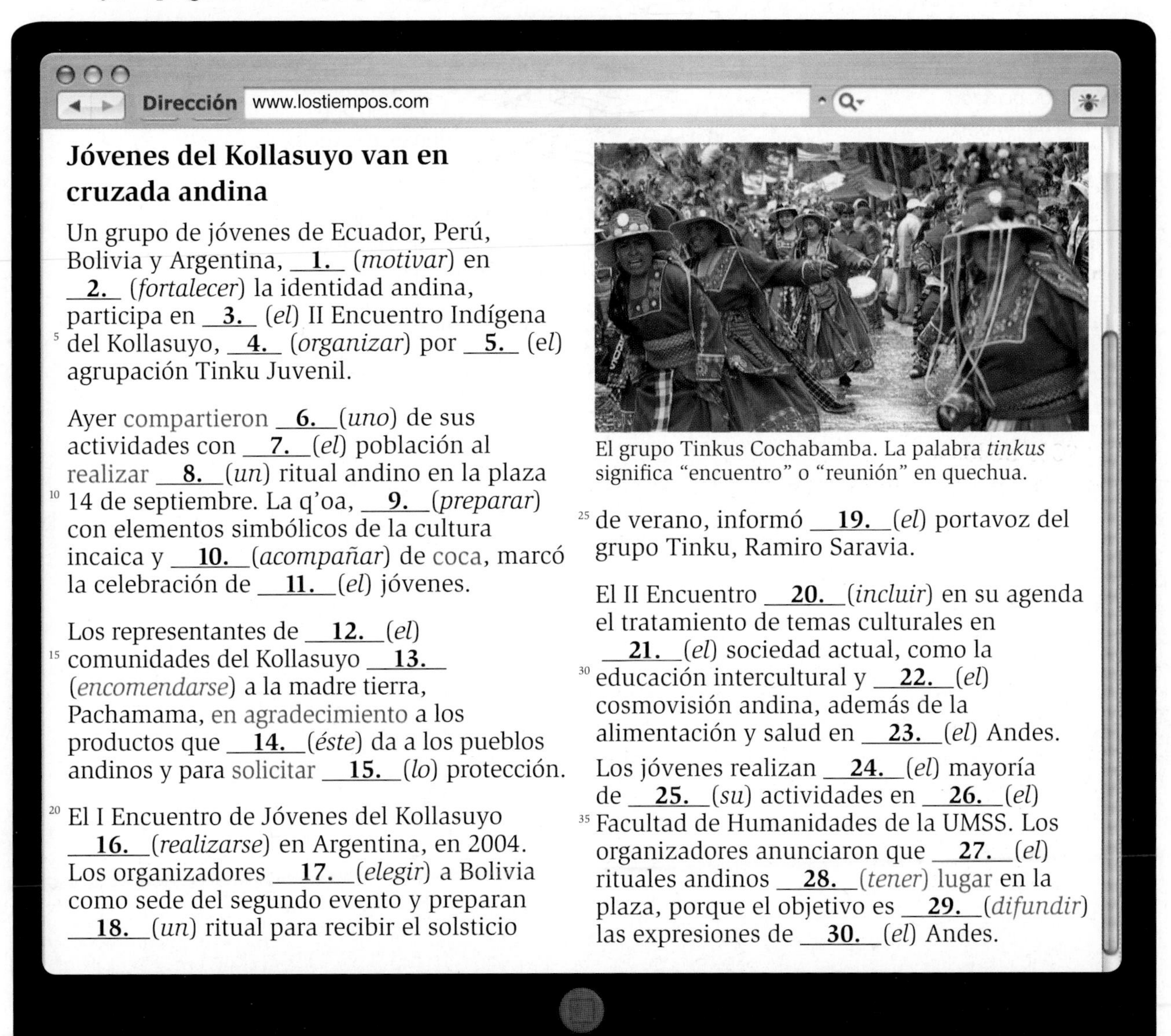

Dirección www.lostiempos.com

Jóvenes del Kollasuyo van en cruzada andina

Un grupo de jóvenes de Ecuador, Perú, Bolivia y Argentina, ___1.___ (*motivar*) en ___2.___ (*fortalecer*) la identidad andina, participa en ___3.___ (*el*) II Encuentro Indígena del Kollasuyo, ___4.___ (*organizar*) por ___5.___ (*el*) agrupación Tinku Juvenil.

Ayer compartieron ___6.___ (*uno*) de sus actividades con ___7.___ (*el*) población al realizar ___8.___ (*un*) ritual andino en la plaza 14 de septiembre. La q'oa, ___9.___ (*preparar*) con elementos simbólicos de la cultura incaica y ___10.___ (*acompañar*) de coca, marcó la celebración de ___11.___ (*el*) jóvenes.

Los representantes de ___12.___ (*el*) comunidades del Kollasuyo ___13.___ (*encomendarse*) a la madre tierra, Pachamama, en agradecimiento a los productos que ___14.___ (*éste*) da a los pueblos andinos y para solicitar ___15.___ (*lo*) protección.

El I Encuentro de Jóvenes del Kollasuyo ___16.___ (*realizarse*) en Argentina, en 2004. Los organizadores ___17.___ (*elegir*) a Bolivia como sede del segundo evento y preparan ___18.___ (*un*) ritual para recibir el solsticio de verano, informó ___19.___ (*el*) portavoz del grupo Tinku, Ramiro Saravia.

El II Encuentro ___20.___ (*incluir*) en su agenda el tratamiento de temas culturales en ___21.___ (*el*) sociedad actual, como la educación intercultural y ___22.___ (*el*) cosmovisión andina, además de la alimentación y salud en ___23.___ (*el*) Andes. Los jóvenes realizan ___24.___ (*el*) mayoría de ___25.___ (*su*) actividades en ___26.___ (*el*) Facultad de Humanidades de la UMSS. Los organizadores anunciaron que ___27.___ (*el*) rituales andinos ___28.___ (*tener*) lugar en la plaza, porque el objetivo es ___29.___ (*difundir*) las expresiones de ___30.___ (*el*) Andes.

El grupo Tinkus Cochabamba. La palabra *tinkus* significa "encuentro" o "reunión" en quechua.

22 Amplíe su vocabulario 

Mire las palabras de la primera columna, que aparecen en el artículo anterior, y busque su definición o sinónimo en la segunda.

1. compartir	a. llevar a cabo, hacer, efectuar
2. realizar	b. con gratitud
3. coca	c. ocurrir
4. encomendarse	d. ofrecer lo que se tiene a los demás
5. en agradecimiento	e. planta
6. solicitar	f. extender, divulgar una noticia
7. tener lugar	g. pedir
8. difundir	h. ofrecerse al cuidado o protección de alguien

23 Lea, escuche y escriba/presente 

Vuelva a leer los textos completos de las Actividades 19 y 21. Luego escuche la grabación "Adolescentes en peligro" y tome las notas necesarias. Escriba un ensayo o haga una presentación en clase contestando esta pregunta: "¿Cuáles son los problemas con los que se enfrentan los jóvenes en las calles?" No se olvide de citar las fuentes debidamente.

Cita

Lo que se le dé a los niños, los niños darán a la sociedad.

—Karl Menninger (1893–1990), médico estadounidense; uno de los fundadores de la Clínica Menninger, un centro psiquiátrico

¿Está de acuerdo con esta afirmación? ¿Por qué? Comparta su opinión con un/a compañero/a y dele unos ejemplos.

¡Dato curioso!

En Honduras más de 300.000 niños abandonan la escuela para trabajar. Más de la mitad (60%) de estos niños dejan de trabajar y se dedican a pedir por la calle. Se calcula que alrededor de 50 menores de edad son asesinados cada año, y casi nunca se aclaran estos crímenes.

24 Emancipándose 

Lea el artículo y complete los espacios con la palabra adecuada. Después conteste las siguientes preguntas:

- ¿Cómo resumiría el artículo en una frase?
- Si quisiera consultar otra fuente, ¿podría pensar en un posible título de una publicación?
- ¿Qué pregunta sería apropiada para hacerle a un joven español para saber más sobre el tema? ¿A qué edad se emancipan los jóvenes en los EE.UU.? ¿Qué piensa de esto?

Dirección www.revistafusion.com

Archivo Edición Ver Favoritos Herramientas Ayuda

¿Por que los jóvenes no se van de casa?

MARILÓ HIDALGO

Según datos del Instituto de la Juventud, el 77% de jóvenes españoles menores de 30 años conviven en el domicilio familiar. La falta de empleo y la dificultad de acceso a una vivienda son las primeras razones argumentadas para justificar esta situación.

Generación *baby boom*

Se calcula que __1.__ (*en / de*) los más de trescientos millones de personas __2.__ (*que / quienes*) habitan en la UE, más __3.__ (*de / que*) 50 millones __4.__ (*son / están*) jóvenes entre 15 y 25 años. Esto representa __5.__ (*un / uno*) 16,5% de la población total. Nos encontramos __6.__ (*sobre / en*) un momento histórico, especialmente __7.__ (*por / en*) nuestro país, ya que nunca se había contado con tal porcentaje de gente joven y, según los demógrafos, este fenómeno no volverá __8.__ (*x / a*) producirse en los próximos años. La __9.__ (*gran / grande*) mayoría de estos jóvenes son consecuencia del denominado *baby boom*, la explosión demográfica de los años sesenta a setenta y cinco. Han pasado más __10.__ (*de / que*) veinticinco años desde entonces y __11.__ (*esta/ ésta*) generación cuenta ya __12.__ (*con / x*) la edad perfecta para independizarse y formar su propio hogar, pero rompiendo todos los pronósticos, __13.__ (*nos / x*) encontramos con una situación digna de estudio: los jóvenes rehuyen emanciparse.

España, según el último estudio realizado a los jóvenes __14.__ (*por / para*) el Instituto de la Juventud (INJUVE), es uno de los países de la UE __15.__ (*donde / quienes*) más personas jóvenes dependen económicamente __16.__ (*de / en*) sus padres (un 62%). En 15 años esta cifra apenas __17.__ (*ha / han*) variado.

Otra cuestión que ellos argumentan en sus cuestionarios es la dificultad __18.__ (*de / por*) acceder a una vivienda. España es el país comunitario con __19.__ (*menos / más*) hogares unipersonales, __20.__ (*sólo / solo*) un 13,4% frente a otros países del entorno europeo como Dinamarca, que cuenta __21.__ (*con / en*) un 54,6% __22.__ (*por / según*) la última encuesta del Instituto Nacional de Estadística (INE). Y es que nuestro país dispone __23.__ (*del / de*) menor parque de viviendas en alquiler de la UE. De 1996 al 2000, el precio de la vivienda ha aumentado un 50%, cosa que no han __24.__ (*hecho / dicho*) los sueldos de los jóvenes, __25.__ (*lo / el*) que imposibilita un acceso real a la vivienda. María Sánchez, auxiliar de clínica, se queja __26.__ (*sobre / de*) no ganar suficiente dinero para poder hacerse cargo de los gastos que acarrea vivir __27.__ (*sola / sóla*). "No puedo vivir __28.__ (*por / para*) mi cuenta —asegura— porque no me siento independiente económicamente. Los precios de los alquileres están altísimos y no puedo ahorrar __29.__ (*por / para*) comprarme un piso porque tengo que ayudar __30.__ (*en / para*) casa".

25 ¿Qué significa?

Mire las palabras de la primera columna y busque su definición o sinónimo en la segunda.

1. domicilio	a. casa, hogar
2. habitar	b. solo
3. emanciparse	c. salario
4. encuesta	d. vivir, alojarse
5. disponer	e. lo contrario de ahorro
6. sueldo	f. tener, poseer
7. gasto	g. irse de la casa de los padres y pagar sus propios gastos
8. vivir por tu cuenta	h. una serie de preguntas que se hacen para obtener opiniones

26 Lea, escuche y escriba/presente

Vuelva a leer el texto completo de la Actividad 24. Luego escuche la grabación "La emancipación de los jóvenes en España" y tome las notas necesarias. Escriba un ensayo o haga una presentación en clase sobre este tema: "Los problemas que afrontan los jóvenes en España para emanciparse". No se olvide de citar las fuentes debidamente.

27 Niños soldados 

Lea el artículo y complete los espacios con la palabra adecuada. Después conteste las siguientes preguntas:

- ¿Cuál es el propósito del artículo?
- ¿Cómo resumiría el artículo en una frase?
- Si quisiera consultar otra fuente, ¿podría pensar en un posible título de una publicación?

Pequeños soldados

La guerra no es ___1.___ (por / para) los niños. ___2.___ (Muchos / Uno) de los ingredientes que no deberían faltar en la infancia es la protección. El niño ___3.___ (debe / tiene) sentirse seguro en su entorno y con las personas que lo rodean. ___4.___ (Cada / Todos) año las guerras desplazan a millones de niños de sus hogares y los separan de sus familias. UNICEF apunta que casi la mitad de los 3,6 millones de personas que murieron en conflictos armados desde 1990 eran menores de edad. Y no sólo eso. Se calcula además que más de 300.000 niños en ___5.___ (todo / alrededor) el mundo han sido alistados y luchan ___6.___ (como / por) soldados en guerras y conflictos armados. No ___7.___ (hay / haya) distinción entre niños y niñas. Los encontramos ___8.___ (en / a) África mayoritariamente, pero también en Latinoamérica o Asia.

Niño soldado del Congo

"En muchos lugares los niños ___9.___ (son / sean) considerados ciudadanos de segunda clase porque no ___10.___ (son / están) productivos. Las altas tasas de mortalidad infantil hacen ___11.___ (que / X) a veces ni siquiera sean registrados, porque no se sabe ___12.___ (si / como) van a sobrevivir o no".

[10] Son utilizados __13.__ (para / como) mensajeros o como espías. Se __14.__ (les / los) encarga colocar cargas explosivas y tienen que aprender __15.__ (con / a) manejar armas ligeras. También __16.__ (se / sé) les [15] usa como escudos humanos __17.__ (por / para) protegerse de las ráfagas enemigas. No dispararán __18.__ (contra / hasta) un niño, ¿no? Son un ejército barato, fácil __19.__ (por / en) manipular, poco conflictivo y obediente. [20] ¿__20.__ (Los / Se) puede pedir más? La mayoría han __21.__ (visto / vistos) morir a sus padres a manos __22.__ (de / del) enemigo y ven en la posibilidad de incorporarse __23.__ (a / al) ejército o a la guerrilla, una [25] puerta abierta hacia un futuro inexistente. Con un fusil en la mano, un niño de diez años se convierte __24.__ (en / a) un adulto y comprueba que impone respeto a su alrededor. A muchos les proporcionan [30] alcohol y drogas __25.__ (por / para) amortiguar los efectos del combate. Algunos son obligados __26.__ (a / en) pasar duras pruebas, como matar a algún miembro __27.__ (de / en) su familia o algún compañero para [35] poder integrarse o sencillamente para salvar la propia vida. Así __28.__ (los / lo) van curtiendo.

La reeducación y reinserción es sumamente complicada. Después __29.__ (de / x) haber [40] sido adultos, no toleran fácilmente que se __30.__ (les / le) vuelva a tratar __31.__ (como / por) niños. Algunos han combatido __32.__ (a / desde) los ocho años, están habituados a empuñar un arma —su __33.__ (menos / más) [45] preciada posesión— y conseguir con ella __34.__ (lo / el) que quieran. Y luego están los recuerdos de todo lo vivido y de todo lo visto.

www.revistafusion.com

28 ¿Qué significa?

Mire las palabras de la primera columna y busque su definición o sinónimo en la segunda.

1. entorno	a. pedir
2. desplazar	b. conjunto de disparos
3. alistado	c. hacer menos intenso, suavizar
4. tasa de mortalidad	k. adscrito al ejército
5. encargar	d. trasladar
6. ráfaga	e. formar parte de
7. disparar	f. sujetar un arma
8. incorporarse	g. arma de fuego
9. fusil	h. alrededor, ambiente
10. amortiguar	i. hacer funcionar un arma
11. empuñar	j. número de muertes

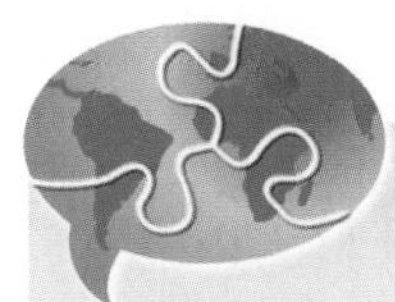

Compare

En su clase de historia posiblemente estudió sobre los retos que tuvieron los niños y jóvenes en los EE.UU. en diferentes épocas. Piense en un momento histórico y hable de los desafíos con los que tuvieron que enfrentarse los jóvenes.

Dicho

Los jóvenes van por grupos, los adultos en parejas y los viejos van solos.

¿Qué piensa de este dicho? ¿Coincide con lo que ha podido observar? Comparta su opinión con un/a compañero/a.

¡Dato curioso!

Los niños y niñas soldados suelen tener entre los diez y los dieciocho años, e incluso hay niños más jóvenes. En muchos casos constituyen hasta la cuarta parte de los combatientes. En algunos países son juzgados como adultos, e incluso se les condena a la pena de muerte.

¡A leer!

29 Antes de leer

¿Le gusta leer? ¿Por qué? ¿Qué es lo que más le atrae de la lectura? ¿Cree que la lectura es un hábito común entre los jóvenes? ¿Cuál es su estilo favorito? ¿Cuál es el último libro que ha leído en inglés? ¿Y en español?

30 Entre dos culturas

Lea con atención el siguiente artículo. Después conteste las siguientes preguntas:

Padre e hijo; uno es residente de los EE.UU.; el otro, ciudadano.

- ¿Cuál es el propósito del artículo?
- ¿Qué pregunta sería apropiada para hacerle al autor salvadoreño para saber más sobre el tema?
- Si quisiera consultar otra fuente, ¿podría pensar en un posible título de una publicación?

Novela expone realidad bicultural de jóvenes latinos

Mario Bencastro

Birmingham (Alabama). La más reciente novela del salvadoreño Mario Bencastro explora la compleja realidad bicultural de jóvenes latinos inmigrantes a EE.UU.

Escrita para un público joven, *Viaje a la tierra del abuelo*, de la editorial Arte Público, aborda los conflictos, preocupaciones y sueños de los jóvenes inmigrantes con gran acierto.

Parte de su éxito es que Bencastro buscó la ayuda de estudiantes latinos de las escuelas Belmont High y OnRamp Arts de Los Ángeles, quienes sugirieron temas y opiniones para integrar a la trama.

De este modo, las situaciones e ideas que la novela propone exhiben una vitalidad y una vigencia rara vez vista en la literatura juvenil contemporánea.

La historia se centra en la vida de Sergio, un adolescente que ha pasado la mayor parte de su corta vida en Los Ángeles, pero que a los 16 años comienza a cuestionar su identidad nacional y cultural.

La novela comienza con la muerte repentina del abuelo, quien alguna vez le dijera a Sergio que si la muerte le encontraba en EE.UU. que por favor lo llevara a enterrar a su país.

Entre las aventuras y los obstáculos del joven en su lucha por cumplir con los deseos de su abuelo, el autor logra exponer muchos de los retos que enfrentan los jóvenes latinos al intentar equilibrar el mundo de sus padres y el suyo.

Como toda novela de aprendizaje, el viaje se convierte en herramienta de autodescubrimiento y durante la travesía, el joven comienza a cuestionar las ideas que más arraigadas tenía sobre su identidad.

Sutilmente Bencastro inserta situaciones que resonarán en sus lectores, como las escuelas sucias y abarrotadas —la propia Belmont High donde estudia el personaje—, jóvenes pandilleros, adolescentes embarazadas y estudiantes que se duermen en las clases porque tienen que trabajar de noche para ayudar a sus familias.

Pero de igual modo abundan los personajes clave e inspiradores, como la trabajadora social de la escuela, quienes le inyectan esperanza y optimismo a la historia.

Dos mundos

Como muchos jóvenes latinos, el personaje vive entre dos mundos completamente diferentes aunque con ciertos puntos de contacto entre sí. Ajeno pero heredero del mundo de sus padres, Sergio se esfuerza por comprender la historia de El Salvador, sus tradiciones, su lengua y su política, pero siempre se aventaja el mundo de afuera donde el inglés, la televisión y los deportes capturan su imaginación y le facilitan relacionarse con sus compañeros.

El personaje expone su identidad bifurcada con palabras simples pero abarcadoras, condensando en un solo párrafo la problemática de la juventud bicultural.

"El cuerpo de mis padres estaba en los Estados Unidos, pero su corazón estaba en su patria", escribe.

"Yo estaba de cuerpo y corazón en el país norteamericano, pero cuando llegaba de la calle a la casa, el mundo de mis padres no dejaba de afectarme y entonces yo me sentía como si entrara en un espacio extraño".

De este modo, el viaje a El Salvador y su regreso a EE.UU. constituyen para el personaje la ida y vuelta de un enorme descubrimiento.

Los increíbles percances que le acontecen durante su travesía se hacen más verosímiles con la historia de otros personajes menores cuyas tragedias personales pueden hallarse resumidas en cualquier periódico fronterizo.

Viaje a la tierra del abuelo es una inolvidable novela de aprendizaje que de seguro servirá de trampolín a los jóvenes lectores para adentrarse en la obra madura de Bencastro.

(Bencastro, Mario. *Viaje a la tierra del abuelo.* Houston: Arte Público, 2004)

31 ¿Qué significa?

Mire las palabras de la primera columna y busque su definición o sinónimo en la segunda.

1. abordar	a. de pronto
2. acierto	b. mujer que espera un bebé
3. trama	c. habilidad, éxito, destreza
4. repentino	d. llevar a cabo, realizar
5. enterrar	e. completamente
6. cumplir	f. tratar
7. equilibrar	g. asunto, argumento
8. arraigado	h. mantener en proporción
9. abarrotado	i. afirmado, establecido
10. embarazada	j. dar sepultura
11. ajeno	k. imprevisto, contratiempo
12. estar de cuerpo y corazón	l. lleno
13. percance	m. suceder
14. acontecer	n. distante

32 ¿Ha comprendido?

1. ¿Cuál es el tema principal de la novela de Bencastro?
   a. La inmigración de El Salvador a Estados Unidos
   b. Los problemas de los jóvenes con la generación de sus abuelos
   c. La realidad cultural de la joven población emigrada a Estados Unidos
   d. El viaje de un inmigrante joven

2. ¿De dónde procede el éxito de su obra?
   a. De su experiencia como inmigrante salvadoreño
   b. De testimonios reales e ideas de jóvenes
   c. De la promoción de la editorial Arte Público
   d. De los departamentos de las universidades de Los Ángeles

3. ¿Qué problema encuentra Sergio en la novela?
   a. La trágica muerte de su abuelo
   b. La dificultad de llevar a su abuelo a su país de origen
   c. Entender la cultura de su familia
   d. No se siente comprendido por la trabajadora social de la escuela.

4. ¿Qué les ocurría a los padres de Sergio?
   a. Ya no querían volver a su país.
   b. Se sentían frustrados porque su hijo no entendía su cultura latina.
   c. Nunca se separaron emocionalmente de su país de origen.
   d. Querían volver a Latinoamérica con toda la familia.

5. ¿Qué significa la expresión *servirá de trampolín*?
   a. Ayudará.
   b. Impedirá.
   c. Ilusionará.
   d. Saltará.

33 ¿Cuál es la pregunta?

Según el artículo que acaba de leer, escriba una pregunta lógica para estas respuestas.

1. Para cumplir el deseo de su abuelo
2. Quién es realmente
3. Entre dos mundos
4. En un gran descubrimiento

34 ¿Qué piensa Ud.?

"El cuerpo de mis padres estaba en los Estados Unidos, pero su corazón estaba en su patria". ¿Cree que esto describe el dilema de muchos inmigrantes? ¿Por qué? Discútalo con un/a compañero/a.

35 Comparta experiencias

Con un/a compañero/a hable sobre el origen de sus antepasados. ¿De dónde vinieron? ¿Por qué razones? Comparta alguna historia curiosa sobre su llegada y adaptación a este país.

36 Se titula...

Piense en otro título para la crítica que acaba de leer. ¿Por qué lo ha escogido?

37 Antes de leer

¿Quiénes son los niños de la calle? ¿Por qué cree que están en esta situación? ¿En qué países se da este tipo de situación? ¿Cómo cree que sobreviven?

Cita

El mejor medio para hacer buenos a los niños es hacerlos felices.
—Oscar Wilde (1862–1900), dramaturgo y escritor irlandés

¿Está de acuerdo con lo que dijo? ¿Cree que si un niño no se comporta bien es porque no es feliz? Comparta su opinión con un/a compañero/a.

¡Dato curioso!

¿Sabía que ahora hay "buzones" para bebés abandonados? A veces las criaturas son abandonadas en plena calle, donde se mueren. Para evitar esta tragedia, en algunas ciudades europeas han instalado las BabyBox, incubadoras callejeras para que las madres dejen a sus bebés dentro, sin que sus vidas corran peligro.

38 Los niños de la calle

Lea con atención el siguiente artículo. Después conteste las siguientes preguntas:

- ¿Cuál es el propósito del artículo?
- Si quisiera consultar otra fuente, ¿podría pensar en un posible título de una publicación?
- ¿Puede pensar en una situación en los EE.UU. actual o del pasado que pueda ser similar?

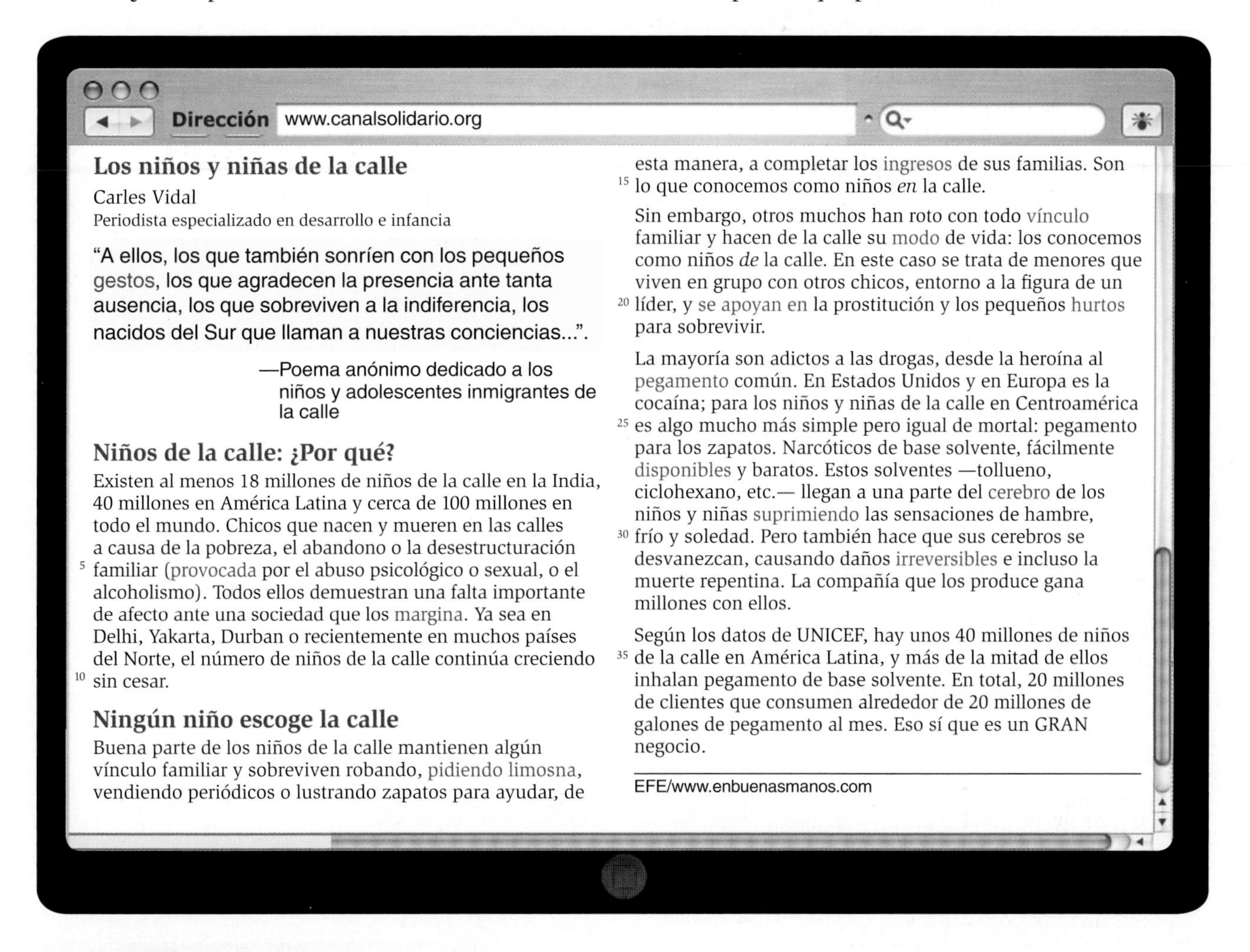

Los niños y niñas de la calle

Carles Vidal
Periodista especializado en desarrollo e infancia

"A ellos, los que también sonríen con los pequeños gestos, los que agradecen la presencia ante tanta ausencia, los que sobreviven a la indiferencia, los nacidos del Sur que llaman a nuestras conciencias...".

—Poema anónimo dedicado a los niños y adolescentes inmigrantes de la calle

Niños de la calle: ¿Por qué?

Existen al menos 18 millones de niños de la calle en la India, 40 millones en América Latina y cerca de 100 millones en todo el mundo. Chicos que nacen y mueren en las calles a causa de la pobreza, el abandono o la desestructuración familiar (provocada por el abuso psicológico o sexual, o el alcoholismo). Todos ellos demuestran una falta importante de afecto ante una sociedad que los margina. Ya sea en Delhi, Yakarta, Durban o recientemente en muchos países del Norte, el número de niños de la calle continúa creciendo sin cesar.

Ningún niño escoge la calle

Buena parte de los niños de la calle mantienen algún vínculo familiar y sobreviven robando, pidiendo limosna, vendiendo periódicos o lustrando zapatos para ayudar, de esta manera, a completar los ingresos de sus familias. Son lo que conocemos como niños *en* la calle.

Sin embargo, otros muchos han roto con todo vínculo familiar y hacen de la calle su modo de vida: los conocemos como niños *de* la calle. En este caso se trata de menores que viven en grupo con otros chicos, entorno a la figura de un líder, y se apoyan en la prostitución y los pequeños hurtos para sobrevivir.

La mayoría son adictos a las drogas, desde la heroína al pegamento común. En Estados Unidos y en Europa es la cocaína; para los niños y niñas de la calle en Centroamérica es algo mucho más simple pero igual de mortal: pegamento para los zapatos. Narcóticos de base solvente, fácilmente disponibles y baratos. Estos solventes —tollueno, ciclohexano, etc.— llegan a una parte del cerebro de los niños y niñas suprimiendo las sensaciones de hambre, frío y soledad. Pero también hace que sus cerebros se desvanezcan, causando daños irreversibles e incluso la muerte repentina. La compañía que los produce gana millones con ellos.

Según los datos de UNICEF, hay unos 40 millones de niños de la calle en América Latina, y más de la mitad de ellos inhalan pegamento de base solvente. En total, 20 millones de clientes que consumen alrededor de 20 millones de galones de pegamento al mes. Eso sí que es un GRAN negocio.

EFE/www.enbuenasmanos.com

39 Amplíe su vocabulario

Mire las palabras de la primera columna y busque su definición o sinónimo en la segunda según el contexto del artículo que acaba de leer.

1. gesto	a. dinero que se gana
2. provocado	b. forma
3. marginar	c. sustancia química que se usa para pegar
4. pedir limosna	d. expresión de la cara o cuerpo
5. ingresos	e. rogar que le hagan un donativo
6. vínculo	f. unión
7. modo	g. parte interior de la cabeza
8. apoyarse en	h. accesible
9. hurto	i. anular, eliminar
10. pegamento	j. robo
11. disponible	k. ayudarse de
12. cerebro	l. lo que no se puede cambiar
13. suprimir	m. causado
14. irreversible	n. aislar

40 ¿Ha comprendido?

1. ¿Por qué hay tantos niños de la calle en el mundo?
   a. Por la pobreza, el abandono y la falta de familia
   b. Por el abuso de drogas
   c. Por el alcoholismo infantil
   d. Por el aislamiento social
2. ¿Cómo sobreviven diariamente los niños de la calle?
   a. Con la ayuda de la familia
   b. Gracias a la ayuda de las casas de acogida
   c. Con el apoyo de sus amigos
   d. Con la delincuencia o pequeños trabajos
3. ¿Cuál es la droga más común entre los niños en Centroamérica?
   a. La cocaína
   b. La heroína
   c. El pegamento
   d. El alcohol
4. ¿Cuáles son los efectos secundarios del uso de los solventes?
   a. La muerte lenta
   b. Las alucinaciones
   c. No tienen efectos secundarios.
   d. La supresión de sensaciones

41 Responda brevemente

¿Cuál es la diferencia entre niños *de* la calle y niños *en* la calle?

42 ¿Cuál es la pregunta? 

Escriba una pregunta lógica, según el artículo que acaba de leer, para estas respuestas.

1. 100 millones
2. Porque el número continúa creciendo
3. Porque pueden hasta morir y les daña el cerebro
4. Un gran negocio

43 Lea, escuche y escriba/presente 

Vuelva a leer "Los niños y niñas de la calle" y luego escuche la grabación "¿Oportunidades?". Tome notas y escriba un ensayo o haga una presentación en clase sobre el tema de los niños de la calle. Mencione las causas y proponga soluciones. No se olvide de citar las fuentes debidamente.

La barriada de La Ciénaga en Santo Domingo (República Dominicana)

44 Antes de leer 

¿Qué tecnología lleva consigo en este momento? ¿Cree que es más fácil para los jóvenes usar la tecnología que para los adultos? ¿A qué se debe?

45 Las adicciones

Lea con atención el siguiente artículo. Después conteste las siguientes preguntas:

- ¿Cuál es el propósito del artículo?
- ¿Cómo resumiría el artículo en una frase?
- Si quisiera consultar otra fuente, ¿podría pensar en un posible título de una publicación?
- ¿Qué pregunta sería apropiada para hacerle al autor del artículo para saber más sobre el tema?

Las adicciones sin drogas atrapan a los jóvenes

ELENA ESCALA SÁENZ

Las nuevas tecnologías han dado origen a un tipo de adicción bien distinto al generado por las sustancias químicas. Los chats de Internet, la telefonía móvil o los videojuegos están provocando numerosos casos de dependencia entre los adolescentes en situación de riesgo, que encuentran en estas herramientas un refugio que les aleja de sus problemas emocionales o familiares.

Las nuevas tecnologías han pasado a formar parte de las denominadas adicciones psicológicas o adicciones sin drogas. El uso abusivo de los videojuegos, los teléfonos móviles e Internet ha hecho que muchos jóvenes establezcan una relación de dependencia con estas herramientas.

"Se trata de conductas repetitivas que resultan placenteras en las primeras fases, pero que después no pueden ser controladas por el individuo. Es habitual que este tipo de adicciones psicológicas se combinen con una o varias adicciones a sustancias químicas", ha señalado Enrique Echeburua, catedrático de la Facultad de Psicología de la Universidad del País Vasco, durante su participación en las "VI Jornadas sobre Adolescentes, Dependencias y Nuevos Medios de Comunicación", con la colaboración de la Delegación del Gobierno para el Plan Nacional Sobre Drogas.

Pero las nuevas tecnologías no generan por sí mismas la adicción: las personas con determinados problemas previos son las que más recurren a ellas y hacen un uso indebido de las mismas. "Debemos reflexionar sobre su valor educativo y sobre los efectos negativos que tienen en los jóvenes. Bajo el comportamiento adictivo normalmente subyacen problemas más profundos", ha indicado Bartomeu Catalá, presidente de la Asociación Proyecto Hombre.

Los jóvenes que se encuentran en situación de riesgo son aquellos que han crecido en un ambiente familiar poco propicio para su desarrollo, que poseen una baja autoestima y que tienden a huir de un mundo adulto que les resulta hostil refugiándose en las nuevas tecnologías.

Adolescentes: firmes candidatos

Los adolescentes parecen ser firmes candidatos a sufrir este tipo de dependencias porque deben adaptarse a numerosos cambios físicos y emocionales. "Muchos jóvenes recurren al teléfono móvil o a los chats de

Internet porque son incapaces de aceptar su imagen corporal. Con estas tecnologías pueden distorsionarla y convertirse en el 'yo ideal' que la sociedad reclama", ha indicado Luis Bononato, presidente de la Asociación Proyecto Hombre de Jerez.

Este comportamiento les impide desarrollar sus habilidades sociales, les hace hipersensibles a los juicios y acrecienta sus sentimientos de inseguridad. En estos casos la familia debe prestar atención a los primeros signos de alarma que se asocian al comportamiento adictivo, como son la tendencia al aislamiento, la ruptura de las relaciones sociales, el fracaso escolar o la agresividad.

Las claves para superar este tipo de dependencias pasan por solucionar los problemas de base, fomentar la comunicación familiar, restablecer la confianza con los padres y los amigos y aceptar la imagen corporal. En la actualidad dos jóvenes se encuentran bajo tratamiento en Proyecto Hombre debido a su adicción al teléfono móvil, pero son muchos más los que solicitan información sobre este tipo de dependencias.

Tecnofobia y Tecnofilia

El desarrollo tecnológico ha dado origen a dos nuevos términos que se refieren a la actitud que las personas tienen ante los últimos avances:

Tecnofilia: supone un interés acentuado por las tecnologías con cierta dependencia imaginaria con la máquina. Tienen una fe ciega en las tecnologías y se caracterizan por ser consumidores indiscriminados.

Tecnofobia: los tecnofóbicos están convencidos de que los avances tecnológicos producen tensiones sociales y psicológicas, y que son responsables de los desastres que se viven en el campo social, económico y cultural.

www.ondasalud.com
EFE/www.enbuenasmanos.com

46 Amplíe su vocabulario 

Mire las palabras de la primera columna y busque su definición o sinónimo en la segunda según el contexto del artículo que acaba de leer.

1. dar origen a	a. pertenecer
2. distinto	b. inapropiado
3. herramienta	c. no tener la aptitud de hacer algo
4. formar parte de	d. dar lugar a
5. denominado	e. imposibilitar
6. indebido	f. serio
7. profundo	g. llamado
8. incapaz	h. imprescindible, crucial
9. impedir	i. instrumento
10. clave	j. vencer una dificultad
11. superar	k. diferente

47 ¿Ha comprendido?

1. ¿Por qué las nuevas tecnologías dan lugar a problemas de dependencia en los jóvenes?
   a. Porque los separa de otros problemas como los familiares o sus propias emociones
   b. Porque nunca pueden controlarlas
   c. Porque casi siempre son adictivas
   d. Porque provocan fuertes emociones
2. ¿Es la tecnología siempre adictiva?
   a. Sí, siempre crea dependencia.
   b. No, la adicción es algo exagerado.
   c. Sólo durante la juventud
   d. Sólo cuando se usa de una forma inadecuada
3. ¿Por qué los adolescentes tienen más riesgo de dependencia?
   a. Pasan mucho tiempo solos.
   b. Sus familias no los comprenden.
   c. Se sienten inseguros y necesitan desarrollarse de otro modo.
   d. La sociedad los rechazan continuamente.
4. ¿Cuáles son los síntomas de una dependencia de las nuevas tecnologías?
   a. Que no salen de casa
   b. Que no tienen amigos
   c. Que pasan mucho tiempo delante del ordenador
   d. Poca comunicación, distanciamiento y problemas en la escuela
5. Los tecnofóbicos, ¿piensan que los nuevos adelantos en la tecnología ayudan al desarrollo humano?
   a. Piensan que ayudan pero es mejor no usarlos.
   b. Nunca los han usado, y no tienen ni idea de cómo hacerlo.
   c. Creen que son la causa de los desajustes en el mundo.
   d. Dependen de ellos completamente en su vida diaria.

48 Haga un resumen 

Haga un resumen de 200 palabras del artículo que acaba de leer.

49 Lea, escuche y escriba/presente 

Vuelva a leer "Las adicciones sin drogas atrapan a los jóvenes" y luego escuche la grabación "Adictos a los medicamentos". Tome notas y escriba un ensayo o haga una presentación en clase sobre "Las adicciones en los jóvenes". No se olvide de citar las fuentes debidamente.

Refrán

Jóvenes y viejos, todos necesitamos consejos.

¿Está de acuerdo con este refrán? ¿Acepta Ud. los consejos fácilmente o, por el contrario, le cuesta aceptarlos? ¿Cree que es más fácil aceptar consejos cuando uno es más joven? ¿Por qué? Hable de este tema con un/a compañero/a.

¡Dato curioso!

La mayoría de los pacientes suele tomar medicamentos de manera responsable, aunque no siempre es así. Tan sólo en Estados Unidos, alrededor de 9 millones de personas hicieron un uso indebido de algún medicamento el año pasado. Mientras que unos lo hicieron de forma no intencional, otros lo hicieron debido a la adicción que algunos de estos medicamentos pueden crear en los pacientes.

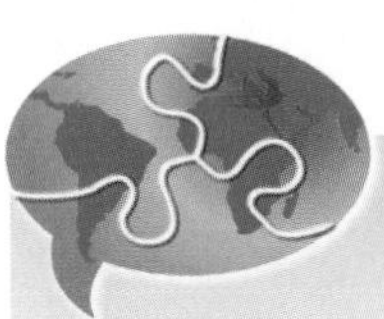

Compare

¿Qué adicciones tienen los jóvenes de hoy en día y cómo cree que se diferencian con las que tenían los jóvenes hace 50 años?

¡A escuchar!

50 Deserciones escolares

Esta grabación nos narra las razones por las que tres jóvenes dejaron de estudiar. La grabación dura aproximadamente 6 minutos. Lea las posibles respuestas primero y después escuche la grabación "Deserciones escolares". Luego escoja la mejor respuesta para cada pregunta. Después, conteste la pregunta: ¿Cuál es el propósito del artículo?

1. ¿Por qué no estudió José Santa Cruz cuando era pequeño?

   a. No había escuela en su pueblo.
   b. El maestro no iba a las clases todos los días.
   c. No había maestro.
   d. No le gustaba.

2. ¿Cuál es la ilusión de José Santa Cruz?

   a. Hacer un curso de locución
   b. Tener los papeles migratorios para ser policía
   c. Ser famoso y ganar 1.200 dólares al día
   d. Ser un buen locutor y aconsejar a los demás

3. ¿Por qué no ha vuelto Rosa Ochoa a la escuela?

   a. Quiere vivir en México.
   b. Prefiere ser independiente y trabajar.
   c. No le han validado los estudios de México.
   d. Ha vuelto a la escuela de nuevo.

4. ¿Por qué dejó la escuela Claudia Hernández?

   a. Se llevaba mal con una profesora.
   b. Faltaba tanto a clase que le avergonzaba volver.
   c. Volvió a México para siempre y allí no pudo estudiar.
   d. Las respuestas a y b

5. ¿Qué le pasa a Claudia Hernández?

   a. No habla inglés bien.
   b. No sabe a quién pedir consejos.
   c. Se avergüenza de volver a su vieja escuela.
   d. Todas las respuestas son correctas.

6. ¿Qué significa la expresión "me pasan por la cabeza muchas cosas"?

   a. Siempre me duele la cabeza.
   b. Se me ocurren muchas ideas.
   c. No ando bien de la cabeza.
   d. Todas las respuestas son correctas.

51 Voto Latino

Esta grabación es sobre la organización Voto Latino, fundada por y para jóvenes. La grabación dura aproximadamente 3 minutos. Antes de escuchar la grabación "Voto Latino" repase las palabras a continuación y escoja la mejor definición.

1. propósito			5. bienestar		
	a. objetivo	b. historia		a. felicidad	b. tristeza
2. asunto			6. cura		
	a. miedo	b. tema		a. efecto de sanarse	b. enfermedad
3. raíz			7. empleo		
	a. origen	b. cereal		a. trabajo	b. trabajador
4. propio			8. carrera		
	a. educado	b. de una persona		a. estudios universitarios	b. estudios en la escuela

52 Voto Latino

Conteste estas preguntas según la grabación.

1. ¿Qué es Voto Latino?
2. ¿Hacia quién está dirigido?
3. ¿Es financiado el grupo sólo por los propios miembros de VL?
4. ¿Cuántos votantes latinos hay registrados en Estados Unidos? ¿Cuántos más deberían de usar su voto?
5. ¿Es necesaria la creación de una organización política y social latina en Estados Unidos? ¿Por qué?
6. ¿Qué pregunta sería apropiada para hacerle a un joven de esta organización?

53 Participe en una conversacíon

Ud. va a participar en una conversación. Primero lea la descripción de la conversación y piense en algunas palabras o expresiones que le serían útiles. Organice sus ideas, haciendo predicciones sobre lo que se le pueda preguntar o comentar. Una descripción de lo que va a escuchar aparece abajo en color. Participe en la conversación grabando las respuestas o escribiéndolas en su cuaderno.

Escena: Su amigo Manuel llega a su casa. Ud. acaba de ver un documental sobre la situación de unos niños. Los dos entablan una conversación.

Manuel: Le saluda. Le hace una pregunta.

Ud.:
- Conteste.
- Háblele un poco sobre ello.

Manuel: Sigue la conversación y le hace unas preguntas.

Ud.:
- Conteste sus preguntas.

Manuel: Le hace otra pregunta.

Ud.:
- Dele detalles sobre lo que le pide.

Manuel: Le hace más preguntas.

Ud.:
- Siga la conversación.
- Háblele sobre este tema.

Manuel: Hace un comentario y le hace una pregunta.

Ud.:
- Piense en una idea para contestarle.

¡A escribir!

54 Texto informal: un blog 

Escriba en un blog. Hable sobre las injusticias que han sufrido los jóvenes de su edad en el lugar donde estudia.

- Hable sobre lo que no le gusta.
- Cuente alguna anécdota.
- Proponga soluciones.
- Termine con una pregunta.

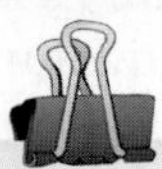

Consejo
Antes de empezar, lea las pautas para escribir textos informales en la pág. 480 del Apéndice. Mientras escribe el texto tenga presente los objetivos. Cuando termine, verifique que ha cumplido con todo lo que se describe en la lista y reflexione sobre su trabajo.

55 Texto informal: un foro 

En un foro alguien pide información sobre organizaciones que protegen el bienestar de los niños y jóvenes. Busque información en Internet y ayude a esta persona.

- Dele los nombres de tres o cuatro organizaciones.
- Describa los servicios que prestan.
- Explíquele un poco sobre la historia de estas organizaciones.

56 Ensayo: los jóvenes indígenas 

Escriba un ensayo sobre el futuro de los jóvenes indígenas.

Consejo
Antes de empezar, lea las pautas para escribir ensayos en la pág. 480 del Apéndice. Mientras escribe tenga presente los objetivos, y no se olvide de ponerle un título original. Cuando termine, verifique que ha cumplido con todo lo que se describe en la lista y reflexione sobre su trabajo.

57 Ensayo: los estudios 

Escriba un ensayo sobre la importancia de no abandonar los estudios.

58 En parejas

Intercambie sus ensayos con los de un/a compañero/a. Exprésele su opinión sobre el contenido y el uso del idioma.

¡A hablar!

59 Charlemos en el café

Ud. va a debatir los siguientes temas con un/a compañero/a. Uno estará a favor de lo que se ha dicho y otro en contra. El debate durará varios minutos. El/La estudiante que esté de acuerdo comenzará el debate y hablará por unos dos minutos. Cuando el/la profesor/a lo indique, el/la otro/a estudiante tomará la palabra y expresará su opinión por otros dos minutos, y así sucesivamente.

1. El comportamiento —tanto malo como bueno— de los famosos influye en sus admiradores.
2. Los jóvenes de hoy están expuestos a más peligros que sus padres y abuelos.
3. Los padres deberían estar más pendientes de sus hijos.
4. Los videojuegos crean adicciones.
5. Las nuevas tecnologías crean demasiados peligros y estrés para los jóvenes.

60 ¿Qué opinan?

Converse con un/a compañero/a sobre estas situaciones o preguntas.

1. Si le dijeran que uno de los productos que consume o usa habitualmente ha sido hecho por mano de obra infantil, ¿lo seguiría comprando? ¿Por qué?
2. ¿Cuáles cree que son tres países en los que el ejército recluta a niños soldados? ¿En qué se basa su opinión? ¿Para qué los reclutarán?
3. ¿Cree que en los países desarrollados aún usan algún tipo de mano de obra infantil? ¿Qué tipo de trabajos suelen ser?
4. ¿Qué famosos dan ejemplo ayudando a los jóvenes? ¿Qué hacen para ayudarlos?
5. ¿Qué impulsa a los jóvenes a dejar sus estudios?

¿Sabía que Oprah Winfrey ha ayudado a muchos jóvenes?

61 Presentemos en público 

Hable sobre uno de los siguientes temas durante varios minutos en clase. Organice sus ideas antes de hacer la presentación, busque las palabras necesarias y, después de practicar, presente en clase sin mirar las notas.

1. Los niños de la calle
2. Los problemas más serios que afrontan los jóvenes hoy día y cómo pueden solucionarlos
3. Los mayores no deberían criticar a los jóvenes por la manera en que se visten.
4. Los jóvenes extranjeros en Estados Unidos y los posibles conflictos que puedan tener debido a su biculturalismo
5. Sugerencias para que los jóvenes españoles puedan emanciparse

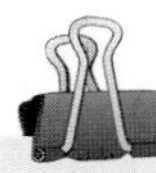

Consejo

Antes de empezar, lea las pautas para presentaciones formales en la pág. 481 del Apéndice. Mientras formula su presentación tenga presente los objetivos. Cuando termine la presentación, verifique que ha cumplido con todo lo que se describe en la lista y reflexione sobre el trabajo que hizo.

Proyectos

62 ¡Manos a la obra! 

Trabaje en un grupo de cuatro o cinco estudiantes para llevar a cabo uno de los siguientes proyectos y presentarlo a la clase.

1. Hagan el papel de un niño soldado. Describan en un diario su experiencia durante los tres primeros días cuando llega al campamento.
2. Hagan un póster en el que denuncien los malos tratos a los niños.
3. Investiguen sobre las *sweatshops* (fábricas donde se explotaban a los trabajadores) y hagan una presentación a la clase.
4. Hagan una campaña publicitaria para denunciar uno de los temas tratados en la lección. Piensen en los anuncios para la radio, la prensa y la televisión.
5. Piensen en una causa que les gustaría defender. Denle un nombre a su organización, establezcan las metas, piensen en la publicidad que le darán y cómo conseguirán el dinero.
6. Hagan diez predicciones para el año 2040 que puedan afectar a los jóvenes. Piensen en algunas que puedan crear controversia. Discútanlas en clase.
7. Hagan predicciones sobre cómo será la vida de sus otros compañeros de clase en el 2025. Escriban un pequeño párrafo sobre cada uno. Hablen sobre su profesión, dónde vivirán, su vida personal, etc.

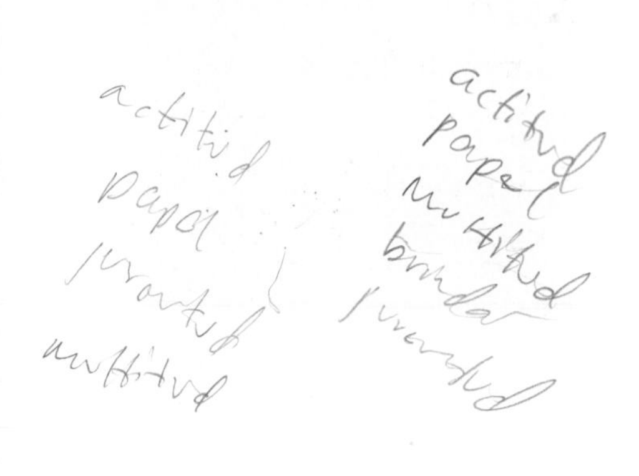

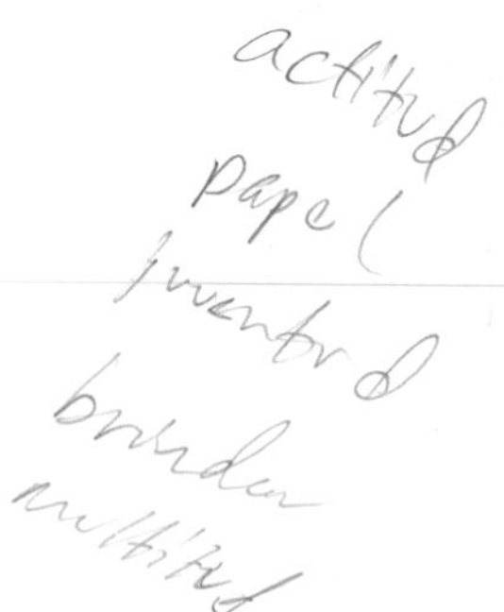

Niño soldado de Nicaragua

Vocabulario

Verbos

abordar	to approach
acoger	to welcome
acontecer	to happen
acordar (ue)	to decide
agravar	to make worse
agregar	to add
ahorrar	to save
amortiguar	to lessen, cushion, absorb
apoyar	to support
brindar	to provide
cesar	to cease, stop
colocar	to place
cometer	to commit
confesar (ie)	to confess
demostrar (ue)	to demonstrate, show
desempeñar	to carry out, fulfill
desplazar	to displace, move
difundir	to spread
disparar	to shoot
disponer	to dispose
emanciparse	to emancipate, gain independence
encargar	to put in charge, entrust
enterrar (ie)	to bury
explorar	to explore
facilitar	to make easy; to offer
golpear	to beat (up)
habitar	to inhabit
impedir (i)	to impede
justificar	to justify
manipular	to manipulate
nacer	to be born
oprimir	to oppress
plantearse	to take into consideration
proporcionar	to supply
realizar	to carry out
salvar	to save
sobrevivir	to survive
solicitar	to ask for
superarse	to excel
tener lugar	to take place
tolerar	to tolerate
triunfar	to triumph
yacer	to lie (recline)

Verbos con preposición

verbo + a:

encomendarse (ie) a	to commend oneself to
oponerse a	to oppose
resistirse a	to resist

verbo + con:

contar (ue) con	to count on

verbo + de:

abusar de	to abuse
arrepentirse (ie) de	to repent; to regret
dejar de	to stop

verbo + en:

influir en	to influence

verbo + por:

apasionarse por	to become very interested in
terminar por	to end up

Sustantivos

el	**abandono**	abandonment
el	**acierto**	wise decision/move
el	**acontecimiento**	event
la	**actitud**	stance, attitude
el	**arma** *(f.)*	weapon
el	**bienestar**	well-being
el	**bullicio**	uproar
la	**carrera**	career
el	**cerebro**	brain
la	**clave**	key
el	**conflicto armado**	armed conflict
la	**convivencia**	coexistence, living together
la	**creencia**	belief
el	**daño**	pain, damage
la	**delincuencia**	crime, delinquency
el/la	**delincuente**	delinquent, criminal
la	**demanda**	demand
la	**destreza**	skill
el	**domicilio**	home address, legal residence
el	**ejército**	army
el/la	**empresario/a**	businessman/woman
la	**encuesta**	poll, survey
el	**esfuerzo**	effort
la	**esperanza**	hope
el	**gasto**	expense
el	**gesto**	gesture
el	**hurto**	robbery, theft
la	**infancia**	childhood
la	**juventud**	youth
los	**medios (de comunicación)**	media
la	**mejora**	improvement
el/la	**menor**	minor, underage person
el	**modo**	way
la	**mortalidad**	mortality
la	**multitud**	crowd

el	**murmullo**	murmur
las	**obras benéficas**	charity
la	**organización sin ánimo de lucro**	nonprofit organization
el	**papel**	role
la	**población**	town; population
la	**portada**	cover (*of a book, magazine*)
el	**premio**	prize
la	**raíz**	root
el	**ser querido**	loved one
la	**sospecha**	suspicion
el	**sueldo**	salary
la	**vejez**	old age
el/la	**voluntario/a**	volunteer

Adjetivos

alarmante	alarming
arraigado, -a	deeply rooted
creciente	growing
culpable	guilty
culto, -a	educated
desamparado, -a	defenseless, vulnerable
desmesurado, -a	excessive
distinto, -a	different
estable	stable
estricto, -a	strict
grave	serious
inmóvil	motionless
íntimo, -a	close, intimate
oprimido, -a	oppressed
repentino, -a	sudden
saludable	healthy

Adverbios

minuciosamente	thoroughly
tajantemente	categorically

Expresiones

¿Cómo está permitido?	How is it allowed?
con tal de que	provided that
¡Es increíble!	It's unbelieveable!
¡Me parece fatal!	It seems terrible/awful!
¡No hay derecho!	That's not fair!
¡No me digas!	You don't say!/I don't believe it!
¡No me lo puedo creer!	I just can't believe it!
¡Pobrecitos!	Poor things!
¡Qué barbaridad!	How terrible/awful!
¡Qué cruel!	How cruel!
¡Qué injusticia!	What injustice!
salir bien	to go well, turn out well
tener el alma en vilo	to be worried
tener ganas de	to feel like

A tener en cuenta

Cognados y falsos cognados

carácter: personality • (*literary*) character: **personaje**
conferencia: lecture • conference: **congreso**
coraje: anger, rage • courage: **valor, valentía**
decepción: disappointment • deception: **engaño**
distinto: different • distinct: **particular, marcado**
embarazada: pregnant • embarrassed: **avergonzado**
gol: soccer goal, scored point • goal: **meta, objetivo**
gracioso: funny • gracious: **amable, cortés**
pena: grief • pain: **dolor**
quieto: still, calm • quiet: **callado, silencioso**
quitar: to remove • to quit: **dejar de, dimitir**
raza: race (*ethnicity*) • race (*sports*): **carrera**
sensible: sensitive • sensible: **sensato**
simpático: nice • sympathetic: **compasivo, comprensivo**
soportar: to tolerate • to support: **apoyar**
sujeto (*persona*): individual • subject: **tema**
tenso: tense, stressed • tense (*of a verb*): **tiempo verbal**
últimamente: lately • ultimately: **en última instancia**

Capítulo 3

¡Que aproveche!

Temas

- Comidas típicas
- Alimentos
- Restaurantes

Lección
A

Objetivos

Comunicación

- Hablar de diferentes platos tradicionales
- Describir una receta
- Opinar sobre la comida
- Hablar de la influencia culinaria de otras culturas

Gramática

- El presente del subjuntivo
- El subjuntivo en cláusulas nominales
- Los mandatos y la voz pasiva

"Tapitas" gramaticales

- formación de adjetivos
- *el hecho de que*
- formas del progresivo
- identificar ciertos tiempos verbales
- el artículo masculino con sustantivos femeninos
- el orden de los pronombres
- *Que aproveche* y otras expresiones con *que*

Cultura

- La comida típica de diferentes países hispánicos
- El origen de ciertos alimentos
- Comida tradicional y comida moderna
- El mate
- Auge de la comida latina

Para empezar

1 Conteste las preguntas

Piense en las respuestas a las siguientes preguntas. Ud. puede tomar notas si lo considera necesario. Cuando termine, compare sus respuestas —pero sin mirar sus notas— con las de un/a compañero/a.

1. ¿Qué sabe de la comida de los países hispanohablantes?
2. ¿Le gusta la comida mexicana? ¿Qué platos mexicanos conoce? ¿Qué le parecen?
3. ¿Cuál es la diferencia entre la tortilla española y la tortilla mexicana?
4. ¿Piensa que la comida mexicana es parecida a la española? Explique su respuesta.
5. ¿Qué platos típicos de otros países hispánicos conoce? ¿Cuáles diría que son algunos de los ingredientes básicos de estos platos?
6. ¿Por qué cree que hay tantas diferencias entre las comidas de los distintos países hispanohablantes?
7. ¿Le gusta comer en restaurantes? ¿Por qué? ¿Con quién va normalmente?
8. ¿Qué le gusta pedir cuando va a un restaurante?
9. ¿Le gusta cocinar o le gustaría aprender a hacerlo? ¿Por qué? ¿Cuál es su especialidad?
10. ¿Cuáles diría que son las tres frutas más populares en los Estados Unidos? ¿Cuáles son algunas frutas que nos llegan de Latinoamérica?

Tortilla española hecha con patatas fritas, aceite de oliva, huevo y sal.

2 Mini-diálogos

Va a crear un mini-diálogo con un/a compañero/a. Lea la descripción de la conversación antes de empezar. Puede tomar notas para organizar sus ideas, pero no las mire mientras conversa.

Escena: Ud. va caminando por la calle y de repente ve a un/a amigo/a a quien que no veía desde hacía mucho tiempo.

A:	Salúdelo/la. Exprese sorpresa y emoción.
B:	Salude a su amigo/a e invítele a comer.
A:	Acepte con entusiasmo. Pregúntele sobre sus gustos en la comida. Pregúntele a qué tipo de restaurantes le gusta ir.
B:	Dígale el tipo de comida que le gusta a Ud. Sugiera un restaurante.
A:	Reaccione a su sugerencia negativamente. Sugiera otro lugar.
B:	Continúe la conversación. Invéntese una excusa para no ir.
A:	Despídase cordialmente.
B:	Despídase cordialmente.

Dicho

Sobre gustos no hay nada escrito.

¿Qué cree Ud. que significa este viejo dicho? ¿Cuál es su equivalente en inglés? Describa una situación en la que sea apropiado usarlo. Comparta sus opiniones y ejemplos con un/a compañero/a.

¡Dato curioso!

El aguacate es una fruta, no una verdura como muchos piensan. Los primeros aguacates datan del año 500 a. de J. C. y se encontraban en la zona de México. Los aztecas le daban mucha importancia, y los primeros españoles que llegaron al país estaban fascinados por esta fruta; no obstante, no se llegó a comercializar hasta principios del siglo XIX. Hoy en día se cultivan más de cuatrocientas especies.

Vocabulario y gramática en contexto

3 Un blog

Túrnese con un/a compañero/a para leer los comentarios que dos personas han escrito en un blog. Fíjese en las palabras que aparecen en azul (relacionadas con el vocabulario) y en rojo (relacionadas con la gramática), ya que en las siguientes actividades se le harán preguntas sobre ellas.

¡Hay que probarlo!

Juan Pablo

Como estamos de vacaciones en Ecuador, mis padres me dicen todo el tiempo que pruebe cosas nuevas para tener así más experiencias. Insisten en que pruebe el cuy, que es un plato de por aquí un tanto peculiar. Yo les estoy diciendo constantemente que me resulta imposible, ya que no me entra por los ojos, pero nada, que no me hacen caso y me andan insistiendo con tono hasta un poco amenazador. La verdad es que si alguno de Uds. se atreve, vale la pena que lo prueben algún día, aunque no tenga buena pinta. Me extraña que a los de aquí se les haga la boca agua al verlo, pero según ellos merece la pena que todos tengan este tipo de experiencia. Por lo visto no está mal, para ser una especie de conejo de indias. Parece ser que sabe a pollo o algo así, o al menos eso es lo que me han dicho mis padres. Les invito a que lo prueben, pero he de reconocer que yo me avergüenzo de no tener el valor suficiente para hacerlo. Es soprendente para mí, pues siempre me había considerado muy aventurero. En el fondo, ¡perro ladrador poco mordedor! ¡Ja, ja, ja!

¡Que no sea rojo, por favor! ¡Se lo ruego!

Estrella

Yo estoy harta de que mis padres me digan que tengo que probarlo todo. ¡Qué asco me da cuando hacen que me tome cosas de color rojo! No puedo ni ver el tomate, ni las fresas, ni los pimientos... Nada, es que no me entra en la cabeza cómo quieren que pruebe algo que no me entra por los ojos. Y me enoja que me prometan que si algo está para chuparse los dedos, que si al menos debo probarlo, que si... bla, bla, bla. ¡Es absurdo! No es que no quiera tomarlo, es que no puedo tomarlo. El hecho de que me digan que me van a castigar si no lo como no me ayuda a superarlo para nada. Te pongo por ejemplo lo que me pasó el otro día, para que te hagas una idea de lo que me ocurre un día sí y otro no. El otro día vi una pizza completamente cubierta de salsa de tomate en mi plato y, sin darme cuenta, solté un grito espeluznante que enfadó a mis padres muchísimo. Es por lo que ahora estoy castigada sin salir. ¡Qué rabia me da! Puede que ésta sea la gota del agua que colme el vaso. ¡Esto se tiene que acabar!

4 ¿Positivo o negativo?

Haga una lista y clasifique las expresiones que aparecen en azul en las lecturas anteriores según sean positivas o negativas.

5 Amplíe su vocabulario

Mire las palabras y expresiones de la primera columna y busque su definición en la segunda. ¿Cree que sería correcto usar algunas de estas expresiones en un contexto formal? ¿Cuáles?

1. no entrar por los ojos
2. tener buena pinta
3. hacerse la boca agua
4. merecer la pena
5. no estar mal
6. estar harto de
7. darle asco
8. no poder ni ver algo (o alguien)
9. no entrar en la cabeza
10. estar para chuparse los dedos
11. darle rabia

a. cuando algo está tan exquisito que uno aprovecha hasta el último bocado
b. ser agradable a la vista
c. no interesarle algo porque no le gusta lo que ve
d. no poder comprender algo
e. no gustarle algo para nada y sentir cierto malestar
f. estar muy cansado de algo
g. producir más saliva al ver algo que le gusta
h. detestar algo o a alguien
i. enojar, frustrar
j. valer el esfuerzo
k. ser bastante bueno

6 El presente del subjuntivo 

Conteste estas preguntas relacionadas con los blogs anteriores. Todas tienen que ver con el presente del subjuntivo.

1. Escriba los verbos que aparecen en el presente del subjuntivo en los blogs.
2. Conjugue los verbos *comerse, ponerse* y *llenarse* en la segunda persona informal del singular.
3. Conjugue los verbos *almorzar, oler* y *mostrar* en la segunda persona formal del singular.
4. Conjugue los verbos *masticar, sacar, apagar, utilizar, gozar* y *especializarse* en la primera persona del singular.
5. Conjugue los verbos *pedir, servir, hervir, freír* y *advertir* en la primera persona del plural.
6. Conjugue los verbos *escoger, elegir* y *fingir* en la segunda persona informal del singular.
7. Conjugue los verbos *sustituir* y *atribuir* en la primera persona del plural.
8. Conjugue los verbos *convencer* y *producir* en la tercera persona del singular.
9. Conjugue *seguir* en la primera persona del plural.
10. Conjugue los verbos *enviar* y *continuar* en la tercera persona del plural.
11. Conjugue *dormir* en la segunda persona informal del singular y la primera persona del plural.
12. ¿Cuántos verbos irregulares recuerda? (No tienen que aparecer en estos blogs.) Haga una lista de diez de ellos en el infinitivo y conjúguelos en la primera persona del singular del presente del subjuntivo.
13. ¿Qué es especial del verbo *dar* en el presente del subjuntivo?

7 "Tapitas gramaticales"

1. Escriba los adjetivos que aparecen en rojo en los blogs y explique lo que se ha hecho para transformarlos en adjetivos. ¿Qué otras formas hay de transformar un infinitivo en adjetivo?
2. ¿Qué tiempo verbal le sigue a *el hecho de que*? ¿Por qué motivo?
3. ¿Qué tiempo verbal es *andan insistiendo*? Escriba otras dos formas para expresar lo mismo.
4. ¿Qué tiempo verbal le sigue a *cuando hacen que*? ¿Por qué?
5. ¿Qué tiempo verbal les sigue a *ya que* y *es que*? ¿Y a *no es que* y *puede que*? ¿Por qué?

8 ¿Qué opina?

Reaccione a lo que cada persona ha puesto en el blog y hágale al menos dos comentarios por escrito a cada uno. Incluya palabras del vocabulario que aparecen en azul y subráyelas cuando las use. Termine su blog con una pregunta.

9 Cláusulas nominales

1. ¿Qué es una cláusula nominal?
2. ¿En qué diferentes categorías se pueden clasificar las cláusulas nominales? Nombre cinco.
3. Busque cinco ejemplos de cláusulas nominales en los blogs anteriores.

10 ¿Infinitivo, indicativo o subjuntivo?

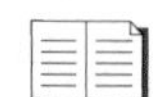

Lea el siguiente párrafo y complételo con el infinitivo, el presente del indicativo o el presente del subjuntivo de los verbos entre paréntesis; a veces tendrá que elegir entre *ser* y *estar*. Explique por qué se usa el subjuntivo en cada caso, por ejemplo con una expresión de emoción, de deseo, de duda o negación, o después de una expresión impersonal.

___1.___ (*Ser / Estar*) extraño pero mi novia me ha dicho que ___2.___ (*ir*) a comer a su casa dentro de dos días. La verdad ___3.___ (*ser / estar*) que no ___4.___ (*apetecerme*) para nada, pero me ha dicho que más vale que ___5.___ (*acercarse*) por allá si quiero ___6.___ (*salvar*) nuestra relación. Se ha empeñado en que ___7.___ (*conocer*) a sus padres. Es cierto que nosotros ___8.___ (*llevar*) dos años saliendo, pero tengo un poco de miedo de que no les ___9.___ (*caer*) bien. Además, más vale que le ___10.___ (*decir*) otra vez a Patricia que ___11.___ (*ser / estar*) vegetariano, pues normalmente se le ___12.___ (*olvidar*), lo que termina siendo un drama. No es que no me ___13.___ (*gustar*) sus padres, pero ___14.___ (*ser / estar*) un poco tímido y prefiero ___15.___ (*mantenerse*) al margen de la familia de mi novia. ¡Quién ___16.___ (*saber*)! Es posible que el almuerzo no ___17.___ (*ser / estar*) tan malo después de todo y ___18.___ (*terminar*) llevándome bien. Por otra parte, temo que ___19.___ (*terminar*) agobiado y que no ___20.___ (*decir*) ni una palabra durante la velada. Es que... no ___21.___ (*saber*) por qué Patricia me mete en estos líos. ¡Qué chica!

11 Una sopa riquísima

Lea con atención la siguiente receta para el gazpacho andaluz.

Sopa fría típica de Andalucía, en el sur de España.

El gazpacho andaluz

Ingredientes para 4 personas

1 pan grande (sólo la miga interior)
4 cucharadas de aceite de oliva
1 kilo de tomates rojos enteros
1 diente de ajo
1 litro de agua
sal y vinagre de vino

Para la guarnición:

1 o 2 pimientos verdes picados
1 cebolla mediana picada
1 pepino
1 huevo duro

Preparación

Se introduce el pan en un recipiente con agua para que así sea más fácil quitarle la corteza. (Cuando el pan esté mojado le podrá sacar la miga fácilmente.) Una vez que se tenga la miga del pan, ésta se pone en un recipiente para batirla con los demás ingredientes. Se le añade el tomate troceado sin piel (para que luego uno no se la encuentre cuando lo tome), el aceite, el ajo, la sal, el vinagre y el agua. A continuación se bate todo junto y se prueba. Si queda muy espeso, se le puede añadir más agua. Si por otro lado está un poco soso, se le echa más sal, y si necesita más ajo, se puede picar más ajo. En resumen, siempre se puede aderezar al final según el gusto de cada uno. Entonces se pican todos los ingredientes para la guarnición y se ponen en un cuenco. Por último, se sirve el gazpacho en recipientes individuales con la guarnición por encima o al lado (esto último es más apropiado), para que cada uno se eche una cucharada de lo que desee. ¡Que aproveche!

12 Amplíe su vocabulario

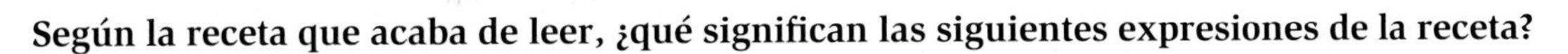

Según la receta que acaba de leer, ¿qué significan las siguientes expresiones de la receta?

1. el diente de ajo
2. la miga de pan
3. si queda muy espeso
4. soso
5. aderezar

13 Los mandatos y la voz pasiva

Con un/a compañero/a haga las siguientes actividades basadas en la receta.

1. Escriban de nuevo la receta usando el mandato con la forma *tú*.
2. Escriban las siguientes oraciones usando la voz pasiva.
   a. Se introduce el pan.
   b. Se le añade el tomate.
   c. Se pican los ingredientes.
   d. Se sirve el gazpacho.

14 "Tapitas gramaticales"

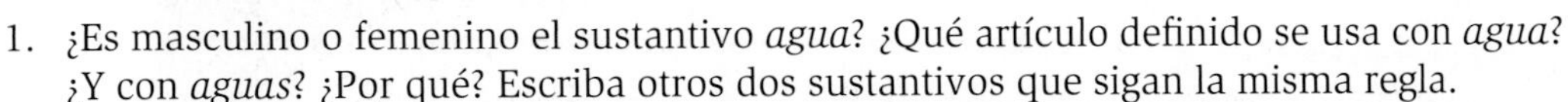

1. ¿Es masculino o femenino el sustantivo *agua*? ¿Qué artículo definido se usa con *agua*? ¿Y con *aguas*? ¿Por qué? Escriba otros dos sustantivos que sigan la misma regla.
2. Explique la posición de los pronombres en la frase "se le puede añadir más agua". ¿Cuál es la regla?
3. *La sal* es un sustantivo. ¿Cuál es el adjetivo correspondiente?
4. ¿Qué tiempo verbal se utiliza en la siguiente expresión: *¡Que aproveche!*? En inglés, ¿qué tiempo verbal se utilizaría? Escriba otras tres expresiones similares con *que*.

15 Su blog

Un amigo suyo le pide consejo para prepararle una cena a una chica que le gusta. Escríbale un correo electrónico dándole consejos. Use expresiones nuevas y subráyelas.

- Aconséjele sobre lo que debe preparar.
- Explíquele cómo debe hacerlo.
- Deséele suerte y dele un par de consejos más para que la cita sea un éxito.

Dicho

Donde comen dos, comen tres.

¿Qué característica humana cree que describe este viejo dicho? ¿Qué cree que dice sobre la cultura latina? Describa una situación en la que sea apropiado usarlo. Comparta sus opiniones con un/a compañero/a.

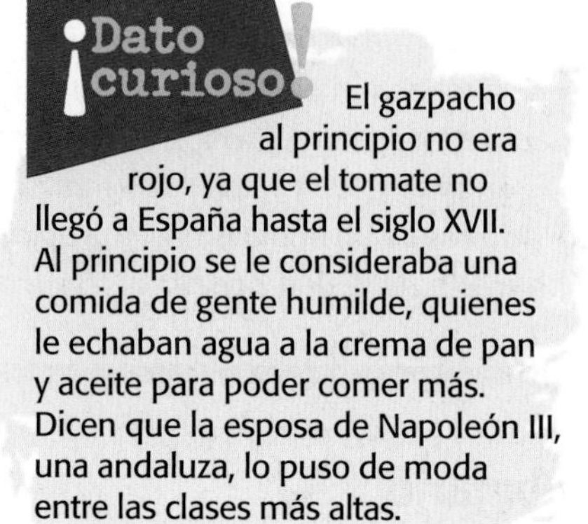

¡Dato curioso!

El gazpacho al principio no era rojo, ya que el tomate no llegó a España hasta el siglo XVII. Al principio se le consideraba una comida de gente humilde, quienes le echaban agua a la crema de pan y aceite para poder comer más. Dicen que la esposa de Napoleón III, una andaluza, lo puso de moda entre las clases más altas.

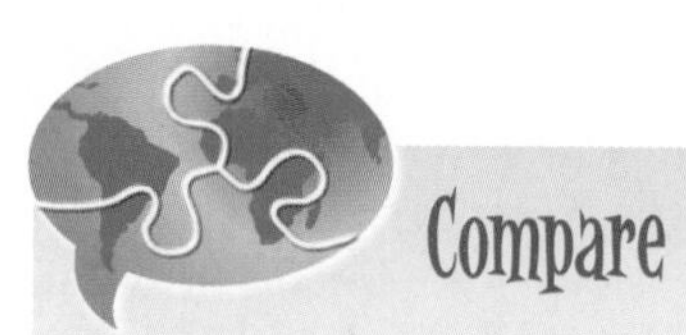

Compare

¿Qué platos son típicos de la zona donde vive? ¿Cuáles son los ingredientes que se usan?

Tapas típicas de España: champiñones rellenos de jamón, ajo, perejil, sal y aceite de oliva; boquerones (anchoas frescas) en vinagre; pulpo a la gallega con pimentón, sal y aceite de oliva

Idioma

16 Familia de palabras

Complete la tabla con el verbo, sustantivo o adjetivo apropiado y la traducción correspondiente.

Verbos		Sustantivos		Adjetivos	
aderezar	*to dress a salad; to season*	________	*dressing, seasoning*	aderezado	________, ________
aportar	*to contribute*	________, la aportación	*contribution*	aportado	________
atender	*to serve a customer*	la atención	*kindness, attention*	________	*polite, attentive*
________	*to beat (food)*	el batido; la batidora	________; ________	batido	*beaten*
________	*to cook*	________; el cocido	*cook; stew*	cocido	*cooked; boiled*
________	*to cover*	el cubierto	*piece of cutlery; plates, napkin, etc. before each diner*	________	*covered*
________	*to taste*	la degustación	________	X	
________	________	el hervor	________	________	*boiled*
remojar	*to soak*	el remojo	*soak, soaking*	remojado	*soaked*
________	________	el pegamento	*glue*	________, ________	*sticky, stuck*
pelar	*to peel*	________	*skin*	pelado	*peeled, smooth*
picar	*to be hot*	X		________	*spicy*
reposar	*to let stand, rest (food)*	el reposo	*rest*	reposado	________
tapar	*to put a lid on, cover*	________	*lid*	tapado	________
trocear	*to slice*	________	*slice, piece*	troceado	________

17 ¿Verbo, sustantivo o adjetivo?

Complete las oraciones usando la forma correcta de las palabras que aparecen en la tabla, ya sea verbo, sustantivo o adjetivo. En el caso del sustantivo puede que necesite artículo.

1. ¿Por qué no ___ (*tapar*) tú la sopa hasta que los invitados se sirvan? Como te descuides se va a enfriar.
2. Después de hacer galletas se me quedaron las manos bastante ___ (*pegar*).
3. Un buen amigo italiano me ha comentado que es mejor echar la sal al agua antes de que empiece a ___ (*hervir*).
4. Dicen que es bueno que no le quites ___ (*pelar*) a la manzana ya que tiene muchas vitaminas.
5. ¿Me das ___ (*trocear*) de tarta? Ya lo sé. Éste es el tercer ___ (*trocear*), pero ya sabes que soy muy golosa. ¡Hijo, es que no puedo resistir la tentación!
6. ¡Qué hambre tengo! Acabo de ___ (*batir*) unas fresas. He hecho un ___ (*batir*) y estoy por prepararme otro. ¡Cómo me gusta ___ (*batir*) de fresa!
7. No me apetece ir a este restaurante porque el otro día nos ___ (*atender*) muy mal. Fueron bastante maleducados con nosotros y tardaron muchísimo en servirnos.
8. ¿Por qué no dejas que ___ (*reposar*) el arroz con pollo un poco antes de que lo comamos? ¡Ay, qué rico... ya se me está haciendo la boca agua!
9. ¡No me distraigas! No quiero que la comida ___ (*pegarse*) mientras hablo contigo.
10. Llevo dos horas esperando en la mesa y todavía nadie me ___ (*atender*). No aguanto más, ¡estoy muerto de hambre!
11. José echó demasiado chile en la salsa. ¡Es tan ___ (*picar*) que quema! De todas formas soy un adicto al ___ (*picar*), me lo tomo con todo.
12. No sé qué elegir de la carta. ¿Por qué no pedimos el menú de ___ (*degustar*)? Por lo visto está para chuparse los dedos.

Dicho

La vida es como una receta de comida, la sazón se la pones tú.

¿Por qué es importante ponerle sazón a la vida? ¿Cuál es la sazón que Ud. pone a la vida? Describa la sazón que aportan unas personas que Ud. admira. Comparta sus opiniones con un/a compañero/a.

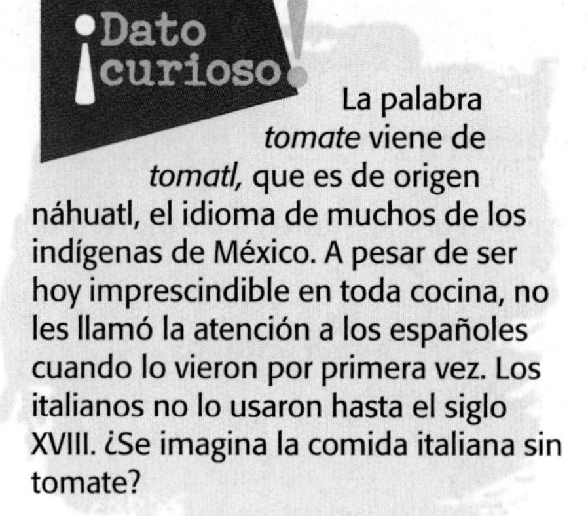

¡Dato curioso! La palabra *tomate* viene de *tomatl,* que es de origen náhuatl, el idioma de muchos de los indígenas de México. A pesar de ser hoy imprescindible en toda cocina, no les llamó la atención a los españoles cuando lo vieron por primera vez. Los italianos no lo usaron hasta el siglo XVIII. ¿Se imagina la comida italiana sin tomate?

18 Los paradores

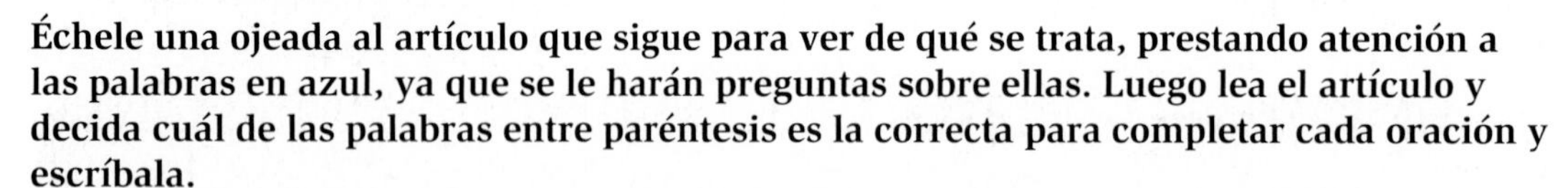

Échele una ojeada al artículo que sigue para ver de qué se trata, prestando atención a las palabras en azul, ya que se le harán preguntas sobre ellas. Luego lea el artículo y decida cuál de las palabras entre paréntesis es la correcta para completar cada oración y escríbala.

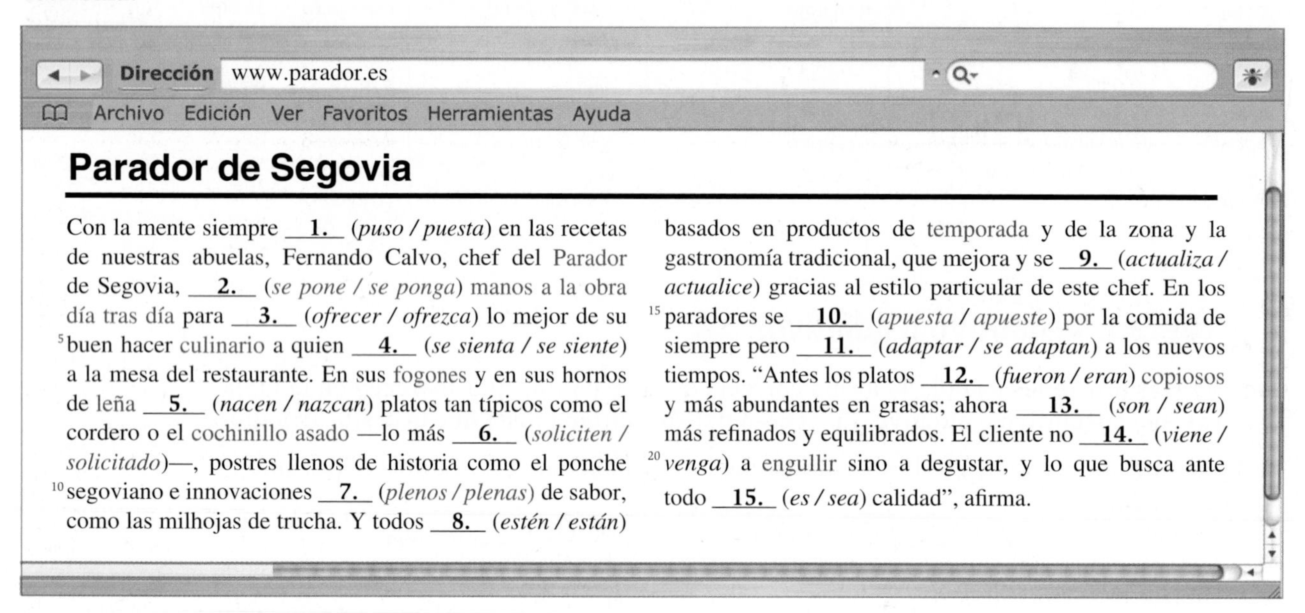

Parador de Segovia

Con la mente siempre __1.__ (*puso / puesta*) en las recetas de nuestras abuelas, Fernando Calvo, chef del Parador de Segovia, __2.__ (*se pone / se ponga*) manos a la obra día tras día para __3.__ (*ofrecer / ofrezca*) lo mejor de su buen hacer culinario a quien __4.__ (*se sienta / se siente*) a la mesa del restaurante. En sus fogones y en sus hornos de leña __5.__ (*nacen / nazcan*) platos tan típicos como el cordero o el cochinillo asado —lo más __6.__ (*soliciten / solicitado*)—, postres llenos de historia como el ponche segoviano e innovaciones __7.__ (*plenos / plenas*) de sabor, como las milhojas de trucha. Y todos __8.__ (*estén / están*) basados en productos de temporada y de la zona y la gastronomía tradicional, que mejora y se __9.__ (*actualiza / actualice*) gracias al estilo particular de este chef. En los paradores se __10.__ (*apuesta / apueste*) por la comida de siempre pero __11.__ (*adaptar / se adaptan*) a los nuevos tiempos. "Antes los platos __12.__ (*fueron / eran*) copiosos y más abundantes en grasas; ahora __13.__ (*son / sean*) más refinados y equilibrados. El cliente no __14.__ (*viene / venga*) a engullir sino a degustar, y lo que busca ante todo __15.__ (*es / sea*) calidad", afirma.

19 ¿Qué significa?

Según el contexto del artículo que acaba de leer, empareje cada palabra de la primera columna con su definición o sinónimo de la segunda.

1. parador	a. lleno
2. ponerse manos a la obra	b. época del año
3. día tras día	c. parte de un árbol que se trocea y se usa como combustible
4. culinario	d. depositar la confianza en algo
5. fogón	e. comenzar a hacer algo
6. leña	f. edificio histórico convertido en hotel y propiedad del gobierno
7. cochinillo asado	g. tragar casi sin masticar
8. solicitar	h. sección de la cocina donde se calienta la comida
9. pleno	i. relacionado con la cocina
10. temporada	j. abundante
11. apostar por	k. cerdo pequeño al horno
12. copioso	l. a diario
13. engullir	m. pedir

20 Un chef

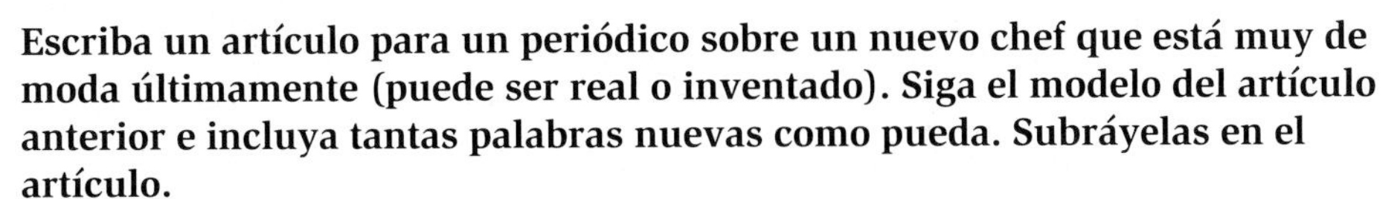

Escriba un artículo para un periódico sobre un nuevo chef que está muy de moda últimamente (puede ser real o inventado). Siga el modelo del artículo anterior e incluya tantas palabras nuevas como pueda. Subráyelas en el artículo.

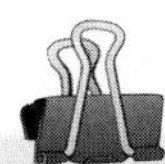

Estrategia

Escribir un artículo sobre una persona para un periódico implica crear interés y presentar las ideas o los hechos con claridad y brevedad. Hay que incluir algunas anécdotas interesantes. Trate de crear una imagen de la persona y organizar lo que va a decir antes de empezar a escribirlo.

21 La comida mexicana

Lea el artículo y complete los espacios con la palabra adecuada. Después conteste las siguientes preguntas:

- ¿Cuál es el propósito del artículo?
- ¿Cómo resumiría el artículo en una frase?
- ¿Qué pregunta sería apropiada para hacerle al autor después de leer el artículo?

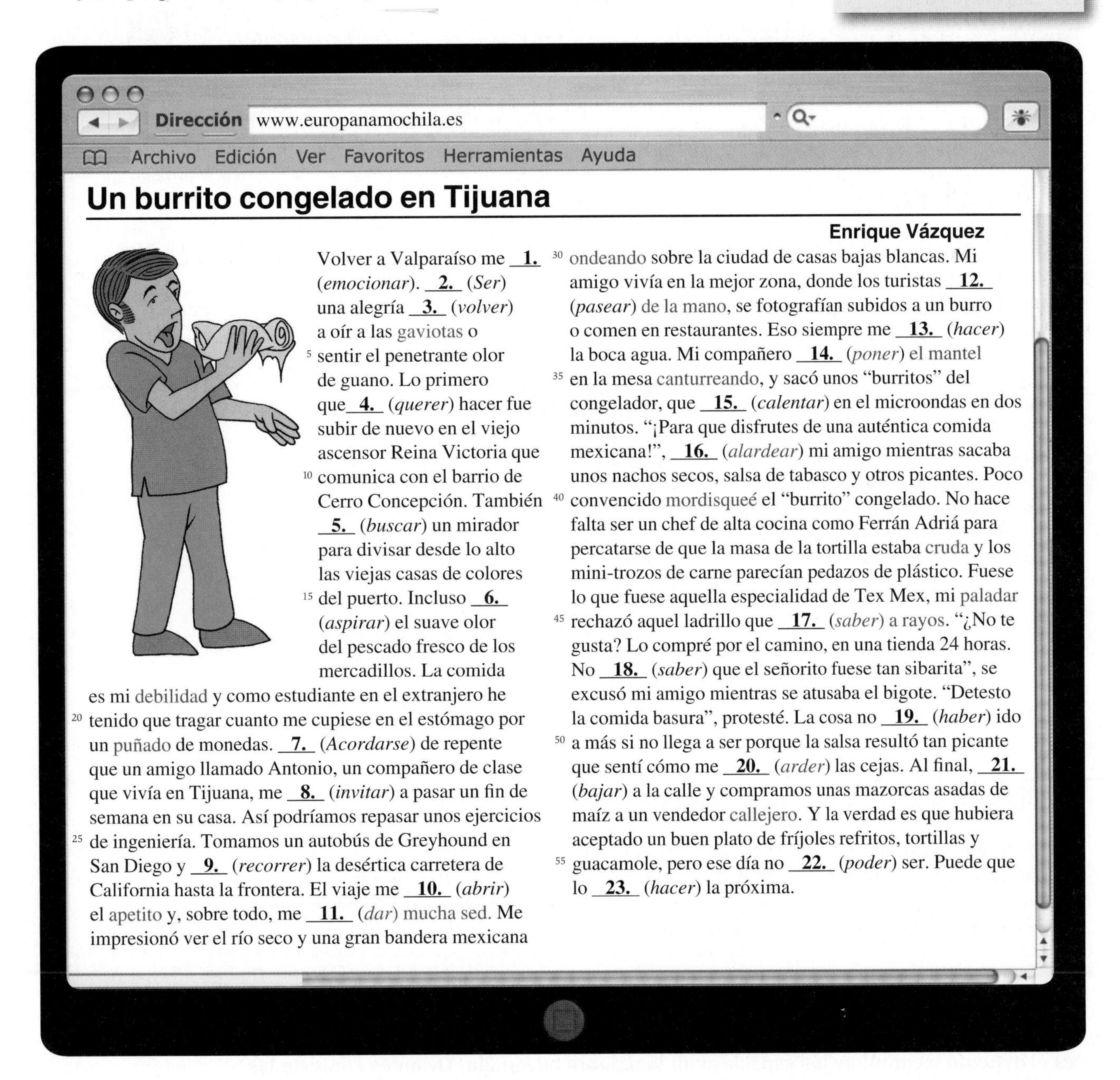

Dirección www.europanamochila.es

Archivo Edición Ver Favoritos Herramientas Ayuda

Un burrito congelado en Tijuana

Enrique Vázquez

Volver a Valparaíso me __1.__ (*emocionar*). __2.__ (*Ser*) una alegría __3.__ (*volver*) a oír a las gaviotas o sentir el penetrante olor de guano. Lo primero que __4.__ (*querer*) hacer fue subir de nuevo en el viejo ascensor Reina Victoria que comunica con el barrio de Cerro Concepción. También __5.__ (*buscar*) un mirador para divisar desde lo alto las viejas casas de colores del puerto. Incluso __6.__ (*aspirar*) el suave olor del pescado fresco de los mercadillos. La comida es mi debilidad y como estudiante en el extranjero he tenido que tragar cuanto me cupiese en el estómago por un puñado de monedas. __7.__ (*Acordarse*) de repente que un amigo llamado Antonio, un compañero de clase que vivía en Tijuana, me __8.__ (*invitar*) a pasar un fin de semana en su casa. Así podríamos repasar unos ejercicios de ingeniería. Tomamos un autobús de Greyhound en San Diego y __9.__ (*recorrer*) la desértica carretera de California hasta la frontera. El viaje me __10.__ (*abrir*) el apetito y, sobre todo, me __11.__ (*dar*) mucha sed. Me impresionó ver el río seco y una gran bandera mexicana ondeando sobre la ciudad de casas bajas blancas. Mi amigo vivía en la mejor zona, donde los turistas __12.__ (*pasear*) de la mano, se fotografían subidos a un burro o comen en restaurantes. Eso siempre me __13.__ (*hacer*) la boca agua. Mi compañero __14.__ (*poner*) el mantel en la mesa canturreando, y sacó unos "burritos" del congelador, que __15.__ (*calentar*) en el microondas en dos minutos. "¡Para que disfrutes de una auténtica comida mexicana!", __16.__ (*alardear*) mi amigo mientras sacaba unos nachos secos, salsa de tabasco y otros picantes. Poco convencido mordisqueé el "burrito" congelado. No hace falta ser un chef de alta cocina como Ferrán Adriá para percatarse de que la masa de la tortilla estaba cruda y los mini-trozos de carne parecían pedazos de plástico. Fuese lo que fuese aquella especialidad de Tex Mex, mi paladar rechazó aquel ladrillo que __17.__ (*saber*) a rayos. "¿No te gusta? Lo compré por el camino, en una tienda 24 horas. No __18.__ (*saber*) que el señorito fuese tan sibarita", se excusó mi amigo mientras se atusaba el bigote. "Detesto la comida basura", protesté. La cosa no __19.__ (*haber*) ido a más si no llega a ser porque la salsa resultó tan picante que sentí cómo me __20.__ (*arder*) las cejas. Al final, __21.__ (*bajar*) a la calle y compramos unas mazorcas asadas de maíz a un vendedor callejero. Y la verdad es que hubiera aceptado un buen plato de fríjoles refritos, tortillas y guacamole, pero ese día no __22.__ (*poder*) ser. Puede que lo __23.__ (*hacer*) la próxima.

22 ¿Qué significa?

Según el contexto del artículo que acaba de leer, empareje cada palabra de la primera columna con su definición o sinónimo de la segunda.

1. gaviota	a. producir la necesidad de beber
2. debilidad	b. cantar en voz baja y tararear
3. puñado	c. de la calle
4. apetito	d. dar pequeños bocados a un alimento
5. dar mucha sed	e. poca cantidad de algo
6. ondear	f. presumir
7. de la mano	g. ave de plumas blancas que vive en la costa
8. poner el mantel	h. saber fatal
9. canturrear	i. sin cocer
10. alardear	j. quemar, abrasar
11. mordisquear	k. parte de la boca que identifica el sabor
12. crudo	l. ganas de comer
13. paladar	m. movimiento que hace una bandera con el viento
14. saber a rayos	n. flaqueza, punto débil
15. arder	o. poner una tela para comer
16. callejero	p. agarrados de la mano

Estrategia

Escribir un cuento corto implica saber dar detalles generales del fondo y de los personajes, usar el discurso indirecto o directo, y escribir una introducción y una conclusión. Trate de crear una escena y organizar lo que va a decir antes de empezar a escribirlo.

23 Un cuento

Escriba un cuento corto similar al anterior, en el que describa una experiencia que el personaje principal tiene con una comida. Nárrelo en el pasado, pero intente usar tiempos en presente de subjuntivo y mandatos cuando use discurso directo.

Dicho

El amor entra por la cocina.

¿Está de acuerdo con esto? ¿Cree que este dicho se refiere por igual a los hombres y a las mujeres? Comparta opiniones con un/a compañero/a.

¡Dato curioso!

La presencia del tenedor en Europa se debe a los italianos, quienes encontraron en él un invento muy útil para comer pasta. Algunos lo rechazaron durante muchos años porque pensaban que estaba relacionado con el demonio. Hasta el siglo XVIII casi todos los europeos comían con los dedos.

24 Lea, escuche y escriba/presente

Vuelva a leer el cuento completo de la Actividad 21. Luego escuche la grabación "La comida de México" y tome las notas necesarias. Escriba un ensayo o haga una presentación en clase contestando la siguiente pregunta: "¿Qué es la comida mexicana?" No se olvide de citar las fuentes debidamente.

25 El Mambo Café

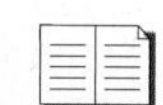

Lea el artículo y complete los espacios con la palabra adecuada. Después conteste las siguientes preguntas:

- ¿Cuál es el propósito del artículo?
- ¿Cómo resumiría el artículo en una frase?
- ¿Qué pregunta sería apropiada para hacerle al dueño del restaurante?

Frutas y especias del Caribe

Unidas dan sazón al menú del restaurante Mambo Café

KATIA RAMÍREZ BLANKLEY

Cuando **1.** (*es / se*) habla de cocina caribeña, la **2.** (*mayor / mayoría*) de la gente piensa en comida cubana: plátanos fritos, frijoles negros, ropa vieja y fricasé de pollo. Pero, como dice Aureliano Moreno, propietario **3.** (*de / del*) restaurante Mambo Café, un auténtico negocio de comida de este tipo tiene **4.** (*x / que*) incluir la sazón de Puerto Rico, Jamaica, República Dominicana y las **5.** (*unas / demás*) islas del Caribe. Y ése es precisamente el éxito del negocio de Moreno, ubicado **6.** (*x / en*) el 10032 del bulevar Venice en Culver City, donde **7.** (*algunos / además*) de unos deliciosos platanitos fritos y frijoles negros, el comensal puede degustar una exquisita variedad **8.** (*de / con*) platos sazonados con frutas y exóticas especias caribeñas.

9. (*Un / Uno*) de los platillos más llamativos es el pollo en salsa de mango y curry, que consiste en una pechuga de pollo asada a **10.** (*una / la*) parrilla, cubierta **11.** (*con / por*) una salsa que incluye mango en tiritas, tomate, curry, piña y pasas. Muy sabrosa, también, la paella de mariscos, el pollo negro, condimentado con diez especias diferentes y salsa inglesa y el pollo preparado **12.** (*por / con*) una receta tradicional de Jamaica, que lleva siete clases **13.** (*en / de*) chiles. También tienen aperitivos, sopas, ensaladas, sándwiches y una rica variedad de postres.

"El secreto de nuestra cocina es el balance adecuado de **14.** (*los / unos*) ingredientes", dice Moreno, **15.** (*cual / quien*) se confiesa enamorado **16.** (*de / con*) la cocina caribeña. "Así como **17.** (*un / una*) artista mezcla colores y texturas, nosotros combinamos carnes, vegetales, frutas, hierbas y especias para obtener sabores diferentes y que **18.** (*la / le*) gusten a la gente."

El menú de Mambo Café no es muy extenso, pero es que todo se prepara justo cuando el cliente lo ordena. **19.** (*Sin / Con*) embargo, a diario hay entre cuatro o cinco platillos especiales que elaboran con ingredientes que estén en temporada. "Durante la hora de almuerzo los platillos que más se venden son los hechos de pollo o los vegetarianos; pero en la noche tienen más salida los mariscos", cuenta Moreno.

En el Mambo Café, además **20.** (*de / con*) la rica comida y el esmerado servicio, el cliente encuentra entretenimiento en vivo y **21.** (*el / un*) ambiente muy acogedor. Los jueves por la noche hay música tipo blues latino a cargo **22.** (*de / del*) argentino Massimo Corsini, y los viernes y sábados hay un conjunto que interpreta música tropical o un trío que canta boleros. Los precios son cómodos y la comida que se sirve **23.** (*es / está*) abundante. Casi todos los platos se sirven acompañados con arroz blanco, frijoles negros y unos deliciosos plátanos fritos que se deshacen en la boca.

El restaurante **24.** (*abre / cierra*) sus puertas **25.** (*los / las*) siete días a la semana de 11:00 de la mañana a 9:30 de la noche, a excepción de los domingos que abre después **26.** (*x / de*) las 5:00 de la tarde. También ofrece servicios de banquetes para fiestas o eventos especiales.

Mambo Café está ubicado **27.** (*x / en*) el 10032 de Venice Blvd., en Culver City. Para más información llamar **28.** (*al / el*) teléfono (310) 558-3106.

www.laopinion.com

26 ¿Qué significa?

Según el contexto del artículo que acaba de leer, empareje cada palabra de la primera columna con su definición o sinónimo de la segunda.

1. ropa vieja	a. cuidado
2. propietario	b. agradable, que le hace sentir a uno bien, a gusto
3. sazón	c. apropiado
4. comensal	d. aderezado
5. sazonado	e. plato típico de Cuba
6. llamativo	f. que llama la atención
7. pechuga	g. dueño
8. pasa	h. al igual que
9. adecuado	i. gusto, sabor
10. así como	j. persona que come en la mesa con otros
11. esmerado	k. al cuidado de
12. acogedor	l. uva seca
13. a cargo de	m. comida especial a la que asisten muchos invitados
14. deshacerse	n. pecho de un ave
15. banquete	o. descomponerse, disolverse

Compare

Descríbale a un/a compañero/a un restaurante local siguiendo el formato del artículo de la Actividad 25.

27 Investigue

Busque información en Internet sobre la cocina argentina, venezolana o cubana. Escriba un informe de unas 250 palabras sobre una de ellas y cite las fuentes que ha consultado. Use los tiempos presentados en la lección, y enumérelos cuando lo haga.

28 Una bebida especial 

Lea el artículo y complete los espacios con la palabra adecuada. ¿Cómo resumiría el artículo en una frase?

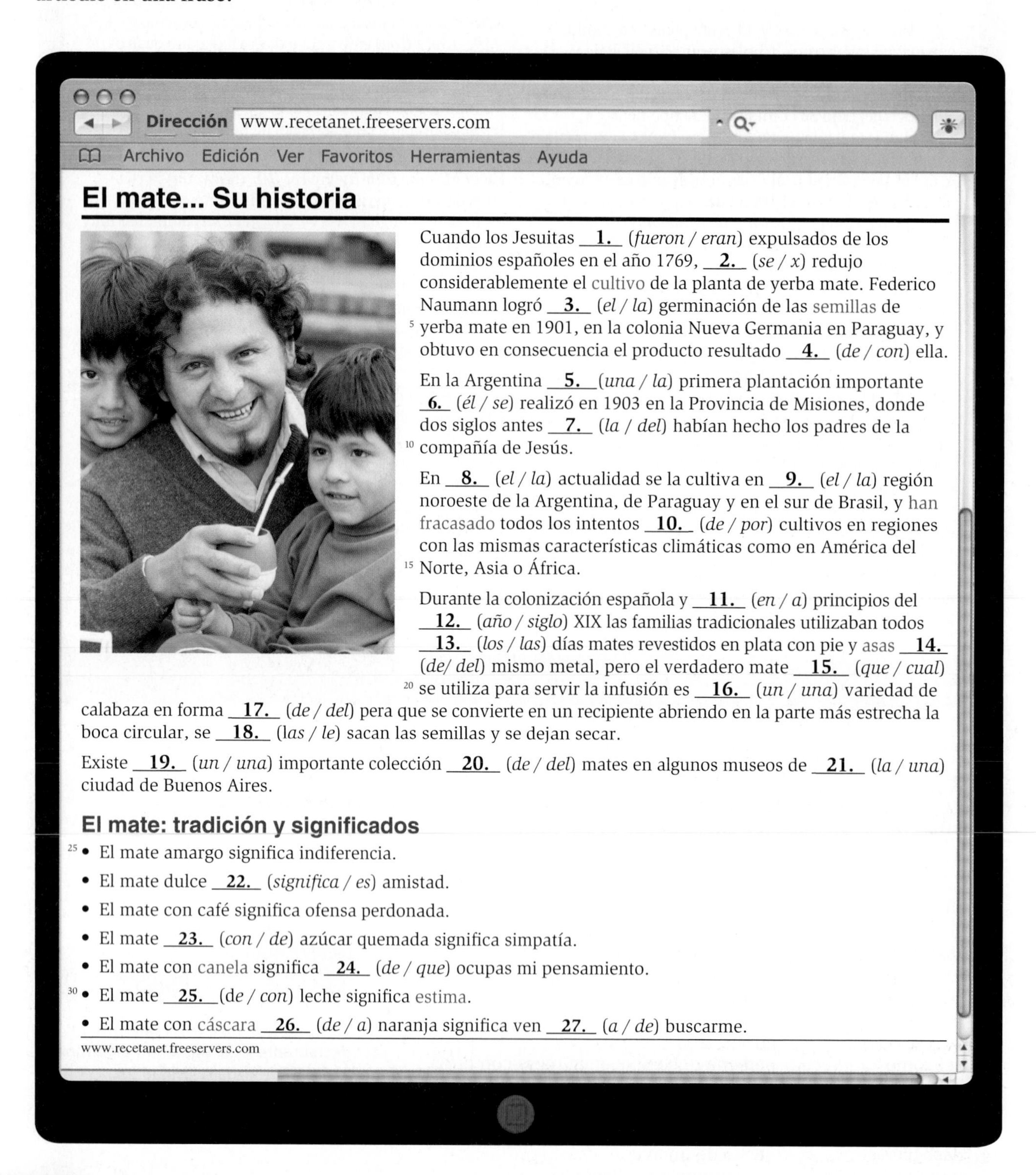

Dirección www.recetanet.freeservers.com

Archivo Edición Ver Favoritos Herramientas Ayuda

El mate... Su historia

Cuando los Jesuitas __1.__ (*fueron / eran*) expulsados de los dominios españoles en el año 1769, __2.__ (*se / x*) redujo considerablemente el cultivo de la planta de yerba mate. Federico Naumann logró __3.__ (*el / la*) germinación de las semillas de [5] yerba mate en 1901, en la colonia Nueva Germania en Paraguay, y obtuvo en consecuencia el producto resultado __4.__ (*de / con*) ella.

En la Argentina __5.__ (*una / la*) primera plantación importante __6.__ (*él / se*) realizó en 1903 en la Provincia de Misiones, donde dos siglos antes __7.__ (*la / del*) habían hecho los padres de la [10] compañía de Jesús.

En __8.__ (*el / la*) actualidad se la cultiva en __9.__ (*el / la*) región noroeste de la Argentina, de Paraguay y en el sur de Brasil, y han fracasado todos los intentos __10.__ (*de / por*) cultivos en regiones con las mismas características climáticas como en América del [15] Norte, Asia o África.

Durante la colonización española y __11.__ (*en / a*) principios del __12.__ (*año / siglo*) XIX las familias tradicionales utilizaban todos __13.__ (*los / las*) días mates revestidos en plata con pie y asas __14.__ (*de/ del*) mismo metal, pero el verdadero mate __15.__ (*que / cual*) [20] se utiliza para servir la infusión es __16.__ (*un / una*) variedad de calabaza en forma __17.__ (*de / del*) pera que se convierte en un recipiente abriendo en la parte más estrecha la boca circular, se __18.__ (*las / le*) sacan las semillas y se dejan secar.

Existe __19.__ (*un / una*) importante colección __20.__ (*de / del*) mates en algunos museos de __21.__ (*la / una*) ciudad de Buenos Aires.

El mate: tradición y significados

- [25] El mate amargo significa indiferencia.
- El mate dulce __22.__ (*significa / es*) amistad.
- El mate con café significa ofensa perdonada.
- El mate __23.__ (*con / de*) azúcar quemada significa simpatía.
- El mate con canela significa __24.__ (*de / que*) ocupas mi pensamiento.
- [30] El mate __25.__ (*de / con*) leche significa estima.
- El mate con cáscara __26.__ (*de / a*) naranja significa ven __27.__ (*a / de*) buscarme.

www.recetanet.freeservers.com

29 ¿Qué significa?

Mire las palabras de la primera columna, que aparecen en la lectura anterior, y busque su significado en la segunda.

1. cultivo
2. semilla
3. fracasar
4. asa
5. canela
6. estima
7. cáscara

a. parte de un recipiente por donde se sujeta o agarra
b. siembra, plantación
c. piel de ciertas frutas, como la de los cítricos
d. corteza de las ramas de un árbol que se usa en postres y helados por su aroma y sabor
e. consideración o aprecio que se tiene de alguien o algo
f. no conseguir el resultado esperado
g. grano de un fruto

30 Lea, escuche y escriba/presente

Vuelva a leer el texto completo sobre el mate, y luego escuche la grabación "El sabor de Argentina". Tome notas de las dos fuentes y escriba un ensayo o haga una presentación en clase sobre la comida de Argentina. No se olvide de citar las fuentes debidamente.

Dicho

¡Me entra antes por los ojos que por la boca!

¿Qué significa? ¿Le ha sucedido esto alguna vez con la comida? ¿Con qué comida en particular? ¿Cree que esto le pasa a la mayoría de las personas? Comparta su opinión con un/a compañero/a.

¡Dato curioso!

El maíz siempre ha jugado un papel importantísimo en las civilizaciones maya y azteca. Formaba parte de sus creencias religiosas, festividades y nutrición. Estos pueblos decían que el maíz incluso formó la carne y la sangre de los seres humanos. Aunque tuvo su origen en América Central, posteriormente el maíz se extendió por otras zonas de las Américas.

Las empanadas hechas de pan y rellenas de carne.

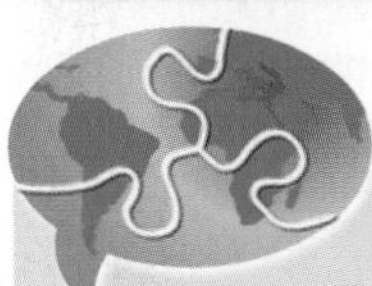

Compare

La gastronomía de la Argentina se caracteriza y diferencia de las gastronomías del resto de América por grandes aportes europeos. En Argentina se combinan perfectamente la gastronomía criolla, indígena, italiana, española, e incluso algunos pequeños influjos del África subsahariana. Otro factor determinante es que Argentina resulta ser uno de los mayores productores agrícolas del planeta. Es gran productor de trigo, poroto, choclo o maíz, carne (en especial vacuna) y leche. Las comidas argentinas más populares son los asados y el chimichurri; los churrascos; el dulce de leche; las empanadas y el mate.

Los tamales, hechos de harina de maíz, envueltos en hojas de plátano o de la mazorca del maíz, y rellenos de distintos condimentos.

¡A leer!

31 Antes de leer 

¿Qué sabe Ud. del chocolate? ¿Sabe de dónde procede? ¿Es diferente el chocolate caliente en los Estados Unidos y en otros países? ¿Qué compañía cree que comercializó el chocolate por primera vez?

32 El chocolate

Lea con atención el siguiente artículo. Después conteste las siguientes preguntas:

- ¿Cuál es el propósito del artículo?
- ¿Qué pregunta sería apropiada para hacerle al autor después de leer el artículo?
- Si quisiera consultar otra fuente, ¿podría pensar en un posible título de una publicación?

Y el chocolate espeso

Fue el oro negro de las culturas precolombinas, y de ahí pasó a las mesas europeas más nobles. Hoy, una buena taza humeante es un lujo al alcance de los que tienen tiempo.

5 El refrán "las cosas claras y el chocolate espeso" nos da la pauta de cómo tomar el chocolate: espeso, cocido, bien movido y humeante; para que al mojar los churros, picatostes, bizcochos, magdalenas... éstos queden impregnados del sabroso líquido y, 10 así, irlo degustando poco a poco, para acabar con un vaso de agua fresca que aclare la garganta de tan calurosa bebida.

Hacer chocolate es todo un ritual de origen noble que se ha democratizado con distinta intensidad 15 en Europa. Manjar de reyes, hoy está exento de connotaciones sociales y lo único que se precisa para tomar un buen chocolate es tener tiempo. Aunque las viejas chocolateras de barro estén en desuso, la manera más eficaz sigue siendo trocear 20 las pastillas de chocolate con las manos y retirar la leche a punto de hervir para desleír con cuidado los trozos. Cuando estén totalmente disueltos, se tapa el recipiente y se deja reposar. Después de dos minutos, el chocolate se mezcla hasta que tenga 25 una unidad y sea una crema, que se vierte en un recipiente. A continuación, se añade más leche.

Antaño, se ponía al fuego mientras hervía y se movía constantemente con el molinillo o la cuchara de madera que hacen que el batido del chocolate 30 tome cuerpo. En estos momentos de reposo es cuando los aromas se relajan, se concentran y adquieren un aspecto satinado. Se sirve en taza de loza o porcelana con asa, para cogerla sin quemarse, y de boca ancha para facilitar el mojado. 35 Los acompañamientos son muy variados, aunque los churros —masa de agua, harina y sal, frita en

aceite de oliva—, son quizá el más apropiado. En este punto interviene el gusto y, por lo tanto, es aconsejable probarlo con bizcochos, magdalenas, 40 picatostes, pan recién hecho o incluso uvas.

Pero no siempre se ha tomado así. Los mayas machacaban las semillas del árbol del cacaotero con bayas, y las mezclaban con agua de lluvia. Bien batido, conseguían una refrescante y espumosa 45 bebida, esencial para combatir el calor pegajoso en esas latitudes.

Posteriormente, los indios aztecas mejoraron la receta calentando el líquido y endulzándolo con vainilla y miel. Llamaron a su bebida *xocoalt*, que 50 significa "agua amarga". El Código Florentino, una de las principales fuentes históricas que describen la vida azteca, denomina al chocolate "la bebida de los nobles" (utilizada, junto con el polvo de oro, como moneda), y observa que debe prepararse con 55 sumo cuidado debido a su "naturaleza poderosa". Esta bebida daba tanta vitalidad a los guerreros, que las culturas precolombinas creyeron que el fruto del cacao encerraba temibles poderes mágicos. Los sacerdotes lo usaron en rituales y curaciones.

60 Aunque Colón regresó a Europa con las primeras bayas de cacao, nadie supo qué hacer con ellas,

por lo que se olvidaron en favor de otros bienes comerciales. Los europeos probaron por primera vez este alimento cuando Moctezuma recibió a Hernán Cortés con un cuenco de espumoso y caliente chocolate líquido. En 1528, cuando Cortés regresó a España, trajo consigo la receta de los aztecas para preparar la bebida de chocolate. La primera cocina de Europa en ponerla a prueba fue la de los monjes cistercienses del monasterio de Piedra, en Zaragoza. Sin embargo, debido a la fama de bebida mágica, los frutos fueron confinados en monasterios y la fórmula de la bebida divino secreto, sólo para ser disfrutada por los más ricos y nobles. Fue a principios del siglo XVII cuando el viajero italiano Antonio Carletti acercó el fruto al resto de Europa; por primera vez, el chocolate estuvo al alcance de la gente llana. Allá por 1700, las chocolaterías estaban tan en boga como las cafeterías y se convirtieron en punto de reunión de golosos de toda clase y condición social.

La idea de mezclar el chocolate con la leche no surgió hasta el siglo XVIII; de ahí que la expresión "como agua para chocolate", que significa estar hirviendo o airado, haga referencia a la manera americana de prepararlo. El primer chocolate con leche fue producido en Suiza en 1875 por Daniel Peter, en colaboración con Henri Nestlé, utilizando para ello la ya famosa leche condensada Nestlé. De este modo, se inició la era de la producción de chocolate en serie. Desde finales del siglo XIX y durante el siglo XX, las chocolaterías proliferaron por toda Europa, convirtiéndose en el lugar donde acabar la velada y el más dulce aliado antes de regresar a casa de madrugada.

En el siglo XXI, lo tomamos como cacao soluble. El chocolate se reserva para meriendas y celebraciones. Aunque en nuestros días no lo consideramos la panacea universal, el que fue alimento-golosina-medicamento goza de buena reputación. La energía, que ya alababan los mayas, le viene por su aporte en hidratos de carbono, rico en elementos minerales, potasio, fósforo y magnesio; además, tiene vitaminas como la tiamina (B_1) y el ácido fólico, regulador del metabolismo. Los lípidos o grasas provienen de la manteca de cacao, que no aumenta el nivel de colesterol en sangre. Después de tantas bondades, el chocolate tiene que lidiar con su fama de alimento hipercalórico. Una taza de este manjar de 200 ml. contiene unas 210 calorías. Tomado en una dieta equilibrada, no favorece el aumento de peso. Tiene un efecto reconstituyente en el organismo, es apropiado para todas las edades y, cómo no, para adentrarse en las largas tardes de otoño.

www.parador.es

33 Amplíe su vocabulario

Según el contexto del artículo que acaba de leer, ¿cuál es la mejor traducción de cada palabra?

1. humeante
   a. humid b. piping hot
   c. suffocating d. humble
2. al alcance de
   a. far from b. challenging for
   c. impossible for d. within reach of
3. mojar
   a. to try b. to soak
   c. to cover d. to mix
4. impregnado
   a. filled b. coated
   c. sprinkled d. washed
5. manjar
   a. delicacy b. snack
   c. recipe d. dessert
6. barro
   a. glass b. plastic
   c. clay d. cardboard
7. desuso
   a. disuse b. oblivion
   c. abandonment d. oversight
8. eficaz
   a. useless b. exciting
   c. effective d. effortless
9. pastilla
   a. tablet b. paste
   c. bag d. pinch
10. disuelto
    a. lit b. disintegrated
    c. dissolved d. blended

continúa

11. reposar
    a. to rest b. to leave
    c. to calm d. to repossess
12. loza
    a. china b. glass
    c. metal d. wood
13. masa
    a. massive b. amazement
    c. dough d. cream
14. harina
    a. sugar b. flour
    c. cereal d. grain
15. machacar
    a. to thrash b. to flatten
    c. to crush d. to grow
16. espumoso
    a. sparkling b. frothy
    c. sweet d. gorgeous
17. pegajoso
    a. sticky b. sweet
    c. harmful d. intense
18. amargo
    a. bland b. sweet
    c. spicy d. bitter
19. sumo
    a. extreme b. most
    c. plus d. peerless
20. llano
    a. clear b. flat
    c. common d. level
21. goloso
    a. overweight b. cook
    c. Galician d. having a sweet tooth
22. surgir
    a. to suggest b. to develop
    c. to produce d. to seem
23. manteca
    a. mantle b. seed
    c. butter d. oil

34 ¿Ha comprendido?

1. ¿Quiénes eran las personas que tomaban al principio el chocolate?
    a. Los mayas y los aztecas
    b. Los españoles
    c. La clase alta
    d. Los suizos, austriacos y belgas
2. ¿Qué ingredientes tiene una taza de chocolate?
    a. Cacao, leche y crema
    b. Cobre, latón, hierro o loza
    c. Agua y cacao
    d. Cacao y leche
3. ¿Para qué se usaba el chocolate antiguamente?
    a. Para la magia y guerras
    b. Como moneda
    c. Como medicina
    d. Todas las anteriores
4. ¿Por qué no tuvo éxito al principio el chocolate en España?
    a. Era bebida sólo para la clase alta.
    b. No sabían cómo tomarlo.
    c. Se le relacionaba con la magia.
    d. No se podía cultivar allí.
5. Cuando las chocolaterías se hicieron famosas en los siglos XIX y XX, se visitaban habitualmente _____.
    a. como lugar para conversar
    b. como lugar para ir después de salir por la noche
    c. como lugar para merendar y tener celebraciones
    d. como lugar donde ver a los amigos

6. ¿Qué es lo malo del chocolate?
   a. Nada, si se toma con moderación.
   b. Engorda.
   c. No es bueno para el colesterol.
   d. No se le recomienda a los ancianos.

7. ¿Qué cree que significa la expresión "las cosas claras y el chocolate espeso"?
   a. Cada persona es diferente.
   b. Hay que llamar a las cosas por su nombre.
   c. La única forma de tomar el chocolate es "espeso".
   d. No significa nada en particular.

35 Haga resumen

Organice la información que aparece en el artículo. Haga un resumen en orden cronológico mostrando la evolución del chocolate desde sus comienzos hasta la actualidad.

36 Lea, escuche y escriba/presente

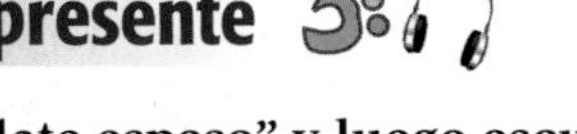

Vuelva a leer el artículo "Y el chocolate espeso" y luego escuche la grabación "El chocolate. Un dulce rodeado de mitos". Tome las notas necesarias. Escriba un ensayo o haga una presentación en clase sobre "El chocolate, ayer y hoy". No se olvide de citar las fuentes debidamente.

Dicho

El que se pica es porque ajo come.

Si alguien dijera algo negativo sobre Ud., ¿le molestaría mucho si no fuera verdad? Y si fuera verdad, ¿cómo reaccionaría? ¿Está de acuerdo con que aquellas personas que se enfadan mucho es porque de verdad ocultan algo? Comparta su opinión con un/a compañero/a.

El café fue descubierto hace siglos por unos pastores. Éstos se dieron cuenta de que las cabras que ellos cuidaban habían comido del fruto de la planta de café, y corrían y saltaban durante toda la noche en vez de dormir. Los pastores se lo contaron al abad de un monasterio, y él les pidió que se lo trajeran. De esa fruta se hizo una bebida... quizás la más popular del mundo.

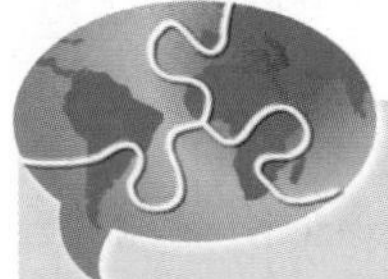

Compare

Lea el primer capítulo de la novela *Como agua para chocolate* de la mexicana Laura Esquivel. Conteste estas preguntas.

1. ¿Qué rol tiene la cocina en la relación entre Tita y Nacha? ¿Cómo describirías esta relación?
2. Para Tita, ¿qué conexión hay entre la comida y la memoria?
3. ¿Cómo se compara la visión que tiene Tita de la cocina y el mundo exterior con la visión que tienen las hermanas?
4. Busque más información sobre la novela y escriba un resumen.
5. ¿Qué comidas le traen a Ud. recuerdos? ¿Por qué?

¡Dato curioso!

Las semillas de cacao eran tan apreciadas por los aztecas que eran usadas como moneda corriente para el comercio de la época.

37 Antes de leer

Con un/a compañero/a escriba una lista de las cinco comidas más típicas en los Estados Unidos. Cuando alguien de otro país habla de la comida típica estadounidense, ¿a qué cree que se refiere? ¿En qué se basa? ¿Cree que esas ideas son ciertas? Conversen sobre el tema.

38 ¿Ketchup o salsa? 

Lea con atención el siguiente artículo. Después conteste las siguientes preguntas:

- ¿Cuál es el propósito del artículo?
- ¿Qué pregunta sería apropiada para hacerle al autor después de leer el artículo?
- Si quisiera consultar otra fuente, ¿podría pensar en un posible título de una publicación?

EE.UU. consume más salsa que ketchup

¿Sabía Ud. que en Estados Unidos actualmente se vende más salsa que ketchup? Este hecho contundente demuestra la creciente influencia de la comida latina en la dieta del país y ha llevado a la industria de restaurantes a concluir que "los tacos son las hamburguesas del sigo XXI".

"América está cambiando", advierte Denyse Selesnick, directora de mercadotecnia internacional de la Asociación Nacional de Restaurantes (NRA por sus siglas en inglés), que agrupa a 900 mil establecimientos que emplean al 9 por ciento de la fuerza laboral del país y esperan ventas este año por 476 mil millones de dólares. La especialista dice que la tendencia hacia las comidas étnicas se explica porque "ahora somos más sofisticados en nuestros gustos". Selesnick cita que a nivel nacional una de cada cuatro personas se declara "comensal aventurero", lo que sigue ampliando la influencia latina entre una población que en promedio come 5.3 veces a la semana en restaurantes. "Este hecho ha derivado en una fusión de salsas mexicanas con la llamada cocina principal y por eso actualmente se vende más salsa que ketchup en este país", apunta.

El fenómeno no podía seguir pasando desapercibido para la Asociación Nacional de Restaurantes, que por primera vez incluyó un Pabellón de Cocina Internacional en su muestra anual. Aunque la idea apenas surgió en marzo pasado, la agrupación logró convocar a treinta empresas proveedoras procedentes de diez países, incluidos México, El Salvador, Brasil, Guatemala, Uruguay y España. Por supuesto no podía faltar una compañía productora de salsas. Jacinto Esteban, director de exportaciones de La Sabrosa, confía en que la muestra anual le permitirá ampliar significativamente su participación en el mercado estadounidense. "Actualmente ya distribuimos nuestros productos en Texas y California", refiere mientras ayuda a numerosos potenciales clientes para la empresa basada en Monterrey, México.

La misma apuesta la está haciendo el gobierno de Brasil, que incluso envió a la muestra anual a su Ministra de Turismo, María Luisa Campos Machado. Despachando en el exhibidor de su país, la funcionaria encabeza una delegación de empresas que buscan convertirse en proveedores de la prometedora industria de restaurantes de los Estados Unidos.

La influencia de la comida latina en la dieta de los estadounidenses tiene relación directa con el creciente poder de compra y sofisticación de la comunidad hispana en Estados Unidos. En un estudio, la NRA afirma que los hispanos gastan 55 mil millones de dólares al año en restaurantes, comparado con $51 mil millones que erogan los afro-americanos y $25 mil millones que invierten los asiático-americanos. En términos porcentuales, esta industria debe satisfacer el paladar hispano-americano porque es la minoría que más gasta en sus establecimientos. El informe de la NRA establece que en 1990 el poder adquisitivo de la población en general fue de 4 billones 277 mil millones de dólares, de los cuales 3 billones 738 mil millones fueron aportados por los blancos; 316 mil millones por los afro-americanos; 117 mil millones por los asiático-americanos; y 223 mil millones por los hispanos. Entre 1990 y el año 2000 el poder adquisitivo de los hispanos en EE.UU. creció un 120 por ciento, superando por mucho a todos los demás grupos étnicos. Para los negocios latinoamericanos la oportunidad de convertirse en proveedores de la industria de restaurantes estadounidenses seguirá latente por muchos años.

Ante la contundencia de las cifras, es fácil comprender la conclusión de que "los tacos son las hamburguesas del siglo XXI". Sin duda, la especialista Denyse Selesnick no se equivoca cuando asegura que "América está cambiando". ¡Buen provecho!

www.laraza.com

39 ¿Qué significa?

Empareje cada palabra de la primera columna con su definición o sinónimo correspondiente en la segunda.

1. contundente	a. capacidad de compra
2. advertir	b. estar entre los primeros
3. la tendencia hacia	c. distribuidor de un producto
4. ampliar	d. que llena, que convence
5. pasar desapercibido	e. que no llama la atención
6. convocar	f. que va en aumento
7. proveedor	g. llamar a reunir
8. apuesta	h. extender
9. incluso	i. hasta
10. encabezar	j. restaurante, tienda, negocio
11. el creciente	k. inclinarse hacia
12. establecimiento	l. confianza en algo aunque conlleve un riesgo
13. poder adquisitivo	m. avisar

40 ¿Cuál es la pregunta?

Según lo que acaba de leer, escriba una pregunta lógica para estas respuestas.

1. Porque ahora tenemos gustos más sofisticados
2. 5.3 veces a la semana
3. Porque quieren convertirse en proveedores en restaurantes estadounidenses
4. La Asociación Nacional de Restaurantes

41 ¿Ha comprendido?

1. ¿Por qué incluyó la Asociación Nacional de Restaurantes un nuevo Pabellón de Cocina Internacional?
   a. Porque quieren ser más étnicos
   b. Porque venden mucha salsa
   c. Porque el director es mexicano
   d. Porque los gustos en este país están cambiando

2. ¿Qué es La Sabrosa?
   a. Las palabras que describen la salsa mexicana
   b. Una compañía que está en Guatemala, Uruguay, España, México y Brasil
   c. Una compañía que lleva salsa al mercado estadounidense
   d. Un grupo de famosos mariachis que asistieron a la convención anual
3. Según el artículo, ¿cuál es la minoría en Estados Unidos que gasta menos en restaurantes?
   a. Los afro-americanos
   b. Los hispanos
   c. Los asiático-americanos
   d. Los extranjeros

¡Dato curioso! Hay multitud de tipos de salsas en México. Los principales ingrediente son tomate, chile (seco, ahumado con o sin venas) y alguna hierba (como hojas de aguacate, cilantro, hoja santa, etc.), cebolla y a veces ajo.

42 Más preguntas

1. Explique la oración "Los tacos son las hamburguesas del siglo XXI". ¿Está de acuerdo? ¿Por qué?
2. ¿Cuántas veces a la semana come la población latina en un restaurante? ¿Y Ud.?

43 Lea, escuche y escriba/presente 

Vuelva a leer el texto "EE.UU. consume más salsa que ketchup". Luego escuche la grabación "Comida latina, primer lugar en Estados Unidos" y tome las notas necesarias. Escriba un ensayo o haga una presentación en clase sobre "El auge de los restaurantes étnicos en los Estados Unidos". No se olvide de citar las fuentes debidamente.

Dicho

Desayunar como rey, comer como príncipe y cenar como mendigo.

¿Qué cree que significa este viejo dicho? ¿Es así como come Ud.? Hable sobre esto con un/a compañero/a.

¡Dato curioso!

Los chiles picantes son muy apreciados por muchos, y temidos por otros tantos. El color rojo no indica que el chile va a ser picante. Lo que en realidad pica son las venas del chile, y no la semilla como muchos creen. Si algunas de esas semillas pican es por estar en contacto con dichas venas. Aquellas venas que tienen color amarillento indican que ese chile va a ser muy potente. En ese caso, después de comerlo, un remedio es tomar leche, yogur, helado, pan, zumo de tomate o limón. No se aconseja beber agua.

¡A escuchar!

44 El sabor de Colombia

Esta grabación trata de la fabulosa comida colombiana, los platos típicos y su amplia variedad de fruta. La grabación dura aproximadamente 4 minutos. Lea las preguntas primero y después escuche "Descubrir el sabor de Colombia". Luego conteste las preguntas.

1. ¿Qué culturas han influido en la gastronomía de Colombia?
2. Nombre tres platos típicos del país.
3. ¿En qué consiste uno de los platos más llamativos del país conocido como "la hormiga culona"?
4. ¿Por qué se dice que las frutas son el tesoro de Colombia?
5. Nombre cinco frutas que se cultivan en Colombia.
6. Si quisiera consultar otra fuente, ¿podría pensar en un posible título de una publicación?
7. ¿Cómo resumiría lo que escuchó en una frase?

Un vendedor de plátanos en Armenia, Colombia

45 Sazón con tradición

Esta grabación es sobre un restaurante en el que el menú incluye un poco de cada país latino. La grabación dura aproximadamente 5 minutos. Lea las posibles respuestas primero y después escuche "Sazón con tradición". Después escoja la mejor respuesta para cada pregunta.

1. ¿A partir de cuándo le apetece al latino que deja su tierra tomar comida típica de su país?
   - a. En cualquier momento
   - b. Después de unas semanas
   - c. Después de varios años
   - d. No se sabe.

2. ¿De dónde proviene el menú del restaurante?
   - a. De Venezuela, Bolivia, Guatemala y Portugal
   - b. De Venezuela, Bolivia, Guatemala y Panamá
   - c. De Venezuela, España, Guatemala y Colombia
   - d. De todos los países latinoamericanos, España y Portugal

3. ¿Qué seleccionó el chef García para su menú?
   - a. Eligió lo más original.
   - b. Eligió lo más reconocido.
   - c. Eligió lo que más se echa de menos.
   - d. Eligió las mejores recetas.

4. ¿Qué es lo más interesante que ofrece el chef en su restaurante?
   - a. La variedad
   - b. La creatividad
   - c. El colorido
   - d. El precio

46 Participe en una conversación 

Ud. va a participar en una conversación. Primero lea la descripción de la conversación y piense en algunas palabras o expresiones que le serían útiles. Organice sus ideas, haciendo predicciones sobre lo que se le pueda preguntar o comentar. Una descripción de lo que va a escuchar aparece abajo en color. Participe en la conversación grabando las respuestas o escribiéndolas en su cuaderno.

Escena: Ud. es la tía de Juan, quien la ha llamado porque quiere preparar un plato auténtico de un país hispánico para el club de español. Él sabe que Ud. es famosa en todo San Antonio por su don en la cocina.

Ud.: • (*Suena el teléfono.*) Conteste.

Juan: Juan la llama por teléfono y la saluda.

Ud.: • Salúdelo.
• Pregúntele sobre su llamada.

Juan: Le explica por qué la ha llamado.

Ud.: • Dele detalles.

Juan: Sigue la conversación. Le hace una pregunta.

Ud.: • Conteste su pregunta y continúe con otros detalles.

Juan: Sigue la conversación.

Ud.: • Dele un consejo.

Juan: Se despide, pero le hace otra pregunta.

Ud.: • Contéstele y despídase.

¡A escribir!

47 Texto informal: una carta 

Escríbale una carta a su abuela en la que le habla de su experiencia cuando les preparó a sus amigos una de sus famosas recetas. Hable sobre:

- La receta que decidió preparar
- El motivo de su elección
- Cómo fue la elaboración del plato
- Cómo reaccionaron sus compañeros

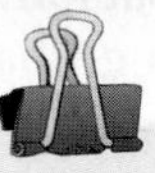

Consejo
Antes de empezar, lea las pautas para escribir textos informales en la pág. 480 del Apéndice. Mientras escribe el texto tenga presente los objetivos. Cuando termine, verifique que ha cumplido con todo lo que se describe en la lista y reflexione sobre su trabajo.

48 Texto informal: un correo electrónico 

Un nuevo estudiante de intercambio de Chile está en su clase. Escríbale un correo electrónico y explíquele cómo son las comidas y costumbres relacionadas con la comida en los Estados Unidos, para evitar que él tenga un choque cultural a la hora de comer. Incluya lo siguiente:

- Primero, dele la bienvenida al país.
- Describa la comida en los Estados Unidos y los platos que él debe probar. Incluya los platos típicos de su región.
- Mencione los horarios y otras costumbres relacionadas con la comida aquí y pregúntele cómo se comparan con lo que se hace en Chile.
- Hágale un par de sugerencias, y deséele una buena estancia.

49 Ensayo: comer en casa 

Hoy en día cada vez más personas optan por comer en un restaurante o comer algo por la calle. Escriba un ensayo contestando la pregunta, "¿Piensa Ud. que se debería comer más a menudo en casa"?

Consejo
Antes de empezar, lea las pautas para escribir ensayos en la pág. 480 del Apéndice. Mientras escribe el texto tenga presente los objetivos, y no se olvide de ponerle un título original. Cuando termine, verifique que ha cumplido con todo lo que se describe en la lista y reflexione sobre su trabajo.

50 Ensayo: las recetas de las abuelas 

En muchas ocasiones oímos a los mayores decir "En mis tiempos,..." o "Las cosas ya no son lo que eran...". Escriba un ensayo contestando las siguientes preguntas: "¿Qué piensa que les pasará a las recetas de las abuelas? ¿Qué recetas cree que sobrevivirán en veinte años y cuáles no? ¿Perdería su familia parte de su identidad si algunas no se conservaran?"

51 En parejas

Intercambie sus ensayos con un/a compañero/a. Exprésele su opinión sobre el contenido y el uso del idioma.

¡A hablar!

52 Charlemos en el café

Ud. va a debatir los siguientes temas con un/a compañero/a. Uno estará a favor de lo que se ha dicho y otro en contra. El debate durará varios minutos. El/La estudiante que esté de acuerdo comenzará el debate y hablará por unos dos minutos. Cuando el/la profesor/a lo indique, el/la otro/a estudiante tomará la palabra y expresará su opinión por otros dos minutos, y así sucesivamente.

1. Las comidas en familia son muy importantes y todos los miembros de una familia siempre deben cenar juntos.
2. La comida mediterránea es mucho mejor y más sana que la comida típica de los Estados Unidos.
3. El café y los refrescos con cafeína —por ser un tipo de droga— deberían estar prohibidos.
4. Es necesario comer una variedad de alimentos y probar comida exótica de vez en cuando.
5. Todo el mundo debe aprender a cocinar.

53 ¿Qué opinan?

Converse con un/a compañero/a sobre estas preguntas.

1. ¿Cuáles son los restaurantes más populares de la zona en la que vive? ¿A qué se debe?
2. ¿Cuáles son los quince alimentos imprescindibles de la cocina de los Estados Unidos?
3. ¿Cómo definiría la cocina americana?
4. ¿Cuál es el porcentaje que se le suele pagar a un/a camarero/a por sus servicios? ¿Piensa que el salario de los camareros debería ser pagado por los restaurantes como en otros países?

54 Presentemos en público

Conteste una de las siguientes preguntas o haga una presentación oral sobre uno de los temas durante varios minutos en clase. Organice sus ideas antes de hacer la presentación, busque las palabras necesarias y, después de practicar, presente en clase sin mirar las notas.

1. Para una familia grande, ¿cuáles son las ventajas y desventajas de comer en un restaurante o llevar comida hecha a casa?
2. Hable sobre el fenómeno de la comida rápida en los Estados Unidos.
3. Elija un país hispano y hable sobre la comida típica de allí.
4. Cada vez hay más personas que optan por evitar la carne y el pescado en sus dietas. ¿Qué piensa que les impulsa a las personas a tomar una decisión de este tipo?

Consejo

Antes de empezar, lea las pautas para presentaciones formales en la pág. 481 del Apéndice. Mientras formula su presentación tenga presente los objetivos. Cuando termine la presentación, verifique que ha cumplido con todo lo que se describe en la lista y reflexione sobre el trabajo que hizo.

Proyectos

55 ¡Manos a la obra! 

Trabaje en un grupo de cuatro o cinco estudiantes para llevar a cabo uno de los siguientes proyectos y presentarlo en clase.

1. Les han encargado que trabajen en la sección de gastronomía en el periódico del centro donde Uds. estudian. Decidan las diferentes secciones que van a haber. Por ejemplo, puede haber recetas, artículos, publicidad, cartas o tiras cómicas. Hagan el diseño y las ilustraciones o busquen fotos que van a acompañar esta sección.
2. Van a celebrar una feria de comida internacional. Decidan qué países deben de ser representados y qué comidas típicas van a preparar para la feria. Preparen un cartel o un anuncio publicitario con una lista de por lo menos cuatro países, sus platos típicos y la lista de ingredientes o las recetas para por lo menos cuatro de estos platos. Deben acompañar la presentación con ilustraciones o fotos.
3. Hoy en día es cada vez más evidente que los nuevos restaurantes siempre corren el riesgo de no tener éxito. Pero Uds. tienen una idea que no puede fallar, y por eso van a abrir un restaurante. Tengan presente lo siguiente: ¿Cuáles son tres factores importantes a considerar antes de abrir un nuevo restaurante? ¿Cómo van a garantizar que su restaurante no va a fracasar? ¿Cuál sería un buen nombre y lema? ¿Cómo lo piensan decorar? Presenten su proyecto a los posibles inversores (o sea, sus compañeros de clase). Diseñen un cartel o un anuncio para el periódico y un menú. Asimismo, describan el lugar del establecimiento y sus horas.

La bombonería La Violeta, Madrid

Vocabulario

Verbos

aclarar	to be clear, to clear up
actualizarse	to be up-to-date
advertir (ie)	to warn
alabar	to praise
alardear	to boast
antojarse	to have a craving for, feel like
añadir	to add
arder	to burn
batir	to beat
calentar	to heat
canturrear	to hum
cocer (ue)	to cook
cortar	to cut
degustar	to taste, sample
ensuciarse	to get dirty
freír (i)	to fry
hervir (ie)	to boil
mezclar	to mix
mojar	to soak, wet
morder	to bite
picar	to snack, to chop
quedarse	to stay
quemar	to burn
quitar	to remove
rechazar	to reject
sofreír (i)	to sauté, fry lightly
tapar	to cover
trocear	to chop, to cut

Verbos con preposición

verbo + a:

añadir a	to add to

verbo + con:

servir (i) con	to serve with

verbo + de:

acordarse (ue) de	to remember
llenarse de	to fill up with
provenir de	to come from

verbo + en:

insistir en	to insist on

verbo + por:

apostar por	to bet on

Sustantivos

el	**aceite de oliva**	olive oil
el	**apetito**	appetite
el	**aroma**	aroma
el	**asa** (*f.*)	handle
el	**barro**	clay
el	**batido de chocolate**	milk shake, chocolate milk
el	**bizcocho**	sponge cake
la	**canela**	cinnamon
la	**cáscara**	rind, (egg) shell
el/la	**comensal**	table guest
la	**corteza**	skin (*of fruit*)
el	**cubierto**	cover (plate, napkin, etc. set for each *comensal*); cutlery
el	**cultivo**	crop
la	**debilidad**	weakness
el	**diente (de ajo)**	clove (of garlic)
el	**éxito**	success
el	**fogón, la cocina**	stove
la	**golosina, el dulce**	candy
la	**grasa**	fat
el	**gusto**	taste
la	**harina**	flour
el	**horno (de leña)**	(wood-burning) oven
el	**manjar**	special dish, delicacy
la	**masa**	dough
la	**mazorca**	corncob
la	**mezcla**	mixture
el	**miel**	honey
la	**miga (de pan)**	inside part of bread
el	**parador**	roadside inn, state-owned hotel
la	**pasa**	raisin
la	**pastilla**	tablet, pill
la	**pechuga**	breast (*of fowl*)
el	**pedazo**	piece
la	**piel**	skin
el/la	**propietario/a**	owner
el	**puerto**	port
el	**puñado**	handful, fistful
el	**recipiente**	container
el	**sabor**	flavor
la	**sazón**	flavoring, seasoning
la	**semilla**	seed
la	**taza**	cup
la	**vainilla**	vanilla
la	**velada**	evening, get-together

Adjetivos

acogedor(a)	cozy, welcoming
adecuado, -a	appropriate
amargo, -a	bitter
amenazador(a)	threatening
amplio, -a	wide
comida para llevar	take-out food
congelado, -a	frozen
contundente	convincing, conclusive
copioso, -a	abundant
crudo, -a	raw

cubierto, -a	covered
desapercibido, -a	unnoticed
eficaz	effective, efficient
esmerado, -a	careful, meticulous
espeluznante	horrifying, terrifying
espeso, -a	thick
étnico	ethnic
goloso, -a	having a sweet tooth
lleno, -a	full
pegajoso, -a	sticky
rico, -a	good, delicious
salado, -a	salty
seco, -a	dry
sorprendente	surprising
soso, -a	bland

Expresiones

abrir el apetito	to whet someone's appetite
además de	besides, apart from
al fin y al cabo	finally
al gusto (de)	to order, to individual taste
darle asco	not to stand something, make someone sick
darle hambre	to make someone hungry
darle sed	to make someone thirsty
darle rabia a alguien	to make someone angry
(no) entrar en la cabeza	(not) to understand
(no) entrar por los ojos	to be easy (hard) on the eyes
estar a cargo de	to be in charge of
estar harto de	to be fed up with
estar para chuparse los dedos	to be finger-licking good
hace un rato	a while ago
hacerse la boca agua	to make one's mouth water
merecer / valer la pena	to be worth it
no poder ni ver algo (o alguien)	not to be able to stand something (or someone)
nunca digas de esta agua no beberé	you can never say that you won't do something
el poder adquisitivo	purchasing power
poner el mantel / la mesa	to set the table
ponerse como una sopa	to get soaked
ponerse como un tomate	to get very red
ponerse manos a la obra	to get to work
ser como pan comido	to be easy
ser más bueno que el pan	to be very good
tener buena (mala) pinta	to look good (bad)
tener malas uvas	to be nasty

A tener en cuenta

Usar sufijos para crear palabras nuevas:

-ado denota conjunto o golpe, entre otros significados:

la cuchara	la cucharada
el puño	el puñado

-ero denota pertenencia o relación:

el café	el cafetero
la sal	el salero

-udo y ***-azo*** denotan aumento y, a veces, burla:

la panza	el panzudo
el éxito	el exitazo

Lección B

Objetivos

Comunicación

- Hablar de las comidas y las dietas
- Discutir el tema del hambre mundial
- Hablar del impacto de la propaganda sobre lo que comemos

Gramática

- El imperfecto, el presente perfecto y el pluscuamperfecto del subjuntivo
- El condicional perfecto del indicativo

"Tapitas" gramaticales

- las preposiciones que siguen a algunos verbos
- *ni...ni*
- los demostrativos
- algunos usos del subjuntivo
- el significado de *crear* y *creer*
- el prefijos *hiper-* y *des-*

Cultura

- Los *freegans*
- La alimentación vegetariana
- La carne
- El hambre
- Comer en Madrid
- Hábitos cuando va de compras
- Los menús escolares
- La comida rápida
- La comida como Patrimonio de la Humanidad
- Los alimentos alterados genéticamente

Para empezar

1 Conteste las preguntas

Piense en las respuestas a las siguientes preguntas. Ud. puede tomar notas si lo considera necesario. Cuando termine, compare sus respuestas —pero sin mirar sus notas— con las de un/a compañero/a.

1. ¿Desayuna Ud. todos los días? ¿Qué suele tomar para desayunar?
2. ¿Toma café por la mañana o durante el día? ¿Cuánto toma? ¿Cómo le afecta a Ud. la cafeína?
3. ¿Qué suele tomar en las distintas comidas? ¿Se salta alguna comida? ¿Cuál?
4. ¿Cómo piensa que ha cambiado la industria de alimentación en los últimos años?
5. ¿Toma alimentos orgánicos o ecológicos? ¿Qué piensa de este tipo de alimentos? ¿Cree que merece la pena pagar lo que cobran? ¿Por qué?
6. ¿Cuáles cree que son las razones por las que la gente toma tanta comida basura?
7. ¿Qué piensa de los alimentos alterados genéticamente?
8. ¿Ha comido alguna vez comida exótica, como insectos (por ejemplo, hormigas o saltamontes) en chocolate? Si no, ¿le gustaría probarlos?
9. ¿Cómo puede la comida orgánica proteger la vida del planeta? ¿Cómo se cultivan los productos orgánicos? ¿Por qué la comida orgánica siempre es más cara que otra que no sea orgánica?

2 Mini-diálogos

Va a crear un mini-diálogo con un/a compañero/a. Lea la descripción de la conversación antes de empezar. Puede tomar notas para organizar sus ideas, pero no las mire mientras conversa.

Escena: En el supermercado, dos personas están cerca de los puestos de fruta escogiendo algunas para llevar.

A: Ve a su amigo/a con un carrito lleno. Salúdelo/la y hágale un comentario sobre los precios de la comida y la calidad de la fruta.

B: Salude a su amigo/a y quéjese de la calidad de la fruta.

A: Dígale que está de acuerdo. Compare las manzanas con los melocotones.

B: Dígale que tiene razón. Exprese su preocupación por el uso de los productos químicos en la fruta.

A: Reaccione a su comentario. Dele otro ejemplo.

B: Despídase cordialmente con actitud negativa sobre el asunto.

A: Despídase cordialmente con actitud positiva sobre el asunto.

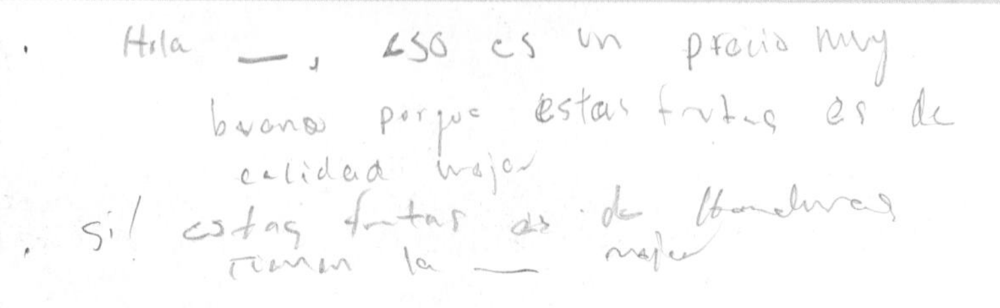

Cita

El amor es tan importante como la comida. Pero no alimenta.
—Gabriel García Márquez (1927–), escritor colombiano.

¿Qué cree que quiso decir Gabriel García Márquez con esto? ¿Puede pensar en ejemplos en los que se podría usar esta cita?

¡Dato curioso!

La comida orgánica es un sistema de nutrición en el que las frutas, legumbres y verduras son cultivadas sin pesticidas y regadas con agua natural no tratada, es decir, no dañan de ninguna forma la tierra. Algunos dicen que es un tipo de alimentación que protege la vida del planeta y la salud de los consumidores.

Vocabulario y gramática en contexto

3 Un blog

Túrnese con un/a compañero/a para leer los comentarios que un médico ha escrito en un blog sobre la comida. Fíjese en las palabras que aparecen en azul (relacionadas con el vocabulario) y en rojo (relacionadas con la gramática), ya que en las siguientes actividades se le harán preguntas sobre ellas.

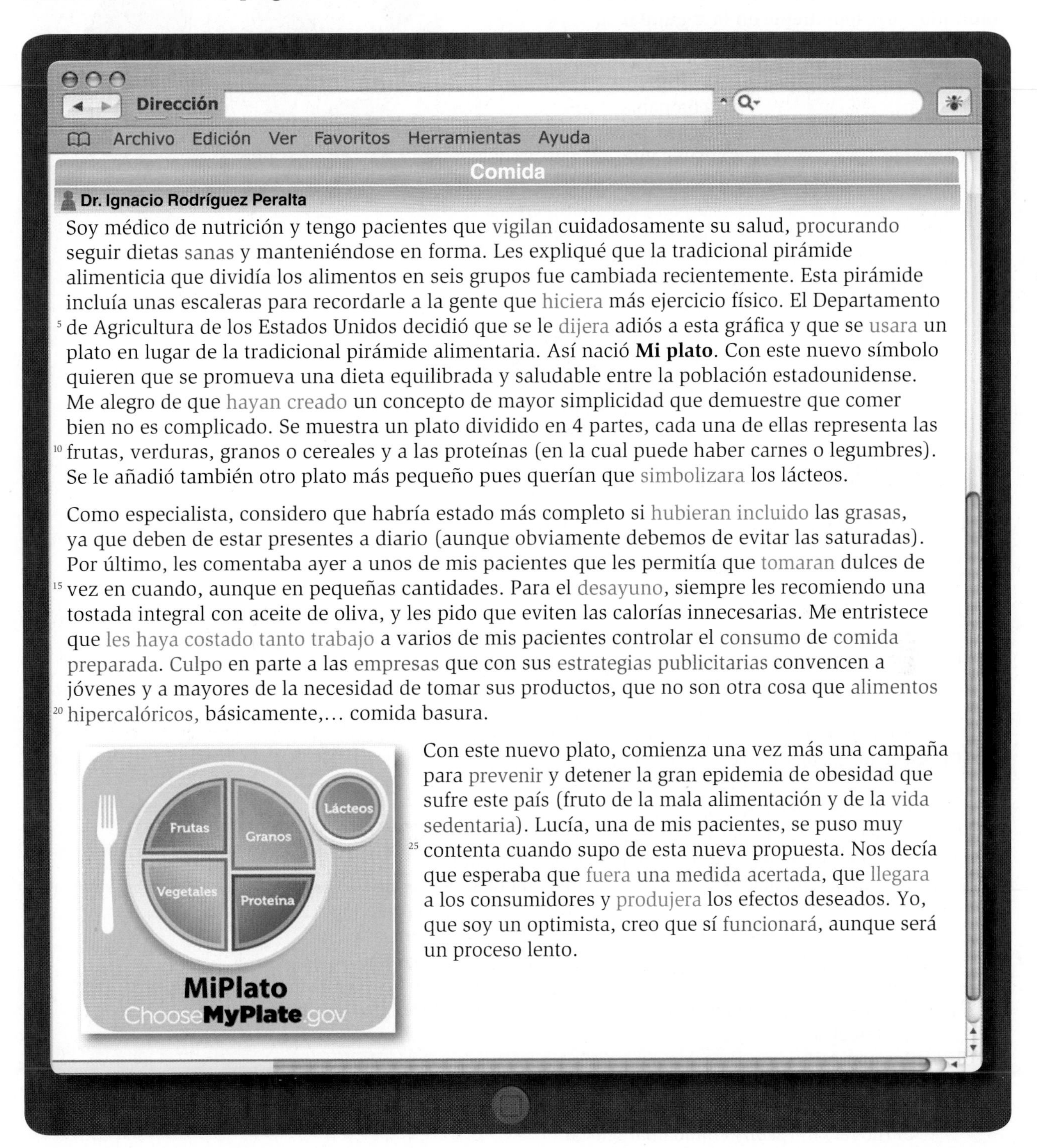

Soy médico de nutrición y tengo pacientes que vigilan cuidadosamente su salud, procurando seguir dietas sanas y manteniéndose en forma. Les expliqué que la tradicional pirámide alimenticia que dividía los alimentos en seis grupos fue cambiada recientemente. Esta pirámide incluía unas escaleras para recordarle a la gente que hiciera más ejercicio físico. El Departamento de Agricultura de los Estados Unidos decidió que se le dijera adiós a esta gráfica y que se usara un plato en lugar de la tradicional pirámide alimentaria. Así nació **Mi plato**. Con este nuevo símbolo quieren que se promueva una dieta equilibrada y saludable entre la población estadounidense. Me alegro de que hayan creado un concepto de mayor simplicidad que demuestre que comer bien no es complicado. Se muestra un plato dividido en 4 partes, cada una de ellas representa las frutas, verduras, granos o cereales y a las proteínas (en la cual puede haber carnes o legumbres). Se le añadió también otro plato más pequeño pues querían que simbolizara los lácteos.

Como especialista, considero que habría estado más completo si hubieran incluido las grasas, ya que deben de estar presentes a diario (aunque obviamente debemos de evitar las saturadas). Por último, les comentaba ayer a unos de mis pacientes que les permitía que tomaran dulces de vez en cuando, aunque en pequeñas cantidades. Para el desayuno, siempre les recomiendo una tostada integral con aceite de oliva, y les pido que eviten las calorías innecesarias. Me entristece que les haya costado tanto trabajo a varios de mis pacientes controlar el consumo de comida preparada. Culpo en parte a las empresas que con sus estrategias publicitarias convencen a jóvenes y a mayores de la necesidad de tomar sus productos, que no son otra cosa que alimentos hipercalóricos, básicamente,... comida basura.

Con este nuevo plato, comienza una vez más una campaña para prevenir y detener la gran epidemia de obesidad que sufre este país (fruto de la mala alimentación y de la vida sedentaria). Lucía, una de mis pacientes, se puso muy contenta cuando supo de esta nueva propuesta. Nos decía que esperaba que fuera una medida acertada, que llegara a los consumidores y produjera los efectos deseados. Yo, que soy un optimista, creo que sí funcionará, aunque será un proceso lento.

4 La pirámide alimenticia

Compare la antigua pirámide alimenticia que se muestra al lado con "Mi plato". Explique los cambios.

5 Amplíe su vocabulario

Según el contexto del artículo anterior, empareje las palabras de la primera columna con su definición o sinónimo correspondiente en la segunda.

1. vigilar	a. vida con poca actividad física
2. procurar	b. compañía
3. sano	c. observar cuidadosamente
4. grasa	d. saludable
5. consumo	e. acción adecuada
6. comida preparada	f. ir bien, marchar bien
7. culpar	g. la toma de alimento o bebida
8. empresa	h. tratar de
9. alimento hipercalórico	i. prever
10. prevenir	j. manteca, tocino, aceite
11. vida sedentaria	k. comida con muchas calorías
12. medida acertada	l. hacer responsable a alguien, echar la culpa
13. funcionar	m. comida ya hecha

6 El subjuntivo 

Haga las siguientes actividades sobre el subjuntivo.

I. Imperfecto del subjuntivo

Conjugue los verbos en paréntesis en el presente del subjuntivo. Después, cambie las frases al pasado. **Nota:** El imperfecto del subjuntivo se suele usar en las mismas situaciones en las que se usa el presente del subjuntivo. La diferencia es que el verbo en la oración principal está en pasado.

a. Te ruego que ________ (conseguir) tomates maduros.
b. A mi abuela le gusta que ________ (freír) bien la carne.
c. Temo que no te ________ (satisfacer) lo que estoy preparando.

II. Presente perfecto y pluscuamperfecto

1. Explique cuándo se usa cada tiempo:
   a. presente perfecto del subjuntivo
   b. pluscuamperfecto del subjuntivo
2. Complete las siguientes frases con el tiempo adecuado.
   a. Espero que mi madre ________ (cocinar) mi plato preferido.
   b. Esperaba que mis tíos nos ________ (cocinar) mi plato preferido.
   c. Nos molestaba que nadie nos ____________ (traer) comida al picnic.
   d. Estoy en contra de que vosotros _______ (poner) las tapas en la mesa.
   e. Estaba en contra de que Uds. ya ____________ (imprimir) el menú sin consultarme.
   f. No nos molesta que los invitados ________ (romper) los platos que trajimos para los tamales.

III. Cláusulas con "si"

1. ¿Cuáles son los tres tipos de cláusulas con "si"? Explíquelos usando esta frase como ejemplo:
   Si (llover) tú (pedir) comida para llevar.

7 "Tapitas" gramaticales

Conteste estas preguntas relacionadas con el blog de la Actividad 3.

1. La palabra "desayuno" va precedida por el prefijo *"des"*. ¿Qué significa? Añada el prefijo a las siguientes palabras y explique cómo cambia el significado.
   - equilibrio
   - igual
   - nutrición
   - orden
2. La palabra "calórico" va precedida por el prefijo *"hiper"*. ¿Qué significa? Añada el prefijo a las siguientes palabras y explique cómo cambia el significado.
   - activo
   - mercado

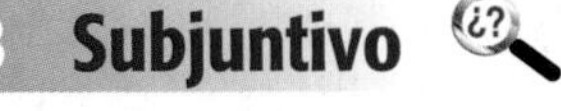

8 Subjuntivo

Complete las siguientes oraciones usando la forma correcta del verbo entre paréntesis. Se puede usar el infinitivo, el indicativo (presente, pretérito, imperfecto, etc.), o el subjuntivo (presente o pasado).

1. El cliente indeciso le suplicó al cocinero que le ___ (*sugerir*) un plato.
2. Dudaban que sus amigos les ___ (*poder*) echar una mano.
3. Era necesario que ella ___ (*comprender*) la gravedad del asunto.
4. Se alegraba de que Uds. ___ (*venir*) a visitarlo.
5. ¿Preferías que nosotros ___ (*conducir*) a Sacramento?
6. Te aconseja que ___ (*oír*) la conferencia sobre la desnutrición.
7. No es preciso ___ (*bombardear*) a los consumidores con tanta publicidad.
8. Elena negó que sus padres ___ (*ser/estar*) en la reunión de anoche.
9. Es dudoso que mi tío ___ (*almorzar*) con un actor famoso.
10. ¿Cuántas veces te he dicho que ___ (*averiguar*) cuál es la receta?

9 Tiempos perfectos

Lea el siguiente texto y complételo con la forma correcta del verbo entre paréntesis.

Comer de la basura por elección propia

María Jesús dice que esta semana __1.__ (*ver*) un documental muy interesante sobre los "freegans". Yo nunca __2.__ (*hablar*) de este movimiento antes, y no me lo habría creído si no me lo __3.__ (*contar*) mi amiga. Parece ser que en el documental que vio había varías personas que contaban por qué __4.__ (*convertirse*) en "freegans". En la entrevista un señor explicaba que no es que __5.__ (*ponerse*) a buscar comida entre los contenedores de basura porque no tuviera dinero, pues tenía un buen trabajo en una compañía. Lo hacía por motivos éticos y políticos. Un día decidió acabar con el estilo de vida consumista que __6.__ (*llevar*) hasta entonces y decidió vivir una vida más solidaria aprovechando los alimentos que __7.__ (*tirar*) a la basura otras personas. Parece que a María Jesús le __8.__ (*afectar*) mucho todo esto. No me extrañaría que __9.__ (*decidir*) convertirse en "freegan" o hacer algo parecido pues sabes que ella siempre __10.__ (*tomar*) una postura en contra del consumismo capitalista. La verdad es que me impresiona que haya personas sin necesidades económicas a las que no les importe que la comida __11.__ (*ser / estar*) reciclada de los desechos de otros. Por otro lado valoro su coraje y determinación. Pero honestamente,... no sé cómo habría reaccionado si antes de hablar con María Jesús __12.__ (*ver*) a un amigo comiendo de la basura.

10 Resuma

¿Cuál cree que es el propósito del movimiento de los "freegans"? ¿Qué piensa de esto? Dé ejemplos con algo que haya vivido, observado o estudiado.

11 Cláusulas con "si" 

Lea el siguiente texto y complételo usando la forma correcta del verbo entre paréntesis.

La comida rápida y sus trampas

Hoy en día, si __1.__ (*pensar*) en una de las razones por las que la gente toma comida basura, diría que es por la falta de tiempo. La gente comería mejor, si no __2.__ (*haber*) un culto excesivo a la comodidad de la vida moderna. Si __3.__ (*elegir*) comer comida rápida, evita aquélla que tenga grasas, mucha sal y calorías. Mi hermano pequeño dice que si le __4.__ (*preguntar*) por qué las toma con tanta frecuencia contestaría que lo hace porque tienen buen sabor, son baratas y se pueden comer en pocos minutos. Mi otro hermano que está en la universidad dice si no __5.__ (*tener*) que lavar platos comería mejor. Insiste en que quizás __6.__ (*alimentarse*) mejor estos años si hubiera sido posible tomar comida sana en cualquier lugar y hasta de pie. Me frustro porque a veces él habla como si __7.__ (*ser/estar*) dificilísimo lavar un plato o una sartén después de cocinar. Si los consumidores __8.__ (*ser/estar*) más conscientes de las consecuencias irreversibles que produce esta forma de comer, mejoraríamos enormemente nuestra salud. Es evidente que __9.__ (*comer*) mejor durante los últimos años si me hubiera parado a reflexionar sobre actos que atentan gravemente contra mi salud. Si __10.__ (*haber*) menos comida basura o pedido menos comida por teléfono mi cuerpo lo habría agradecido. Vale la pena que __11.__ (*hacer*) un esfuerzo para modificar aquellas costumbres que van contra nuestro bienestar. Influiríamos positivamente en aquéllos que están a nuestro alrededor, si todos __12.__ (*aportar*) nuestro granito de arena.

12 Subjuntivo mixto

Complete las siguientes oraciones usando la forma correcta del verbo entre paréntesis.

1. No tendría sobrepeso si ___ (*mantener*) una vida menos sedentaria.
2. No es que Raúl ___ (*padecer*) de una enfermedad, es que es muy perezoso.
3. El profesor les recordó que no ___ (*traducir*) las palabras, sino que pensaran en español.
4. Es preciso que no les ___ (*reñir*) por ser vegetarianos. Sus padres deberían respetar su decisión.
5. Si hubieran roto la maquina dispensadora del local, posiblemente ___(*huir*).
6. Es obvio que la muchedumbre insistía en que se ___ (*promover*) la vida sana y en que se ___ (*prevenir*) enfermedades.

13 Subjuntivo mixto

Complete las siguientes oraciones usando la forma correcta del verbo entre paréntesis.

1. ¿No te molesta que tu padre ___ (*leer*) hoy tus correos electrónicos sin permiso?
2. Es menester que alguien les ___ (*sugerir*) una carne magra.
3. Más vale que tus vecinos ___ (*dejar*) encendidas las luces.
4. ¿Tú crees que es raro que ___ (*seguir*) una dieta hace poco?
5. Dile a tu tío que ___ (*descargar*) la compra en la puerta de detrás.
6. Es cierto que la calidad de los productos es pésima, más vale que el fabricante no los ___ (*entregar*).
7. Los vendedores de los puestos están preocupados ya que puede ser que ___ (*nevar*) e incluso ___ (*granizar*) esta tarde.

Idioma

14 Familia de palabras

Complete la tabla con el verbo, sustantivo o adjetivo apropiado y la traducción correspondiente.

Verbos		Sustantivos		Adjetivos	
afectar	*to affect, have an effect on*	el efecto	*effect*	afectado	________
________	*to feed*	la alimentación	*nourishment, feeding*	alimenticio, alimentario	________, ________
amenazar	*to threaten*	________	*threat*	amenazante	________
consumir	________	el consumo; el/la consumidor (a)	*consumption;* ________	consumido	________
contaminar	*to pollute*	________	*pollution*	contaminado	________
empeorar	________	empeoramiento	*the worst part*	peor	________
engrasar	*to grease*	la grasa	________	grasiento, grasoso	________
________	*to balance*	el equilibrio	*balance*	________	*balanced*
________	*to improve*	la mejora	________	________	*best*
repartir	*to distribute*	el reparto	________	________	*distributed*
surtir	________	el surtido	*assortment*	________	*stocked, supplied*
X		la carne	________	cárnico	________
X		la leche	________	lácteo	________
X		la obesidad	________	obeso	*obese*
X		los vegetales; las legumbres	*vegetables;* ________	vegetariano; vegetal	________; ________

15 ¿Verbo, sustantivo o adjetivo?

Complete las oraciones usando la forma correcta de las palabras que aparecen en la tabla, ya sea verbo, sustantivo o adjetivo. En el caso del sustantivo puede que necesite artículo.

1. Es difícil ___ (*alimentar*) a una familia numerosa. El costo de la comida es espantoso.
2. Algunos nutricionistas dicen que nosotros ___ (*amenazar*) nuestra salud cuando comemos tanta comida con aditivos.
3. Siempre salen estudios sobre cómo ___ (*afectar*) a los niños la propaganda de la comida basura.
4. En la primavera, a los pescadores del noroeste de los Estados Unidos les gusta pescar cuando los ríos están ___ (*surtir*) de salmones.
5. En algunos menús de restaurantes de comida rápida, aparecen ya platos ___ (*vegetal*) con legumbres y vegetales como zanahorias, pepinos y lechuga.
6. Me alegro que la propaganda a favor de la comida sana ___ (*mejorar*) algunas de las opciones que ofrecen los restaurantes.
7. Un almuerzo ___ (*equilibrar*) consiste en poca carne, muchas legumbres frescas y fruta.
8. Muchos niños americanos tienen sobrepeso por falta de ejercicio pero ___ (*obeso*) crece como problema mundial.
9. Me gusta ayudar en ___ (*repartir*) de comida a los sin hogar.
10. Muchos ___ (*consumir*) de hamburguesas prefieren tomarlas con papas fritas.
11. El uso de productos químicos ___ (*contaminar*) la calidad de muchos alimentos.
12. El ama de casa siempre tiene un gran ___ (*surtir*) de alimentos sanos en casa.

continúa

13. Lo ___ (*mejor*) de la comida orgánica es que es muy saludable. Lo ___ (*peor*) es que cuesta más.
14. No tolero bien los productos ___ (*leche*) como el helado, la crema o el queso.
15. ___ (*Consumir*) de mucho café puede hacerle daño.
16. Comer mucha comida basura ___ (*amenazar*) la salud de los jóvenes.
17. A los vegetarianos no les apetecen los productos ___ (*carne*) porque no consumen carne.
18. Muchas veces los dueños de los restaurantes basan sus menús especiales en los gustos de los ___ (*consumidor*).
19. Muchas nuevas madres necesitan consejos con ___ (*alimentar*) de sus bebés.
20. La falta de ejercicio puede ___ (*empeorar*) la salud de cada persona.

¡Dato curioso! La vainilla procede de un tipo especial de orquídea. La vainilla es originaria de México. Cuando trataron de exportarla a otros climas tropicales, florecieron pero no se produjeron vainas. Se descubrió que una abeja nativa de México era la única que podía polinizar las flores de la vainilla. Los intentos de desplazar también esa abeja a otros países fracasó, y no pudo extenderse su cultivo hasta que un joven descubrió un método artificial de polinización que hizo que México perdiera el monopolio de la vainilla. La vainilla natural hace que el cuerpo genere sustancias como adrenalina, y por ese motivo se le considera un poco adictiva. Se ha descubierto que la vainilla también ayuda a combatir algunas infecciones bacterianas.

16 El hambre

Este artículo trata del hambre y la desigualdad en el mundo. Lea el artículo y complete los espacios con la palabra adecuada. Después conteste las siguientes preguntas:

- ¿Cuál es el propósito del artículo?
- ¿Cómo resumiría el artículo en una frase?
- Si quisiera consultar otra fuente, ¿podría pensar en un posible título de una publicación?

El mundo en desequilibrio

Tres __1.__ (*cuarto / cuartas*) partes de la humanidad no han probado ni probablemente probarán una hamburguesa de queso, ni una bolsa de patatas fritas, __2.__ (*o / ni*) los bollos rellenos de chocolate. Jamás tendrán problemas con el colesterol ni se pelearán con la báscula. ¿Saben cuidarse? No. Las tres cuartas partes de la humanidad __3.__ (*pasa / pasan*) hambre.

Mientras miles de personas mueren cada año por las enfermedades derivadas del abuso de alimentos, la __4.__ (*mejor / mayor*) parte del planeta no tiene qué comer. Las cifras son tan espectaculares que la imaginación no alcanza para valorar la gravedad de la situación. Más de 30.000 personas mueren todos los días __5.__ (*de la / de*) hambre en el mundo; de ellas, tres cuartas partes son personas __6.__ (*menores / mayores*) de cinco años. Eso supone la muerte de 11 millones de personas __7.__ (*el / al*) año, además de los millones que padecen enfermedades relacionadas tanto con la falta de vitaminas y minerales, como con la contaminación de los alimentos y la insalubridad del agua. Según las fuentes, las cantidades varían, posiblemente porque es absolutamente imposible __8.__ (*que calcule / calcular*) los números reales de la tragedia de la hambruna. La esperanza de vida en un país subdesarrollado se __9.__ (*situa / sitúa*) en torno a los 38 años, mientras que en el primer mundo se alcanzan con facilidad los 70. La desnutrición crónica provoca un crecimiento limitado, fatiga permanente y debilidad __10.__ (*extremo / extrema*), lo que hace al cuerpo mucho más vulnerable al padecimiento de todo tipo de enfermedades. En un estado grave de desnutrición, una persona no es capaz de mantener ni __11.__ (*cualquiera / siquiera*) las funciones vitales básicas. En 2002, la Organización de las Naciones Unidas __12.__ (*para / por*) la Agricultura y la Alimentación (FAO) dio la voz de alarma: la reducción del hambre en el mundo se ha detenido. __13.__ (*Somos / Estamos*) muy lejos de alcanzar el objetivo de la Cumbre Mundial de la Alimentación de 1996, que ponía de plazo hasta el 2015 para reducir a la mitad el número de personas que __14.__ (*sufre / sufren*) hambre. Para lograr este propósito, la disminución de personas hambrientas debería __15.__ (*ser / estar*) de 24 millones por año, cosa que está lejos de las cifras actuales. El África Subsahariana sigue registrando las peores cifras. Para realmente poner freno al problema del hambre sería __16.__ (*necesario / necesaria*) una actuación coordinada a nivel global, con la colaboración de todo el mundo desarrollado, consciente __17.__ (*a / de*) que un problema de semejante envergadura hipoteca el futuro de todos. No es posible __18.__ (*mantener / mantenerse*) siempre en el desequilibrio. La FAO ha calculado que serían necesarios 24.000 millones de euros anuales hasta el año 2015 para reducir a la mitad las cifras del hambre. No es demasiado dinero, __19.__ (*teniendo / tener*) en cuenta el que se emplea para otros fines. Numerosos estudios se han encargado de dejar __20.__ (*claro / claros*) que el problema no es la escasez, __21.__ (*pero / sino*) una mala gestión empeñada en servir a los intereses del primer mundo. Tampoco es cierto que falte tierra para cultivar, ya que por distintas razones, sólo un 44% del terreno cultivable se dedica a la producción de alimento. El resto no produce. Los terratenientes y las grandes empresas propietarias consideran el suelo __22.__ (*como / cómo*) una inversión rentable, más que una fuente de alimento. Por otra parte, muchas de las que sí se cultivan están dedicadas enteramente a la exportación. El desigual reparto de las tierras deja desposeídos a los campesinos locales y es una de las principales razones de la escasez de __23.__ (*alimentos / unos alimentos*). Si las tres cuartas partes del planeta no reciben su ración, cabe preguntarse, ¿cuánto consume el cuarto restante? Y también, ¿cuánto alimento se tira en el mundo desarrollado?

www.revistafusion.com

17 Amplíe su vocabulario

Según el contexto del artículo anterior, ¿cuál es la mejor traducción?

1. bollo relleno
   a. stuffed cake b. filled roll
   c. ice-cream filled d. none of these
2. báscula
   a. level of cholesterol b. diet
   c. scale d. image
3. cifra
   a. number b. code
   c. statistic d. quote
4. alcanzar
   a. to reject b. to imply
   c. to reveal d. to reach
5. valorar
   a. to devalue b. to attain
   c. to value d. to consider
6. tres cuartas partes
   a. 25% b. 3 out of 4
   c. 34% d. 70%
7. insalubridad del agua
   a. stagnant water b. unhealthiness of water
   c. murky water d. lack of fresh water
8. fuente
   a. fountain b. research
   c. source d. number
9. poner plazo
   a. to put a time limit b. to put in the forefront
   c. to put a halt to d. to put down
10. lograr
    a. to end b. to achieve
    c. to locate d. none of these
11. poner freno
    a. to eliminate b. to accelerate
    c. to end d. none of these
12. envergadura
    a. heaviness b. girth
    c. with a vegetarian diet d. importance
13. encargarse
    a. to take charge b. to announce
    c. to feel responsible d. none of these
14. terrateniente
    a. landowner b. land lover
    c. down to earth d. none of these
15. desigual reparto
    a. unequal choice b. unequal favoritism
    c. unequal distribution d. unequal importance
16. desposeído
    a. possessed b. homeless
    c. poor d. none of these
17. cuarto restante
    a. remaining room b. remaining quarter
    c. still one-fourth d. one-fourth still
18. tirar
    a. to save b. to hoard
    c. to grow d. to throw away

18 Lea y escriba/presente

Vuelva a leer el texto completo sobre el hambre y, basándose en él, haga un resumen por escrito u oral contestando las siguientes preguntas:

- ¿Cuál es el tema principal del artículo?
- ¿Cuáles son otros tres temas relacionados al tema principal?
- ¿Cómo espera ayudar la organización FAO? ¿Cuáles son algunos obstáculos para resolver este problema?

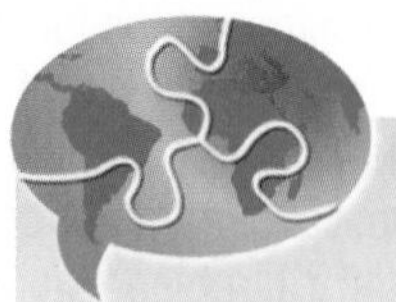

Compare

¿Piensa que el hambre es en la actualidad un problema en los EE.UU.? De serlo, ¿quiénes cree que son las personas o las zonas más afectadas? ¿Por qué? ¿Hacemos algo al respecto?

19 La alimentación vegetariana 

Lea el artículo y complete los espacios con la palabra adecuada. Después conteste las siguientes preguntas:

- ¿Cuál es el propósito del artículo?
- ¿Qué pregunta sería apropiada para hacerle al autor después de leer el artículo?

Dirección www.laraza.com

Archivo Edición Ver Favoritos Herramientas Ayuda

Mitos sobre la alimentación vegetariana

Existe la creencia popular de que la alimentación vegetariana es más saludable que una alimentación que incluya carne ___1.___ (*o*) otros productos derivados de animales. Lo cierto es que todo tipo de alimentación ___2.___ (*contar*) con beneficios nutritivos y puede también presentar aspectos problemáticos. La selección de alimentos que escoge la persona es el factor que determina si una alimentación ___3.___ (*ser*) saludable o no. Si se elige una alimentación vegetariana, es importante asegurarse de ingerir cantidades suficientes de vitamina B_{12} y calcio, especialmente durante la adolescencia. Una alimentación vegetariana bien planeada tiende a incluir niveles menores de grasa saturada y colesterol, así como niveles más ___4.___ (*alto*) de fibra y nutrientes derivados de las plantas que una alimentación no vegetariana. Especialistas en nutrición de la Extensión Cooperativa de la Universidad de California citan diversas investigaciones que ___5.___ (*indicar*) que una alimentación con ___6.___ (*tal*) características puede reducir el riesgo de desarrollar diabetes, presión arterial alta, problemas del corazón y obesidad. Sin embargo, los beneficios mencionados pueden obtenerse también con una alimentación que ___7.___ (*incluir*) productos animales. Planeando cuidadosamente y consumiendo carnes magras y productos animales con poca grasa, así como frutas y verduras, se puede llevar una alimentación con poca grasa saturada y colesterol y rica en fibra y nutrientes derivados de plantas. Además, el consumo de productos animales facilita obtener las cantidades recomendables de calcio, zinc, hierro y vitamina B_{12}. Si se desea seguir una dieta vegetariana, es importante elegir alimentos con miras a prevenir deficiencias de minerales y vitaminas. En particular, hay que asegurar el consumo de alimentos ricos en calcio, zinc, vitamina D y vitamina B_{12}, así como hierro en algunos casos. Entre las mejores fuentes de esta vitamina se ___8.___ (*encontrar*) los cereales, leche de soja y "carnes" vegetales fortificadas con vitamina B_{12}. El calcio es otra sustancia de importancia particular para los vegetarianos, especialmente si son adolescentes, pues el crecimiento principal de los huesos ocurre durante esos años. ___9.___ (*Quien*) consumen huevos y productos lácteos ___10.___ (*ingerir*) niveles de calcio iguales o mayores que quienes no consumen una alimentación vegetariana. Sin embargo, quienes evitan por completo el consumo de productos animales tienen niveles de calcio generalmente menores que los lacto-ovo-vegetarianos y los no vegetarianos. Los nutricionistas recomiendan que la manera más sencilla de consumir una alimentación saludable consiste en:

- incluir una amplia variedad de alimentos
- elegir aquéllos con poca grasa, colesterol y azúcar
- incluir alimentos con mucha fibra y
- comer todo con moderación.

20 ¿Qué significa?

Mire las palabras de la primera columna, que aparecen en la lectura anterior, y busque su definición o sinónimo en la segunda.

1. ingerir
2. tender a
3. fibra
4. magro
5. mira
6. deficiencia
7. soja
8. hueso
9. lacto-ovo-vegetariano
10. nutricionista

a. sin mucha grasa
b. planta leguminosa procedente de Asia
c. persona que no consume carne pero consume productos lácteos y de huevos
d. parte del esqueleto humano
e. defecto
f. consumir
g. especialista en nutrición
h. inclinarse
i. objeto o propósito
j. filamento de los tejidos orgánicos vegetales o animales

21 Lea, escriba/presente

Vuelva a leer el artículo completo sobre la alimentación vegetariana y luego escriba un menú para el desayuno, almuerzo y cena de un/a vegetariano/a, teniendo en cuenta los consejos en la lista al final del artículo. Busque información sobre la alimentación vegetariana, de los lacto-ovo-vegetarianos y de las vitaminas esenciales en cada dieta. Hable sobre la dificultad de encontrar platos vegetarianos en la mayoría de los restaurantes, y cómo se puede seguir una dieta vegetariana en un restaurante típico.

22 La carne 

Lea el artículo y complete los espacios con la palabra adecuada. Después conteste las siguientes preguntas:

- ¿Cuál es el propósito del artículo?
- Si quisiera consultar otra fuente, ¿podría pensar en un posible título de una publicación?

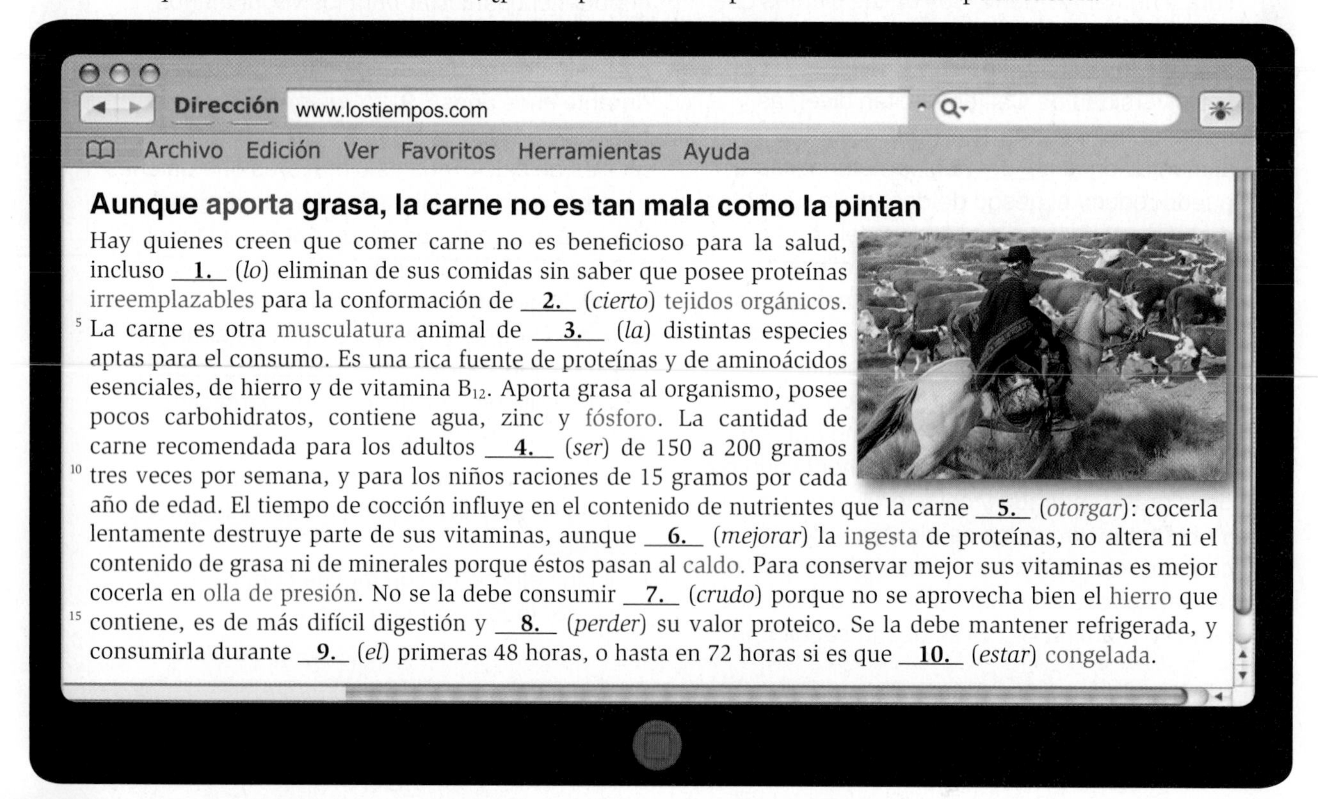

Aunque aporta grasa, la carne no es tan mala como la pintan

Hay quienes creen que comer carne no es beneficioso para la salud, incluso __1.__ (*lo*) eliminan de sus comidas sin saber que posee proteínas irreemplazables para la conformación de __2.__ (*cierto*) tejidos orgánicos. La carne es otra musculatura animal de __3.__ (*la*) distintas especies aptas para el consumo. Es una rica fuente de proteínas y de aminoácidos esenciales, de hierro y de vitamina B_{12}. Aporta grasa al organismo, posee pocos carbohidratos, contiene agua, zinc y fósforo. La cantidad de carne recomendada para los adultos __4.__ (*ser*) de 150 a 200 gramos tres veces por semana, y para los niños raciones de 15 gramos por cada año de edad. El tiempo de cocción influye en el contenido de nutrientes que la carne __5.__ (*otorgar*): cocerla lentamente destruye parte de sus vitaminas, aunque __6.__ (*mejorar*) la ingesta de proteínas, no altera ni el contenido de grasa ni de minerales porque éstos pasan al caldo. Para conservar mejor sus vitaminas es mejor cocerla en olla de presión. No se la debe consumir __7.__ (*crudo*) porque no se aprovecha bien el hierro que contiene, es de más difícil digestión y __8.__ (*perder*) su valor proteico. Se la debe mantener refrigerada, y consumirla durante __9.__ (*el*) primeras 48 horas, o hasta en 72 horas si es que __10.__ (*estar*) congelada.

23 Amplíe su vocabulario

Según el contexto del artículo que acaba de leer, empareje cada palabra de la primera columna con su definición o sinónimo de la segunda.

1. aportar	a. elemento químico, inflamable y luminoso en la oscuridad
2. irreemplazable	b. recipiente para cocer rápidamente
3. tejido orgánico	c. enfriado
4. musculatura	d. que no se puede sustituir
5. fósforo	e. líquido que resulta de cocer los alimentos en agua
6. otorgar	f. el metal más empleado en la industria
7. ingesta	g. acción de ingerir
8. caldo	h. estructura de células de los órganos
9. olla de presión	i. conjunto de los músculos del cuerpo
10. hierro	j. contribuir
11. congelado	k. dispensar, ceder

24 Lea, escuche y escriba/presente

Vuelva a leer el texto completo de la Actividad 22 y luego escuche la grabación "¿Por qué comer carne es malo para el planeta?" y tome las notas necesarias. Escriba un ensayo o haga una presentación en clase sobre este tema: "Las ventajas y las desventajas de comer carne". No se olvide de citar las fuentes debidamente.

Cita

La carne nunca fue la mejor comida, pero su uso ahora es doblemente objetable, desde que las enfermedades en los animales están incrementándose rápidamente.

—Ellen G. White (1827–1915), reformadora de salud vegetariana

La cita de Ellen G. White data de 1902. ¿Todavía tiene relevancia en el siglo XXI? ¿Cómo y por qué? Comparta sus opiniones con un/a compañero/a.

¡Dato curioso!

La quinua real es considerada un alimento "perfecto". Es "el grano de oro de los Andes" y el cereal más nutritivo del mundo. Se encuentra sólo en Bolivia. Su proteína de alto valor biológico y la ausencia de colesterol la convierten en un excelente sustituto de la carne.

25 Comer en Madrid 

En este artículo nos dan ejemplos de cómo es posible comer rápido pero de forma saludable y con productos de calidad. Lea el artículo y complete los espacios con la palabra adecuada. Después conteste las siguientes preguntas:

- ¿Cuál es el propósito del artículo?
- ¿Qué pregunta sería apropiada para hacerle al autor después de leer el artículo?

Bueno, barato y saludable

Diversos locales transforman con materias primas de calidad el concepto de comida rápida

Productos frescos, platos imaginativos y bocadillos integran la nueva cocina urbana

Una y otra vez la pregunta se repite: ¿Es posible comer rápido y bien sin __1.__ *(pague / pagar)* facturas desmesuradas? ¿Existen establecimientos __2.__ *(a / en)* Madrid donde los productos __3.__ *(son / sean)* razonablemente buenos y la cocina posea *(cierto / cierta)* __4.__ calidad? Afortunadamente, en los dos últimos __5.__ *(décadas / años)* se han inaugurado locales que calcan los patrones norteamericanos, sin que por ello incurran en los pecados de la comida basura. Y, por supuesto, han abierto sus puertas algunas bocadillerías capaces de desempeñar una función parecida. Si admitimos con Ferran Adrià que el concepto *fast food* (comida rápida) no corresponde a un __6.__ *(modo / tipo)* de comida sino a una manera de tratar y servir los alimentos, es evidente que en años venideros la dignificación de la comida rápida pasará por __7.__ *(escoger / poner)* buenos productos y por manipularlos de la forma adecuada. No hay __8.__ *(un / mejor)* ejemplo que el de las hamburguesas. Si se elaboran con carnes nobles cortadas a cuchillo constituyen una exquisitez, pero si proceden de recortes de desecho se convierten en el símbolo de la __9.__ *(peor / mejor)* alimentación. Más aún cuando las patatas se fríen en __10.__ *(gordos / grasas)* infectas, como suele ser habitual. En Madrid, los bocadillos y los montaditos siguen ganando la batalla al *fast food* basado en la hamburguesa. Se reconozca o no, pocas cosas resultan más suculentas que un bocadillo de calidad. Entre los últimos locales de comida rápida en llegar a la capital figuran dos de interés.

En La Montadería, bar angosto que __11.__ *(a / al)* mediodía se llena a rebosar, la oferta de montaditos y bocadillos es inabarcable. No menos interesante resulta La Paninoteca d'E, decorada a la última, que podría definirse como la catedral de los bocadillos para *gourmets*. Bajo la asesoría del conocido cocinero Sergi Arola (La Broche), recién fichado por la casa, se __12.__ *(siguen / sigan)* ofreciendo dos de sus especialidades más deliciosas: los bocadillos de torta del Casar con rúcola y los mediterráneos de jamón. Con hechuras más firmes, aunque fiel a la idea de restaurante informal, abrió sus __13.__ *(puertas / ventanas)* hace algunos meses el ya popular Fast Good, una idea del celebérrimo Ferran Adrià para la cadena NH. No __14.__ *(x / se)* trata de un *fast food* corriente, porque los productos __15.__ *(son / están)* dignos y se preparan de manera adecuada. Tampoco es un *quick service* (servicio fulminante), pero sí entronca con la idea de *fast casual* (rápido y desenfadado) y de *self-service* (autoservicio). En Fast Good se puede paladear una de las hamburguesas con patatas más nobles de la ciudad o unos buenos huevos fritos con jamón.

www.elpais.es

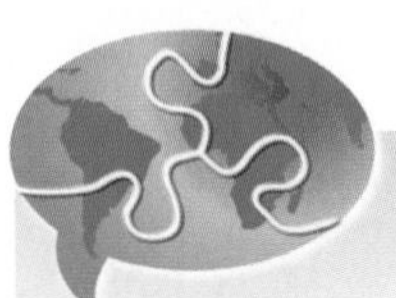

Compare

Compare la dieta mediterránea con la de EE.UU.

26 Amplíe su vocabulario

Según el contexto del artículo anterior, ¿cuál es la mejor traducción de cada palabra de la primera columna?

1. local
2. factura desmesurada
3. incurrir
4. bocadillería
5. desempeñar
6. venidero
7. exquisitez
8. recortes de desecho
9. bocadillos y montaditos
10. angosto
11. rebosar
12. inabarcable
13. a la última
14. asesoría
15. fichado
16. rúcola
17. hechura
18. celebérrimo
19. digno
20. entroncar

a. narrow
b. signed on
c. sandwiches
d. building, premises
e. worthy
f. high-quality item
g. to be subject to
h. out-of-sight bill
i. to overflow
j. up-to-date
k. sandwich shop
l. arugula
m. very famous
n. to carry out
o. consultation
p. leftovers
q. coming
r. endless
s. to connect
t. style

27 El menú

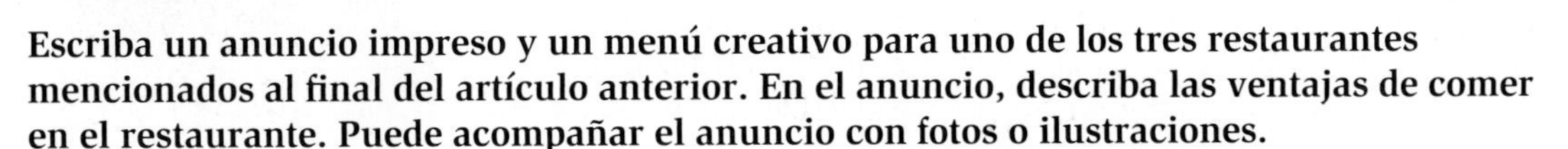

Escriba un anuncio impreso y un menú creativo para uno de los tres restaurantes mencionados al final del artículo anterior. En el anuncio, describa las ventajas de comer en el restaurante. Puede acompañar el anuncio con fotos o ilustraciones.

Refrán

A buen hambre, no hay mal pan.

¿Está de acuerdo con lo que dice este refrán? ¿Por qué? ¿Qué piensa que significa buen hambre y mal pan? Comparta sus opiniones con un/a compañero/a.

¡Dato curioso!

Las bases de la comida rápida son la rapidez de servicio, los horarios amplios, los precios económicos y una vastísima red de establecimientos. La película *Super Size Me* trató de exponer por qué los norteamericanos están engordando. Nos pregunta quién tiene la culpa: ¿el individuo que no tiene auto-control sobre lo que come, o las empresas de comida rápida y su propaganda?

¡A leer!

28 Antes de leer 

¿Quién suele hacer la compra en su casa? ¿Cuántas veces por semana se va al supermercado? ¿Suele comprar comida preparada, comida orgánica o qué otro tipo de comida? ¿Qué es más importante a la hora de escoger la comida: la calidad o el precio?

29 De compras

Lea con atención el siguiente artículo. Después conteste las siguientes preguntas:

- ¿Cuál es el propósito del artículo?
- ¿Qué pregunta sería apropiada para hacerle al autor después de leer el artículo?
- Si quisiera consultar otra fuente, ¿podría pensar en un posible título de una publicación?

Solteros y parejas sin hijos compran la comida más cara

El nuevo modelo social se empieza a reflejar en la cesta de la compra de los españoles. Los llamados hogares emergentes, es decir, los formados por solteros, parejas sin hijos y familias monoparentales, 5 tienen unos hábitos de consumo muy distintos de los de la familia tradicional: comen más fuera de casa; les gustan las marcas, la calidad y la comida saludable, y son los más abiertos a la innovación. Por ello, estos nuevos hogares ya representan el 56% 10 del gasto en alimentación, unos 33.000 millones de euros anuales, según el informe *Nuevos modelos de hogar: todo un reto para la innovación*, elaborado por la asociación de fabricantes y distribuidores Aecoc y la consultora TNS, presentado ayer en el 15 marco del salón Alimentaria. En España hay un millón de personas de menos de 50 años que viven solas, y representan el 20% de los hogares. Es una tasa aún baja si se compara con las de otros países europeos, como Finlandia, Alemania y Holanda, 20 donde estos hogares ya representan el 35% del total. El 41% de estos consumidores comen regularmente fuera de casa (frente al 11% de la población general) y sólo el 31% cree que tienen tiempo para cocinar (frente al 53% general). Estas personas "se 25 alimentan de forma más desestructurada, pican más y suelen hacerlo frente al televisor", explica el director de TNS para el sur de Europa, Josep Montserrat. Los hogares unipersonales representan el 13% total del gasto, y el 43% restante corresponde 30 a las parejas de mediana edad en que trabajan ambos y no tienen hijos. Los consumidores de ambos grupos son "impulsivos y caprichosos, atrapados por el tiempo y más preocupados 35 por la salud y el aspecto físico que el resto", señala el informe. De hecho, por ejemplo, compran el triple de pasta fresca que el resto, 40 y el doble de cremas y sopas preparadas.

Salud y calidad

Su preferencia por la comida rápida o fácil de preparar no significa que 45 no les preocupe seguir una dieta mediterránea. Al contrario, los solteros y las parejas sin hijos han convertido la salud en una "obsesión" y el 79% de ellos declaran que les gusta seguir una dieta sana, hasta el punto de que el 66% de los integrantes 50 de este grupo aseguran que están dispuestos a pagar más por un producto de mayor calidad. No hay diferencias entre el hábito de consumo de la mujer que vive sola y el hombre, según los expertos, aunque en el caso de las parejas el 55 comprador masculino es más impulsivo porque está menos acostumbrado a hacer la compra...

www.elpais.es

30 Amplíe su vocabulario

Elija la palabra del recuadro que mejor completa cada oración. Incluya los artículos cuando sean necesarios.

monoparental	marca	gasto	marco	tasa	picar
unipersonal	de mediana edad	caprichoso	atrapado	integrante	mayor calidad

1. Un sinónimo de *contexto* es ___.
2. Una persona que tiene unos 50 años es una persona ___.
3. Una familia con solamente la madre o el padre es una familia ___.
4. Comer en pequeñas cantidades es ___.
5. Actuar sin razón aparente es ser ___.
6. Una familia con una persona es una familia ___.
7. Burger King es un ejemplo de ___ de comida basura.
8. Un sinónimo de *aprisionado* es ___.
9. Un miembro es ___.
10. Un sinónimo de *proporción* es ___.
11. Lo contrario de una condición inferior es una de ___.
12. ___ de la comida rápida puede ser más alto que la comida preparada en casa.

31 ¿Ha comprendido?

Empareje las oraciones 1–6 con el grupo o grupos que correspondan (a–f). Sobran algunos grupos.

1. Están dispuestos a pagar más por un producto de mayor calidad.
2. Comen más fuera de casa; les gustan las marcas, la calidad y la comida saludable.
3. Están menos acostumbrados a hacer la compra.
4. Pican más que otros grupos y suelen alimentarse frente al televisor.
5. Son los más abiertos a la innovación en alimentación.
6. Se preocupan más por la salud y el aspecto físico.

a. los solteros, parejas sin hijos y familias monoparentales
b. los solteros y parejas sin hijos
c. las personas de menos de 50 años que viven solos
d. los compradores masculinos que viven solos
e. los compradores masculinos y femeninos que viven solos
f. la familia tradicional

32 Resuma

Escriba una frase que resuma la idea principal del artículo anterior.

Refrán

El mundo es una gran olla, el corazón la cuchara. Según cómo remuevas, te saldrá la comida.
—Refrán Zen

¿Qué opina de este refrán? Explíquelo. ¿Qué hay en la olla de una mala persona? ¿De una buena persona? ¿Cómo es la comida de Ud. en este momento de su vida, y cómo llegó a ser así? Comparta sus opiniones con un/a compañero/a.

33 Antes de leer 

¿Las cafeterías estadounidenses ofrecen mucha comida sana a los estudiantes? En su escuela o universidad, ¿cuáles son las comidas más populares que sirve la cafetería? ¿Suele Ud. comprar la comida del día en su escuela? ¿Bebe mucha agua cada día? ¿Cuánta? ¿Consume muchas bebidas carbónicas? ¿Por qué? ¿Se da cuenta del número de calorías que consume cada día? ¿Cómo?

34 Los menús escolares

Lea con atención el siguiente artículo. Después conteste las siguientes preguntas:

- ¿Cuál es el propósito del artículo?
- ¿Qué pregunta sería apropiada para hacerle al autor después de leer el artículo?

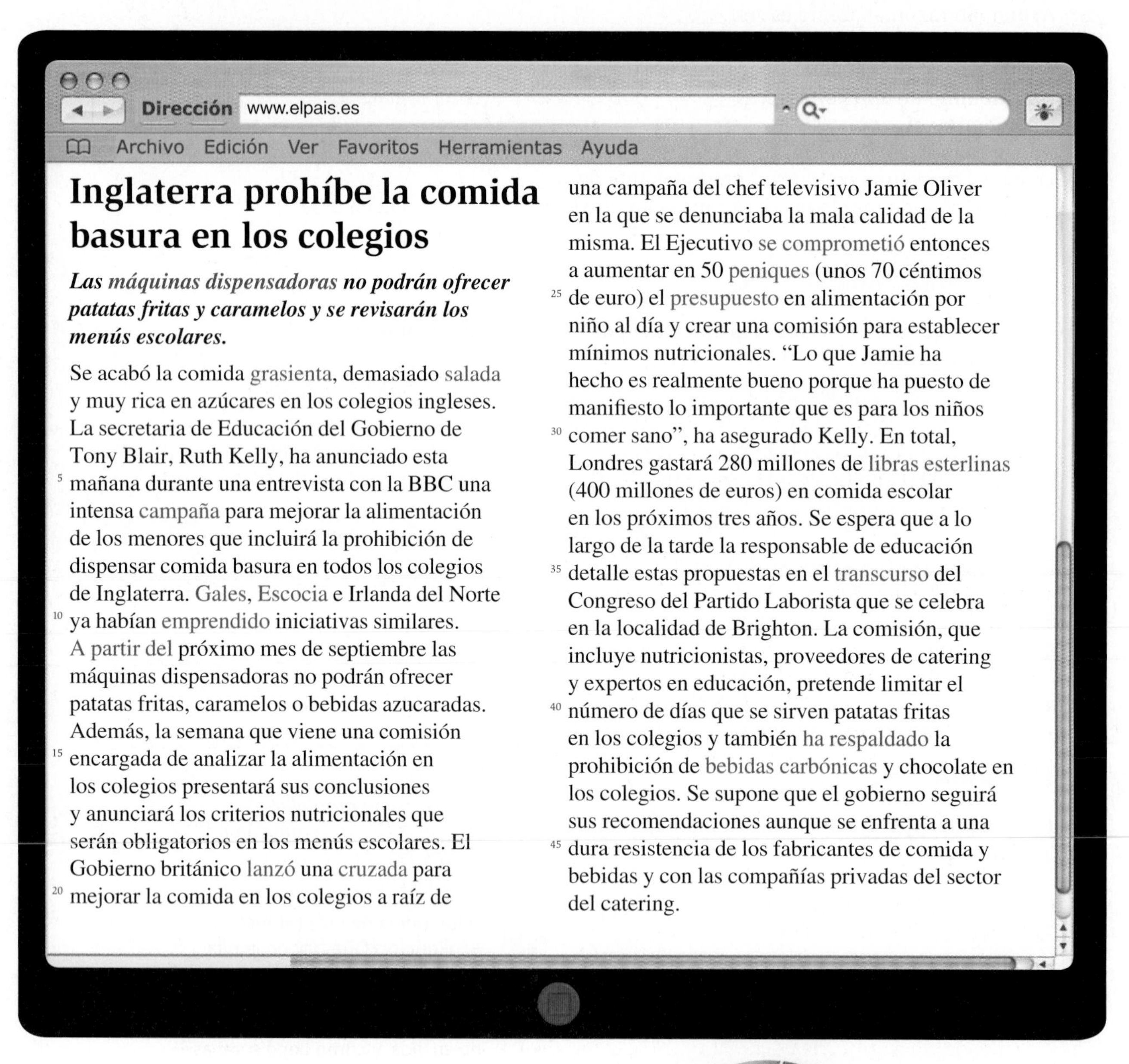

Inglaterra prohíbe la comida basura en los colegios

Las máquinas dispensadoras no podrán ofrecer patatas fritas y caramelos y se revisarán los menús escolares.

Se acabó la comida grasienta, demasiado salada y muy rica en azúcares en los colegios ingleses. La secretaria de Educación del Gobierno de Tony Blair, Ruth Kelly, ha anunciado esta (5) mañana durante una entrevista con la BBC una intensa campaña para mejorar la alimentación de los menores que incluirá la prohibición de dispensar comida basura en todos los colegios de Inglaterra. Gales, Escocia e Irlanda del Norte (10) ya habían emprendido iniciativas similares. A partir del próximo mes de septiembre las máquinas dispensadoras no podrán ofrecer patatas fritas, caramelos o bebidas azucaradas. Además, la semana que viene una comisión (15) encargada de analizar la alimentación en los colegios presentará sus conclusiones y anunciará los criterios nutricionales que serán obligatorios en los menús escolares. El Gobierno británico lanzó una cruzada para (20) mejorar la comida en los colegios a raíz de una campaña del chef televisivo Jamie Oliver en la que se denunciaba la mala calidad de la misma. El Ejecutivo se comprometió entonces a aumentar en 50 peniques (unos 70 céntimos (25) de euro) el presupuesto en alimentación por niño al día y crear una comisión para establecer mínimos nutricionales. "Lo que Jamie ha hecho es realmente bueno porque ha puesto de manifiesto lo importante que es para los niños (30) comer sano", ha asegurado Kelly. En total, Londres gastará 280 millones de libras esterlinas (400 millones de euros) en comida escolar en los próximos tres años. Se espera que a lo largo de la tarde la responsable de educación (35) detalle estas propuestas en el transcurso del Congreso del Partido Laborista que se celebra en la localidad de Brighton. La comisión, que incluye nutricionistas, proveedores de catering y expertos en educación, pretende limitar el (40) número de días que se sirven patatas fritas en los colegios y también ha respaldado la prohibición de bebidas carbónicas y chocolate en los colegios. Se supone que el gobierno seguirá sus recomendaciones aunque se enfrenta a una (45) dura resistencia de los fabricantes de comida y bebidas y con las compañías privadas del sector del catering.

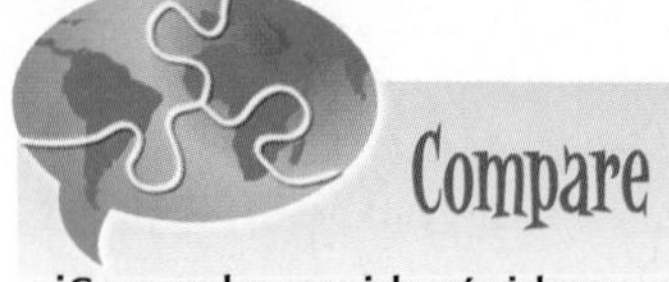

Compare

¿Se vende comida rápida en su escuela? ¿Qué piensa sobre esto?

35 Amplíe su vocabulario

Según el contexto del artículo que acaba de leer, empareje cada palabra de la primera columna con su definición o sinónimo de la segunda.

1. máquinas dispensadoras	a. país del Reino Unido al oeste de Inglaterra
2. grasiento	b. con mucha sal
3. salado	c. proyectar
4. campaña	d. al comienzo
5. Gales	e. refresco con gas
6. Escocia	f. cruzada
7. emprender	g. implicarse
8. a partir de	h. centésima parte de la libra esterlina
9. lanzar	i. donde se puede comprar una bebida enlatada
10. comprometerse	j. favorecer
11. penique	k. moneda inglesa
12. presupuesto	l. con mucha grasa
13. libra esterlina	m. país del Reino Unido al norte de Inglaterra
14. transcurso	n. lapso de tiempo
15. respaldar	o. iniciar
16. bebida carbónica	p. coste y gastos

36 ¿Ha comprendido?

1. ¿Qué van a prohibir en las máquinas dispensadoras en los colegios de Inglaterra?
   a. Algunos alimentos que tienen mucho azúcar
   b. Algunos alimentos que tienen mucha grasa
   c. Algunos alimentos que tienen mucho azúcar y algunos que tienen mucha grasa
   d. No habrá máquinas dispensadoras en los colegios.
2. ¿Cuál es el propósito de esta nueva campaña?
   a. Unas compañías privadas de catering se quejaban y el gobierno quiere arreglar la situación.
   b. El gobierno quiere mejorar la alimentación de los menores en los colegios.
   c. El gobierno quiere ahorrar dinero con esta campaña.
   d. El gobierno ha creado una comisión encargada de analizar seriamente la alimentación en los colegios.
3. ¿En qué están de acuerdo el gobierno y Jamie Oliver?
   a. Piensan que la comida de los escolares es de mala calidad.
   b. Piensan que con una campaña en la televisión se puede mejorar la situación.
   c. Piensan que la propaganda de la comida rápida contribuye a empeorar la situación.
   d. Dicen que van a gastar más dinero para mejorar la situación.
4. ¿Qué cambios proponen en los colegios?
   a. Van a abolir las patatas fritas, las bebidas carbónicas y el chocolate.
   b. Van a abolir las bebidas carbónicas y las patatas fritas.
   c. Van a abolir las patatas fritas y el chocolate.
   d. Van a abolir las bebidas carbónicas y el chocolate y van a limitar los días cuando se puede servir patatas fritas.
5. ¿Quiénes se oponen a esta decisión y por qué?
   a. Los fabricantes de comida y bebidas y las compañías privadas del sector del catering se oponen porque se supone que van a perder dinero.
   b. Las compañías privadas del sector del catering se oponen porque se supone que los fabricantes de comida y bebidas van a ganar todo el dinero ahora.
   c. Los fabricantes de comida y bebidas se oponen porque se supone que las compañías privadas del sector del catering van a ganar todo el dinero ahora.
   d. Nadie se opone porque todos piensan que es mejor para los escolares.

37 Antes de leer

¿Dónde ha visto una lista de ingredientes con las calorías y la cantidad de grasas y otros componentes de los alimentos? ¿Por qué se coloca el contenido nutritivo de los alimentos en la etiqueta? ¿Hay algunos iconos de la comida rápida norteamericana conocidos mundialmente? ¿Cuáles son los más conocidos?

38 Un icono 

Lea con atención el siguiente artículo. ¿Qué otros iconos conoce que hayan cambiado su imagen en los últimos tiempos?

El payaso de McDonald's cambia de imagen

La figura icónica de la empresa de comida rápida se estiliza, adopta ropa más deportiva y estimula a los más jóvenes a hacer ejercicio. El cambio de imagen de McDonald's ha afectado a su veterana mascota, Ronald, el payaso que lleva 42 años promocionando hamburguesas y bolsas de patatas. En su afán por limpiar su imagen de fabricante de comida hipercalórica, la compañía estadounidense ha decidido estilizar a su icono más conocido y vestirlo con atuendos más deportivos. La transformación no sólo se limita a su imagen: Ronald se dedicará desde ahora a promover el ejercicio físico entre los más jóvenes.

www.elpais.es

Un McDonald's en Buenos Aires

39 Amplíe su vocabulario

Mire las palabras en la primera columna, que aparecen en el artículo anterior, y busque su correspondiente sinónimo o definición entre las palabras de la segunda.

1. figura icónica	a. con muchas calorías
2. empresa	b. experto
3. estilizarse	c. ropa
4. veterano	d. corporación
5. afán	e. cambio
6. fabricante	f. estimular, fomentar
7. hipercalórico	g. creador
8. atuendo	h. caracterizarse
9. transformación	i. deseo
10. promover	j. símbolo muy reconocido

40 ¿Ha comprendido?

1. ¿Cuál podría ser otro título del artículo?
   a. McDonald's recupera clientes
   b. Un icono más deportista
   c. McDonald's apoya los deportes
   d. Todas las anteriores
2. Se usa *payaso* para describir a Ronald McDonald. ¿Qué otras palabras del texto lo caracterizan?
   a. Mascota, figura icónica y empresa
   b. Mascota y empresa
   c. Mascota, figura icónica e icono
   d. Figura icónica y empresa
3. ¿Por qué quieren cambiar la imagen de Ronald McDonald?
   a. La imagen es muy vieja; necesitan algo más joven.
   b. La imagen es demasiado conocida; necesitan algo nuevo.
   c. Quieren animar a los jóvenes a practicar deportes y mostrar que McDonald's promueve la buena salud.
   d. Quieren transformar su imagen de comida hipercalórica en comida más sana.
4. Se usa *empresa* para describir a McDonald's. ¿Qué otras palabras del texto lo caracterizan?
   a. Fabricante de comida, compañía e icono
   b. Fabricante de comida e icono
   c. Fabricante de comida y compañía
   d. Compañía e icono

41 Una entrevista

Haga una entrevista. Ud. va a entrevistar al portavoz de McDonald's sobre esta iniciativa. Escriba al menos ocho preguntas.

42 Lea, escuche y escriba/presente

Vuelva a leer los textos "Inglaterra prohíbe la comida basura en los colegios" y "El payaso de McDonald's cambia de imagen". Luego escuche la grabación "McDonald's informará al consumidor del valor nutritivo de la comida" y tome las notas necesarias. Escriba un ensayo o haga una presentación en clase sobre el tema "Comida nutritiva y buena salud: el gobierno y las empresas ayudan a los jóvenes". No se olvide de citar las fuentes debidamente.

Cita

La sociedad está dividida en dos grandes clases: la de los que tienen más comida que apetito y la de los que tienen más apetito que comida.
–Nicolas Chamfort (1741–1794), académico y escritor francés

¿Qué significa esta cita y qué piensa de ella? ¿De qué otras formas dividiría el mundo? Comparta sus opiniones con un/a compañero/a.

¡Dato curioso!

¿Sabía que 800 millones de personas pasan hambre en el mundo actual? Según estadísticas de las Naciones Unidas, cada cinco segundos muere un niño de hambre; uno de cada cinco niños en Estados Unidos es peligrosamente obeso; 10 millones de personas mueren cada año debido al hambre o las enfermedades que provocan y acentúan la malnutrición.

¡A escuchar!

43 Todas las dietas funcionan 

En esta entrevista un endocrinólogo nos habla sobre las causas de la obesidad y las soluciones. La grabación dura aproximadamente 5.5 minutos. Primero lea las preguntas y observaciones que siguen, y después escuche la grabación "Todas las dietas funcionan; el que falla es el ser humano". Luego haga un resumen de las respuestas que hace el Dr. Rolla a estas preguntas y observaciones.

1. Trabaja como endocrinólogo en un país donde el sobrepeso supone un problema de salud fundamental.
2. ¿No se da sólo en los países más avanzados?
3. ¿Obesidad y anorexia son dos manifestaciones de una misma enfermedad?
4. ¿Cómo se ha llegado a este estado de una excesiva obesidad?
5. No todos los obesos son iguales.
6. ¿Cómo debe ser una dieta para bajar de peso?
7. En el crecimiento de la obesidad ha influido la comida basura.
8. El chocolate o un buen helado alivian cuando uno está deprimido.

44 Dietas 

En esta grabación un señor nos habla sobre sus experiencias y los desafíos con su dieta para perder peso. La grabación dura aproximadamente 8.5 minutos. Escuche la grabación "Dietas". Luego escoja la mejor respuesta para cada pregunta. Después piense en cuál sería una pregunta apropiada para hacerle al narrador.

1. ¿Hace cuánto tiempo está el narrador de dieta?
   a. Un día
   b. Una semana
   c. Dos semanas
   d. Un mes

2. ¿Cuánto peso quiere el narrador perder?
   a. Cinco kilos
   b. Diez kilos
   c. Dos kilos
   d. No se menciona.

3. ¿Qué evento provoca esta decisión de ponerse a dieta?
   a. Estaba comiendo muchos pasteles, mucho pan y muchas patatas fritas.
   b. Se miró en el espejo un día y decidió hacerlo.
   c. No le servían unos pantalones de verano.
   d. Todas las respuestas son correctas.

4. ¿Qué alimentos le va a costar no tocar al narrador?
   a. El pan y el chocolate
   b. El pan y las galletas
   c. El pan y las patatas fritas
   d. Las patatas fritas y las galletas

5. ¿Dónde hay una batalla al principio de una dieta?

   a. Entre la mente y tu estómago
   b. Entre tus instintos mentales y físicos
   c. Entre tu conciencia y tu voluntad
   d. Todas las respuestas son correctas.

6. Según el narrador, ¿por qué hacen los demás comentarios sobre la dieta?

   a. Están celosos y quieren molestarte.
   b. Quieren premiar tus esfuerzos.
   c. Te admiran.
   d. Odian las dietas.

7. ¿Cómo ha cambiado la actitud del narrador de los que se ponen a dieta?

   a. Antes pensaba que eran héroes; ahora piensa que son tontos.
   b. Antes pensaba que eran tontos; ahora piensa que son héroes.
   c. Antes pensaba que eran demenciales; ahora piensa que son repulsivos.
   d. Antes pensaba que eran repulsivos; ahora piensa que son demenciales.

45 Participe en una conversación

Ud. va a participar en una conversación. Primero lea la descripción de la conversación y piense en algunas palabras o expresiones que le serían útiles. Organice sus ideas, haciendo predicciones sobre lo que se le pueda preguntar o comentar. Una descripción de lo que va a escuchar aparece abajo en color. Participe en la conversación grabando las respuestas o escribiéndolas en su cuaderno.

Escena: Ud. está mirando la televisión y ve muchos anuncios de comida. Le empieza a entrar hambre. De repente, suena el teléfono. Es una agencia de publicidad que quiere saber si ha visto un nuevo anuncio sobre una pizza-combo con entrega a domicilio. Conteste las preguntas del agente.

Ud.:	• (*Suena el teléfono.*) Conteste el teléfono.
El agente:	Se presenta y le hace una pregunta.
Ud.:	• Contéstele afirmativamente.
El agente:	Le hace otra pregunta.
Ud.:	• Dele detalles del anuncio que acaba de ver.
El agente:	Sigue la conversación y le hace una pregunta.
Ud.:	• Continúe con los detalles.
El agente:	Sigue la conversación y le hace más preguntas.
Ud.:	• Continúe con los detalles pero reaccione negativamente a sus preguntas.
El agente:	Sigue la conversación y le pide un consejo.
Ud.:	• Dele un consejo para ayudarlo.
El agente:	Se despide.
Ud.:	• Despídase.

¡A escribir!

46 Texto informal: un correo electrónico 

Escriba un correo electrónico. Una joven que se llama Marisa y que está estudiando en la universidad le escribe a su hermana contándole su experiencia al ponerse a dieta. Hable sobre:

- Los motivos que le llevaron a empezarla
- Los desafíos que tiene
- Los progresos
- Los objetivos para los siguientes meses

Consejo
Antes de empezar, lea las pautas para escribir textos informales en la pág. 480 del Apéndice. Mientras escribe el texto tenga presente los objetivos. Cuando termine, verifique que ha cumplido con todo lo que se describe en la lista y reflexione sobre su trabajo.

47 Texto informal: otro correo electrónico 

Este artículo trata de las consecuencias que tuvo para un soldado el uso de un helicóptero para temas militares. Primero lea el artículo que sigue, prestando atención a las palabras en azul, ya que se le harán preguntas sobre ellas. Luego haga el papel del novio y escriba un correo electrónico a su novia después del incidente. Describa:

- El problema que tuvo.
- Las infracciones que Ud. cometió.
- Las sanciones contra Ud.

Comida rápida en helicóptero

Expedientado un soldado británico que usó un aparato Lynx del Ejército para llevar una pizza a su novia.

Tener un detalle galante con su novia le ha costado una sanción a un militar británico y unos cuantos miles de libras al Ejército del Reino Unido. Un teniente de helicópteros del escuadrón 659 del Ejército del Aire con base en Suffolk, al este de Inglaterra, ha sido castigado por utilizar el aparato que pilotaba para llevar una pizza a su novia, según informa *The Sun*. El incidente tuvo lugar el pasado 25 de enero. El piloto, de 25 años, compró el menú para su novia en un establecimiento de comida rápida y, aprovechando un vuelo rutinario, se desvió de su ruta y dirigió el aparato, un helicóptero Lynx, unos 50 kilómetros, hacia la zona donde su pareja, también militar, se encontraba de maniobras. Según un portavoz del Ministerio de Defensa citado por la agencia Reuters, se decidió no retirar el carnet al piloto por consideración a las especiales circunstancias de su escapada. El ejército no ha facilitado ni el nombre del enamorado infractor, ni el coste de su travesura, ni la sanción aplicada, ni los ingredientes de la pizza.

www.elpais.es

48 Amplíe su vocabulario

Según el contexto del artículo anterior, ¿cuál es la mejor traducción?

1. expedientar	a. spokesperson
2. libra	b. routine flight
3. castigar	c. escapade
4. vuelo rutinario	d. price
5. maniobra	e. prank
6. portavoz	f. to bring disciplinary action against
7. escapada	g. pound
8. infractor	h. to punish
9. coste	i. maneuver
10. travesura	j. offender

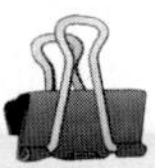

Consejo
Antes de empezar, lea las pautas para escribir ensayos en la pág. 480 del Apéndice. Mientras escribe el texto tenga presente los objetivos, y no se olvide de ponerle un título original. Cuando termine, verifique que ha cumplido con todo lo que se describe en la lista y reflexione sobre su trabajo.

49 Ensayo: los alimentos genéticamente modificados

Escriba un ensayo sobre "Los alimentos genéticamente modificados: ¿un milagro o una pesadilla?". Busque la información antes de empezar y no se olvide de citar las fuentes consultadas.

50 Ensayo: El hambre

Escriba un ensayo persuasivo sobre "El hambre en América Latina y el Caribe". Compare sus observaciones o experiencias personales con lo que haya investigado sobre este tema.

51 En parejas

Intercambie sus ensayos con los de un/a compañero/a. Exprésele su opinión sobre el contenido y el uso del idioma.

¡A hablar!

52 Charlemos en el café

Ud. va a debatir los siguientes temas con un/a compañero/a. Uno estará a favor de lo que se ha dicho y otro en contra. El debate durará varios minutos. El/La estudiante que esté de acuerdo comenzará el debate y hablará por unos dos minutos. Cuando el/la profesor/a lo indique, su compañero/a tomará la palabra y expresará su opinión por otros dos minutos, y así sucesivamente.

1. La comida basura debería estar prohibida en los colegios.
2. Todos deberíamos ser vegetarianos.
3. Los animales clonados no deberían comerse.
4. Las comidas no deberían de tener colorantes artificiales.

53 ¿Qué opinan?

Con un/a compañero/a conteste las siguientes preguntas y converse sobre los temas.

1. ¿Deberían estar prohibidos los anuncios que promuevan los alimentos que no sean sanos para los niños?
2. ¿Deberían colocar una etiqueta en todos los alimentos para que el consumidor supiera que lo que está comiendo ha sido transformado genéticamente?

54 Presentemos en público

Ud. va a contestar la siguiente pregunta: "¿Cómo puede la cocina de una nación representar la cultura del país ante el mundo?" Haga una presentación del caso de la comida mexicana a la UNESCO. Justifique cómo la comida mexicana tiene los valores de la antigüedad, la continuidad histórica, la originalidad y la autenticidad. Use las tres fuentes a continuación para preparar su presentación y tome las notas necesarias. Primero, lea el artículo siguiente con atención.

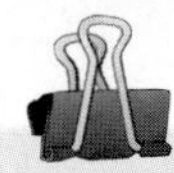

Consejo

Antes de empezar, lea las pautas para presentaciones formales en la pág. 481 del Apéndice. Mientras formula su presentación tenga presente los objetivos. Cuando termine la presentación, verifique que ha cumplido con todo lo que se describe en la lista y reflexione sobre el trabajo que hizo.

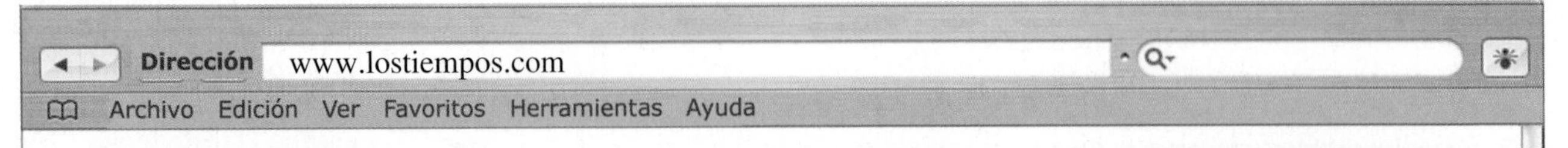

La comida mexicana, patrimonio cultural

Primera parte

Es la primera vez que un país pide que reconozcan su gastronomía como Patrimonio de la Humanidad. La próxima vez que coma un taco, una quesadilla, un mole poblano o algunas de las variedades de enchiladas mexicanas, tenga en cuenta que no sólo estará disfrutando de una de las comidas más ricas y variadas del mundo; siéntase también un privilegiado porque estará disfrutando de una gastronomía que está a un paso de ser considerada Patrimonio de la Humanidad. Y no se trata de una exacerbación del nacionalismo mexicano, sino que se ha constatado que cumple los requisitos establecidos por la UNESCO para recibir esta valoración. Es por eso que el gobierno, instituciones y la sociedad civil de este país han presentado su candidatura ante la agencia internacional y la están promoviendo por todo el mundo para tratar de convencer al grupo de 19 expertos que revisarán la solicitud y que darán su veredicto el próximo 25 de noviembre en París... La UNESCO establece que para que un bien cultural sea inscrito como Patrimonio Intangible de la Humanidad debe tener entre sus principales valores: antigüedad, continuidad histórica, originalidad y autenticidad. Requisitos que no son fáciles de reunir, pero que la comida mexicana cumple a cabalidad. "Tenemos técnicas especiales para hacer nuestros alimentos que tienen historia y una larga tradición que se ha conservado desde la época prehispánica y que en otros casos se ha mestizado dándole sabor y características especiales, pero que ha empezado a ser desvirtuado a medida que se ha ido popularizando en todo el mundo y por el predominio de la 'comida rápida'", dice Pilar Fausto González, chef mexicana con 30 años de experiencia e instructora del Instituto Gastronómico de Estudios Superiores, S.C. (IGES) de Querétaro.Y añade: "Hay tanta diversidad que por mucho tiempo la gente del norte conocía muy poco las características de la cocina del sur y viceversa, lo mismo ocurría con la del centro de la República, pero la mayor parte de nuestra cocina tiene como base el maíz. Incluso decimos que 'México es el país del maíz'". Ahora no es lo único, porque también está el chile (ají) y en algunas regiones predominan más otros vegetales o diversos tipos de insectos que son comestibles.

El maíz sigue siendo el ingrediente más importante de la comida mexicana, cultivo considerado sagrado por las culturas prehispánicas y que aún lo sigue siendo para las comunidades indígenas. La mazorca ha sido utilizada como moneda, ha representado símbolos míticos y está vinculada a las expresiones artísticas y artesanales. Del maíz se hace la tortilla, que sigue siendo una parte importante de la dieta del mexicano. Se estima que en México diariamente se consumen cerca de 300 millones de tortillas, y para satisfacer esa demanda ya existen máquinas que las elaboran en grandes cantidades; sin embargo, en muchas partes del país las mujeres aún siguen haciéndolas de la manera tradicional.

www.los tiempos.com

Ahora escuche la grabación "La comida mexicana, patrimonio cultural" y después lea la segunda parte del artículo con atención.

La comida mexicana, patrimonio cultural

Segunda parte

Con maíz también se elaboran más de 370 tipos de tamales. Los hay de todos los sabores y con él se realizan platillos como el pozole, enchiladas, tostadas, chilaquiles y muchos otros platos que son de consumo popular. "En México estamos luchando por el rescate y la preservación de elementos que son símbolos de nuestra nacionalidad y de nuestro pasado, porque creo que somos lo que comemos y las nuevas tendencias como el 'fast food' o comida rápida tienden a que desaparezcan nuestras prácticas ancestrales que dieron origen a nuestra genética e identidad como pueblo", dice González. Junto al maíz, el frejol, la calabaza (zapallo) y el chile han sido parte de la alimentación básica del mexicano durante siglos, pero quizás éste último sea el más popular en el mundo.

Un aspecto que ha caracterizado a la comida mexicana ha sido el mestizaje entre los usos y alimentos originarios con los extranjeros que llegaron de España, Francia y Estados Unidos. Un ejemplo de ello es el mole, que es una salsa espesa preparada con más de 35 ingredientes. Su preparación lleva varias horas y cada región tiene uno diferente o varios, como es el caso de Oaxaca, donde se preparan siete variedades: entre ellas el mole negro, amarillo, el verde, etc. Sin embargo, el más famoso es el poblano. Sobre su origen hay muchas leyendas, pero una de las más conocidas sitúa su creación en los conventos de las religiosas en la época colonial. No menos llamativa es la variedad de comidas en base a los saltamontes o "chapulines", gusanos y otros insectos que más que platos exóticos son una fuente nutricional importante. Lo cierto es que aún hay mucho por hablar y degustar de la gastronomía de este país y que se podrá apreciar y conocer más, si el 25 de noviembre la UNESCO llega a darle el valor que se merece. Del mismo modo podría abrir las puertas para que la cocina de otras regiones de América Latina sean valoradas y preservadas. La mesa está servida.

Proyectos

55 ¡Manos a la obra! 

Trabaje con un grupo de cuatro o cinco estudiantes para llevar a cabo uno de los siguientes proyectos y presentarlo en clase.

1. La directiva de su escuela o universidad está considerando cambios en el servicio de la cafetería. Expresen su opinión de lo que tienen que dejar y lo que tienen que cambiar. Ofrezcan sugerencias para mejorar la comida y el servicio.
2. Van a preparar un almuerzo "especial" para cuatro invitados este sábado. De los cuatro, hay un vegetariano, otro que no puede tomar muchos productos lácteos, una a quien le encanta la comida orgánica y otra que no puede comer mariscos. Piensen en el menú ideal que será del agrado de todos. Después, decidan qué productos van a comprar y si van solamente al supermercado o a algún mercado especial y por qué.
3. Elijan una gastronomía hispana que piensan sea digna de ser nombrada Patrimonio de la Humanidad. Hagan una lista de los platos nacionales de varios países hispanos. Discutan todas las sugerencias y decidan qué gastronomía merece el título y por qué.
4. Elijan una dieta popular o un programa de ejercicio que promete hacer perder peso o sentirse mejor. Describan las ventajas y desventajas de seguir la dieta o el programa. Decidan cuál es mejor —la dieta o el programa de ejercicio físico— y expliquen por qué.

Uno de los cocineros españoles más famosos. Tiene un programa muy popular en la televisión.

5. Busquen en periódicos, revistas o Internet y elijan tres anuncios en español que venden comida o tres anuncios en español de un restaurante. Preparen una presentación sobre el contenido de cada anuncio. Decidan cuál es el mejor y hagan sugerencias para mejorar los otros dos anuncios.

Vocabulario

Verbos

adelgazar	to get thin, lose weight
alcanzar	to reach, catch up with
aliviar	to relieve
aportar	to contribute
consumir	to consume
culpar	to blame
dañar	to damage, harm
desempeñar	to play, perform
emprender	to undertake
engañar	to trick, deceive
engordar	to get fat, put on weight
impedir (i)	to forbid, prevent
padecer	to suffer
picar	to snack
probar (ue)	to taste
procurar	to try to, endeavor to
promover (ue)	to promote
rogar (ue)	to beg, plead
valorar	to value

Verbos con preposición

verbo + a:

comprometerse a	to promise to
empezar (ie) a	to begin to
tender a	to tend to, incline

verbo + con:

amenazar con	to threaten with
bombardear con	to bombard with
enfrentarse con	to face up to

verbo + de:

alegrarse de	to be happy about
beneficiarse de	to benefit from
darse cuenta de	to realize
encargarse de	to take charge of
padecer de	to suffer from
proceder de	to originate from
tratarse de	to be about

Sustantivos

el	**afán**	zeal
el	**agua potable**	drinking water
la	**alimentación**	nourishment, feeding
el	**alimento**	food
los	**antibióticos**	antibiotics
la	**antigüedad**	antiquity
la	**autoestima**	self-esteem
el	**ayuno**	fast
la	**bebida carbónica**	carbonated drink
el	**caldo**	broth
la	**calidad**	quality
la	**campaña publicitaria**	advertising campaign
la	**cantidad**	quantity
la	**comida basura (rápida)**	junk (fast) food
la	**comida exótica**	exotic food
la	**comida orgánica**	organic food
la	**comida vegetariana**	vegetarian food
la	**compañía**	company, business
el/la	**consumidor(a)**	consumer
el	**consumo**	consumption
el	**desequilibrio**	imbalance
la	**desnutrición**	malnutrition
la	**dieta**	diet
la	**empresa**	business, company
el	**equilibrio**	balance
la	**escasez**	shortage
el	**fabricante**	manufacturer
la	**fibra**	fiber
la	**gravedad**	seriousness
el	**hambre**	hunger
el	**hierro**	iron (*mineral*)
las	**hormonas**	hormones
el	**hueso**	bone
el	**local**	premises
la	**máquina dispensadora**	vending machine
la	**obesidad**	obesity
el	**patrimonio**	heritage
los	**pesticidas**	pesticides
el	**presupuesto**	budget
los	**(productos) químicos**	chemicals
el	**puesto**	stand
el	**régimen**	diet
el	**reparto**	distribution
el	**sobrepeso**	excessive weight
la	**soja**	soy

Adjetivos

caprichoso, -a	capricious, impulsive
celebérrimo, -a	very famous
desmesurado, -a	vast, enormous, excessive
grasiento, -a	greasy
hipercalórico, -a	with high caloric content
impensado, -a	unexpected, unthinkable
insípido, -a	tasteless, insipid
irreemplazable	irreplaceable
magro, -a	lean
monoparental	relating to a single parent
nutritivo, -a	nutritious
obeso, -a	obese
rentable	profitable, worthwhile
saludable	healthy
sano, -a	healthy
sedentario, -a	sedentary

Expresiones

tener alergia a (los frutos de cáscara, cacahuetes, al polen,...)	to be allergic to nuts, peanuts, pollen)
estar con unos kilos/ unas libras de más tener	to be a few kilos/ pounds overweight
pedirle peras al olmo	to ask for something impossible
estar como un flan	to be nervous (shaking like a flan)
más vale prevenir que curar	better safe than sorry
estar rellenito	to be chubby
ser delicado con la comida	to be picky with the food
ser bulímico/a anoréxico/a	to be bulimic/anorexic
tener anemia	to have anemia
pasar (mucha/ un poco de) hambre	to be starving, not to be starving

A tener en cuenta

Prefijos

***des-* denota negación o el significado opuesto:**

el ayuno	el desayuno
empeñar	desempeñar
el equilibrio	el desequilibrio
igual	desigual
la nutrición	la desnutrición
el orden	el desorden

***hiper-* denota exceso:**

activo	hiperactivo
calórico	hipercalórico
el mercado	el hipermercado

***mono-* denota único o solo:**

cromático	monocromático
parental	monoparental
tono	monótono

***auto-* denota mismo o propio:**

el control	el autocontrol
la estima	la autoestima
el retrato	el autorretrato
el servicio	el autoservicio

A tener en cuenta

Expresiones impersonales seguidas de subjuntivo

conviene que	it's advisable that
es aconsejable que	it's advisable that
es bueno que	it's good that
es difícil que	it's difficult for
es dudoso que	it is doubtful that
es fácil que	it's easy for
es fantástico que	it's fantastic that
es importante que	it's important that
es improbable que	it's unlikely that
es incierto que	it's uncertain that
es increíble que	it's incredible that
es malo que	it's bad that
es mejor que	it's better that
es menester que	it's necessary that
es posible que	it's possible that
es preciso que	it's necessary that
es preferible que	it's preferable that
es probable que	it's probable that
es raro que	it's rare that
es ridículo que	it's ridiculous that
es terrible que	it's terrible that
es una lástima que	it's a pity that
hace falta que	to be necessary that
más vale que	it's better that
vale/merece la pena que	to be worthwhile to

Capítulo 4

Personalidad y personalidades

Temas

- Cómo es el ser humano
- Héroes, villanos y otros famosos
- Hispanos influyentes

Lección

A

Objetivos

Comunicación

- Opinar sobre personas y personalidades
- Hablar sobre manías y fobias
- Hablar sobre el amor, la envidia y las mentiras
- Describir cómo nos comunicamos
- Opinar sobre el poder de la mente

Gramática

- El subjuntivo en cláusulas adjetivales
- El subjuntivo en cláusulas adverbiales

"Tapitas" gramaticales

- *aun* y *aún*
- expresiones con *lo*
- los nexos
- el orden de los adjetivos

Cultura

- Conceptos del amor
- Fobias, manías y miedos
- Atracción por lo malo o prohibido
- La comunicación no verbal
- Elementos de la personalidad
- Los mentirosos

Para empezar

1 Conteste las preguntas

Piense en las respuestas a las siguientes preguntas. Ud. puede tomar notas si lo considera necesario. Cuando termine, compare sus respuestas —pero sin mirar sus notas— con las de un/a compañero/a.

1. ¿Qué tipo de persona es Ud.? ¿Qué tres palabras usaría para describirse a sí mismo/a?
2. ¿Se considera una persona positiva o negativa? Dé un ejemplo de un problema y su actitud ante él.
3. ¿Le resulta fácil expresar sus sentimientos a otra persona? ¿Suele decirles a sus amigos o familiares que los quiere, o prefiere que "lo intuyan"?
4. ¿Se enamora con facilidad o le cuesta enamorarse?
5. ¿Le resulta fácil mentir? ¿Por qué?
6. ¿Tiene algún tipo de fobia? ¿Cuál?
7. ¿Tiene manías? ¿Qué manías son las más comunes?
8. ¿Qué cualidades valora más en los amigos y amigas? ¿Y en los familiares?
9. ¿Considera justificable el mentir? ¿Bajo qué circunstancias mentiría?
10. ¿Qué cualidades debe de tener un líder?

2 Mini-diálogos

Ud. va a crear un mini-diálogo con un/a compañero/a. Lea la descripción de la conversación antes de empezar. Puede tomar notas para organizar sus ideas, pero no las mire mientras conversa.

Escena: En el almuerzo Ud. y su amigo/a mantienen una conversación sobre otros amigos.

A:	Hable con él/ella sobre uno/a de sus amigos. Describa su personalidad y pregúntele qué piensa de esta persona.
B:	Exprese su opinión. Pregúntele qué piensa de otro/a amigo/a que tienen.
A:	Conteste sus preguntas. Hable sobre la personalidad de esta persona. Háblele sobre una de las manías que tiene (puede inventársela si no la tiene).
B:	Reaccione con sorpresa. Háblele sobre una de las manías que Ud. tiene.
A:	Reaccione a su comentario. Quede para verse otro día y despídase.
B:	Acepte la invitación. Despídase y recuérdele algo que tiene que hacer.

Cita

Todo hombre es como la luna: con una cara oscura que a nadie enseña.

—Mark Twain (1835–1910), escritor y humorista estadounidense

¿Es pesimista u optimista esta cita? ¿Por qué? ¿Cree que la mayoría de las personas tienen una cara oscura? Cite algunos ejemplos y comparta su opinión con un/a compañero/a.

¡Dato curioso!

Según unos investigadores, los gestos también se heredan. En un experimento se le pidió a un grupo de personas ciegas y a algunos de sus familiares que reaccionaran a ciertas situaciones para mostrar cómo se sentían cuando estaban tristes, contentos, frustrados, etc., mientras todos los gestos fueron grabados. Los científicos comprobaron que los gestos eran muy similares o iguales, aun en el caso de los ciegos que jamás habían podido observar a otras personas.

Vocabulario y gramática en contexto

3 David Aron

Túrnese con un/a compañero/a para leer el siguiente artículo. Fíjese en las palabras que aparecen en azul (relacionadas con el vocabulario) y en rojo (relacionadas con la gramática), ya que en las siguientes actividades se le harán preguntas sobre ellas.

Personas con una gran personalidad

No conozco a nadie que sea tan positivo como David Aron. Es una de esas personas que siempre le busca el lado positivo a las cosas. En realidad no conozco a nadie [5] que motive a sus compañeros tanto como él. Por esta razón es fácil que muchos le sigan a todas las tiendas donde trabaja. Desafortunadamente, por algún motivo es imposible que yo pueda tener esa actitud, así [10] que esta mañana fui a su tienda y le pregunté con cierta vergüenza cómo lo hacía. Él me contestó cariñosamente: "Es importante que te levantes cada día y tomes la decisión de estar de buen humor y no de mal humor. [15] Si alguien te critica por algo es mejor que aprendas de ello y que no seas una víctima. En resumen, es indispensable que tomes una actitud positiva ante cada situación sin importarte el qué dirán. ¡Tú eliges!" Me fui de [20] allí tranquilo y con mucha más confianza en mí mismo de la que había tenido en siglos. Por desgracia, me acabo de enterar de que justo después de mi visita un sinvergüenza entró a robarle y le disparó en el pecho. Por [25] suerte lo llevaron enseguida al hospital. No obstante, al estar herido gravemente, todos los médicos pensaron: "Es imposible que este hombre sobreviva". Al verles la cara David comprendió que estaba entre la vida y la [30] muerte y les dijo a los que le asistían como pudo con una débil sonrisa: "Tranquilos. Hagan lo que puedan, pero por favor, recuerden que aún estoy vivo, no muerto". Como resultado, los médicos reaccionaron [35] de inmediato y le preguntaron: "Señor, ¿es alérgico a algún medicamento?" David les respondió: "No, no hay nada a lo que sea alérgico. Bueno, sí, a una cosa: a las balas". Todos rieron y comprendieron lo importante [40] que es que uno tenga una actitud positiva. ¿Y tú? ¿Cómo ves el vaso? ¿Medio lleno o medio vacío?

4 Vocabulario

Defina en español el significado de las palabras en azul que aparecen en la lectura anterior.

5 El subjuntivo en cláusulas adjetivales y con expresiones impersonales

Conteste estas preguntas relacionadas con la lectura de la Actividad 3.

1. Haga una lista de los verbos que se usan en el subjuntivo en el artículo anterior y explique por qué se usaron.
2. ¿Qué es una cláusula adjetival?
3. Cuente la historia anterior en pasado hasta la línea 21.
4. Traduzca:
   a. Do you know anyone that is a rascal?
   b. I'd like to know someone who manages to get tickets for the game.
   c. Is there anyone who is unbearable?

6 "Tapitas" gramaticales

1. ¿Cómo traduciría *aún*? ¿Qué significa cuando se escribe sin acento? Escriba una oración con cada uno de estos ejemplos.
2. ¿Cómo traduciría *lo importante*? Escriba una oración usando *lo* con otro adjetivo.
3. Los nexos, tales como *en realidad*, sirven para conectar las ideas en una oración. ¿Cuáles son los otros nexos que se usan en el artículo?

7 Una carta al periódico

Ud. es uno de los empleados de David Aron. Después de que su jefe haya sido asaltado, un periódico local le ha pedido que describa el tipo de persona que es para luego escribir un artículo sobre él. Escriba una carta al periódico de unas 200 palabras. Use nexos, verbos en subjuntivo y algunas palabras del artículo de la Actividad 3 y subráyelos.

8 Sobre el amor 

Lea con atención el siguiente texto, fijándose en las palabras en azul y en rojo, ya que se le harán preguntas sobre ellas. Después, resuma lo que leyó en una frase.

¿Qué es el amor?

Un grupo de profesionales les propuso a varios niños la siguiente pregunta: ¿Qué significa amar a una persona? Las respuestas obtenidas fueron más amplias y profundas de lo que los profesionales pudieron imaginar. Aquí tienen algunas de ellas.

Cuando alguien te ama, cada vez que diga tu nombre lo hará de una manera diferente al resto.

El amor es cuando sales a comer con alguien y le das tus papas fritas sin que te importe.

Amor es cuando después de que le digas a un chico que te gusta su camisa, él se la ponga todos los días.

Amor es cuando mi mami ve a mi papi después de trabajar y le dice que es más guapo que Brad Pitt, sin que le importe que esté sudoroso y oloroso.

Amor es cuando mi perrito me chupaba la cara con cariño todos los días aunque lo dejara solo cada vez que me iba a la escuela.

Amor es cuando mis padres piensan siempre en nosotros antes de hacerlo en ellos mismos.

Amor es cuando mi abuelo le pinta las uñas a mi pobre abuela quien tiene artritis, a fin de que se sienta tan bella como de costumbre.

Amor es lo que hace que mi hermana me dé toda su ropa para que yo la use, y luego ella tiene que ir a comprársela nueva.

Amor es cuando mis abuelos siempre van de la mano dondequiera que vayan, después de tantos años juntos.

Amor es cuando mi papá se queda en el trabajo hasta muy tarde a fin de que podamos irnos todos juntos una semana de vacaciones en verano.

Amor es cuando mis padres entran en nuestra habitación y nos besan en la frente con cariño sin que lo sepamos.

Amor es cuando mi madre prueba siempre primero la sopa para que nadie se queme.

Amor es cuando mis padres me dicen "Muy bien" aunque me equivoque.

En resumidas cuentas, después de leerlo, puede ser que te haga pensar en cosas a las que normalmente no le sueles prestar atención; por lo tanto, en cuanto puedas, dile a un ser querido que lo amas, en caso de que se haya olvidado de lo que sientes por él o por ella.

9 Amplíe su vocabulario

¿Cuál es la mejor definición según el contexto del artículo que acaba de leer?

1. amplio
2. profundo
3. de una manera
4. el resto
5. sudoroso
6. oloroso
7. chupar
8. uña
9. dondequiera
10. a fin de que

a. que huele mal
b. parte dura que crece al final de los dedos
c. de una forma
d. mojar o humedecer con la lengua
e. a/en cualquier parte
f. para que
g. extenso
h. los demás
i. serio, trascendente, hondo
j. con sudor, con la piel húmeda por la transpiración

10 Cláusulas adverbiales

1. ¿Qué es una cláusula adverbial? ¿Cómo van introducidas en la oración principal?
2. Haga una lista de las situaciones en las que aparece el subjuntivo después de una cláusula adverbial en el texto anterior. Escriba el significado en inglés de dichas palabras o expresiones.

11 "Tapitas" gramaticales

1. La palabra *mismo* cambia de significado según vaya delante o detrás del sustantivo. ¿Qué significa en este contexto: "en ellos mismos"? ¿Cómo se traduce cuando se usa delante del nombre?
2. Escriba los diferentes significados de los siguientes adjetivos, según vayan delante o detrás del nombre: *antiguo, cierto, grande, nuevo, pobre* y *simple*. ¿Qué le ocurre al adjetivo *grande* cuando va delante de un sustantivo singular?

12 Cláusulas adverbiales

Conjugue el verbo en el tiempo correcto según sea indicativo, subjuntivo o infinitivo.

1. No podemos viajar hasta que tú no ___ (*conseguir*) un trabajo y ___ (*ahorrar*) un poco.
2. A veces yo ___ (*ponerse*) muy sentimental y ___ (*llorar*) cuando veo una película triste.
3. Nos encanta ___ (*pedir*) palomitas cuando ___ (*ir*) al cine. Así que nos extrañó que tú no ___ (*pedir*) nada cuando fuiste con tus amigos.
4. Mis amigos y yo ___ (*ponerse*) a escuchar música tan pronto como ___ (*descargar*) la música en mi MP3. Faltan unos dos minutos.
5. Descansarán aquí mientras que ___ (*poder*). Necesitan descansar, pues ayer, mientras ___ (*dormir*) les llamaron varias veces y están agotados.

13 Subjuntivo mixto

Conjugue el verbo en el tiempo correcto según sea indicativo, subjuntivo o infinitivo.

1. Es frustrante que nadie le ___ (*agradecer*) lo que hizo por todos cuando trabajó aquí.
2. No me importa que hayan usado mi bicicleta mientras que la ___ (*dejar*) en su sitio. Hay gente que se las ___ (*robar*) últimamente.
3. No te preocupes cuando ___ (*equivocarse*) al hablar en otro idioma. Cuando yo lo ___ (*hacer*) siempre ___ (*reírse*) y no pasa nada.
4. Dudo que ___ (*conseguir*) los boletos para el concierto. Esther dice que ayer se acabaron cinco minutos antes de que ___ (*llegar*).

14 El subjuntivo

Complete las siguientes frases con una cláusula adverbial o adjetival. Siga el modelo.

MODELO Ramón siempre se va sin que… .
Ramón siempre se va sin que *nos podamos despedir de él.*

1. Este ejercicio era para que… .
2. Yo no iré a menos que… .
3. Tú no vengas sin que… .
4. Será bienvenido quienquiera que… .
5. Los estudiantes de la escuela New Trier esperan que cuando… .
6. Miguel dijo que llamará por teléfono a menos que… .
7. Esta estudiante de Dalton era tímida a menos que… .
8. Mi médico me puso una inyección en caso de que… .

Cita

Un optimista ve una oportunidad en toda calamidad, un pesimista ve una calamidad en toda oportunidad.
—Sir Winston Churchill (1874–1965), primer ministro británico y premio Nobel de Literatura

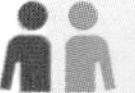
¿Está de acuerdo con lo que dijo Sir Winston? ¿Qué tipo de persona se considera Ud.? Comparta su opinión con un/a compañero/a.

¡Dato curioso! Un estudio de la Clínica Mayo de Estados Unidos revela que las personas optimistas viven alrededor de un 19 por ciento más que las pesimistas. Los resultados surgen de un estudio realizado a 839 personas, quienes participaron en un sondeo de personalidad que las clasificó de optimistas, pesimistas o un poco de ambas. Esto confirma, tal y como se lleva pensando durante siglos, que la mente y el cuerpo están vinculados.

15 Indicativo o subjuntivo

Vicente le mandó el siguiente mensaje electrónico a una de sus mejores amigas. Complételo con la forma correcta del verbo según sea indicativo o subjuntivo. Después, conteste la pregunta: ¿Cuál es el propósito del correo electrónico?

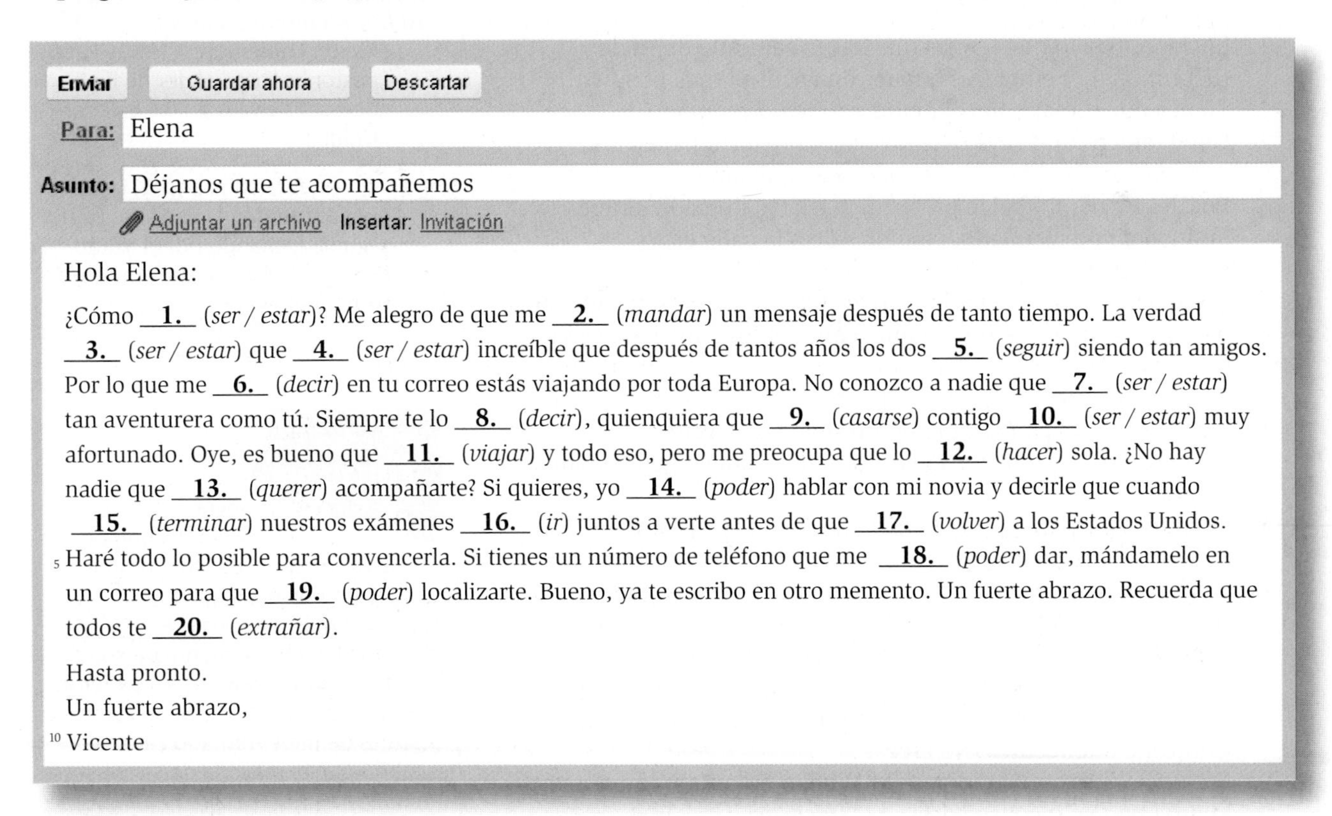
Enviar | Guardar ahora | Descartar

Para: Elena

Asunto: Déjanos que te acompañemos

Adjuntar un archivo Insertar: Invitación

Hola Elena:

¿Cómo __1.__ (*ser / estar*)? Me alegro de que me __2.__ (*mandar*) un mensaje después de tanto tiempo. La verdad __3.__ (*ser / estar*) que __4.__ (*ser / estar*) increíble que después de tantos años los dos __5.__ (*seguir*) siendo tan amigos. Por lo que me __6.__ (*decir*) en tu correo estás viajando por toda Europa. No conozco a nadie que __7.__ (*ser / estar*) tan aventurera como tú. Siempre te lo __8.__ (*decir*), quienquiera que __9.__ (*casarse*) contigo __10.__ (*ser / estar*) muy afortunado. Oye, es bueno que __11.__ (*viajar*) y todo eso, pero me preocupa que lo __12.__ (*hacer*) sola. ¿No hay nadie que __13.__ (*querer*) acompañarte? Si quieres, yo __14.__ (*poder*) hablar con mi novia y decirle que cuando __15.__ (*terminar*) nuestros exámenes __16.__ (*ir*) juntos a verte antes de que __17.__ (*volver*) a los Estados Unidos. Haré todo lo posible para convencerla. Si tienes un número de teléfono que me __18.__ (*poder*) dar, mándamelo en un correo para que __19.__ (*poder*) localizarte. Bueno, ya te escribo en otro memento. Un fuerte abrazo. Recuerda que todos te __20.__ (*extrañar*).

Hasta pronto.
Un fuerte abrazo,
Vicente

Idioma

16 Familia de palabras

Complete la tabla con el verbo, sustantivo o adjetivo apropiado, y la traducción correspondiente.

Verbos		Sustantivos		Adjetivos	
aislar(se)	___	el aislamiento	___	aislado	___
atraer	___	___	___	atractivo	___
avergonzarse	*to be ashamed*	___	___	avergonzado	___
coquetear	*to flirt*	el coqueteo	___	___	___
___	*to be depressed*	la depresión	*depression*	deprimido	___
emocionarse	___	___	*emotion*	emocionado	___
enamorarse	___	el amor; el/la enamorado/a	___; ___	enamorado	___
___	*to deceive*	el engaño	___	___	___
estresarse	___	___	*stress*	estresante	___
fracasar	___	el fracaso	___	___	___

17 ¿Verbo, sustantivo o adjetivo?

Complete las oraciones usando la forma correcta de las palabras que aparecen en la tabla, ya sea verbo, adjetivo o sustantivo. En el caso del sustantivo puede que necesite artículo.

1. Luciano, haz lo que tengas que hacer para que dejes de ___ (*deprimirse*), y empieces a tener una actitud más positiva. Tienes que tomar control de tus ___ (*emocionarse*).
2. Dondequiera que vaya, Gustavo siempre termina usando ___ (*engañarse*), incluso con las personas que ama.
3. Por desgracia, Rafael le presta demasiada atención al qué dirán y, como resultado, cuando sale a la calle está ___ (*avergonzarse*) por su aspecto físico.
4. Aunque no lo pareciera, la actriz estuvo tres horas arreglándose para la rueda de prensa, ya que, como todos sabemos, es una persona bastante ___ (*coquetear*).
5. A menos que le ___ (*atraer*) sinvergüenzas como él, no creo que Alfonso tenga ninguna oportunidad con Teresa. Ella siempre siente ___ (*atraer*) por los chicos buena gente y sin maldad.
6. Después de haber ___ (*engañar*) a casi todos sus amigos, éstos lo han ___ (*aislarse*) y prácticamente no le hablan a José Luis.
7. Nunca se comportó muy bien y, para colmo, en cuanto ___ (*enamorarse*) Felipe de Almudena, se olvidó de todos sus amigos.
8. No me entra en la cabeza cómo Quique es tan pesimista y está siempre ___ (*deprimirse*), ya que es una persona muy ___ (*atraer*) e inteligente. ¿No crees?
9. Era un secreto a voces que todo aquello era una trampa, el que lo intentara sólo conseguiría ___ (*fracasar*).
10. Ya te he dicho miles de veces que mientras ___ (*avergonzarse*) tanto de cantar en público, difícilmente te van a contratar para cantar en una banda.

Cita

Si en lo profundo de mi corazón tuviera la certeza de que mañana se acabaría el mundo, me gusta pensar que soy el tipo de persona que aun así hoy plantaría un árbol.

—Martin Luther King (1929–1968), pastor baptista y líder de los derechos civiles en los Estados Unidos

Bajo estas circunstancias, ¿cree que Ud. perdería la esperanza o seguiría luchando por el futuro? ¿Por qué? Discuta esto con un/a compañero/a.

¡Dato curioso!

Según un estudio hecho por la Universidad de Queensland, Australia, las personas que toman cafeína son más propensas a decir que sí cuando alguien les intenta persuadir de algo. Los investigadores les pidieron sus opiniones a los participantes antes y después de haber tomado café. Se descubrió que la mayoría de las personas eran más fáciles de persuadir para así cambiar su opinión inicial después de tomar un café.

11. Aunque su novio la ___ (*engañar*) constantemente, aún se siente ___ (*atraerse*) por él.
12. No hay nadie que ___ (*estresarse*) tan fácilmente como Pepe. Está todo el tiempo ___ (*estresarse*), y por nada. Este chico se ahoga en un vaso de agua.

18 ¡Qué fobia me da!

Lea el artículo y decida cuál de las palabras entre paréntesis es la correcta para completar cada oración. Después conteste las siguientes preguntas:

- ¿Cuál es el propósito del artículo?
- ¿Cómo resumiría el artículo en una frase?
- Si quisiera consultar otra fuente, ¿podría pensar en un posible título de una publicación?
- ¿Qué pregunta sería apropiada para hacerle al autor después de leer el artículo?

El mundo de las fobias

Tengo unas __1.__ (*cuantos / cuantas*) fobias y no me dejan llevar una vida normal, pero no es que __2.__ (*puedo / pueda*) evitarlo... Tengo fobia a __3.__ (*les / los*) lugares __4.__ (5) (*cerrados / cerradas*), a las alturas y a los perros. __5.__ (*Muchos / Muchas*) veces en un partido o concierto __6.__ (*me agobio / me agobie*) muchísimo y quiero que todo el mundo __7.__ (*se va / se vaya*) de allí, pero (10) como es imposible me __8.__ (*tengo / tenga*) que marchar yo. Algunas personas piensan que __9.__ (*estoy / esté / soy / sea*) un poco loco, pero no sé cómo soportar la presión.

El otro día __10.__ (*fui / iba*) por la calle (15) paseando cuando un perro se me abalanzó y me __11.__ (*puse / ponía*) a gritar desesperado. Todo el mundo que __12.__ (*estaba / estaban*) alrededor acudió porque pensaban que el animal me __13.__ (*ha / había*) mordido, pero (20) sólo me __14.__ (*fue / estaba*) lamiendo. Fue un espectáculo, yo gritaba, el perro me lamía y la gente se partía de risa. ¡Qué vergüenza! Pero es que nadie lo __15.__ (*comprende / comprenda*); mis padres creen que __16.__ (*es /* (25) *sea / está / esté*) una tontería y que se me __17.__ (*pasaré / pasará*), pero yo pienso que con mi edad ya se __18.__ (*me / mi*) habría pasado si fuera sólo eso.

Por __19.__ (*le / lo*) menos con mis fobias (30) puedo hacer __20.__ (*un / una*) vida diaria más o menos normal. Conozco a gente que las __21.__ (*tiene / tenga / tuviera*) de lo más surrealista: miedo a los espejos, a los sueños, al fuego o incluso a los hospitales. (35) Sin ir más lejos, una de mis mejores amigas tiene una fobia tremenda __22.__ (*a / al*) número trece; y puede llegar a convertirse en una pesadilla para ella y para (40) __23.__ (*la / los*) que la rodeamos. Si vamos a una cafetería y __24.__ (*nos sentamos / nos sentemos*) en la mesa trece, quiere que nos __25.__ (*vamos / vayamos*) de allí; (45) como __26.__ (*ve / vea / viera / verá*) el número trece en la carta, o incluso en la cuenta, se pone nerviosa y empieza a pensar que ya durante todo el día __27.__ (50) (*tenga / tendrá*) mala suerte; incluso __28.__ (*nos hemos ido / nos hayamos ido*) con la comida en la mesa. Algunas veces me enojo pero yo la entiendo mejor que los demás, porque si me (55) __29.__ (*pasa / pase / pasara*) a mí actuaría igual que ella. A nuestros amigos les cuesta un poco más de trabajo, pero intento que la __30.__ (*comprenden / comprendan*) haciéndoles ver que ella no __31.__ (*los / lo*) hace con mala (60) intención, es sólo un problema que, con paciencia, se puede llevar más o menos bien.

Sólo pido que cuando __32.__ (*tendrá / tenga*) una pareja __33.__ (*puede / pueda*) entenderlo y __34.__ (*acepta / acepte*) que mis fobias (65) vienen conmigo a todos lados.

Mari Sierra Ramos Castro

19 Amplíe su vocabulario

¿Cuál es la mejor traducción según el contexto del artículo que acaba de leer?

1. altura
   a. tallness b. height
   c. atlas d. stature
2. marcharse
   a. to match b. to march
   c. to leave d. to make
3. soportar
   a. to support b. to assist
   c. to endure d. to sustain
4. partirse de risa
   a. to part with rice b. to laugh one's head off
   c. to smile from ear to ear d. to leave laughing
5. ¡Qué vergüenza!
   a. What a view! b. What a pity!
   c. How upsetting! d. How embarrassing!
6. ser una tontería
   a. to be a silly person b. to be a silly thing
   c. to feel silly d. to be a passing thing
7. tremendo
   a. trembling b. shaking
   c. terrible d. fearful
8. rodear
   a. to film b. to travel
   c. to surround d. to rope in
9. intentar
   a. to intend b. to try
   c. to pursue d. to intensify

20 Pero,... ¡qué manía!

Échele una ojeada al siguiente artículo para ver de qué se trata, prestando atención a las palabras en azul, ya que se le harán preguntas sobre ellas. Luego lea el artículo y decida qué forma de las palabras entre paréntesis es la correcta para completar cada oración y escríbala. No se olvide de escribir y acentuar la palabra correctamente.

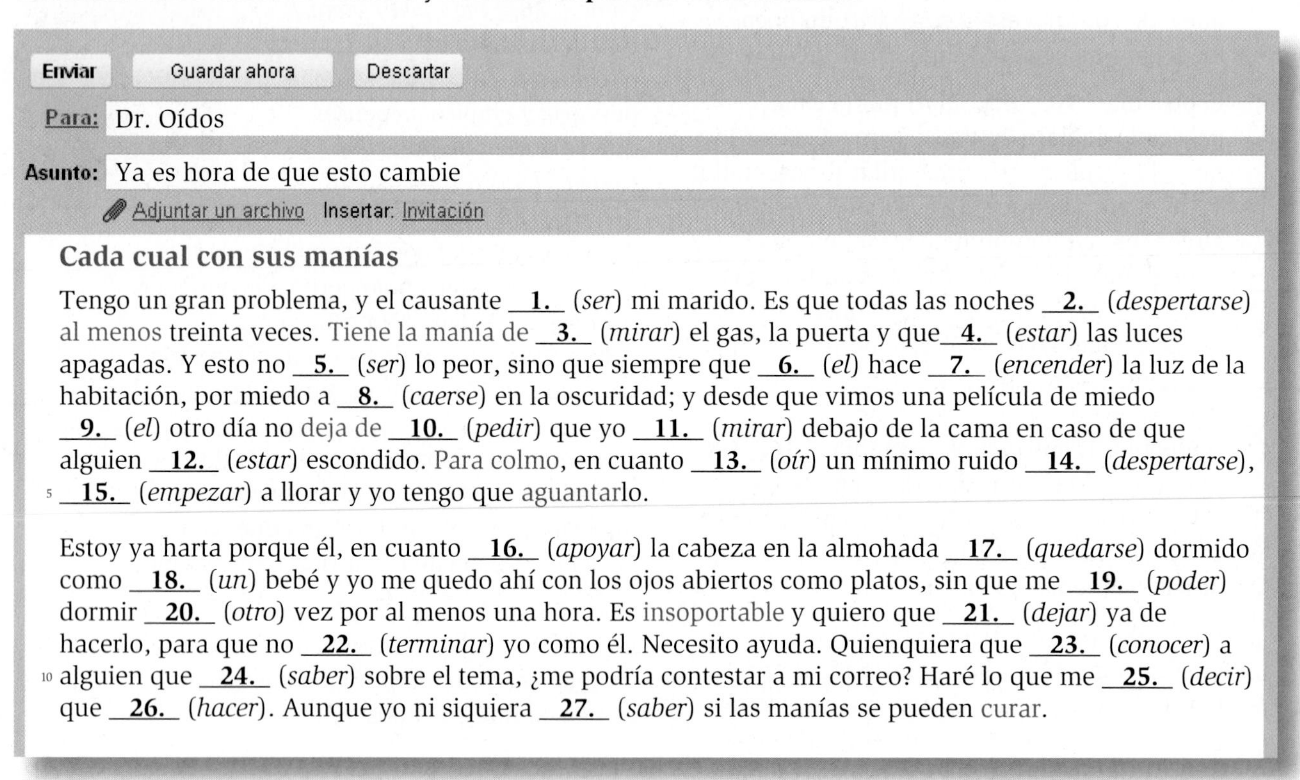
Enviar Guardar ahora Descartar

Para: Dr. Oídos

Asunto: Ya es hora de que esto cambie

Adjuntar un archivo Insertar: Invitación

Cada cual con sus manías

Tengo un gran problema, y el causante __1.__ (*ser*) mi marido. Es que todas las noches __2.__ (*despertarse*) al menos treinta veces. Tiene la manía de __3.__ (*mirar*) el gas, la puerta y que __4.__ (*estar*) las luces apagadas. Y esto no __5.__ (*ser*) lo peor, sino que siempre que __6.__ (*el*) hace __7.__ (*encender*) la luz de la habitación, por miedo a __8.__ (*caerse*) en la oscuridad; y desde que vimos una película de miedo __9.__ (*el*) otro día no deja de __10.__ (*pedir*) que yo __11.__ (*mirar*) debajo de la cama en caso de que alguien __12.__ (*estar*) escondido. Para colmo, en cuanto __13.__ (*oír*) un mínimo ruido __14.__ (*despertarse*), __15.__ (*empezar*) a llorar y yo tengo que aguantarlo.

Estoy ya harta porque él, en cuanto __16.__ (*apoyar*) la cabeza en la almohada __17.__ (*quedarse*) dormido como __18.__ (*un*) bebé y yo me quedo ahí con los ojos abiertos como platos, sin que me __19.__ (*poder*) dormir __20.__ (*otro*) vez por al menos una hora. Es insoportable y quiero que __21.__ (*dejar*) ya de hacerlo, para que no __22.__ (*terminar*) yo como él. Necesito ayuda. Quienquiera que __23.__ (*conocer*) a alguien que __24.__ (*saber*) sobre el tema, ¿me podría contestar a mi correo? Haré lo que me __25.__ (*decir*) que __26.__ (*hacer*). Aunque yo ni siquiera __27.__ (*saber*) si las manías se pueden curar.

He buscado información por todos lados, **28.** (*haber*) leído en Internet que uno tiene que **29.** (*seguir*) una rutina, como comer y dormir siempre a la misma hora; pero no **30.** (*saber*) si con eso bastará. Es que ni se fía de mí; yo lo miro todo antes para que él no tenga que hacerlo y le **31.** (*decir*) que está todo bajo control, pero no puede evitarlo, tiene que ir a revisarlo para **32.** (*asegurarse*). **33.** (*El*) problema es que desde que le dio por hacer eso yo apenas **34.** (*dormir*), y luego en el trabajo se me **35.** (*cerrar*) los ojos continuamente y por mucho café que **36.** (*tomar*) no puedo mantenerme despierta. Ya me **37.** (*dar*) miedo que me **38.** (*despedir*) y **39.** (*tener*) que buscarme otro trabajo, con lo que tardé en encontrar éste... y seguro que me **40.** (*pagar*) menos. Pronto **41.** (*tener*) que tomar medidas drásticas e irme a dormir a otra habitación, pero yo no **42.** (*querer*) eso y seguro que él tampoco, quizás así **43.** (*acabarse*) el problema: si le doy a elegir entre sus manías y yo.

Para esta noche **44.** (*haber*) alquilado una película de Jack Nicholson, una que se llama *Mejor imposible*. A ver si viéndola mi marido comprende lo absurdo de **45.** (*el*) situación. A ver si **46.** (*conseguir*) dormir al menos unas horitas sin que me **47.** (*despertar*) con sus historias. Dicen que con la edad las personas **48.** (*volverse*) más maniáticas. Conociendo a mi marido seguro que se **49.** (*lo*) ocurre alguna otra cosa nueva en cuanto **50.** (*poder*). ¡Necesito ayuda profesional tan pronto como **51.** (*ser*)! ¡No lo soporto más!

Mari Sierra Ramos Castro

21 Conteste 

Imagine que Ud. es el Dr. Oídos. Conteste el correo de la señora Ramos.

- Dele información sobre el tipo de trabajo que hace.
- Háblele sobre algunos casos que ha tratado de otros clientes.
- Ofrézcale consejo.

22 Lea, escuche y escriba/presente 

Vuelva a leer el texto completo de la Actividad 20. Luego escuche el diálogo entre tres amigos —Luis, José y Laura— en la grabación "Todos tenemos alguna manía" y tome las notas necesarias. Escriba un ensayo o haga una presentación en clase contestando la pregunta, "¿Qué piensa de las manías?" No se olvide de citar las fuentes debidamente.

23 Atracción fatal 

Lea el artículo y decida cuál de las palabras entre paréntesis es la correcta para completar cada oración. Después conteste las siguientes preguntas:

- ¿Cuál es el propósito del artículo?
- ¿Cómo resumiría el artículo en una frase?
- Si quisiera consultar otra fuente, ¿podría pensar en un posible título de una publicación?

continúa

Refrán

De tal palo, tal astilla.

Al igual que sucede con las características físicas, ¿cree que las manías y las fobias también se heredan? ¿Qué evidencia tiene de esto? Comparta su opinión con un/a compañero/a y dele ejemplos.

¡Dato curioso!

Últimamente se habla de nuevas manías, fobias y adicciones. Por ejemplo, la adicción al trabajo, bastante común en Estados Unidos, donde se le conoce por el nombre *Workaholism*; la de la compra compulsiva o la de la adicción al móvil o al pasatiempo japonés *sudoku*. ¡Pero que no se preocupen los amantes del chocolate! Por lo visto el chocolate, aunque engancha, no se le considera adicción porque una vez satisfecha la necesidad de comerlo, el deseo desaparece.

¿Por qué triunfan los malos?

Los odiamos, admiramos y caemos __1.__ (*en / sobre*) las trampas afectivas de __2.__ (*los / las*) canallas. Los psicólogos y psiquiatras investigan a qué __3.__ (*se / x*) debe la atracción __4.__ (*por / para*) el lado oscuro.

Algunos __5.__ (*son / sean*) drogadictos, otros narcisistas, los __6.__ (*hay / haya*) dominantes, chulos y delincuentes. Pero tienen __7.__ (*el / un*) atractivo al __8.__ (*que / quien*) pocos se pueden resistir. ¿Cuál __9.__ (*es / sea*) la clave de su éxito? ¿Por qué nos atraen si no nos convienen?

"Nos gusta coquetear __10.__ (*para / con*) el lado oscuro de la vida __11.__ (*por qué / porque*) la actividad social a la que estamos sometidos nos obliga __12.__ (*a / x*) adoptar ciertas normas de comportamiento", explica Juan Carlos Revilla, profesor __13.__ (*en / de*) Psicología Social de la Universidad Complutense __14.__ (*en / de*) Madrid. Representan, desde el punto __15.__ (*de / x*) vista psicoanalítico, aspectos inconscientes de nosotros mismos __16.__ (*cuales / que*) no nos atrevemos __17.__ (*a / x*) expresar. Son el espejo __18.__ (*sobre / en*) el que vemos nuestro "yo" más reprimido.

¿A __19.__ (*quién / quiénes*) no __20.__ (*lo / le*) gustaría vivir una historia de amor y lujo? La top model Kate Moss lo hace, y adereza su existencia con grandes dosis de frivolidad, drogas, escándalos y __21.__ (*la / x*) policía. Y aun así, triunfa. __22.__ (*Le / La*) siguen contratando, pagando fortunas por dejarse fotografiar, seduciendo a los medios y a las marcas exclusivas. Un milagro que __23.__ (*se / x*) repite en decenas de personajes famosos, como el rockero Tommy Lee, acusado __24.__ (*de / para*) maltratar a su ex pareja, Pamela Anderson, y __25.__ (*la / el*) líder de Oasis, Liam Gallagher, a __26.__ (*que / quien*) no le preocupa llegar borracho a una rueda de prensa o cancelar un concierto media hora antes __27.__ (*de / x*) que empiece.

Admiración, envidia, odio, deseo. Los sentimientos se confunden __28.__ (*cuándo / cuando*) una de estas personas aparece. Según Freud, la explicación __29.__ (*esta / está*) en esa parte demoníaca __30.__ (*cual / que*) cada uno de nosotros llevamos dentro; es un instinto natural hacia la transgresión y la no aceptación de normas y leyes. De ahí a la maldad absoluta __31.__ (*haya / hay*) un abismo, porque tan perversas fuerzas __32.__ (*sean / son*) contrarrestadas con las pulsiones de vida —los sentimientos positivos— del individuo. Sólo de la compensación __33.__ (*para / entre*) ambas fuerzas nace el equilibrio.

www.quo.wanadoo.es

24 ¿Qué significa?

Empareje cada palabra de la primera columna con su definición o sinónimo de la segunda, según el contexto del artículo que acaba de leer.

1. admirar	a. forma de actuar
2. trampa	b. tratar a alguien o algo de mala manera
3. investigar	c. plan concebido para engañar a alguien
4. oscuro	d. lo contrario de bondad
5. drogadicto	e. estudiar a fondo, indagar
6. atraer	f. declaraciones que se hacen durante reuniones con periodistas
7. coquetear	g. lo contrario de claro
8. comportamiento	h. apreciar a alguien
9. inconsciente	i. sentimiento de aversión muy intenso
10. lujo	j. nombre de un producto
11. contratar	k. persona que tiene una adicción a las drogas
12. seducir	l. traer hacia sí
13. marca	m. flirtear
14. decena	n. lo contrario de despedir
15. maltratar	o. conjunto de diez unidades
16. rueda de prensa	p. sin darse cuenta
17. odio	q. riqueza
18. maldad	r. persuadir sutilmente

25 Lea, escuche y escriba/presente

Vuelva a leer el texto completo de la Actividad 23. Luego escuche la grabación "Atracción por lo imposible" y tome las notas necesarias. Escriba un ensayo o haga una presentación en clase contestando la pregunta, "¿Por qué cree que nos atraen a veces las cosas que no podemos conseguir?" No se olvide de citar las fuentes debidamente.

26 Gestos que hablan de ti

Lea el artículo y decida cuál de las palabras entre paréntesis es la correcta para completar cada oración. Después conteste las siguientes preguntas:

- ¿Cuál es el propósito del artículo?
- ¿Cómo resumiría el artículo en una frase?
- Si quisiera consultar otra fuente, ¿podría pensar en un posible título de una publicación?

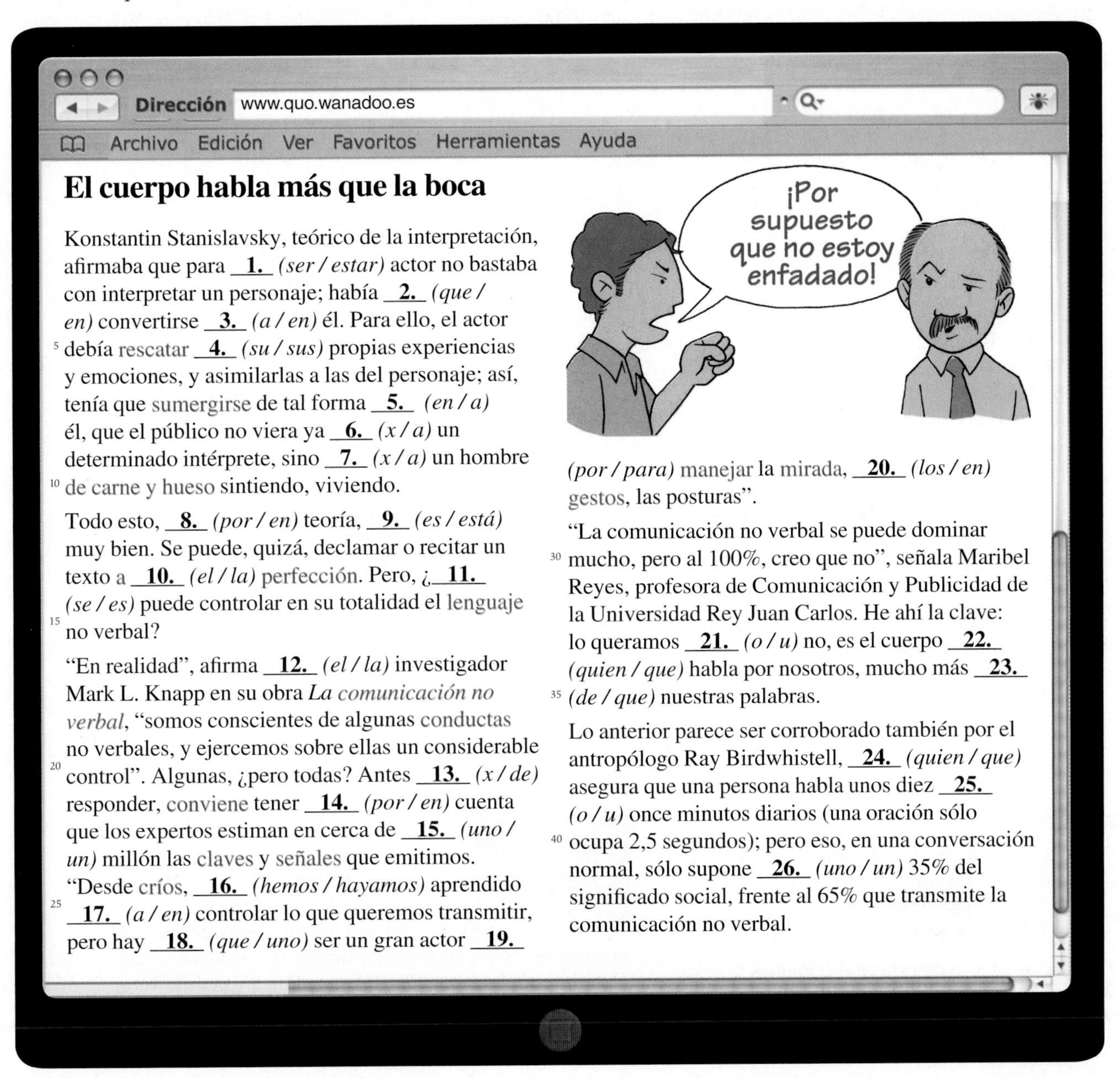

El cuerpo habla más que la boca

Konstantin Stanislavsky, teórico de la interpretación, afirmaba que para ___1.___ *(ser / estar)* actor no bastaba con interpretar un personaje; había ___2.___ *(que / en)* convertirse ___3.___ *(a / en)* él. Para ello, el actor debía rescatar ___4.___ *(su / sus)* propias experiencias y emociones, y asimilarlas a las del personaje; así, tenía que sumergirse de tal forma ___5.___ *(en / a)* él, que el público no viera ya ___6.___ *(x / a)* un determinado intérprete, sino ___7.___ *(x / a)* un hombre de carne y hueso sintiendo, viviendo.

Todo esto, ___8.___ *(por / en)* teoría, ___9.___ *(es / está)* muy bien. Se puede, quizá, declamar o recitar un texto a ___10.___ *(el / la)* perfección. Pero, ¿___11.___ *(se / es)* puede controlar en su totalidad el lenguaje no verbal?

"En realidad", afirma ___12.___ *(el / la)* investigador Mark L. Knapp en su obra *La comunicación no verbal*, "somos conscientes de algunas conductas no verbales, y ejercemos sobre ellas un considerable control". Algunas, ¿pero todas? Antes ___13.___ *(x / de)* responder, conviene tener ___14.___ *(por / en)* cuenta que los expertos estiman en cerca de ___15.___ *(uno / un)* millón las claves y señales que emitimos. "Desde críos, ___16.___ *(hemos / hayamos)* aprendido ___17.___ *(a / en)* controlar lo que queremos transmitir, pero hay ___18.___ *(que / uno)* ser un gran actor ___19.___ *(por / para)* manejar la mirada, ___20.___ *(los / en)* gestos, las posturas".

"La comunicación no verbal se puede dominar mucho, pero al 100%, creo que no", señala Maribel Reyes, profesora de Comunicación y Publicidad de la Universidad Rey Juan Carlos. He ahí la clave: lo queramos ___21.___ *(o / u)* no, es el cuerpo ___22.___ *(quien / que)* habla por nosotros, mucho más ___23.___ *(de / que)* nuestras palabras.

Lo anterior parece ser corroborado también por el antropólogo Ray Birdwhistell, ___24.___ *(quien / que)* asegura que una persona habla unos diez ___25.___ *(o / u)* once minutos diarios (una oración sólo ocupa 2,5 segundos); pero eso, en una conversación normal, sólo supone ___26.___ *(uno / un)* 35% del significado social, frente al 65% que transmite la comunicación no verbal.

27 Amplíe su vocabulario

Según el contexto del artículo que acaba de leer, busque la mejor definición o sinónimo de cada palabra.

1. rescatar
   a. recobrar
   b. proteger
   c. ir
   d. ayudar
2. sumergirse
   a. introducirse
   b. hundirse
   c. tirarse
   d. perderse
3. de carne y hueso
   a. real
   b. de cerca
   c. pequeño
   d. tranquilo
4. a la perfección
   a. sin defectos
   b. sin problemas
   c. natural
   d. campestre
5. lenguaje
   a. capacidad
   b. trabajo
   c. mensaje
   d. idioma
6. comunicación no verbal
   a. expresiones de la cara o cuerpo
   b. comunicar por señas
   c. mensaje
   d. idioma
7. conducta
   a. manejo
   b. atajo
   c. camino
   d. comportamiento
8. convenir
   a. estar de acuerdo
   b. ser aconsejable
   c. necesitar
   d. ir con alguien
9. clave
   a. llave
   b. estado
   c. problema
   d. punto importante
10. señal
   a. mensaje
   b. marca
   c. curación
   d. solución
11. crío
   a. adulto
   b. adolescente
   c. persona mayor
   d. niño
12. manejar
   a. utilizar
   b. cambiar
   c. dirigir
   d. buscar
13. mirada
   a. olfato
   b. acción de fijar la vista
   c. señal
   d. acción de mover el cuerpo
14. gesto
   a. cambio
   b. expresión del rostro o cuerpo
   c. acto
   d. movimiento

Cita

No hay malas hierbas ni hombres malos; sólo hay malos cultivadores.
—Víctor Hugo (1802–1885), escritor francés

¿Qué piensa de esta cita? ¿Quiénes son los cultivadores? Comparta su opinión con un/a compañero/a.

¡Dato curioso!

Según el Instituto del Cine Americano (AFI, American Film Institute), éstos son los cinco villanos y los cinco héroes más famosos de la pantalla, y sus películas. Los malos: Dr. Hannibal Lecter, *El silencio de los inocentes*; Norman Bates, *Psicosis*; Darth Vader, *El imperio contraataca*; la malvada bruja del oeste, *El mago de Oz*; la enfermera Ratched, *Alguien voló sobre el nido del cuco*. Por otro lado, los buenos: Atticus Finch, *Matar a un ruiseñor*; Indiana Jones, *En busca del arca perdida*; James Bond, *Dr. No*; Rick Blaine, *Casablanca*; Will Kane, *Solo ante el peligro*.

¡A leer!

28 Antes de leer

¿Cree en el amor a primera vista? ¿Es posible enamorarse más de una vez? ¿Qué tipo de sentimientos produce el amor? ¿Le gusta estar enamorado/a? ¿Por qué?

29 El amor 

Lea con atención el siguiente artículo. Después conteste las siguientes preguntas:

- ¿Cuál es el propósito del artículo?
- ¿Cómo resumiría el artículo en una frase?
- Si quisiera consultar otra fuente, ¿podría pensar en un posible título de una publicación?

Enamoradictos

Jorge Loayza

Hay un tipo de personas a las que se suele llamar "enamoradizos", porque pareciera que siempre están a la espera de una nueva pareja. Y cuando llega, viven la relación con una intensidad casi incontenible. Son de los que opinan que el amor no tiene estación pues —como el sol de una ciudad tropical— puede salir en cualquier época del año. Y a cada rato.

Esperaba que llegaras
esperaba primavera
pues sabía que traías
para mí un nuevo amor

—Palito Ortega

El actor Jesús Delaveaux debe ser uno de los enamoradizos conocidos más incurables de este país. "Estoy convencido de que soy un enamorado del amor, y ahora que no tengo pareja espero una para tener ese sentimiento y vibrar, como me pasó hace poco con una chica española y sentí que la adrenalina fluía", reconoce con una cara de púber ilusionado y la misma mirada con la que, a los 14 años, se enamoró de una chica de 13 y su corazón latía con sólo verla pasar en el bus.

Ahora tiene 56 años, no recuerda cuántas veces se ha enamorado, pero sí tiene cinco dedos de frente para enumerar las relaciones que le desangraron. Y hasta cuándo seguirá como el muchacho que busca enamorarse una vez más. Dice que llegará a los 80 años. "Me enamoraré otra vez".

El psicoanalista Fernando Maestre define a la persona enamoradiza como al tipo pasional que no puede tener un vínculo con la otra persona si no tiene un compromiso muy grande de involucrarse, enamorarse y poner los sentimientos de por medio. Tiene que enamorarse de todas maneras como una forma única de relación. "Pero se le pasa rápido", añade el especialista.

Y no sólo eso. Un enamoradizo cuando está en pleno proceso de pasión regala flores o bombones a su pareja, le escribe poemas, la llama todo el día. Es como si se narcotizara de su propio amor. "Por eso muchas veces no soportan la separación y buscan otras personas para tener las mismas sensaciones. Además, ellos no pueden tener varias parejas a la vez, sino sólo una a quien le agarran camote", precisa el doctor Maestre.

En situaciones más graves, esos tipos llegan a tomar decisiones descabelladas. Es decir, hacen actos de amor sin medir las consecuencias, como abandonar los estudios o escapar de casa para seguir a la pareja. ¿Y acaso los enamoradizos sólo pueden ser los adolescentes? No. El doctor Maestre dice que la adolescencia es la típica edad de esas personas, pero todo puede continuar en la adultez.

Otra característica es que esos casos se dan más en el hombre, porque es él quien busca, el que llama, invita a salir y por eso tiene más facilidad de jugar ese rol. "En cambio ellas, generalmente, presentan casos de amores platónicos".

Pero si hay algo de cierto en este tema es que se hace muy difícil determinar quién ha llegado a ese grado de pasión tan intenso. El actor y recordado galán de la telenovela "Natacha", Paul Martin, dice que en su caso el amor no tiene estación pues puede enamorarse en invierno, primavera o verano. Ahora, a los 39 años de edad, reconoce que vive ese proceso con gran intensidad y que le es imposible fingirlo, pero descarta que se le califique de enamoradizo.

continúa

"El amor es motor de muchas cosas y si uno lo va a hacer a medias o poner parámetros, no llega a disfrutar de lo que realmente es ese sentimiento. Sin embargo, también he tenido algunas temporadas en las que deseé estar solo porque no había encontrado a esa persona ideal", reflexiona Martin.

Sólo así se entiende cómo, de enamorado, ha hecho cosas como llevar mariachis a la playa o viajar al extranjero por un año siguiendo a la que fue su amada Sonia Smith. "Cuando uno siente algo por una mujer, empiezan los latidos del corazón, se elevan las pulsaciones y se escarapela el cuerpo, pero ese sentimiento es indescriptible porque es algo tan complejo y bonito que no hay palabras", dice mirando al parque frente a su casa.

Adicto a ti

El psiquiatra Javier Manrique explica que durante el enamoramiento el cerebro produce una cantidad elevada de endorfinas que provocan que pierda el hambre, vea todo "color de rosa" y se piense que está en las nubes.

"Y cuando las endorfinas decaen, esa persona tiene la necesidad de estar de nuevo así. Entonces corta la relación y comienza a buscar otra pareja para tener el nivel de endorfinas adecuado. Por eso es como un tipo de adicción a la cocaína o marihuana", explica el doctor.

Además, el doctor Manrique dice que los enamoradizos son personas muy particulares, generalmente dependientes, histriónicas u obsesivas, y necesitan estar constantemente con esa emoción.

Para el especialista, la manera de curar a esos tipos que constantemente están buscando pareja es tratar de cambiarles los esquemas mentales que, quizá, han aprendido de sus padres. Pero también se debe solucionar algo en la parte biológica: cuando hay una baja de serotonina —un neurotransmisor que ejerce una acción relajante en el cerebro— es indicador de un proceso de depresión, pero también de una obsesión hacia una persona especial. Entonces, ¿los enamoradizos se pueden curar? Es muy posible, aunque también pueden morir de una sobredosis. Sólo así habrán amado hasta la muerte.

Agencia EFE

30 ¿Qué significa?

Según el contexto del artículo que acaba de leer, empareje cada palabra de la primera columna (que continúa en la página siguiente) con su definición o sinónimo de la segunda.

1. sentimiento	a. resolver
2. vibrar	b. dar un regalo
3. latir	c. eliminar
4. enamoradizo	d. estar distraído
5. estación	e. tan impresionante, que es difícil de describir
6. a cada rato	f. persona perfecta para uno, la media naranja de uno
7. involucrarse	g. presentar como cierto o real lo que es imaginado o irreal
8. se le pasa rápido	h. ser extremadamente positivo
9. regalar	i. a cada momento
10. bombón	j. estado de ánimo
11. soportar	k. época de año (como otoño, invierno)
12. primavera	l. serie de televisión de melodrama, culebrón
13. grave	m. complicado, difícil

14. platónico	n. emocionarse, temblar
15. telenovela	o. no le dura por mucho tiempo
16. fingir	p. persona que se enamora con facilidad
17. descartar	q. palpitar el corazón
18. persona ideal	r. implicarse
19. indescriptible	s. desinteresado
20. complejo	t. estación del año en la que las flores florecen
21. ver todo "color de rosa"	u. sostener por debajo
22. estar en las nubes	v. serio
23. solucionar	w. poción pequeña de chocolate

31 ¿Ha comprendido?

1. ¿Qué siente ahora Jesús Delaveaux?
   a. Tiene pareja y vive el amor intensamente.
   b. Busca de nuevo el amor.
   c. No quiere enamorarse más.
   d. Se ha enamorado de una española.
2. ¿Qué es para Fernando Maestre un enamoradizo?
   a. El que tiene varias parejas al mismo tiempo
   b. Aquél que necesita comprometerse con el matrimonio para vivir el amor
   c. Quien se enamora sin ningún tipo de vínculo con la otra persona
   d. El que vive intensamente el amor, en todos sus aspectos, sin ser estas aventuras demasiado largas
3. ¿Cómo describe Javier Manrique el enamoramiento?
   a. Decae el nivel de endorfinas y la persona se siente bien.
   b. Sube el nivel de endorfinas y el enamorado se comporta de forma diferente y más positiva.
   c. Es un estado en el que la persona nunca deja de buscar una nueva pareja.
   d. Es la necesidad de tener un compromiso.
4. ¿Según el artículo, pueden los enamoradizos curarse?
   a. Sí, se curan si cambian sus patrones mentales o su aspecto biológico.
   b. No, serán así hasta la muerte.
   c. Sí, con un medicamento para la depresión se curan.
   d. No, siempre estarán cambiando de pareja.
5. Si tuviera que escribir un ensayo sobre este tema, ¿cuál de las siguientes publicaciones sería la más adecuada?
   a. Las nuevas adicciones
   b. El amor y sus consecuencias
   c. La necesidad de tener pasión por el amor
   d. Manual para nunca enamorarse

32 ¿Cuál es la pregunta? 

Según lo que acaba de leer, escriba una pregunta lógica para estas respuestas.

1. Es un enamoradito incurable.
2. Cincuenta y seis años
3. Regala flores y bombones, escribe poemas y llama a la chica todo el día.
4. No, un enamoradizo también puede ser también un adulto.
5. Sí, se pueden curar cambiando sus esquemas mentales.

33 Entrevista

Ud. es un/a presentador(a) para un podcast llamado "*Noches bajo la luna*" que trata sobre las relaciones personales. Le va a hacer una entrevista a un enamoradizo. Escriba al menos 10 preguntas. Después, hágale las preguntas a un/a compañero/a y viceversa.

34 ¿Qué piensa Ud.?

Discuta la siguiente oración con un/a compañero/a: *Soy un enamorado del amor.* ¿Qué piensa de esta afirmación? ¿Piensa que hay culturas más pasionales que otras? ¿A qué se debe?

35 Se titula...

Piense en otro título para el artículo que acaba de leer. ¿Por qué lo ha escogido?

36 Escuche y escriba/presente

Después de leer el artículo "Enamoradictos", escuche la grabación "Necesito más emoción". Tome notas y escriba un ensayo o haga una presentación en clase contestando la pregunta, "¿Por qué hay gente que se enamora constantemente?" Incluya información de las dos fuentes, citándolas debidamente.

Proverbio

El amor y la tos no pueden ocultarse.
—Proverbio italiano

¿Está de acuerdo con este proverbio? ¿Qué signos muestran que alguien está enamorado/a? Comparta su opinión con un/a compañero/a.

¡Dato curioso!

En una de las páginas de su sitio Web, Portal Mix hace una propuesta para votar por la película que narra las más bellas historias de amor. Aquí están algunas de las candidatas: *Casablanca, Pretty Woman, Moulin Rouge, Titanic, El padre de la novia, Doctor Zhivago, Drácula, Ghost* y *Dirty Dancing.* ¿Por cuál votaría? ¿Por qué?

Compare

¿Cuáles son dos de las películas más románticas de su generación? ¿Conoce alguna película romántica de habla hispana? ¿Y alguna americana con actores hispanos? ¿Cuáles piensa que son las dos novelas más románticas que ha leído en su vida?

37 Antes de leer

¿Qué es la personalidad? ¿Se nace con una personalidad determinada o depende de otros factores? ¿Se puede cambiar la personalidad?

38 ¿Cómo somos? 

Lea el siguiente artículo con atención e intente averiguar el significado de las palabras en azul por el contexto, ya que se le harán preguntas sobre ellas.

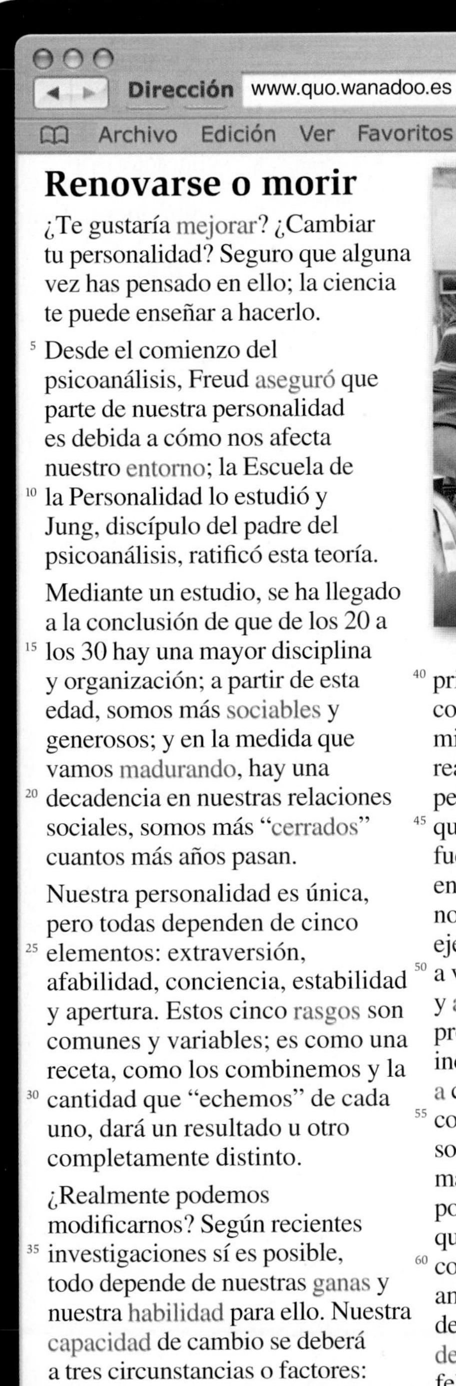

Renovarse o morir

¿Te gustaría mejorar? ¿Cambiar tu personalidad? Seguro que alguna vez has pensado en ello; la ciencia te puede enseñar a hacerlo.

Desde el comienzo del psicoanálisis, Freud aseguró que parte de nuestra personalidad es debida a cómo nos afecta nuestro entorno; la Escuela de la Personalidad lo estudió y Jung, discípulo del padre del psicoanálisis, ratificó esta teoría.

Mediante un estudio, se ha llegado a la conclusión de que de los 20 a los 30 hay una mayor disciplina y organización; a partir de esta edad, somos más sociables y generosos; y en la medida que vamos madurando, hay una decadencia en nuestras relaciones sociales, somos más "cerrados" cuantos más años pasan.

Nuestra personalidad es única, pero todas dependen de cinco elementos: extraversión, afabilidad, conciencia, estabilidad y apertura. Estos cinco rasgos son comunes y variables; es como una receta, como los combinemos y la cantidad que "echemos" de cada uno, dará un resultado u otro completamente distinto.

¿Realmente podemos modificarnos? Según recientes investigaciones sí es posible, todo depende de nuestras ganas y nuestra habilidad para ello. Nuestra capacidad de cambio se deberá a tres circunstancias o factores:

primero, cuando tenemos un vasto conocimiento sobre nosotros mismos y somos capaces de realizar estos cambios en nuestra personalidad sin necesidad de que una circunstancia externa lo fuerce; el segundo, es un cambio en nuestro entorno, éste cambia y nosotros cambiamos con él, por ejemplo: mucha gente al empezar a vivir sola se vuelve más huraña y asocial, no es por convicción propia, es de manera totalmente inconsciente, pero es más reacia a compartir sus cosas y a convivir con otras personas. El tercer factor son los sucesos que ocurren de manera inesperada, un suceso tanto positivo como negativo puede hacer que te conviertas en una persona completamente distinta, con un amplio abanico de posibilidades, desde un ser completamente triste y deprimido hasta ser la persona más feliz y segura.

Al menos un 52% de nuestro carácter está determinado por el ambiente en el que nos encontramos; evidentemente también nuestra personalidad está relacionada con nuestra herencia genética, pero estos estudios aseguran que hay varios niveles en la estructura de nuestra personalidad y gran parte de ésta depende de nuestro entorno. Por esto mismo somos capaces de cambiar nuestra personalidad si lo deseamos y creemos que podemos llegar a hacerlo, y hay una manera muy simple: cambiando lo que nos rodea, el ambiente en el que nos movemos, hacia otro más propicio; esto modifica nuestra actitud, esto es mucho más fácil que cambiarnos a nosotros mismos. Curiosamente unos psicólogos de la Universidad de Texas han descubierto que cuando hablamos otro idioma algunas características básicas como la extraversión y el neurotismo, cambian para que nos parezcamos a los que hablan ese otro idioma; estos cambios son adaptaciones al nuevo ambiente; estos cambios son mucho más fáciles hasta los 40 o 50 años. Se pueden cambiar ciertos rasgos de la personalidad, como los arranques de ira o la timidez; si podemos controlarlos podemos hacer grandes progresos en este campo. Es necesario darse cuenta de la necesidad de evolucionar, ése es el primer paso para llegar a convertirnos en la persona que realmente queremos llegar a ser.

39 Vocabulario

Según el contexto del artículo que acaba de leer, ¿cuál es la mejor traducción para cada palabra de las dos primeras columnas?

1. mejorar	13. huraño	a. unexpected	m. to mature
2. asegurar	14. asocial	b. immense	n. capable
3. entorno	15. ser más reacio a	c. depressed	o. field
4. sociable	16. inesperado	d. anger	p. really
5. madurar	17. deprimido	e. first step	q. to be reluctant
6. cerrado	18. herencia	f. skill	r. unsociable
7. rasgo	19. ira	g. shyness	s. characteristic
8. gana	20. timidez	h. to improve	t. willingness, desire
9. habilidad	21. campo	i. asocial	u. friendly
10. capacidad	22. primer paso	j. inheritance	v. to assure
11. vasto	23. realmente	k. environment	w. ability
12. capaz		l. narrow-minded	

40 ¿Ha comprendido?

1. ¿Qué hipótesis seguían Freud, Jung y la Escuela de la Personalidad?
   a. Que el entorno es clave para nuestra personalidad
   b. Que la personalidad cambia cada vez que cambia nuestro entorno
   c. Que genéticamente nuestra personalidad cambia
   d. Que cambiamos de personalidad continuamente
2. Según los estudios, ¿qué sucede cuando vamos madurando?
   a. Que somos más ordenados y serios
   b. Que no podemos cambiar nuestra personalidad
   c. Que nos cuesta más trabajo relacionarnos con otras personas
   d. Que tenemos más capacidad para relacionarnos
3. ¿Cómo son los rasgos en los que se basan todas las personalidades?
   a. Son parecidos entre ellos y necesarios.
   b. Son únicos y combinables.
   c. Son distintos y personales.
   d. Son necesarios y únicos.
4. ¿Qué tenemos que tener para modificar nuestra personalidad?
   a. Conocimiento sobre nosotros mismos
   b. Necesidad de cambiar
   c. Recursos monetarios
   d. Deseo de cambiar y capacidad para ello
5. ¿Cuál es el tercer factor que puede hacer cambiar nuestra personalidad?
   a. Los cambios bruscos de tiempo
   b. Los cambios dentro de nosotros mismos
   c. Los cambios en las personas que nos rodean
   d. Los cambios de manera accidental

6. ¿Cuál es la manera más fácil de cambiar nuestra personalidad?
   a. Cambiándonos a nosotros mismos
   b. Cambiando lo que nos rodea
   c. Intentando evolucionar y ser felices
   d. Solucionando nuestros problemas
7. ¿Qué paso hay que dar primero para cambiar nuestra personalidad?
   a. Conocerse a sí mismo
   b. Compararse con las demás personas
   c. Intentar ser feliz
   d. Darse cuenta de que tenemos que cambiar

41 ¿Cuál es la pregunta? 

Según el artículo que acaba de leer, escriba una pregunta lógica para estas respuestas.

1. Se comienza a tener de los 20 a los 30
2. Extraversión, afabilidad, conciencia, estabilidad y apertura
3. Uno de los factores es un cambio en nuestro entorno
4. Es importante evolucionar para convertirse en la persona que queremos llegar a ser.

42 Esciba un correo electrónico 

Ud. tiene un/a amigo/a con problemas para controlar su enfado. Pídale consejo a un especialista. Escríbale un correo electrónico exponiéndole su problema, cuéntele alguna anécdota y pídale consejos.

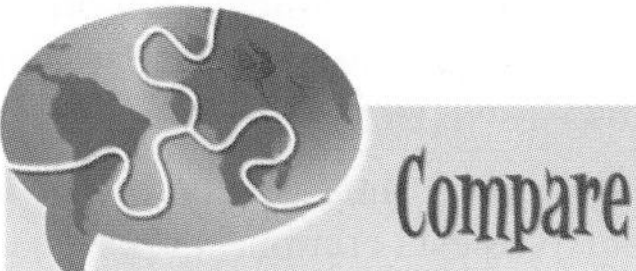

Compare

¿Qué grandes acontecimientos (políticos, naturales, etc.) cree que pueden afectar la personalidad de la gente en un país? ¿Puede pensar en alguno que haya afectado a la gente de un país latino? ¿Y en su país? ¿Qué acontecimientos pasados o actuales han tenido un gran impacto?

43 Antes de leer

¿Cree que es fácil mentir? ¿Por qué les resulta más fácil mentir a algunas personas que a otras? ¿Cómo se siente cuando descubre que alguien le ha mentido? ¿Y cuando es descubierto/a?

44 Las mentiras 

Lea el siguiente texto con atención e intente averiguar el significado de las palabras en azul, ya que se le harán preguntas sobre ellas.

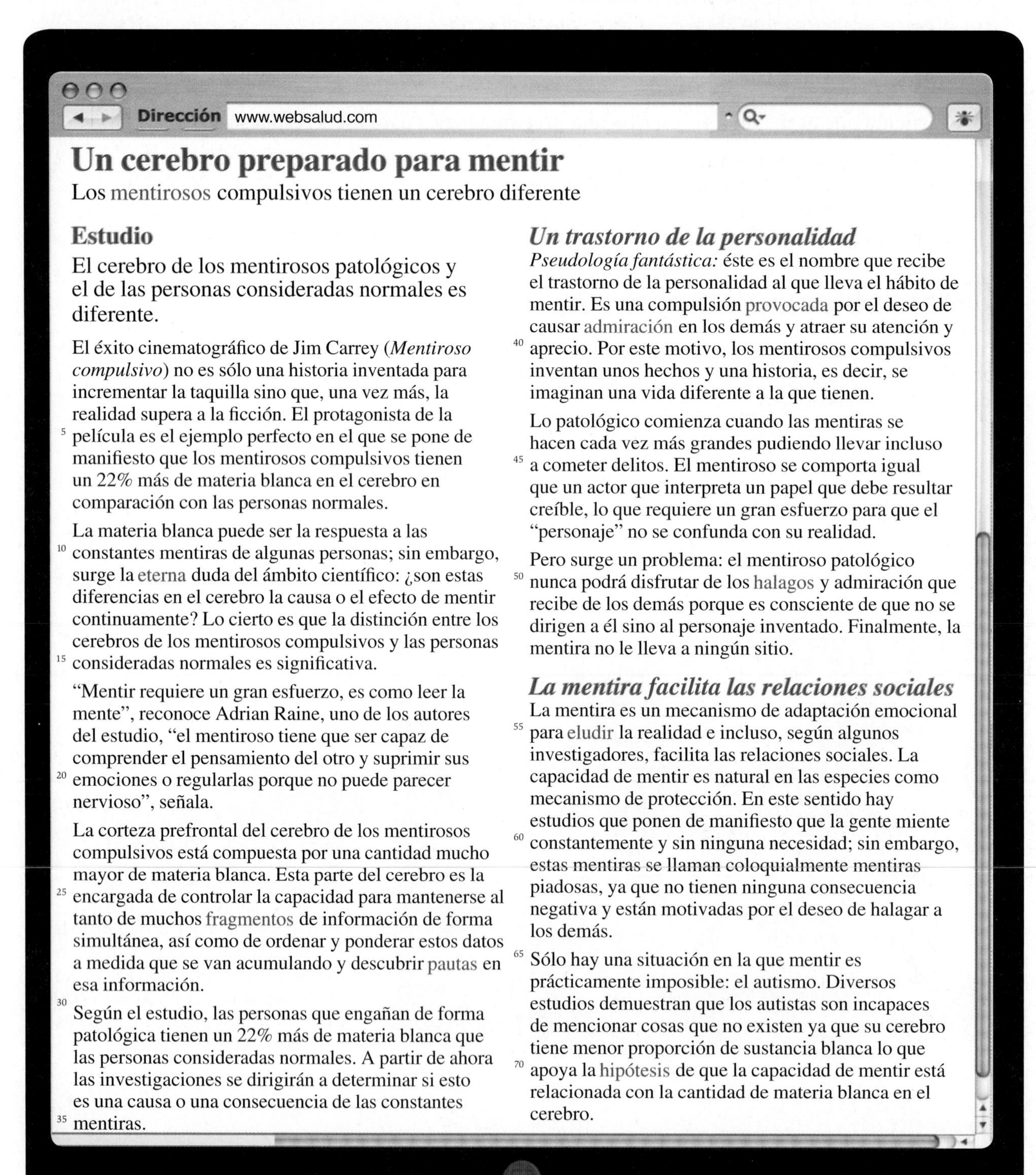

Dirección www.websalud.com

Un cerebro preparado para mentir

Los mentirosos compulsivos tienen un cerebro diferente

Estudio

El cerebro de los mentirosos patológicos y el de las personas consideradas normales es diferente.

El éxito cinematográfico de Jim Carrey (*Mentiroso compulsivo*) no es sólo una historia inventada para incrementar la taquilla sino que, una vez más, la realidad supera a la ficción. El protagonista de la película es el ejemplo perfecto en el que se pone de manifiesto que los mentirosos compulsivos tienen un 22% más de materia blanca en el cerebro en comparación con las personas normales.

La materia blanca puede ser la respuesta a las constantes mentiras de algunas personas; sin embargo, surge la eterna duda del ámbito científico: ¿son estas diferencias en el cerebro la causa o el efecto de mentir continuamente? Lo cierto es que la distinción entre los cerebros de los mentirosos compulsivos y las personas consideradas normales es significativa.

"Mentir requiere un gran esfuerzo, es como leer la mente", reconoce Adrian Raine, uno de los autores del estudio, "el mentiroso tiene que ser capaz de comprender el pensamiento del otro y suprimir sus emociones o regularlas porque no puede parecer nervioso", señala.

La corteza prefrontal del cerebro de los mentirosos compulsivos está compuesta por una cantidad mucho mayor de materia blanca. Esta parte del cerebro es la encargada de controlar la capacidad para mantenerse al tanto de muchos fragmentos de información de forma simultánea, así como de ordenar y ponderar estos datos a medida que se van acumulando y descubrir pautas en esa información.

Según el estudio, las personas que engañan de forma patológica tienen un 22% más de materia blanca que las personas consideradas normales. A partir de ahora las investigaciones se dirigirán a determinar si esto es una causa o una consecuencia de las constantes mentiras.

Un trastorno de la personalidad

Pseudología fantástica: éste es el nombre que recibe el trastorno de la personalidad al que lleva el hábito de mentir. Es una compulsión provocada por el deseo de causar admiración en los demás y atraer su atención y aprecio. Por este motivo, los mentirosos compulsivos inventan unos hechos y una historia, es decir, se imaginan una vida diferente a la que tienen.

Lo patológico comienza cuando las mentiras se hacen cada vez más grandes pudiendo llevar incluso a cometer delitos. El mentiroso se comporta igual que un actor que interpreta un papel que debe resultar creíble, lo que requiere un gran esfuerzo para que el "personaje" no se confunda con su realidad.

Pero surge un problema: el mentiroso patológico nunca podrá disfrutar de los halagos y admiración que recibe de los demás porque es consciente de que no se dirigen a él sino al personaje inventado. Finalmente, la mentira no le lleva a ningún sitio.

La mentira facilita las relaciones sociales

La mentira es un mecanismo de adaptación emocional para eludir la realidad e incluso, según algunos investigadores, facilita las relaciones sociales. La capacidad de mentir es natural en las especies como mecanismo de protección. En este sentido hay estudios que ponen de manifiesto que la gente miente constantemente y sin ninguna necesidad; sin embargo, estas mentiras se llaman coloquialmente mentiras piadosas, ya que no tienen ninguna consecuencia negativa y están motivadas por el deseo de halagar a los demás.

Sólo hay una situación en la que mentir es prácticamente imposible: el autismo. Diversos estudios demuestran que los autistas son incapaces de mencionar cosas que no existen ya que su cerebro tiene menor proporción de sustancia blanca lo que apoya la hipótesis de que la capacidad de mentir está relacionada con la cantidad de materia blanca en el cerebro.

45 Vocabulario 

Defina o dé un sinónimo o ejemplo en español de las palabras que aparecen en azul en el artículo anterior.

46 ¿Ha comprendido?

1. ¿La película *Mentiroso compulsivo* refleja sólo un fenómeno de ficción?
   a. No, esos mismos casos existen en la vida real.
   b. Sí, es una película de Jim Carrey.
   c. Sí, es una exageración para ganar dinero con el cine.
   d. No, pero sólo el 22% es realidad.
2. ¿Son diferentes los cerebros de los mentirosos compulsivos?
   a. Sí, son más inteligentes porque leen mucho.
   b. No se sabe, es un enigma científico.
   c. Sí, la diferencia se encuentra en la cantidad de materia blanca.
   d. Sí, ellos no tienen materia blanca.
3. ¿Por qué los mentirosos compulsivos se inventan historias?
   a. Porque les gusta la fantasía
   b. Porque quieren tener una vida distinta
   c. Porque quieren llamar la atención y que la gente los admire
   d. Las respuestas a y b
4. ¿Son felices los mentirosos compulsivos?
   a. Sí, porque siempre reciben halagos
   b. No, porque se descubre que son actores
   c. No lo saben, porque se confunden con su verdadera personalidad.
   d. No, porque los halagos son para el personaje inventado
5. ¿Qué son mentiras piadosas?
   a. Mentiras graves, que resultan creíbles
   b. Pequeños insultos hacia los demás
   c. Mentiras de poca importancia
   d. Mentiras que son dichas inconscientemente, sin uno darse cuenta

47 Responda a una carta 

Lea y responda a la siguiente carta de la clínica La Verdad.

Estimado señor Guzmán,

Muchas gracias por haber solicitado admisión a nuestro programa de mentirosos compulsivos. Como ya sabrá somos la clínica líder para este tipo de problemas, y nos sentimos orgullosos de decirle que hemos tratado a miles de pacientes, incluidos famosos políticos, cantantes y actores.

Nos encantará saber más de su situación. Por favor, háblenos un poco sobre Ud., cuéntenos cuándo empezó a notar que tenía problema, cuéntenos alguna de sus experiencias y también lo que le llevó a solicitar nuestra ayuda.

Le rogamos que nos envíe esta información lo más pronto posible para poder así proceder a la evaluación para posible admisión. No dude en ponerse en contacto conmigo para lo que necesite. Me imagino que tendrá muchas preguntas sobre nuestro programa y me encantará contestárselas.

Lo saluda cordialmente,
Rosa Posadas
Directora de la clínica La Verdad

48 ¿Cuál es la pregunta?

Según lo que acaba de leer en la Actividad 44, escriba una pregunta lógica para estas respuestas.

1. Se conoce como pseudología fantástica
2. Cuando las mentiras se hacen peligrosamente grandes
3. Porque lo necesitamos como mecanismo de protección
4. Es incapaz aquél que padece autismo
5. A veces se usan para halagar a los demás

49 Lea, escuche y escriba/presente 

Vuelva a leer "Un cerebro preparado para mentir". Luego escuche el diálogo entre Carlos y Alfredo en la grabación "Pero, ¡deja de mentir!" y tome las notas necesarias. Escriba un ensayo o haga una presentación en clase sobre las mentiras y las mentiras piadosas. No se olvide de citar las fuentes debidamente.

Cita

El cuerpo humano es el carruaje; el yo, el hombre que lo conduce; el pensamiento son las riendas, y los sentimientos los caballos.

—Platón (427–347 a. de J. C.), filósofo griego

¿Qué piensa de este comentario? Con un/a compañero/a invente una metáfora sobre el hombre y su personalidad, similar a la que hizo Platón en su época. Adáptela a los nuevos tiempos.

¡Dato curioso!

¿Sabe que según un artículo de la BBC, dependiendo de su postura al dormir así es su personalidad? Hay seis tipos distintos. Con estos datos se puede saber si es sensible, atento o seguro de sí mismo.

Compare

¿Qué grandes mentiras se conocen a nivel popular? ¿Qué países o políticos han dicho mentiras que luego se demostró que no eran ciertas?

¡A escuchar!

50 El hombre que dijo que llamaría

Esta grabación es sobre la conversación de dos amigas, Tamara y Lola. En la grabación Tamara habla con su amiga de su cita y de la llamada que el chico le prometió. La grabación dura aproximadamente 4 minutos. Lea las posibles respuestas primero y después escuche el diálogo entre dos amigas —Lola y Tamara— en la grabación "El hombre que dijo que llamaría". Luego escoja la mejor respuesta para cada pregunta. Después piense en cuál sería una pregunta apropiada para hacerle a Tamara.

1. ¿Sobre qué hablan las dos amigas?
   a. Sobre una cita que una de ellas tuvo el día anterior
   b. De una cita que Tamara tendrá al día siguiente
   c. De un antiguo compañero de clase
   d. De un robo a un chico joven

2. ¿Por qué parece que el chico está interesado en Tamara?
   a. Le gustó su peinado.
   b. La llamó antes de irse a dormir.
   c. La acompañó a casa después de cenar.
   d. Quiso conocer a su familia.

3. ¿Llamó el joven a Tamara?
   a. No la llamó y ninguna de ellas conoce el motivo.
   b. No la llamó porque le robaron la cartera.
   c. No la llamó porque tenía el teléfono averiado.
   d. No; fue a su apartamento sin avisar.

4. ¿Quiere Tamara llamar al joven?
   a. No; él tiene que llamar.
   b. No; no tiene su teléfono.
   c. Sí; pero su amiga, Lola, llamará primero en su nombre.
   d. Sí; quiere tener otra cita y enseñarle su nuevo "look".

51 El Amor y el Tiempo 

Esta es la grabación de un cuento que trata de una isla en la que todos los sentimientos y valores del hombre vivían juntos, hasta que la isla está a punto de hundirse. La grabación dura aproximadamente 3 minutos. Escuche la grabación "El Amor y el Tiempo" y luego conteste las preguntas.

1. Nombre cuatro de los valores y sentimientos que había en la isla.
2. ¿Qué problema surgió en la isla?
3. ¿Qué le contestó la Riqueza al Amor?
4. ¿Y el Orgullo?
5. ¿Y la Tristeza?
6. Al final, ¿quién le ayudó al Amor? ¿Por qué?

52 Participe en una conversación

Ud. va a participar en una conversación. Primero lea la descripción de la conversación y piense en algunas palabras o expresiones que le serían útiles. Organice sus ideas, haciendo predicciones sobre lo que se le pueda preguntar o comentar. Una descripción de lo que va a escuchar aparece abajo en color. Participe en la conversación grabando las respuestas o escribiéndolas en su cuaderno.

Escena: Una amiga, Elena, lo/la llama por teléfono para hablar de unos planes que Uds. habían hecho y para describir algo que le pasó.

Ud.: • (*Suena el teléfono.*) Conteste.

Elena: Lo/La saluda y le explica por qué llama.

Ud.: • Salúdela y exprese su gran interés por el plan.

Elena: Le hace un comentario sobre la situación.

Ud.: • Muestre decepción y frustración (use al menos dos expresiones de subjuntivo).

Elena: Le hace un comentario y le pide consejos.

Ud.: • Siga la conversación.
• Dele dos consejos (use al menos dos expresiones de subjuntivo).

Elena: Le hace una afirmación en forma de pregunta.

Ud.: • Niegue esa afirmación con firmeza.

Elena: Le hace un comentario.

Ud.: • Use una expresión de emoción, siga la conversación y despídase.

¡A escribir!

53 Texto informal: rechazado 

Un amigo suyo está un poco deprimido porque ha sido rechazado por la persona que ama. Escríbale un correo electrónico para animarle. Use el vocabulario, las estructuras repasadas y las tapitas gramaticales de la lección. Subraye las palabras nuevas y las estructuras que use.

- Hable de la situación en la que está.
- Hable de todas las cualidades que tiene.
- Anímele a hacer nuevos planes para el futuro.

Consejo
Antes de empezar, lea las pautas para escribir textos informales en la pág. 480 del Apéndice. Mientras escribe el texto tenga presente los objetivos. Cuando termine, verifique que ha cumplido con todo lo que se describe en la lista y reflexione sobre su trabajo.

54 Texto informal: las supersticiones 

En un foro, hable sobre el tema de las supersticiones.

- Exprese su opinión sobre el tema.
- Confiese tener una superstición (real o imaginaria).
- Pida consejos para "curarse" de esta superstición.

55 Ensayo: tener una actitud positiva 

Escriba un ensayo sobre la importancia de tener una actitud positiva en la vida.

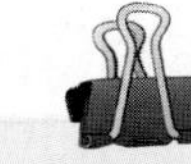

Consejo
Antes de empezar, lea las pautas para escribir ensayos en la pág. 480 del Apéndice. Mientras escribe el ensayo tenga presente los objetivos, y no se olvide de ponerle un título original. Cuando termine, verifique que ha cumplido con todo lo que se describe en la lista y reflexione sobre su trabajo.

56 Ensayo: la personalidad 

Escriba un ensayo contestando la pregunta, "¿Se puede cambiar la personalidad?"

57 En parejas

Intercambie sus ensayos con los de un/a compañero/a. Exprésele su opinión sobre el contenido y el uso del idioma.

¡A hablar!

58 Charlemos en el café 

Ud. va a debatir los siguientes temas con un/a compañero/a. Uno estará a favor de lo que se ha dicho y otro en contra. El debate durará varios minutos. El/La estudiante que esté de acuerdo comenzará el debate y hablará por unos dos minutos. Cuando el/la profesor/a lo indique, el/la otro/a estudiante tomará la palabra y expresará su opinión por otros dos minutos, y así sucesivamente.

1. Mentir es aceptable.
2. Cada persona tiene una personalidad determinada desde que nace.
3. "Dime con quien andas y te diré quien eres".
4. Si un estudiante se porta mal en clase es porque quiere llamar la atención.
5. En el fondo, nadie es malo.
6. Si una persona es tímida, los profesores nunca deberían hacerle presentar en clase.
7. Los animales también tienen miedos, celos y manías.
8. Las personas que son quejicas (que se quejan constantemente) lo son porque siempre hay alguien que las escucha.

59 ¿Qué opinan?

Converse con un/a compañero/a sobre estas preguntas.

1. ¿Cuáles son las ventajas y las desventajas de ser una persona que siempre dice lo que piensa?
2. ¿Cómo les hacemos ver a las personas que queremos lo que sentimos por ellas?
3. ¿Qué cree que es más importante: ser inteligente o ser listo?
4. ¿Colecciona cosas? ¿Cree que esto se puede convertir en una manía? Explique su respuesta.
5. ¿Qué factores influyen en la personalidad de una persona?

60 Presentemos en público

Conteste una de las siguientes preguntas o haga una presentación oral sobre uno de los temas durante varios minutos. Organice sus ideas antes de hacer la presentación, busque las palabras necesarias y, después de practicar, presente en clase sin mirar las notas.

1. ¿Qué sabe de los diferentes países latinoamericanos? Elija un país de habla hispana y hable de su gente. Haga comparaciones con su propio país.
2. ¿Quién ha sido una persona importante en su vida? ¿Cómo lo/la ha influenciado?
3. ¿Por qué nos gusta ponerle "etiquetas" a la gente?
4. ¿En qué se parecen y en qué se diferencian los chicos de las chicas?
5. "No hay enfermedades sino enfermos". Hable sobre el poder de la mente cuando se tiene una enfermedad.

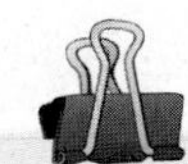

Consejo
Antes de empezar, lea las pautas para presentaciones formales en la pág. 481 del Apéndice. Mientras formula su presentación tenga presente los objetivos. Cuando termine la presentación, verifique que ha cumplido con todo lo que se describe en la lista y reflexione sobre el trabajo que hizo.

Proyectos

61 ¡Manos a la obra!

Trabaje en un grupo de cuatro o cinco estudiantes para llevar a cabo uno de los siguientes proyectos y presentarlo en clase.

1. Hagan un cartel y presenten las cinco virtudes y defectos de nuestra sociedad. Acompañen las presentaciones con anécdotas e historias.
2. Acaba de ser descubierto un nuevo país. Hablen de su ubicación, su bandera, idioma, los principios que se siguen, el tipo de gobierno, cómo son las personas que viven allí; hablen de su personalidad, aspecto físico, vestimenta, etc.
3. Escriban una fábula sobre la envidia. Hagan las ilustraciones necesarias.
4. ¿Cuáles son las cinco cosas más importantes para los seres humanos de nuestra sociedad? ¿Y para los de sociedades menos avanzadas? Comparen los valores de las dos sociedades; hablen de sus diferencias y de lo que tienen en común.
5. Escriban un cuento para niños en el que les hablen sobre una cualidad o defecto del ser humano.

Vocabulario

Verbos

admirar	to admire
aguantar, soportar	to tolerate, stand, bear
asegurar	to assure
atraer	to attract
convenir (ie)	to be advisable, convenient
costar (ue)	to find difficult; to cost
curar(se)	to get well
desear	to want, desire
descartar	to eliminate, put aside
fingir	to pretend
indignarse	to get angry
intuir	to sense, intuit
latir	to beat
madurar	to mature
maltratar	to mistreat, abuse
manejar	to manage
reducir	to reduce
regalar	to give (*a present*)
rescatar	to rescue
rodear(se)	to be surrounded
sobrecogerse	to be moved, deeply affected
solucionar	to solve
volverse (ue)	to turn into

Verbos con preposición

verbo + a:

ponerse a	to begin to
ser reacio a	to be reluctant to

verbo + con:

coquetear con	to flirt with

verbo + de:

enamorarse de	to fall in love with
enterarse de	to find out about
estar a punto de	to be about to

verbo + en:

involucrarse en	to be involved in
pensar (ie) en	to think of

Sustantivos

la	**altura**	height
el	**bombón**	chocolate candy
la	**capacidad**	ability
la	**clave**	key (*solution*)
el	**comportamiento**	behavior
la	**conducta**	conduct
la	**confianza**	confidence
el/la	**crío/a**	child
la	**envidia**	envy
la	**habilidad**	skill
el	**halago**	praise, flattery
la	**herencia**	inheritance; heritage
el	**lujo**	luxury
la	**maldad**	evil
la	**manía**	obsession, funny little way
el	**medicamento**	medicine
la	**mente**	mind
la	**mirada**	look
el	**odio**	hatred
la	**paciencia**	patience
la	**pauta**	guideline
la	**persona ideal**	ideal person
la	**postura**	position
el/la	**protagonista**	protagonist, main character
el	**rasgo**	physical characteristic
la	**rueda de prensa**	press conference
el	**sentimiento**	feeling
la	**señal**	sign, signal
el/la	**sinvergüenza**	shameless person, rascal, scoundrel
la	**timidez**	shyness
la	**tontería**	silly/stupid thing
la	**trampa**	trap
el	**trastorno**	disorder
la	**vergüenza**	shame, embarrassment

Adjetivos

acogedor(a)	cozy, welcoming
amplio, -a	complete; wide
brusco, -a	abrupt
capaz	capable
cariñoso, -a	affectionate
complejo, -a	complex
débil	weak
deprimido, -a	depressed
drástico, -a	drastic
enamoradizo, -a	inclined to fall in love easily; easily infatuated
grave	solemn; serious; seriously ill
huraño, -a	unsociable
inconsciente	irresponsible; unaware
indescriptible	indescribable

inesperado, -a	unexpected
insoportable	unbearable
mandón/mandona	bossy
mentiroso, -a	lying
mimado, -a	spoiled
perfeccionista	perfectionist
provocado, -a	provoked; angered
sudoroso, -a	sweaty
tremendo, -a	terrible, tremendous

Adverbios

al menos	at least
cariñosamente	affectionately
curiosamente	curiously
realmente	really; actually

Expresiones

abanico de posibilidades	range of possibilities
ahogarse en un vaso de agua	to get worked up about nothing
cada cual con sus manías	everyone with his/her funny little ways
cada vez que	each time that
de carne y hueso	of flesh and blood; to have feelings
entre la vida y la muerte	between life and death
estar de buen (mal) humor	to be in a good (bad) mood
estar en las nubes	to be absentminded
extrañar	to miss
llamar la atención	to attract attention
lo absurdo de la situación	the absurdity of the situation
nada de nada	nothing at all
¡no faltaba más!	don't mention it!
¡oye!	hey!, excuse me
para colmo	on top of that
partirse de risa	to laugh one's head off, split one's sides laughing
pasársele rápido	to get over *(something)* quickly
preocuparse por	to worry, get worried about
¡Qué tontería!	How silly!
¡Qué vergüenza!	How shameful!, How embarrassing!
ser indispensable	to be indispensable
sin cesar	ceaseless, non-stop
tener un don	to have a special gift *(for doing something)*
tiene la manía de	he/she has this little thing/ obsession about
ver todo "color de rosa"	to see everything through rose-colored glasses

A tener en cuenta

Nexos (Palabras y expresiones útiles para unir ideas)

a fin de cuentas	when it comes down to it, when all's said and done
a lo mejor	maybe
a pesar de	in spite of
actualmente	nowadays, at the present time
como consecuencia	as a result/consequence
como resultado	as a result
de hecho	in fact
en conclusión	in conclusion
en primer lugar, en segundo lugar	in the first place, in the second place
en realidad	actually
en resumen	to summarize
por consiguiente	thus, therefore
por desgracia	unfortunately
por eso	for that reason
por esta razón	for this reason
por este motivo	for this reason, motive
por lo general	in general
por lo tanto	thus, therefore
por si acaso	just in case
puesto que	since, because
ya que	since

Cuando yo era un niño, me gustaba Pokemon, pero ahora no me importa nada de nada

Lección B

Objetivos

Comunicación
- Hablar de los famosos
- Opinar sobre los héroes
- Discutir el impacto de los hispanos en Estados Unidos

Gramática
- Preposiciones
- Pronombres
- Comparaciones

"Tapitas" gramaticales
- expresiones idiomáticas con *dar, poner* y *ponerse*
- cognados y falsos cognados

Cultura
- La influencia de los hispanos en Estados Unidos
- George López
- Penélope Cruz
- Salma Hayek
- Cristina Saralegui
- Meteduras de pata que han hecho historia

Para empezar

1 Conteste las preguntas

Piense en las respuestas a las siguientes preguntas. Ud. puede tomar notas si lo considera necesario. Cuando termine, compare sus respuestas —pero sin mirar sus notas— con las de un/a compañero/a.

1. ¿Qué es la fama? ¿Cree que la fama es algo eterno?
2. ¿Por qué se hace alguien famoso?
3. ¿Qué tipo de premios se conceden a personas famosas o importantes?
4. En su opinión, ¿quiénes son actualmente los tres hispanohablantes más famosos?
5. Nombre a cinco actores hispanohablantes.
6. ¿Cree que lo latino está de moda? ¿En qué campo hay más hispanohablantes conocidos?
7. ¿Por qué cree que a algunas personas les gusta ser famosas?
8. ¿Cree que los famosos tienen más manías y hacen cosas más extravagantes que los que no lo son? ¿Conoce alguna historia de las manías a cosas excéntricas de famosos?
9. Nombre tres héroes de fama mundial y explique por qué, desde su punto de vista, son héroes.
10. ¿Piensa que un héroe busca la fama? ¿Por qué?

Carolina Herrera, diseñadora de moda venezolana

2 Mini-diálogos

Ud. va a crear un mini-diálogo con un/a compañero/a. Lea la descripción de la conversación antes de empezar. Puede tomar notas para organizar sus ideas, pero no las mire mientras conversa.

Escena: En el gimnasio Ud. y su amigo/a mantienen una conversación sobre sus ídolos.

A:	Hable con su compañero/a sobre alguien famoso/a quien Ud. admira. Pregúntele a su compañero/a qué piensa de esta persona.
B:	Exprese su opinión. Pregúntele más sobre esta persona.
A:	Conteste sus preguntas. Pregúntale sobre una de las personas que admira.
B:	Conteste su pregunta. Dele detalles.
A:	Exprese desacuerdo. Explique por qué esta persona no es de su agrado.
B:	Defienda a su ídolo.
A:	Discúlpese por su tono. Haga un comentario agradable y despídase amistosamente.
B:	Quede con su amigo/a para ver un espectáculo. Despídase.

Refrán

Crea fama y échate a dormir.

¿Qué cree que quiere decir este refrán? ¿Está de acuerdo? ¿Por qué? Comparta su opinión con un/a compañero/a.

Hay una empresa francesa que transforma a las personas anónimas en "famosas". Estas personas van escoltadas por guardaespaldas y perseguidas por paparazzi y admiradores. Es como un teatro y toda esta representación puede llegar a costar unos 4.000 dólares.

Vocabulario y gramática en contexto

3 Un blog

Túrnese con un/a compañero/a para leer el siguiente blog. Fíjese en las palabras que aparecen en azul (relacionadas con el vocabulario) y en rojo (relacionadas con la gramática), ya que en las siguientes actividades se le harán preguntas sobre ellas.

¡Qué ilusión!

El otro día quedé en verme con una amiga en el Café El Brillante. Habíamos quedado en vernos a las tres, pero como no tenía ganas de estar de pie esperándola, pedí un café, me senté, y me puse a leer un periódico. Estaba por irme cuando alrededor de las cuatro apareció Marisol con la sonrisa de oreja a oreja de siempre. Me contó en voz baja que se había tropezado con un actor famoso y que por eso llegaba tarde. Yo ya estaba acostumbrada a sus retrasos y aun más a sus excusas. Si ustedes la conocieran sabrían que nunca llega a tiempo a ningún lado. En el fondo no me enojé con ella, pero me quedé allí de mala gana. Yo le comenté a Marisol que a mí no me gustan los actores famosos, y que sin embargo admiro muchísimo a aquellas personas que han hecho algo bueno por la sociedad. Me gusta leer sus biografías y pensar en su trayectoria. Como las personas que reciben uno de los galardones más preciados de todos en reconocimiento por los logros obtenidos a lo largo de su carrera: los premios Nobel. De hecho empecé a interesarme por estos premios cuando una profesora me contó en la escuela cómo empezó todo. Por lo visto Alfredo Nobel era un químico inventor de origen sueco que consiguió inventar un explosivo menos peligroso del que se usaba hasta entonces. No fue un camino fácil; un ejemplo de ello es el hecho de que en una de las explosiones en su laboratorio murió su hermano. A pesar de ello, no se dio por vencido. Nobel siguió con su sueño y consiguió una gran fortuna con dicho invento y algunos otros. Su fortuna fue grandísima, pero según me contaron estaba horrorizado por el uso que se le dio a su invento ya que empezó a ser usado en la guerra y por lo tanto muchas personas fallecieron. Es por lo que Alfred Nobel, un filántropo entre otras muchas cosas, decidió donar a su muerte toda su fortuna a aquellas personas que con sus descubrimientos, investigaciones u obras cambiaron el curso de la historia gracias al aporte que le dieron a la sociedad.

Después de mi aburrida charla sobre los premios Nobel, vi como alguien se acercaba a mi amiga Marisol, le ponía la mano en el hombro y le decía: "¿Otra vez tú por aquí?". Era Armando Alconcer, el famosísimo actor de las telenovelas. Me puse a tartamudear como una tonta, no podía creer que en ese momento no tenía ninguna cámara a mano. Les interrumpí maleducadamente, le di la mano y dos besos y le supliqué que me firmara un autógrafo en una servilleta de papel. Mi amiga se puso colorada y me miraba horrorizada por mi comportamiento infantil, pero a mí no me importaba. Le di las gracias y cuando me fui, me puse a contarle la historia a todas mis amigas. Al fin y al cabo, todas las reglas tienen su excepción, ¿no? Fue el día más emocionante de toda mi vida. Al día siguiente, en cuanto llegué a clase en seguida les mostré orgullosa a todos mi preciada servilleta. Ah, y además empecé a interesarme más por las revistas del corazón. En el fondo, siempre buscaba alguna historia en la que hablaran de Armando Alconcer, mi príncipe azul.

4 Amplíe su vocabulario

Empareje cada palabra con su definición o sinónimo, según el contexto del artículo anterior.

1. quedar en
   a. ir a b. pedir
   c. citarse d. llegar tarde
2. retraso
   a. tardanza b. camino
   c. cancelación d. costumbre
3. enojado
   a. alegre b. triste
   c. enfadado d. risueño
4. biografía
   a. historia b. camino
   c. cancelación d. costumbre
5. trayectoria
   a. lugar b. camino recorrido
   c. parada d. costumbre
6. galardón
   a. dinero b. trabajo
   c. premio d. victoria
7. logro
   a. llegada b. trayecto
   c. éxito d. ampliación
8. fortuna
   a. capital b. opulencia
   c. carácter d. particularidad
9. fallecer
   a. caer b. herir
   c. morir d. resurgir
10. filántropo
    a. dadivoso b. bienhechor social
    c. caballeroso d. respetuoso
11. obra
    a. estudio b. trabajo
    c. recorrido d. caminante
12. telenovela
    a. película b. animación
    c. serial d. programa
13. tartamudear
    a. hablar con errores b. hablar entrecortado
    c. hablar otro idioma d. corregir al hablar
14. orgulloso
    a. tranquilo b. serio
    c. trabajador d. feliz por los logros obtenidos

5 Preposiciones

Trabaje con un/a compañero/a y conteste estas preguntas relacionadas con la lectura de la Actividad 3.

1. Escriban y traduzcan las palabras o expresiones con preposiciones que aparecen en rojo.
2. Hagan una lista de seis expresiones con cada una de las siguientes preposiciones: *a, en* y *de* e incluyan la traducción. Pueden ser expresiones que no aparezcan en la lectura.

6 "Tapitas" gramaticales

1. Busque las expresiones idiomáticas con el verbo *dar* que aparecen en el texto. Escriba otras tres e incluya la traducción.
2. Busque las expresiones idiomáticas que aparecen en el texto con el verbo *poner* o *ponerse*. Escriba dos expresiones más con estos verbos, y su correspondiente traducción al inglés.

7 Una entrevista

Ud. es periodista y le han pedido que le haga una entrevista a uno de los candidatos (puede ser real o ficticio) al próximo premio Nobel. Escriba diez preguntas para hacerle e incluya el vocabulario y algunas tapitas gramaticales de las actividades anteriores. Subraye las palabras nuevas.

8 Los héroes 

Lea con atención el siguiente texto, prestando atención a las palabras en azul y rojo. Después conteste la siguiente pregunta: ¿Qué pregunta sería apropiada para hacerle al autor después de leer el artículo?

Yolanda

Mis héroes

¿Quién no creía en los héroes cuando era niño? Pues bien, los que yo recuerdo con cariño son los dibujos animados del Hombre Araña y El Zorro. Eran los dos héroes de más éxito cuando éramos pequeños. Mi hermano Fernando y yo siempre nos acurrucábamos en el sofá para ver la serie del mejor héroe de todos: *Las aventuras del Zorro* (y su caballo Plata). ¡Qué buen nombre para un caballo!, ¿verdad? La música, la vestimenta, el caballo: todo era un mito. Aun ahora, aunque esté un poco anticuada, se la recomiendo a quien quiera pasar un buen rato.

Hay un libro del que les quiero hablar hoy y que es sobre él. Se titula, lógicamente, *Zorro*. Lo que más me gustó es la perspectiva con la que la autora, Isabel Allende, escribió sobre el legendario personaje, Diego de la Vega, a quien nos describe antes de convertirse en el legendario *Zorro*. ¿A quién no le gusta este valiente, apasionado, carismático y aventurero personaje? Tanto hombres como mujeres caen rendidos a sus pies. Allende nos da una interesante panorámica de la California de los años 1790 y de la España de principios del siglo XIX ocupada por las tropas de Napoleón. Según cuentan, la escritora chilena decidió llevar la historia a España porque durante esa época había mucha acción en Europa, donde se estaban gestando grandes cambios, tales como la Revolución Francesa entre muchos otros. Es uno de los períodos más fascinantes de la historia. Un dato curioso es el hecho de que Allende decidiera hacer al joven héroe de la máscara y el traje negro mestizo. Es un libro fascinante. Si quieres leer algo que sea ameno, cómpratelo sin dudarlo — seguro que te va a gustar. Por lo que he oído van a llevar la historia al cine y quizás la protagonice alguien del estilo de Johnny Depp. Ojalá que escojan a alguien como él, pues yo siempre se lo digo a mi amigo Julián, que no hay nadie como él, cuyo talento para este tipo de personajes es indiscutible, como ya lo demostró en la película *Don Juan de Marco*. Muchos coinciden conmigo en que es uno de los mejores actores para este tipo de personaje.

9 Amplíe su vocabulario 

¿Cuál es la mejor traducción?

1. éxito
   a. exit
   b. popular
   c. success
   d. failure
2. acurrucarse
   a. to hum
   b. to play
   c. to curl up
   d. to hide
3. legendario
   a. old
   b. character
   c. celebrity
   d. legendary
4. carismático
   a. pleasant
   b. nice
   c. charismatic
   d. chaotic

continúa

5. caer rendidos a sus pies
   a. to render to the feet
   b. to fall faint
   c. to keep falling on one's feet
   d. to surrender at one's feet
6. tropas
   a. troops
   b. ropes
   c. friends
   d. traps
7. gestar
   a. to recommend
   b. to advise
   c. to develop
   d. to spend
8. ameno
   a. boring
   b. easy to read
   c. funny
   d. enjoyable

10 Defina las palabras

Defina en español las siguientes palabras: *héroe, dibujo animado, mito, anticuado, valiente* y *mestizo*.

11 Pronombres 

Trabaje con un/a compañero/a y conteste estas preguntas relacionadas con la lectura de la Actividad 8.

1. Identifiquen por categorías (objeto directo, objeto indirecto, relativo) los pronombres en las expresiones o palabras que aparecen en rojo y expliquen su uso.
2. ¿Cuáles son los cinco pronombres relativos más comunes?
3. ¿Qué significa *lo que*? ¿Cuándo se usa? Den un ejemplo.
4. ¿Se puede usar *que* o *quien* con una preposición delante? Den un ejemplo con cada palabra.
5. ¿Qué significa *cuyo*? ¿Con qué elemento de la oración concuerda? ¿Cómo debe concordar? Den otro ejemplo.
6. ¿Cuál es la diferencia entre un objeto directo y uno indirecto?
7. ¿Dónde se coloca el pronombre del objeto directo o indirecto? Den ejemplos para cada situación.
8. ¿Dónde se colocan los pronombres cuando hay dos seguidos en la misma oración?

12 Comparaciones

Conteste las siguientes preguntas.

1. ¿Cuáles son los diferentes comparativos en español?
2. ¿Por qué se usa *que* unas veces en la segunda parte de la comparación, y en otras *de*?
3. ¿Son comparativas las palabras terminadas en *-ísimo* (*alto, altísimo*)? ¿Qué cambio consonántico sufren algunas de estas palabras?
4. ¿Qué significa *más que* en la oración, "No tiene más que diez dólares"?
5. ¿Cuáles son los comparativos irregulares? ¿Dónde se colocan?
6. ¿Cómo se expresan las comparaciones de igualdad?
7. ¿Cómo se forma el superlativo en español?

13 "Tapitas" gramaticales

1. ¿Cuál es la traducción de *exit* en español?
2. ¿Qué significa *success*?
3. Traduzca al español las siguientes palabras: *no exit, without success*.
4. ¿Qué nombre reciben en español las palabras de ambos idiomas que se parecen y significan lo mismo como, por ejemplo, *sofá/sofa* y *aventura/adventure*? ¿Y cuando las palabras se parecen pero no significan lo mismo como, por ejemplo, *soportar* y *to support*?

14 Un superhéroe

Ud. es un superhéroe. Conteste a este anuncio para un programa de televisión.

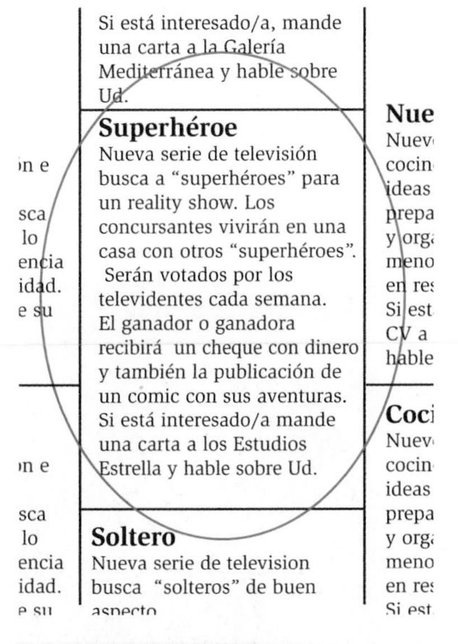

Si está interesado/a, mande una carta a la Galería Mediterránea y hable sobre Ud.

Superhéroe
Nueva serie de televisión busca a "superhéroes" para un reality show. Los concursantes vivirán en una casa con otros "superhéroes". Serán votados por los televidentes cada semana. El ganador o ganadora recibirá un cheque con dinero y también la publicación de un cómic con sus aventuras. Si está interesado/a mande una carta a los Estudios Estrella y hable sobre Ud.

Soltero
Nueva serie de television busca "solteros" de buen aspecto

- Hable de sus poderes especiales.
- Hable de cuándo notó que los tenía.
- Compare su vida con la de una persona normal.
- Diga por qué cree que debería estar en el programa.
- Trate de convencer a la cadena de televisión para que lo/la elijan.

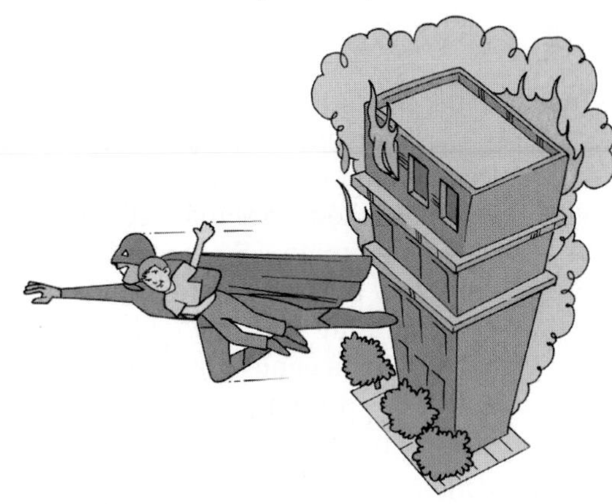

15 Preposiciones 

Lea las siguientes oraciones y complételas con la preposición adecuada: *a, con, de, en, por* o *para*. No se olvide de hacer las contracciones necesarias con *de* y *a*, más el artículo.

1. Eduardo llegó ___ el mercado, se sentó ___ la silla y empezó ___ sacar los alimentos ___ las bolsas.
2. Carmen consiguió ahorrar ___ comprar la blusa ___ seda que era cara, pero que se la habían dado ___ sólo $50.
3. Habían viajado ___ cinco horas ___ pie y llegaron ___ un café al borde del camino. Le preguntaron ___ la dueña ___ cuántos kilómetros quedaba el pueblo más cercano.
4. La mesera les sirvió ___ mala gana porque era tarde. Después ___ beber un jugo ___ naranja y comer arroz ___ camarones, continuaron el paseo ___ el campo.
5. Como no llegamos ___ tiempo no pudimos entrar ___ el concierto porque el teatro estaba lleno ___ gente hasta la puerta.
6. Elisa y Juan Pedro viajan de vez en cuando ___ países latinos y compran cosas hechas ___ mano ___ los indígenas.
7. Llegaré mañana ___ la tarde. No puedo volar hoy ___ el mal tiempo y estoy muerto ___ cansancio. Trataré ___ buscar un hotel ___ dormir.
8. Néstor se dedica ___ la ecología porque le gustaría acabar ___ los problemas del mundo. Sabe que si no hacemos algo, ___ treinta años muchas especies habrán desaparecido.
9. ___ mi juicio, Antonio Banderas montaba ___ caballo muy bien en la película *El Zorro*.
10. Sigue las instrucciones ___ paso lento ___ no tener fallos tontos.
11. Anoche fuimos ___ Paco ___ una exposición ___ arte ___ Prado. Estaba loco ___ alegría.
12. La artista llevaba un vestido ___ seda y su acompañante iba ___ negro. ___ mí, eran los más elegantes ___ la fiesta de los Premios Alma.
13. Trabajó ___ muchos años para este día, pero ___ desgracia tuvo un accidente ___ dos kilómetros ___ aquí y no pudo cantar ___ el concierto.
14. Cuando el artista llegó todos sus seguidores gritaron ___ alegría. ___ su edad, es increíble que siga teniendo tantos seguidores.
15. El año pasado un amigo y yo íbamos a viajar ___ primera vez a México. El pobre Ricardo llegó tarde y lleno ___ agua. Perdimos el avión ___ el mal tiempo, pero gracias ___ Dios un amigo vino ___ ayudarnos y fuimos ___ carro con él.
16. Te lo digo ___ serio, María. Este jarrón en azul está hecho ___ mano por ese señor.
17. Te lo digo en serio, Raúl. Yo amaré ___ Penélope Cruz ___ siempre. ___ mi parecer, es la actriz más guapa ___ todas.

16 Comparativos y pronombres

Complete el siguiente diálogo con las palabras del recuadro. ¡Ojo! Algunas se usarán más de una vez, pero otras no se usarán. Después conteste las siguientes preguntas: ¿Qué pregunta sería apropiada para hacerle a José? ¿Y a Lupe?

menos	te	tan	tantas	quién
lo	me	tanto	más	del
la	de	tanta	que	como
le		tantos		

José: Lupe, hoy he tenido uno de los días __1.__ emocionantes __2.__ toda mi vida. Diego y yo íbamos a ir al café al __3.__ solemos ir todos los días, cuando __4.__ digo a mi amigo __5.__ yo tenía mucha hambre y por eso que fuéramos mejor al restaurante __6.__ hay al lado porque había menos gente y así nos servirían antes. Los dos entramos, y ¡adivina qué me pasó!

Lupe: ¿Qué __7.__ pasó? Cuéntame.

José: Pues, vi a Eva Longoria. Sí, a la mujer más guapa __8.__ mundo.

Lupe: Bueno, no es para __9.__.

José: Perdona, a la segunda mujer más guapa __10.__ mundo. Nadie es __11.__ guapa como tú, cariño.

Lupe: Sí, sí, ya, ya. Venga, sigue.

José: Pues sí. ¿Quién podía imaginárselo? ¿Ella aquí? ¿Al lado mío?

Lupe: ¿Y qué __12.__ dijiste? ¿__13.__ pediste un autógrafo? Seguro que sí, ¿se __14.__ pediste? Ándale, cuéntame todo.

José: ¡Que va!, no quería que pensara que soy un admirador pesado. Pensé, … *¿qué haría Joey?* ¿Sabes __15.__ es, no? El de *Friends*.

Lupe: Sí, claro. El Don Juan.

José: Exacto. Siempre terminaba con las chicas __16.__ guapas __17.__ todas. Así que me acerqué a Eva y __18.__ dije, "¿Qué pasa? ¿Qué estás haciendo?" en voz baja, con las manos en los bolsillos de mis jeans y mirándola de reojo. Como si no me interesara demasiado.

La actriz Eva Longoria

Lupe: No me __19.__ puedo creer. ¿Se __20.__ dijiste de verdad? ¿Y qué te dijo?

José: Errr, bueno, en fin, no creo que __21.__ quieras saber.

Lupe: ¡Cómo que no __22.__ quiero saber! Por supuesto. Dímelo. ¿Qué te pasó?

José: Pues tenía un refresco en la mano y me __23.__ tiró en la cabeza.

Lupe: ¿Cómo? ¿Y tú que le dijiste?

José: Creo que le dije… ¡me encantas, Eva! Eres __24.__ mala __25.__ en la serie *Mujeres desesperadas*.

Lupe: ¡No __26.__ __27.__ puedo creer!

Cita

Una conducta de mil años puede depender de la conducta de una hora.
—Proverbio japonés

¿Está de acuerdo? ¿Puede pensar en algunos ejemplos? ¿Cree que es justo que el comportamiento de un momento afecte todo lo que hizo con anterioridad?

¡Dato curioso!

La popular expresión "Eres un don Juan" (o eres un Casanova) se usa cuando a un hombre le gusta conquistar mujeres. Se empezó usando con aquellos hombres capaces de seducir a cualquier mujer, y que lo hacían en gran parte por el mero hecho de conseguirla (y no siempre por que le gustara). Hoy en día puede usarse también como sinónimo de hombre que tiene éxito con las mujeres. Don Juan es un personaje de la famosa obra *El burlador de Sevilla*, de Tirso de Molina. Este personaje también sirvió de inspiración en las conocidas obras de Moliere, Lord Byron, José Zorrilla (*Don Juan Tenorio*). La opera de Mozart *Don Giovanni* también trata sobre este personaje.

Idioma

17 Familia de palabras

Complete la tabla con el verbo, sustantivo o adjetivo apropiado y la traducción correspondiente.

Verbos		Sustantivos		Adjetivos	
___	*to support*	___	___	apoyado	___
drogarse	___	la droga; el/la drogadicto/a	___; ___	___	___
empeñarse	___	___	___	empeñado	___
fallecer	___	___	*death*	___	___
___	*to influence*	___	*influence*	influyente	___
luchar	*to fight*	___	___	luchador	___
obsesionarse	___	la obsesión	___	obsesionado	___
superar	___	la superación	*overcoming*	___	___
___	*to triumph*	el triunfo	___	triunfante	___

18 ¿Verbo, sustantivo o adjetivo?

Complete las oraciones usando la forma correcta de las palabras que aparecen en la tabla, ya sea verbo, sustantivo o adjetivo. En el caso del sustantivo puede que necesite artículo.

1. Los padres de Óscar y Paco siempre ___ (*empeñarse*) en que sus hijos ___ (*triunfar*) en la escuela.
2. La adolescencia es una edad difícil, pues los chicos no siempre ___ (*superar*) los miedos propios de la edad. Los padres en ocasiones viven en una continua ___ (*luchar*) con sus hijos.
3. Es importante que los famosos hagan un buen uso de su situación privilegiada, que ___ (*apoyar*) causas benéficas y que ___ (*luchar*) por un mundo más equitativo.
4. Al administrador del cantante de mayor ___ (*triunfar*) se le quitó de golpe la sonrisa que solía tener en las ruedas de prensa cuando tuvo que comunicarle a los periodistas que su cliente llevaba más de dos años siendo ___ (*drogarse*), y es por eso que tuvo que ser ingresado en una clínica.
5. Por lo visto, le dieron varios galardones cuando se enteraron de que ___ (*fallecer*). Aunque su mujer estaba orgullosa, también estaba apenada, pues no reconocieron su talento hasta su ___ (*fallecer*).
6. Cuando la gente supo que el profesor iba a visitar su antiguo colegio comenzaron a llegar alrededor de cincuenta y tantas personas a pie, ___ (*empeñarse*) en visitarlo. Al fin y al cabo, se había convertido en una de las personas más ___ (*influir*) de la vida de muchos.
7. Debo de reconocer que estaba totalmente ___ (*obsesionarse*) con este actor de la telenovela "Amor y celos" y lo peor es que un día tropecé con él, y aunque tenía un poco de encanto, no es para tanto. Además me dio un autógrafo de mala gana. Creo que ya ___ (*superar*) mi ___ (*obsesionarse*) por él.
8. Cuando los concursantes, a pesar de ser grandes ___ (*luchar*), no consiguieron el premio, volvieron a sus casas un poco deprimidos y se acurrucaron en el sofá para seguir viendo el programa con sus familiares, quienes siempre les habían mostrado su ___ (*apoyar*).

continúa

Cita

El éxito tiene muchos padres, pero el fracaso es huérfano.

—John F. Kennedy (1917–1963), 35° presidente de los Estados Unidos

¿Cree que es cierto lo que dice? ¿A qué se debe? Cite unos ejemplos de su propia experiencia o de alguien conocido. Comparta sus experiencias y opiniones con un/a compañero/a.

9. Somos conscientes de que la música que mi banda y yo tocamos es muy ___ (*influir*) en los jóvenes, y es por eso que hemos decidido que los ___ (*apoyar*) en su ___ (*luchar*) contra ___ (*drogarse*) y daremos un concierto gratis.
10. Patricia y José estaban muy orgullosos; al fin y al cabo gracias a su ___ (*empeñarse*) lograron que muchos ___ (*drogarse*) superaran su adicción y triunfaran en su lucha.

¡Dato curioso! A Shakira le preguntaron una vez por el origen de ese nombre tan original. Por lo visto su madre se lo puso esperando que se pareciera a Shakira Caine, la mujer del actor Michael Caine. En realidad sus padres no sabían lo que significaba en otros idiomas. Con el tiempo descubrieron que en árabe significa "Aquella que le da siempre las gracias a Dios".

19 Los hispanos

Lea el artículo y complete los espacios con la palabra adecuada. Después conteste las siguientes preguntas:

- ¿Cómo resumiría el artículo en una frase?
- ¿Qué pregunta sería apropiada para hacerle al autor después de leer el artículo?
- Si quisiera consultar otra fuente, ¿podría pensar en un posible título de una publicación?

La influencia de los hispanos

Lo latino arrasa

Se lleva __1.__ (lo / el) latino. __2.__ (*Cientos / Cientas*) de artistas, cocineros, diseñadores, arquitectos, médicos, empresarios y demás __3.__ (*en / del*) mundo latino __4.__ (*están / estén*) arrasando en otros países, tanto de América como de Europa o Asia. Estamos de moda. Hace años __5.__ (*fue / era*) prácticamente imposible ver a un sudamericano en la televisión o en los periódicos, pero ahora todo __6.__ (*ser / es*) distinto. __7.__ (*Hemos / Hayamos*) ganado Oscars, Grammys, Emmys; incluso __8.__ (*estamos / estemos*) siendo considerados como mejores cocineros y diseñadores __9.__ (*que / de*) los franceses, __10.__ (*quien / quienes*) siempre habían sido los que __11.__ (*dominaron / dominaban*) estas facetas.

__12.__ (*Empezamos / Empecemos*) a influir en la forma de vestir, de peinarnos, de comportarnos; el resto del mundo comienza a vernos como un espejo en el que muchas personas se andan __13.__ (*mirar / mirando*) a diario. Tenemos que __14.__ (*ser / estar*) orgullosos de __15.__ (*nuestro / nuestros*) antepasados y de toda la cultura de __16.__ (*el / la*) que hemos sido beneficiarios, porque aunque en ocasiones nos cueste creerlo, somos gente muy __17.__ (*afortunado / afortunada*). Hoy en día __18.__ (*nos / nosotros*) invitan a __19.__ (*mil / miles*) de fiestas, salimos en __20.__ (*cien / cientos*) de los canales y emisoras... ¡Tenemos éxito! ¿Quién __21.__ (*fue / iba*) a decirlo a mediados del siglo XX? Hasta hace poco __22.__ (*fue / era*) común __23.__ (*verlos / vernos*) jugando en las grandes ligas; no obstante, ya empezamos a tomar otros tipos de cargos en la administración y marketing. Hemos __24.__ (*avanzando / avanzado*) a pasos agigantados y todo gracias a nuestros propios méritos, y aunque todavía tenemos miles de problemas de integración, hay que __25.__ (*recordemos / recordar*) que no __26.__ (*es / sea*) fácil, pero luchando, y con buena cara, podremos llegar a __27.__ (*cualquier / cualquiera*) lugar. Como modelos a seguir tenemos el ejemplo de grandes triunfadores: cantantes como Shakira y Jennifer López, arquitectos como Santiago Calatrava, cocineros innovadores como Ferran Adrià y otros muchos que nos demuestran que quienes __28.__ (*trabajan / trabajen*) duro __29.__ (*puedan / podrán*) conseguir sus sueños.

El Pabellón Quadracci del Museo de Arte de Milwaukee, diseñado por Santiago Calatrava

Isabel Segundo

20 ¿Qué significa?

Según el artículo que acaba de leer, ¿cuál es la mejor definición o sinónimo de cada palabra?

1. empresario
   a. persona que trabaja para una empresa
   b. persona que tiene mucha presión
   c. persona que tiene una empresa
   d. persona que tiene una imprenta
2. arrasar
   a. destruir
   b. tener un gran éxito
   c. levantar
   d. tirar
3. distinto
   a. idéntico
   b. diferente
   c. heterogéneo
   d. homogéneo
4. comportarse
   a. suponer
   b. portarse
   c. componerse
   d. encerrarse
5. resto
   a. lo sobrante
   b. basura
   c. ruina
   d. descanso
6. antepasado
   a. antiguo
   b. pasado de moda
   c. familiar ya muerto
   d. anteayer
7. costar
   a. ser caro
   b. ser difícil
   c. causar
   d. dormir
8. cargo
   a. peso
   b. empleo
   c. problema
   d. cargamento
9. agigantado
   a. enorme
   b. alegre
   c. pequeño
   d. de fantasía
10. con buena cara
    a. guapo
    b. saludable
    c. con buen humor
    d. con buenos modales

El cantante puertorriqueño Marc Anthony

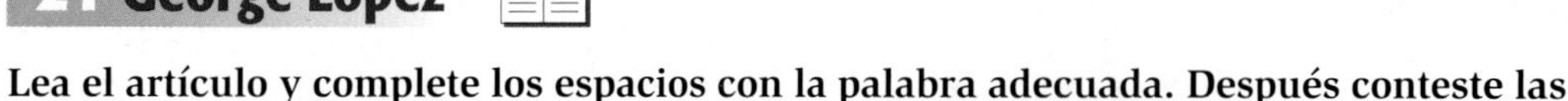

21 George López

Lea el artículo y complete los espacios con la palabra adecuada. Después conteste las siguientes preguntas:

- ¿Cómo resumiría el artículo en una frase?
- ¿Qué pregunta sería apropiada para hacerle a George López?
- ¿Qué cómicos estadounidenses le gustan?

George López

George López es __1.__ (*un / uno*) de los comediantes y presentadores más importantes __2.__ (*de / del*) la industria televisiva hoy en día. __3.__ (*El / La*) programa, *The George López Show*, es uno de __4.__ (*los / el*) más vistos y es __5.__ (*producido/ produce*) por la encantadora actriz Sandra Bullock. Ya va por su __6.__ (*quinta / quinto*) temporada. López es considerado uno de los cómicos más prestigiosos del país.

Su autobiografía, *Why are you crying?*, __7.__ (*tiene / tenga*) mucho éxito, y __8.__ (*varios / varias*) discos lo han ayudado a apoderarse de un Grammy, e incluso __9.__ (*ser / sea*) comentarista durante la temporada 2003–2004 de la Liga de Fútbol Americano. Por otro lado, también ha dado conciertos de __10.__ (*un / uno*) lado a otro de los Estados Unidos e incluso ha actuado para el presidente del país. También __11.__ (*participó / participe*) en la comedia *Las mujeres de verdad tienen curvas*, sobre los inmigrantes latinos en el país, que fue __12.__ (*premió / premiada*) en varios festivales internacionales y muy aclamada por la crítica y el público.

__13.__ (*Un / Una*) de sus pasiones es el golf, y ha llegado a quedar __14.__ (*tercer / tercero*) en competiciones nacionales. López vive en Los Ángeles con su mujer y sus hijos, y es __15.__ (*un / uno*) de los pocos afortunados que tienen una estrella en el __16.__ (*conoció / conocido*) paseo de la fama de Hollywood Boulevard.

El comediante participa en bastantes acciones benéficas, asimismo __17.__ (*creó / creo*) una fundación con su mujer, con __18.__ (*quien / cual*) está potenciando la educación en Los Ángeles, y ha hecho un __19.__ (*gran / grande*) esfuerzo para ayudar a las víctimas de __20.__ (países / *país*) como El Salvador y Guatemala.

Mari Sierra Ramos Castro

22 ¿Qué significa?

Empareje las palabras de la primera columna con su definición o sinónimo de la segunda.

1. comediante	a. desarrollar, impulsar
2. autobiografía	b. exaltar
3. disco	c. interpretar un papel
4. comentarista	d. cómico
5. actuar	e. locutor, reportero
6. aclamar	f. agraciado, con suerte
7. afortunado	g. diario, historia sobre su propia vida
8. potenciar	h. lámina circular de materia plástica

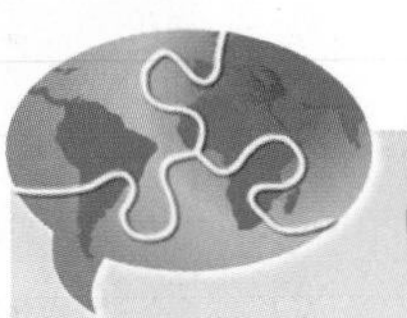

Compare

¿Por qué son recordadas algunas de las personas que han fallecido en su comunidad? ¿Cuáles son otros famosos en los EE.UU. a los que admira? ¿Qué cantantes famosos han fallecido recientemente?

Cita

El elefante muerto deja sus colmillos; el tigre, su piel; el hombre, su nombre.
— Proverbio malayo

¿Por qué motivos le gustaría ser recordado/a?

¡Dato curioso!

¿Ha intentado traducir algunos nombres de famosos a español? He aquí algunos: Michael Fox, Miguel Zorro; Tom Cruise, Tomasín Crucero; Nicole Kidman, Nicolasa Hombrechico; Britney Spears, Britania Lanzas; George Bush, Jorge Arbusto; Bill Gates, Guillermito Puertas; Nicholas Cage, Nicolás Jaula.

23 Salma Hayek 

Lea el artículo y complete los espacios con la palabra adecuada. Después conteste las siguientes preguntas:

- ¿Cómo resumiría el artículo en una frase?
- Si quisiera consultar otra fuente, ¿podría pensar en un posible título de una publicación?

Salma Hayek

Salma, __1.__ (*cuyo / cual*) nombre en hindi significa Paz, es una de las latinas más impactantes __2.__ (*del / de la*) panorama cinematográfico actual. Tiene una especial espontaneidad y simpatía __3.__ (*cual / que*) la hace tremendamente atractiva. Es considerada la latina más exuberante __4.__ (*por / para*) muchos estadounidenses.

Hija de un empresario libanés y una cantante __5.__ (*de / en*) ópera mexicana, tiene un hermano __6.__ (*quien / que*) se llama Sami. __7.__ (*X / De*) pequeña despertaba a su padre los domingos muy temprano __8.__ (*por / para*) que la llevara al cine, y se imaginaba que ella era la protagonista de la película.

Es una mujer __9.__ (*en / de*) gran carácter que siempre consigue __10.__ (*el / lo*) que se propone, hasta tal extremo que __11.__ (*por / para*) convencer a sus padres __12.__ (*por / para*) que la dejaran irse a vivir con su tía __13.__ (*en / a*) los Estados Unidos, hizo una huelga de hambre con __14.__ (*tanto / tan*) sólo doce años. Pasó parte __15.__ (*de / en*) su adolescencia en un internado de Louisiana, de donde la echaron __16.__ (*por / para*) sus múltiples gamberradas, que tenían como objetivo las monjas __17.__ (*que / quienes*) se encargaban de él.

Cuando volvió a México empezó __18.__ (*para / a*) estudiar Relaciones Internacionales en la universidad, pero dejó estos estudios __19.__ (*por / para*) tomar clases de interpretación. Comenzó __20.__ (*hacer / haciendo*) telenovelas, incluso fue protagonista de una de ellas, consiguiendo __21.__ (*gran / grande*) éxito en su país __22.__ (*de / en*) origen. Pero a ella le faltaba __23.__ (*algo / algún*), __24.__ (*así / por*) que hizo la maleta y decidió irse a la meca __25.__ (*de / del*) cine. En Los Ángeles estudió inglés __26.__ (*y / e*) interpretación, y comenzó __27.__ (*para / a*) hacer papeles en películas de poco presupuesto. __28.__ (*En / En el*) 1995 llegó su salto a la fama con la película *Desperado*, de Robert Rodríguez, junto __29.__ (*a / al*) Antonio Banderas. Después __30.__ (*con / de*) esto su vida cinematográfica ha sido casi como un camino de rosas. Fue nominada a un Oscar __31.__ (*por / para*) la película *Frida*, la __32.__ (*quien / cual*) también produjo. Ella idolatraba a la pintora Frida Khalo y deseaba llevarla __33.__ (*a / al*) cine; algunos cuentan __34.__ (*x / que*) incluso se afeitaba los pocos pelitos del "bigote" que tenía __35.__ (*para que / porque*) saliera más pelo y, así, parecerse más a la famosa artista. __36.__ (*Por / Para*) la película *Wild Wild West*, uno __37.__ (*x / de*) los protagonistas —y también creador de una de las canciones de la banda sonora—, Will Smith, __38.__ (*la / le*) pidió que participara en el video clip. __39.__ (*Lo / El*) que ella no sabía es que la iba __40.__ (*x / a*) cubrir de arañas, precisamente __41.__ (*de / con*) tarántulas.

Ha sido imagen de algunas firmas de cosméticos y maquillaje, gracias __42.__ (*a / por*) su exótica belleza. Incluso ha participado __43.__ (*en / para*) la publicidad __44.__ (*en / de*) un champú.

Siempre ha mantenido su vida sentimental al margen de su imagen pública, lo que hace que todavía __45.__ (*x / se*) la respete más. __46.__ (*Uno / Una*) de sus principios es no aceptar papeles __47.__ (*que / cuales*) degraden la cultura o la sociedad latina.

Mari Sierra Ramos Castro

24 ¿Qué significa?

Empareje las palabras de la primera columna con su definición o sinónimo en la segunda, según el contexto del artículo anterior.

1. impactante	a. protesta durante la cual uno no come
2. espontaneidad	b. actuación
3. exuberante	c. impresionante
4. protagonista	d. de bajo coste
5. huelga de hambre	e. adorar
6. internado	f. voluptuoso, muy abundante
7. gamberrada	g. personaje principal
8. monja	h. travesura extrema
9. interpretación	i. naturalidad
10. de poco presupuesto	j. insecto de ocho patas que caza a sus presas en una red
11. salto	k. fuera de, separada de
12. idolatrar	l. lanzamiento
13. araña	m. humillar
14. al margen de	n. institución donde los estudiantes estudian y duermen
15. degradar	o. mujer religiosa de una orden

25 Chica Almodóvar 

Lea el artículo y complete los espacios con la palabra adecuada. Después conteste las siguientes preguntas:

- ¿Cómo resumiría el artículo en una frase?
- Si quisiera consultar otra fuente, ¿podría pensar en un posible título de una publicación?
- ¿Qué otros directores de cine hispanos conoce? ¿y estadounidenses?

Penélope Cruz

Penélope, se llama así __1.__ canción muy conocida __2.__ cantante español Joan Manuel Serrat, es una __3.__ las actrices más atractivas __4.__ cine español. Sus gestos dulces __5.__ han hecho gala del pseudónimo de Blanca Nieves. __6.__ pequeña soñaba __7.__ cuando tuviera fama sería __8.__ Audrey Hepburn, una __9.__ sus actrices favoritas; también adora __10.__ Marilyn Monroe. En el año 2000, después __11.__ rodar una película con animales, decidió __12.__ vegetariana; y __13.__ que la conocen dicen que cocina las mejores hamburguesas vegetarianas __14.__ existen, están deliciosas, incluso mejor __15.__ las __16.__ carne. También adora la comida japonesa y no bebe alcohol, sólo agua y Coca-Cola; __17.__ vez en cuando también pica una onza __18.__ chocolate. __19.__ pequeña tenía muy claro __20.__ lo que se quería dedicar, estuvo estudiando ballet durante trece años y luego dejó el instituto __21.__ dedicarse __22.__ su pasión, el cine. Estudió arte dramático y se marchó __23.__ vivir __24.__ Nueva York. Su carrera ha sido rápida, como un rayo, __25.__ sólo 32 años se ha convertido __26.__ una de las actrices más respetadas __27.__ cine español y fuera de él. Parte de esta fama es debida __28.__ su relación con el famoso actor y productor Tom Cruise, con el __29.__ coincidió en el rodaje __30.__ *Vanilla Sky*.

Le encanta la música clásica y dormir, puede dormir incluso 18 horas seguidas; una __31.__ sus pasiones es __32.__ gata persa [35] Aitana, regalo de su amiga y también actriz, Aitana Sánchez-Gijón, y otra, la lectura; su libro favorito __33.__ *El guardián entre el centeno* de J.D. Salinger. __34.__ de sus vicios confesables es comprar ropa; le encantan [40] los pantalones tejanos y los colores blanco y negro. Otra curiosidad __35.__ que no usa perfume. Es muy tímida, odia __36.__ los paparazzi, y hacer entrevistas __37.__ ella es un continuo suplicio. Odia la hipocresía y [45] la mala educación, además __38.__ carácter frívolo de Hollywood, ya que lo considera demasiado falso.

__39.__ considera una persona muy celosa con su pareja. Su deporte es el baile; uno [50] __40.__ sus personajes históricos favoritos es Gandhi y uno de sus sueños, __41.__ ya no podrá cumplir, __42.__ haber conocido a la madre Teresa de Calcuta. Está casada con el famoso actor Javier Bardem, también ganador [55] de __43.__ Oscar. Penélope Cruz es la musa de los grandes directores de cine. Pedro Almodóvar la admira y ya ha rodado con él __44.__ películas. Ha trabajado también con Woody Allen, con quien filmó *Vicky Cristina* [60] *Barcelona* y más __45.__ *The Bop Decameron.*

26 ¿Qué significa?

Defina en español las siguientes palabras del artículo sobre Penélope Cruz: *hacer gala, pseudónimo, rodar* (una película), *respetado, suplicio, hipocresía, mala educación.*

27 Lea, escuche y escriba/presente

Vuelva a leer los textos completos de las Actividades 23 y 25. Luego escuche la grabación "Cristina Saralegui" y tome las notas necesarias. Escriba un ensayo o haga una presentación en clase sobre las mujeres hispanas influyentes.

Cita

Las oportunidades son como los amaneceres, si uno espera demasiado, se los pierde.

—William Arthur Ward (1921–1994), autor, editor, pastor y maestro estadounidense

¿Qué piensa de esta cita? ¿Es Ud. el tipo de persona que aprovecha una oportunidad? Comparta su opinión con un/a compañero/a.

¡Dato curioso!

En Twitter quienes más seguidores tienen son las personalidades del espectáculo. Los cuatro hispanos más seguidos son el cantante colombiano Juanes, la cantante mexicana Anahí, el cantante español Alejandro Sanz y la cantante también mexicana Paulina Rubio. Los tres más seguidos (no latinos) son Britney Spears, el actor Ashton Kutcher y la estrella del pop Lady Gaga. Sin embargo, el que tenga muchos seguidores no significa que tenga más influencia que otros. Para considerarse influyente tiene que "retwitear" sus mensajes, escribir frecuentemente y tener interacción con las personas que lo siguen. ¿Y Ud.? ¿Twittea sobre famosos? ¿Sobre quiénes?

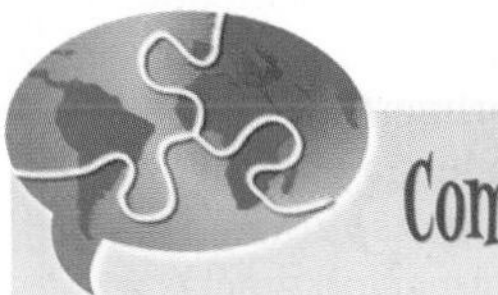

Compare

¿Qué actor o actriz estadounidense le inspira? ¿Quiénes son las cinco mujeres más influyentes en los EE.UU.?

¡A leer!

28 Antes de leer 

¿Qué impresiones tiene sobre la cultura latina contemporánea? ¿Cree que lo latino está muy de moda en los Estados Unidos? ¿Por qué? ¿Cuál es su latino famoso preferido?

29 Los latinos

Lea con atención el siguiente artículo. Después conteste las siguientes preguntas:

- ¿Cuál es el propósito del artículo?
- Si quisiera consultar otra fuente, ¿podría pensar en un posible título de una publicación?

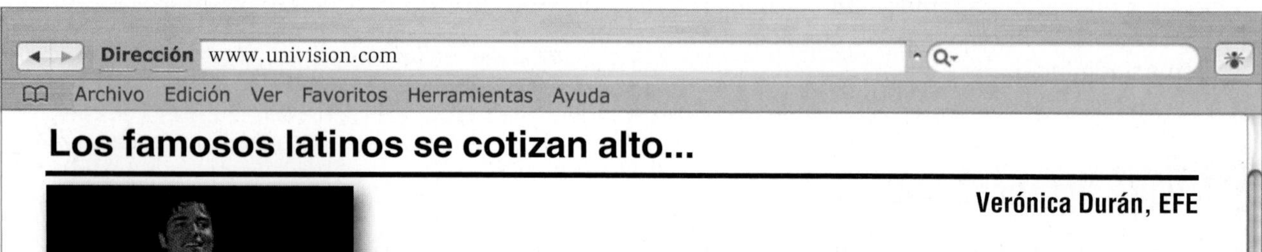

Los famosos latinos se cotizan alto...

Verónica Durán, EFE

El cantante puertorriqueño, Elmer Figueroa-Arce, mejor conocido como Chayanne.

Las empresas los usan para vender más

Todo indica que las figuras latinas están en auge. Prestigiosas firmas de moda han escogido modelos latinos para sus campañas publicitarias y los actores latinos se cotizan y suben escalafones rápidamente en la meca del cine estadounidense. Mientras, el público pierde el control con la música de Chayanne, Ricky Martin o Juanes.

Estrellas que venden con su rostro

Las estrellas latinas dan cada día más juego en las pantallas y rompen con el estereotipo de la belleza clásica, de tez blanca, ojos azules, cuerpo delgado y melena rubia.

Hollywood lo tiene claro: la sociedad estadounidense está cada vez más mezclada, la colonia latina es numerosa y quiere atraer al mercado latinoamericano y español, por tanto incluyen en su reparto estrellas que representan su fuerza y belleza.

Bardem y Benicio, dos viriles latinos

El actor español Antonio Banderas fue uno de los pioneros en Hollywood y quien contribuiría a abrirles las puertas de Los Ángeles a sus compatriotas, como es el caso de Javier Bardem, cuyo *look* rudo y masculino hace soñar y sonrojarse a miles de mujeres. Su nariz rota, cuerpo corpulento y aspecto tosco le imprimen un carácter particular.

Bardem (Las Palmas de Gran Canaria, España, 1969) con paso cuidadoso pero seguro, coquetea con los productores estadounidenses, pero procura mantener su línea y no manchar su imagen con una producción mala y netamente comercial.

Así lo demuestra su reciente participación en las super producciones *Matando a Pablo* o *Los fantasmas de Goya*, entre otras, donde comparte reparto con figuras de talla internacional como Tommy Lee Jones, Natalie Portman y Tom Cruise, entre otros.

Su consagración como actor internacional llega en el 2000 de la mano de la película *Antes que anochezca* y cuya interpretación le valió ese año la nominación de la academia de los Oscar como mejor actor.

Asimismo, por la película *Mar adentro*, dirigida por Alejandro Amenábar, recibió el Oscar como mejor película extranjera en el 2005, galardón que afianzó la trayectoria del actor español.

El puertorriqueño Benicio del Toro es otro de los actores latinos de mayor prestigio y fama en Hollywood. Su mirada *sexy* y aspecto viril, lo convierten en uno de los hombres más atractivos del mundo del cine.

Asimismo, del Toro ha mostrado un buen olfato a la hora de seleccionar su participación en las distintas producciones, perfilándose como un actor talentoso que sabe escoger sus papeles y obteniendo distintas nominaciones en los Oscar.

Este puertorriqueño obtuvo su primera nominación a los Premios de la Academia en la categoría de mejor actor secundario por su trabajo en la película *Traffic*, y su segunda nominación gracias a su interpretación en *21 Gramos*.

El talento musical latino barre

Quizá es en el escenario musical en donde mejor se ensambla el espíritu latino y donde mayor repercusión genera.

En la última década cobran gran fuerza [60] los ritmos, bailes y letras de distintas etnias, interpretadas por cantantes colombianos, puertorriqueños, mexicanos y españoles.

Elmer Figueroa-Arce, conocido como Chayanne (Puerto Rico, 1968) es, junto con Ricky Martin, [65] Alejandro Fernández y Juanes, uno de los músicos latinos de mayor proyección internacional.

Tienen en común un estilo propio definido, talento, un atractivo físico poderoso, son seductores y por todos corre sangre latina.

[70] Chayanne comenzó su carrera musical a los diez años con el grupo Los Chicos y a los diecisiete años grabó su primer disco en solitario.

La canción "Este ritmo se baila así" lo lanzó a la fama y le mereció el Premio MTV al mejor video [75] latino. Con temas como "Torero", o "No te preocupes por mí" ha cosechado grandes éxitos.

Su aspecto varonil, su capacidad de seducción y sus cualidades como bailarín le han valido para participar en diversas producciones cinematográficas [80] tales como *Linda Sara* o *Baila conmigo*.

Por otra parte, siguiendo las tendencias del mercado, los diseñadores de moda contratan modelos latinos para promocionar sus marcas.

El diseñador Ralph Lauren se decantó por el [85] polista argentino Nacho Figueras: elegante, exitoso y muy atractivo.

Con rasgos marcados, ojos grandes, mirada profunda y con un cuerpo de deportista profesional, Nacho es la nueva imagen de la conocida marca y a [90] su vez, se ha convertido en uno de los modelos más cotizados del mundo.

"Hay un marcado interés internacional por todo lo 'latino': la música, la literatura, la moda, el cine. El mundo latino está de moda", señala Figueras.

[95] Nacho es también uno de los mejores jugadores de polo. Tiene siete goles (el *ranking* llega a 10) y es miembro del equipo Black Watch, que juega en Palm Beach y Long Island, y en Argentina juega con el equipo Centauros.

EFE/www.univision.com

30 Amplíe su vocabulario

Según el contexto del artículo que acaba de leer, empareje cada palabra de la primera columna con su definición o sinónimo de la segunda.

1. indicar	a. rudo, poco cuidado
2. figura	b. hacer que uno desee algo
3. en auge	c. personalidad
4. prestigioso	d. también
5. escoger	e. valorar
6. campaña publicitaria	f. raza
7. cotizar	g. imagen que se tiene de un grupo
8. estereotipo	h. característica física, facción
9. reparto	i. dejar huella
10. hacer soñar	j. instinto
11. sonrojarse	k. inclinarse, decidirse
12. tosco	l. candidatura para un premio
13. imprimir carácter	m. ensuciar
14. manchar	n. elegir algo entre varios
15. de talla	o. resultado del éxito
16. consagración	p. de moda
17. nominación	q. ponerse rojo o colorado
18. asimismo	r. conjunto de diez años
19. buen olfato	s. de importancia
20. década	t. que tiene influencia, autoridad
21. etnia	u. mostrar
22. decantarse	v. anuncios para promocionar un producto
23. rasgo	w. actores de una obra o película

31 ¿Ha comprendido?

1. ¿Por qué están en auge los famosos latinos?
   a. Cobran menos.
   b. El cine los ha hecho famosos.
   c. Tienen otro tipo de belleza diferente.
   d. Tienen bellas melenas y cuerpos delgados.
2. ¿Es Antonio Banderas el prototipo de belleza latina?
   a. No, está ya muy anticuado.
   b. Sí lo es, gracias a la ayuda de Javier Bardem.
   c. No, sus películas son totalmente comerciales.
   d. Sí, y fue el primer latino en Hollywood y eso ayudó a latinos posteriores.
3. ¿Qué tienen en común los músicos latinos de proyección internacional?
   a. Tienen estilo personal, un atractivo físico y una naturaleza propia.
   b. Todos son cantantes.
   c. Todos empezaron su carrera a los diez años.
   d. Todos consiguieron premios de la MTV.
4. ¿Cuál es la opinión de Nacho Figueras sobre lo latino?
   a. El diseñador Ralph Lauren es elegante y atractivo.
   b. La moda de Ralph Lauren es la más conocida del mundo.
   c. Existe una moda internacional de amor por lo latino.
   d. Los latinos suelen ser explotados por las grandes compañías.
5. ¿Qué piensa que significa la expresión *Abrir las puertas*?
   a. Abrir la puerta de un camerino de artistas
   b. Echar a alguien de un lugar discretamente
   c. Cambiar las tendencias en la moda, cambiar de aires
   d. Facilitar el camino profesional

32 ¿Cuál es la pregunta? 

Según lo que acaba de leer, escriba una pregunta lógica para estas respuestas.

1. El español Antonio Banderas
2. En Las Palmas de Gran Canaria
3. En el año 2005
4. La canción pertenece a Chayanne.
5. Para el diseñador Ralph Lauren

Cita

Algo debe de haber hecho mal o no sería tan famoso.

—Robert Louis Steven (1850-1890)
escritor Británico

 ¿Puede pensar en ejemplos en los que la mala fama han hecho a personas famosas?

33 ¿Qué piensan? 

Discuta la siguiente oración con un/a compañero/a: "Las empresas utilizan lo latino para vender más". ¿Qué cree que "vende" últimamente? ¿Qué personas o cosas enganchan ahora para vender más productos?

34 Comparta experiencias 

Con un/a compañero/a hable sobre sus actores y cantantes favoritos. ¿Le gusta ver videos en Internet y bajarse canciones de Internet? ¿Cómo cree que la piratería puede afectar a la industria del cine y de la música? ¿Y a los propios artistas?

¡Dato curioso!

Hoy en día, muchos famosos aseguran sus cuerpos y talentos. La actriz Elizabeth Taylor aseguró sus preciosos ojos en su momento. La actriz y cantante Jennifer López es una de los muchos famosos que tiene partes de su cuerpo aseguradas. La conocida J. Lo mantiene una póliza de $6 millones para proteger su trasero. Pero los futbolistas no se quedan atrás, como el del futbolista David Beckham. Este tiene sus piernas valoradas en $40 millones y su cuerpo entero está asegurado por $150 millones. Chayanne, Enrique Iglesias, Madonna, y Bruce Springsteen son algunos de los muchos cantantes que han protegido sus voces. De igual modo, la cantante Mariah Carey valoró su cuerpo y voz en $7.5 millones de dólares. En cuanto a las modelos, Heidi Klum es posiblemente la modelo que ha asegurado su cuerpo por la cantidad de dinero más elevada. ¿Y Ud? Si fuera famoso/a, ¿qué aseguraría?

35 Se titula...

Piense en otro título para esta lectura. ¿Por qué lo ha escogido?

36 Antes de leer 

¿Qué hace que alguien se haga famoso? ¿Puede llegar alguien a hacerse famoso por algo que haya hecho mal o por algún comentario inoportuno? ¿Está de acuerdo con el dicho popular *Aunque hablen mal de ti, ¡pero que hablen!* ¿Por qué? Cite ejemplos.

37 Ideas absurdas

Lea con atención el siguiente artículo. Después conteste las siguientes preguntas:

- ¿Cuál es el propósito del artículo?
- Si quisiera consultar otra fuente, ¿podría pensar en un posible título de una publicación?
- ¿Qué meteduras de pata famosas conoce? (Quizás haya estudiado algo en su clase de historia, ciencias, o arte.)

Meteduras de pata de famosos

CARLES VIDAL

Aquí puede ver algunas de las personas que han pasado a la posteridad, no por su talento y grandeza, sino por sus meteduras de pata.

Grandes torpes de la humanidad

El rey que creía que el café era mortal

Ni siquiera algunos reyes, portadores de la dignidad más majestuosa, se libran de inscribir su nombre en los anales de la historia de la estupidez humana. Es el caso de Gustavo III de 5 Suecia, un monarca que detestaba el café hasta el punto de creer que se trataba de una bebida letal y que su 10 consumo prolongado podía causar la muerte.

Para demostrarlo se le ocurrió una absurda 15 idea. Condenó a un reo de asesinato a ser ejecutado lentamente, bebiendo doce tazas de café diarias, mientras 20 un grupo de médicos iba comprobando su progresivo deterioro físico. Pero el soberano nunca vio el desenlace del experimento, ya que murió casi diez años después, en 1792, 25 asesinado por un disidente que se llamaba Anckarström. Y en los años sucesivos fueron muriendo uno a uno los médicos.

De hecho, al final el único que quedó vivo fue el reo, quien acabó siendo indultado y 30 murió mucho tiempo después, por causas perfectamente naturales. Aunque eso sí, nunca dejó de tomarse sus tacitas diarias de café.

Tampoco tiene desperdicio el caso de Menelik II, emperador de Abisinia. En 1887, un empleado 35 de Thomas Alva Edison llamado Harold P. Brown inventó la silla eléctrica, y en 1890 se ejecutó con ella al primer reo: William Kleiner.

La noticia dio la vuelta al mundo y, al enterarse, el emperador abisinio hizo las gestiones 40 para comprar una que, creía, sería un símbolo de su gran poder. Pero Menelik no tuvo en 45 cuenta un detalle esencial. La silla letal sólo funcionaba con electricidad, un adelanto 50 que por aquel entonces todavía no había llegado al país africano. Evidentemente, el rey 55 no pudo achicharrar a ningún reo con aquella silla, pero, tratando de buscarle alguna utilidad, no se le ocurrió mejor idea que utilizarla como trono 60 durante algún tiempo.

La historia está repleta de bocazas y profetas de pacotilla que, por su ceguera, rechazaron

continúa

adelantos e inventos que estaban llamados a cambiar el mundo. Es el caso de Rutherford Richard Hayes, uno de los directivos de la compañía de telégrafos Western Union, que en 1876 cuando Alexander Graham Bell quiso venderle la patente de su nuevo invento, el teléfono, le respondió con una carta que decía: "Su invento parece interesante, señor Bell, pero sinceramente no acabo de verle su posible utilidad práctica."

Y los ejemplos de visionarios similares abundan en todos los campos. El físico estadounidense Lee DeForest sentenció en 1957: "El hombre nunca pisará la Luna, al margen de los posibles adelantos científicos". Solamente doce años después, el astronauta Neil Armstrong se paseaba por nuestro satélite.

Igualmente, el padre del cine, Louis Lumière, sentenció que su gran invento no pasaba de ser una curiosidad científica y que no le veía "ninguna posibilidad de ser explotado comercialmente". Años después, el productor Irving Thalberg tomó el testigo de Lumière y vaticinó en 1927 el fracaso del cine sonoro, alegando que "nadie en su sano juicio puede soportar dos horas escuchando a un grupo de personas hablando sin parar".

Otro que dejó escapar el negocio de su vida fue Dick Rowe, un ejecutivo de la compañía discográfica Decca Recording Company, quien en 1962, tras escuchar las maquetas de un grupo de muchachos melenudos, sentenció: "No me gusta cómo suenan; además, la música de guitarra ya está pasada de moda". Pero, claro, si hubiera sabido entonces que aquellos jóvenes eran The Beatles...

Un desprecio similar lo sufrió en su propia carne Ronald Reagan cuando en 1964 se presentó a una prueba para el papel de Presidente de los EE.UU. en el filme *El mejor hombre*. El productor, Walter R. Hagen, le rechazó alegando que "no parece lo suficientemente inteligente como para resultar creíble como mandatario". Se ve que, años después, los votantes no pensaron lo mismo.

Un seguro contra extraterrestres

Es el caso del cineasta Stanley Kubrick, quien creía firmemente en la existencia de extraterrestres. Por eso, cuando inició el rodaje de *2001, una odisea del espacio* (1968) quiso suscribir un seguro con la Lloyd's de Londres,

temiendo que en ese período se pudiera producir un contacto con seres de otros mundos que echara por tierra las tesis de su carísima película y le arruinase. Pero lo gracioso del caso es que la Lloyd's no firmó el trato, alegando "altas posibilidades de riesgo".

Peor fue lo de Theodor von Bischoff, un fisiólogo alemán y experto en anatomía de la Universidad de Heidelberg que, a finales del siglo XIX, estudió la diferencia entre los cerebros del hombre y de la mujer.

Terminadas sus investigaciones, llegó a la conclusión de que el cerebro masculino pesaba una media de 1.350 g, mientras que el femenino sólo llegaba a los 1.250 g. El investigador se basó en esa diferencia de peso para afirmar la superioridad intelectual del varón sobre la mujer. Conviene señalar que es cierto que los cerebros masculinos suelen pesar más que los femeninos, aunque ese hecho no tiene ninguna relación con la capacidad intelectual de las personas.

Pero von Bischoff no lo creía así, y defendió su tesis machista hasta el final de su vida. La lástima es que, tras su muerte, uno de sus discípulos quiso pesar el cerebro del científico. ¿Y adivinas cuál fue el resultado? 1.245 g. Menos mal que el pobre Bischoff ya no estaba vivo para afrontar semejante ridículo.

www.quo.orange.es

38 Vocabulario

Empareje las palabras de la primera columna con su definición o sinónimo de la segunda, según el contexto del artículo anterior.

1. torpe
2. dignidad
3. detestar
4. reo
5. soberano
6. indultar
7. gestión
8. letal
9. bocazas
10. ceguera
11. utilidad
12. pisar
13. en su sano juicio
14. melenudo
15. sufrir en su propia carne
16. machista
17. adivinar
18. afrontar
19. ridículo

a. con pelo largo, con mucho cabello
b. uso, provecho
c. sin vista
d. decoro
e. odiar
f. preso
g. prudente, que razona
h. poner los pies en el suelo
i. lento, incompetente
j. predecir
k. rey
l. persona indiscreta que habla demasiado
m. perdonar
n. hacer frente a
o. sin lógica, absurdo
p. que puede causar la muerte
q. padecer algo personalmente
r. diligencia
s. persona que considera a las mujeres inferiores

39 ¿Ha comprendido?

1. ¿Qué pensaba el rey Gustavo III de Suecia que le pasaría a una persona si consumía mucho café?
   a. Que se le deterioraba el cuerpo
   b. Que podría llegar a fallecer
   c. Que tardaba más en morir
   d. Que se convertía en inmortal

2. ¿Por qué el emperador de Abisinia no pudo usar la silla eléctrica?
   a. La consideraba peligrosa.
   b. No entendía su funcionamiento.
   c. Carecía de electricidad.
   d. Prefirió utilizarla como trono.

3. ¿Por qué Irving Thalberg pensó que el cine sonoro sería un fracaso?
   a. Pensó que nadie soportaría por mucho tiempo las conversaciones en el cine.
   b. Creía que el cine interesante era el de aventuras y en ése no era necesario hablar.
   c. Lo veía aburrido.
   d. Creía que nadie iría al cine a ver películas sonoras ya que eran como la realidad.

4. ¿Cómo justificó Hagen el no admitir a Reagan para el papel de Presidente de los Estados Unidos?
   a. Cobraba un sueldo muy alto.
   b. Físicamente no daba la talla como Presidente.
   c. Necesitaba a alguien más listo para ese papel.
   d. Era demasiado bajo para ese papel.

continúa

5. ¿Por qué no firmó Lloyd's un seguro con Kubrick para el rodaje de *2001*?
   a. Había posibilidades de que vinieran los extraterrestres.
   b. Creían que no había necesidad de ello.
   c. No se pusieron de acuerdo con las indemnizaciones.
   d. Kubrick pensó que los extraterrestres nunca vendrían.
6. ¿Cuál era la teoría de Theodor von Bischoff?
   a. El cerebro de los hombres pesaba más que el de las mujeres.
   b. El cerebro de las mujeres era más grande que el de los hombres.
   c. Debido al mayor peso de sus cerebros, los hombres son más inteligentes que las mujeres.
   d. No tiene nada que ver el peso de los cerebros con la capacidad intelectual de los hombres y las mujeres.

40 ¿Cuál es la pregunta?

Según lo que acaba de leer, escriba una pregunta lógica para estas respuestas.

1. No, al final fue el único que quedó vivo; todos los demás murieron mucho antes que él.
2. Que no tendría ningún éxito comercial
3. No me gusta cómo suenan; además, la música de guitarra ya está pasada de moda.
4. 1.245 gramos

41 ¿Por qué son famosos estos hispanos?

Elija la profesión por cada persona.

cantante	diseñador de moda	escritor	deportista
actor	bailarín	dictador y presidente	cocinero

1. Jennifer López es ___.
2. Enrique Iglesias es ___.
3. Julio Bocca es ___.
4. Shakira es ___.
5. Ricky Martin es ___.
6. Juan Luis Guerra es ___.
7. Plácido Domingo es ___.
8. Francisco Franco fue ___.
9. Carolina Herrera es ___.
10. Sofía Vergara es ___.
11. Juanes es ___.
12. Hugo Chávez es ___.
13. Carlos Santana es ___.
14. Tito Puente fue ___.
15. Celia Cruz fue ___.
16. Isabel Allende es ___.
17. Fidel Castro fue ___.
18. Gabriel García Márquez es ___.
19. Rafael Nadal es ___.
20. Messi es ___.
21. Ferran Adrià es ___.
22. Fernando Torres es ___.
23. Narciso Rodíguez es ___.
24. Pau Gasol es ___.
25. Salma Hayek es ___.
26. Penélope Cruz es ___.
27. Eva Longoria es ___.
28. Javier Bardem es ___.
29. Camilo Villegas es ___.
30. Iker Casillas es ___.

42 Lea, escuche y escriba/presente 

Vuelva a leer "Meteduras de pata de famosos" y luego escuche la grabación "Sentido del ridículo". Tome notas y escriba un ensayo o haga una presentación en clase contestando la pregunta, "¿Qué piensa de las personas que no actúan por miedo a equivocarse?" Mencione las causas y proponga soluciones. No se olvide de citar las fuentes debidamente.

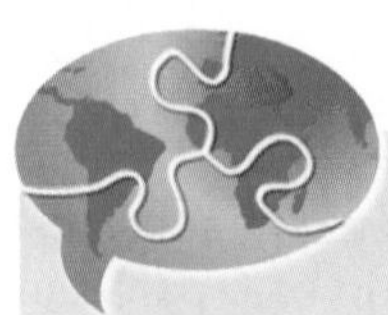

Compare

¿Puede pensar en casos donde la reputación de una persona en los EE.UU. haya cambiado de la noche a la mañana? ¿Puede pensar en algún(os) caso(s) famoso(s) en la historia?

43 Antes de leer 

¿Qué tipo de programas nos ofrece la televisión?¿En qué categoría incluirías los programas de telerrealidad o *reality shows*? ¿Qué tipo de *realities* conoces? ¿Qué opinión tienes sobre ellos?

44 Los *Reality Shows*

Lea con atención el siguiente artículo. Después conteste las siguientes preguntas:

- ¿Cuál es el propósito del artículo?
- ¿Qué pregunta sería apropiada para hacerle al autor después de leer el artículo?

Los *Reality Shows*

¿Te suenan los programas *Big Brother, Survivor, American Idol o The Biggest Loser*? ¡Quién no ha visto o ha escuchado hablar sobre ellos! Todos comparten un mismo denominador común, el formato de realidad, de ahí que reciban el nombre de "telerrealidad".

Denominamos de este modo al género televisivo donde los protagonistas son personas anónimas, corrientes de la calle que se someten al proceso de un concurso o a las que se les sigue la vida de cerca para saber cómo se relacionan o cómo trabajan. Desde ese momento se convierten en estrellas y comienzan a formar parte de las conversaciones de la gente que los sigue cada semana.

Este tipo de *realities* surge como resultado del cambio social y la manera de entender hoy en día la comunicación televisiva. Con el paso de los años este formato ha ido proliferando en número y variedad de temas, y además, debido al fenómeno globalizador, se han ido extendidos a lo largo y ancho de muchos países del continente europeo y americano.

Si echamos la vista atrás haciendo un poco de memoria (A), los comienzos de este género se remontan a los años 70 cuando la cadena estadounidense PBS emitió una serie llamada *An American Family*, donde los miembros de una familia californiana eran grabados en su día a día durante siete meses. Su éxito se debió a la originalidad del programa y a la manera de abordar los temas de la vida cotidiana.

Otro momento importante para el afloramiento de este género se dio en 1989, cuando la cadena FOX empezó a emitir *Cops*, un programa donde los agentes de policía aparecían desempeñando su trabajo diario. (Años más tarde otras profesionales resultaron igualmente interesantes para mostrarnos su mundo visto desde dentro). También es en la década de los noventa cuando surge el concepto de *reality* tipo encierro. La televisión holandesa es quien crea y adapta la idea de *Big Brother*, y rápidamente exporta a otros países (B).

Ya entrado el siglo XXI aparecieron otras variantes del género, muchas de las cuales surgieron del continente asiático, concretamente de Japón. Estas variantes son múltiples: del tipo supervivencia, academia artística (de canto o baile), cambio de imagen, buscar pareja, empleo, ser modelo, conocer la vida de los famosos, mejora de salud, guapos e inteligentes, entre otros.

Mucho se ha debatido sobre la legitimidad de estos productos televisivos. Los contenidos no son educativos propiamente dichos ni informativos tampoco, su objetivo principal es entretener. De ahí que aquellos que defienden y abogan por una programación de mayor calidad los califiquen peyorativamente bajo la etiqueta de "telebasura". Además, se plantea el dilema moral de si merece la pena vender la vida privada a cambio de ganar fama o dinero.

Otra crítica hacia este género apunta al estado de depresión al que quedan sumidos muchos de los concursantes al ser eliminados o al finalizar las ediciones. Se le conoce como el "síndrome del Show de Truman", cuyo nombre procede de la película homónima. Muchos no han podido continuar con sus vidas porque están estigmatizados por los concursos en los que han participado, o porque sienten una sensación de vacío después de toda la parafernalia y atención recibida durante la grabación del programa. Sea como fuere, muchos concursantes han acabado con su vida incapaces de poder superarlo. El problema no deja de ser preocupante, (C), de ahí que haya psicólogos especializados en este tipo de pacientes y una organización (D) llamada AfterTVCARE que se encarga de acoger y tratar a muchos de ellos.

Estemos más o menos a favor o en contra de este tipo de *realities*, el hecho indiscutible es que vivimos en un momento donde la telerrealidad está a la orden del día y hoy por hoy ocupa un lugar destacado en la programación de nuestras casas. Dejémonos llevar por la imaginación tan solo un momento y pensemos en la siguiente reflexión: ¿habrá un día donde dejarán de emitirse estos programas, ya sea porque la audiencia acabe cansada de ellos o porque quizás haya un formato más revolucionario que deslumbre al anterior? ¡Tendremos que verlo para creerlo!

45 ¿Qué significa?

Mire las palabras de las primeras dos columnas que aparecen en la lectura anterior y busque su traducción en la tercera y cuarta columna.

1. sonar	11. desempeñar	a. corriente	k. retroceder en el tiempo
2. legítimo	12. denominador común	b. multiplicarse	l. hablar en favor de algo
3. abogar	13. peyorativo	c. despectivo	m. caer en una determinada situación
4. someterse	14. persona anónima	d. televisar	n. exponerse a una situación
5. surgir	15. estar/quedar sumido	e. comenzar	o. ni conocida ni famosa
6. proliferar	16. síndrome	f. tratar	p. producir gran impresión
7. remontar	17. homónimo	g. resultar conocido	q. elemento compartido
8. emitir	18. estigmatizar	h. lícito	r. que tiene el mismo nombre
9. abordar	19. parafernalia	i. marcar	s. cumplir las obligaciones de una profesión
10. cotidiano	20. deslumbrar	j. excesivo aparato que acompaña a una persona	t. conjunto de síntomas de una enfermedad

46 ¿Ha comprendido?

1. ¿Cuál es la clave del éxito de la telerrealidad?
2. ¿A qué se debe el surgimiento de este tipo de televisión?
3. ¿Cuándo empiezan a emitirse y cuál es su evolución a lo largo de las diferentes décadas?
4. ¿Por qué a este tipo de programas también se les conoce por "telebasura"?
5. ¿Quiénes padecen del síndrome del Show de Truman y por qué motivo?
6. ¿Qué significa la expresión "ver para creer"?

47 ¿Cuál es la pregunta?

Según lo que acaba de leer en la actividad 44, escriba una pregunta lógica para estas respuestas.

1. Telerrealidad
2. A la originalidad del formato
3. En la serie *Cops*
4. Son múltiples: tipo supervivencia, academia artística, cambio de imagen, buscar pareja, entre otros
5. Síndrome del Show de Truman

48 ¿Dónde va? 

Las siguientes frases han sido extraídas del texto anterior. Vuelva a mirar el artículo, fijándose en las letras de color, y escriba la letra que mejor corresponda a cada frase. Hay una frase que sobra.

1. debido a la competencia entre canales de televisión
2. en el tiempo
3. sino todo lo contrario
4. debido a la buena recepción del programa
5. que creó Jamie Huysman

49 Lea, escuche y escriba/presente

Busque en Internet un video de telerrealidad. Después escriba un ensayo o haga una presentación sobre los programas de telerrealidad que están de moda y el impacto que tienen en los televidentes.

¡A escuchar!

50 Manías de los famosos

Esta grabación es un diálogo entre dos personas sobre las extravagancias de famosos. La grabación dura aproximadamente 3 minutos. Lea las posibles respuestas primero y luego escuche la grabación "Manías y extravagancias de famosos". Entonces escoja la mejor respuesta para cada pregunta. Después piense en dos preguntas que les haría a estas chicas.

1. ¿Qué es lo que acaba de hacer Ana?

a. Hablar sobre su color favorito, el blanco
b. Contar la manía de Jennifer López
c. Remodelar y pintar su casa
d. Irse de vacaciones a un hotel

2. Según Belinda, ¿quién es una persona caprichosa?

a. Su amiga Ana
b. Los residentes de los hoteles
c. Los Rolling Stones
d. Jennifer López

3. ¿Qué manía tienen los Rolling Stones?

a. Pedir todos los periódicos locales
b. Llevarse de gira sus propios muebles
c. No tocar los muebles del hotel
d. Alojarse en una gran casa

4. ¿Quién tiene una extraña manía al abrir las puertas?

a. Camerón Díaz, que las abre con los codos
b. Leonardo Di Caprio en su camerino
c. Woody Allen, el más excéntrico
d. El personaje de Ana

51 ¿Qué opina?

¿Qué cree que significa la expresión: "nadie está libre de culpa"?

52 Antes de escuchar

Repase las siguientes palabras que forman parte de la grabación que luego va a escuchar. Elija la mejor traducción.

1. dudar
   a. to doubt — b. to shout
   c. to jump — d. to cry
2. conservar
   a. to forget — b. to keep
   c. to smile — d. to be moved
3. motivo
   a. dream — b. reason
   c. circumstance — d. because of
4. protector
   a. spoiled — b. strict
   c. protective — d. jealous
5. desmotivado
   a. motivated — b. excited
   c. unmotivated — d. relaxed

53 Mamá, quiero ser famosa

Esta grabación es sobre la situación de una madre que tiene una hija que tan solo aspira a ser famosa. La grabación dura aproximadamente 2.5 minutos. Escuche la grabación "Mamá, quiero ser famosa" y luego conteste las preguntas. Después, resuma lo que eschuchó en una frase.

1. ¿Cuál es el primer recuerdo de la persona que nos habla?
2. ¿Qué sueño tenía cuando era pequeña?
3. ¿Cumplió su sueño? ¿Cuál es su trabajo actualmente?
4. ¿Qué edad tiene la hija? ¿Y cuál es su sueño?
5. ¿Qué medida toma la madre para combatir el comportamiento de su hija?

54 Participe en una conversación

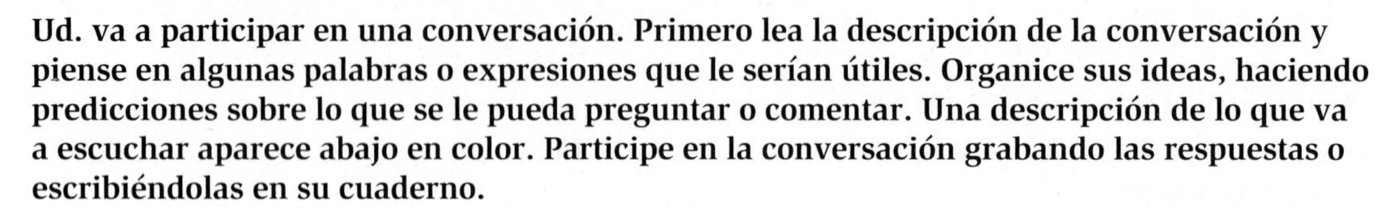

Ud. va a participar en una conversación. Primero lea la descripción de la conversación y piense en algunas palabras o expresiones que le serían útiles. Organice sus ideas, haciendo predicciones sobre lo que se le pueda preguntar o comentar. Una descripción de lo que va a escuchar aparece abajo en color. Participe en la conversación grabando las respuestas o escribiéndolas en su cuaderno.

Escena: Ud. es un/a famoso/a, y un periodista le va a hacer una entrevista. Le va a hacer algunas preguntas, y Ud. debe de contestarlas.

Periodista:	Lo/La saluda. Le hace una pregunta sobre su participación en algo.
Ud.:	• Nombre la marca y dele detalles.
Periodista:	Le hace una pregunta sobre una oferta que le han hecho.
Ud.:	• Conteste su pregunta con emoción y duda.
Periodista:	Sigue la conversación y le hace una pregunta.
Ud.:	• Conteste su pregunta. Use una o dos expresiones con preposición.
Periodista:	Le pide que le dé algún consejo.
Ud.:	• Haga un comentario sobre este grupo. • Dele dos consejos.
Periodista:	Le hace otra pregunta.
Ud.:	• Conteste su pregunta. Use dos adjetivos y un superlativo en su respuesta.
Periodista:	Se despide.
Ud.:	• Despídase. Use una expresión de la lección.

¡A escribir!

55 Texto informal: un correo electrónico 

Conteste este correo que le ha escrito un amigo suyo.

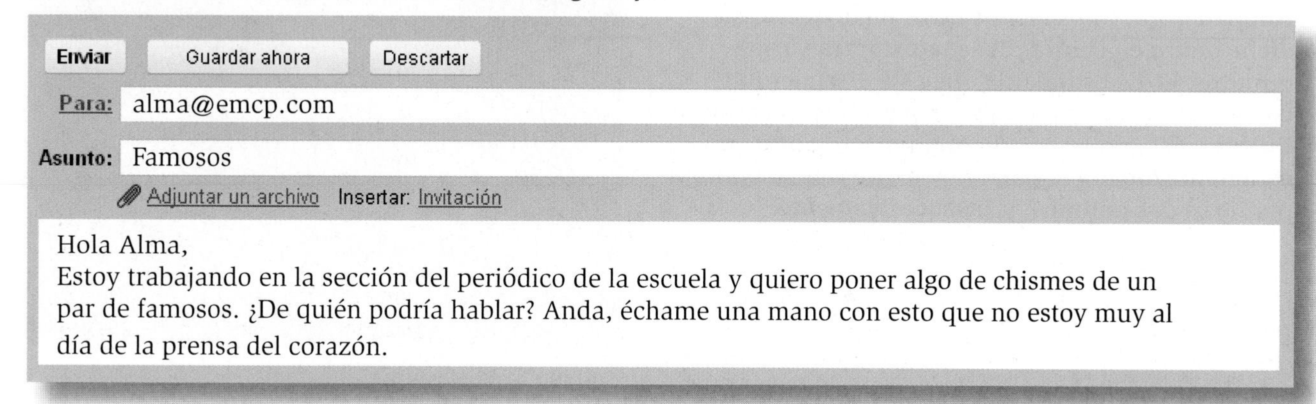

Enviar
Guardar ahora
Descartar
Para: alma@emcp.com
Asunto: Famosos
Adjuntar un archivo Insertar: Invitación
Hola Alma,
Estoy trabajando en la sección del periódico de la escuela y quiero poner algo de chismes de un par de famosos. ¿De quién podría hablar? Anda, échame una mano con esto que no estoy muy al día de la prensa del corazón.

- Describa lo que no le gusta de ellos.
- Describa lo que le gusta de ellos.
- Cuente alguna anécdota.
- Termine con una pregunta.

56 Texto informal: un mensaje en un blog 

Conteste este mensaje que alguien que no conoce ha escrito.

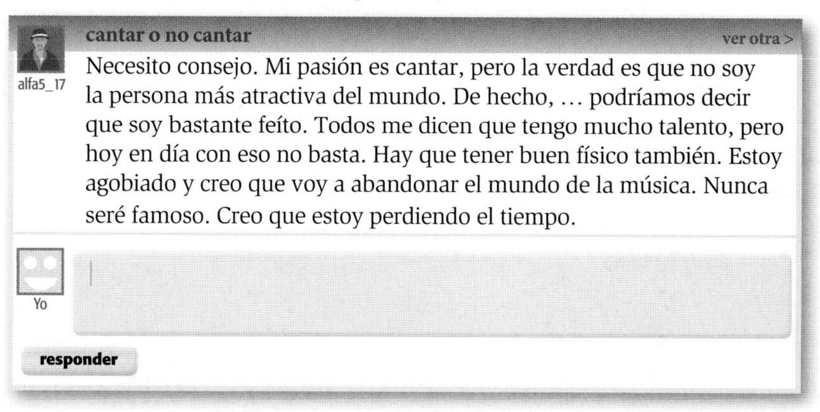

cantar o no cantar
ver otra >
alfa5_17
Necesito consejo. Mi pasión es cantar, pero la verdad es que no soy la persona más atractiva del mundo. De hecho, ... podríamos decir que soy bastante feíto. Todos me dicen que tengo mucho talento, pero hoy en día con eso no basta. Hay que tener buen físico también. Estoy agobiado y creo que voy a abandonar el mundo de la música. Nunca seré famoso. Creo que estoy perdiendo el tiempo.
Yo
responder

- Dígale lo que piensa al respecto.
- Dele consejos útiles para llegar a ser famoso/a.
- Anímele.

57 Ensayo: la fama 

Escriba un ensayo contestando las preguntas, "¿Todos buscamos la fama?", ¿Por qué?.

58 Ensayo: una persona famosa 

Escriba un ensayo contestando la pregunta, "¿A qué famoso hispano admira?". Compárelo con otro al que admire en los EE.UU.

59 En parejas

Intercambie sus ensayos con los de un/a compañero/a. Exprésele su opinión sobre el contenido y el uso del idioma.

¡A hablar!

60 Charlemos en el café

Antonio Banderas firma autógrafos.

Ud. va a debatir los siguientes temas con un/a compañero/a. Uno estará a favor de lo que se ha dicho y otro en contra. El debate durará varios minutos. El/La estudiante que esté de acuerdo comenzará el debate y hablará por unos dos minutos. Cuando el/la profesor/a lo indique, el/la otro/a estudiante tomará la palabra y expresará su opinión por otros dos minutos, y así sucesivamente.

1. *El fin justifica los medios* —Maquiavelo. ¿Cree que la gente hoy en día hace cualquier cosa para ser famoso?
2. La fama siempre es pasajero.
3. La Telerealidad o *Reality Shows* es lo mejor que le ha pasado a la televisión en los últimos años.
4. Los niños pequeños no están preparados psicológicamente para afrontar la fama. Debería haber leyes que protegieran al menor.
5. Los famosos tienen una vida muy fácil.

61 ¿Qué opinan?

Converse con un/a compañero/a sobre estas preguntas.

1. ¿Qué daría por un día de fama?
2. ¿Merece la pena ser famoso/a?
3. Si va a elegir entre dos productos, y ve que uno de ellos —aunque sea un poco más caro— tiene la imagen de un famoso al que admira, ¿Cree que influiría en su compra? ¿Por qué?
4. Si Ud. pudiera hacerse famoso/a por algo, ¿por qué motivo le gustaría hacerse famoso/a?
5. ¿Cuáles son las cinco cosas más importantes que se necesitan para ser famoso?
6. ¿Quiénes son los tres famosos que más admira y por qué?
7. ¿Si quisiera ser famoso/a, ¿cómo se daría publicidad? ¿Qué estrategias publicitarias haría?

62 Presentemos en público 

Conteste una de las siguientes preguntas o haga una presentación oral sobre uno de los temas durante varios minutos. Organice sus ideas antes de hacer la presentación, busque las palabras necesarias y, después de practicar, presente en clase sin mirar las notas.

1. Investigue la vida de un hispano famoso. Describa su vida y logros y muestre fotografías de esta persona, si las consigue, a la clase.
2. Describa la vida paralela de dos personajes famosos que han llegado a la fama por diferentes motivos o caminos.
3. Si pudiera sentarse a cenar con alguien famoso, ¿al lado de quién le gustaría hacerlo? Explique por qué.
4. Si pudiera haber conocido a alguien famoso que ya no está vivo, ¿a quién le hubiera gustado conocer? ¿Por qué?

Consejo

Antes de empezar, lea las pautas para presentaciones formales en la pág. 481 del Apéndice. Mientras formula su presentación tenga presente los objetivos. Cuando termine la presentación, verifique que ha cumplido con todo lo que se describe en la lista y reflexione sobre el trabajo que hizo.

Proyectos

63 ¡Manos a la obra! 

Trabaje en un grupo de cuatro o cinco estudiantes para llevar a cabo uno de los siguientes proyectos y presentarlo en clase. Si es posible, hagan algunas presentaciones usando un programa para hacer presentaciones electrónicas.

1. En un cartel, comparen las vidas y las personalidades de dos famosos o dos héroes.
2. Hablen sobre las quince personas más influyentes de los últimos cien años y expliquen a qué se debe su influencia.
3. Hablen sobre quiénes son las tres personas más influyentes en el mundo de la música de los últimos treinta años.
4. Hablen sobre quiénes son las tres personas más influyentes en la actualidad.
5. Hablen sobre quiénes son los diez latinos más conocidos en la actualidad.

Vocabulario

Verbos

actuar	to act
adivinar	to guess
afrontar	to face, face up to
arrasar	to have success, victory
arruinarse	to be ruined
comportarse	to behave
degradar	to humiliate, degrade
fallecer	to die
idolatrar	to worship, idolize
imponer	to impose
interpretar	to interpret, perform
ir bien/mal	to go well/badly
liderar	to lead, head
manchar	to spot, soil
nominar	to nominate
premiar	to give an award
renunciar	to quit, renounce
rodar (ue)	to film
sonrojarse	to blush
tartamudear	to stutter

Verbos con preposición

verbo + a:

dedicarse a	to devote oneself to
hacerle caso a	to pay attention to

verbo + con:

cumplir con	to comply with, carry out, do the right thing
tropezar (ie) con	to bump into

Sustantivos

la	**amenaza**	threat
el/la	**antepasado/a**	ancestor
la	**audacia**	audacity, boldness
la	**autobiografía**	autobiography
el	**autógrafo**	autograph
la	**biografía**	biography
el/la	**bocazas**	big mouth, blabbermouth
la	**cadena**	chain
la	**calidez**	warmth
la	**campaña**	campaign
el	**cargo**	position, job
el/la	**comediante**	comedian
el/la	**comentarista**	commentator
la	**curiosidad**	curiosity
la	**década**	decade
el	**dibujo animado**	cartoon
la	**dignidad**	dignity
el/la	**ejecutivo/a**	executive
la	**entereza**	integrity
la	**espontaneidad**	spontaneity
la	**estatura**	height, stature
el	**estereotipo**	stereotype
la	**figura**	figure
el/la	**filántropo/a**	philanthropist
la	**fortuna**	fortune
la	**gamberrada**	total lack of manners; hooliganism
la	**gestión**	step, action
la	**hazaña**	heroic deed, exploit
el/la	**héroe/heroína**	hero, heroine
el	**heroísmo**	heroism
la	**hipocresía**	hypocrisy
la	**huelga de hambre**	hunger strike
el	**logro**	achievement
la	**mala educación**	rudeness
los	**medios**	means
el	**mito**	myth
la	**nominación**	nomination
la	**patria**	homeland
el	**percance**	accident, mishap
la	**pérdida**	loss
el	**prejuicio**	prejudice
el	**reparto**	cast (*of characters*); distribution
el	**requisito**	requirement
el	**retraso**	delay
el	**sentido del humor**	sense of humor
la	**silla eléctrica**	electric chair

el	**suplicio**	torture
la	**telenovela**	soap opera
la	**ternura**	tenderness
el	**tesón**	determination, tenacity
el	**trato**	deal, treatment
la	**trayectoria**	trajectory, path
la	**valentía**	valor
el/la	**visionario/a**	visionary
el/la	**votante**	voter

Adjetivos

absurdo, -a	absurd
aclamado, -a	acclaimed
afortunado, -a	lucky, fortunate
ameno, -a	enjoyable, pleasant
anticuado, -a	old-fashioned, out of style
apuesto, -a	good-looking
brillante	brilliant
carismático, -a	charismatic
consentido, -a; mimado, -a	spoiled
conservador(a)	conservative
desconocido, -a	unknown
encantador(a)	charming
exitoso, -a	successful
impactante	powerful, impressive
legendario, -a	legendary
letal	deadly
melenudo, -a	long-haired
mezclado, -a	mixed
poderoso, -a	powerful
prestigioso, -a	prestigious, famous
respetado, -a	respected
ridículo, -a	ridiculous, absurd
sabio, -a	wise
sembrado, -a	sown, seeded
talentoso, -a	talented
torpe	clumsy
valiente	brave

Expresiones

al margen de	separate from, on the margin (fringes) of
con buena cara	with good humor
de golpe	suddenly
de poco presupuesto	low budget
estar dispuesto, -a	to be willing
estar pasado, -a de moda	to be out of fashion
hacer soñar a alguien	to make someone dream
lanzar(se) a la fama	to rush to fame
meter la pata	to make a mistake, stick one's foot (in one's mouth)
mirar de reojo	to look out of the corner of one's eye
nadie en su sano juicio	no one in his/her right mind
no tener más remedio que	to have no other choice
pasar a la posteridad	to pass on to posterity
quedar en ver a alguien	to agree to see someone
quedarse mudo, -a	to be speechless
el salto a la fama	jump to fame
sufrir en su propia carne	to suffer in one's own skin
tener buen olfato	to have good judgment
tener un éxito rotundo	to have a resounding success
¡venga ya!	are you kidding/serious?

A tener en cuenta

Falsos cognados

actual: present, current • actual: **verdadero**
apreciar: to judge; to appreciate in value • to appreciate: **agradecer**
asistir: to attend • to assist: **ayudar**
atender: to take care of • to attend: **asistir**
éxito: success • exit: **salida**
ignorar: not to know • to ignore: **no hacer caso**
papel: piece of paper; role • (term) paper: **trabajo**
procurar: to try to • to procure: **obtener, conseguir**
realizar: to come true • to realize: **darse cuenta**
recordar: to remember • to record: **grabar**
rudo: coarse • rude: **maleducado, grosero**
sano: healthy • sane: **cuerdo**
suceder: to happen • to succeed: **tener éxito**
suceso: event • success: **éxito**
último: last • ultimate: **máximo, supremo**

Capítulo 5

El rincón literario

Temas

- La literatura
- El idioma español
- El arte de escribir

Había una vez una feria en Guadalajara...

FIL 20 años

20 años 06 Guadalajara

Feria Internacional del Libro de Guadalajara

25 nov 03 dic

Lección A

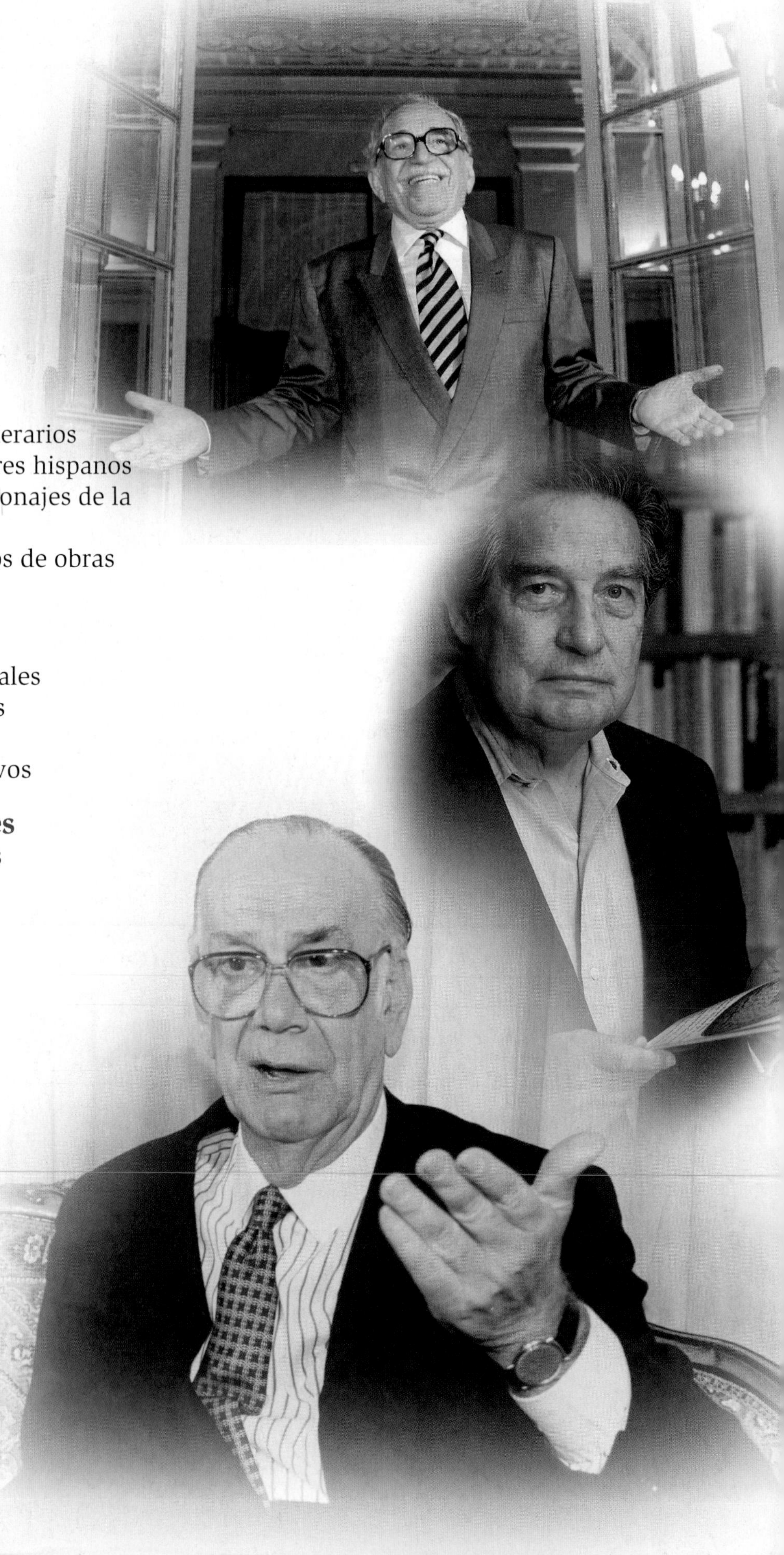

Objetivos

Comunicación

- Hablar de los géneros literarios
- Conocer a algunos autores hispanos
- Leer y hablar sobre personajes de la literatura y su entorno
- Charlar sobre fragmentos de obras importantes literarias

Gramática

- Repaso de tiempos verbales
- Repaso de preposiciones
- El *se* impersonal
- Pronombres demostrativos

"Tapitas" gramaticales

- el orden de los adjetivos

Cultura

- Los géneros literarios
- El Premio Nobel
- Isabel Allende
- Junot Díaz
- Arturo Pérez Reverte
- Ana María Matute
- Mario Vargas Llosa
- Gabriel García Márquez
- Carlos Ruiz Zafón

Para empezar

1 Conteste las preguntas

Piense en las respuestas a las siguientes preguntas. Ud. puede tomar notas si lo considera necesario. Cuando termine, compare sus respuestas —pero sin mirar sus notas— con las de un/a compañero/a.

1. ¿Lee Ud. mucho? ¿Quiénes son sus autores favoritos? ¿Qué tipo de lectura prefiere?
2. ¿Cuales son sus libros favoritos? ¿Qué temas tratan?
3. ¿Qué sabe de los movimientos literarios? Descríbalos.
4. ¿Puede nombrar a cinco autores hispanos famosos?
5. ¿Qué opina de la lectura obligatoria de ciertos libros durante el verano?
6. ¿Qué piensa de los audiolibros?
7. ¿Qué piensa de los libros en formato electrónico?
8. ¿Qué papel jugará la tecnología en el futuro de los libros? ¿Piensa que habrá menos libros impresos y más ediciones digitales? Justifique su respuesta.
9. ¿Cree que un autor puede influenciar con sus obras el mundo en el que vive? Dé ejemplos.
10. Nombre los cinco libros más vendidos en estos días. Búsquelos en el periódico o en la Red. ¿Ha leído alguno de estos libros? ¿Qué revela esta lista sobre el mundo actual?

2 Mini-diálogos 

Ud. va a crear un mini-diálogo con un/a compañero/a. Lea la descripción de la conversación antes de empezar. Puede tomar notas para organizar sus ideas, pero no las mire mientras conversa. Le pueden servir algunas palabras del recuadro.

la literatura realista	la novela	el cuento	la poesía
la literatura fantástica	la tragedia	la comedia	la ficción
la autobiografía	la ciencia ficción	la no ficción	la biografía

Escena: Dos amigos/as están en una librería. Uno/a ("B") quiere comprar un nuevo libro. Ayúdelo/la a decidir cuál debe comprar.

A: Entable una conversación sobre los géneros literarios. Pregúntele a su compañero/a sobre las características que busca en su nuevo libro.

B: Hable sobre algunas características.

A: Después de mirar varios libros, hable de las características de un género literario que le gusta a Ud. y explique por qué.

B: Haga unos comentarios sobre la sugerencia y hágale preguntas sobre otro género literario.

A: Conteste las preguntas con información adicional.

B: Reaccione y pídale que mire otro tipo de libro.

A: Haga un comentario sobre este tipo de libro.

B: Tome una decisión sobre el tipo de libro que piensa comprar. Despídase e invítele a que compre el mismo libro para que los/las dos puedan discutirlo.

A: Reaccione a la invitación. Despídase cordialmente.

Cita

Cuando se hace uno viejo le gusta más releer que leer.
—Pío Baroja (1872–1956), novelista español

¿Por qué piensa que Baroja hace esta distinción en los gustos de lectura de las personas mayores? Comparta su opinión con un/a compañero/a.

¡Dato curioso!

La industria del libro estaba sufriendo mucho hasta que Steve Jobs hizo su aparición en San Francisco, para presentar el iPad de Apple. En los últimos años la industria del libro tuvo que despedir a muchos editores y publicistas, y cada vez les daban menos oportunidades a autores desconocidos. Gracias al iPad se han podido introducir los libros electrónicos a las masas y hay un nuevo renacimiento de esta industria. Casi la mitad de los estadounidenses sólo leen un libro, o incluso menos, al año. Esperemos que con las nuevas tecnologías esto cambie.

Vocabulario y gramática en contexto

3 Un foro

Túrnese con un/a compañero/a para leer los comentarios que dos personas han escrito en un foro sobre los géneros literarios y el Premio Nobel de Literatura. Fíjese en las palabras que aparecen en azul (relacionadas con el vocabulario) y en rojo (relacionadas con la gramática), ya que en las siguientes actividades se le harán preguntas sobre ellas.

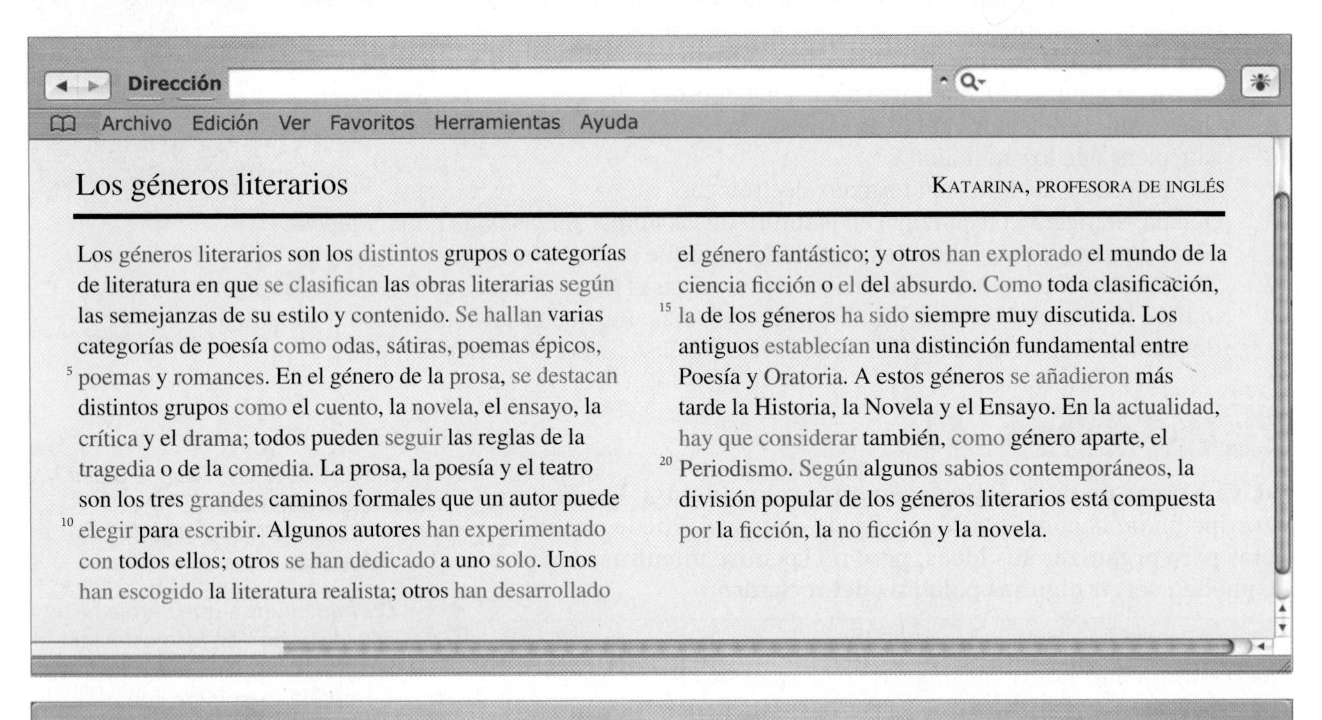

Dirección

Archivo Edición Ver Favoritos Herramientas Ayuda

Los géneros literarios

KATARINA, PROFESORA DE INGLÉS

Los géneros literarios son los distintos grupos o categorías de literatura en que se clasifican las obras literarias según las semejanzas de su estilo y contenido. Se hallan varias categorías de poesía como odas, sátiras, poemas épicos, poemas y romances. En el género de la prosa, se destacan distintos grupos como el cuento, la novela, el ensayo, la crítica y el drama; todos pueden seguir las reglas de la tragedia o de la comedia. La prosa, la poesía y el teatro son los tres grandes caminos formales que un autor puede elegir para escribir. Algunos autores han experimentado con todos ellos; otros se han dedicado a uno solo. Unos han escogido la literatura realista; otros han desarrollado el género fantástico; y otros han explorado el mundo de la ciencia ficción o el del absurdo. Como toda clasificación, la de los géneros ha sido siempre muy discutida. Los antiguos establecían una distinción fundamental entre Poesía y Oratoria. A estos géneros se añadieron más tarde la Historia, la Novela y el Ensayo. En la actualidad, hay que considerar también, como género aparte, el Periodismo. Según algunos sabios contemporáneos, la división popular de los géneros literarios está compuesta por la ficción, la no ficción y la novela.

Dirección

Archivo Edición Ver Favoritos Herramientas Ayuda

El Premio Nobel

TOMÁS, CATEDRÁTICO DE ESPAÑOL

Ha habido varios autores hispanos laureados con el Premio Nobel de Literatura por la Academia Sueca cada año desde el principio del siglo XX. En 1967, el comité le dio el Premio Nobel de Literatura a Miguel Ángel Asturias, escritor y diplomático guatemalteco. El comité reconoció la obra del escritor español Camilo José Cela en 1989. Cela dominaba el lenguaje y fue un gran innovador de la narrativa en castellano. Algunos dicen que Gabriel García Márquez, periodista, editor y escritor colombiano, es el maestro de la literatura hispana del siglo XX. Le entregaron el premio Nobel de Literatura en 1982. García Márquez es conocido mundialmente por el estilo que usa en sus obras, conocido como "realismo mágico". En 1945, la Academia Sueca le otorgó el Premio Nobel de Literatura a una poeta, diplomática y profesora chilena, Gabriela Mistral. Otro poeta, escritor y diplomático chileno, Pablo Neruda, aceptó el Premio Nobel de Literatura en 1971. Neruda fue uno de los poetas más importantes de la lengua española del siglo XX. Honraron al poeta, ensayista y diplomático mexicano, Octavio Paz, con el Nobel en 1990.

Miguel Ángel Asturias

4 Amplíe su vocabulario

Clasifique las palabras que aparecen en azul y rojo en las lecturas anteriores según sean sustantivos, adjetivos, verbos o expresiones relacionadas con la literatura.

5 Repaso de todo

Conteste estas preguntas basadas en las lecturas de la Actividad 3.

1. Haga una lista de todos los verbos en el presente perfecto y el pretérito del indicativo y explique su uso en las lecturas.
2. Busque los verbos acompañados de *se* (por ejemplo, *se clasifican*) y explique el uso de *se* en cada caso.
3. Busque los infinitivos y describa tres usos diferentes de ellos en los comentarios del foro.
4. Explique el uso del imperfecto usando como ejemplo la frase "los antiguos establecían una distinción fundamental".
5. ¿Qué preposición se usa para expresar que algo pasó "durante" cierto año? Hable sobre otros usos de esta preposición.
6. Explique el uso de las preposiciones *desde, con, por* y *como* que aparecen en las lecturas.

6 "Tapitas" gramaticales

Conteste estas preguntas basadas en las lecturas de la Actividad 3.

1. ¿Qué significa *distintos grupos* y *grandes caminos* en inglés? Explique lo que significarían si fueran *grupos distintos* y *caminos grandes*.
2. Explique la diferencia ente *solo* y *sólo* basándose en la frase "otros se han dedicado a uno solo".
3. ¿Por qué se usan letras mayúsculas para las palabras *Poesía, Oratoria* y *Periodismo*? ¿Habría otro significado si llevaran letras minúsculas? ¿Cuál?
4. Explique el uso de *le* en las lecturas. Hay varios ejemplos en la segunda lectura.
5. Explique el uso de *la* en la frase "la de los géneros ha sido siempre muy discutida" y el uso de *el* en la frase "el del absurdo".
6. Explique el uso del superlativo en la frase "uno de los poetas más importantes de la lengua española".
7. Haga una lista de los adjetivos irregulares en el comparativo y en el superlativo.

7 *La isla bajo el mar* de Isabel Allende

Lea atentamente el siguiente artículo, prestando atención a las palabras en azul. Después conteste las siguientes preguntas:

- ¿Cómo resumiría el artículo en una frase?
- ¿Qué pregunta sería apropiada para hacerle a Isabel Allende después de leer el artículo?

La isla bajo el mar nos narra la vida de una esclava negra del Caribe que lucha sin cesar hasta conseguir su libertad. Zarité Sedella es comprada a los nueve años por el francés Toulouse Valmorain, dueño de una de las más importantes plantaciones de azúcar de Santo Domingo. A lo largo de la novela transcurren cuarenta años en la vida de Zarité durante los cuales se relata lo que (5) representó la explotación de esclavos en la isla (actualmente territorio de Haití) en el siglo XVIII, sus condiciones de vida y su lucha por conseguir la libertad.

Hacia fines del siglo XVIII, los ideales de igualdad, fraternidad y libertad de la Revolución Francesa se extendieron por todo el continente. Fue así como, influidos por estas ideas, los esclavos comenzaron a manifestarse contra la opresión y el maltrato llevado a cabo por sus dueños.

(10) Isabel Allende le da voz a una mujer luchadora, incansable y llena de amor que saldrá adelante en la vida a pesar de las dificultades. Es mujer, mulata y esclava, tres características que en el Caribe del siglo XVIII condenaban a cualquiera a ser prisionera de un destino. No obstante, Zarité triunfa y consigue alcanzar la felicidad.

8 Amplíe su vocabulario 

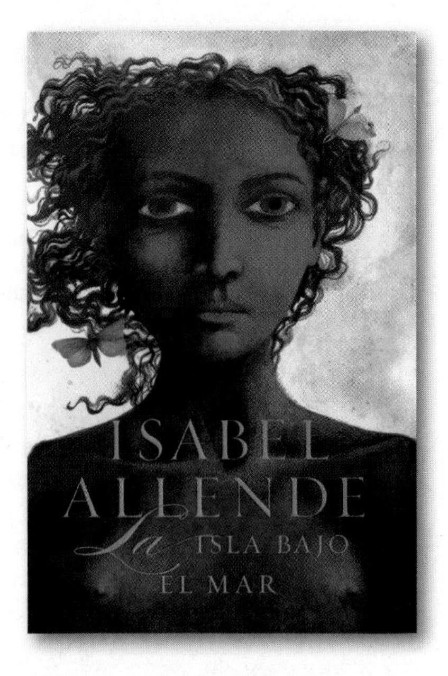

Según el contexto del artículo que acaba de leer, empareje cada palabra de la primera columna con su definición de la segunda.

1. narra	a. durante
2. a lo largo de	b. tiene éxito
3. transcurren	c. lograr pasar una situación difícil
4. actualmente	d. hecho
5. opresión	e. que no se cansa
6. maltrato	f. nos cuenta
7. llevado a cabo	g. pasan
8. incansable	h. hoy en día
9. saldrá adelante	i. futuro inevitable
10. destino	j. tiranía, abuso, presión
11. triunfa	k. castigo, ofensa, daño

9 ¿Qué sabe?

¿Qué otros ejemplos de mujeres luchadoras recuerda de libros que haya leído? ¿Y en los EE.UU.?

10 Repaso de tiempos verbales 

Lea con atención el siguiente fragmento y complete los espacios con las palabras adecuadas. Después conteste las siguientes preguntas:

- ¿Qué piensa del personaje?
- ¿Qué piensa de su situación personal?
- ¿Cómo resumiría lo que leyó en tres frases?
- ¿Qué pregunta le haría a la narradora?

La isla bajo el mar (primera parte)

En mis cuarenta años, yo, Zarité Sedella, __1.__ (*tener*) mejor suerte que otras esclavas. Voy a __2.__ (*vivir*) largamente y mi vejez __3.__ (*ser / estar*) contenta porque mi estrella -mi *z'etoile*- brilla también cuando la noche __4.__ (*ser / estar*) nublada. Conozco el gusto de estar con el hombre __5.__ (*escoger*) por mi corazón cuando sus manos grandes me despiertan la piel. __6.__ (*Tener*) cuatro hijos y un nieto, y los que están vivos __7.__ (*ser / estar*) libres. Mi primer recuerdo de felicidad, cuando era una mocosa huesuda y desgreñada, es moverme al son de los tambores y ésa __8.__ (*ser / estar*) también mi más reciente felicidad, porque anoche __9.__ (*ser / estar*) en la plaza del Congo bailando y bailando, sin pensamientos en la cabeza, y hoy mi cuerpo __10.__ (*ser / estar*) caliente y cansado. La música es un viento que se lleva los años, los recuerdos y el temor, ese animal agazapado que tengo adentro. Con los tambores __11.__ (*desaparecer*) la Zarité de todos los días y vuelvo a ser la niña que __12.__ (*danzar*) cuando apenas sabía caminar. Golpeo el suelo con las plantas de los pies y la vida me sube por las piernas, me __13.__ (*recorrer*) el esqueleto, se apodera de mí, me quita la desazón y me endulza la memoria. El mundo se estremece. El ritmo nace en la isla bajo el mar, sacude la tierra, __14.__ (*atravesar*) como un relámpago y se va al cielo llevándose mis pesares para que Papa Bondye los __15.__ (*masticar*), se los trague y me deje limpia y contenta. Los tambores vencen al miedo. Los tambores son la herencia de mi madre, la fuerza de Guinea que __16.__ (*ser / estar*) en mi sangre. Nadie puede conmigo entonces, __17.__ (*volverse*) arrolladora como Erzuli, loa del amor, y más veloz que el látigo. (...)

11 Repaso de tiempos verbales

Lea con atención el siguiente fragmento y complete los espacios con las palabras adecuadas. Después conteste las siguientes preguntas:

- ¿Qué puede decir del entorno en el que vive Zarité?
- ¿Cuáles cree que son sus desafíos?
- ¿Cómo resumiría lo que leyó en tres frases?
- ¿Qué pregunta le haría a la narradora?

La isla bajo el mar (segunda parte)

En la casa donde ___1.___ (*criarse*) los primeros años, los tambores permanecían callados en la pieza que ___2.___ (*compartir*) con Honoré, el otro esclavo, pero ___3.___ (*salir*) a pasear a menudo. Madame Delphine, mi ama de entonces, no ___4.___ (*querer*) oír ruido de negros, sólo los quejidos melancólicos de su clavicordio. Lunes y martes ___5.___ (*dar*) clases a muchachas de color y el resto de la semana ___6.___ (*enseñar*) en las mansiones de los grandes blancos, donde las señoritas disponían de sus propios instrumentos porque no podían usar los mismos que ___7.___ (*tocar*) las mulatas. ___8.___ (*aprender*) a limpiar las teclas con jugo de limón, pero no podía hacer música porque madame nos ___9.___ (*prohibir*) acercarnos a su clavicordio. Ni falta nos ___10.___ (*hacer*). Honoré podía sacarle música a una cacerola, cualquier cosa en sus manos tenía compás, melodía, ritmo y voz; llevaba los sonidos en el cuerpo, los ___11.___ (*traer*) de Dahomey. Mi juguete era una calabaza hueca que ___12.___ (*hacer*) sonar; después me enseñó a ___13.___ (*acariciar*) sus tambores despacito. Y eso desde el principio, cuando él todavía me cargaba en brazos y me llevaba a los bailes y a los servicios vudú, donde él ___14.___ (*marcar*) el ritmo con el tambor principal para que los demás lo siguieran. Así lo recuerdo. Honoré parecía muy viejo porque se le habían ___15.___ (*enfriar*) los huesos, aunque en esa época no tenía más años de los que yo tengo ahora. Bebía tafia para ___16.___ (*soportar*) el sufrimiento de moverse, pero más que ese licor áspero, su mejor remedio ___17.___ (*ser / estar*) la música. Sus quejidos ___18.___ (*volverse*) risa al son de los tambores. Honoré apenas ___19.___ (*poder*) pelar patatas para la comida del ama con sus manos deformadas, pero tocando el tambor ___20.___ (*ser / estar*) incansable y, si de bailar se trataba, nadie ___21.___ (*levantar*) las rodillas más alto, ni bamboleaba la cabeza con más fuerza, ni agitaba el culo con más gusto. Cuando yo todavía no ___22.___ (*saber*) andar, me hacía danzar sentada, y apenas pude sostenerme sobre las dos piernas, me invitaba a perderme en la música, como en un sueño. "Baila, baila, Zarité, porque esclavo que baila es libre… mientras baila", me ___23.___ (*decir*). Yo ___24.___ (*bailar*) siempre.

12 Hable con un compañero

¿Qué recuerdos tiene de su infancia? ¿Y cuales son sus primeras memorias?

13 Repaso de tiempos verbales

Lea con atención el siguiente artículo y complete los espacios con las palabras adecuadas. Después conteste las siguientes preguntas:

- ¿Cuál es el propósito del artículo?
- Si quisiera consultar otra fuente, ¿podría pensar en un posible título de una publicación?
- ¿Qué pregunta sería apropiada para hacerle al autor del artículo?

Junot Díaz, ganador del Premio Pulitzer

Cada día el mundo se hace más pequeño gracias a la tecnología. Esto, con sus pros y sus contras, nos hace ciudadanos del mundo. El escritor dominicano, Junot Díaz es un ejemplo de esto. Su primera novela, *The Brief Wondrous Life of Oscar Wao* le ___1.___ (*merecer*) el prestigioso Premio Pulitzer en los Estados Unidos, algo que es raro no solamente por ___2.___ (*ser / estar*) un autor desconocido sino también por ser extranjero.

La novela está ___3.___ (*escribir*) en "spanglish" y tiene lugar en Nueva Jersey, Washington Heights (el barrio neoyorquino con mayor concentración de dominicanos) y en la República Dominicana. El apellido de su protagonista parece ___4.___ (*ser / estar*) chino, lo cual implica diversidad cultural ya que alude a la activa presencia de la comunidad china en la República Dominicana desde el siglo XIX. Su novela se refiere a la vida en una ciudad estadounidense, con toda su energía multicultural y multiétnica. La primera obra de Junot Díaz, *Drown*, una colección de cuentos, se refiere directamente a cuestiones de identidad y de adaptación de sus protagonistas a una vida donde el inmigrante continúa siendo "otro".

Oscar Wao, el protagonista de su novela, es un chico con una imaginación extraordinaria, un ávido lector que desea ser el J. R. R. Tolkien dominicano. Sin embargo, la novela ___5.___ (*transcurrir*) durante muchas décadas porque cuenta la historia de la gente que ___6.___ (*hacer*) parte de la vida de Oscar. Junot Díaz dice que éste es producto de una dictadura y del apocalipsis que es el Nuevo Mundo. Refiriéndose a la estructura no lineal de su novela, el autor dice que ésta refleja la realidad fragmentada de la que él mismo es producto. Su manera peculiar de narrar esta novela ___7.___ (*obedecer*) al deseo de comunicar lo que los sobrevivientes de una catástrofe quieren contar porque como dice Díaz: "Recuerde: en las dictaduras, sólo una persona puede hablar".

Lo más interesante de esta novela, además de que está ___8.___ (*escribir*) en "spanglish", es su estructura y el uso de personajes fantásticos, producto de la mente de Oscar y de su afición por la lectura. Díaz hace esto porque está firmemente convencido que la mente "moderna" no puede concebir el poder de un dictador como Trujillo sin ayuda de la ficción.

14 Amplíe su vocabulario 

Muchas de las palabras en azul son cognados con excepción de una. Identifique la palabra que no es cognado y explique lo que significa. Use un diccionario si es necesario. Escriba una frase original con ella.

15 El uso del *se* impersonal, las preposiciones, los pronombres demostrativos

- Subraye todos los casos en que aparece el uso del *se* impersonal y explique por qué.
- Haga una lista de las preposiciones que aparecen en el texto. Explique su uso en la lectura.
- Subraye las instancias en las que aparece un pronombre demostrativo. Explique su uso en la lectura.

16 Para reflexionar 

Escriba un párrafo con el tema "La vida de los inmigrantes no es igual a la de los habitantes nativos de un país" y prepárese para discutirlo en clase. Incluya respuestas a las siguientes preguntas.

- ¿Cómo presenta esta situación la novela de Junot Díaz?
- ¿Por qué escoge este autor escribir sobre este tema?

17 *La Reina del Sur* escrita por Arturo Pérez Reverte 

Lea el siguiente fragmento de *La Reina del Sur* un *best-seller* de Arturo Pérez Reverte, fijándose en las palabras en azul. Luego elija la mejor definición o sinónimo de cada palabra de vocabulario.

La Reina del Sur

Sonó el teléfono y supo que la iban a matar. Lo supo con tanta certeza que se quedó inmóvil, la cuchilla en alto, el cabello pegado a la cara entre el vapor del agua caliente que goteaba en los azulejos. Bip-bip. Se quedó muy quieta, conteniendo el aliento como si la inmovilidad o el silencio pudieran cambiar el curso de lo que ya había ocurrido. Bip-bip. Estaba en la bañera, depilándose la pierna derecha, el agua jabonosa por la cintura, y su piel desnuda se erizó igual que si acabara de reventar el grifo del agua fría. Bip-bip. En el estéreo del dormitorio, los Tigres del Norte cantaban historias de Camelia la Tejana. La traición y el contrabando, decían, son cosas incompartidas. Siempre temió que tales canciones fueran presagios, y de pronto eran realidad oscura y amenaza. El Güero se había burlado de eso; pero aquel sonido le daba la razón a ella y se la quitaba al Güero. Le quitaba la razón y varias cosas más. Bip-bip. Soltó la rasuradora, salió despacio de la bañera, y fue dejando rastros de agua hasta el dormitorio. El teléfono estaba sobre la colcha, pequeño, negro y siniestro. Lo miró sin tocarlo. Bip-bip. Aterrada. Bip-bip. Su zumbido iba mezclándose con las palabras de la canción, como si formase parte de ella. Porque los contrabandistas, seguían diciendo los Tigres, ésos no perdonan nada. El Güero había usado las mismas palabras, riendo como solía hacerlo, mientras le acariciaba la nuca y le tiraba el teléfono encima de la falda. Si alguna vez suena, es que me habré muerto. Entonces, corre. Cuanto puedas, prietita. Corre y no pares, porque ya no estaré allí para ayudarte.

Palabras de vocabulario: ¿Cuál es la mejor definición?

1. certeza	a. seguridad	b. inseguridad
2. se quedó muy quieta	a. no se movió	b. se movió
3. aliento	a. perfume	b. olor de la boca
4. el curso	a. derrotero	b. detención
5. depilándose	a. quitándose los pelos de las piernas	b. poniéndose crema en las piernas
6. contrabando	a. tráfico ilegal de mercancías	b. el producto
7. presagios	a. premonición	b. recuerdos
8. le daba la razón	a. estaba en desacuerdo	b. estaba de acuerdo
9. aterrada	a. con miedo	b. con dolor
10. le acariciaba	a. le tocaba con suavidad	b. le pegaba, le golpeaba

Cita

La pluma es la lengua de la mente.

—Miguel de Cervantes Saavedra (1547–1616), escritor español

¿Está de acuerdo con esta cita? ¿Por qué? A veces se le aconseja a uno que no escriba lo que piensa en una carta o correo electrónico. ¿Por qué será? Hable con un/a compañero/a sobre esto y compartan sus opiniones.

Miguel de Cervantes

¡Dato curioso! Junot Díaz ha participado en varias conferencias en las que ha hablado de lo que significa hacerse americano. Junot es un inmigrante que llegó a EE.UU. de la República Dominicana cuando tenía seis años. En una ocasión dijo "No creo que hubiera sentido tanta pasión por mi país si hubiera pasado allí toda mi vida". Como se le hizo difícil integrarse en los EE.UU. se refugió en la lectura. Al no hablar nada de inglés cuando llegó se sentía muy aislado. En los libros buscaba sosiego, y respuestas.

18 Lea, escuche y presente

Busque en Internet un video de la telenovela basada en la novela de Arturo Pérez Reverte *La Reina del Sur*. Después escriba un ensayo o haga una presentación formal sobre el problema del narcotráfico en México.

Idioma

19 Ana María Matute 

Lea el siguiente fragmento sobre la biografía de Ana María Matute. ¿Puede pensar en otros autores o artistas estadounidenses que reflejen los mismos temas en sus obras?

Ana María Matute pertenece a la llamada "Generación de los niños asombrados", los que fueron testigo de la guerra civil española, pero quienes por ser muy jóvenes no participaron en ella. Matute nació en 1926 en Barcelona, una de las ciudades que abrazó la causa republicana. A los cuatro años sufrió una grave enfermedad y la mandaron a pasar un largo período de tiempo con su abuelo en un pueblito en las montañas. Esta experiencia la marcó profundamente ya que convivió con los trabajadores campesinos, lo que influenció su escritura y su visión política. Tenía apenas diez años cuando estalló la guerra (1936), la cual causó gran impacto en su desarrollo como narradora. El régimen de Franco, quien estuvo en el poder desde 1939 hasta 1975, fue una dictadura violenta y represiva. Matute escribió durante todo el período de la posguerra y como consecuencia, los temas recurrentes en su obra son la violencia, la alienación, la miseria y la pérdida de la inocencia.

20 *Fiesta al noroeste* de Ana María Matute 

Lea con atención el siguiente fragmento de la novela *Fiesta al noroeste* de Ana María Matute. Piense en qué aspectos de este fragmento se podrían relacionar con la guerra civil española.

Se llamaba Juan Medinao, como se llamaron su padre y el padre de su padre. La usura ejercida en tiempos por el abuelo, le había convertido en el dueño casi absoluto de la Baja Artámila. Desde que tuvo uso de razón, se notó dueño y amo de algo que no había ganado. La casa y las tierras le venían grandes, pero especialmente la casa. La llamaban la Casa de los Juanes, y era fea, con tres grandes cuerpos de tierra casi granate y un patio central cubierto de losas. Al anochecer, las ventanas eran rojas; al alba, azul marino. Estaba emplazada lejos, como dando una zancada hacia atrás de la aldea, frente al Campo del Noroeste. Desde la ventana de su habitación, Juan Medinao podía contemplar todos los entierros.

Aquel Domingo de Carnaval, cerca ya la noche, Juan Medinao rezaba. Desde niño sabía que eran días de expiación y santo desagravio. Tal vez su plegaria era un recuento, suma y balance de las cotidianas humillaciones a que exponía su corazón. Estaba casi a oscuras, con el fuego muriéndosele en el hogar, y las dos manos enredadas como raíces.

Había entrado la noche en su casa, y la lluvia no cesaba contra el balcón. Cuando llovía así Juan Medinao sentía el azote del agua en todas las ventanas, casi de un modo material, como un redoble desesperado.

Oyó como le llamaban. La voz humana que taladró el tabique le derrumbó desde sus alturas. Volvían a llamarle. Todos en la casa, hasta el último mozo, sabían que Juan Medinao rezaba a aquellas horas y que no debían interrumpírsele. Insistieron. Entonces, el corazón se le hinchó de ira. Gritó y arrojó un zapato contra la puerta.

21 Amplíe su vocabulario

Seleccione ocho palabras que piense que merezcan más la pena aprender del texto anterior. Busque su significado y compártalas con un compañero/a.

22 Para meditar y discutir

Haga las siguientes actividades sobre la guerra civil española, tome notas y comparta la información con un/a compañero/a.

1. Investigue sobre los siguientes temas:
   - El contexto social y político de la época
   - Lo que hizo estallar la guerra
   - El desarrollo de la guerra
   - La participación extranjera
   - El final
   - Las consecuencias
   - El arte durante la guerra civil y la dictadura (la pintura, la literatura, el cine, etc.)
2. Compare la guerra civil española con la guerra civil en los EE.UU. ¿En qué se pareció y en qué se diferenció?
3. ¿Ha habido alguna otra guerra civil en otro país de habla hispana? Si es así, ¿en cuál? Busque información y compárela con la española.

23 *Fiesta al noroeste* y la guerra civil española

Después de investigar sobre la guerra civil, conteste las siguientes preguntas acerca de *Fiesta al noroeste*.

1. ¿Cómo se presenta la noción de justicia/injusticia social?
2. ¿Qué piensa de Juan Medinao?
3. ¿Qué puede decir de la situación personal de Juan Medinao?
4. ¿Es Juan Medinao parte de la aldea en que está su casa?
5. ¿Cómo es su relación con la gente?
6. ¿Cómo es la atmósfera de la narración y cómo la podemos relacionar con el ambiente general de la guerra civil?

Una de las calles de Belchite. La destrucción de la guerra civil.

24 Mario Vargas Llosa

¿Qué sabe de Mario Vargas Llosa? ¿Cree que a veces a los chicos se les exige más que a las chicas?

25 *La ciudad de los perros*

Lea con atención el siguiente artículo. Después conteste las siguientes preguntas:

- ¿Cómo resumiría el artículo en una frase?
- ¿Qué dos preguntas serían apropiadas para hacerle a Vargas Llosa después de leer el artículo?

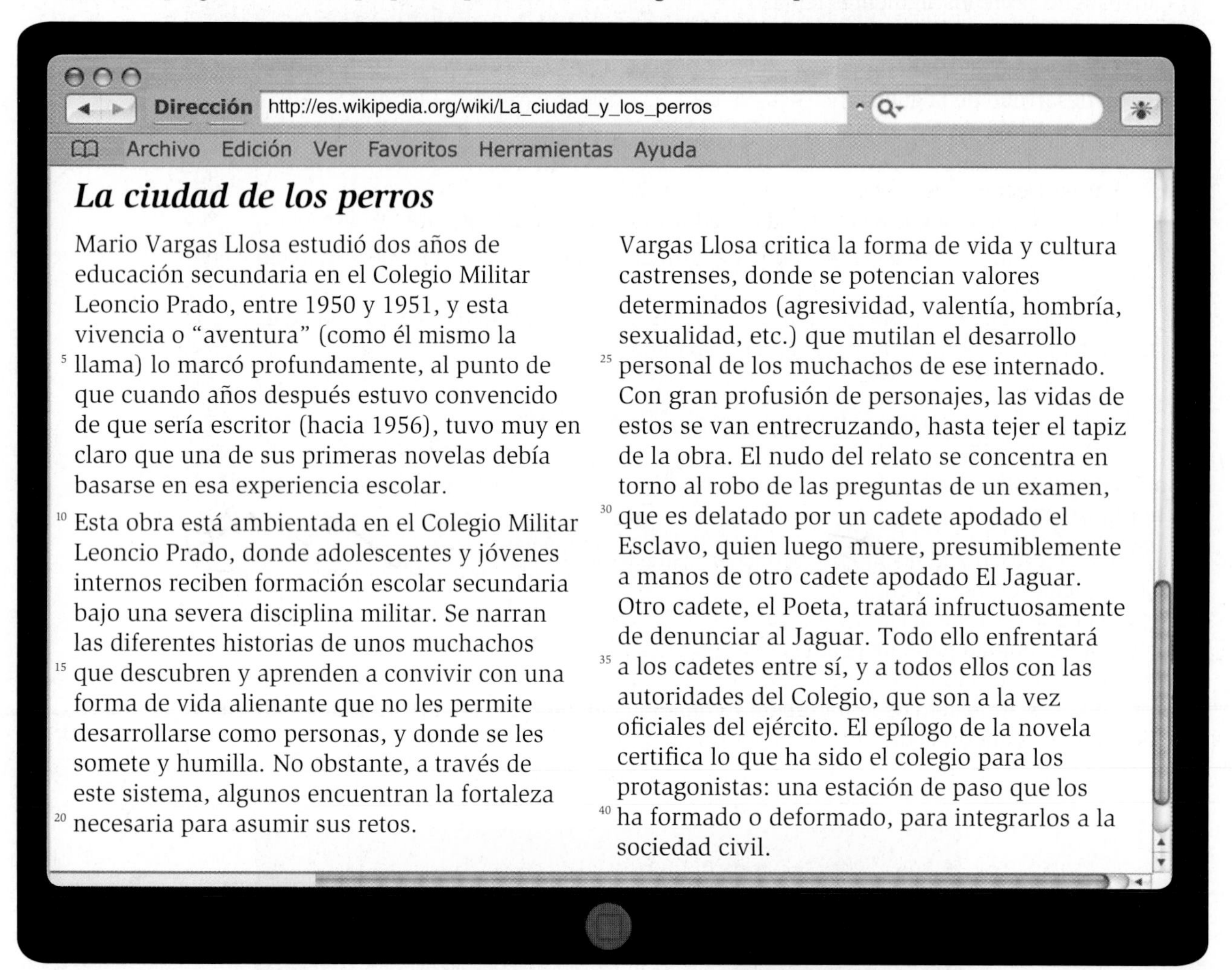

La ciudad de los perros

Mario Vargas Llosa estudió dos años de educación secundaria en el Colegio Militar Leoncio Prado, entre 1950 y 1951, y esta vivencia o "aventura" (como él mismo la llama) lo marcó profundamente, al punto de que cuando años después estuvo convencido de que sería escritor (hacia 1956), tuvo muy en claro que una de sus primeras novelas debía basarse en esa experiencia escolar.

Esta obra está ambientada en el Colegio Militar Leoncio Prado, donde adolescentes y jóvenes internos reciben formación escolar secundaria bajo una severa disciplina militar. Se narran las diferentes historias de unos muchachos que descubren y aprenden a convivir con una forma de vida alienante que no les permite desarrollarse como personas, y donde se les somete y humilla. No obstante, a través de este sistema, algunos encuentran la fortaleza necesaria para asumir sus retos.

Vargas Llosa critica la forma de vida y cultura castrenses, donde se potencian valores determinados (agresividad, valentía, hombría, sexualidad, etc.) que mutilan el desarrollo personal de los muchachos de ese internado. Con gran profusión de personajes, las vidas de estos se van entrecruzando, hasta tejer el tapiz de la obra. El nudo del relato se concentra en torno al robo de las preguntas de un examen, que es delatado por un cadete apodado el Esclavo, quien luego muere, presumiblemente a manos de otro cadete apodado El Jaguar. Otro cadete, el Poeta, tratará infructuosamente de denunciar al Jaguar. Todo ello enfrentará a los cadetes entre sí, y a todos ellos con las autoridades del Colegio, que son a la vez oficiales del ejército. El epílogo de la novela certifica lo que ha sido el colegio para los protagonistas: una estación de paso que los ha formado o deformado, para integrarlos a la sociedad civil.

Cita

Quien lee sabe mucho; pero quien observa sabe todavía más.

—Alejandro Dumas (1802–1870), escritor francés

¿Está de acuerdo con lo que dice? ¿Por qué? ¿En qué contextos se puede aplicar esta cita? ¿Qué opina sobre leer un libro e interpretarlo? Dé unos ejemplos de observaciones o interpretaciones de un texto para ilustrar esta cita. Comparta sus opiniones con un/a compañero/a.

Mario Vargas Llosa

26 Fragmento de *La ciudad de los perros*

Lea el artículo y complete los espacios con las palabras adecuadas. Después conteste las siguientes preguntas:

- ¿Qué puede decir del entorno en el que vive Cava?
- ¿Qué puede decir de su situación personal?
- ¿Cuáles cree que son sus desafíos?
- ¿Cómo resumiría lo que leyó en dos o tres frases?
- Si pudiera hacerle una pregunta a Cava, ¿qué pregunta sería apropiada?

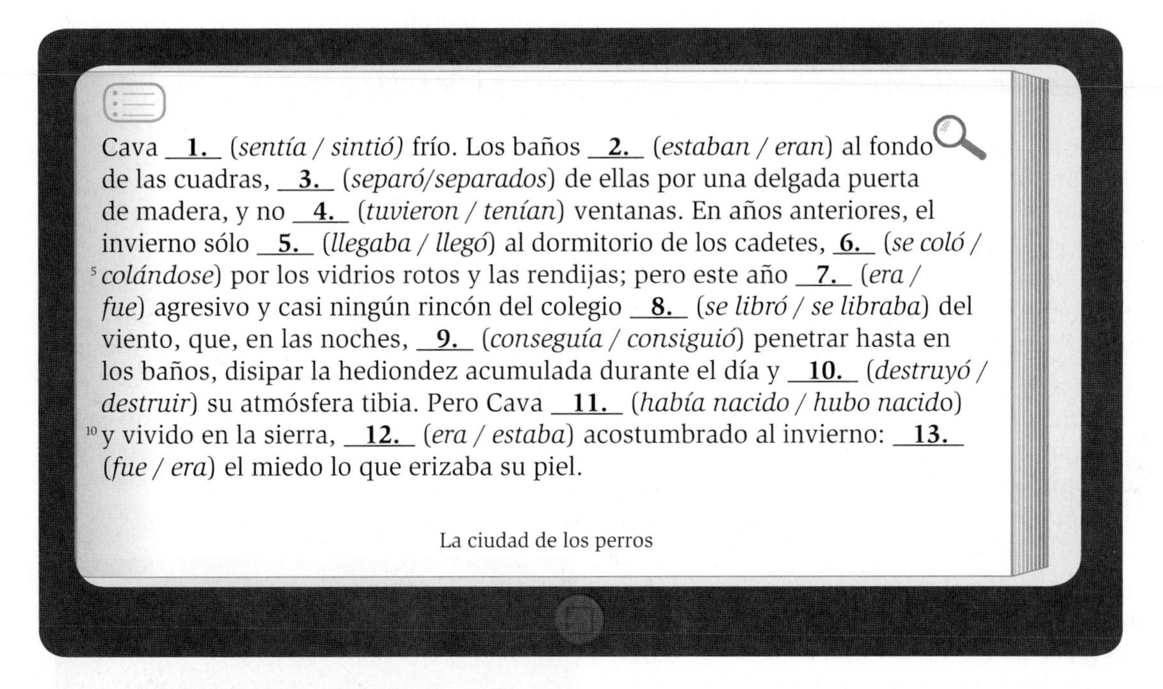

Cava __1.__ (*sentía / sintió*) frío. Los baños __2.__ (*estaban / eran*) al fondo de las cuadras, __3.__ (*separó/separados*) de ellas por una delgada puerta de madera, y no __4.__ (*tuvieron / tenían*) ventanas. En años anteriores, el invierno sólo __5.__ (*llegaba / llegó*) al dormitorio de los cadetes, __6.__ (*se coló / colándose*) por los vidrios rotos y las rendijas; pero este año __7.__ (*era / fue*) agresivo y casi ningún rincón del colegio __8.__ (*se libró / se libraba*) del viento, que, en las noches, __9.__ (*conseguía / consiguió*) penetrar hasta en los baños, disipar la hediondez acumulada durante el día y __10.__ (*destruyó / destruir*) su atmósfera tibia. Pero Cava __11.__ (*había nacido / hubo nacido*) y vivido en la sierra, __12.__ (*era / estaba*) acostumbrado al invierno: __13.__ (*fue / era*) el miedo lo que erizaba su piel.

La ciudad de los perros

27 Lea, escriba y escuche/presente

Vea una escena de la película *La ciudad de los perros* en la Internet seleccionada por su profesor. ¿Por qué piensa que muchas personas usan la fuerza y/o disciplina estricta? ¿Cree que es necesario?

28 Debate

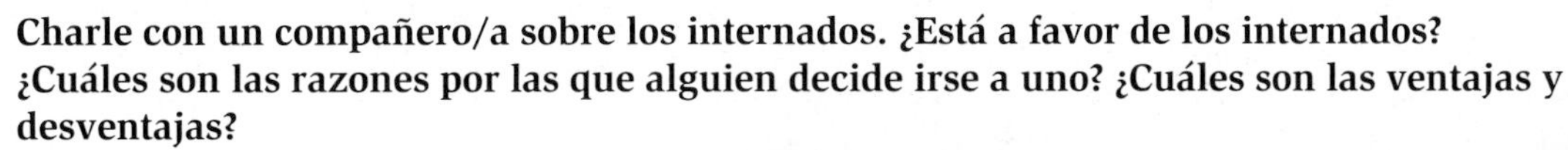

Charle con un compañero/a sobre los internados. ¿Está a favor de los internados? ¿Cuáles son las razones por las que alguien decide irse a uno? ¿Cuáles son las ventajas y desventajas?

29 Gabriel García Márquez y el cine 

Lea el artículo y complete los espacios con las palabras adecuadas. Después conteste las siguientes preguntas:

- ¿Cómo resumiría lo que leyó en dos o tres frases?
- Si pudiera hacerle una pregunta a Gabriel García Márquez, ¿qué pregunta sería apropiada?

Todos __1.__ (*saben / conocen*), al menos de nombre, al escritor colombiano Gabriel García Márquez. Su novela más famosa __2.__ (*está / es*) *Cien años de soledad*, obra maestra de la narrativa y el realismo mágico en español. Pero mucha gente no __3.__ (*sabe / conoce*) que su gran pasión es el cine. Y es que aunque Gabo afirme que su relación con el cine es como un "matrimonio mal avenido"...."no puedo
5 vivir sin el cine __4.__ (*o / ni*) con el cine", el vínculo entre ambos ha sido muy fructífero. Estudió cine en Roma en 1952, y años más tarde, en 1986, decidió con sus condiscípulos de Cinecittà, y con el apoyo del Comité de Cineastas de América Latina, fundar en Cuba la Escuela Internacional de Cine y Televisión. En esta institución, García Márquez usó sus influencias y su propio dinero __5.__ (*por / para*) financiar la carrera de cine de jóvenes latinoamericanos, asiáticos y africanos.

10 En 1964, García Márquez escribió "Tiempo de morir", su primer guión cinematográfico para el director mexicano Arturo Riepstein, con diálogos adaptados por Carlos Fuentes. Luego, el director colombiano Jorge Alí Triana hizo dos adaptaciones de ese guión, una __6.__ (*por / para*) cine y otra para televisión. Su hijo, Rodrigo García, __7.__ (*cual / quien*) ha seguido la pasión de su padre, también hizo una adaptación para cine.

Algo interesante es que *Cien años de soledad* empezó como guión, pero García Márquez
15 __8.__ (*se de cuenta / se dio cuenta*) que lo que __9.__ (*escriba / estaba escribiendo*) necesitaba el espacio de una obra literaria. Entonces se encerró diez y ocho meses a escribir, al cabo de los cuales emergió con la novela completa. El éxito de este libro y la fama que lo siguió, cambiaron la trayectoria de su carrera. __10.__ (*Por fin / Sin embargo*), su deseo fundamental de alcanzar a todos los públicos es __11.__ (*por / para*) medio de la producción de
20 telenovelas. Dice el autor:

"A mí me fascinan los folletines y las telenovelas.... La telenovela influye sobre las costumbres domésticas; __12.__ (*haya / hay*) casas donde se cambia el horario de las comidas para que puedan ver la telenovela las señoras
25 y criadas. Es la fascinación de los hechos de la vida real. Poder hacer eso, con valor y calidad literaria, sería una maravilla. Poderlos atrapar en esa forma, hacerlos cambiar de costumbres __13.__ (*por / para*) que se interesen __14.__ (*por / para*) las fábulas de uno, tiene que ser la aspiración de
30 cualquier escritor."

—Sol Gaitán

¡Dato curioso!

Realismo mágico:
Es el deseo de mostrar que la realidad es mucho más rica de lo que pensamos. Que no es solamente lo que podemos percibir con los sentidos, lo que podemos ver y tocar, sino que la realidad cotidiana está llena de cosas extraordinarias. No es una expresión literaria mágica, ni es fantasía como Harry Potter, por ejemplo. No busca causar sorpresa sino mostrar que todas las cosas tienen un lado mágico que no podemos explicar en términos de la razón. Entre sus principales exponentes están el guatemalteco Miguel Ángel Asturias y el colombiano Gabriel García Márquez, ambos ganadores del Premio Nobel de Literatura.

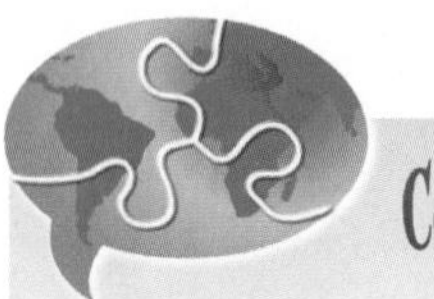

Compare

¿Existe el realismo mágico en los EE.UU.? ¿Hay alguna obra que le recuerde a este estilo?

30 Amplíe su vocabulario 

Según el contexto del artículo que acaba de leer, ¿cuál es la mejor definición de las siguientes palabras?

1. obra maestra
   a. creación profesional b. creación más importante
2. vínculo
   a. de vino b. unión
3. fructífero
   a. productivo b. difícil, complicado
4. guión
   a. contrato, trabajo b. argumento, libreto
5. al cabo de
   a. antes de b. después de
6. emergió
   a. nació b. se imaginó, se inventó
7. alcanzar
   a. logró, consiguió b. perdió
8. domésticas
   a. del domicilio b. familiares
9. maravilla
   a. fantasía b. cosa estupenda
10. atrapar
    a. coger b. poner en una trampa

31 Un artículo 

Escriba un ensayo en el que trate los siguientes temas:

- ¿Cómo influencian las telenovelas la vida familiar?
- ¿Por qué le fascinan las telenovelas a Gabriel García Márquez?
- ¿Le gustaría a este autor escribir una telenovela? ¿Cómo sería ésta?
- Concluya con su opinión personal sobre esta idea.

¡A leer!

32 Antes de leer

¿Cuáles son los temas que suelen tratarse en las telenovelas? Nombre al menos seis.

33 *Cien años de soledad* de Gabriel García Márquez 

Lea el siguiente fragmento que aparece al principio de uno de los capítulos de la novela *Cien años de soledad* de Gabriel García Márquez. Después resuma lo que leyó en tres o cuatro frases.

Deslumbrada por tantas y tan maravillosas invenciones, la gente de Macondo no sabía por dónde empezar a asombrarse. Se trasnochaban contemplando las pálidas bombillas eléctricas alimentadas por la planta que llevó Aureliano Triste en el segundo viaje del tren, y a cuyo obsesionante tumtum costó tiempo y trabajo 5 acostumbrarse. Se indignaron con las imágenes vivas que el próspero comerciante don Bruno Crespi proyectaba en el teatro con taquillas de bocas de león, porque un personaje muerto y sepultado en una película, y por cuya desgracia se derramaron lágrimas de aflicción, reapareció vivo y convertido en árabe en la película siguiente. El público que pagaba dos centavos para compartir las vicisitudes de 10 los personajes, no pudo soportar aquella burla inaudita y rompió la silletería. El alcalde, a instancias de don Bruno Crespi, explicó mediante un bando, que el cine era una máquina de ilusión que no merecía los desbordamientos pasionales del público. Ante la desalentadora explicación, muchos estimaron que habían sido víctimas de un nuevo y aparatoso asunto de gitanos, de modo que optaron por 15 no volver al cine, considerando que ya tenían bastante con sus propias penas, para llorar por fingidas desventuras de seres imaginarios. Algo semejante ocurrió con los gramófonos de cilindros que llevaron las alegres matronas de Francia en sustitución de los anticuados organillos, y que tan hondamente afectaron por un tiempo los intereses de la banda de músicos. Al principio la curiosidad multiplicó 20 la clientela de la calle prohibida y hasta se supo de señoras respetables que se disfrazaron de villanos para observar de cerca la novedad del gramófono, pero tanto y tan cerca lo observaron, que muy pronto llegaron a la conclusión de que no era un molino de sortilegio, como todos pensaban y como las matronas decían, sino un truco mecánico que no podía compararse con algo tan conmovedor, 25 tan humano y tan lleno de verdad cotidiana como la banda de músicos. Fue una desilusión tan grave que cuando los gramófonos se popularizaron hasta el punto que hubo uno en cada casa, todavía no se les tuvo como objetos para entretenimiento de adultos, sino como una cosa buena para que la destriparan los niños. En cambio, cuando alguien del pueblo tuvo la oportunidad de comprender 30 la cruda realidad del teléfono instalado en la estación del ferrocarril, que a causa de la manivela se consideraba como una versión rudimentaria del gramófono, hasta los más incrédulos se desconcertaron. Era como si Dios tuviera resuelto poner a prueba toda capacidad de asombro y mantuviera a los habitantes de Macondo en un permanente vaivén entre el alborozo y el desencanto, la duda y la revelación, 35 hasta el extremo de que ya nadie podía saber a ciencia cierta dónde estaban los límites de la realidad. Era un intrincado frangollo de verdades y espejismos, que convulsionó de impaciencia al espectro de José Arcadio Buendía

Cien años de soledad

bajo el castaño y lo obligó a caminar por la casa aún a pleno día. Desde que el ferrocarril fue inaugurado oficialmente y empezó a llegar con regularidad los
40 miércoles a las once, y se construyó la primitiva estación de madera con un escritorio, el teléfono y una ventanilla para vender los pasajes, se vieron por las calles de Macondo hombres y mujeres que fingían actitudes comunes y corrientes, pero que en realidad parecían gente de circo. En un pueblo escaldado por el escarmiento de los gitanos no había un buen porvenir para aquellos equilibristas
45 del comercio ambulante que con igual desparpajo ofrecían una olla pitadora que un régimen de vida para la salvación del alma el séptimo día; pero entre los que se dejaban convencer por cansancio y los incautos de siempre, obtenían estupendos beneficios. Entre esas criaturas de farándula, con pantalones de montar y polainas, sombrero de corcho, espejuelos con armaduras de acero, ojos de topacio y pellejo
50 de gallo fino, uno de tantos miércoles llegó a Macondo y almorzó en la casa el rechoncho y sonriente Mr. Herbert.

Cien años de soledad

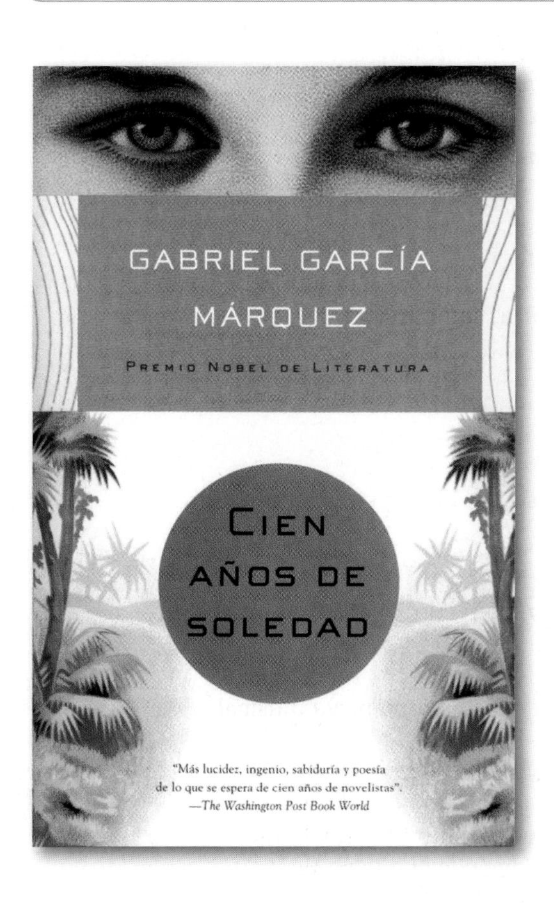

GABRIEL GARCÍA
MÁRQUEZ
PREMIO NOBEL DE LITERATURA
CIEN
AÑOS DE
SOLEDAD
"Más lucidez, ingenio, sabiduría y poesía
de lo que se espera de cien años de novelistas".
—The Washington Post Book World

Gabriel García Márquez

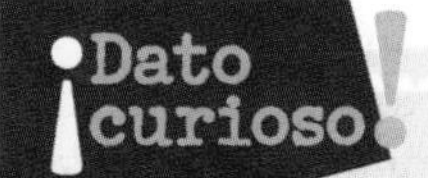

Sabes que es "frangollo"? Si un hispanohablante leyera el fragmento de *Cien años de soledad* que Ud. acaba de leer y viera la palabra "frangollo", probablemente no sabría qué significa, pero por contexto entendería que es un desorden, algo sin forma. En Cuba y República Dominicana "frangollo" es un dulce hecho de plátano verde triturado. En México significa una comida hecha sin mucho cuidado y en Perú una mezcla desorganizada.

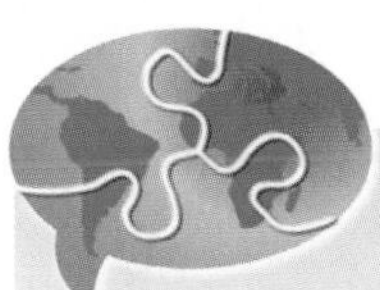

Compare

¿Puede pensar en otra obra literaria que haya leído de un autor de su país que le recuerde a ésta? Explique en qué le recuerda.

34 Amplíe su vocabulario 

Empareje cada palabra de la primera columna con su definición o sinónimo de la segunda.

1. deslumbrada
2. asombrase
3. trasnocharse
4. bombillas
5. planta
6. indignarse
7. taquillas
8. vicisitudes
9. pellejo de gallo fino
10. rechoncho
11. inaudito
12. desolador
13. aparatoso
14. gramófono de cilindro
15. organillo
16. sortilegio
17. truco
18. destripar
19. manivela
20. desconcertarse
21. vaivén
22. alborozo
23. a ciencia cierta
24. escaldar
25. comercio ambulante
26. desparpajo
27. criaturas de farándula
28. espejuelos

a. no dormir
b. enojarse
c. máquina que genera electricidad
d. altamente impresionada
e. donde se venden las entradas para el cine
f. esferas de vidrio que emiten luz
g. complicado
h. antiguo aparato para reproducir sonido
i. estar impresionado por algo
j. problemas
k. sacar el contenido de un cuerpo
l. aparato que emite sonido al darle cuerda
m. encantamiento
n. que produce tristeza
o. movimiento
p. gordo
q. se usa echar a andar una máquina
r. felicidad
s. con seguridad
t. quemar con agua caliente
u. mercado que va de lugar en lugar
v. anteojos
w. actores
x. piel rosada y arrugada
y. sin vergüenza
z. hacer aparecer una cosa por otra, como magia
aa. no entender
bb. inexplicable

35 ¿Ha comprendido?

Diga si cada una de las frases siguientes es verdadera o falsa. Escriba la frase verdadera en los casos en que una sea falsa.

1. Los inventos asombraron completamente a la gente de Macondo.
2. A la gente de Macondo le encantó el cine, pero decidieron no volver a ir cuando descubrieron que las películas no eran verdad.
3. Bruno Crespi era el conductor del tren.
4. Los gramófonos de cilindros eran similares a los organillos que tocaban una pieza musical cuando alguien les daba cuerda con una manivela.
5. La gente concluyó que la música en vivo, la que tocaba la banda de músicos del pueblo, era infinitamente más bella que la música reproducida por los gramófonos.
6. El teléfono los desconcertó porque no reproducía una pieza musical sino que transmitía la voz humana, por ejemplo de un pariente, y eso era algo a lo que ellos no le pudieron encontrar explicación.
7. Todos los inventos que fueron llegando a Macondo hicieron que la gente no saliera de sus casas.
8. En Macondo construyeron una casa primitiva de madera para el espectro de José Arcadio Buendía.
9. Cuando el tren llegó, llegó el circo.
10. En el tren llegaron toda clase de personas que querían vender cosas, incluyendo un gallo fino.

36 ¿Cuál es la pregunta?

Escriba la pregunta correspondiente a cada una de las siguientes frases.

1. Aureliano Triste llevó una planta para proveer electricidad a Macondo.
2. El alcalde tuvo que explicar mediante un bando que el cine no era verdad sino una máquina de ilusión.
3. Las "matronas de Francia" es una manera indirecta de llamar a las prostitutas que llegaron en el tren.
4. Los habitantes de Macondo, después de ver tantos inventos, confundieron el teléfono con el gramófono porque los dos funcionaban con una manivela.
5. Después de la llegada del ferrocarril, la vida de Macondo nunca volvió a ser como era antes.

37 Reflexione

Conteste estas preguntas y comparta su opinión con un compañero.

1. ¿Cómo recibe la gente de Macondo los inventos modernos como la luz eléctrica y el cine?
2. ¿Entienden ellos que estos son productos de la ciencia o tienen otras explicaciones?
3. ¿Cuál fue su reacción ante el cine?
4. ¿Cómo describe el autor a Mr. Herbert?
5. ¿Qué puede decir del entorno en el que vive la gente de Macondo?
6. ¿Qué piensa de ellos y su reacción a las invenciones?

38 ¿Qué averiguó del autor? 

Investigue sobre García Márquez. Hable sobre el autor y presente o escriba sobre una de sus obras más importantes.

39 Antes de leer 

¿Le ha contado alguien alguna vez un secreto importante? ¿Le ha pedido que no cuente nada antes de escucharlo? ¿Cómo reacciona? ¿Puede guardar un secreto?

40 La sombra del viento 

Lea con atención el siguiente fragmento de *La somba del viento* de Carlos Ruiz Zafón. Después conteste las siguientes preguntas:

- ¿Qué piensa de Daniel?
- ¿Qué puede decir del entorno en el que vive? ¿Y su situación personal?
- ¿Cuáles cree que son los desafíos de Daniel?
- ¿Qué dos preguntas serían apropiadas para hacerle al narrador después de leer este fragmento?

El cementerio de los libros olvidados

Todavía recuerdo aquel amanecer en que mi padre me llevó por primera vez a visitar el Cementerio de los Libros Olvidados. Desgranaban los primeros días del verano de 1945 y caminábamos por las calles de una Barcelona atrapada bajo cielos de ceniza y un sol de vapor que se derramaba sobre la Rambla de Santa Mónica en una guirnalda de cobre líquido. —Daniel, lo que vas a ver hoy no se lo puedes contar a nadie —advirtió mi padre—. Ni a tu amigo Tomás. A nadie. —¿Ni siquiera a mamá? —inquirí yo, a media voz. Mi padre suspiró, amparado en aquella sonrisa triste que le perseguía como una sombra por la vida. —Claro que sí —respondió cabizbajo—. Con ella no tenemos secretos. A ella puedes contárselo todo. Poco después de la guerra civil, un brote de cólera se había llevado a mi madre. La enterramos en Montjuïc el día de mi cuarto cumpleaños. Sólo recuerdo que llovió todo el día y toda la noche, y que cuando le pregunté a mi padre si el cielo lloraba le faltó la voz para responderme. Seis años después, la ausencia de mi madre era para mí todavía un espejismo, un silencio a gritos que aún no había aprendido a acallar con palabras. Mi padre y yo vivíamos en un pequeño piso de la calle Santa Ana, junto a la plaza de la iglesia. El piso estaba situado justo encima de la librería especializada en ediciones de coleccionista y libros usados heredada de mi abuelo, un bazar encantado que mi padre confiaba en que algún día pasaría a mis manos. Me crié entre libros, haciendo amigos invisibles en páginas que se deshacían en polvo y cuyo olor aún conservo en las manos. De niño aprendí a conciliar el sueño mientras le explicaba a mi madre en la penumbra de mi habitación las incidencias de la jornada, mis andanzas en el colegio, lo que había aprendido aquel día... No podía oír su voz o sentir su tacto, pero su luz y su calor ardían en cada rincón de aquella casa y yo, creía que si cerraba los ojos y le hablaba, ella podría oírme desde donde estuviese. A veces, mi padre me escuchaba desde el comedor y lloraba a escondidas. Recuerdo que aquel alba de junio me desperté gritando. El corazón me batía en el pecho como si el alma quisiera abrirse camino y echar a correr escaleras abajo. Mi padre acudió azorado a mi habitación y me sostuvo en sus brazos, intentando calmarme.
—No puedo acordarme de su cara. No puedo acordarme de la cara de mamá —murmuré sin aliento. Mi padre me abrazó con fuerza. —No te preocupes, Daniel. Yo me acordaré por los dos. Nos miramos en la penumbra, buscando palabras que no existían. Aquélla fue la primera vez en que me di cuenta de que mi padre envejecía y de que sus ojos, ojos de niebla y de pérdida, siempre miraban atrás. Se incorporó y descorrió las cortinas para dejar entrar la tibia luz del alba. —Anda, Daniel, vístete. Quiero enseñarte algo —dijo.
—¿Ahora? ¿A las cinco de la mañana? —Hay cosas que sólo pueden verse entre tinieblas —insinuó mi padre blandiendo una sonrisa enigmática que probablemente había tomado prestada de algún tomo de Alejandro Dumas. Las calles aún languidecían entre neblinas y serenos cuando salimos al portal. Las farolas de las Ramblas dibujaban una avenida de vapor, parpadeando al tiempo que la ciudad se desperezaba y se desprendía de su disfraz de acuarela. (...) Finalmente, mi padre se detuvo frente a un portón de madera labrada ennegrecido por el tiempo y la humedad. Frente a nosotros se alzaba

La sombra del viento

CARLOS RUIZ ZAFÓN

43.ª edición

LA SOMBRA DEL VIENTO

[45] lo que me pareció el cadáver abandonado de un palacio, o un museo de ecos y sombras.—Daniel, lo que vas a ver hoy no se lo puedes contar a nadie. Ni a tu amigo Tomás. A nadie Un hombrecillo con rasgos de ave rapaz y cabellera plateada nos abrió la puerta. Su mirada aguileña se posó en mí, impenetrable.—Buenos días, Isaac. Éste es mi hijo Daniel [50] —anunció mi padre—. Pronto cumplirá once años, y algún día él se hará cargo de la tienda. Ya tiene edad de conocer este lugar. El tal Isaac nos invitó a pasar con un leve asentimiento. (...) Miré a mi padre, boquiabierto. Él me sonrió, guiñándome el ojo. —Daniel, bien venido al Cementerio de los Libros Olvidados. (...)

[55] —Este lugar es un misterio, Daniel, un santuario. Cada libro, cada tomo que ves, tiene alma. El alma de quien lo escribió, y el alma de quienes lo leyeron y vivieron y soñaron con él. Cada vez que un libro cambia de manos, cada vez que alguien desliza la mirada por sus páginas, su espíritu crece y se hace fuerte. Hace ya muchos años, cuando mi padre me trajo por primera vez aquí, este lugar [60] ya era viejo. Quizá tan viejo como la misma ciudad. Nadie sabe a ciencia cierta desde cuándo existe, o quiénes lo crearon. Te diré lo que mi padre me dijo a mí. Cuando una biblioteca desaparece, cuando una librería cierra sus puertas, cuando un libro se pierde en el olvido, los que conocemos este lugar, los guardianes, nos aseguramos de que llegue aquí. En este lugar, los libros que ya nadie recuerda, [65] los libros que se han perdido en el tiempo, viven para siempre, esperando llegar algún día a las manos de un nuevo lector, de un nuevo espíritu. En la tienda nosotros los vendemos y los compramos, pero en realidad los libros no tienen dueño. Cada libro que ves aquí ha sido el mejor amigo de alguien. Ahora sólo nos tienen a nosotros, Daniel. ¿Crees que vas a poder guardar este secreto? Mi mirada [70] se perdió en la inmensidad de aquel lugar, en su luz encantada. Asentí y mi padre sonrió. —¿Y sabes lo mejor? —preguntó. Negué en silencio. —La costumbre es que la primera vez que alguien visita este lugar tiene que escoger un libro, el que prefiera, y adoptarlo, asegurándose de que nunca desaparezca, de que siempre permanezca vivo. Es una promesa muy importante. De por vida —explicó mi [75] padre—. Hoy es tu turno. Por espacio de casi media hora deambulé entre los entresijos de aquel laberinto que olía a papel viejo, a polvo y a magia. Dejé que mi mano rozase las avenidas de lomos expuestos, tentando mi elección. Atisbé, entre los títulos desdibujados por el tiempo, palabras en lenguas que reconocía y decenas de otras que era incapaz de catalogar. Recorrí pasillos y galerías en [80] espiral pobladas por cientos, miles de tomos que parecían saber más acerca de mí que yo de ellos. Al poco, me asaltó la idea de que tras la cubierta de cada uno de aquellos libros se abría un universo infinito por explorar y de que, más allá de aquellos muros, el mundo dejaba pasar la vida en tardes de fútbol y seriales de radio, satisfecho con ver hasta allí donde alcanza su ombligo y poco más. Quizá [85] fue aquel pensamiento, quizá el azar o su pariente de gala, el destino, pero en aquel mismo instante supe que ya había elegido el libro que iba a adoptar. O quizá debiera decir el libro que me iba a adoptar a mí. Se asomaba tímidamente en el extremo de una estantería, encuadernado en piel de color vino y susurrando su título en letras doradas que ardían a la luz que destilaba la cúpula desde [90] lo alto. Me acerqué hasta él y acaricié las palabras con la yema de los dedos, leyendo en silencio.

La sombra del viento

continúa

La sombra del viento

Julián Carax

Jamás había oído mencionar aquel título o a su autor, pero no me importó. La decisión estaba tomada. Por ambas partes. Tomé el libro con sumo cuidado y lo hojeé, dejando aletear sus páginas. Liberado de su celda en el estante, el libro 95 exhaló una nube de polvo dorado. Satisfecho con mi elección, rehice mis pasos en el laberinto portando mi libro bajo el brazo con una sonrisa impresa en los labios. Tal vez la atmósfera hechicera de aquel lugar había podido conmigo, pero tuve la seguridad de que aquel libro había estado allí esperándome durante años, probablemente desde antes de que yo naciese.

La sombra del viento

41 Amplíe su vocabulario 

Busque el significado de las palabras en azul. Después descríbale cada palabra a un compañero/a para que adivine cuál es.

42 ¿Cierto o falso?

Según el contexto del fragmento que acaba de leer, decida si las oraciones son verdaderas o falsas. Escriba la frase verdadera en los casos en que una sea falsa.

1. La historia tiene lugar en la época actual.
2. Los padres del protagonista viven en Barcelona.
3. Daniel no puede contarle el secreto ni siquiera a su madre.
4. El padre de Daniel ya se está haciendo mayor.
5. El padre de Daniel es uno de los guardianes de los libros.
6. Cada vez que alguien visita el santuario de los libros debe de elegir un libro y asegurarse de que no desparezca.
7. Daniel dice que termina adoptando un libro.

43 Hágale una pregunta 

El narrador vivió una experiencia inolvidable. Escriba ocho preguntas que le haría si tuviera la oportunidad. Compare las preguntas que escribió con las de un/a compañero/a.

44 Lea, escuche y escriba 

Investigue el autor Carlos Ruiz Zafón. Use la Internet para encontrar videos, artículos y fotografías. Escriba un ensayo o presente sobre los trabajos de él.

45 Escriba

El fragmento anterior pertenece al Capítulo Uno del libro de *La sombra del viento*. Continúe la historia. Escriba su propia versión, añadiendo cuatrocientas palabras a la historia. Después, busque la versión oficial y compare las dos.

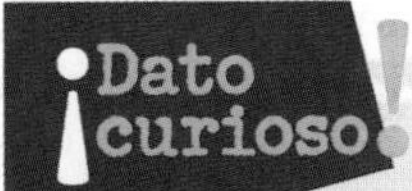

El libro de *La sombra del viento* está cargado de maravillosas frases. Aquí tiene algunas de las muchas que aparecen para su deleite: "No te fíes del que se fía de todos"."Si nadie se acuerda de ti, no existes". "Nada engaña más que los recuerdos". "Estamos dispuestos a creer cualquier cosa menos la verdad".

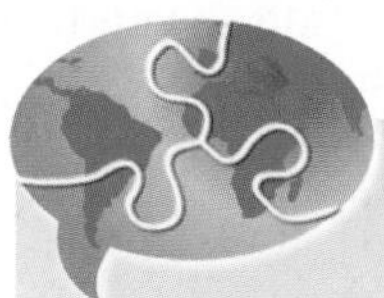

Compare

¿Conoce algún libro o película que haya leído que le recuerde a este fragmento que leyó? ¿Puede nombrar varias bibliotecas famosas de este país, de otros o de algún libro o película?

¡A escuchar!

46 Una edición de Shakespeare

Esta grabación trata de la venta en una subasta de una rara edición de las obras de Shakespeare. La grabación dura aproximadamente 4 minutos. Lea las posibles respuestas primero y después escuche "Venden rara edición de obras de Shakespeare". Escoja la mejor repuesta para cada pregunta. Después, piense en cuál sería una pregunta apropiada para hacerle al autor.

1. ¿Cuál es un sinónimo de *inglés* cuando se refiere a la nacionalidad?
   a. Londinense
   b. Euro
   c. Británico
   d. Una puja

2. ¿Dónde se vendió esa rara edición?
   a. En una puja
   b. En la casa de un marchante londinense
   c. En el sótano de Sotheby's
   d. En la casa de un maestro de literatura

3. ¿Quién la compró?
   a. Una puja
   b. Un marchante londinense
   c. El fundador de Sotheby's
   d. Un maestro de literatura

4. ¿Por qué tenían que continuar la subasta en otro lugar?
   a. Porque la edición era tan rara que necesitaban mostrarla en un lugar especial
   b. Porque había solamente unos pocos invitados a la subasta
   c. Porque el público se portaba mal en la sala donde se vendía esta edición
   d. Porque el público no cabía donde se vendía esta edición

5. ¿Qué esperaba recibir Sotheby's por esta edición?
   a. 20 chelines
   b. 3,5 millones de libras
   c. Más de 15 millones de euros
   d. 10 mil dólares

47 Isabel Allende

Esta grabación trata de la presentación de la novela *El Zorro* en Madrid. La grabación dura aproximadamente 5 minutos. Lea las posibles repuestas primero y después escuche la grabación "Isabel Allende presenta su nuevo libro en Madrid". Escoja la mejor respuesta para cada pregunta. Después, responda a las preguntas: ¿Cuál es el propósito del artículo? Si quisiera consultar otra fuente, ¿podría pensar en un posible título de una publicación? ¿Qué pregunta le haría a Isabel Allende?

1. ¿Por qué es Zorro un héroe justiciero?
   a. Lucha por los ricos.
   b. Lucha por mejorar el mundo.
   c. Lucha por mejorar la política.
   d. Los pobres necesitan dinero y Zorro les regala mucho.
2. Según la autora, ¿dónde se necesita este tipo de héroe hoy en día?
   a. En la política
   b. En los negocios
   c. En las escuelas
   d. En la política y en los negocios
3. ¿Conoce la escritora a alguien que encarne los valores de Zorro hoy en día?
   a. Sí, hay muchos.
   b. No, porque dice que es imposible encarnar los valores hoy en día.
   c. No personalmente, pero dice que debería existir.
   d. Sí, pero hay muy pocos.
4. ¿Dónde tiene lugar la historia del libro?
   a. En Barcelona
   b. En el sur de California
   c. En Chile
   d. En Barcelona y en el sur de California
5. ¿Cómo humilla Zorro a sus adversarios?
   a. Les planta una "Z" en su vestimenta.
   b. Los mata.
   c. Los hace sufrir en público.
   d. Los lleva a la policía para que los arresten.
6. En el libro de Isabel Allende, ¿qué mito no usa la autora?
   a. El mito de Che Guevara
   b. El mito de la Revolución Francesa
   c. El mito de Peter Pan
   d. El mito de Robin Hood

Antonio Banderas como el Zorro.

48 Participe en una conversación 

Ud. va a participar en una conversación. Primero lea la descripción de la conversación y piense en algunas palabras o expresiones que le serían útiles. Organice sus ideas, haciendo predicciones sobre lo que se le pueda preguntar o comentar. Una descripción de lo que va a escuchar aparece abajo en color. Participe en la conversación grabando las respuestas o escribiéndolas en su cuaderno.

Escena: Ud. está hablando con su amigo Rubén de una tarea para la clase de literatura.

Rubén: Le pregunta sobre la tarea.

Ud.:
- Contéstele.

Rubén: Le hace unas preguntas.

Ud.:
- Contéstele.

Rubén: Sigue la conversación con más preguntas sobre la tarea.

Ud.:
- Reaccione a sus preguntas. Sugiera que usen el audiolibro.

Rubén: Sigue la conversación con otras preguntas.

Ud.:
- Conteste sus preguntas.

Rubén: Sigue la conversación, hace otras preguntas y se despide.

Ud.:
- Contéstele. Haga un comentario y despídase.

¿Ha leído todos estos libros para la clase de literatura?

¡A escribir!

49 Texto informal: cómo se adapta un libro al cine 

Escriba en un blog. Hable sobre cómo se adapta un libro para hacer una película. Escoja un libro que ha leído y que ha sido adaptado al cine. Incluye lo siguiente:

- La popularidad del libro
- La popularidad de la película
- La fidelidad al contenido del libro
- La fidelidad a los personajes del libro

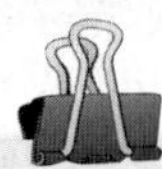

Consejo
Antes de empezar, lea las pautas para escribir textos informales en la pág. 480 del Apéndice. Mientras escribe el texto tenga presente los objetivos. Cuando termine, verifique que ha cumplido con todo lo que se describe en la lista y reflexione sobre su trabajo.

50 Texto informal: cómo mejorar el vocabulario 

En un foro alguien pide consejos sobre cómo podría mejorar su vocabulario (en inglés o en español). Dele consejos a esta persona.

- Dele razones para mejorar su vocabulario.
- Diséñele un plan para ir mejorando su vocabulario cada día.
- Háblele de los beneficios de leer para mejorar su vocabulario.

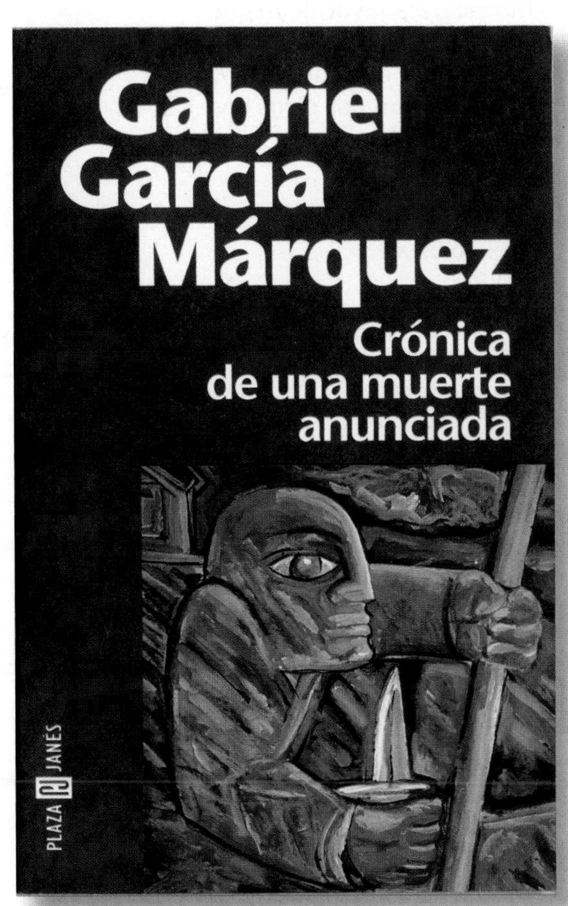

Crónica de una muerte anunciada, un libro de Gabriel García Márquez que ha sido adaptado al cine

51 Ensayo: El narcotráfico en Latinoamérica 

Después de leer el fragmento de *La Reina del Sur* de Pérez Reverte en la Actividad 17, mire la película *María llena eres de gracia*, de Joshua Martson o vea un video en la Internet. Escriba un ensayo sobre el problema del narcotráfico en Latinoamérica.

Consejo

Antes de empezar, lea las pautas para escribir ensayos en la pág. 480 del Apéndice. Mientras escribe el ensayo tenga presente los objetivos, y no se olvide de ponerle un título original. Cuando termine, verifique que ha cumplido con todo lo que se describe en la lista y reflexione sobre su trabajo.

52 Ensayo: los libros

Escriba un ensayo en el que hable de los beneficios y los retos de leer un libro en el formato tradicional en papel. Compare esta experiencia con la que se tendría con un audiolibro, un libro digital, una versión abreviada o una película.

53 En parejas

Intercambie sus ensayos con un/a compañero/a. Exprésele su opinión sobre el contenido y el uso del idioma.

¡A hablar!

54 Charlemos en el café

Ud. va a debatir los siguientes temas con un/a compañero/a. Uno estará a favor de lo que se ha dicho y otro en contra. El debate durará varios minutos. El/La estudiante que esté de acuerdo comenzará el debate y hablará por unos dos minutos. Cuando el/la profesor/a lo indique, el/la otro/a estudiante tomará la palabra y expresará su opinión por otros dos minutos, y así sucesivamente.

1. Las revistas desaparecerán.
2. Los periódicos desaparecerán.
3. La carrera de periodismo desparecerá y por lo tanto los buenos periodistas.
4. Todas las escuelas deberían leer libros como La Biblia.
5. Es bueno y necesario censurar los libros en las escuelas.

En su opinión, ¿van a sobrevivir las bibliotecas tal como están hoy en día?

55 ¿Qué opinan?

Converse con un/a compañero/a sobre estas situaciones o preguntas.

1. ¿Es lo mismo leer un libro que oírlo?
2. ¿Cree que los niños de hoy en día leen más libros que los de hace unos años?
3. ¿Qué libros recuerda de cuando era pequeño? Narre la historia de uno de sus libros favoritos y comparta el nombre y experiencias con algunas de sus series preferidas.
4. ¿Qué impacto cree que los nuevos libros electrónicos tienen en los autores poco conocidos?
5. Hable de uno de los libros que está leyendo últimamente.
6. Hable de algún(os) libro(s) que haya leído y que hayan llevado a la gran pantalla (el cine). ¿Qué piensa de la adaptación que se ha hecho en el cine?
7. ¿Qué piensa de todos los famosos que escriben su autobiografía?
8. ¿Qué sabe de la novela histórica? ¿Qué piensa de libros como *Los pilares de la tierra*, de Ken Follet?

56 Presentemos en público 

Haga una presentación oral sobre uno de los temas durante varios minutos en clase. Organice sus ideas antes de hacer la presentación, busque las palabras necesarias y, después de practicar, presente en clase sin mirar las notas.

1. Haga una presentación sobre el realismo mágico. Dé ejemplos de cómo aparece esta técnica en *Cien años de soledad.*
2. Presente a su clase el autor Julio Cortázar. Hable de su vida, estilo y obra. Presente a la clase "Instrucciones para subir una escalera" y hable sobre alguna otra obra que le haya llamado la atención.
3. Haga una presentación en clase sobre Isabel Allende. Hable sobre su novela *La casa de los espíritus.*
4. Haga una presentación en clase sobre Jorge Luis Borges. Hable sobre su obra *Ficciones*.
5. Piense en un autor cuyas obras han afectado seriamente a nuestro mundo. Hable del impacto que ha tenido este autor y su obra en la vida cotidiana y en la vida literaria; por ejemplo, podría citar a Dan Brown y *El código Da Vinci*; J.K. Rowling y la serie sobre Harry Potter; John Grisham y su serie de libros sobre el crimen como *Tiempo de matar*; o Salman Rushdie y *Los versos satánicos*.
6. La novela histórica está poniéndose muy de moda en algunos países. Hay muchos libros basados en la Edad Media e incluso se hacen muchas fiestas en castillos y monasterios antiguos donde la gente va vestida de la época, se come la comida y se escucha la música. Investigue y presente uno de estos tres *best-sellers* a la clase: *La catedral del mar*, *El mozárabe*, *La mano de Fátima*.

Consejo

Antes de empezar, lea las pautas para presentaciones formales en la pág. 481 del Apéndice. Mientras formula su presentación tenga presente los objetivos. Cuando termine la presentación, verifique que ha cumplido con todo lo que se describe en la lista y reflexione sobre el trabajo que hizo.

Proyectos

57 ¡Manos a la obra! 

Trabaje en un grupo de cuatro o cinco estudiantes para llevar a cabo uno de los siguientes proyectos y presentarlo en clase.

1. Les han encargado que diseñen una nueva revista literaria en su escuela o universidad. Esta revista tiene que captar el interés de los estudiantes y la comunidad. Decidan el formato y el contenido de la revista, las veces que se publicará y cómo van a solicitar artículos y encontrar autores. Expliquen también los criterios que Uds. van a seguir para aceptar o no estos artículos.
2. Van a presentar una lista de los tres autores favoritos de un grupo de compañeros. Hablen de cómo se llegó a establecer la lista, por qué aparecen algunos autores en la lista y otros no. Hablen de las obras de los autores favoritos y coméntenlas.
3. Hagan un anuncio para promover un nuevo club de lectores en su escuela o universidad. Decidan si va a ser un anuncio gráfico, de radio o de televisión. No se olviden de incluir las ventajas de ser miembro de este club.
4. Imaginen que en su escuela o universidad han censurado un libro que Uds. iban a leer en la clase de literatura. Piensen en el título del libro y su contenido controversial (puede ser real o ficticio). Presenten una petición a la administración de la escuela, pidiéndoles que revoquen la censura. Hay que tener una buena estrategia para convencerles.

¿Es Ud. miembro de un club de lectores en su escuela?

Vocabulario

Verbos

acostumbrarse	to get used to
alzarse	to rise up
criticar	to criticize
desorrollarse	to develop, to take place
enfrentar	to confront, to face
fingir	to pretend
hojear	to leaf through
integrar	to integrate
mantener	to maintain
narrar	to narrate
pertenecer	to belong
soportar	to bear, to stand, to put up with
tentar	to tempt
transcurrir	to pass, to go by
triunfar	to succeed

Verbos con preposición

verbo + con:

convivir con	to live together with
experimentar con	to experiment with

verbo + de:

servir (i) de	to serve as

verbo + en:

influir en	to have influence

Sustantivos

la	**actualidad**	the present (time), nowadays
la	**aspiración**	aspiration, wish
la	**carrera**	race, (college) degree
la	**comedia**	comedy
el	**contenido**	contents
la	**costumbre**	custom
la	**crítica, reseña**	critique, review
el	**cuento**	short story
el/la	**ensayista**	essayist
el	**ensayo**	essay
la	**escena**	scene
el/la	**escritor(a)**	writer
la	**formación**	training
el	**guión**	script
la	**influencia**	influence
la	**igualdad**	equality
la	**incidencia**	effect, impact; incidence
la	**inocencia**	innocence
las	**letras**	Letters (*literature*)
la	**libertad**	freedom
el	**maltrato**	abuse
el	**más allá**	the other world
la	**miseria**	extreme poverty
la	**oda**	ode
la	**Oratoria**	Oratory
el	**paso**	step
la	**pena**	shame, sorrow, embarrassment
el	**pensamiento**	thought
el	**periodismo**	journalism
el/la	**periodista**	journalist
el	**poema**	poem
la	**prosa**	prose
el/la	**protagonista**	protagonist
el	**rincón**	corner
el/la	**sabio/a**	scholar, learned/wise man/ woman
la	**sátira**	satire
el	**temor**	fear
la	**tragedia**	tragedy
la	**trayectoria**	trajectory, path
la	**valentía**	courage
el	**valor**	value, courage
la	**violencia**	violence

Adjetivos

conmovedor(a)	moving
contemporáneo, -a	contemporary
desolador(a)	devastating
fantástico, -a	fantastic, imaginary
fructífero, -a	productive, fruitful
laureado, -a	laureate, awarded a prize
realista	realistic

Adverbios

actualmente	nowadays, currently
apenas	hardly, scarcely
en torno a	around
reciente	recent

Expresiones

la ciencia ficción	science fiction
la cruda realidad	the harsh reality
la forma de vida	lifestyle
el género literario	literary genre
¡El mundo se hace más pequeño gracias a . . .!	The world becomes smaller thanks to . . . !
la obra de teatro	play
las obras literarias	literary works
el Premio Nobel de Literatura	Nobel Prize in Literature
el realismo mágico	magical realism
saber a ciencia cierta	to know for sure
tener una manera peculiar de contar algo	to have a peculiar way of saying something
tras	after, behind

A tener en cuenta

Acentos

En todas las palabras de más de una sílaba hay una sílaba que se pronuncia con más fuerza que las demás. Las palabras con una sílaba acentuada se llaman *tónicas* y reciben los siguientes nombres según el puesto que ocupe la sílaba acentuada.

Las palabras *agudas* son las que tienen el acento en la última sílaba; llevan tilde (acento escrito) si terminan en vocal, *n* o *s*:

actualidad derrotar mendaz temor allá guión café sinfín jamás

Las palabras *llanas* o *graves* son las que tienen el acento en la penúltima sílaba; llevan tilde (acento escrito) si no terminan en vocal, *n* o *s*:

ensayo hazaña orden hablamos mariposas débil símil líder

Las *esdrújulas* son las que tienen el acento en la antepenúltima sílaba; todas han de llevar tilde:

épico exámenes crítica híbrido sátira seudónimo fantástico periodístico

Las *sobresdrújulas* son las que tienen el acento en la sílaba antes de la antepenúltima; todas han de llevar tilde:

envuélvamelo anóteselos manténganmelas

Las palabras sin sílaba acentuada se llaman *átonas*; ejemplos incluyen los artículos *el, la, los, las, lo*; algunas preposiciones como *a, de, con* y *por*, y algunos pronombres. A veces el acento escrito cambia el sentido de estas palabras:

el	**the**	él	**he**
mi	**my**	mí	**me**
tu	**your**	tú	**you**
te	**you, yourself**	té	**tea**
se	**him/her/one/yourself**	sé	**I know; be (*imperativo informal*)**
si	**if**	sí	**yes; oneself**
mas	**but**	más	**more**
de	**of, from**	dé	**give (*imperativo formal*)**

Lección B

Objetivos

Comunicación

- Hablar de poesía
- Hablar de ensayistas, escritores de teatro, filósofos
- Aprender de escritores de cuentos cortos
- Aprender sobre el impacto de la poesía en una sociedad
- Leer y charlar sobre la importancia de escribir y de la imaginación

Gramática

- Repaso general
- Verbos con preposición

"Tapitas" gramaticales

- repaso general

Cultura

- Pablo Neruda
- El festival de poesía de Medellín
- Gustavo Adolfo Bécquer
- Miguel de Unamuno
- Federico García Lorca
- Juan Rulfo

Para empezar

1 Conteste las preguntas

Piense en las respuestas a las siguientes preguntas. Ud. puede tomar notas si lo considera necesario. Cuando termine, compare sus respuestas —pero sin mirar sus notas— con las de un/a compañero/a.

1. ¿Les escribe Ud. mucho a sus amigos o familiares? ¿Qué suele escribir y cuándo lo hace?
2. Cuando tiene que escribir algo para una clase, ¿qué prefiere escribir: informes u obras de algún género literario? Explique por qué tiene esta preferencia.
3. Describa los géneros literarios en los que ha tenido que escribir para sus clases. ¿Cuáles prefiere escribir? ¿Por qué?
4. ¿Cree que estamos perdiendo la costumbre de escribir cartas a mano? ¿Piensa que el correo electrónico ha mejorado la comunicación o que la ha dañado? Explique por qué.
5. ¿Qué opina sobre el arte de escribir? ¿Cree que es un arte o una profesión como otra cualquiera? Defienda su punto de vista con ejemplos concretos.
6. Nombre a algunos escritores contemporáneos que se han hecho famosos por su género literario. Describa sus obras y su estilo.
7. ¿Qué opina del teatro contemporáneo? ¿Le parece una actividad puramente social o es un vehículo literario para provocar los pensamientos del público?
8. Nombre algunas carreras en las que es importante saber escribir bien.
9. ¿Qué nos puede decir la forma de escribir sobre el carácter de una persona?
10. ¿Qué importancia tiene una carta de recomendación bien escrita para la universidad o un posible trabajo? ¿Se puede conocer a la persona descrita por lo que dice el/la escritor(a)?

2 Mini-diálogos

Ud. va a crear un mini-diálogo con un/a compañero/a. Lea la descripción de la conversación antes de empezar. Puede tomar notas para organizar sus ideas, pero no las mire mientras conversa.

Escena: Un/a amigo/a le pide consejos a otro/a para escribir una composición para la clase de español.

A: Pregúntele cuáles son los elementos necesarios para escribir una buena composición y pídale consejos sobre los posibles temas.

B: Explíquele qué son estos elementos y mencione algunos temas.

A: Pregúntele qué detalles debe incluir y por qué es necesario hacer un esbozo.

B: Contéstele y dígale que debe citar fuentes en su composición.

A: Reaccione y pídale cómo citar una fuente.

B: Explíqueselo y despídase.

A: Dele las gracias y despídase cordialmente.

Cita

La pluma puede llegar a ser más cruel que la espada.
—Robert Burton (1577–1640), erudito inglés

¿Bajo qué circunstancias puede ser más cruel, o más poderosa, la pluma que la espada? Comparta sus opiniones con un/a compañero/a.

¡Dato curioso!

En 1975, dos años después del golpe militar en Chile, Isabel Allende se refugió en Caracas, donde empezó a escribir *La casa de los espíritus*, novela que cuenta la vida de una familia envuelta en los cambios políticos y económicos en Latinoamérica. La novela fue un éxito, y en ella hay elementos de realismo mágico, que consiste en mezclar lo real con lo sobrenatural. El creador de este género literario es el colombiano y Premio Nobel, Gabriel García Márquez.

Vocabulario y gramática en contexto

3 Un foro

Túrnese con un/a compañero/a para leer los comentarios que dos personas han escrito en un foro sobre la poesía. Fíjese en las palabras que aparecen en azul (relacionadas con el vocabulario) y en rojo (relacionadas con la gramática), ya que en las siguientes actividades se le harán preguntas sobre ellas.

La poesía

Rosario, catedrática de poesía castellana

La poesía es un arte bello con muchas normas y tradiciones. La poesía es una forma de articular emociones, sentimientos e ideas y se usan características estéticas del lenguaje, como la cadencia del sonido, o del sentido semántico y sintáctico de las palabras. Asimismo se expresan cuestiones sentimentales como filosóficas, metafísicas 5 y sociales en la poesía. La principal herramienta de la poesía es la metáfora. La metáfora es una comparación entre términos sin usar la palabra *como*. Si se recurre a la palabra *como*, decimos que es un símil. La versificación también es intrínseca a la poesía. Es imprescindible tener en cuenta la acentuación interna de las palabras y la organización en estrofas. Hay estrofas de dos, cuatro, cinco y hasta ocho versos. El soneto, una de las 10 formas clásicas más difíciles, se compone de catorce versos, generalmente endecasílabos divididos en dos cuartetos y dos tercetos con distintas formas de alternar las rimas. La alternancia de sílabas tónicas y átonas contribuye mucho al ritmo de la poesía.

Los versos

Tomás, catedrático de poesía latinoamericana

El número de sílabas en un verso y la rima de las estrofas refuerzan la musicalidad del poema. Muchos poetas escrutan las palabras con 15 el fin de localizar la rima perfecta. Pero igualmente prevalece el verso libre, sin ritmo aparente. Algunos eligen llamarlo prosa poética. De la misma manera se brota el verso blanco, que es un tipo de composición poética que se caracteriza por tener una métrica regular y carecer de rima. En inglés, normalmente 20 se emplea el pentámetro yámbico en el verso blanco. William Shakespeare ha logrado los mejores resultados con el verso blanco inglés en sus dramas. Los japoneses colaboran en el mundo poético con el haikú que se compone de tres versos de 5, 7 y 5 sílabas y sin rima. El haikú tiene algunas reglas 25 preestablecidas, pero muchos poetas optan por romperlas.

4 Amplíe su vocabulario

Clasifique las palabras que aparecen en azul y rojo en las lecturas anteriores según sean sustantivos, adjetivos, verbos o expresiones relacionadas con la poesía.

5 Repaso

Conteste estas preguntas basadas en las lecturas de la Actividad 3.

1. Explique el uso de la palabra *e* en la frase *sentimientos e ideas*.
2. Busque los verbos con *se* (por ejemplo, *se usan*) y explique el uso de *se* con estos verbos.
3. Busque tres sinónimos de *también*.
4. Explique el uso de *hay* en la lectura.
5. Explique el uso de la frase "una de las formas clásicas más difíciles" en la oración "El soneto, una de las formas clásicas más difíciles, se compone de catorce versos...".
6. Traduzca la frase "con el fin de localizar la rima perfecta".
7. Explique la falta del artículo definido en la frase *en inglés*.
8. Explique el uso del presente perfecto en la oración "William Shakespeare ha logrado los mejores resultados...". ¿Por qué es indicativo y no subjuntivo?

6 "Tapitas" gramaticales

Haga las siguientes actividades con un/a compañero/a.

1. Hagan una lista de los otros usos de *se* con verbos. Escriban algunos ejemplos relacionados con la poesía.
2. Den tres sinónimos de *articular* y tres de *se usa*.
3. Escriban dos oraciones relacionadas con la poesía para mostrar los usos de la palabra *hay*.
4. Expliquen otros casos donde no es necesario usar el artículo definido. Para cada caso, escriban una oración relacionada con la poesía.

7 "Tapitas" gramaticales

Conteste estas preguntas basadas en las lecturas de la Actividad 3.

1. Busque dos ejemplos del pronombre de objeto directo y explique la referencia.
2. Busque dos verbos con cambio de raíz en el presente.
3. Busque dos verbos seguidos de una preposición. Escriba una oración con estos verbos.
4. Busque ejemplos de *alguno* y explique su uso en las lecturas.

8 ¿Qué opina?

Reaccione a lo que cada persona ha escrito en el foro de la Actividad 3 y comparta sus opiniones con un/a compañero/a. Luego escriba un poema o analice su poema favorito. Incluya palabras del vocabulario nuevo que aparecen en azul y subráyelas. Intercambie su poema o análisis del poema con un/a compañero/a para que comente sobre el trabajo que hizo.

9 Pablo Neruda 

Échele una ojeada al artículo que sigue para ver de qué se trata, fijándose en las palabras en azul, ya que se le harán preguntas sobre ellas. Luego lea el artículo y decida cuál de las dos palabras entre paréntesis es la correcta para completar cada oración y escríbala.

Pablo Neruda

Biografía de Pablo Neruda

1904: Ricardo Neftalí Reyes Basoalto (Pablo Neruda) nace el 12 de julio en Parral (Chile), hijo de doña Rosa Neftalí Basoalto de Reyes y de don José del Carmen Reyes Morales. En agosto muere doña Rosa Basoalto.

1910: Pablo Neruda ingresa en el Liceo de Hombres de Temuco, donde realiza todos sus estudios hasta __1.__ (*terminar / termina*) el 6º año de humanidades.

1920: En octubre adopta definitivamente para sus publicaciones el seudónimo de Pablo Neruda.

1921: Viaja a Santiago a seguir la carrera de profesor __2.__ (*de francés / del francés*) en el Instituto Pedagógico.

1927: Lo __3.__ (*nombra / nombran*) cónsul *ad honorem* en Rangún (Birmania).

1932: Regresa a Chile. Segunda edición, en texto definitivo, de *Veinte poemas de amor y una canción desesperada*.

1933: En casa de Pablo Rojas Paz conoce a Federico García Lorca.

1934: Viaja a Barcelona. En la revista *Cruz y Raya*, de Madrid, aparecen *Visiones de las hijas de Albión* y *El viajero mental*, de William Blake, __4.__ (*traducido / traducidos*) por Pablo Neruda. Conferencia y recital poético en la Universidad de Madrid, presentado por García Lorca.

1935: Se traslada como cónsul a Madrid, donde Gabriela Mistral también ejerce funciones consulares. Homenaje a Pablo Neruda de los poetas españoles.

1936: Conoce a Delia del Carril, que habrá de __5.__ (*estar / ser*) su segunda mujer. Matan a Federico García Lorca.

1937: Regresa a Chile. Funda y preside la Alianza de Intelectuales de Chile __6.__ (*para / por*) la Defensa de la Cultura.

1938: Muere su padre. En el frente de batalla de Barcelona, en plena Guerra Civil española, se edita *España en el corazón*.

1939: Viaja a París, donde es nombrado cónsul para la emigración española. Hace gestiones a favor de los refugiados españoles; a fines de año consigue embarcar a muchos para Chile a bordo del *Winnipeg*.

1940: Llega a México, donde __7.__ (*está / es*) nombrado cónsul general.

1942: Viaja a Cuba.

1945: Es elegido senador de la República por las provincias de Tarapaca y Antofagasta. Obtiene el Premio Nacional de Literatura. Se afilia al Partido Comunista de Chile.

1948: Discurso en el senado, publicado después con el título de "Yo Acuso". La Corte Suprema aprueba el desafuero de Neruda como senador de la República. Los tribunales de justicia ordenan su detención. Desde esa fecha permanece oculto en Chile __8.__ (*escribiendo / escrito*) el *Canto General*.

1949: Viaja por primera vez a la Unión Soviética, donde asiste a los festejos del 150º aniversario de Pushkin.

1950: Viaja a Guatemala. Se edita *Pablo Neruda en Guatemala*. Viaja a Praga y después a París, a Roma y después a Nueva Delhi para __9.__ (*entrevistar / entrevistarse*) con Jawaharlal Nehru. Recibe el Premio Internacional de la Paz por su poema "Que __10.__ (*despierta / despierte*) el leñador".

1952: Al cabo de tres largos años revocan en Chile su orden de detención.

1954: Dona su biblioteca y su colección de caracoles a la Universidad, que acuerda financiar la Fundación Pablo Neruda __11.__ (*por / para*) el Desarrollo de la Poesía.

1955: Se casa __12.__ (*a / con*) Matilde Urrutia, su última compañera. Funda y dirige la revista *La Gaceta de Chile*, de __13.__ (*el cual / la cual*) salen tres números anuales.

1960: Comienza a edificar La Sebastiana, su casa de Valparaíso.

1961: El Instituto de Lenguas Romances de la Universidad de Yale (EE.UU.) lo nombra miembro correspondiente. Este cargo honorífico ha sido __14.__ (*consedido / concedido*) entre otros poetas a Saint-John Perse y T.S. Eliot.

1968: Viaja a Estados Unidos.

1969: Se vuelve a rumorear que su candidatura al Premio Nobel es cosa cierta.

1970: En diciembre es nombrado embajador de Chile en París.

1971: Se rumorea que Neruda __15.__ (*está / esté*) enfermo. Recibe el Premio Nobel de Literatura.

1973: En Isla Negra, en medio de la tragedia que ha cubierto a Chile y mientras los golpistas queman y destruyen sus libros, saquean La Chascona y La Sebastiana y torturan y asesinan a sus amigos, el __16.__ (*insigne poeta / poeta insigne*) salta a la eternidad.

---

www.laraza.com

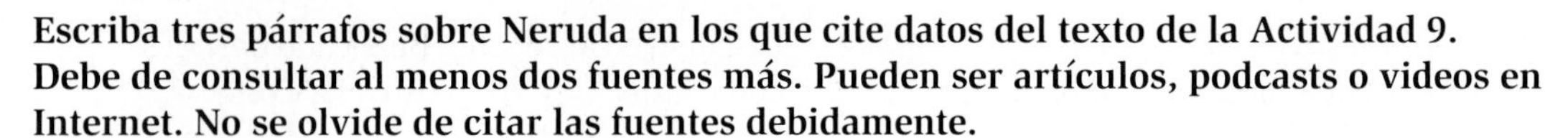

10 Neruda, el gran poeta chileno

Escriba tres párrafos sobre Neruda en los que cite datos del texto de la Actividad 9. Debe de consultar al menos dos fuentes más. Pueden ser artículos, podcasts o videos en Internet. No se olvide de citar las fuentes debidamente.

11 Biografía

Busque información sobre un escritor hispano conocido. Escriba una biografía siguiendo el modelo anterior.

12 Entrevista

Ud. es periodista. Escriba 15 preguntas que quisiera hacerle a Pablo Neruda.

13 "Tapitas" gramaticales

Según el artículo que acaba de leer sobre Pablo Neruda, haga una lista de los 15 verbos con preposición que considere más importantes. Comparta su lista con un/a compañero/a y añada los que considere necesarios.

La Sebastiana, casa de Pablo Neruda en Valparaíso, Chile.

Pablo Neruda

14 Neruda 

Busque en Internet un podcast o video sobre Pablo Neruda o alguno de sus poemas. Comparta sus impresiones con un/a compañero/a o la clase.

15 La poesía de Neruda

El objetivo principal de Pablo Neruda como poeta era ser la voz del pueblo latinoamericano oprimido por gobiernos no democráticos y explotado económicamente. Su obra magna, *Canto general* (1950), compuesta de doscientos treinta y un poemas y más de quince mil versos, es un canto a las Américas, a su naturaleza, a su geografía y a su gente. Lea el siguiente fragmento poniendo atención al uso de las palabras en azul y a la manera como Neruda usa el lenguaje para escribir el poema y transmitir su mensaje.

Paz para los crepúsculos que vienen

Paz para los crepúsculos que vienen,
paz para el puente, paz para el vino,
paz para las letras que me buscan
y que en mi sangre suben enredando
5 el viejo canto con tierra y amores,
paz para la ciudad en la mañana
cuando despierta el pan, paz para el río
Mississippi, río de las raíces:
paz para la camisa de mi hermano,
10 paz en el libro como un sello de aire,
paz para el gran koljós de Kiev[1],
paz para las cenizas de estos muertos
y de estos otros muertos, paz para el hierro
negro de Brooklyn, paz para el cartero
15 de casa en casa como el día,
paz para el coreógrafo que grita
con un embudo a las enredaderas,
paz para mi mano derecha,
que sólo quiere escribir Rosario:
20 paz para el boliviano secreto
como una piedra de estaño, paz
para que tú te cases, paz para todos
los aserraderos del Bío Bío,
paz para el corazón desgarrado
25 de España guerrillera:
paz para el pequeño museo de Wyoming
en donde lo más dulce
es una almohada con un corazón bordado,
paz para el panadero y sus amores
30 y paz para la harina: paz
para todo el trigo que debe nacer,
para todo el amor que buscará follaje,
paz para todos los que viven: paz
para todas las tierras y las aguas.

[1]El koljós de Kiev era una cooperativa de trabajadores agrícolas soviéticos durante los años 40.

Canto general

16 Amplíe su vocabulario 

Según el contexto del poema, mire las palabras de la primera columna y busque su definición o sinónimo en la segunda.

1. crepúsculos
2. enredar
3. embudo
4. enredaderas
5. estaño
6. aserradero
7. follaje

a. metal que se usaba para enlatar comida
b. hojas de los árboles
c. lugar donde se corta madera
d. el atardecer
e. plantas trepadoras
f. instrumento que se usa para poner líquido en una botella, por su forma Neruda lo relaciona con un altavoz
g. complicar algo

17 Para meditar y discutir

Hable con un/a compañero/a sobre estas preguntas relacionadas con la poesía de Pablo Neruda.

1. Neruda escribió *Canto general* en 1950. ¿Piensa Ud. que este poema es aplicable a la situación del mundo de hoy?
2. Neruda buscaba escribir una poesía que todos pudieran entender. ¿Piensa Ud. que el poeta logra ese objetivo en el fragmento que acaba de leer? Dé ejemplos concretos y explíquelos.
3. Neruda dice en el poema que las letras suben en su sangre enredando tierra y amores. ¿Cómo es posible ver en el poema la presencia de un amor concreto? Dé ejemplos concretos y explique.

Valparaíso, Chile donde Pablo Neruda pasó unos años de su vida.

18 Verbos con preposición

¿Cuál es la mejor preposición (*a, con, de, en*) para completar cada oración?

1. Te propongo con que nos acerquemos ___ un evento que hay en esta plaza.
2. Nos dijo la profesora que memorizáramos un poema muy lindo pero un par de estudiantes se quejaron ___ eso.
3. Este semestre Claudio asistirá ___ un curso de literatura.
4. ¿No encuentras el libro? Trata ___ tranquilizarte. Seguro que aparecerá.
5. Marcelo se niega ___ prestar sus libros aunque ya los haya leído.
6. Le pedí una extensión a mi profesor y me la dio porque confía ___ mí.
7. No se me da bien la poesía, pero siempre me esfuerzo ___ hacer un buen trabajo en clase.
8. El chico empezó ___ recitar unos poemas de memoria y no cesó hasta el anochecer.

Cita

Las novelas no las han escrito más que los que son incapaces de vivirlas.
—Alejandro Casona (1903–1965), dramaturgo español

¿Está de acuerdo con lo que dice Alejandro Casona? ¿Por qué habrá hecho Casona un comentario sobre las novelas siendo dramaturgo? ¿Piensa que los novelistas viven su vida pasivamente, a través de sus personajes fascinantes? Cite una novela o algún autor que cumpla el sentimiento de la cita. Comparta sus opiniones y respuestas con un/a compañero/a.

¡Dato curioso!

La película *Il Postino* (El cartero) es una bonita película inspirada en la vida de Neruda en los años 70. La historia es sobre Mario Ruoppolo, un hombre sencillo que acepta un empleo de cartero. Su trabajo consiste en llevar al correo a un único destinatario, el poeta chileno Pablo Neruda, que vive exiliado en un pequeño pueblo italiano. Mario se siente fascinado por la figura de Neruda, y entre los dos hombres irá creciendo una gran amistad profundizada por el amor a la poesía.

La poeta chilena, Gabriela Mistral, recibe el Premio Nobel del Rey Cristián X de Dinamarca en 1945.

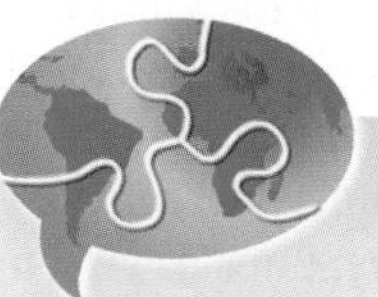

Compare

¿Conoce alguna película o serie de televisión basada en la vida de un escritor? ¿Y en un personaje de una novela famosa? ¿Qué piensa de esta adaptación?

Idioma

19 Familia de palabras

Complete la tabla con el verbo, persona u otro sustantivo, y la traducción correspondiente.

Verbos		Personas		Sustantivos	
________	*to accentuate*	X		la acentuación, ________	*accentuation, accent*
________	________	el/la aprendiz(a)	*apprentice, trainee*	el aprendizaje	________
asesorar	________	el/la asesor(a)	________	________	________
corregir	*to correct*	el/la corrector(a) de pruebas	*proofreader*	la corrección	________
________	*to edit*	el/la editor(a)	________	________	*editorial*
escrutar	________	X		el escrutinio	________
leer	________	________	*reader*	________	________
X		________	*poet*	________, ________	*poem, poetry*
redactar	________	________	*person who writes a draft, editor*	la redacción	________
sentir	________	________	*sentimentalist*	________	*feeling*

20 ¿Verbo, persona u otro sustantivo?

Complete las oraciones usando la forma correcta de las palabras que aparecen en la tabla, ya sea verbo, persona u otro sustantivo. En el caso de ser persona u otro sustantivo puede que necesite artículo.

1. De niña, esta novelista pasaba los días ___ (*leer*) libros de ficción y ___ (*poeta*). De buena ___ (*leer*), pasó a ser una magnífica escritora por su afán de ___ (*lector*) tanto.
2. Además de tener un buen equipo de ___ (*editar*), el escritor tuvo la suerte de tener un buenísimo ___ (*corregir*), quien leyó todas las páginas de su libro.
3. Es dificilísimo ___ (*acento*) un poema para escribirlo en pentámetro yámbico.
4. Muchas biografías no transmiten los verdaderos ___ (*sentir*) de la persona cuya vida se expone.
5. Quiero que tú me ___ (*corregir*) todos los errores que cometo en castellano. ¿De acuerdo?
6. La consejera de la escuela ofrece unas pruebas de ___ (*asesor*) individual y confidencial para conocer las habilidades y los fallos de los estudiantes.
7. Los ___ (*editor*) de algunos periódicos locales son muy liberales y no me gusta leerlos. De vez en cuando, parece que nadie los ___ (*editor*).
8. Se nota que a Luisa le cuesta ___ (*redactar*) informes en inglés. Sus ___ (*redactar*) en español son mucho mejores, pues es su lengua materna.
9. Hay varias teorías sobre ___ (*aprender*). Es muy común que los estudiantes sepan cuáles de las inteligencias múltiples de Howard Gardner los ayudan a ___ (*aprender*).
10. La ___ (*poeta*) de Federico García Lorca incluye colecciones de ___ (*poeta*) como *Romancero gitano* y *Poeta en Nueva York.*
11. Pedro, lee cuidadosamente el trabajo antes de entregárselo a la profesora, porque ya sabes que ella somete todo nuestro trabajo a un ___ (*escrutar*) meticuloso.

Cita

Poesía es la unión de dos palabras que uno nunca supuso que pudieran juntarse, y que forman algo así como un misterio.

—Federico García Lorca (1898–1936), poeta y dramaturgo español

¿Qué le parece esta definición de poesía? ¿Le gusta? ¿Por qué? Escriba otra definición de poesía. Comparta sus opiniones con un/a compañero/a y hable de un poema cuyos elementos cumplen la definición dada por Lorca (o la suya). Hablen también sobre la originalidad necesaria para crear poesía.

¡Dato curioso! Según José Ortega y Gasset, filósofo y ensayista español, el ensayo es "la ciencia sin la prueba explícita". Se reconoce el ensayo como un género didáctico que se escribe con una perspectiva personal incluyendo citas, proverbios, anécdotas y recuerdos personales en un estilo sencillo dirigido al público en general. Algunos ensayistas latinoamericanos de renombre son: José Martí (Cuba), Mario Benedetti (Uruguay) y Octavio Paz (México).

El escritor uruguayo Mario Benedetti

21 Los poetas

Lea el artículo y decida cuál de las palabras entre paréntesis es la correcta para completar cada oración. Después conteste las siguientes preguntas:

- ¿Cuál es el propósito del artículo?
- ¿Cómo resumiría el artículo en una frase?

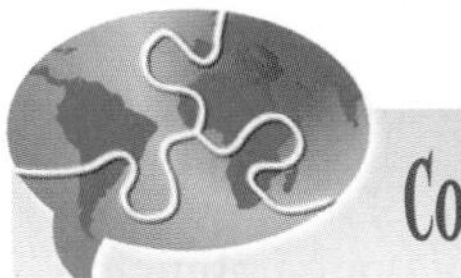

Compare

¿Quién es un poeta popular en su país?

Los poetas mueren jóvenes, según un estudio

Podría ser porque los poetas **1.** (*suelen / soler*) sufrir intensamente y tienen tendencias autodestructivas, pero también podría ser porque muchos poetas alcanzan la fama de jóvenes y sus muertes prematuras llaman mucho la atención, **2.** (*expresaba / expresó*) James Kaufman, del Instituto de Investigación del Aprendizaje de la Universidad Estatal de California en San Bernardino, según informó Reuters. En su investigación, publicada en la revista *Death Studies*, Kaufman estudió **3.** (*1.987 / a 1.987*) escritores que murieron hace varios siglos en Estados Unidos, Europa del Este, China y Turquía, informó IBLNews. Los poetas mueren **4.** (*menores / más jóvenes*) que los novelistas, los dramaturgos y otros escritores, dijo el investigador estadounidense. El científico clasificó a los autores como escritores de ficción, poetas, dramaturgos, ensayistas, historiadores y biógrafos. Pero no estudió las causas de su muerte. "Entre los escritores norteamericanos, chinos y turcos, los poetas murieron mucho más jóvenes que los autores que no **5.** (*escribían / escribieron*) obras de ficción", escribió Kaufman en el estudio. "En toda la muestra, los poetas murieron más jóvenes que todos los escritores, tanto los de ficción como los de no ficción". Como Kaufman estudió a algunos escritores que vivieron hace **6.** (*ciento / cientos*) de años, es posible comparar la edad promedio a **7.** (*ella / la*) que murieron con la de la población general. "Como promedio, los poetas vivieron 62 años, los dramaturgos 63, los novelistas 66 y los escritores de obras que no son de ficción vivieron 68 años", dijo Kaufman en una entrevista por correo electrónico. Kaufman también estudió la incidencia de enfermedades mentales entre los poetas. "Lo que encontré **8.** (*era / fue*) muy consistente con los hallazgos de muerte. Las poetas tenían más tendencia a las enfermedades mentales que **9.** (*cualquiera / cualquier*) otro tipo de escritor o **10.** (*cualquiera / cualquier*) otro tipo de mujer eminente", informó. "He bautizado esto como el Efecto Sylvia Plath", dijo. Sylvia Plath fue **11.** (*un / una*) poeta y novelista que se suicidó en 1963 cuando tenía 30 años.

22 Amplíe su vocabulario

Según el contexto del artículo que acaba de leer, seleccione la mejor definición o sinónimo de cada palabra.

1. autodestructivo
   a. que destruye su carro
   b. que se destruye a sí mismo
   c. que destruye a los demás
   d. que destruye todo
2. muestra
   a. ejemplar
   b. demostración
   c. lista de poetas vivos
   d. lista de poetas muertos
3. promedio
   a. más alto
   b. más bajo
   c. mediano
   d. menos alto
4. incidencia
   a. consecuencia
   b. efecto
   c. influencia
   d. todas las respuestas anteriores
5. hallazgo
   a. descubrimiento
   b. fantasía
   c. suicidio
   d. ninguna de las respuestas anteriores
6. eminente
   a. inferior
   b. a punto de ocurrir
   c. sobresaliente
   d. mediocre

23 El Festival Internacional de Poesía de Medellín 

Lea el artículo y ponga atención al uso del *se* impersonal. Después conteste las siguientes preguntas:

- ¿Cómo resumiría el artículo en una frase?
- Si quisiera consultar otra fuente, ¿podría pensar en un posible título de una publicación?

Como el Festival Internacional de Poesía de Medellín ayudó a transformar a una ciudad conflictiva en una capital mundial para la poesía

Medellín, Colombia, una ciudad una vez conocida por ser el epicentro del tráfico de cocaína, se reinventa como un centro mundial de la palabra viva. El Festival Internacional de Poesía de Medellín fue fundado en 1991, cuando una guerra civil no declarada impregnaba el ambiente. Había una alta tension en la atmósfera anímica de la población y el lenguaje cotidiano entró en un lamentable deterioro, irradiando violencia y malestar.

Sabemos que en los tiempos más difíciles, en los tiempos en que más se atenta contra la vida y la sensibilidad, es cuando brotan con más fuerza las manifestaciones del espíritu. El legado espiritual de una poesía viva al calor de los hechos históricos influyó para que la revista *Prometeo* convocara a la ciudad al Festival Internacional de Poesía de Medellín, llamado *Un Día con la Poesía*, el 28 de abril de 1991.

Los organizadores tenían la visión del Festival de Poesía como una forma de resistencia cultural, un lugar para cultivar la paz y protestar contra la injusticia y el terrorismo, incluyendo el terrorismo de Estado.

Participaron 16 poetas colombianos y asistieron 1.500 personas. Era la manera como los poetas respondían al deterioro del espíritu en la ciudad. Fue una intervención del espacio social con la palabra poética como medio conductor de un ánimo vivificante, en el momento en el que muchos perdían la vida absurdamente.

Durante los últimos veintiún años el Festival se ha consolidado como el mayor de su clase en el mundo. Desde su inicio, más de 1.000 poetas de 159 naciones han visitado a Colombia, donde más de 1.200 lecturas de poesía se han celebrado en 32 ciudades del país. El Festival recibió el Right Livelihood Award, conocido como el "Premio Nobel Alternativo".

24 Vocabulario en contexto 

Trate de explicar el significado de las expresiones en azul por el contexto del artículo. Luego escriba una frase original con cada una de ellas.

Compare

¿Puede pensar en un evento en EE.UU. similar al Festival Internacional de Poesía de Medellín desde el que se luche por una vida mejor? Compárelo con el de Medellín.

¡Dato curioso! El Festival de Poesía de Medellín se galardonó con el llamado Premio Nobel Alternativo. Este premio sueco se entrega a personas e instituciones que en el mundo cumplen una labor social destacada en sus comunidades. Fue creado en 1980 por el escritor eurodiputado sueco-alemán Jakob von Uexkull para dar cabida a propuestas valiosas que son ignoradas por los premios Nobel.

25 Las rimas de Gustavo Adolfo Bécquer 

¿Cuál de estas rimas de Gustavo Adolfo Bécquer es su favorita? Compárelas con otro poeta romántico al que admire. Busque videos o podcasts en Internet donde lean alguna de sus poesías. Elija su favorita y compártala con sus compañeros/as. Si se atreve, haga su propio mini-video leyendo una de sus rimas con imágenes y fotos de fondo.

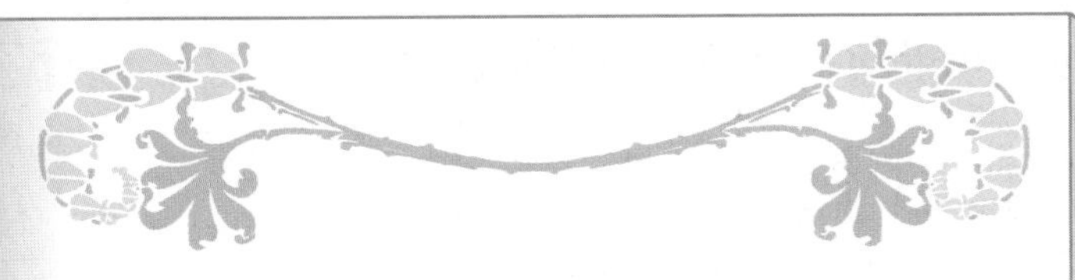

RIMA XXI
¿Qué es poesía?, dices mientras clavas
En mi pupila tu pupila azul.
¿Qué es poesía?, ¿Qué es poesía?, dices mientras clavas
En mi pupila tu pupila azul.
5 ¿Qué es poesía?, ¿Y tú me lo preguntas?
Poesía. . .eres tú.

RIMA XXIII
Por una mirada, un mundo,
por una sonrisa, un cielo,
por un beso. . .¡yo no sé
que te diera por un beso!

RIMA XXX
Asomaba a sus ojos una lágrima
y a mi labio una frase de perdón;
habló el orgullo y se enjugó su llanto,
y la frase en mis labios expiró.

5 Yo voy por un camino; ella, por otro;
pero, al pensar en nuestro mutuo amor,
yo digo aún:-¿Por qué callé aquel día?
Y ella dirá:-¿Por qué no lloré yo?

Cita

De adolescente, alguna que otra vez terminé dormida con un libro de rimas de Bécquer bajo mi almohada, suspirando por algún amor - unas veces correspondido, otras no.
- Carmen Herrera, profesora y autora de *¡A toda vela!*

 Comente esta cita con un compañero/a.

26 La España de Miguel de Unamuno 

Lea el siguiente artículo poniendo especial atención a los cognados y al uso de los diferentes tiempos verbales. Después conteste las siguientes preguntas:

- ¿Cuál es el propósito del artículo?
- ¿Cómo resumiría el artículo en tres frases?
- Si quisiera consultar otra fuente, ¿podría pensar en un posible título de una publicación?
- ¿Qué pregunta sería apropiada para hacerle al autor después de leer el artículo?

La España de Miguel de Unamuno y su influencia en la obra de este autor

Las ideas racionalistas de la Revolución Francesa transformaron a Europa de una manera radical. Esta transformación tocó todos los niveles de la vida. Sin embargo, fue verdaderamente a partir de la segunda mitad del siglo XIX cuando artistas e intelectuales empezaron a contemplar las diferentes posibilidades y respuestas 5 que ofrecía el mundo moderno a las preguntas esenciales de ¿quiénes somos? y ¿hacia dónde vamos? que antes había contestado la religión. Este proceso se llama secularización.

España, un país de tradición y religiosidad extremadamente profundas no podía aceptar las innovaciones racionalistas y se opuso a ellas con una desesperada 10 resistencia, lo que no pasó en otros países de Europa. Miguel de Unamuno vivió en toda su intensidad el drama del proceso secularizador español y lo proyectó, tal como lo vivió y lo sintió, en sus creaciones literarias. El problema nacional se le convirtió a Unamuno en un problema íntimo. Por eso se dice que Unamuno es producto e intérprete de su tiempo.

15 En 1898 terminó la rebelión de Cuba que había durado más de diez años y uno de cuyos resultados fue la guerra con los Estados Unidos, en la que España perdió sus últimas colonias. El "Desastre", como lo llaman los españoles, puso de manifiesto la impotencia del país y la artificialidad de un sistema político que había venido ocultando la crisis detrás de una fachada de patriotismo retórico. Esta fue la 20 manifestación más evidente del conflicto entre las dos Españas, situación que agudizó el descontento de la juventud intelectual. Se produjo una fuerte crítica contra los valores de la España oficial cuyo pasado de grandeza imperial estaba definitivamente muerto. Se empezó entonces a buscar cuál era el verdadero carácter español y se intentó darle soluciones a sus debilidades. Todos los intelectuales empezaron a buscar 25 la "europeización" de España pero más tarde abandonaron esa tendencia porque pensaban que el espíritu tradicional era más valioso para España que uno importado. Ese grupo fue la "Generación del 98" al cual pertenecen Unamuno, Azorín, Pío Baroja, Valle-Inclán y Antonio Machado, entre los principales. Unamuno es considerado el "padre" de ese grupo.

30 Si ponemos atención al hecho de que la vida de Unamuno transcurrió entre dos guerras civiles, la carlista (1872-75) y la guerra civil española (1936-39), podemos ver que su vida espiritual de constante lucha y agonía es reflejo de las circunstancias que la rodean. En un escritor como Unamuno, cuya obra y pensamiento están tan íntimamente ligados, las contradicciones que caracterizan su vida dan a su obra un 35 carácter obsesivo, contradictorio y cambiante donde la única constante es la muerte.

27 Amplíe su vocabulario

Haga una lista de los cognados que aparecen en la lectura anterior y escriba una frase original con cada uno.

28 Gustavo Adolfo Bécquer

Responda al siguiente correo electrónico. Incluya al menos una referencia a dos de los poemas de Gustavo Adolfo Bécquer.

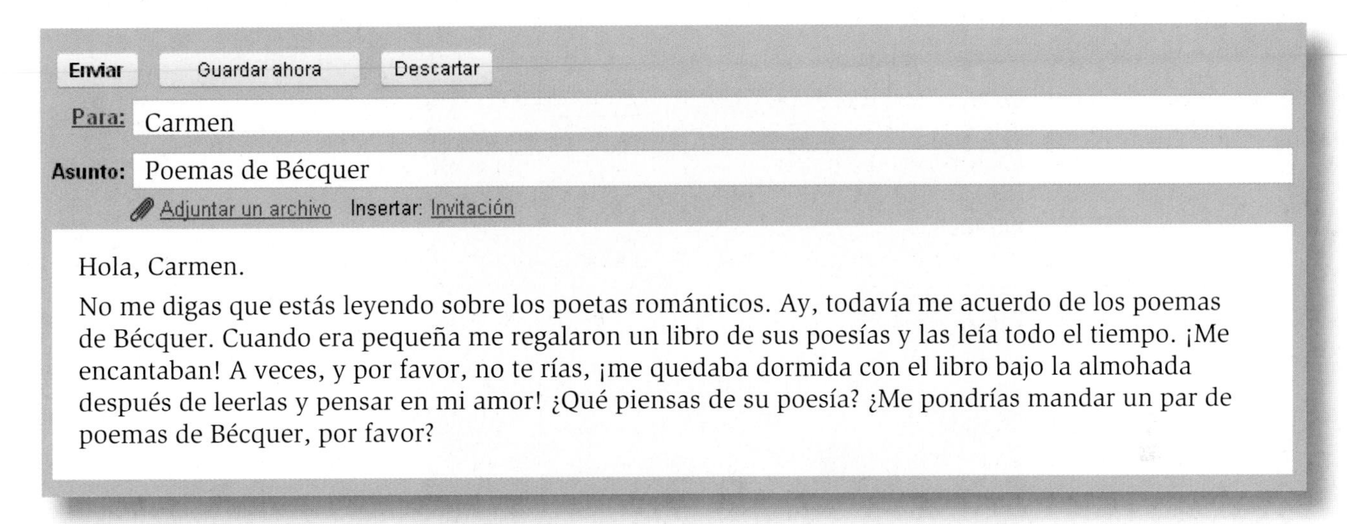

Enviar
Guardar ahora
Descartar
Para: Carmen
Asunto: Poemas de Bécquer
Adjuntar un archivo Insertar: Invitación
Hola, Carmen.
No me digas que estás leyendo sobre los poetas románticos. Ay, todavía me acuerdo de los poemas de Bécquer. Cuando era pequeña me regalaron un libro de sus poesías y las leía todo el tiempo. ¡Me encantaban! A veces, y por favor, no te rías, ¡me quedaba dormida con el libro bajo la almohada después de leerlas y pensar en mi amor! ¿Qué piensas de su poesía? ¿Me pondrías mandar un par de poemas de Bécquer, por favor?

Cita

- *La poesía es el sentimiento que le sobra al corazón y te sale por la mano.*
  —Carmen Conde (1907-1996), escritora española
- *El año que es abundante de poesía, suele serlo de hambre.*
  —Miguel de Cervantes Saavedra (1547-1616), escritor español
- *La poesía no quiere adeptos, quiere amantes.*
  —Federico García Lorca (1898-1936), poeta y dramaturgo español
- *Al contacto del amor todo el mundo se vuelve poeta.*
  —Platón (427 a. de J.C.-347 a. de J.C.), filósofo griego
- *El poeta es un mentiroso que siempre dice la verdad.*
  —Jean Cocteau (1889-1963), escritor, pintor, coreógrafo francés
- *El poeta ve lo poético aun en las cosas más cotidianas.*
  —Olga Orozco (1920-1999), poetisa argentina
- *En el fondo, un poema no es algo que se ve, sino la luz que nos permite ver. Y lo que vemos es vida.*
  —Robert Penn Warren (1905-1989), novelista, poeta, crítico literario estadounidense
- *El amor es la poesía de los sentidos. Pero hay poesías malísimas.*
  —Antonio Gala (1930-), dramaturgo, poeta, novelista español

Elija su cita preferida. Comparta su elección con un compañero/a.

29 Para discutir en clase 

Responda las siguientes preguntas e intercambie sus ideas con el resto de la clase. Trate de usar ideas y vocabulario del artículo en la Actividad 26.

1. ¿Qué es secularización?
2. ¿Por qué tienen problemas los españoles con la secularización?
3. ¿Cuál es la reacción de los jóvenes intelectuales?
4. ¿Qué creían los escritores de la "Generación del 98"?
5. ¿Qué estimula el pensamiento de Unamuno y cómo se manifiesta en sus obras?

Miguel de Unamuno

¡A leer!

30 Poema de Unamuno 

Lea el siguiente poema de Miguel de Unamuno poniendo atención a las palabras y expresiones en azul. Ponga cuidado a cómo se presentan las ideas de Unamuno en este poema.

Razón y fe

Levanta de la fe el blanco estandarte
sobre el polvo que cubre la batalla
mientras la ciencia parlotea, y calla
y oye sabiduría y obra el arte.

5 Hay que vivir y fuerza es esforzarte
a pelear contra la vil canalla
que se anima al restalle de la tralla,
y ¡hay que morir! Exclama. Pon tu parte

y la de Dios espera, que abomina
10 del que cede. Tu ensangrentada huella
por los mortales campos encamina

hacia el fulgor de tu eterna estrella;
hay que ganar la vida que no fina,
con razón, sin razón o contra ella.

31 Amplíe su vocabulario 

Según el contexto del poema, mire las palabras de la primera columna y busque su definición o sinónimo en la segunda.

1. estandarte
2. parlotea
3. sabiduría
4. fuerza es esforzarte
5. la vil canalla
6. restalle de la tralla
7. abomina del que cede
8. huella
9. que no fina

a. habla sin sentido
b. bandera que se usa en las batallas
c. persona muy mala
d. que no tiene fin
e. no le gustan las personas débiles
f. conocimiento profundo que se adquiere a través del estudio y la experiencia
g. señal que deja en la tierra una persona cuando pisa
h. el sonido que produce la correa con que se aviva o castiga a las bestias y que se usaba para castigar a los esclavos
i. que es importante poner la energía en algo

Cita

Nunca releo mis libros, porque me da miedo.

–Gabriel García Márquez (1927–), escritor colombiano

¿Por qué habrá hecho este comentario García Márquez? ¿Qué cree que pasaría si los autores volvieran a leer sus obras después de publicarlas? Comparta sus opiniones con un/a compañero/a.

Un editorial es un género periodístico que consiste en un texto que explica, valora y juzga un hecho noticioso actual de especial importancia. Los editoriales suelen ser sobre la política, la injusticia y las tendencias de la cultura popular.

32 Para ayudar a la comprensión del poema

Según el poema que acaba de leer, escoja la mejor respuesta para cada enunciado.

1. El poema usa mandatos para darle énfasis a las ideas. En la primera estrofa el poeta dice: "Levanta de la fe el blanco estandarte . . . Mientras la ciencia parlotea". Estos versos hacen referencia a:
   a. La guerra
   b. La secularización
   c. La fe nos ayuda cuando no entendemos
   d. La ciencia es importante
2. "Hay que vivir y fuerza es esforzarte / a pelear contra la vil canalla / que se anima al restalle de la tralla" se refiere a:
   a. El esfuerzo es importante en la vida.
   b. La ignorancia nos hace esclavos y es necesario aprender en la vida para evitarla.
   c. Hay que pelear contra los ignorantes.
   d. La tralla anima a la gente.
3. "Pon tu parte / y la de Dios espera, que abomina / del que cede" implica que:
   a. La fe es importante y no podemos perderla.
   b. Ceder es una virtud.
   c. Dios nos espera.
   d. Todos somos parte de la creación.
4. "Hay que ganar la vida que no fina / con razón, sin razón o contra ella" indica que Unamuno cree que:
   a. La razón es importante.
   b. La fe nos garantiza la posibilidad de la vida eterna aunque racionalismo diga lo contrario.
   c. La vida no termina.
   d. Es importante tener razón.

33 ¿Qué piensa Ud.?

¿Qué opina Ud. de las ideas que Unamuno presenta en el poema? ¿Cómo representa el poema las contradicciones de España durante la época de Unamuno? ¿Puede Ud. pensar en un poeta que represente las contradicciones de nuestro tiempo en los Estados Unidos o en el mundo?

Monumento de Miguel de Unamuno
Salamanca, España

34 Poeta en Nueva York 

La visita de Federico García Lorca a Nueva York en 1929 coincidió con la caída de la bolsa (*stock market crash*), lo que le impresionó profundamente. Como el poeta estaba viviendo en una sala de las residencias de estudiantes de la Universidad de Columbia que queda muy cerca de Harlem, visitaba con frecuencia los famosos bares de jazz y estaba fascinado por la música y la cultura del lugar. Los siguientes dos fragmentos de diferentes secciones de su libro *Poeta en Nueva York* son una muestra evidente de lo que vio García Lorca en la ciudad. Lea con atención los fragmentos poniendo atención a las palabras en azul y a la manera como el poeta presenta sus ideas.

El rey de Harlem

¡Ay Harlem! ¡Ay Harlem! ¡Ay Harlem!
No hay angustia comparable a tus ojos oprimidos,
a tu sangre estremecida dentro del eclipse oscuro,
a tu violencia granate sordomuda en la penumbra,
a tu gran rey prisionero con un traje de conserje.

Oda a Walt Whitman

Nueva York de cieno,
Nueva York de alambres y de muerte.
¿Qué ángel llevas oculto en la mejilla?
¿Qué voz perfecta dirá las verdades de trigo?
5 ¿Quién el sueño terrible de tus anémonas manchadas?
. . . .
Y tú, bello Walt Whitman, duerme a orillas del Hudson
con la barba hacia el polo y las manos abiertas.
Arcilla blanda o nieve, tu lengua está llamando
10 camaradas que velen tu gacela sin cuerpo.
Duerme, no queda nada.
Una danza de muros agita las praderas
y América se aniega de máquinas y llanto.
Quiero que el aire fuerte de la noche más honda
15 quite flores y letras del arco donde duermes
y un niño negro anuncie a los blancos del oro
la llegada del reino de la espiga.

35 Amplíe su vocabulario

Según el contexto del poema, mire las palabras de la primera columna y busque su definición o sinónimo en la segunda.

1. estremecida
2. sordomuda
3. penumbra
4. conserje
5. cieno
6. alambre
7. anémonas
8. manchadas
9. arcilla
10. gacela
11. praderas
12. se aniega
13. llanto
14. espiga

a. flores blancas que crecen en otoño
b. pantano, mezcla de tierra y agua
c. sucias
d. animal mamífero de la familia del venado, tiene mucha gracia
e. grandes extensiones de tierra donde crece la hierba; no hay montañas
f. la flor del trigo de cuya semilla se hace el pan
g. se llena
h. oscuridad
i. que no puede oír ni hablar
j. portero de un hotel o edificio residencial
k. que tiembla
l. hilo de metal
m. material del que se fabrica la cerámica
n. derramar lágrimas, llorar

36 Análisis de contenido: para reflexionar y compartir con la clase

Con un compañero/a lean los fragmentos y usen los comentarios y preguntas a continuación como guía de análisis. Comparten sus ideas con la clase.

1. El fragmento de "El rey de Harlem" hace alusión a los problemas raciales que Federico García Lorca observó en su visita a Nueva York. Explique cómo expresa el poeta sus ideas. ¿Piensa Ud. que este poema tiene resonancia hoy en día?
2. Lea "Dato curioso". En el fragmento de "Oda a Walt Whitman", García Lorca ve al poeta Walt Whitman como representación de lo natural sobre lo artificial representado por la ciudad de Nueva York. Relea el fragmento e identifique dónde y cómo expresa el poeta esa disparidad.
3. Los versos "Una danza de muros agita las praderas / y América se aniega de máquinas y llanto" y "y un niño negro anuncie a los blancos del oro la llegada del reino de la espiga" son claras representaciones de las ideas de Whitman y cómo García Lorca las asimiló. Los "blancos del oro" representan la bolsa de Nueva York y cómo García Lorca veía en la simplicidad de la vida de Harlem la respuesta a los problemas que la acumulación de capital traía. Relea el fragmento y haga un paralelo entre las ideas de García Lorca y las de Whitman.
4. ¿Cree Ud. que el mensaje de García Lorca tiene relevancia en la realidad contemporánea? Explique.

Walt Whitman

¡Dato curioso! Walt Whitman fue un poeta y periodista nacido en Long Island, N.Y. Uno de los poetas más importantes de los Estados Unidos, ha sido llamado el padre del verso libre. Whitman creía en que había una profunda simbiosis entre el poeta y la sociedad. Su obra más conocida, *Leaves of Grass,* es una respuesta al impacto de la urbanización sobre la gente.

37 Antes de leer

Ud. está aprendiendo mucho, ¿pero ha pensado alguna vez en cómo aprende? ¿Recuerda cómo aprendió a leer y escribir? ¿Cómo lo hizo? ¿Qué método le parece el mejor para enseñar a un niño a leer y escribir?

38 El rol de la imaginación

Lea con atención el siguiente artículo. Después conteste las siguientes preguntas:

- ¿Cuál es el propósito del artículo?
- ¿Cómo resumiría el artículo en dos frases?
- Si quisiera consultar otra fuente, ¿podría pensar en un posible título de una publicación?
- ¿Qué pregunta sería apropiada para hacerle al autor después de leer el artículo?

Para aprender se necesita imaginar

El doctor Allan Paivio explica la teoría que destaca la importancia de las imágenes para la adquisición de habilidades de lectura y escritura.

Junto con su colega Mark Sadoski, el doctor Allan Paivio es el autor de un libro de nombre complicado: *A Dual Coding Theory of Reading and Writing.* En español simple, el libro dice sencillamente que el aprendizaje se da por dos vías: las imágenes y las palabras, y que mientras más fuertes son las primeras, más fácilmente se incorporan las segundas. De ahí que sea altamente recomendable no solamente enseñarles a los niños a repetir palabras, sino proporcionarles imágenes y experiencias de aprendizaje. "La inteligencia a través de imágenes es anterior al lenguaje", dice Paivio, en un descanso de una conferencia reciente sobre problemas de aprendizaje realizada en Anaheim. El profesor retirado de la Universidad de Ontario considera que cuando hay una buena cantidad de imágenes almacenadas en la memoria, el aprendizaje del lenguaje es más eficiente. De esta manera, si un estudiante es llevado con frecuencia a museos, galerías, parques, desfiles, conciertos, edificios públicos... el aprendizaje del lenguaje vinculado a esos temas será más marcado. "De niño tuve mucha libertad para aprender", dice Paivio, "no estuve en una escuela muy restringida. Me gustaba dibujar y jugar. Sin embargo, me hubiera gustado tener más experiencias de aprendizaje". En ese tiempo la televisión no estaba muy desarrollada, y los libros no tenían la cantidad y calidad de ilustraciones que ahora tienen. Aun así, Paivio no ve ninguna de las dos cosas como un problema en sí. "Es un problema si sólo obtienen información de la televisión", dice el investigador. "Pero si hay un buen equilibrio con la lectura, pueden reforzar el aprendizaje". En cuanto a los libros para niños, que según algunos expertos mientras menos imágenes tengan mejor, Paivio cree en lo opuesto: "Debe haber imágenes en los libros para niños". **(A)**

¿Cómo aprendió usted?

El capítulo "*Imagery and Text*", del libro de Sadoski y Paivio, lo dedican a tratar de entender cómo se ha enseñado a leer y escribir en tiempos pasados, para luego proponer cómo se debería hacer. De manera muy resumida éstas son algunas de las formas: griegos y romanos pensaban que la memoria funcionaba mejor si se visualizaban lugares, si se usaba la poesía y el lenguaje hablado para retener datos. En la Edad Media se usaba la meditación y los manuscritos iluminados para hacer la lectura más memorable. En el Renacimiento y la Reforma hubo dos tendencias: una de Dante, para recordar mediante la literatura, y otra la de la tradición protestante, para enfatizar más las representaciones verbales. Posteriormente, pasando por diferentes etapas, hasta nuestros días se ha ensayado el uso de alfabetos, silabarios, cuadernos de escritura, tarjetas de memorización, lectura en silencio, lectura en voz alta, uso de maquetas... ¿Recuerda

continúa

usted cuando la maestra le pedía que trajera de su casa un pomo con algodón húmedo y una semilla? ¿O cuando pasaba al frente del salón de clases a leer en voz alta...? Bueno, todo esto estaba sustentado
30 en alguna de esas teorías. (B) Ahora bien, lo que pretenden Paivio y Sadoski es integrar todo esto en la llamada "Teoría dual", en la que el aprendizaje sea abundante tanto en imágenes como en palabras. No solamente imágenes reales, sino imágenes descritas en los textos: el payaso traía una nariz de pelota roja y unos zapatos grandísimos... Esto puede servir a maestros y padres de familia por igual.

Lea, vea, pregunte...

Imagínese que usted lleva a su hijo al Museo de Historia Natural. Están ahí, frente al esqueleto de un
35 enorme dinosaurio o de un tigre dientes de sable. Luego, cuando llegan a su casa, mientras comen un buen filete de pescado conversan sobre lo que vieron. Usted le pregunta por qué cree que algunos animales se hicieron más pequeños o cómo se imagina que vivían los lagartos de aquel tiempo. (C) Finalmente, le pide que le escriba a un primo una cartita sobre lo que vio, o que anote en su diario algo de esa experiencia. Con eso, usted habrá usado muchos de los métodos de aprendizaje que se han discutido arriba y facilitará el
40 entendimiento de algunas palabras como *evolución*. Esto es lo que pretende la teoría de Paivio y Sadoski. "Esta teoría puede ser vista como un paso importante para resolver el antiguo pleito entre quienes creen más en el uso ya sea de imágenes o palabras como forma de aprender e integrar el lenguaje. Algo que se ha dado desde la antigüedad", destacan en su libro los investigadores. Para una explicación más profunda, ellos llaman *logogens* a aquellas "unidades" de palabras que "jalan" de la memoria un recuerdo. (D) En
45 cambio, *imagens* son las "representaciones no verbales" que hacen lo mismo. Usted no tiene que romperse la cabeza tratando de entender a fondo esto. Baste un ejemplo: una luz roja indica peligro (*imagens*) lo mismo que la palabra "peligro" (*logogens*).

Ejercicios que le servirán

La forma de crear imágenes para apoyar la adquisición del lenguaje es diversa. Va desde una visita a un museo hasta la apreciación de una película o una lectura ayudada con una conversación.

50 Estas son algunas ideas que usted podría poner en práctica con sus hijos:

- Llévelos a conocer lugares nuevos de la ciudad y luego pregúnteles qué fue lo que más les impresionó, qué les gustó, por qué, qué cosas hubieran hecho diferente...
- Cualquier momento es bueno para hablar de lo que han observado sus hijos a lo largo del día.
- Después de la lectura de un libro o un texto de una revista, pregúnteles cómo eran los personajes de
55 la historia, de qué se trata, cómo se imaginan ellos qué ocurrió.
- Converse en cualquier momento sobre las cosas cotidianas que les suceden, poniendo mayor atención en las cualidades (color, tamaño, forma...).
- Muéstrele fotografías y material audiovisual de cosas que luego podrían estudiar en la escuela.
- Además de dar consejos, usted póngase de ejemplo. Ofrézcales imágenes de alguien que lee libros
60 cotidianamente. Platíqueles de lo que está leyendo.
- Desde muy pequeños, ponga en las manos de sus hijos libros con ilustraciones, aunque no sepan leer.
- Sintonice canales que le ofrezcan diversidad de imágenes del mundo y de actividades humanas, antes que de violencia y destrucción.
- 65 Estimule la escritura de diarios personales (las vacaciones son una buena oportunidad).

www.laopinion.com

39 Amplíe su vocabulario

Empareje cada palabra de las dos primeras columnas con su definición o sinónimo en la segunda.

1. aprendizaje
2. almacenado
3. restringido
4. proponer
5. retener datos
6. maqueta
7. pomo
8. sustentado
9. payaso
10. lagarto
11. pleito
12. tratarse
13. cotidiano
14. platicar
15. sintonizar

a. modelo
b. limitado
c. actor cómico
d. controversia
e. proyectar
f. de cada día
g. escoger
h. acto de aprender
i. mantenido
j. acumulado
k. charlar
l. recordar hechos
m. especie de reptil
n. referirse
o. vaso

40 ¿Ha comprendido?

1. Según los autores Sadoski y Paivio, ¿cuáles son dos actividades que se benefician de usar su imaginación?
   a. Conversar y leer
   b. Conversar y escribir
   c. Leer y escribir
   d. Conversar y aprender
2. ¿De dónde vienen esas imágenes de las cuales hablan los autores?
   a. De las visitas a los museos
   b. De los festejos
   c. De las funciones musicales
   d. Todas las respuestas anteriores
3. Según Paivio, ¿por qué puede ser la televisión un obstáculo a este proceso?
   a. Es problema si es la única fuente de imágenes.
   b. Es problema porque es una actividad muy pasiva.
   c. No es problema para algunos niños.
   d. Es problema porque hay demasiadas imágenes.
4. ¿Qué explica lo siguiente?: "En cuanto a los libros para niños, que según algunos expertos mientras menos imágenes tengan mejor, Paivio cree en lo opuesto: 'Debe haber imágenes en los libros para niños'".
   a. Paivio no cree en el valor de las imágenes; algunos expertos creen que los libros deben tener una gran cantidad de imágenes.
   b. Algunos expertos no creen en el valor de las imágenes; Paivio cree que los libros deben tener una gran cantidad de imágenes.
   c. Paivio cree en el valor de las imágenes; algunos expertos creen que los libros no deben tener una gran cantidad de imágenes.
   d. Las respuestas b y c
5. ¿A quién se le atribuye esta teoría de aprendizaje: fijar las imágenes después de reflexionar y leer los documentos con muchas ilustraciones religiosas?
   a. A los griegos y los romanos
   b. A los sabios del Renacimiento y de la Reforma
   c. A los sabios de la Edad Media
   d. A los sabios contemporáneos

6. ¿A quién se le atribuye esta teoría de aprendizaje: estimular su capacidad de recordar con poemas y con la conversación?
   a. A los griegos y los romanos
   b. A los sabios del Renacimiento y de la Reforma
   c. A los sabios de la Edad Media
   d. A los sabios contemporáneos
7. ¿A quién se le atribuye esta teoría de aprendizaje: aprender el abecedario, leer en clase, leer enfrente de los demás y usar muchos modelos?
   a. A los griegos y los romanos
   b. A los sabios del Renacimiento y de la Reforma
   c. A los sabios de la Edad Media
   d. A los sabios contemporáneos
8. ¿Para qué usó el autor el ejemplo de la visita al Museo de Historia Natural?
   a. Para ilustrar los defectos de la teoría de los sabios contemporáneos
   b. Para ilustrar su teoría dual
   c. Para dar un ejemplo práctico de los defectos de la teoría de los sabios contemporáneos
   d. Las respuestas b y c
9. Según el autor, ¿de qué deben hablar los adultos y los niños en sus conversaciones?
   a. De los detalles de un libro que ha leído el niño
   b. De los libros que ha leído el adulto
   c. De los eventos del día
   d. Todas las respuestas anteriores
10. ¿Cuál es un sinónimo de *dar consejos*?
    a. Asesorar
    b. Avisar
    c. Recomendar
    d. Todas las respuestas anteriores

41 ¿Cuál es la pregunta? 

Según el artículo que acaba de leer, escriba una pregunta lógica para estas respuestas.

1. El aprendizaje se da por dos vías: las imágenes y las palabras.
2. Repetir palabras y proporcionarles imágenes y experiencias de aprendizaje
3. El aprendizaje del lenguaje es más eficiente.
4. Silabarios
5. Un diario
6. Integrar el lenguaje
7. Son el color, el tamaño, y la forma.

42 ¿Qué piensa Ud.?

¿Qué opina de la influencia de la televisión sobre el aprendizaje del lenguaje? Cite ejemplos de la buena y la mala influencia de la televisión en el aprendizaje de la escritura y de la lectura.

43 ¿Dónde va? 

La siguiente oración ha sido extraída de la lectura anterior: *Así, le hace pensar en lo que ha visto hoy durante la visita*. ¿Dónde encajaría mejor esta oración?

1. Posición A, línea 18
2. Posición B, línea 30
3. Posición C, línea 37
4. Posición D, línea 44

44 Juan Rulfo 

Lea el artículo y decida cuál de las palabras entre paréntesis es la correcta para completar cada oración. Después piense en una pregunta apropiada para hacerle al autor.

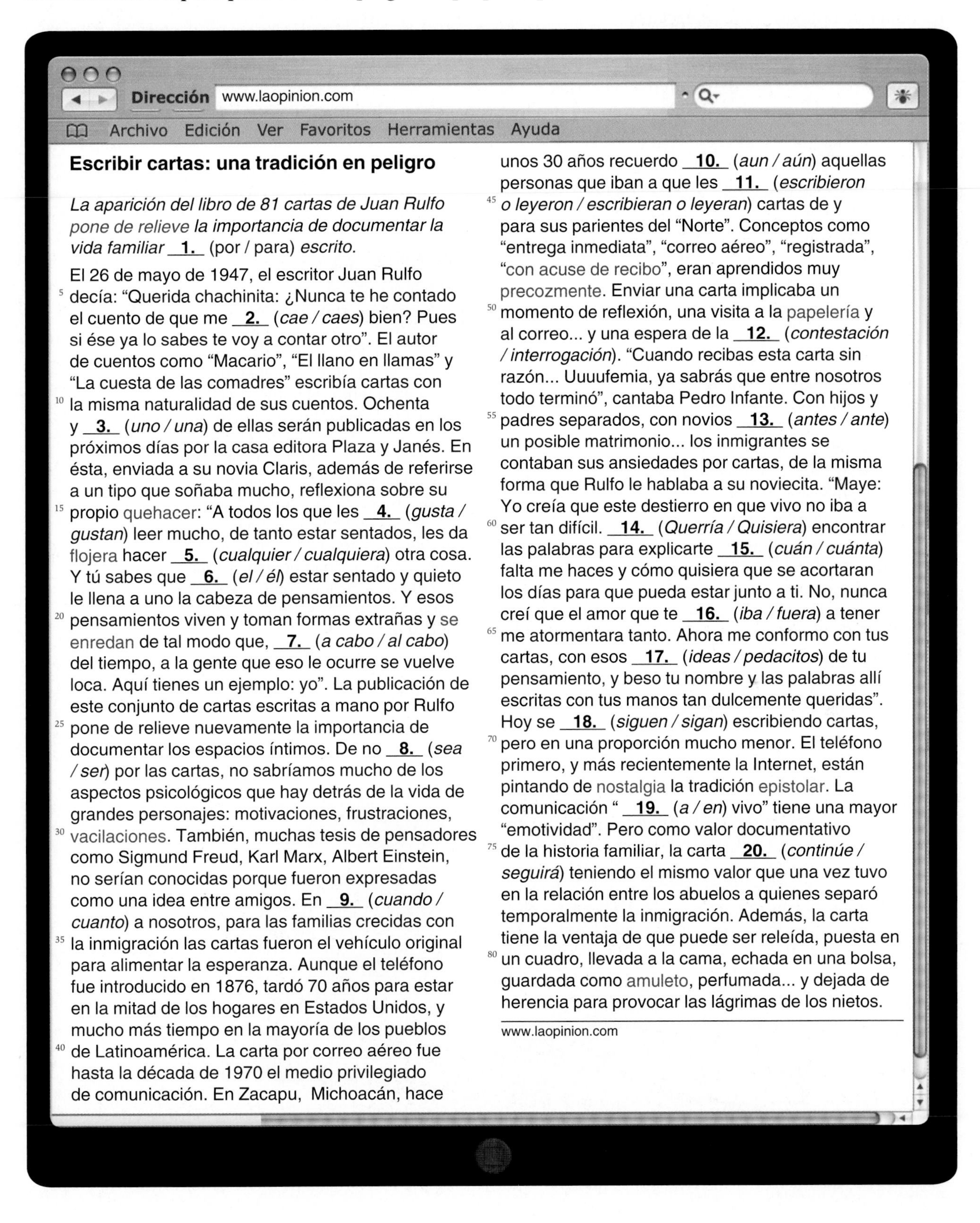

Escribir cartas: una tradición en peligro

La aparición del libro de 81 cartas de Juan Rulfo pone de relieve la importancia de documentar la vida familiar ___1.___ (por / para) *escrito.*

El 26 de mayo de 1947, el escritor Juan Rulfo decía: "Querida chachinita: ¿Nunca te he contado el cuento de que me ___2.___ (*cae / caes*) bien? Pues si ése ya lo sabes te voy a contar otro". El autor de cuentos como "Macario", "El llano en llamas" y "La cuesta de las comadres" escribía cartas con la misma naturalidad de sus cuentos. Ochenta y ___3.___ (*uno / una*) de ellas serán publicadas en los próximos días por la casa editora Plaza y Janés. En ésta, enviada a su novia Claris, además de referirse a un tipo que soñaba mucho, reflexiona sobre su propio quehacer: "A todos los que les ___4.___ (*gusta / gustan*) leer mucho, de tanto estar sentados, les da flojera hacer ___5.___ (*cualquier / cualquiera*) otra cosa. Y tú sabes que ___6.___ (*el / él*) estar sentado y quieto le llena a uno la cabeza de pensamientos. Y esos pensamientos viven y toman formas extrañas y se enredan de tal modo que, ___7.___ (*a cabo / al cabo*) del tiempo, a la gente que eso le ocurre se vuelve loca. Aquí tienes un ejemplo: yo". La publicación de este conjunto de cartas escritas a mano por Rulfo pone de relieve nuevamente la importancia de documentar los espacios íntimos. De no ___8.___ (*sea / ser*) por las cartas, no sabríamos mucho de los aspectos psicológicos que hay detrás de la vida de grandes personajes: motivaciones, frustraciones, vacilaciones. También, muchas tesis de pensadores como Sigmund Freud, Karl Marx, Albert Einstein, no serían conocidas porque fueron expresadas como una idea entre amigos. En ___9.___ (*cuando / cuanto*) a nosotros, para las familias crecidas con la inmigración las cartas fueron el vehículo original para alimentar la esperanza. Aunque el teléfono fue introducido en 1876, tardó 70 años para estar en la mitad de los hogares en Estados Unidos, y mucho más tiempo en la mayoría de los pueblos de Latinoamérica. La carta por correo aéreo fue hasta la década de 1970 el medio privilegiado de comunicación. En Zacapu, Michoacán, hace unos 30 años recuerdo ___10.___ (*aun / aún*) aquellas personas que iban a que les ___11.___ (*escribieron o leyeron / escribieran o leyeran*) cartas de y para sus parientes del "Norte". Conceptos como "entrega inmediata", "correo aéreo", "registrada", "con acuse de recibo", eran aprendidos muy precozmente. Enviar una carta implicaba un momento de reflexión, una visita a la papelería y al correo... y una espera de la ___12.___ (*contestación / interrogación*). "Cuando recibas esta carta sin razón... Uuuufemia, ya sabrás que entre nosotros todo terminó", cantaba Pedro Infante. Con hijos y padres separados, con novios ___13.___ (*antes / ante*) un posible matrimonio... los inmigrantes se contaban sus ansiedades por cartas, de la misma forma que Rulfo le hablaba a su noviecita. "Maye: Yo creía que este destierro en que vivo no iba a ser tan difícil. ___14.___ (*Querría / Quisiera*) encontrar las palabras para explicarte ___15.___ (*cuán / cuánta*) falta me haces y cómo quisiera que se acortaran los días para que pueda estar junto a ti. No, nunca creí que el amor que te ___16.___ (*iba / fuera*) a tener me atormentara tanto. Ahora me conformo con tus cartas, con esos ___17.___ (*ideas / pedacitos*) de tu pensamiento, y beso tu nombre y las palabras allí escritas con tus manos tan dulcemente queridas". Hoy se ___18.___ (*siguen / sigan*) escribiendo cartas, pero en una proporción mucho menor. El teléfono primero, y más recientemente la Internet, están pintando de nostalgia la tradición epistolar. La comunicación " ___19.___ (*a / en*) vivo" tiene una mayor "emotividad". Pero como valor documentativo de la historia familiar, la carta ___20.___ (*continúe / seguirá*) teniendo el mismo valor que una vez tuvo en la relación entre los abuelos a quienes separó temporalmente la inmigración. Además, la carta tiene la ventaja de que puede ser releída, puesta en un cuadro, llevada a la cama, echada en una bolsa, guardada como amuleto, perfumada... y dejada de herencia para provocar las lágrimas de los nietos.

www.laopinion.com

45 Amplíe su vocabulario

Mire las palabras de la primera columna, que aparecen en la lectura anterior, y busque su definición o sinónimo en la segunda.

1. poner de relieve	a. mezclarse
2. quehacer	b. temprano y prematuro
3. flojera	c. reliquia
4. enredarse	d. relativo a las cartas
5. vacilación	e. donde se venden productos para escribir cartas
6. con acuse de recibo	f. elevar la importancia
7. precozmente	g. debilidad
8. papelería	h. recuerdos del pasado
9. nostalgia	i. deber
10. epistolar	j. certificado
11. amuleto	k. indecisión

Cita

Los jóvenes de hoy no parecen tener respeto alguno por el pasado ni esperanza alguna por el porvenir.

—Hipócrates (460–377 a. de J. C.), médico griego, llamado "el padre de la medicina moderna"

¿Piensa que los adultos siempre han opinado igual de los jóvenes? ¿Cree que tienen razón? ¿Piensa que cuando eran jóvenes actuaban de forma diferente? ¿A qué se debe? Comparta su opinión con un/a compañero/a.

¡Dato curioso!

¿Sabía que las cartas formales, en particular las cartas comerciales, contienen un encabezamiento (el nombre y la dirección de la empresa a quien se dirige la carta), la fecha, el saludo, la exposición del asunto, la despedida con fórmulas fijadas por la costumbre y la firma? Las cartas informales no son tan estructuradas ni populares porque la gente piensa que es más fácil e inmediato enviar un correo electrónico o un mensaje instantáneo en los salones de chat de la Red.

¿Se va a desaparecer el arte de escribir cartas?

¡A escuchar!

46 La felicidad de escribir

Esta grabación es de una interesante entrevista de que le hizo a Isabel Allende. La grabación dura aproximadamente 12 minutos. Primero lea las preguntas y observaciones que siguen y después escuche "La felicidad de escribir". Luego haga un resumen de las respuestas que hace Isabel Allende a estas preguntas y observaciones. Después escriba tres preguntas que le haría a Isabel Allende.

1. Para usted la familia es fundamental.
2. Qué contraste en una sociedad como la estadounidense, en la que la familia no es precisamente una estructura fuerte.
3. ¿Cómo ve su fortuna en la vida?
4. ¿Qué cosas haría diferente si volviera a empezar?
5. *El Zorro* es una novela de encargo, ¿no?
6. ¿Qué le pidieron al encargarle el libro?
7. ¿Es más flexible ahora que hace 20 o 30 años?
8. Usted vivió el golpe de Estado que depuso a su tío, Salvador Allende, el 11 de septiembre de 1973 en Chile, y vivió aquí, en Estados Unidos, los atentados del 11 de septiembre de 2001. ¿Tienen cosas en común esos días?
9. Usted es la escritora latinoamericana más leída del mundo. Pero aquí abre la puerta de su oficina, conduce su coche, hace la comida para su familia... .

La escritora chilena Isabel Allende

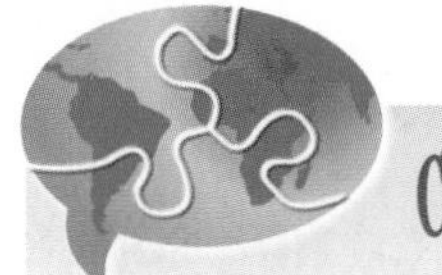

Compare

¿Con qué escritores estadounidenses podría comparar Allende? ¿Por qué?

47 No somos más ricos por tener más letras

Esta grabación trata de las letras en el alfabeto español. La grabación dura aproximadamente 8 minutos. Primero lea las posibles respuestas y después escuche "No somos más ricos por tener más letras". Escoja la mejor respuesta para cada pregunta. Después piense en cuál sería una pregunta apropiada para hacerle al autor.

1. ¿Cuántas letras había en el alfabeto español antiguo de 1803?

   a. 26
   b. 27
   c. 29
   d. Ninguna de las respuestas anteriores

2. ¿Es una letra un sonido?

   a. Sí
   b. No
   c. Puede ser.
   d. No se menciona en el artículo.

3. ¿Qué se les atribuye a los griegos?

   a. La activación de imágenes neurofónicas
   b. La incorporación de las vocales a la escritura
   c. La identificación de las palabras
   d. Las respuestas a y b

4. ¿Quiénes escribieron de derecha a izquierda?
   a. Los semitas
   b. Los griegos
   c. Las respuestas a y b
   d. Ninguna de las respuestas anteriores
5. ¿Qué letra sólo existe en palabras extranjeras, en particular palabras inglesas?
   a. La *k*
   b. La *w*
   c. Las respuestas a y b
   d. Ninguna de las respuestas anteriores
6. ¿Qué letra sería el primer candidato en abandonar el alfabeto español?
   a. La *k*
   b. La *w*
   c. No hay letra que se puede dejar.
   d. Ninguna de las respuestas anteriores
7. Entonces, ¿cuántas letras existen en el alfabeto español que son verdaderamente "españolas"?
   a. 25
   b. 26
   c. 27
   d. 29

48 Participe en una conversación 

Ud. va a participar en una conversación. Primero lea la descripción de la conversación y piense en algunas palabras o expresiones que le serían útiles. Organice sus ideas, haciendo predicciones sobre lo que se le pueda preguntar o comentar. Una descripción de lo que va a escuchar aparece abajo en color. Participe en la conversación grabando las respuestas o escribiéndolas en su cuaderno.

Escena: Ud. y una compañera de clase, María Eugenia, tienen que preparar una tarea para la clase de literatura española.

María Eugenia:	Le pregunta sobre la tarea.
Ud.:	• Contéstele.
María Eugenia:	Le hace un comentario sobre la tarea y le hace una pregunta sobre un género literario.
Ud.:	• Contéstele, dándole detalles sobre este género literario.
María Eugenia:	Sigue la conversación y le hace otras preguntas sobre ciertas características de este género literario.
Ud.:	• Explíquele lo que Ud. sabe de esto.
María Eugenia:	Sigue la conversación y lee algo en voz alta. Le pregunta quién es el autor.
Ud.:	• Haga un comentario sobre lo que acaba de leer y dígale quién es el autor.
María Eugenia:	Sigue la conversación con unos datos sobre el autor.
Ud.:	• Despídase.

¡A escribir!

49 Texto informal: composiciones

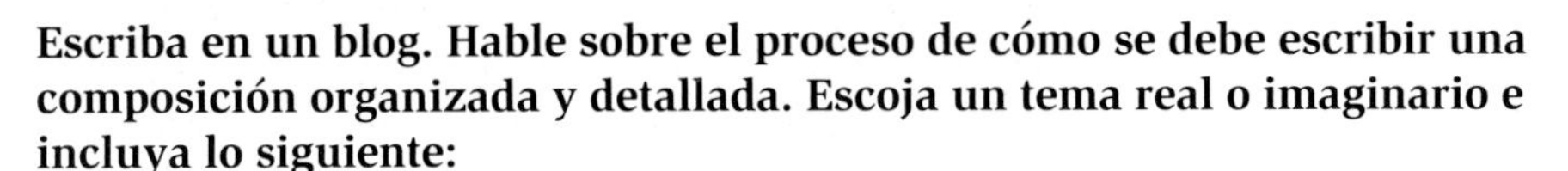

Escriba en un blog. Hable sobre el proceso de cómo se debe escribir una composición organizada y detallada. Escoja un tema real o imaginario e incluya lo siguiente:

- La organización de la composición
- Cómo incluir los detalles de la composición
- Dónde incluir los hechos en la composición
- Dónde incluir su opinión en la composición

Consejo

Antes de empezar, lea las pautas para escribir textos informales en la pág. 480 del Apéndice. Mientras escribe el texto tenga presente los objetivos. Cuando termine, verifique que ha cumplido con todo lo que se describe en la lista y reflexione sobre su trabajo.

50 Texto informal: cómo redactar composiciones 

En un foro, alguien pide consejos sobre cómo podría mejorar sus habilidades para redactar composiciones en una clase.

- Dele consejos para enriquecer y variar el vocabulario de su composición.
- Dele consejos para mejorar la estructura de su composición.
- Háblele de los beneficios de usar un diccionario para comprobar la ortografía.
- Háblele de los beneficios de citar fuentes para mejorar su composición.

51 Ensayo: las experiencias personales 

Escriba un ensayo contestando la pregunta, "¿Cuáles son los beneficios y obstáculos de usar experiencias personales cuando uno escribe una composición para la clase de inglés o para la clase de español?"

Consejo

Antes de de empezar, lea las pautas para escribir ensayos en la pág. 480 del Apéndice. Mientras escribe el ensayo tenga presente los objetivos y no se olvide de ponerle un título original. Cuando termine, verifique que ha cumplido con todo lo que se describe en la lista y reflexione sobre su trabajo.

¿Incluye Ud. experiencias personales en sus composiciones?

52 Ensayo: los bosquejos

Escriba un ensayo en el que compare los beneficios y obstáculos de preparar varios bosquejos para un trabajo antes de entregarlo.

53 En parejas

Intercambie sus ensayos con los de un/a compañero/a. Exprésele su opinión sobre el contenido y el uso del idioma.

¡A hablar!

54 Charlemos en el café

Ud. va a debatir los siguientes temas con un/a compañero/a. Uno estará a favor de lo que se ha dicho y otro en contra. El debate durará varios minutos. El/La estudiante que esté de acuerdo comenzará el debate y hablará por unos dos minutos. Cuando el/la profesor/a lo indique, el/la otro/a estudiante tomará la palabra y expresará su opinión por otros dos minutos, y así sucesivamente.

1. El arte de escribir es una tradición que se está perdiendo en nuestra sociedad.
2. En nuestra sociedad tecnológica, ser poeta no tiene sentido porque los únicos que leen poesía son los estudiantes.
3. Es necesario que redactemos y escribamos más en nuestras clases.
4. En mi opinión, el teatro es sólo un arte para la elite.
5. Es sumamente importante guardar un diario personal.

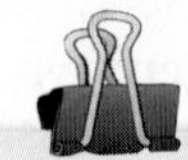

Consejo

Antes de empezar, lea las pautas para presentaciones formales en la pág. 481 del Apéndice. Mientras formula su presentación tenga presente los objetivos. Cuando termine la presentación, verifique que ha cumplido con todo lo que se describe en la lista y reflexione sobre el trabajo que hizo.

55 ¿Qué opinan?

Converse con un/a compañero/a sobre estas situaciones o preguntas.

1. Si Ud. pudiera cambiar y revitalizar cómo se enseña a escribir en nuestras escuelas, ¿qué le gustaría cambiar y por qué? ¿Es posible revitalizar el sistema? ¿Cómo lo haría?
2. ¿Cree que nuestro lenguaje es rico por el hecho de tener muchos refranes? ¿Cómo y por qué? Dé algunos ejemplos de refranes populares y explique su significado.
3. Piense en sus clases de la escuela primaria. ¿Valía la pena pasar tanto tiempo escribiendo cada letra cuando se enseñaba la ortografía y aprender el alfabeto letra por letra? ¿Le hubiera gustado cambiar este sistema? ¿Por qué? ¿Cómo lo hubiera hecho?

56 Presentemos en público 

Haga una presentación oral sobre uno de los temas durante varios minutos en clase. Organice sus ideas antes de hacer la presentación, busque las palabras necesarias y, después de practicar, presente en clase sin mirar las notas.

1. Lea un artículo de Larra y haga una presentación o una obra de teatro. Preséntela en la clase o fílmela.
2. Lea "Instrucciones para subir una escalera" de Cortázar. Resúmalo y haga un video mientras que lo lee.
3. Haga una adaptación de *La casa de Bernarda Alba* (u otra obra de teatro conocida) y represéntela en la clase.
4. Piense en su género literario favorito. ¿Cómo cree que un/a autor/a puede tener éxito escribiendo este género? Si Ud. fuera escritor/a, ¿a quién pediría ayuda para desarrollar este género? (Puede ser alguien que conoce o algún famoso.)
5. Si pudiera trabajar como actor o dramaturgo, ¿con quién trabajaría? ¿Por qué? ¿Qué papeles le gustaría interpretar? ¿Por qué? Describa una obra que le gustaría llevar al cine o al teatro.
6. Ud. es un gran experto de los géneros literarios y de una obra famosísima. Escoja un texto y hable de las características que lo hicieron famoso. Luego, preséntelo a sus compañeros. Hable del lenguaje y de la estructura. Algunas sugerencias de los textos son: el discurso de Gettysburg por Abraham Lincoln, cualquier cuento de Gabriel García Márquez, una obra de teatro de Federico García Lorca, los refranes de los Presidentes John Fitzgerald Kennedy o Franklin Delano Roosevelt, cualquier poema de Pablo Neruda o de Rubén Darío, un editorial de un periódico.
7. Piense en un libro que fue adaptado para el teatro o cine. Hable del impacto que ha tenido el libro, por qué y cómo se convirtió en una obra de teatro o película. ¿Qué versión es la mejor? ¿Por qué? (Por ejemplo: las obras de teatro de Shakespeare, *Don Quijote, El Rey León, My Fair Lady, Matar a un ruiseñor.*)

Federico García Lorca

Proyectos

57 ¡Manos a la obra! 

Trabaje en un grupo de cuatro o cinco estudiantes para llevar a cabo uno de los siguientes proyectos y presentarlo en clase.

1. Les han encargado que planeen un nuevo Centro de Escritura en su escuela o universidad para promover el arte de escribir entre los estudiantes y la comunidad. Por lo tanto, este Centro tiene que captar el interés de los estudiantes y la comunidad. Decidan sobre cómo va a funcionar el Centro, quiénes trabajarán allí, cómo van a entrenar a los que trabajan allí, cómo van a atraer clientes y cómo juzgarán el éxito del Centro.
2. Hagan un anuncio para promover el nuevo Centro de Escritura de su escuela o universidad. Decidan si va a ser un anuncio gráfico, de radio o de televisión.
3. Presenten una lista de los dos mejores ejemplos de varios géneros literarios. Escojan dos poemas, dos cuentos, dos novelas, dos obras de teatro, dos editoriales y dos ensayos. Hablen de cómo se llegó a establecer la lista, quiénes son los autores y qué calidades tienen estas obras que hacen que sean las mejores.
4. Imaginen que recibieron una carta en la cual una universidad los aceptó para el próximo año. Escriban o representen esta carta en cuatro géneros literarios: como editorial, como cuento, como obra de teatro y como poema. Usen la misma información en los cuatro géneros y preséntenlos en clase. Hablen de las ventajas y desventajas de presentar la carta con estos géneros literarios.

Vocabulario

Verbos

adivinar	to guess
añorar/echar de menos	to miss
aterrar	to terrify
declararse	to propose
desmayarse	to faint
durar	to last
elogiar	to praise
enloquecer	to go (drive) crazy
enmudecer	to fall silent
estremecer	to make shudder
fomentar	to encourage
intuir	to suspect
perdonar	to forgive
predecir	to predict
redactar	to draft; to write
temblar	to shake, to shiver

Verbos con preposición

verbo + a:

ayudar a	to help
contribuir a	to contribute to
instar a	to urge
recurrir a	to turn to, resort to
referirse (ie) a	to refer to
remontarse a	to go back to

verbo + con:

enredarse con	to get tangled in

verbo + de:

carecer de	to be lacking
componerse de	to be composed of
constar de	to consist of
enterarse de	to find out about

verbo + por:

caracterizarse por	to be characterized by
empezar (ie) por	to start by

Sustantivos

el	**azar**	chance, random happening
la	**ceguera**	blindness
el	**desafío**	challenge
el	**desengaño**	disappointment
la	**destreza**	skill
el	**esbozo**	outline
la	**estrofa**	stanza
la	**forma**	shape, form
la	**imagen**	image
la	**ironía**	irony
el	**lenguaje**	language
el	**llanto**	crying, weeping
el	**manejo**	handling, management
la	**metáfora**	metaphor
la	**mirada**	look
el	**orgullo**	pride
la	**parodia**	parody
el	**personaje**	character
la	**personificación**	personification
el	**reto**	challenge
la	**rima**	rhyme
el	**rocío**	dew
el	**sentimiento**	feeling
el	**tema**	subject, topic
el	**tono**	pitch
el	**trabalenguas**	tongue twister
la	**voz**	voice

Adjetivos

apenado, -a	sad
atrevido, a	daring
atroz	atrocious
calculador(a)	calculating
complicado, -a	complicated
despiadado, -a	ruthless
duro, -a	hard, harsh
efímero, -a	ephemeral, of short duration
enternecedor(a)	moving, touching
fiel	faithful
hondo, -a	deep
imprescindible	essential
insólito, -a	unusual
irónico, -a	ironic
oculto, -a	hidden
orgulloso, -a	proud
rebuscado, -a	complicated
resignado, -a	resigned
romántico, -a	romantic
sencillo, -a	simple
sincero, -a	sincere
verosímil	plausible, credible

Expresiones

aclararse la voz	to clear one's throat
corre la voz de que	word (rumor) has it that
darle ánimos a alguien (animar)	to encourage somebody, to cheer somebody up
darlo todo	to give it one's all, to be fully committed to something
(no) darse por vencido, -a	(not) to give up
de la misma manera	in the same way
decir algo en tono de reproche	to say something with a reproachful tone
en tono cariñoso	in an affectionate tone of voice
es decir	that is to say
estado de ánimo	state of mind
estar bajo de ánimo/con el ánimo por el suelo	to be in very low spirits, to be feeling down-hearted
estar deprimido, -a	to be depressed
hablar en voz baja	to speak in a low voice
la idea principal	the main idea
leer por placer	to read for pleasure
no obstante/sin embargo	nevertheless, however
pedirle la mano a alguien	to propose
ponerse sentimental	to get sentimental
una pregunta retórica	a rhetorical question
sentirse con ánimos para seguir	to feel up to going on
temblarle la voz a alguien	to have a shaky voice
no tener ánimos de/para nada	not to feel up to anything
tener certidumbre/incertidumbre	to be sure/unsure
tener la voz tomada	to have a hoarse voice
ser un flechazo	to be love at first sight
(no) tirar la toalla	(not) to give up
el tono en que lo dijo	the tone in which s/he said it
valer la pena	to be worth it
el verso libre	free verse
la voz de la conciencia	the voice of one's conscience

A tener en cuenta

Palabras que expresan acuerdo o desacuerdo

Acuerdo:
¡Vale!
¡Eso es!
¡De acuerdo!
Estoy de acuerdo contigo/con Ud.
Opino igual/como tú/como Ud.
En eso coincidimos.
Somos de la misma opinión.
Pensamos igual.
Lo mismo digo yo.
Conforme.

Desacuerdo:
De ningún modo.
Esto es mentira. Es falso.
¡En absoluto!
¡Ni hablar!
¡Que va!
No estoy de acuerdo (en absoluto).
Pero, ¿qué (me) dices?
¡Qué disparates dices!
Eso sí que no.
De eso, nada.
¡Claro que no!
¡Calla, hombre (mujer), calla!

Capítulo 6

Puro deporte

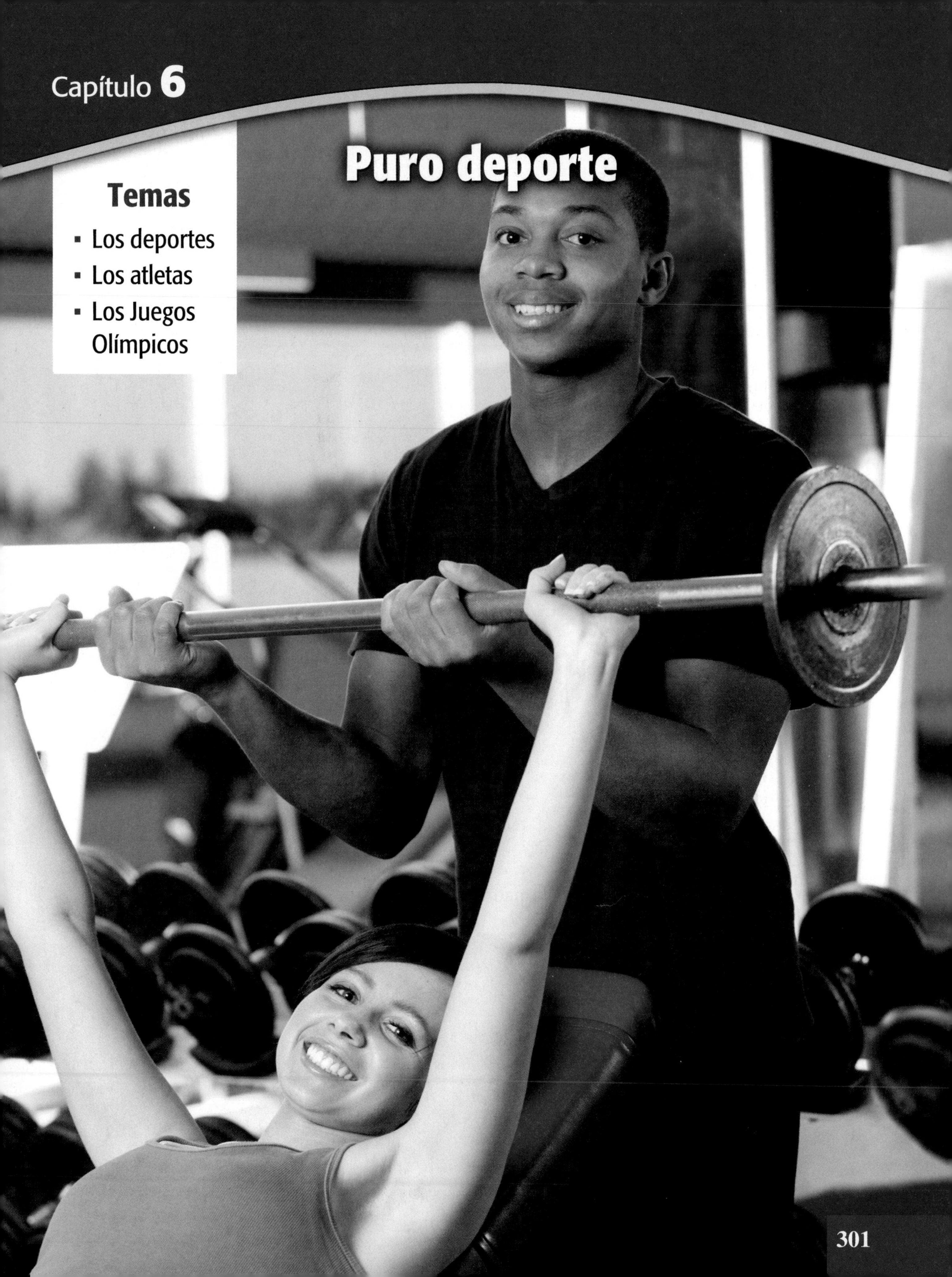

Temas

- Los deportes
- Los atletas
- Los Juegos Olímpicos

Lección

A

Objetivos

Comunicación

- Hablar de los deportes

Gramática

- Los sustantivos
- Repaso del uso del indicativo y del subjuntivo

"Tapitas" gramaticales

- *al* + infinitivo
- *enfrentarse* + preposición
- el imperfecto del subjuntivo
- *mayoritariamente*
- otros verbos + preposición
- *en cuanto a*
- el género
- *pero* y *sino*

Cultura

- ESPN en español
- Los Juegos Olímpicos
- Los deportes en América Latina
- El Quidditch
- Guerreros de la serpiente emplumada
- La pelota vasca

Para empezar

1 Conteste las preguntas

Piense en las respuestas a las siguientes preguntas. Ud. puede tomar notas si lo considera necesario. Cuando termine, compare sus respuestas —pero sin mirar sus notas— con las de un/a compañero/a.

1. ¿Le gustan los deportes? ¿Prefiere practicarlos o mirarlos? ¿Con qué frecuencia los practica o los mira?
2. ¿Prefiere los deportes de equipo, por pareja o individuales? ¿Por qué? Nombre un deporte de cada una de estas categorías.
3. ¿Ha asistido a algún partido profesional o amateur a nivel universitario o secundario? Describa la experiencia. ¿Cuál ha sido el mejor momento deportivo que ha visto en la televisión?
4. ¿Prefiere los deportes profesionales o amateur, de nivel universitario o secundario, de hombres, de mujeres o de ambos sexos? ¿Por qué?
5. ¿Qué beneficios aporta hacer un deporte?
6. ¿Qué opina de los Juegos Olímpicos?
7. ¿Le gustaría ir a los Juegos Olímpicos o participar en ellos? ¿Por qué? ¿Qué deporte olímpico le gustaría ver o practicar? ¿Por qué?
8. ¿Qué países hispanos han organizado los Juegos Olímpicos? ¿Dónde y cuándo tuvieron lugar las Olimpiadas en estos países?
9. ¿Cuál es el deporte más popular del mundo? ¿Cómo se llama su campeonato? ¿Qué sabe de las reglas y los equipos de este deporte?
10. ¿Piensa que el deporte ha existido desde hace mucho tiempo o que es un fenómeno relativamente moderno? ¿Piensa que hay globalización en los deportes? ¿En cuáles y cómo los afecta?

Cita

El deporte delega en el cuerpo algunas de las virtudes más fuertes del alma: la energía, la audacia, la paciencia.

—Jean Giradoux (1882–1944), dramaturgo francés

Dé ejemplos de cómo el deporte promueve las tres virtudes citadas. Si no está de acuerdo con esta cita, explique por qué. ¿Qué aspecto de los deportes le parece más importante: el ejercicio o la competición? ¿Por qué? Comparta sus opiniones con un/a compañero/a.

2 Mini-diálogos

Va a crear un mini-diálogo con un/a compañero/a. Lea la descripción de la conversación que va a mantener. Puede tomar notas para organizar sus ideas, pero no las mire mientras conversa. Le pueden servir algunas expresiones del recuadro.

el portero / el arquero	el delantero	el medio
la defensa	el equipo contrario	el marcador
un pase de gol	el árbitro	marcar un gol

¡Dato curioso!

El 50 por ciento o más de los menores de edad preescolar y escolar no realizan ninguna actividad física sistemática en su tiempo libre, y esto es más marcado en las niñas que en los niños. Muchos niños pasan 30 horas o más cada semana sentados delante de la televisión o del video.

Escena: En la calle un/a amigo/a le saluda mientras Ud. está caminando al parque para jugar un partido de fútbol con sus amigos.

A: Salúdele y pregúntele si quiere jugar con Uds.
B: Conteste afirmativamente, pero pregúntele qué tipo de jugador(a) necesita el equipo.
A: Conteste con dos opciones.
B: Reaccione negativamente a las dos opciones y explique por qué.
A: Convénzale de que debe jugar.
B: Reaccione cordialmente pero rechace la invitación.
A: Haga un comentario sobre su reacción. Despídase cordialmente.
B: Despídase cordialmente.

Vocabulario y gramática en contexto

3 Un foro

Túrnese con un/a compañero/a para leer los comentarios que dos personas han escrito en un foro sobre el ejercicio físico. Fíjese en las palabras que aparecen en azul (relacionadas con el vocabulario) y en rojo (relacionadas con la gramática), ya que en las siguientes actividades se le harán preguntas sobre ellas.

Sergio — **¿Hacer o no hacer deporte?**

He oído que su salud le agradecerá un mínimo de ejercicio físico practicado regularmente. Pero ¿qué deporte? No hay ningún deporte que me convenza. ¡Soy tan inepto! No me gusta el ejercicio físico. ¿Correr? Ni pensarlo. ¿El baloncesto? No soy alto y el precio de las zapatillas es escandaloso. ¿El tenis? Sí, es verdad que los tenistas profesionales ganan mucho dinero pero tienen que viajar tanto. Y hay tantas pistas: la tierra batida (la arcilla), [5] la hierba o el pasto, o el cemento. ¡Tantas opciones! ¿El béisbol? ¡Ay! ¡Qué lata! Oí una vez que un batazo de un jonrón con dos corredores en base despertó al jardinero derecho porque estaba dormido durante el partido. El béisbol es tan lento como el golf. ¿El fútbol americano? De ninguna manera. Es tan brutal y violento como el hockey sobre hielo. ¡Quizás el fútbol! Es emocionante y popular mundialmente, pero muchas chicas te dicen que el fútbol es aburrido. Mejor ver el programa *ESPN Deportes* para decidir.

Catalina — **Hacer deporte es sanísimo**

Para mí el deporte es una actividad saludable. El deporte es para el cuerpo como la lluvia para la tierra. Eso sí, debemos tener en cuenta estas bebidas energéticas para hidratar el cuerpo que se venden ahora. El deporte reduce la ansiedad y el estrés y disminuye la depresión. Por otra parte, el deporte tiene dos objetivos: competir como aficionado y competir profesionalmente. En mi caso, inicialmente hice deporte en la escuela y después las circunstancias me fueron llevando a convertirme en deportista profesional. Son necesarios muchos sacrificios: tu tiempo libre, las horas de entrenamiento, las horas de viaje a las competiciones y, también, la preparación mental que se exige. Así y todo, el atleta profesional corre el riesgo de aislarse y de competir contra sí mismo hasta llegar a ser campeón y el mejor de su disciplina.

¡Dato curioso!

En 1953 se declaró al pato como deporte nacional en Argentina. El mismo fue inventado por los gauchos que habitaban la pampa, existiendo testimonios que dan cuenta de su existencia ya en 1610. En sus inicios se lo practicaba con un pato muerto, o a veces vivo, colocado dentro de una bolsa, de donde procede su nombre. En el siglo XIX, el juego fue prohibido por el gobierno y castigado por la iglesia católica con la excomulgación. Sin embargo sobrevivió en los campos, practicado de modo irregular. Hoy en día el pato moderno se parece al polo y se juega con una bola con asas.

Compare

En su opinión, ¿cuál es el deporte nacional de los EE.UU.? ¿Qué sabe de sus comienzos?

4 Amplíe su vocabulario

Traduzca las palabras o expresiones que aparecen en azul en las lecturas anteriores, o escriba un sinónimo o expresión similar para cada una en español. Luego haga una lista de las expresiones idiomáticas que aparecen en el texto en rojo. ¿Por qué son expresiones idiomáticas? Tradúzcalas al inglés.

5 El género de los sustantivos 

Escriba el artículo adecuado delante de cada sustantivo. En algunos casos puede que haya dos respuestas correctas. Después discuta con un/a compañero/a las reglas para determinar el género de los sustantivos. Apóyese en los ejemplos de esta actividad y en los sustantivos de las lecturas de la Actividad 3.

1. ___ temporada
2. ___ pubertad
3. ___ micrófono
4. ___ radio
5. ___ golf
6. ___ atleta
7. ___ atletismo
8. ___ programa
9. ___ rivalidad
10. ___ baloncestista
11. ___ moto
12. ___ hipertensión
13. ___ foto
14. ___ competición
15. ___ entrenador
16. ___ carrera
17. ___ regularización
18. ___ carcajada
19. ___ rugby
20. ___ homenaje
21. ___ sistema
22. ___ calmante
23. ___ alpinista
24. ___ agotamiento

6 "Tapitas" gramaticales

Conteste estas preguntas basadas en las lecturas de la Actividad 3.

1. Explique el uso del subjuntivo en la oración: "No hay ningún deporte que me convenza".
2. Explique la construcción *¡Qué lata!* Piense en otras expresiones similares.
3. Busque las formas del adverbio *tanto* en los foros. ¿Qué palabras modifican? ¿Que otras funciones gramaticales tiene *tanto*?
4. Busque la construcción *se venden*. ¿Por qué no se dice *se vende*? Escriba otros dos ejemplos con *se*, usando el vocabulario de las lecturas.
5. Explique el significado de *me fueron llevando*. ¿Qué es esta construcción verbal? ¿Por qué se usa en la lectura?
6. ¿Qué forma del verbo se usa después de la expresión *correr el riesgo de*? Busque otros dos ejemplos de verbos con preposiciones en las lecturas y escríbalas.
7. ¿Qué significa *llegar a ser*? Explique la diferencia entre estos verbos: *llegar a ser, ponerse, hacerse* y *volverse*.

7 ¿Qué opina?

Reaccione a lo que cada persona ha escrito en el foro y comparta su opinión con un/a compañero/a. Use palabras de las lecturas que aparecen en azul.

Compare
¿Cómo se compara el éxito del fútbol con el del fútbol americano?

Los jugadores del equipo paraguayo Olimpia celebran una gran victoria.

8 El fútbol americano 

Lea con atención el siguiente artículo. Después conteste las siguientes preguntas:

- ¿Cuál es el propósito del artículo?
- ¿Cómo resumiría el artículo en una frase?
- ¿Qué pregunta sería apropiada para hacerle al autor?

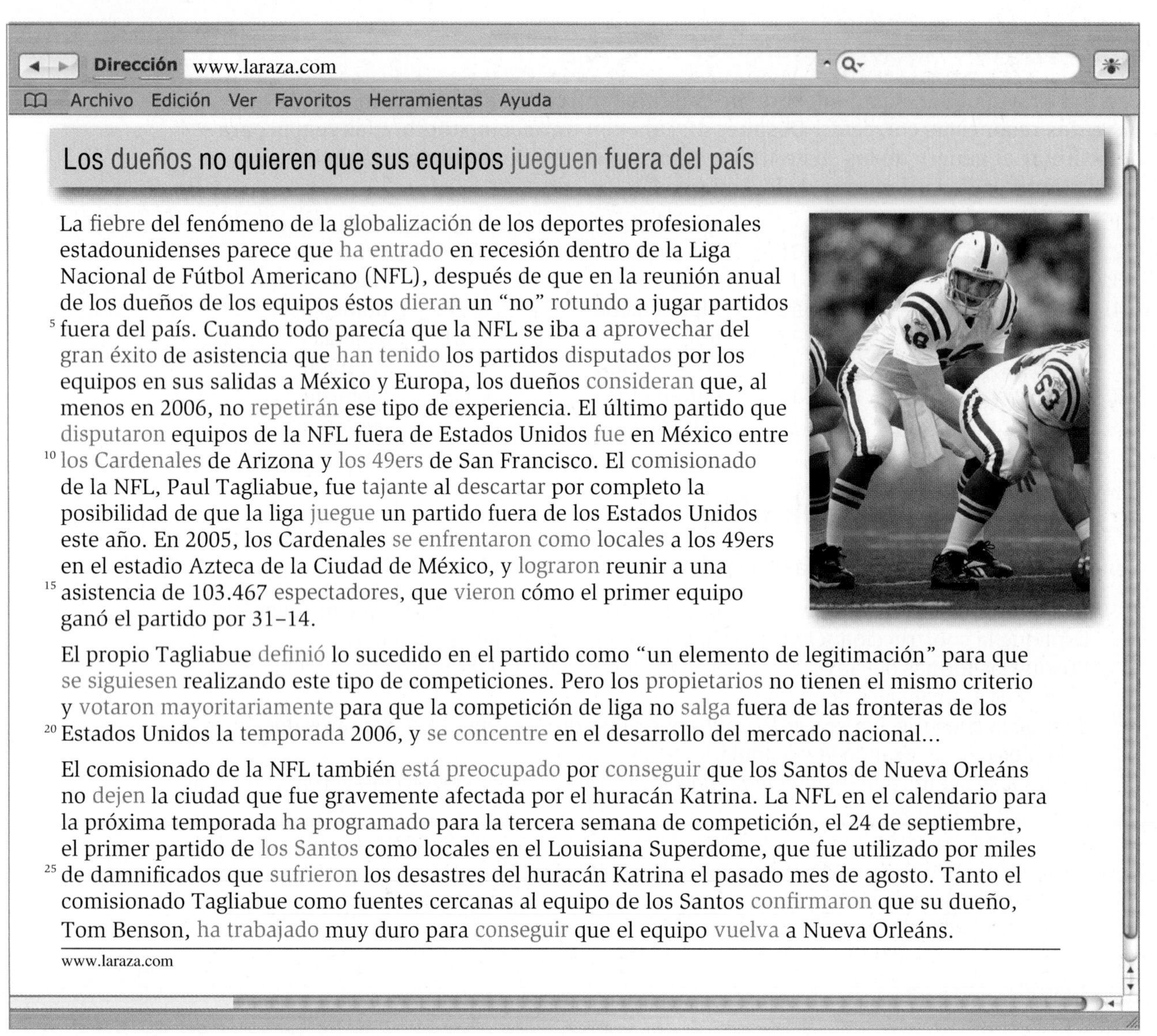

Dirección www.laraza.com

Archivo Edición Ver Favoritos Herramientas Ayuda

Los dueños no quieren que sus equipos jueguen fuera del país

La fiebre del fenómeno de la globalización de los deportes profesionales estadounidenses parece que ha entrado en recesión dentro de la Liga Nacional de Fútbol Americano (NFL), después de que en la reunión anual de los dueños de los equipos éstos dieran un "no" rotundo a jugar partidos fuera del país. Cuando todo parecía que la NFL se iba a aprovechar del gran éxito de asistencia que han tenido los partidos disputados por los equipos en sus salidas a México y Europa, los dueños consideran que, al menos en 2006, no repetirán ese tipo de experiencia. El último partido que disputaron equipos de la NFL fuera de Estados Unidos fue en México entre los Cardenales de Arizona y los 49ers de San Francisco. El comisionado de la NFL, Paul Tagliabue, fue tajante al descartar por completo la posibilidad de que la liga juegue un partido fuera de los Estados Unidos este año. En 2005, los Cardenales se enfrentaron como locales a los 49ers en el estadio Azteca de la Ciudad de México, y lograron reunir a una asistencia de 103.467 espectadores, que vieron cómo el primer equipo ganó el partido por 31–14.

El propio Tagliabue definió lo sucedido en el partido como "un elemento de legitimación" para que se siguiesen realizando este tipo de competiciones. Pero los propietarios no tienen el mismo criterio y votaron mayoritariamente para que la competición de liga no salga fuera de las fronteras de los Estados Unidos la temporada 2006, y se concentre en el desarrollo del mercado nacional...

El comisionado de la NFL también está preocupado por conseguir que los Santos de Nueva Orleáns no dejen la ciudad que fue gravemente afectada por el huracán Katrina. La NFL en el calendario para la próxima temporada ha programado para la tercera semana de competición, el 24 de septiembre, el primer partido de los Santos como locales en el Louisiana Superdome, que fue utilizado por miles de damnificados que sufrieron los desastres del huracán Katrina el pasado mes de agosto. Tanto el comisionado Tagliabue como fuentes cercanas al equipo de los Santos confirmaron que su dueño, Tom Benson, ha trabajado muy duro para conseguir que el equipo vuelva a Nueva Orleáns.

www.laraza.com

9 Amplíe su vocabulario 

Mire las palabras de las dos primeras columnas, que aparecen en la lectura anterior, y busque su definición o sinónimo en las dos últimas.

1. dueño
2. fuera del país
3. fiebre
4. globalización
5. rotundo
6. aprovechar
7. gran éxito
8. disputar
9. comisionado
10. descartar
11. locales
12. espectadores
13. temporada
14. programar

a. en el extranjero
b. triunfo
c. tajante
d. funcionario más importante de una liga deportiva
e. proyectar
f. integralmente en el mundo
g. propietario
h. rechazar
i. época en la que se juega un deporte
j. entusiasmo
k. equipo que recibe al equipo contrario
l. público
m. luchar
n. beneficiar

10 Soluciones

Con un/a compañero/a, explique cuáles son las opiniones del comisionado y de los dueños de los equipos sobre la globalización del fútbol americano. Juntos, ofrezcan algunas soluciones al problema.

11 Los sustantivos

Conteste estas preguntas basadas en la lectura de la Actividad 8.

1. Busque los nombres de los equipos de fútbol americano en la lectura. ¿Cómo se determina el género de estos equipos? Explique la regla en general.
2. ¿Cuál es el género de *globalización*? Cite otras tres palabras que terminen en *-ión*.

12 El indicativo y el subjuntivo

Conteste estas preguntas basadas en la lectura de la Actividad 8.

1. Haga dos listas de los verbos en indicativo que aparecen en el texto; una debe indicar los verbos en presente, y la otra, en el pasado. Explique su uso en cada caso.
2. Haga dos listas de los verbos en subjuntivo que aparecen en el texto; una debe indicar los verbos en presente, y la otra, en el pasado. Explique su uso en cada caso.
3. Busque las dos oraciones con *conseguir*. ¿Por qué es necesario usar el subjuntivo en las dos oraciones?

13 "Tapitas" gramaticales

Conteste estas preguntas basadas en la lectura de la Actividad 8.

1. ¿Por qué decimos *al descartar*? ¿Cuál es el significado en inglés?
2. ¿Qué palabra se usa después de *enfrentarse*? ¿Qué quiere decir la frase de la lectura con este verbo? ¿Es posible usar la preposición *con* después de este verbo? ¿Cómo cambia el significado con esta palabra?
3. ¿Qué tiempo verbal es *se siguiesen*? ¿Cuál es la diferencia entre *se siguiesen* y *se siguieran*? Conjugue otros tres verbos de la lectura en las dos formas de este mismo tiempo verbal y en la tercera persona plural.
4. Busque la palabra *mayoritariamente*. ¿Es adjetivo, adverbio o conjunción? ¿Cuál es su significado en la oración?
5. Busque *aprovechar, se concentre* y *está preocupado*. ¿Qué preposición sigue a cada uno de estos verbos? Escriba otros dos verbos con cada una de estas preposiciones.

14 Escriba

Ha recibido el siguiente mensaje electrónico de un/a amigo/a. Responda el correo y trate de convencerle para que lo lleve a Ud. a ver el partido de fútbol americano. Incluya detalles en su mensaje e intente usar vocabulario de los artículos anteriores.

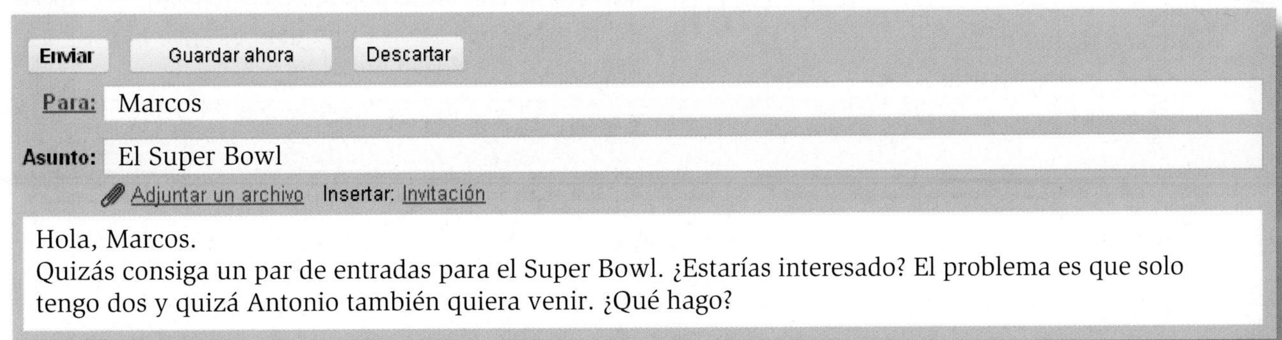

Enviar | Guardar ahora | Descartar

Para: Marcos

Asunto: El Super Bowl

Adjuntar un archivo Insertar: Invitación

Hola, Marcos.
Quizás consiga un par de entradas para el Super Bowl. ¿Estarías interesado? El problema es que solo tengo dos y quizá Antonio también quiera venir. ¿Qué hago?

15 Los deportes

Lea el artículo y decida qué forma de los verbos entre paréntesis es la correcta para completar las frases. Después conteste las siguientes preguntas:

- ¿Cuál es el propósito del artículo?
- ¿Cómo resumiría el artículo en una frase?
- Si quisiera consultar otra fuente, ¿podría pensar en un posible título de una publicación?

Dirección www.laraza.com

Archivo Edición Ver Favoritos Herramientas Ayuda

La revista *ESPN Deportes* ahora en español

La publicación mensual viene a ser una opción de información en el mundo deportivo para el lector latino.

Entrevistas a destacados jugadores, deportes extremos e imágenes de acción, son tan sólo una parte de lo que ofrece desde agosto *ESPN Deportes La Revista*. Lino García, gerente general del canal ESPN Deportes, ___1.___ (*explicar*) que ya es tiempo de que ___2.___ (*haber*) una revista impresa en español que le ___3.___ (*brindar*) a los fanáticos deportivos una variedad de deportes al igual que ___4.___ (*hacerse*) por la televisión. La publicación ___5.___ (*presentar*) en su primera portada de agosto al basquetbolista argentino Manú Ginóbili, con el tema central de "Los 101 ídolos con poder latino", y para este mes de septiembre la portada es doble: el delantero del América, Cuauhtémoc Blanco, ___6.___ (*aparecer*) en la costa oeste, y el primera base de los Cardenales de San Luis, Albert Pujols, en la región del este, "una táctica que se usará de vez en cuando", ___7.___ (*añadir*) el gerente general de *ESPN Deportes*. *ESPN Deportes* ___8.___ (*sacar*) provecho de todo su equipo editorial para ___9.___ (*tener*) acceso a las mejores coberturas y ___10.___ (*llevar*) la información de primera mano. "Ha habido otras revistas que ___11.___ (*enfocarse*) en diferentes deportes, pero no tienen la variedad de fuentes de información y acceso que tenemos nosotros porque ___12.___ (*aprovechar*) nuestra infraestructura, encapsulándola en una revista de distribución mensual", ___13.___ (*precisar*) Lino García. En cuanto al mercado mexicano, Lino destacó la importancia de ___14.___ (*seguirlo*) de cerca, ya que tienen una conexión profunda debido a que se produce bastante información desde México, y la prueba es la portada de "Temo" Blanco. Pero no sólo abunda la información en ese país, sino en toda América Latina donde ___15.___ (*desarrollarse*) un deporte como el béisbol en la República Dominicana, o los grandes futbolistas brasileños.

"De esta forma el lector latino ___16.___ (*tener*) la oportunidad de seguir el mundo deportivo a través de la revista, que es una extensión del canal de televisión", puntualizó el gerente general de ESPN Deportes.

16 Amplíe su vocabulario

Complete las frases utilizando la forma correcta de la palabra del recuadro que mejor convenga en cada caso.

mensual	destacado	impreso	fanático	portada
poder	cobertura	fuente	desarrollarse	puntualizar

1. Es importante leer varias ___ de información sobre una noticia antes de tener una opinión para poder valorarla con la mayor objetividad posible.
2. Los ___ del fútbol siguen con pasión cada partido y están enterados de todo lo que acontece en torno al ámbito futbolístico: resultados de los partidos, fichajes de jugadores, y noticias de última hora.
3. El comentarista ___ varios aspectos durante la tertulia que fueron clave para el desarrollo del debate.
4. Quería estar al día de las últimas tendencias de moda, y me suscribí a la revista ___ *Marie Claire*.
5. El corresponsal de la cadena de televisión nacional se desplazó hacia el lugar de la catástrofe para hacer una ___ en profundidad acerca del desastre natural que había acontecido hacía pocas horas.
6. El espectáculo ___ en el estadio donde muchos espectadores pudieron disfrutar de él.
7. Los grandes titulares de actualidad ocupan las primeras ___ de los periódicos.
8. Los libros digitales van ganando cada vez más terreno a los libros ___ en papel.
9. A lo largo de la historia muchos dignatarios han ejercido de abuso de ___.
10. ___ deportistas del ámbito español son hoy noticia por ser los mejores en su disciplina: Rafael Nadal, Pau Gasol, Alberto Contador, Fernando Alonso y Dani Pedrosa.

17 El infinitivo, el indicativo y el subjuntivo

Explique por qué usó cada uno de estos tiempos en las respuestas de la Actividad 15: el infinitivo, el indicativo y el subjuntivo.

18 "Tapitas" gramaticales

Conteste estas preguntas basadas en el artículo de la Actividad 15.

1. Dé una definición de los siguientes jugadores: *el basquetbolista, el delantero, el primera base* y *los futbolistas*. ¿Por qué se usa el artículo *el* o *los* con cada uno? ¿Cómo se llama al atleta que juega al béisbol?
2. ¿Cuál es la traducción de *en cuanto a*? Escriba otra expresión equivalente en español.
3. ¿Por qué se dice *el primera base* si la palabra *base* es femenina? ¿Por qué se dice *el tema* y *de primera mano*?
4. Explique por qué se usa *sino*, y no *pero*, en la frase "...no sólo abunda la información en ese país, sino en toda América Latina".

Cita

El deporte es iniciativa, perseverancia, búsqueda del perfeccionamiento, menosprecio del peligro.

—Pierre de Coubertin (1863–1937), fundador de los Juegos Olímpicos Modernos

¿Está de acuerdo con esta definición del deporte? Explique su respuesta con ejemplos que ilustren cada palabra de la definición. Comparta sus opiniones con un/a compañero/a.

¡Dato curioso!

La jineteada gaucha, jineteada argentina o doma gaucha es un deporte ecuestre tradicional de la Argentina, que integra la cultura folklórica de ese país, en particular la cultura gauchesca. El deporte consiste en que el jinete debe sostenerse por entre seis y quince segundos sobre un potro (bagual).

Idioma

19 Familia de palabras

Complete la tabla con el deporte, la persona que lo juega y la traducción correspondiente.

Deportes		Atletas	
el automovilismo	______	el/la piloto de Fórmula 1	*Formula 1 driver*
el baloncesto, el básquetbol	______	el/la baloncestista, el/la basquetbolista	______
el béisbol	______	el/la beisbolista	______
el boxeo	*boxing*	el/la boxeador(a)	______
el ciclismo	______	el/la ciclista	______
el esquí	*skiing*	el/la esquiador(a)	______
el fútbol, el balompié	______	______	______
la gimnasia	______	______	______
el golf	______	______	______
la lucha libre	______	______	______
______	______	el/la nadador(a)	______
el patinaje	______	el/la patinador(a)	______
el remo	*rowing*	el/la remero/a	______
el surf	______	______	______
______	______	el/la tenista	______

20 ¿Cuál es el deporte?

Complete las oraciones usando las palabras de la tabla.

El golfista español Sergio García

1. Miguel Indurain, un ___ español, fue ganador del Tour de Francia durante cinco años consecutivos (1991–1995). El Tour de Francia es una competencia de ___ durante tres semanas en el mes de julio por toda Francia.
2. Hay dos tipos de ___: sobre ruedas y sobre hielo. Los ___ sobre hielo compiten en el hockey.
3. En el deporte del ___, hay un banco fijo en una embarcación y los ___ propulsan la embarcación con el torso y los brazos.
4. Rafael Nadal, un ___ español de Mallorca, ganó el campeonato de ___ en tierra batida en Roland Garros en París en 2005.
5. Se reconoce a los equipos femeninos y masculinos rusos de ___ como los mejores del mundo. Los ___ compiten en barras paralelas, anillos y barra fija.
6. La ___ es un deporte acuático muy popular, y los ___ pueden practicarla sin equipo especial.
7. Sammy Sosa nació en la República Dominicana y se le considera uno de los mejores ___ de las Grandes Ligas de ___. Tanto él como Mark McGwire batieron el récord de cuadrangulares en la temporada de 1998.
8. Severiano “Seve” Ballesteros era un destacado ___ español en las décadas de los ochenta y noventa. Otro jugador de ___ español actual es Sergio García, quien ha jugado contra Tiger Woods en varios torneos mundiales.
9. Teófilo Stevenson era un gran ___ cubano de los pesos pesados, logrando varias medallas de oro olímpicas (Munich en 1972, Montreal en 1976 y Moscú en 1980) y en diversos campeonatos mundiales de ___. Participó en 321 combates de los que ganó 301 y nunca perdió por *knockout*.
10. David Beckham de Inglaterra, Diego Armando Maradona de Argentina y Ronaldinho de Brasil son ___ que han representado a sus países en la Copa Mundial de ___. Ese deporte también se conoce como ___ en algunos países.

11. Se dice que la ___ es más bien un tipo de entretenimiento que un deporte. Los ___ participan en peleas simuladas en vez de peleas de verdad.
12. En la temporada 2005, el ___ Fernando Alonso llegó a ser el primer español campeón del mundo y, además, el más joven de toda la historia del ___.
13. El ___ fue inventado en Springfield, Massachussets, en 1891 pero ahora hay ___ que juegan este deporte por todo el mundo. Dos famosos son Michael Jordan y Shaquille O'Neal. ___ es otro nombre de este deporte.
14. Hay muchas competiciones de ___ en Hawai y en Australia, donde las olas grandes retan a los ___.
15. Hay muchos tipos de ___: sobre la nieve, llamado nórdico o de fondo, y sobre el agua, llamado acuático. Los ___ se guían con bastones o con una cuerda detrás de un barco.

Cita

En el nombre de todos los competidores, yo prometo que nosotros participaremos en estos Juegos Olímpicos, respetando y cumpliendo las reglas que lo gobiernan, en el verdadero espíritu deportivo, por la gloria del deporte y el honor de nuestros equipos.

—Del Juramento Olímpico, escrito por el Barón de Coubertin hace más de cien años

¿Piensa que los atletas olímpicos modernos siguen respetando los ideales del Barón?

¡Dato curioso!

El Clásico es el partido de fútbol que disputan el FC Barcelona y el Real Madrid y es la rivalidad más importante del fútbol español. Actualmente es el encuentro de fútbol entre clubes más seguido del mundo con aproximadamente 400 millones de espectadores logrando colocarse entre los tres acontecimientos deportivos más importantes del mundo sólo por detrás de la final de la Copa Mundial de fútbol 2010 y de los Juegos Olímpicos de Beijing 2008 que llegaron a 700 y 600 millones de espectadores respectivamente.

Compare

¿Qué se piensa en EE.UU. del fútbol? ¿Tiene el mismo impacto? ¿Por qué? ¿Cuáles son los dos grandes rivales en diferentes deportes en este país?

21 Atenas

Lea el artículo y decida qué forma de las palabras entre paréntesis es la correcta para completar cada oración. Después conteste las siguientes preguntas:

- ¿Cuál es el propósito del artículo?
- ¿Cómo resumiría el artículo en una frase?

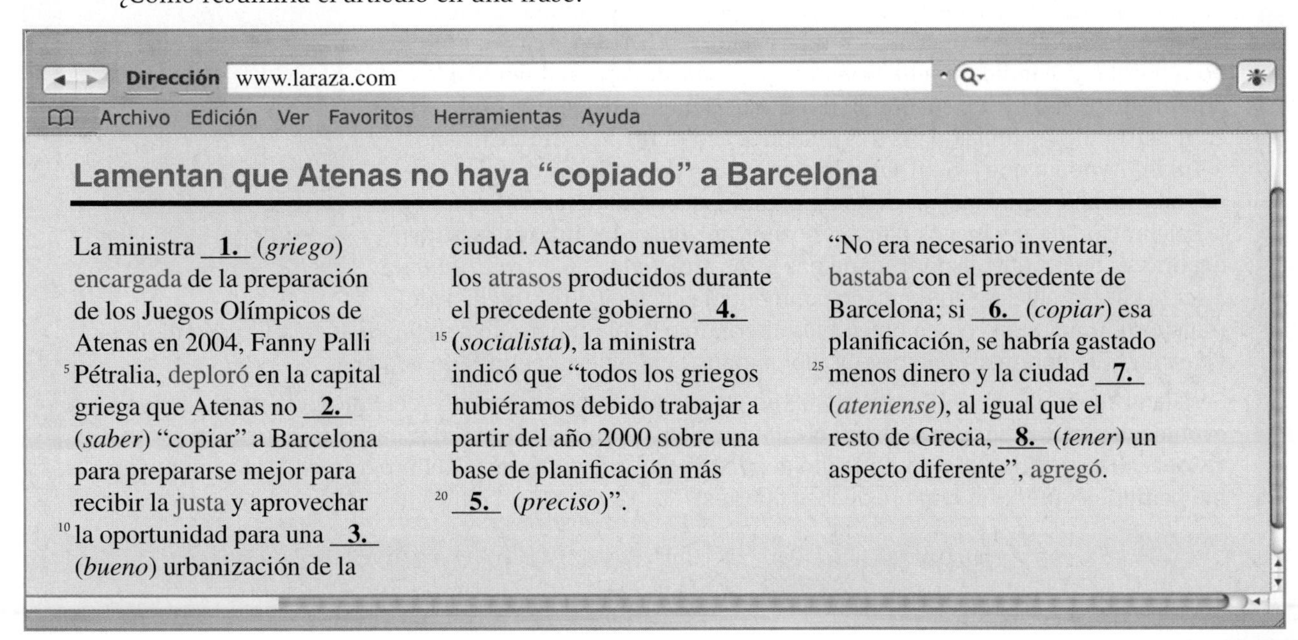

Dirección www.laraza.com

Archivo Edición Ver Favoritos Herramientas Ayuda

Lamentan que Atenas no haya "copiado" a Barcelona

La ministra __1.__ (*griego*) encargada de la preparación de los Juegos Olímpicos de Atenas en 2004, Fanny Palli Pétralia, deploró en la capital griega que Atenas no __2.__ (*saber*) "copiar" a Barcelona para prepararse mejor para recibir la justa y aprovechar la oportunidad para una __3.__ (*bueno*) urbanización de la ciudad. Atacando nuevamente los atrasos producidos durante el precedente gobierno __4.__ (*socialista*), la ministra indicó que "todos los griegos hubiéramos debido trabajar a partir del año 2000 sobre una base de planificación más __5.__ (*preciso*)".

"No era necesario inventar, bastaba con el precedente de Barcelona; si __6.__ (*copiar*) esa planificación, se habría gastado menos dinero y la ciudad __7.__ (*ateniense*), al igual que el resto de Grecia, __8.__ (*tener*) un aspecto diferente", agregó.

22 ¿Qué significa?

Empareje las palabras de la primera columna con su definición o sinónimo en la segunda.

1. encargado	a. ser suficiente
2. deplorar	b. de Atenas
3. justa	c. añadir
4. atraso	d. a cargo de
5. bastar	e. competición
6. ateniense	f. lentitud
7. agregar	g. lamentar

¡Dato curioso! En 1988, Barcelona empezó a prepararse para los Juegos Olímpicos de 1992. Construyeron y restauraron estadios; organizaron una serie de eventos para divulgar las culturas catalanas y españolas entre los turistas. Cataluña también exigió que el catalán se incluyera entre las lenguas oficiales de las Olimpiadas. El evento logró batir un récord con la asistencia de 172 delegaciones.

23 Lea, escriba/presente

Vuelva a leer el Dato curioso sobre Barcelona y el artículo de la Actividad 21. Luego escriba una tabla en la cual exponga las buenas preparaciones que hicieron en Barcelona para los Juegos Olímpicos. A continuación, escriba tres oraciones que empiecen así: "Si yo hubiera sido el/la ministro/a griego/a encargado/a de los Juegos Olímpicos de Atenas 2004, yo..." Termine las oraciones analizando las buenas preparaciones barcelonesas que Ud. indicó en la tabla. Por último, presente su trabajo a sus compañeros de clase.

24 Río de Janeiro 

Lea el artículo y decida qué forma de las palabras entre paréntesis es la correcta para completar cada oración. Después, resuma lo que leyó en una frase.

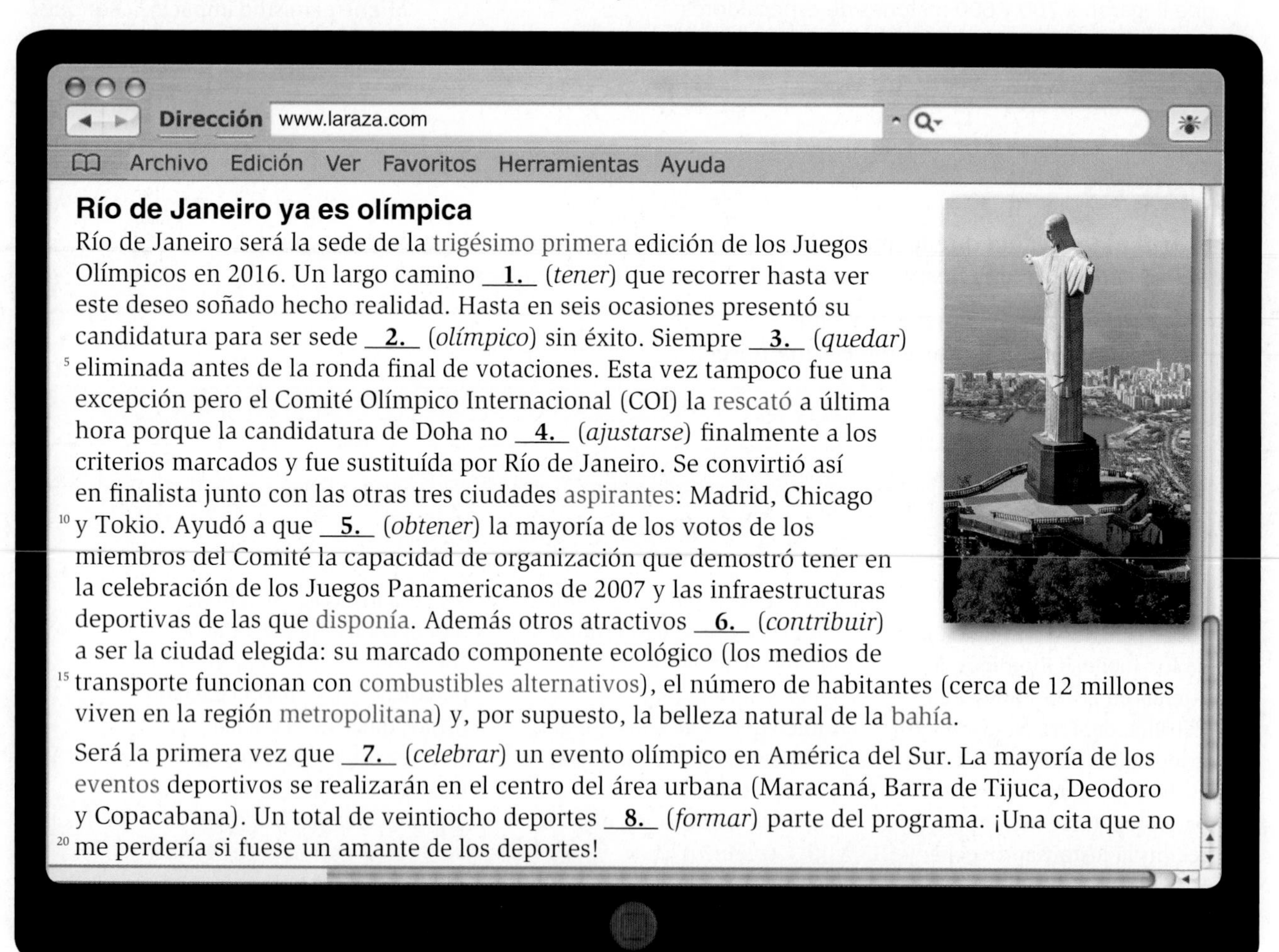

Río de Janeiro ya es olímpica

Río de Janeiro será la sede de la trigésimo primera edición de los Juegos Olímpicos en 2016. Un largo camino __1.__ (*tener*) que recorrer hasta ver este deseo soñado hecho realidad. Hasta en seis ocasiones presentó su candidatura para ser sede __2.__ (*olímpico*) sin éxito. Siempre __3.__ (*quedar*) eliminada antes de la ronda final de votaciones. Esta vez tampoco fue una excepción pero el Comité Olímpico Internacional (COI) la rescató a última hora porque la candidatura de Doha no __4.__ (*ajustarse*) finalmente a los criterios marcados y fue sustituída por Río de Janeiro. Se convirtió así en finalista junto con las otras tres ciudades aspirantes: Madrid, Chicago y Tokio. Ayudó a que __5.__ (*obtener*) la mayoría de los votos de los miembros del Comité la capacidad de organización que demostró tener en la celebración de los Juegos Panamericanos de 2007 y las infraestructuras deportivas de las que disponía. Además otros atractivos __6.__ (*contribuir*) a ser la ciudad elegida: su marcado componente ecológico (los medios de transporte funcionan con combustibles alternativos), el número de habitantes (cerca de 12 millones viven en la región metropolitana) y, por supuesto, la belleza natural de la bahía.

Será la primera vez que __7.__ (*celebrar*) un evento olímpico en América del Sur. La mayoría de los eventos deportivos se realizarán en el centro del área urbana (Maracaná, Barra de Tijuca, Deodoro y Copacabana). Un total de veintiocho deportes __8.__ (*formar*) parte del programa. ¡Una cita que no me perdería si fuese un amante de los deportes!

25 Amplíe su vocabulario

Mire las palabras de la primera columna, que aparecen en el artículo anterior, y busque su definición o sinónimo en la segunda.

1.	trigésimo primero	a.	no fósiles
2.	rescatar	b.	entrada de mar en la costa
3.	aspirante	c.	acontecimiento
4.	disponer de	d.	encuentro
5.	alternativos	e.	que trata de conseguir algo
6.	metropolitano	f.	contar con
7.	bahía	g.	número 31
8.	evento	h.	perteneciente al conjunto urbano formado por la ciudad y sus suburbios
9.	cita		
i.	recuperar		

26 Lea, escuche y escriba/presente

Vuelva a leer el texto completo de la Actividad 24. Luego escuche "Beijing ya se alista para las Olimpiadas" y tome las notas necesarias. Escriba un ensayo o haga una presentación en clase sobre "El proceso de organizar los Juegos Olímpicos". No se olvide de citar las fuentes debidamente.

Estrategia

Escribir un ensayo implica presentar su opinión sobre un tema con datos que convencen y que se expresan con claridad y brevedad. Trate de organizar lo que va a decir antes de empezar a escribirlo.

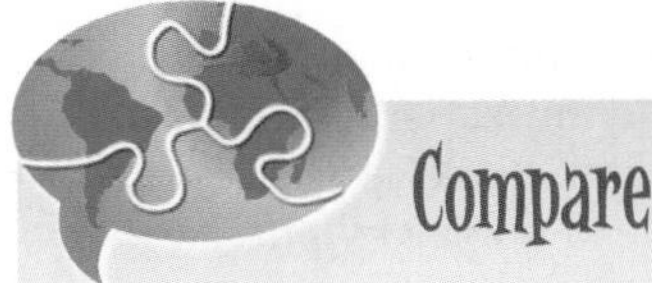

Compare

¿Puede pensar en algún deporte que haya sido creado en los EE.UU.?

Cita

Si todos los días fueran fiestas deportivas, entonces el deporte sería tan aburrido como el trabajo.

—William Shakespeare (1564–1616), poeta y dramaturgo inglés

¿Por qué es importante tener una variedad de actividades en su vida? ¿Qué quiere decir Shakespeare cuando habla de fiestas deportivas? ¿Es el deporte solamente diversión? ¿Qué otras cosas son los deportes? Comparta sus opiniones con un/a compañero/a.

¡Dato curioso!

En 1974 un millonario, Alfonso, viajó a México invitado por un amigo; éste había creado un deporte nuevo, el pádel. Alfonso, a su regreso a España, hizo algunos cambios y construyó la primera cancha de pádel de España en la ciudad de Marbella. Enseguida sus amigos del *Jet-set* se aficionaron, y el éxito del deporte se extendió. En 1975 un amigo de Alfonso decidió exportarlo a Argentina donde se convirtió en uno de los deportes más practicados del país. En los siguientes años su popularidad se extendió a otros países latinoamericanos. Su influencia ha llegado a América del Norte también donde cuenta con aficionados entre los estadounidenses y canadienses.

27 Los Juegos Olímpicos Modernos 

Lea el artículo y decida cuál de las dos palabras entre paréntesis es la correcta para completar cada oración. Después conteste las siguientes preguntas:

- ¿Cuál es el propósito del artículo?
- ¿Qué pregunta sería apropiada para hacerle al autor después de leer el artículo?

Pensamientos y postulados del Barón Pierre de Coubertin

En doscientos tres países se está celebrando la Semana Olímpica en homenaje al Barón Pierre de Coubertin, restaurador de los Juegos Olímpicos Modernos. Coubertin **1.** (*creía / creyó*) que se mejoraría la formación y rendimiento de los ciudadanos de Francia, su país natal, que había sido **2.** (*derrotado / derrotados*) en la guerra franco-prusiana. El 23 de junio de 1894, en la Universidad de la Sorbona de París, Coubertin **3.** (*proponía / propuso*) el restablecimiento de los Juegos Olímpicos fundamentado en el pasado histórico de los antiguos juegos que se habían celebrado en Grecia. El éxito de estos juegos se fundamenta en principios y postulados de **4.** (*grande / gran*) profundidad filosófica que han sido motivo de estudios y análisis **5.** (*por / para*) mucho tiempo. Coubertin decía que la actividad muscular es productora y generadora de alegría, energía y pureza, que deben ser **6.** (*puesta / puestas*) también al alcance de los más humildes porque el movimiento olímpico es puro, integral y democrático."El olimpismo es una filosofía de vida que exalta y combina las cualidades del cuerpo, la voluntad y el espíritu, **7.** (*basado / basados*) en la alegría del esfuerzo, el valor educativo del buen ejemplo y el respeto de los principios éticos fundamentales, y tiene como objetivo contribuir a la construcción de un mundo **8.** (*bueno / mejor*) y más pacífico sin discriminación de **9.** (*ningún / ninguna*) clase"... Algunos de sus conceptos han quedado obsoletos como **10.** (*él / el*) que dice: "Lo importante no sólo son los triunfos sino el combate, y lo esencial no es haber vencido sino haber luchado **11.** (*bueno / bien*)". ¿Están fuera de tiempo y de contexto? Yo digo que ahora más que nunca **12.** (*tienen / tengan*) vigencia. El noble francés fue creador de la bandera del Comité Olímpico Internacional, que tiene un fondo blanco con cinco anillos entrelazados que **13.** (*representa / representan*) la unión de los cinco continentes y el encuentro de **14.** (*los / las*) atletas del mundo, con los colores que se encuentran en las banderas de cada nación. El olimpismo es la escuela de la nobleza y pureza moral, que eleva el concepto del honor y respeto. Uno de los últimos mensajes de Coubertin fue: «¡Esforzaos en **15.** (*manteniendo / mantener*) la llama sagrada!»

www.efdeportes.com

28 ¿Qué significa?

Empareje las palabras de la primera columna con su definición, sinónimo o descripción de la segunda columna.

1. postulado	a. símbolo de los Juegos Olímpicos
2. en homenaje	b. vencer
3. restaurador	c. proposición que se admite sin evidencia
4. rendimiento	d. hacer una propuesta
5. derrotar	e. ánimo, vigor
6. proponer	f. estar al día
7. al alcance de	g. se apaga después de los Juegos Olímpicos
8. olimpismo	h. resultado o utilidad
9. esfuerzo	i. en honor a una persona
10. tener vigencia	j. todo lo relacionado con los Juegos Olímpicos
11. anillos entrelazados	k. disponible a
12. llama sagrada	l. el que restaura

29 Lea y escriba/presente

Vuelva a leer el texto completo anterior. Luego busque más información en Internet, u otras fuentes, sobre el Barón de Coubertin y el papel que jugó en establecer los Juegos Olímpicos Modernos y tome las notas necesarias. Escriba un ensayo o haga una presentación en clase sobre "El espíritu olímpico del Barón de Coubertin: los problemas que confronta la ciudad organizadora de los Juegos Olímpicos hoy en día". No se olvide de citar las fuentes debidamente.

30 Los deportes

Lea el artículo y decida cuál de las palabras entre paréntesis es la correcta para completar cada oración. Después conteste las siguientes preguntas:

- ¿Cómo resumiría el artículo en una frase?
- Si quisiera consultar otra fuente, ¿podría pensar en un posible título de una publicación?

Significado y alegría en el deporte en América Latina

A través de América Latina —definida como todo lo que hay en el continente americano al sur de Estados Unidos— no hay duda de que el más __1.__ (*aburrido / popular*) participante y espectador de deportes se queda en el fútbol, aunque el baseball, el cricket, el básquetbol, el rugby, el voleyball, el boxeo, las pruebas atléticas, las carreras de caballos, las carreras de autos y otros apasionan a un __2.__ (*pequeño / significativo*) número de devotos en diferentes partes de esta área geográfica. Lo que no queda claro son las razones de __3.__ (*por qué / porque*) ciertos deportes en los últimos tres siglos pasaron a ser tan populares en algunos lugares y el significado que dichos deportes tienen actualmente en sus diferentes dominios... Acá hay una pequeña razón para dudar que el fútbol __4.__ (*era / fuera*) introducido en la región del Río de la Plata por una mezcla de comerciantes ingleses, ingenieros, maestros y marineros, luego esparcido, primero, entre las elites locales y, casi al __5.__ (*algún / mismo*) tiempo, entre las clases trabajadoras, a menudo entre la juventud que pateaba __6.__ (*balones / pelotas*) de trapo en los potreros, áridos espacios en ciudades emergentes como Buenos Aires y Montevideo. Específicamente en Argentina, desde 1880 __7.__ (*a / hasta*) 1910, el fútbol más manifiesto era dominado por los colegios ingleses y sus graduados, mientras los locales, __8.__ (*cuyo / cuya*) calidad fue expandida por una siempre creciente ola de inmigrantes, se empeñaron __9.__ (*de / en*) encontrar suficientes espacios abiertos (potreros) para imitar el juego de los señores ingleses, si no sus valores y significados... La

difusión del juego nacional de América, como el fútbol y otros deportes modernos, a menudo recorrió diferentes caminos __10.__ (*por / para*) diferentes lugares, y las consecuencias fueron, __11.__ (*con / por*) frecuencia, también diferentes. El baseball aparentemente llegó a distintas partes de México a través de __12.__ (*dos / tres*) caminos: hacia el norte directamente desde los Estados Unidos, llevado __13.__ (*por / para*) los ingenieros, los mineros, los comerciantes y la población local en ambas márgenes del río Grande; y hacia la península de Yucatán, principalmente __14.__ (*desde / hacia*) Cuba, intensificado por grandes inversiones estadounidenses en la importación de henequén a fines __15.__ (*de / por*) los años 1800, para pasar a ser, para muchos, "El Rey de los Deportes".

El fútbol argentino, como cualquier fútbol latinoamericano, está manipulado en parte __16.__ (*por / para*) la FIFA y por los acaudalados clubes europeos.

www.efdeportes.com

31 Amplíe su vocabulario 

Mire las palabras de la primera columna, que aparecen en el artículo anterior, y busque su definición o sinónimo en la segunda.

1. prueba atlética
2. carrera
3. devoto
4. dominio
5. esparcido
6. patear
7. de trapo
8. potrero
9. creciente ola
10. recorrer
11. ambos
12. henequén
13. acaudalado

a. que tiene muchos bienes
b. aficionado
c. dar golpes con los pies
d. ascendente avalancha
e. competición deportiva
f. competición de velocidad
g. planta de donde a partir del líquido azucarado de su tronco se hace el pulque
h. los dos
i. territorio
j. tela
k. sitio destinado a la cría y pasto de ganado caballar
l. transitar por un espacio o lugar
m. extendido

32 Lea, escuche y escriba/presente 

Vuelva a leer el texto completo anterior, y luego escuche "La historia y la geografía: dos perspectivas para entender mejor el fútbol". Escriba un ensayo o haga una presentación en clase sobre "La pasión por el fútbol en América Latina". No se olvide de citar las fuentes debidamente.

Cita

El éxito de un equipo o de una organización es el resultado de los esfuerzos colectivos de los individuos.

—Vincent Lombardi (1913–1970), jugador y entrenador de fútbol americano

¿Por qué es tan importante el trabajo en equipo? Cite ejemplos de la vida deportiva, de las empresas y de la política que apoyen su opinión. ¿Por qué prestamos tanta atención a las "estrellas" en el mundo de los deportes, y no al trabajo de todo el equipo? ¿Le parece bien? ¿Por qué? Comparta sus opiniones con un/a compañero/a.

¡Dato curioso!

La primera Copa Mundial de Fútbol se jugó en 1930 en Uruguay porque los uruguayos habían ganado la medalla de oro en fútbol durante los Juegos Olímpicos de 1924 y 1928. Uruguay ganó esta primera Copa y la de 1950, cuando derrotó a Brasil. Brasil ganó la Copa cinco veces (1958, 1962, 1970, 1994 y 2002), e Italia, cuatro: en 1934, 1938, 1982 y 2006. Alemania obtuvo la victoria tres veces, en 1954, 1974 y 1990, y Argentina dos: en 1978 y 1986.

Maradona y el equipo nacional de Argentina celebran su victoria en la Copa Mundial.

Compare

¿Puede pensar en partidos (o acontecimientos) históricos donde los esfuerzos colectivos hayan conseguido un gran éxito?

¡A leer!

33 Antes de leer

¿Qué sabe Ud. de los Juegos Olímpicos Antiguos? ¿Cómo serían estos juegos? ¿Dónde y por qué los realizaron? ¿Quiénes los organizaron en los años antes de Cristo (a. de J. C.)?

34 Los juegos 

Lea con atención el texto que sigue. Intente averiguar el significado de las palabras en azul por el contexto, ya que se le harán preguntas sobre ellas.

LOS JUEGOS OLÍMPICOS DE LA ANTIGÜEDAD

LIC. MARIO RAMÍREZ ALFONSO, LIC. GUSTAVO A. OLIVEROS SORIANO, FAUSTO CABRERA MARTÍNEZ, EDEL MARTÍN ROMO Y CARLOS BAÑOS PRIETO

La práctica del deporte es uno de los mejores medios que existen al alcance de los hombres para mejorar su salud y establecer contacto directo con la naturaleza (A). En los pueblos más primitivos los ejercicios corporales tenían como finalidad principal la del propio sostenimiento y desarrollo de la capacidad defensiva de los hombres (B), pues en las continuas luchas en que éstos se veían involucrados para asegurar su existencia cotidiana y para aumentar su poderío material, estaban obligados a hacer uso de sus potencialidades físicas, para imponerse en los combates que efectuaban. Sin embargo, en la antigua Grecia fue donde los ejercicios atléticos adquirieron una importancia superior, tanto en el orden educativo como en el estético, el moral y el religioso (C). Ésta fue una de las grandes y trascendentales tareas que el pueblo griego se impuso, emprendió y realizó con una eficacia y brillantez hasta entonces desconocida (D). Así surgieron los Juegos Olímpicos Antiguos (J.O.A.). Se plantea la idea que se realizaron por primera vez en el año 776 antes de nuestra era, en homenaje al dios supremo de los griegos, Zeus, y se realizaban en Olimpia.

El origen de estos juegos era místico y divino; muchos afirman que el fundador fue Pelops, pero también se le atribuye la paternidad a Hércules. Los historiadores e investigadores suponen que se realizaban entre los meses de julio, agosto y septiembre. Estos juegos olímpicos se celebraban cada cuatro años y su realización servía a los griegos como base y cómputo de los años; los años que mediaban entre unos juegos y otros se les denominaban Olimpiadas.

Los atletas que iban a tomar parte en los juegos debían inscribirse previamente en las pruebas en las que deseaban participar, después de haber demostrado y solemnemente jurado hallarse en posesión de los requisitos exigidos.

Los árbitros, jueces u oficiales de los juegos eran magistrados; sus funciones eran múltiples y comenzaban diez meses antes de la competencia; tenían que comprobar que los atletas inscritos reunían las condiciones reglamentarias, organizar las relaciones de los competidores en los distintos eventos, velar por el buen estado de la sede y estadios de los juegos, presidir los juegos, los desfiles y los banquetes oficiales, proclamar a los vencedores, otorgar los premios y hacer los sacrificios divinos.

www.efdeportes.com

35 Amplíe su vocabulario

¿Cuál es la mejor traducción?

1.	sostenimiento	a.	brilliance
2.	involucrado	b.	to accomplish
3.	cotidiano	c.	demanded requirement
4.	poderío	d.	to uphold
5.	imponerse	e.	mystic
6.	estético	f.	to intervene, come between
7.	emprender	g.	to grant
8.	eficacia	h.	maintenance
9.	brillantez	i.	involved
10.	realizarse	j.	aesthetics
11.	místico	k.	to find oneself
12.	cómputo	l.	power
13.	mediar	m.	to watch out for
14.	previamente	n.	to impose
15.	jurar	o.	effectiveness
16.	hallarse	p.	everyday
17.	requisito exigido	q.	to undertake
18.	velar por	r.	calculation
19.	otorgar	s.	previously

Las ruinas del campo de entrenamiento de los Juegos Olímpicos Antiguos en Olimpia, Grecia

36 ¿Ha comprendido?

1. ¿Cuál es una de las mejores maneras de ponerse en contacto con la naturaleza?
   a. Seguir la vida del hombre primitivo
   b. Practicar un deporte
   c. Caminar
   d. Ser espectador de los deportes

2. ¿Para qué hacía el hombre primitivo ejercicios físicos?
   a. Para defenderse
   b. Para proteger a su familia
   c. Para sostenerse
   d. Para mantenerse en forma

3. ¿Por qué luchaba el hombre primitivo?
   a. Para defenderse
   b. Para prepararse para la guerra
   c. Para desarrollar su capacidad mental
   d. Todas las respuestas anteriores

4. ¿Cuál sería un buen resumen del primer párrafo?
   a. La vida rutinaria del hombre primitivo
   b. El hombre primitivo y el deporte
   c. Los orígenes del deporte
   d. La naturaleza y el deporte

5. ¿Qué importancia daban los griegos al ejercicio físico?
   a. Era una actividad religiosa.
   b. Era una actividad educativa.
   c. Era una actividad estética.
   d. Todas las respuestas anteriores

6. ¿Por qué surgieron los Juegos Olímpicos Antiguos?
   a. Los griegos querían unir a todos sus pueblos.
   b. Los griegos querían celebrar el verano con algo especial.
   c. Pelops y Hércules buscaban apoyo político y sugirieron la idea de competir en juegos antiguos.
   d. Los griegos querían reconocer a su dios supremo con las Olimpiadas.

7. ¿Cómo era la participación de los atletas?
   a. Mística y moral
   b. Solemne y honorable
   c. Al azar y sin preparación
   d. Basada en la política del día

8. ¿Cómo era la participación de los árbitros, jueces u oficiales?
   a. Era sencilla, pues no hacían mucho.
   b. Servía para apoyar a sus favoritos.
   c. Era al azar y sin mucha responsabilidad.
   d. Era complicada y con mucha responsabilidad.

9. ¿Cuál es el tema principal del artículo?
   a. Los primeros Juegos Olímpicos Antiguos
   b. Los griegos de 776 a. de J. C.
   c. Homenaje a Zeus
   d. Los griegos y el deporte

10. ¿Cuál sería otro buen título para este artículo?
   a. El desarrollo del hombre primitivo
   b. Los hombres primitivos y el deporte
   c. El origen de los Juegos Olímpicos
   d. Los atletas antiguos

37 ¿Cuál es la pregunta? 

Según el artículo que acaba de leer, escriba una pregunta lógica para estas respuestas.

1. Mejorar su salud
2. Aumentar su poderío material
3. Con eficacia y brillantez
4. En el año 776 antes de nuestra era
5. En Olimpia
6. A Pelops y Hércules
7. Los años que mediaban entre unos juegos y otros
8. Inscribirse previamente
9. Diez meses antes de la competencia
10. Construir un estadio (*¡Cuidado!*)

38 ¿Qué piensa?

¿Cuáles eran las siete funciones de los árbitros, jueces u oficiales de los Juegos Olímpicos Antiguos? En su opinión, ¿cuál era la más importante? ¿La menos importante? ¿Por qué? Comparta su opinión con la de un/a compañero/a.

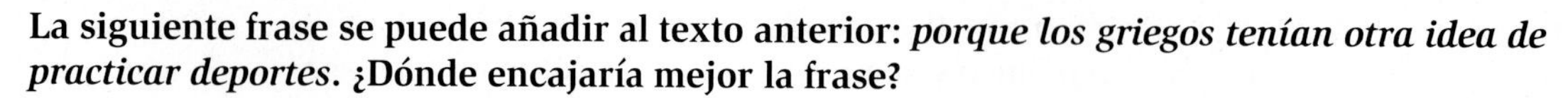

39 ¿Dónde va?

La siguiente frase se puede añadir al texto anterior: ***porque los griegos tenían otra idea de practicar deportes.*** **¿Dónde encajaría mejor la frase?**

1. Posición A, línea 4
2. Posición B, línea 8
3. Posición C, línea 18
4. Posición D, línea 22

40 Antes de leer

¿Qué es el Quidditch? ¿Dónde escuchaste hablar por primera vez de él? ¿Conoces algunas reglas del juego? ¿Existe en la vida real o solo en el plano de la ficción?

41 El Quidditch

Lea con atención el siguiente artículo. Después conteste las siguientes preguntas:

- ¿Cuál es el propósito del artículo?
- ¿Qué pregunta sería apropiada para hacerle al autor después de leer el artículo?

¡Juguemos al Quidditch!

Desde que se diera a conocer el deporte Quidditch en la saga de Harry Potter entre los alumnos del Colegio Hogwarts de Magia y Hechicería, muchos colegios y universidades lo practican, adaptando las reglas del juego y compitiendo entre ellos.

En las novelas de Harry Potter el Quidditch se juega en un campo oval con tres aros a cada extremo situados a distintos niveles. Se enfrentan dos equipos de siete jugadores cada uno: tres cazadores, dos golpeadores, un guardián y un buscador. Todos montan sobre escobas mágicas y el juego acaba cuando un equipo atrapa la snitch dorada (pelota del tamaño de una pelota de tenis muy rápida que tiene vida propia), pero gana el que tenga más puntos hasta ese momento (10 puntos cada vez que se pasa la pelota quaffle a través de cualquiera de los tres aros, y 150 puntos por atrapar la snitch dorada).

Según nos describe el libro, las reglas del juego se establecieron en 1750 por el Departamento de Deportes y Juegos Mágicos. Algunas de éstas son: los jugadores no pueden salirse del terreno de juego pero pueden volar tan alto cuanto deseen; está prohibido hechizar a los jugadores, utilizar un objeto mágico o beber una poción mágica; y se permite el contacto entre ellos pero no pueden sujetar la escoba ni ninguna parte del cuerpo de otros jugadores.

Hay ligas profesionales de Quidditch y mundiales cada cuatro años entre las distintas naciones de magos. En el libro de *Harry Potter y el cáliz de fuego*, se celebra la final de la Copa Mundial entre Bulgaria e Irlanda, partido muy disputado, donde finalmente se alza con la victoria Irlanda. Hoy en día los equipos universitarios juegan al Quidditch Muggle, una adaptación del juego arriba descrito. Las superficies pueden ser campos de tierra, de césped o de hockey. Los jugadores corren con una escoba entre las piernas todo el tiempo. Los tres cazadores deben meter la quaffle por los aros; los golpeadores deben lanzar la pelota bludger contra el equipo contrario; el guardián se encarga de evitar que los cazadores del otro equipo metan gol, y el buscador trata de atrapar la snitch antes que el buscador contrario. La snitch es una persona vestida toda de amarillo o dorado, a veces adornada con alas, que lleva la pelota en un calcetín. Cuando sale al campo el árbitro grita "¡escobas arriba!" y comienza el partido.

Hay una Asociación Internacional de Quidditch donde hay alrededor de trescientos noventa equipos, la mayoría de Estados Unidos (con trescientos diecinueve). En el 2011 se celebrará la quinta edición de la Copa Mundial de Quidditch en la ciudad de Nueva York. En ella participarán 100 equipos de cinco países diferentes. Será un festival donde comediantes, tiendas de magia, comida y música tendrán lugar durante dos días. ¡Todo un evento para no perderlo de vista tanto para los curiosos como para los fanáticos de este mágico deporte!

42 ¿Qué significa?

Empareje las palabras de la primera columna con su definición o sinónimo de la segunda.

1. oval	a. líquido que se bebe
2. aro	b. ejercer una influencia maléfica con poderes y prácticas mágicas
3. alzarse con algo	c. ataviar
4. terreno de juego	d. que tiene deseo de conocer
5. hechizar	e. reñido
6. poción	f. hierba que cubre el suelo
7. césped	g. lugar en que se desarrolla un encuentro deportivo
8. adornar	h. pieza de metal u otro material en forma de circunferencia
9. curioso	i. apoderarse de
10. disputado	j. forma de elipse

43 ¿Ha comprendido?

1. ¿Cómo se juega al Quidditch en la novela de Harry Potter?
2. ¿Cuáles son las reglas del juego?
3. ¿Qué es la *snitch*?
4. ¿En qué libro de la saga hay una reñida final del mundial de Quidditch?
5. ¿Qué es el Quidditch Muggle? ¿En qué se diferencia del Quidditch de la novela?
6. ¿Cuándo y dónde se celebrará el siguiente Mundial de Quidditch? ¿Cómo será el evento?
7. ¿Cómo resumiría el artículo en una frase?

44 ¿Cuál es la pregunta? 

Según el artículo que acaba de leer, escriba una pregunta lógica para estas respuestas.

1. En la serie de novelas Harry Potter
2. Siete: un guardián, dos golpeadores, tres cazadores y un buscador
3. En 1750 por el Departamento de Deportes y Juegos Mágicos
4. No se puede hechizar a los jugadores o beber una poción mágica
5. Cada cuatro años

45 Lea y escriba/presente 

Después de leer "¡Juguemos al Quidditch!", escriba un ensayo o haga una presentación en clase reflexionando sobre las cuestiones que aparecen a continuación:

- ¿Dónde cree que radica el éxito de llevar este juego al plano de la realidad?
- ¿Cree que es llevarlo demasiado lejos?
- ¿Hasta qué punto un libro puede marcar una tendencia o una moda?
- ¿Qué otros libros recuerda que hayan pasado los límites de la ficción?
- ¿Cree que será una tendencia que veremos cada vez a menudo?

¡Dato curioso!

El Tlachtli es el nombre azteca del juego de pelota practicado a lo largo de tres mil años por las culturas precolombinas mesoamericanas. Éste consistía en meter una pelota de goma maciza en unos aros de piedra situados a ambos lados de la pista, valiéndose únicamente de las piernas, caderas, codos y la cabeza. La pelota no podía tocar el suelo, y si lo hacía en el lado del equipo contrario, éste ganaba un punto. Este juego tenía un sentido ritual y religioso. Las canchas de juego se construían cerca de los templos. La pelota simbolizaba el sol, y los capitanes de los equipos, tanto ganadores como perdedores, eran en ocasiones sacrificados a los dioses.

¡A escuchar!

46 Antes de escuchar 

Antes de escuchar la grabación de la Actividad 47, lea el artículo que sigue, pero primero repase las palabras del recuadro.

la cancha *court*	**originarse** *to originate*	**golpear** *to hit*
el codo *elbow*	**las rodillas** *knees*	**las nalgas** *buttocks*
la cadera *hip*	**los hombros** *shoulders*	**las fuerzas opuestas** *opposing forces*
la oscuridad *darkness*		

El juego de pelota en Mesoamérica

El juego de pelota era un deporte, sí, pero con un simbolismo religioso muy profundo. La cancha de juego de pelota tenía una forma de *T* o de *I* mayúscula y se encontraba en todas las ciudades mayas, excepto en las más pequeñas. Se originó hacia el 2500 a. de J. C. El juego de pelota tuvo un papel ritual, político y posiblemente económico. El juego consistía en mantener [5] la pelota en movimiento y podía ser golpeada con los codos, las rodillas, las nalgas, la cadera, los hombros, la espalda y los brazos, pero no con las manos ni con los pies. Se podía usar la mano solamente para servir la pelota. El juego de pelota simbolizaba la lucha entre las fuerzas opuestas del universo; era la lucha entre el bien y el mal o entre la luz y la oscuridad.

www.tucuate.com

47 Guerreros de la Serpiente Emplumada 

Esta grabación trata sobre el conflicto producido al querer mover unas columnas de los toltecas. La grabación dura aproximadamente 6 minutos. Lea las posibles respuestas primero y después escuche "Pueblo defiende guerreros de la Serpiente Emplumada". Escoja la mejor respuesta para cada pregunta. Después piense en cuál sería el título de una posible publicación que podría consultar si quisiera consultar otra fuente.

1. ¿Contra qué plan expresa el pueblo su desacuerdo?
   a. El pueblo no quiere que el gobierno destruya un templo antiguo.
   b. El pueblo quiere usar un templo antiguo para un juego moderno.
   c. Los residentes de Tula no quieren que se muevan algunas columnas con esculturas que formaban parte de un estadio de un antiguo juego de pelota.
   d. Los pobladores de Tula exigen que el gobierno haga copias de columnas con esculturas que formaban parte de un estadio de un antiguo juego de pelota.
2. ¿Por qué están de acuerdo con el plan algunos arqueólogos?
   a. Los arqueólogos temen que la contaminación del aire destruya las columnas con esculturas del templo.
   b. Los arqueólogos temen que mucho tráfico de turistas destruya las columnas con esculturas del templo.
   c. Los arqueólogos temen que la antigüedad de las estructuras destruya las columnas con esculturas del templo.
   d. Los arqueólogos dicen que sin esta acción no se puede renovar las columnas con esculturas del templo.
3. ¿Qué causa el daño?
   a. El tráfico de turistas
   b. El tráfico de arqueólogos
   c. La contaminación del aire producida por una fábrica de productos químicos
   d. Las respuestas a y c

4. ¿Qué desean los pobladores de Tula?

    a. Recrear réplicas de las columnas con esculturas del templo
    b. Poner las columnas originales con esculturas del templo en un museo
    c. Dejar las columnas en el pueblo
    d. Las respuestas a y b

5. ¿Quién era Quetzalcóatl?

    a. El dios del juego de pelota de Mesoamérica
    b. El dios guerrero de Mesoamérica
    c. El dios benevolente de Mesoamérica
    d. La reencarnación de Topiltzin

6. Cuando los aztecas vieron a Hernán Cortés por primera vez, ¿por quién lo tomaron?

    a. Por Topiltzin, una reencarnación de Quetzalcóatl
    b. Por Quetzalcóatl
    c. Una reencarnación de una serpiente emplumada
    d. El invasor barbado más feroz de Mesoamérica

7. ¿Cuál es uno de los propósitos para solucionar la crisis?

    a. Poner un observatorio de donde se pueda ver todo de lejos y no permitir a los turistas cerca de las columnas
    b. Mezclar el pasado con el presente: guardar dos columnas originales y reemplazar dos con copias
    c. Colocar un techo sobre las columnas
    d. Rediseñar el acceso a las columnas con nuevos senderos y nuevos puntos de observación

48 Antes de escuchar 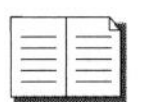

Antes de escuchar la grabación de la Actividad 49, lea el artículo que sigue, pero primero repase las palabras del recuadro.

trasladar	*to transfer*	**el muro**	*wall*	**tirar**	*to throw*
la cesta	*basket*	**atrapar**	*to trap*	**apostar**	*to bet*

La pelota vasca

La pelota vasca tiene su origen en los tiempos de los aztecas. El conquistador español Hernán Cortés descubrió el juego en los templos aztecas hace unos quinientos años y lo trasladó a España. Allí, por muchos años, se conoció por el nombre *jai* [5] *alai*, una expresión vasca que quiere decir "festival alegre". Los vascos adaptaron el juego que introdujo Cortés a España según las condiciones del momento en el norte de España. Los vascos usaron los elementos de los aztecas: una pelota muy dura, tres muros muy altos (un frontón) y dos o cuatro [10] jugadores que tiraban la pelota contra un muro. Pero se tiraban la pelota tan rápidamente que los vascos introdujeron una cesta con una curva para atrapar la pelota y tirarla hacia el muro otra vez. El *jai alai* se conoció como el juego más rápido de todo el mundo por mucho tiempo. El juego llegó a los Estados Unidos pero cambió su objetivo otra vez. En varios estados, el frontón [15] estadounidense era el lugar de las apuestas en el deporte de los vascos. Debido a muchas dificultades financieras en los últimos veinte años, el frontón está despareciendo poco a poco, y los únicos lugares para ver "la pelota vasca" son España y ciertos sectores de Europa.

www.elpais.es

49 La pelota y la televisión

Esta grabación es sobre la entrevista con la antropóloga Olaz González quien estudió el juego de la pelota vasca y su evolución a lo largo del tiempo. La grabación dura aproximadamente 3.5 minutos. Lea las preguntas primero y después escuche "Los cambios en la pelota tienen mucho que ver con la televisión". Después, haga un resumen de las preguntas que se le hace a la antropóloga Olatz González Abrisketa. Por último, conteste las preguntas.

1. ¿Cuál es el propósito de la grabación?
2. ¿Cómo resumiría lo que escuchó en una frase?
3. ¿Qué pregunta sería apropiada para hacerle a la señora entrevistada al final de la entrevista?
4. ¿Por qué la pelota es un juego tan masculino?
5. ¿Cómo explica la antropóloga que las mujeres se han ido abriendo hueco en casi todos los deportes menos en la pelota?
6. ¿Qué cambios han sido los más importantes en la pelota durante los últimos años?
7. Según González Abrisketa, ¿cómo anda de salud la pelota?
8. ¿Qué representa la pelota para los vascos?

50 Participe en una conversación

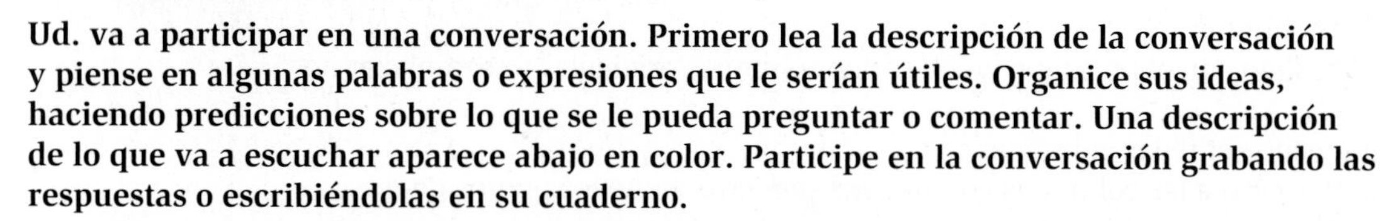

Ud. va a participar en una conversación. Primero lea la descripción de la conversación y piense en algunas palabras o expresiones que le serían útiles. Organice sus ideas, haciendo predicciones sobre lo que se le pueda preguntar o comentar. Una descripción de lo que va a escuchar aparece abajo en color. Participe en la conversación grabando las respuestas o escribiéndolas en su cuaderno.

Escena: Su hermanito tiene que escribir un informe sobre la pelota vasca y el juego de pelota de Mesoamérica y pide su ayuda. Conteste sus preguntas.

Su hermanito:	Plantea el problema y pide su ayuda.
Ud.:	• Dígale que lo ayudará.
Su hermanito:	Le hace unas preguntas.
Ud.:	• Dele detalles sobre lo que le pide.
Su hermanito:	Le hace otras preguntas.
Ud.:	• Dele detalles sobre lo que le pide.
Su hermanito:	Le hace más preguntas.
Ud.:	• Háblele sobre sus preferencias. Explique las razones.
Su hermanito:	Sigue la conversación.
Ud.:	• Haga un comentario usando una expresión nueva de la lección.

¡A escribir!

51 Texto informal: una carta 

Lea esta carta con atención y respóndale a la oferta de coaching que propone Raquel Fuerte. Mencione cómo supo de sus servicios, explique por qué necesita "coaching" y pida más información sobre sus servicios. Hable sobre uno de los testimonios que leyó en su página web y pida más información sobre esta experiencia.

Hola,

Me llamo Raquel. Te agradezco que hayas cliqueado en mi página web, y te invito a que la explores. Aquí encontrarás más información sobre mis servicios, y también algunos testimonios de algunos de mis clientes. Como verás, llevo ya más de una década haciendo coaching a deportistas.

He ayudado a cientos de personas que quieren mejorar su rendimiento físico y siempre han tenido buenos resultados.

Si estás interesado/a, no dudes en ponerte en contacto conmigo. Haré lo posible por tratar de encontrar un programa que sea adecuado para tus necesidades personales.

Atentamente,

Raquel Fuerte

52 Texto informal: las becas 

En un foro, un/a atleta que recibió dos becas para estudios universitarios le pide consejo a Ud. Una beca es académica y ofrece mucha ayuda económica; la otra ofrece menos ayuda económica pero garantiza que el/la becario/a va a participar en uno de los mejores programas deportivos de la universidad. Las dos universidades que le han ofrecido estas becas son de semejante prestigio. Dele consejos a esta persona.

- Dele sugerencias de cómo debe evaluar las dos becas.
- Dele consejos útiles para considerar la beca académica.
- Dele consejos útiles para considerar la beca deportiva.

53 Ensayo: los deportes 

Escriba un ensayo en el que compare las diferencias y semejanzas entre los deportes profesionales y los deportes universitarios.

54 Ensayo: el papel de los deportes 

Escriba un ensayo contestando la pregunta, "¿Cómo sería mi vida sin deportes?"

55 En parejas

Intercambie sus ensayos con un/a compañero/a. Exprésele su opinión sobre el contenido y el uso del idioma.

¡A hablar!

56 Charlemos en el café

Ud. va a debatir los siguientes temas con un/a compañero/a. Uno estará a favor de lo que se ha dicho y otro en contra. El debate durará varios minutos. El/La estudiante que esté de acuerdo comenzará el debate y hablará por unos dos minutos. Cuando el/la profesor/a lo indique, el/la otro/a estudiante tomará la palabra y expresará su opinión por otros dos minutos y así sucesivamente.

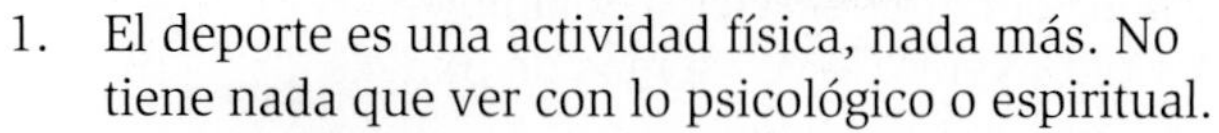

1. El deporte es una actividad física, nada más. No tiene nada que ver con lo psicológico o espiritual.
2. Los estudiantes de ambos sexos deberían tener los mismos programas deportivos en la escuela o universidad. Por ejemplo, debe existir un programa de fútbol americano para chicas. Y si una chica quiere ser parte del equipo de fútbol americano masculino, tiene derecho a participar.
3. La universidad debe distribuir las becas deportivas en la misma proporción que las becas académicas, y deben ser iguales para hombres y mujeres.
4. El deporte se divide en dos: el fútbol y el resto.
5. El fútbol es tan popular en los EE.UU. como el fútbol americano.

57 ¿Qué opinan? 

Converse con un/a compañero/a sobre estas preguntas.

1. ¿Quiénes han sido los diez mejores atletas de la última década y por qué le parecen los mejores?
2. Hable del proceso de llegar a ser atleta profesional. ¿Cree que es cuestión de talento, buenas conexiones con el mundo profesional o debido a otra cosa? ¿Cuál?
3. ¿Piensa que en los Estados Unidos se valora demasiado a los atletas profesionales? ¿Cree que pueden ejercer una influencia positiva o negativa en los jóvenes? ¿Por qué?

58 Presentemos en público 

Conteste una de las siguientes preguntas o haga una presentación oral sobre uno de los temas durante varios minutos en clase. Organice sus ideas antes de hacer la presentación, busque las palabras necesarias y, después de practicar, presente en clase sin mirar las notas.

1. ¿Cree que la televisión ha afectado demasiado a los deportes? ¿Cómo? ¿Es difícil emitir un partido entero de fútbol en la televisión norteamericana? ¿A qué se debe?
2. "La gloria no consiste en no caer nunca sino en levantarte cada vez que te caes". Relate las experiencias de un atleta (real o ficticio) que llegó a ser el número uno en su deporte después de enfrentar muchos obstáculos o fracasos.
3. "Ganar no es lo más importante, es lo único". Relate las experiencias de una persona (real o ficticia) relacionada con los deportes, como atleta, entrenador, miembro de la familia de un atleta, etc., que cree que este dicho es verdad.
4. Investigue y presente sobre la importancia del ciclismo en España y Latinoamérica.
5. Investigue y presente sobre el polo en Argentina.
6. Haga una presentación sobre el Real Madrid y el FC Barcelona (su rivalidad, sus jugadores, sus éxitos, sus fans, su publicidad, su impacto y sus cifras).

Proyectos

59 ¡Manos a la obra! 

Trabaje con un grupo de cuatro o cinco estudiantes para llevar a cabo uno de los siguientes proyectos y presentarlo en clase.

1. Van a ser expertos en un deporte. Investíguenlo y luego hablen de su historia, el equipo necesario para jugarlo, las posiciones de los jugadores, y si hay algunas variaciones del deporte. Prepárense para mostrar cómo jugarlo a sus compañeros.
2. Piensen en los Juegos Olímpicos de 2020. ¿Cuál sería su plan ideal para organizarlos para ese verano? Hablen del lugar ideal, los deportes que incluirían, las viviendas para los atletas, el transporte, el marketing y publicidad, la seguridad de los atletas y espectadores, la imparcialidad de los jueces, etc. Organicen el plan para ganar la votación del Comité.
3. Hagan un anuncio para promover la práctica de un deporte. Decidan si va a ser un anuncio para niños, jóvenes, adultos o la tercera edad. Pueden imaginar que son dueños de un gimnasio, entrenadores personales, entrenadores en un colegio, representantes encargados de la salud de los empleados de una empresa o fábrica, enfermeros en un asilo de ancianos, etc.

Detalles del estadio antiguo

Las ruinas del estadio antiguo en Olimpia, Grecia

Vocabulario

Verbos

agradecer	to thank
arrebatar	to snatch away
bastar	to be enough
deplorar	to lament, deplore
derrotar	to defeat
descartar	to reject
disputarse	to fight, challenge
emprender	to set about, undertake
enaltecer	to praise
encargar	to put in charge of
golpear	to hit
hidratar	to hydrate
humillar	to humiliate
jurar	to swear (*an oath*)
marcar un gol	to score a goal
mediar	to intervene, come between
otorgar	to grant
patear	to kick
programar	to program
proponer	to propose
protagonizar	to take a leading part in
realizar	to accomplish, carry out
recorrer	to go through; to travel
sobornar	to bribe
vencer	to defeat

Verbos con preposición

verbo + a:

agregar a	to add to
venir a	to come to

verbo + de:

aislarse de	to isolate oneself from
ser parte de	to be part of
tener la oportunidad de	to have the opportunity to

verbo + en:

concentrarse en	to concentrate on
inscribirse en	to register, enroll in

verbo + por:

apostar por	to bet on
velar por	to watch out for

Sustantivos

el	**alojamiento**	accommodations
el/la	**árbitro/a**	referee, judge
la	**arcilla**	clay
el/la	**arquero/a, portero/a**	goalie
el/la	**atleta**	athlete
el	**atraso**	delay
el	**automovilismo**	race-car driving
el/la	**baloncestista**	basketball player
el	**baloncesto**	basketball
el	**básquetbol**	basketball
el/la	**basquetbolista**	basketball player
la	**bebida energética**	energy drink
el/la	**beisbolista**	baseball player
el/la	**campeón(a)**	champion
el	**campeonato**	championship
la	**carrera**	race
el	**cemento**	cement
el	**ciclismo**	cycling
el/la	**ciclista**	cyclist
la	**cobertura**	coverage
el/la	**comisionado/a**	commissioner
la	**competencia**	competition, rivalry
la	**competición**	competition, contest
el/la	**corredor(a) en base**	base runner
la	**defensa**	defense (defensive player)
el	**delantero**	forward (player)
el	**deporte de equipo**	team sport
el	**deporte por pareja**	two-person sport
el/la	**deportista**	sportsman/sportswoman
el	**dominio**	domain
el/la	**dueño/a**	owner
la	**eficacia**	effectiveness
el	**ejercicio físico**	physical exercise
el	**entrenamiento**	training
el	**equipo contrario**	opposing team
el/la	**espectador(a)**	spectator
el/la	**fanático/a**	fan
la	**fuente**	source
la	**gimnasia**	gymnastics
el/la	**gimnasta**	gymnast
la	**hierba**	grass
el	**hockey sobre hielo**	ice hockey
el	**jardinero derecho**	right fielder
el	**jonrón**	home run
el	**juego de pelota**	ball game
el/la	**jugador(a)**	player
el	**local**	home team
la	**lucha libre**	wrestling
el/la	**luchador(a)**	wrestler
el/la	**marcador(a)**	goal scorer
el	**medio**	midfieldman
el/la	**nadador(a)**	swimmer
la	**natación**	swimming
el	**ocio**	leisure, free time
el	**pasto**	grass
el/la	**patinador(a)**	skater
el	**patinaje**	skating
la	**pelota vasca**	Basque ball game

el/la	**piloto de Fórmula 1**	Formula 1 race-car driver
la	**pista**	court
el	**poder**	power
la	**polémica**	controversy
la	**portada**	front page, cover *(of a book)*
el/la	**portero/a**	goalie
el/la	**propietario/a**	owner
el/la	**remero/a**	rower
el	**remo**	rowing
el	**rendimiento**	performance
la	**sede**	seat, headquarters
el	**sostenimiento**	maintenance, support
la	**temporada**	(sports) season
el/la	**tenista**	tennis player
la	**tierra batida**	clay
la	**zapatilla**	sneaker, tennis shoe

Adjetivos y adverbios

acaudalado, -a	wealthy
cotidiano, -a	daily
cotizado, -a	sought-after
destacado, -a	outstanding, distinguished
emocionante	exciting
encargado, -a	in charge
esparcido, -a	scattered
impreso, -a	printed
involucrado, -a	involved
mundialmente	worldwide
rotundo, -a	categorical, flat (*denial, statement, etc.*)
súbito, -a	sudden
tajante	definitive *(answer, remark)*

Expresiones

al alcance de	within reach of
correr el riesgo de	to run the risk of
de primera mano	firsthand
en homenaje	in homage
estar muy verde	to be far from ready
fuera del país	outside the country
llegar a ser campeón(a)	to become champion
poner en marcha	to set into motion
tener tiempo libre	to have free time
tener vigencia	to be in effect

A tener en cuenta

Expresiones para cartas de negocios y de amistad

Encabezamientos para cartas de negocios

Distinguido/a; Estimado/a	Dear
Estimado/a director(a)	Dear (Esteemed) Director
Muy señor mío (señora mía)	Dear Sir/Madam
Muy estimado/a Señor/Señora (+ apellido)	Dear (Esteemed) Sir/Madam/Mr./Ms (+ last name)

Terminaciones para cartas de negocios

Atentamente/Le saluda atentamente	Sincerely, Yours truly
Respetuosamente suyo/a	Respectfully yours
Cordialmente	Cordially
Su seguro/a servidora(a)	Yours faithfully

Encabezamientos para cartas de amistad

Querido/a + nombre	Dear + name
Mi querido/a + nombre	My dear + name
Hola + nombre	Hello + name
Cariño	Darling

Terminaciones para cartas de amistad

Un abrazo	A hug
Besos y abrazos	Hugs and kisses
Recibe un abrazo muy fuerte de tu amigo/a + nombre	A big hug from + name
Cariñosos saludos de	Fondly, Fond greetings from
Afectuosamente	Affectionately
Mis recuerdos a tu familia	My regards to your family
Un cordial saludo	Warm greetings

Lección

B

Objetivos

Comunicación

- Hablar de la violencia en los deportes
- Hablar de los sobornos y el dopaje
- Expresar opiniones sobre las corridas de toros
- Describir el impacto de la competencia en los deportes

Gramática

- Los verbos con preposiciones
- Repaso de tiempos verbales

"Tapitas" gramaticales

- expresiones con *lo*
- *solamente, solo* y *sólo*
- verbos usados como sustantivos
- participios pasados usados como adjetivos
- *para* o *por*
- los tiempos verbales
- *aun* y *aún*
- adverbios
- nexos
- *tras* y *después*

Cultura

- La mujer y el deporte
- La historia del baloncesto
- Las asociaciones deportivas
- Los deportes en Cuba
- El fútbol en Argentina
- Los toros

Para empezar

1 Conteste las preguntas

Piense en las respuestas a las siguientes preguntas. Ud. puede tomar notas si lo considera necesario. Cuando termine, compare sus respuestas —pero sin mirar sus notas— con las de un/a compañero/a.

1. ¿Cómo serán los deportes en el futuro? ¿Formarán parte de la vida de cada individuo? ¿Cuál será el papel de la ciencia, de la nutrición, de la tecnología y del ocio en los deportes del futuro?
2. Piense en los lugares públicos donde se puede practicar un deporte en su pueblo, ciudad, estado o región. ¿Tiene fácil acceso a estos lugares todo el público? ¿Se mantienen estos lugares en condición óptima? ¿Qué programas deportivos ofrece su pueblo, ciudad, estado o región? ¿Le parecen suficientes? ¿Cuáles añadiría?
3. En su opinión, ¿hay demasiada violencia en los deportes hoy? ¿Hay violencia solamente en los deportes profesionales o a todos los niveles? ¿Qué opina de la violencia o de la mala conducta de los espectadores que atacan verbal o físicamente a los árbitros? Cite ejemplos de violencia o de mala conducta en un deporte.
4. ¿En qué deportes hay más probabilidad de ser testigo de la violencia o de la mala conducta de los jugadores o de los espectadores? ¿Cómo castigaría los actos de violencia o de mala conducta durante un partido?

5. ¿Qué opina o sabe de los Juegos Olímpicos Especiales (para los atletas minusválidos)?
6. ¿Qué opina de los sobornos (*bribes*) durante los campeonatos? ¿Se debe descalificar a los atletas, al equipo y a los jueces? ¿Se debe jugar el campeonato otra vez? Cite ejemplos de un soborno en un deporte.
7. ¿Qué opina de los atletas que hacen promociones de productos deportivos o de ropa deportiva? ¿Compra estos productos? ¿Está demasiado comercializado el deporte?
8. ¿Cuáles son las ventajas de practicar un deporte? Cite también alguna posible desventaja.
9. ¿Qué sabe de las corridas de toros? ¿Las considera un deporte o un espectáculo? ¿Por qué?
10. ¿Qué piensa de los programas deportivos nacionales patrocinados por el gobierno para el entrenamiento de atletas como en China o Cuba?

2 Mini-diálogos

Va a crear un mini-diálogo con un/a compañero/a. Lea la descripción de la conversación antes de empezar. Puede tomar notas para organizar sus ideas, pero no las mire mientras conversa. Le pueden servir algunas expresiones del recuadro.

Escena: Está en su casa, mirando un partido de fútbol con su padre. El árbitro acaba de descalificar un gol muy controversial.

la defensa	un pase de gol	marcar un gol
el marcador	usar las manos	fuera del campo del partido
el portero	el equipo contrario	

A: Reaccione positivamente a lo que decidió el árbitro.

B: Reaccione negativamente a lo que decidió el árbitro.

A: Explique por qué reaccionó positivamente.

B: Explique por qué reaccionó negativamente.

A: Reaccione cordialmente pero rechace la razón que le presenta.

B: Explique con más detalles por qué piensa así y por qué el árbitro no tenía razón.

A: Explique por qué cree que el árbitro tenía razón.

B: Después de escuchar los cometarios de la televisión, decida si Ud. está de acuerdo. Haga un comentario sobre el equipo en general y su récord esta temporada.

A: Reaccione cordialmente y dígale que siga mirando el partido con Ud.

Cita

Cuando somos buenos, nadie nos recuerda, cuando somos malos, nadie nos olvida.
—Anónimo

¿Es verdad que se aplica esta cita a todos los deportes, o sólo a algunos? ¿A cuáles? ¿Por qué? Nombre a algunos atletas conocidos por sus acciones violentas o poco apropiadas. Explique por qué tienen esa reputación. ¿Cómo les ha afectado ese comportamiento a su carrera? Comparta sus respuestas con un/a compañero/a.

¡Dato curioso!

Cuando UNICEF preguntó a casi 1.500 jóvenes "¿Crees que practicar deportes ayuda o impide a los estudiantes a tener un buen rendimiento escolar?", el 82.5% dijo que les ayuda y solamente el 17.5% dijo que les impide.

Compare

¿Qué deportes son los más populares y los más polémicos en su país? ¿Y en su escuela? ¿Y en otros países de habla hispana?

Vocabulario y gramática en contexto

3 Un foro

Túrnese con un/a compañero/a para leer los comentarios que dos personas han escrito en un foro. Fíjese en las palabras que aparecen en azul (relacionadas con el vocabulario) y en rojo (relacionadas con la gramática), ya que en las siguientes actividades se le harán preguntas sobre ellas.

Deportes

Agustín Larra Gómez — **Cinco razones contra todos los Juegos Olímpicos**

1. **La competencia.** Los Juegos Olímpicos son competitivos sin duda. Lo más importante es ganar y no participar. Los atletas compiten con el récord; no compiten con los demás.
2. **El nacionalismo.** Los Juegos Olímpicos favorecen el nacionalismo. Los atletas, entrenados por el dinero de los gobiernos, solamente quieren el prestigio que lleva una victoria olímpica. La competición se ha convertido en una competición entre países. Las victorias individuales y por equipos son solamente victorias nacionales; son oportunidades de promocionar el prestigio nacional.
3. **El comercialismo.** Solamente las compañías multinacionales se benefician de los Juegos Olímpicos. Reciben muchos beneficios financieros de sus inversiones. Los héroes olímpicos se benefician solamente si pueden promocionar un producto después de ganar una medalla.
4. **La violencia.** Los deportes practicados en los Juegos Olímpicos de la Antigua Grecia eran lucha libre, lanzamiento de disco y jabalina, boxeo, carreras de carros, y una lucha violenta, llamada *Pankration*. Actualmente los deportes como el boxeo, el tiro al arco o la jabalina son deportes que evolucionaron de unas prácticas de guerra.
5. **La ciencia del cuerpo.** Ahora, en términos científicos, los cuerpos de los atletas son máquinas cuyo único fin es vencer. Las drogas legales o ilegales son parte de estos avances sin tener en cuenta, muchas veces, la salud del atleta.

Verónica López García — **Los deportes**

Para mí, practicar un deporte es lo más natural que hay. Practicar deportes me ayuda física y mentalmente. Para mí, el deporte alivia el estrés de un día duro de trabajo y disminuye la frustración y la presión que siento en el trabajo y con los deberes familiares. Todo se convierte en algo manipulable y alcanzable, y así no me preocupo por cosas que no tienen importancia. Tengo suerte de que la empresa donde trabajo nos ayude con esto. Tenemos un gimnasio pequeño en la empresa, que está disponible para todos nosotros cuando queramos. La sala tiene todo tipo de maquinaria para ayudarnos a hacer ejercicio físico cada día. Está abierto aun los fines de semana y puedo llevar a mi familia allí. Llevo a mis dos niños para que participen en las ligas de fútbol y de béisbol. Mi hija de siete años ha aprendido mucho en su equipo de fútbol. Ha aprendido a trabajar en equipo, cooperación, coordinación, y un espíritu de grupo. Mi hijo de diez años ha participado durante algunos años en un equipo de béisbol patrocinado por la empresa. Es obvio que su participación ha tenido un efecto bastante positivo en su salud física y mental.

¿Es Ud. miembro de un gimnasio?

4 Amplíe su vocabulario

En su cuaderno, traduzca al inglés las palabras o expresiones que aparecen en azul, o escriba un sinónimo o expresión similar en español para cada una.

5 Los verbos con preposiciones

Con un/a compañero/a, conteste estas preguntas relacionadas con las lecturas anteriores.

1. ¿Hay reglas que determinan qué preposiciones siguen a los verbos? ¿Cómo se aprenden?
2. ¿Cuáles son algunas preposiciones que se usan frecuentemente con los verbos? Escriban dos o tres ejemplos para cada preposición que citaron.
3. Hagan una lista de los verbos (en la forma del infinitivo) con la preposición que los sigue y que aparecen en el texto en rojo. Tradúzcanlas al inglés.

6 "Tapitas" gramaticales

Conteste estas preguntas basadas en las lecturas anteriores.

1. Traduzca "Lo más importante es ganar y no participar". Explique la construcción *lo más importante*. Busque otro ejemplo de *lo* con adjetivo.
2. Busque la expresión *los demás* y dé algún sinónimo.
3. Explique las diferencias entre *solamente*, *solo* y *sólo*. ¿Por qué se usó *solamente* en la lectura y no *solo* ni *sólo*?
4. Busque ejemplos de verbos usados como sustantivos en los dos foros y tradúzcalos al inglés.
5. Busque ejemplos de participios pasados usados como adjetivos. ¿Qué reglas deben seguir?
6. ¿Por qué se dice *para mí* en la lectura, y no *por mí*?
7. Busque los verbos en el presente perfecto del indicativo y explique sus usos.
8. Explique el uso de los verbos subrayados en las cláusulas subordinadas de las siguientes oraciones:
   a. Tengo suerte de que la empresa donde <u>trabajo</u> nos <u>ayude</u> con esto.
   b. Tenemos un gimnasio pequeño en la empresa, que <u>está</u> disponible para todos nosotros cuando <u>queramos.</u>
   c. Es obvio que su participación <u>ha tenido</u> un efecto bastante positivo en su salud física y mental.
9. ¿Cuál es la diferencia entre *aun* y *aún*?
10. ¿Por qué es un falso cognado *actualmente*?
11. ¿Por qué se dice *física y mentalmente* y no *físicamente y mentalmente*?

7 ¿Qué opina?

Reaccione a lo que cada persona ha escrito en los foros. Hágales un comentario sobre lo que han escrito y dígales si Ud. comparte su opinión. Incluya palabras que aparecen en azul y subráyelas.

8 La vuelta al mundo a pie 

Lea con atención el siguiente artículo, prestando atención a las palabras en azul y rojo. Después, conteste las siguientes preguntas:

- ¿Cómo resumiría el artículo en una frase?
- ¿Qué pregunta le haría a Karl Bushby? ¿Y a Jennifer Figge?
- ¿Qué otro título le daría a este artículo?

Expedición Goliat

¿Alguna vez te has planteado dar la vuelta al mundo? Probablemente sí has pensado en ello y elegido un medio de transporte, pero seguro que no ha sido hacerlo a pie. Esta es la forma que precisamente ha elegido el británico Karl Bushby, andar un camino ininterrumpido que va desde Punta Arenas, Chile, Estados Unidos, pasando por Canadá, Alaska, Rusia, de ahí a Asia y Europa, hasta llegar a su ciudad natal Hull, Inglaterra.

Su viaje comenzó en noviembre de 1998 y ya casi ha acabado su travesía. Hasta lo que lleva recorrido, Karl ha tenido que afrontar muchísimas dificultades y contratiempos. Pasó retenes de paramilitares y de guerrilla colombiana, caminó sobre frágiles témpanos de hielo cruzando el estrecho de Bering, una vez en Rusia casi es deportado porque entró al país por un sitio vedado al paso de civiles. También ha tenido en varias ocasiones problemas de visado, falta de patrocinadores debido a la crisis económica y riesgo de no poder continuar con la expedición. A pesar de todo, la fuerte determinación de cumplir su sueño le hace seguir estando en ruta.

Karl escribió un libro de viaje en 2005 titulado *Pasos gigantes*, y en 2007 sacó su última edición con información actualizada de su andadura hasta la fecha.

Una señal de dirección en Punta Arenas, Chile, indicando países diferentes del mundo.

Karl Bushby no es la única persona en marcarse un objetivo tan aventurero como arriesgado. Otros deportistas se han marcado retos igualmente audaces como la atleta norteamericana Jennifer Figge, que cruzó el Atlántico a nado en 2009; Jessica Watson, la navegante australiana más joven en dar la vuelta al mundo sola en velero (de octubre de 2009 a mayo de 2010); el italiano Reinhold Messner, el primer alpinista en escalar las catorce cumbres de más de 8.000 metros. Y así un sinfín de casos. Todos ellos son ejemplos de un alto grado de superación y coraje difícilmente comparables con algo parecido hasta ese momento. Sin ninguna duda, sus hazañas serán reconocidas y recordadas para siempre en la historia.

9 Amplíe su vocabulario

Escriba la letra que corresponde a la mejor definición o sinónimo de cada palabra de la primera columna.

1. ininterrumpido	a. osado
2. travesía	b. desafío
3. contratiempo	c. prohibido
4. retén	d. recorrido
5. vedado	e. bañarse
6. patrocinador	f. infinidad
7. reto	g. suceso inoportuno que obstaculiza o impide el curso normal de algo
8. audaz	h. continuo
9. nado	i. puesto que controla o vigila
10. sinfín	j. persona o entidad que financia una actividad

10 Escriba un correo electrónico

Responda al correo electrónico que recibió. Busque información sobre Karl Bushby y otros deportistas de alto riesgo y sus aventuras.

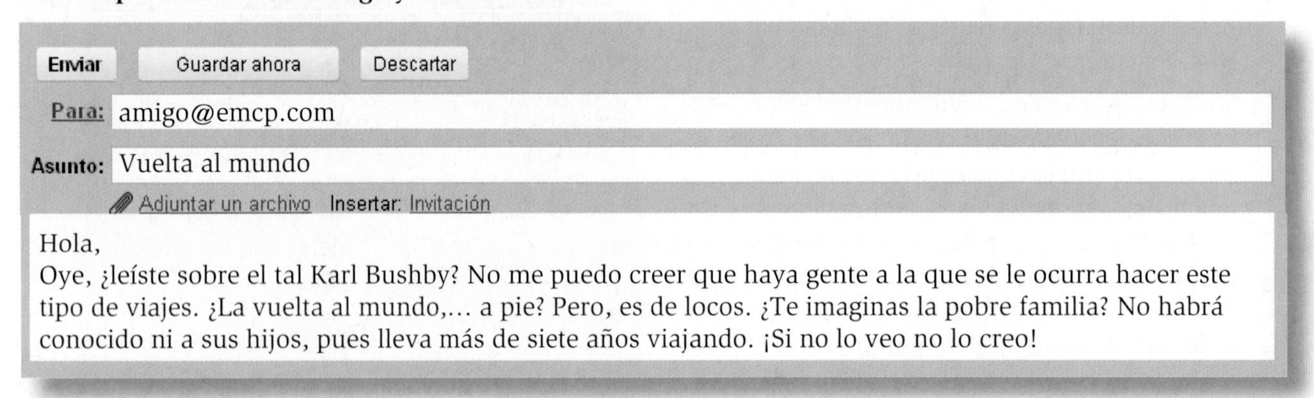

Enviar Guardar ahora Descartar

Para: amigo@emcp.com

Asunto: Vuelta al mundo

Adjuntar un archivo Insertar: Invitación

Hola,
Oye, ¿leíste sobre el tal Karl Bushby? No me puedo creer que haya gente a la que se le ocurra hacer este tipo de viajes. ¿La vuelta al mundo,... a pie? Pero, es de locos. ¿Te imaginas la pobre familia? No habrá conocido ni a sus hijos, pues lleva más de siete años viajando. ¡Si no lo veo no lo creo!

11 ¿Qué opina?

Converse con un/a compañero/a la siguiente pregunta.

¿Cree que los deportistas deben ser ejemplos para la sociedad o simplemente ser reconocidos por sus logros?

12 Los tiempos verbales

Cambie el artículo de la Actividad 8 al pasado.

13 "Tapitas" gramaticales

Escriba una lista de quince nexos que use para conectar ideas. Compárelos con un/a compañero/a.

14 Entrada del diario de Karl Bushby 

Escriba un ensayo de trescientas o cuatrocientas palabras en el diario de Karl Bushby. Infórmese más antes de empezar a escribir sobre su gran aventura. Incluya alguna foto en el diario.

15 La paridad 

Lea el artículo y complete los espacios con la preposición adecuada. Después, conteste las siguientes preguntas:

- ¿Cuál es el propósito del artículo?
- ¿Qué otro título le daría al artículo?

Dirección www.efdeportes.com

Archivo Edición Ver Favoritos Herramientas Ayuda

La mujer y el atletismo: un largo camino hacia la paridad

JUAN IGNACIO SAMPEDRO MARTÍNEZ

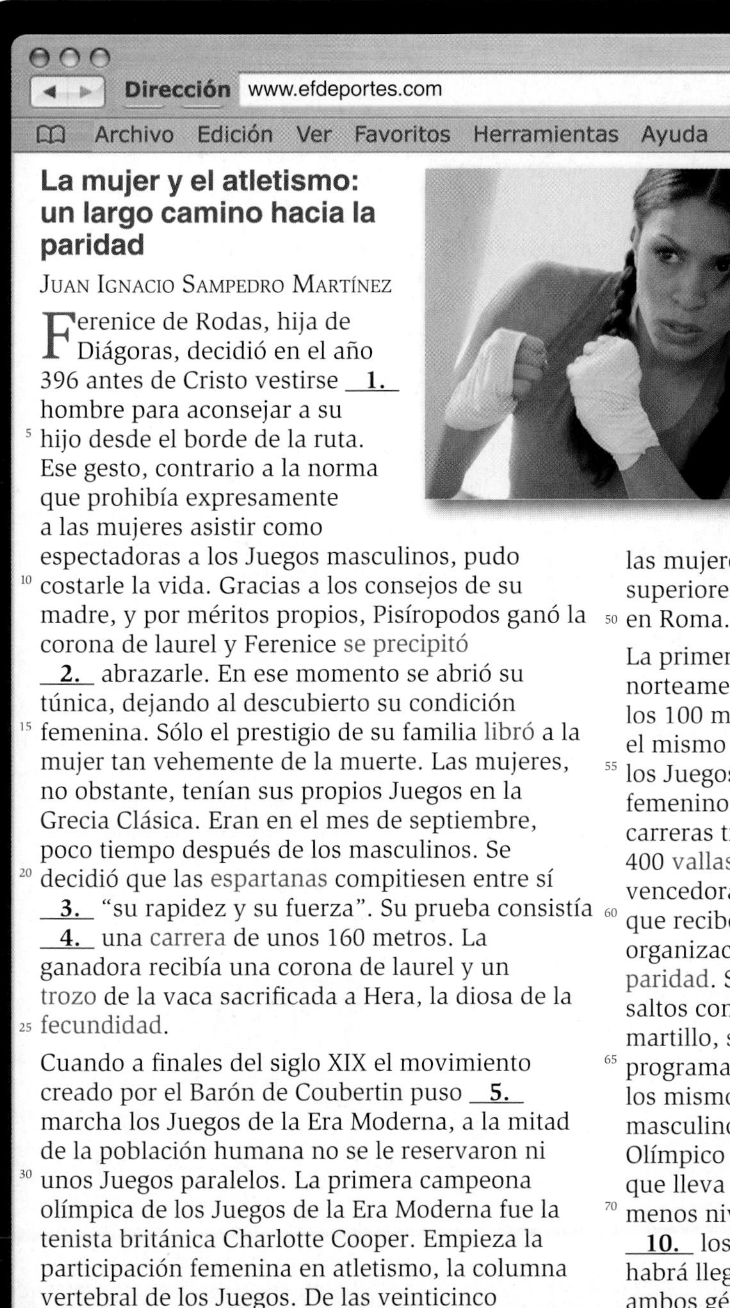

Ferenice de Rodas, hija de Diágoras, decidió en el año 396 antes de Cristo vestirse __1.__ hombre para aconsejar a su hijo desde el borde de la ruta. Ese gesto, contrario a la norma que prohibía expresamente a las mujeres asistir como espectadoras a los Juegos masculinos, pudo costarle la vida. Gracias a los consejos de su madre, y por méritos propios, Pisíropodos ganó la corona de laurel y Ferenice se precipitó __2.__ abrazarle. En ese momento se abrió su túnica, dejando al descubierto su condición femenina. Sólo el prestigio de su familia libró a la mujer tan vehemente de la muerte. Las mujeres, no obstante, tenían sus propios Juegos en la Grecia Clásica. Eran en el mes de septiembre, poco tiempo después de los masculinos. Se decidió que las espartanas compitiesen entre sí __3.__ "su rapidez y su fuerza". Su prueba consistía __4.__ una carrera de unos 160 metros. La ganadora recibía una corona de laurel y un trozo de la vaca sacrificada a Hera, la diosa de la fecundidad.

Cuando a finales del siglo XIX el movimiento creado por el Barón de Coubertin puso __5.__ marcha los Juegos de la Era Moderna, a la mitad de la población humana no se le reservaron ni unos Juegos paralelos. La primera campeona olímpica de los Juegos de la Era Moderna fue la tenista británica Charlotte Cooper. Empieza la participación femenina en atletismo, la columna vertebral de los Juegos. De las veinticinco participantes en la carrera de 800 m. varias hubieron __6.__ retirarse agotadas y algunas llegaron en lamentable estado y fueron auxiliadas por los servicios médicos. Ello reavivó el debate sobre la conveniencia de su participación en los Juegos y las agrias polémicas entre feministas y antifeministas. En ellas intervino hasta el Papa Pío XI. El veredicto fue que las mujeres no debieran __7.__ realizar carreras superiores a los 200 m. Y ello fue así hasta 1960, en Roma.

La primera campeona olímpica fue la norteamericana Elizabeth Robinson, que ganó los 100 m. en 12"2; sus dos compañeras hicieron el mismo tiempo. Hay un momento de inflexión, los Juegos de Los Ángeles 1984: el programa femenino dispone __8.__ todas las distancias en carreras tras la incorporación de las pruebas de 400 vallas y el maratón. Los premios para las vencedoras son sensiblemente inferiores a los que reciben los vencedores masculinos. Pocas organizaciones se mueven __9.__ criterios de paridad. Sydney 2000, donde se estrenan los saltos con pértiga y triple, y el lanzamiento de martillo, supone la llegada a la paridad en el programa olímpico. Con estos tres se celebran los mismos ocho concursos que en el programa masculino. Resta la incorporación al Programa Olímpico de los 3.000 metros obstáculos, prueba que lleva celebrándose varios años en torneos de menos nivel hasta que en 2008 se incorpore __10.__ los Juegos Olímpicos. En ese momento se habrá llegado __11.__ cubrir todo el programa para ambos géneros.

16 Amplíe su vocabulario

¿Cuál es la mejor traducción según el contexto del artículo?

1. precipitarse
   a. to scream b. to hide
   c. to disguise d. to hurry
2. librar
   a. to free b. to prevent
   c. to condemn d. to force
3. espartana
   a. Spartan slave b. Spartan woman
   c. Greek slave d. Greek woman
4. carrera
   a. career b. race
   c. profession d. obstacle course
5. trozo
   a. horn b. foot
   c. piece d. ear
6. fecundidad
   a. virility b. femininity
   c. quickness d. fertility
7. agotado
   a. expired b. exhausted
   c. energized d. animated
8. reavivar
   a. to rekindle b. to put to rest
   c. to establish d. to relive
9. conveniencia
   a. cohabitation b. coexistence
   c. suitability d. lack of conformity
10. agria polémica
    a. sweet discussion b. difficult problem
    c. great rivalry d. bitter controversy
11. disponer
    a. to make available b. to discredit
    c. to deny d. to encourage
12. valla
    a. pole vault b. hurdle
    c. meter d. lap
13. paridad
    a. comparison b. betting
    c. equality d. discrimination
14. pértiga
    a. pole vault b. hurdle
    c. obstacle course d. lap

17 Los verbos con preposiciones

Haga una lista de verbos seguidos de las preposiciones *de, a, en* y *por* en la lectura anterior y tradúzcalos.

18 "Tapitas" gramaticales

Conteste estas preguntas basadas en la lectura de la Actividad 15.

1. ¿Qué tiempo verbal es *compitiesen* en la oración "Se decidió que las espartanas compitiesen"? ¿Por qué se usa este tiempo verbal? ¿Hay otra variación del mismo verbo? ¿Cuál es?
2. ¿Qué tiempo verbal es *recibía* en la oración "La ganadora recibía una corona del laurel y un trozo de la vaca"? ¿Qué indica el uso de este tiempo verbal?
3. ¿Qué significa *tras* en la frase "todas las distancias en carreras tras la incorporación de las pruebas de 400 vallas y el maratón"? ¿Cuál es la diferencia entre *tras* y *después*?

Compare

¿Puede pensar en algún acontecimiento violento que haya ocurrido en los EE.UU. a causa del deporte?

Cita

El noventa por ciento del deporte es cincuenta por ciento mental.
—Anónimo

¿Por qué piensa que la preparación mental es tan importante cuando uno juega un deporte? ¿Qué será el otro 10% del deporte? ¿Talento? ¿Habilidad física? ¿Entrenamiento? ¿Piensa que las mujeres pueden competir con los hombres en cualquier deporte? ¿Por qué? Comparta sus opiniones con un/a compañero/a.

¡Dato curioso!

¿Sabía que Andrés Escobar, colombiano, fue asesinado a causa de una discusión acerca de un autogol? Escobar ganó el cariño y respeto de todos los colombianos. Lastimosamente, en el Mundial de 1994 tuvo mala suerte y metió el balón en su propio arco, haciendo así un autogol. Días después, y en un sitio prestigioso de su ciudad natal de Medellín, Andrés Escobar fue asesinado.

Idioma

19 Familia de palabras

Complete la tabla con el verbo, sustantivo o adjetivo apropiado, y su traducción correspondiente.

Verbos		Sustantivos		Adjetivos	
apostar	*to bet*	la apuesta	________	de apuestas	*betting*
competir	*to compete*	la competencia; la competición	*rivalry; contest*	________	________
contradecir	________	la contradicción	*contradiction*	contradictorio	________
entrenar(se)	*to train; to coach*	el entrenamiento; el/la entrenador(a)	________; *coach*	de entrenamiento	________
hacer atletismo	________	el atletismo; el/la atleta	*athletics; athlete*	________	________
hacer deportes	________	________	________	deportivo	________
juzgar	*to judge*	el/la juez; el/la árbitro/a	________; ________	X	
participar	________	la participación; el/la participante	________; *participant*	participante; de participación	________
permanecer	________	la permanencia	________	permanente	*permanent*
seleccionar	*to select*	________	________	selecto	*selective*
solucionar	________	la solución	________	resuelto	________
torear	*to fight bulls*	el toro; el toreo; el torero; la corrida de toros	*bull; bullfighting; bullfighter;* ________	taurino	*(related to) bullfighting*

20 ¿Verbo, sustantivo o adjetivo?

Complete las oraciones usando la forma correcta de las palabras que aparecen en la tabla, ya sea verbo, sustantivo o adjetivo. En el caso del sustantivo puede que necesite artículo.

1. ¿Hay una agencia ___ (*participar*) que ayude a las personas que quieren inscribirse en la competición este fin de semana? Los ___ (*participar*) van a correr diez kilómetros por un circuito en la ciudad este domingo.
2. ¿A qué atletas van a ___ (*seleccionar*) para representar a este país en la próxima Copa Mundial? ___ (*Seleccionar*) siempre lleva mucha especulación.
3. El Museo ___ (*torear*) de Málaga es dedicado al gran ___ (*torear*) Antonio Ordóñez. En este museo se pueden admirar muchos objetos relacionados con ___ (*torear*).
4. ___ (*Competir*) entre los Mets de Nueva York y los Yankees es feroz. Cada equipo ___ (*competir*) en ligas diferentes. A veces, es interesante cuando hay ___ (*competir*) el mismo día. Muchos aficionados van al Estadio Shea o al Estadio Yankee, y la ciudad de Nueva York se convierte en la capital del béisbol por un día.
5. El *jai alai* es el nombre de la pelota vasca que llegó a los Estados Unidos como juego ___ (*apostar*). Los espectadores ___ (*apostar*) sobre los resultados de cada partido en el frontón mismo o por televisión.

continúa

La atleta mexicana Ana Guevara

6. El éxito de un equipo se debe al ___ (*entrenar*) de los atletas. El plan que tienen los ___ (*entrenar*) y los atletas juntos produce los mejores resultados. Cuando los atletas ___ (*entrenarse*) con rigor, el espíritu competitivo crece.
7. El Comité Olímpico Internacional tiene que ___ (*solucionar*) el problema del dopaje en los Juegos Olímpicos. ___ (*Solucionar*) es delicada y el Comité admite que el asunto no tendrá ___ (*solucionar*) antes de los próximos Juegos.
8. Hay muchos mensajes ___ (*contradecir*) sobre el rol de las mujeres en los deportes. Algunos deportes permiten que las mujeres ___ (*participar*) en sus competiciones. Otros las invitan, pero el espíritu ___ (*contradecir*) el resultado.
9. Algunos países proponen que los Juegos Olímpicos tengan una sede ___ (*permanecer*) en Atenas. Otros dicen que ___ (*permanecer*) de los Juegos Olímpicos en un sitio puede destruir el espíritu ___ (*competir*) de los Juegos.
10. Muchas veces los ___ (*juzgar*) deciden los resultados de las competiciones. A veces, el talento y ___ (*entrenar*) no figuran en la decisión. ___ (*Juzgar*) un partido imparcialmente es muy difícil.

21 Escriba

Con un/a compañero/a, escriba unas oraciones con las siguientes palabras: *el atletismo, el atleta, atlético, hacer deportes, deportista, deportivo.*

Cita

Entrenar duro produce cansancio, pero a la hora de la verdad da satisfacción.
—Anónimo

¿Quién habrá dicho esto: un entrenador o un atleta? ¿Está de acuerdo? ¿Por qué? ¿Conoce un ejemplo personal o de un/a amigo/a o de un/a atleta profesional que ilustre esta cita? Comparta sus opiniones con un/a compañero/a.

¡Dato curioso!

El Comité Olímpico Internacional decidió en 1986 realizar los Juegos de Invierno los años pares en que no hubiera Juegos de Verano. El Comité comenzó con los Juegos Olímpicos de Lillehammer (Noruega) en 1994. Los últimos Juegos Olímpicos de Invierno se realizaron en la ciudad canadiense de Vancouver, en 2010. La ciudad rusa de Sochi será la anfitriona de los Juegos en el año 2014.

El esquiador austriaco Hermann Maier ha ganado numerosos campeonatos mundiales y olímpicos.

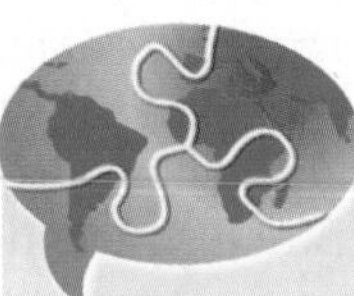

Compare

¿Cuántas horas a la semana cree que necesita un buen deportista para entrenarse? ¿Cree que en su escuela es posible compaginar los estudios con el deporte de competición?

22 El ajedrez

Lea con atención el siguiente artículo. Después conteste las siguientes preguntas:

- ¿Cuál es el propósito del artículo?
- ¿Cómo resumiría el artículo en una frase?
- Si quisiera consultar otra fuente, ¿podría pensar en un posible título de una publicación?
- ¿Qué pregunta sería apropiada para hacerle a un jugador de ajedrez?

¿Es el ajedrez un deporte?

¿Entra el ajedrez en alguna de las siguientes categorías: deporte atlético, de pelota, de combate, de motor, de deslizamiento o náuticos? La respuesta se contesta por sí sola. 5 Entonces, ¿no es un deporte propiamente dicho?

Veamos cuáles son algunas de las definiciones que nos dan los diccionarios sobre el término deporte: "Actividad física, ejercida como juego o competición, cuya práctica supone 10 entrenamiento y sujeción a normas"(Real Academia Española). "Ejercicio físico, o juego en que se hace ejercicio físico, realizado, con o sin competición, con sujeción a ciertas reglas"(María Moliner). En ambas definiciones 15 se menciona el componente físico de la actividad y en ese sentido el ajedrez no lo cumple, pero sí comparte con el resto de los deportes su aspecto lúdico o competitivo, el cumplimiento de un reglamento, además del 20 alto nivel de estrés de los jugadores, el gasto calórico (las partidas de torneos oficiales pueden durar varias horas), el entrenamiento, los tipos de modalidad, amateur y profesional, y, por supuesto, ofrece espectáculo.

25 Efectivamente, jugar al ajedrez no supone ejercicio físico, pero sí mental, como requieren muchos deportes individuales. De esta manera, el Comité Olímpico Internacional (COI) reconoce al ajedrez como deporte olímpico, 30 aunque no lo incluya en el programa oficial de los Juegos Olímpicos, y reconoce también la Federación Mundial de Ajedrez (FIDE) como una organización deportiva desde 1999. Ésta cada tres años organiza su propia olimpiada de 35 ajedrez entre los equipos de los distintos países afiliados.

23 ¿Qué significa?

Escriba la letra que corresponde a la mejor definición o sinónimo de cada palabra de la primera columna.

1. deslizamiento
2. sujeción
3. lúdico
4. cumplimiento
5. reglamento
6. torneo
7. afiliado

a. serie de juegos en los que los oponentes se eliminan unos a otros
b. colección de reglas
c. asociado
d. movimiento suave sobre una superficie lisa
e. sometimiento
f. de juego
g. ejecución

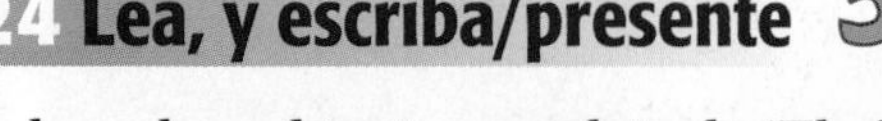

24 Lea, y escriba/presente

Vuelva a leer el texto completo de "El ajedrez" y luego lea el comentario de un blog abajo. Después de leerlos, haga una presentación en clase o escriba un ensayo sobre el ajedrez hoy en día.

El ajedrez

Isabel

Cuando era joven, mis padres me llevaban a clases de ajedrez todo el tiempo. Al principio me parecían divertidas aunque cuando los campeonatos comenzaron todo cambió. Lo que al principio me parecía un juego, terminó siendo una pesadilla. Los campeonatos duraban casi todo un día, y jugábamos en los sótanos de los colegios, donde apenas había luz. Extrañaba a mis hermanos, a los que no podía ver por esos campeonatos. Mi madre me animaba cuando me veía llorar y me decía "Es por tu bien. He leído que va a hacerte más inteligente y mejorar tus resultados en los exámenes".

25 Los atletas

Lea el artículo y complete el espacio con la palabra adecuada. Después conteste las siguientes preguntas:

- ¿Cuál es el propósito del artículo?
- ¿Qué otro título le daría a este artículo?

Atletas cautivos

En algunos países africanos existen asociaciones que __1.__ (*proteger*) a los niños que quieren ser futbolistas... Una de ellas denuncia el tráfico masivo de niños futbolistas —hasta 2.000 en un solo año entre la costa atlántica africana y Europa. Durante su participación en la Copa Africana disputada en El Cairo, un joven relataba a un diario francés su propia experiencia: "__2.__ (*Llegar*) a Francia con 14 años, como casi todos los jóvenes africanos que emigran a Europa sin papeles, sin nada. Estuve __3.__ (*jugar*) un tiempo en el Avignon antes de __4.__ (*instalarse*) en París, en casa de mi hermana. Como no tenía papeles, no podía ir a la escuela ni jugar al fútbol. No podía hacer nada, ni moverme. __5.__ (*Pasar*) todo el tiempo en casa. Decidí volver a Camerún. Meses más __6.__ (*tarde*) conseguí una prueba en Le Havre y me encontré con papeles en regla y un contrato con el Real Madrid." Otros no han tenido tanta suerte... El trasiego de deportistas alcanza a casi todas las disciplinas, aunque no __7.__ (*ser*) millonarias. En __8.__ (*el*) ochenta, el deporte rey de los Juegos Olímpicos, el atletismo, se profesionalizó hasta tal punto que la búsqueda de grandes talentos se hizo rentable... La supervivencia de __9.__ (*alguno*) deporte en los países ricos __10.__ (*estar*) en manos de inmigrantes [25] o de sus descendientes. Los jóvenes de los países más prósperos, por su estilo de vida y por el sacrificio que supone la práctica de algunas especialidades, renuncian a implicarse más a fondo en ellas.

El Periódico de Catalunya (Barcelona)

26 Amplíe su vocabulario 

Empareje las palabras de la primera columna con su definición o sinónimo en la segunda.

1. disputar
2. emigrar
3. con papeles en regla
4. trasiego
5. alcanzar
6. renunciar

a. transporte
b. ceder
c. lograr
d. documentado
e. contender
f. expatriarse

27 Lea, escuche y escriba/presente 

Vuelva a leer el texto completo anterior y luego escuche la grabación “Arantxa Sánchez Vicario: a las tenistas les falta carisma”. Escriba un ensayo o haga una presentación en clase sobre el tema “Ser atleta es más que tener talento”. No se olvide de citar las fuentes debidamente.

Cita

Sólo al conocer el dolor de la derrota podemos aprender a dominar la frustración de un fracaso en la vida diaria.
—Anónimo

¿Qué opina de esta cita? ¿Qué les habrán enseñado las derrotas a los atletas? Dé ejemplos concretos. Comparta sus opiniones con un/a compañero/a.

Los aficionados violentos y los que entraron a los estadios durante la Copa Mundial 2006 en Alemania con la intención de promover disturbios, recibieron sanciones. Los extranjeros estuvieron expuestos a la extradición inmediata, los locales recibieron multas muy fuertes, y los que se negaron a seguir los mandatos no podían volver a entrar en ningún estadio durante el Mundial.

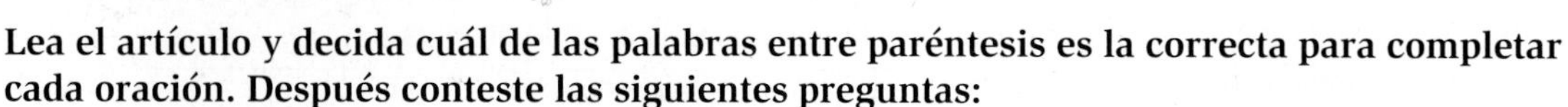

28 La competición

Lea el artículo y decida cuál de las palabras entre paréntesis es la correcta para completar cada oración. Después conteste las siguientes preguntas:

- ¿Cuál es el propósito del artículo?
- ¿Cómo resumiría el artículo en una frase?
- ¿Qué pregunta sería apropiada para hacerle al autor después de leer el artículo?

¿ __1.__ *(Con / En)* qué se ha convertido el deporte de competición?

Dicen los antropólogos que la afición del hombre por el deporte está escrita en los genes. Tiene su origen en el instinto cazador, guerrero, competitivo y aventurero que está vivo __2.__ *(dentro / en)* el ser humano desde el principio de los tiempos. Desde entonces, en todas las culturas ha estado presente la práctica del deporte. Ha llegado __3.__ *(a / en)* convertirse en un auténtico fenómeno de masas que no sólo atrae al público en general, sino a intereses políticos y económicos. Si en el pasado se hizo célebre la frase de "Lo importante no es ganar sino participar", hoy en el deporte de alta competición una décima de segundo o un centímetro es lo que separa el éxito del fracaso, y el deportista no se conforma sino __4.__ *(con / por)* ganar a cualquier precio.

La gimnasta rumana Nadia Comaneci

Después del esquí, el ciclismo y el atletismo, el fútbol será el cuarto deporte que someta a sus jugadores a controles antidoping, como recientemente ha señalado el presidente de la Comisión Médica de la FIFA. Es que los contratos millonarios, las cláusulas de rescisión, las inversiones televisivas espectaculares, Internet y la publicidad de las grandes marcas comerciales, han multiplicado los ingresos de los clubes y han convertido a los deportistas en auténticos iconos rentables que están obligados __5.__ *(a / en)* ofrecer un espectáculo acorde con los millones invertidos.

En el ciclismo, una diferencia de unos pocos segundos, aunque sea después de cientos de kilómetros de dura competición, marca la diferencia de unos cuantos millones más o menos en el contrato. "Mantener un rendimiento máximo durante 21 días en una prueba como el Tour de Francia o cualquier otra por etapas, es un objetivo que se consigue __6.__ *(a / en)* ocasiones con el uso de sustancias que están situadas al borde de lo permitido", asegura el médico José Antonio de Paz, especialista en medicina deportiva. "Los ciclistas son víctimas de la hipocresía de la gente —asegura el doctor de Paz— que no sólo les solicita que recorran cerca de tres mil kilómetros a lo largo de tres semanas, sino que, además, les exige que ganen la carrera".

El esquí y el atletismo no se libran __7.__ *(de / por)* esta presión. "El deporte de alta competición —asegura el doctor Berral de la Rosa, profesor de Medicina Deportiva en la Universidad de Córdoba— está provocando que el cuerpo humano esté llegando a unos límites insostenibles y que el deportista de élite se convierta en un enfermo potencial que tendrá graves problemas en un futuro". La famosa Nadia Comaneci, por ejemplo, hoy sufre graves problemas en la columna vertebral. Carl Lewis padece grandes dolores a causa de una artrosis progresiva, y a todos nos sorprendió la noticia de la muerte súbita de Florence Griffith (se achaca su fallecimiento al dopaje), la mujer más rápida de la historia del atletismo, después de haber conseguido tres medallas de oro en las Olimpiadas de Seúl.

El Comité Olímpico Internacional elaboró una lista de sustancias prohibidas que se va actualizando cada año a medida que se descubren otras nuevas. Pueden ser elementos químicos de muchos tipos o el denominado dopaje sanguíneo, que consiste

__8.__ (*con / en*) utilizar fracciones de sangre para mejorar el rendimiento.

85 La responsable de todo esto es la sociedad competitiva en la que vivimos, que exige permanentemente marcas, esfuerzos, sacrificios y éxitos. Después está el dinero que se mueve __9.__ (*en / por*) el deporte, donde se ganan millones y 90 triunfos. Y por último, están los protagonistas, que son los que mandan. Si juegan tantos partidos —en el caso de los futbolistas—, es porque ellos quieren. ¿Quién les enseñará a los jóvenes __10.__ (*a / con*) soñar sin límite y a no esclavizarse por 95 ello? Padres, profesores y entrenadores tienen aquí una parte muy importante. Pero también el espectador, el periodista, el empresario, el político, el socio de un club, el deportista, los directivos, la publicidad...

www.revistaFusion.com

29 ¿Qué significa?

Según el contexto del artículo anterior, empareje las palabras de la primera columna con su definición, sinónimo o descripción en la segunda.

1. afición	a. ruina
2. cazador	b. aprisionarse
3. masas	c. compañía
4. fracaso	d. tendencia
5. someter	e. muerte
6. señalar	f. perseguidor
7. rescisión	g. conforme a
8. inversión	h. mientras
9. marca	i. idealizar
10. ingresos	j. que no se puede mantener
11. rentable	k. rápido
12. acorde con	l. imponer
13. marcar	m. beneficioso
14. rendimiento	n. especificar
15. insostenible	o. el público, la muchedumbre
16. columna vertebral	p. problemas con las articulaciones
17. artrosis	q. cancelación
18. súbito	r. drogas o sustancias ilegales en la sangre
19. achacar	s. productividad
20. fallecimiento	t. transacción de dinero
21. a medida	u. sueldo, rentas
22. dopaje sanguíneo	v. los huesos espinales
23. soñar sin límite	w. dirigente
24. esclavizarse	x. indicar
25. directivo	y. atribuir

30 Lea y escriba/presente

Vuelva a leer el texto completo del artículo anterior y escriba un artículo o haga una presentación en clase sobre "Reflexiones acerca del efecto de la competición en el deporte hoy en día".

31 Los deportes en Cuba 

Lea el artículo y decida cuál de las palabras entre paréntesis es la correcta para completar cada oración. Después conteste las siguientes preguntas:

- ¿Cómo resumiría el artículo en una frase?
- ¿Qué otro título le daría al artículo?

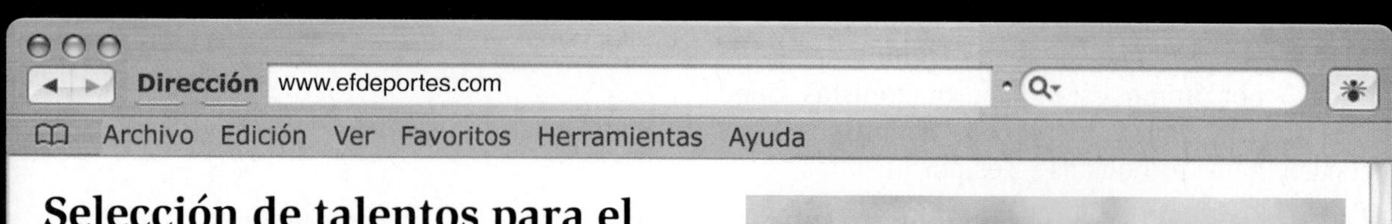

Selección de talentos para el deporte, 27 años de experiencia en Cuba

Dr. Hermenegildo Pila Hernández

El proceso de detección y selección de prospectos para la iniciación __1.__ *(en / para)* el entrenamiento deportivo contemporáneo no se puede ver aislado del proceso que inicia el desarrollo de habilidades y destrezas motrices. En la segunda mitad __2.__ *(en / del)* siglo pasado evolucionaron muchas tendencias y formas para lograr una buena selección, altos índices y resultados en la competición de élite, un denominador común que se observa en todas __3.__ *(x / las)* referencias al describir *modelo de atleta* o *atleta ideal*, pero ninguno se refiere a cómo eran estos __4.__ *(atletos / atletas)* modelos cuando tenían 8, 10 o 12 años. ¿Cuáles eran sus características modelos? Elaboramos, con las experiencias que desde 1976 hemos realizado en Cuba, el presente Sistema de Selección Masiva de Talentos para la Iniciación Deportiva, con el deseo __5.__ *(de / para)* trabajar todos, profesores de educación física y entrenadores deportivos, unidos en el empeño de lograr altos resultados en el deporte. Actualmente existen tres formas reconocidas __6.__ *(por / para)* seleccionar talentos; son formas que se aplican a diario por los entrenadores y profesores de __7.__ *(educación / educados)* física de una manera empírica. Estas formas son:

1. La que se produce cuando los entrenadores deportivos asisten a las competencias que se desarrollan en el ámbito escolar; en ellas observan los rendimientos o la participación destacada de los competidores y eligen, __8.__ *(de / a)* esta manera, los elementos que integran la selección para sus grupos de trabajo.
2. Esta forma tiene en cuenta la opinión del profesor de educación física, cuando el entrenador de un deporte se __9.__ *(le / les)* acerca a preguntar si posee algún alumno que reúna ciertas y determinadas características requeridas para su deporte __10.__ *(en / por)* cuestión y el profesor de educación física, que conoce el desarrollo en capacidades y habilidades de la matrícula que atiende, le señala particularmente aquéllos que se acercan a los requerimientos planteados.
3. Se trata __11.__ *(de / x)* la más empírica de las formas. Es aquélla en la que el entrenador deportivo, simplemente en __12.__ *(cualquier / cualquiera)* lugar, en la calle, un parque o una actividad social, observa en un niño o adolescente alguna disposición o aptitud que __13.__ *(le / les)* hace determinar un posible desarrollo en su deporte.

Éstas son las tres formas que actualmente se aplican en cualquier latitud, todas empíricas y carentes de rigor en valoraciones con carácter científico de evaluación, que permita una consideración en proyecciones y perspectivas sobre bases sólidas __14.__ *(por / para)* establecer un diagnóstico adecuado.

El beisbolista cubano, José Contreras, juega para las Medias Blancas de Chicago.

32 Amplíe su vocabulario 

¿Cuál es la mejor traducción?

1. destreza motriz
   a. manual ability　b. motor reflex
   c. manual movement　d. motor skill
2. empeño
   a. job　b. goal
   c. determination　d. pain
3. empírico
   a. sophisticated　b. organized
   c. practical　d. easy
4. ámbito
   a. curriculum　b. setting
   c. extracurricular　d. classroom
5. matrícula
   a. enrollment　b. team
   c. unity　d. individuality
6. requerimiento planteado
   a. planned registration　b. presented obligation
   c. requisite put forth　d. news put forth
7. latitud
   a. longitude　b. limit
   c. area, part　d. source
8. carente
   a. expensive　b. lacking
   c. organized　d. filled

33 Lea, escuche y escriba/presente 

Vuelva a leer los textos completos de las Actividades 28 y 31. Luego escuche la grabación "El doping como resultado de las presiones en los deportistas, y su relación con las adicciones". Escriba un ensayo o haga una presentación en clase sobre "Las tensiones de ser atleta profesional". No se olvide de citar las fuentes debidamente.

Cita

En esta vida no te perdonan si te dejas ganar y te odian si ganas siempre.
—Anónimo

¿Está de acuerdo con esta cita? ¿Conoce algunos equipos o a algunos atletas que ilustren este refrán? ¿Quiénes son? Comparta sus opiniones con un/a compañero/a.

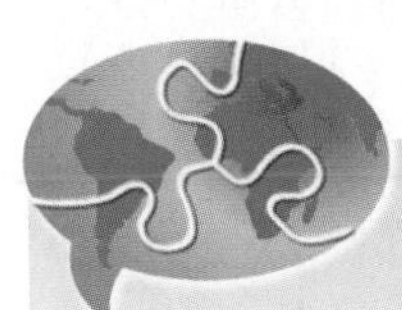

Compare

¿Qué talentos deportivos han sido comprados recientemente por otros equipos? ¿Cuánto dinero cree que habrán pagado?

¡Dato curioso!

Muchos se sienten heridos por la compra-venta de talentos deportivos entre naciones, sobre todo los países más pobres. En los campeonatos mundiales se pudo constatar, una vez más, el gran número de atletas triunfadores en las competencias que son nativos de naciones pobres pero representan a países ricos del Norte. Por otra parte, muchos atletas defienden que gracias a lo que los países más ricos le ofrecen, han podido triunfar y desarrollarse más en sus deportes.

¡A leer!

34 Antes de leer 

¿Qué sabe del fútbol en Argentina? ¿Conoce algunos equipos famosos de Buenos Aires, como Boca Juniors o River Plate? ¿Ha oído hablar de Diego Armando Maradona? ¿Para qué equipo jugó?

35 El fútbol

Lea con atención el siguiente artículo. Después conteste las siguientes preguntas:

- ¿Cómo resumiría el artículo en una frase?
- ¿Qué otro título le daría al artículo?
- ¿Qué pregunta sería apropiada para hacerle al autor después de leer el artículo?

Boca y River

Amor, muerte y aventura en la Ciudad del Fútbol

Parte 1

Tulio Guterman y Chris Gaffney

Sexta fecha del campeonato de fútbol en Argentina. Juegan Boca y River en la Bombonera. (A) Todo señala que no es sólo un partido de fútbol. Todo el país —y más allá— está atento al espectáculo y su entorno. Es en el barrio de La Boca, que la geografía señala como uno de los más característicos de los sectores populares en la Ciudad del Fútbol. (B) Una competencia programada en una Argentina con un visible aumento de la violencia: muertos y heridos... Es el partido entre Boca y River, el domingo 11 de marzo de 2002. Este artículo se trata de dos miradas reflexivas y diversas sobre el fenómeno, la de un norteamericano visitante en Buenos Aires, y la de un porteño, nacido en Buenos Aires. Entendemos al fútbol como un fenómeno esencialmente complejo, sobredeterminado por las condiciones sociales, culturales, económicas, geográficas, históricas y políticas. Hay partidos de fútbol en todos lados, prácticamente todos los días del año. Pero Boca y River invitan a un evento único y en un lugar único: la Bombonera. La experiencia comienza mucho antes de llegar. A varias cuadras ya hay puestos de venta callejera de banderas, parrillas al paso donde se cocinan chorizos, y a la distancia ya se escuchan las canciones del estadio. La aventura se inicia. (C) La sensación es emocionante, aumentan las pulsaciones y se avanza más rápido porque se tiene la sensación de que se está por participar en un acontecimiento histórico. El espectáculo está a su vez *disneylandizado* por los medios, tanto por la prensa escrita, la radio y la televisión, que ofrecen una mirada parcializada, ideal e incompleta. Sin el público no hay partido. Y no es cualquier público. Toda la gente ha tenido la experiencia del estadio, aprendida desde muy chico. Esto significa saber los códigos del lugar, saber comportarse y relacionarse, para mejor o para peor. Saber cuándo entrar, gritar, cantar, sentarse, estar de pie y salir. Ésta es una experiencia común en el mundo, pero en Argentina la experiencia del estadio y lo que pasa adentro y en los alrededores significa mucho más que un pasatiempo o un objeto de consumo. (D) Constituye una parte integral de la cultura local, que abarca desde el presidente hasta los que duermen en la calle.

Continuará...

www.efdeportes.com

36 Amplíe su vocabulario

¿Cuál es la mejor traducción?

1. entorno	a. resident of Buenos Aires
2. porteño	b. overly preset
3. sobredeterminado	c. to include
4. cuadra	d. grill
5. callejero	e. environment
6. parrilla	f. street
7. abarcar	g. block

37 ¿Ha comprendido?

1. ¿Cómo se llama el barrio donde tuvo lugar el partido?
   a. La Bombonera
   b. La Boca
   c. River
   d. Ninguna de las respuestas anteriores
2. ¿Cómo es la Argentina de 2002?
   a. Fuerte económicamente
   b. Desorganizada
   c. Violenta
   d. Programada
3. ¿Qué condiciones determinan el fútbol en Argentina?
   a. Sociales, económicas y lingüísticas
   b. Sociales, culturales e históricas
   c. Geográficas, económicas y políticas
   d. Las respuestas b y c
4. ¿Qué hay en las calles antes de llegar al estadio?
   a. Hay comida y vendedores de banderas.
   b. Hay comida, canciones y vendedores de banderas.
   c. Hay canciones, comida y vendedores de entradas.
   d. Hay vendedores de entradas.
5. ¿Qué quiere decir *disneylandizado*?
   a. Todo está programado.
   b. Hay mucha atención de los medios de comunicación.
   c. Hay mucha actividad y espectáculo en el estadio.
   d. Todas las respuestas anteriores
6. ¿Cómo se podría describir al público en el estadio?
   a. Es agresivo.
   b. Está emocionado.
   c. Está programado por la cultura del deporte.
   d. Está tenso por la actividad en el campo.
7. ¿Por qué es diferente asistir a un partido de fútbol en Argentina?
   a. Es únicamente un pasatiempo.
   b. Es únicamente objeto de consumo.
   c. Es un pasatiempo y objeto de consumo.
   d. Es una parte integral de la cultura.

38 ¿Cuál es la pregunta?

Según lo que acaba de leer, escriba una pregunta lógica para estas respuestas.

1. Boca y River
2. En el entorno
3. Un norteamericano y un porteño
4. La Bombonera
5. Un acontecimiento histórico
6. Desde el presidente hasta los que duermen en la calle

39 ¿Qué piensa?

¿Quién cree que escribió la mayor parte del artículo: el norteamericano o el porteño? ¿Por qué? En su opinión, ¿lo escribieron con mucha atención a los detalles? ¿Qué detalles se destacan? Comparta su opinión con un/a compañero/a.

40 ¿Dónde va?

La siguiente oración se puede añadir al texto anterior: *Es el estadio de CABJ, el Club Atlético de Boca Junior*s. ¿Dónde encajaría mejor la oración?

1. Posición A, línea 3
2. Posición B, línea 8
3. Posición C, línea 28
4. Posición D, línea 47

41 Antes de leer 

¿Qué aprendió de los rituales de ir a un partido de fútbol en la Bombonera? Compare este ambiente con el que Ud. observa antes de un partido de su deporte favorito.

42 Los hinchas

Lea con atención el siguiente artículo. Después conteste las siguientes preguntas:

- ¿Cuál es el propósito del artículo?
- ¿Cómo resumiría el artículo en una frase?
- Si quisiera consultar otra fuente, ¿podría pensar en un posible título de una publicación?

Boca y River

Amor, muerte y aventura en la Ciudad del Fútbol

Parte 2

Tulio Guterman y Chris Gaffney

En el fútbol argentino no hay espectadores, cada persona es protagonista esencial del espectáculo. Sus acciones en el colectivo determinan el acontecer final. La experiencia en las tribunas significa que cada persona debe integrar su propio cuerpo en un cuerpo colectivo, el de la hinchada. Es absurdo gritar cualquier cosa en la popular. Hay que poner la voz al unísono con todo lo demás, hay que pensar en la misma cosa, hay que unificarse detrás de los símbolos (verbales, gestuales, colores y banderas) de la muchedumbre. La experiencia del estadio, y de las tribunas populares en particular, es algo que nos puede informar sobre la cultura del país y sobre la vida de los argentinos. En la tribuna popular todos los hinchas están parados, apretados codo con codo. Llegan dos horas antes del partido y se retiran media hora después. Son casi cinco horas saltando y gritando. El fútbol representa aquí entonces la lucha por la ocupación del espacio, que se constituye con los colores propios, las canciones y por supuesto los goles y los triunfos deportivos. Los hinchas de un equipo se ubican todos en un sector contenido, protegido, delimitado, separado, del cual no se puede salir ni entrar. Además, también está predeterminado el espacio de acceso de cada divisa. Este territorio (las calles, los colectivos, las estaciones de tren) está demarcado por la presencia de la policía, que a su vez ocupa su propio territorio. Los colores se extienden a los cuerpos, las caras y las cabezas de los hinchas. La hinchada se viste con la camiseta de un jugador favorito, o de una época pasada, para identificar su cuerpo, su propio *Yo*, junto con el resto del grupo. Desde hace algunos años en Argentina, cada vez más las camisetas constituyen una parte integral de los gastos de los hinchas. Hay que lucir el último modelo que se renueva cada seis meses, y por el cual se pagan 60 dólares. Llevar los colores no es algo trivial, es una inversión en el equipo. Antes del inicio del partido, no hay nada para ver en el césped. Todo sucede en las tribunas. No hay show en el campo, no hay porristas, no hay música en los parlantes. El centro de la tribuna es ocupado por la barrabrava, el grupo que lidera el ritmo, la formación y el espectáculo. Son fanáticos, cruzados profesionales, financiados por los dirigentes, jugadores y directores técnicos. Reciben pasajes, entradas, trabajos, viviendas, materiales, información y dinero. Son los que se enfrentan con los hinchas rivales y, en algunos casos, la policía, en el cuerpo a cuerpo, tanto a golpes de puño, o utilizando palos, armas blancas y armas de fuego. Los barrabrava provienen de todos los sectores sociales y no son ajenos al club. Muchos figuran a veces como empleados, o son funcionarios de bajo rango en la administración pública del distrito, de la provincia o de la nación. Lo que pasa dentro del estadio es mucho más que lo que leemos en los diarios o lo que nos muestran por televisión.

www.efdeportes.com

43 Amplíe su vocabulario 

Según el contexto del artículo anterior, empareje cada palabra de la primera columna con su definición o sinónimo de la segunda.

1. acontecer	a. sector
2. integrar	b. autobús
3. hinchada	c. fanático
4. muchedumbre	d. pegar con la mano
5. hincha	e. hacer parte
6. divisa	f. soldado
7. colectivo	g. extraño
8. porrista	h. animador(a)
9. barrabrava	i. grupo de fanáticos
10. cruzado	j. muchas personas
11. vivienda	k. suceder
12. a golpes de puño	l. los líderes de la hinchada
13. ajeno	m. domicilio

44 Complete 

Complete las oraciones según la segunda parte de "Boca y River. Amor, muerte y aventura en la Ciudad del Fútbol".

1. Nadie grita solo en el estadio... .
2. El espacio de acceso al estadio de cada grupo está determinado por... porque... .
3. La experiencia típica de un espectador dura casi cinco horas porque... .
4. Llevar una camiseta del equipo al estadio es importante porque... .
5. No hay show en el campo, no hay porristas, no hay música en los parlantes antes del inicio del partido pero... .

45 Lea, escuche y escriba/presente 

Vuelva a leer las dos partes del artículo sobre el fútbol en la Bombonera y luego escuche "Las contradicciones del fútbol brasileño" y tome notas. Escriba un ensayo o haga una presentación en clase sobre el nacionalismo en el fútbol. No se olvide de citar las fuentes debidamente.

Cita

En el básquetbol, lo importante de un jugador no es lo alto que sea, sino lo alto que juegue.
—Anónimo

¿Está de acuerdo con la cita? ¿Se puede aplicar a otros deportes? Escriba la cita refiriéndose a otros dos o tres deportes. Comparta sus opiniones con un/a compañero/a.

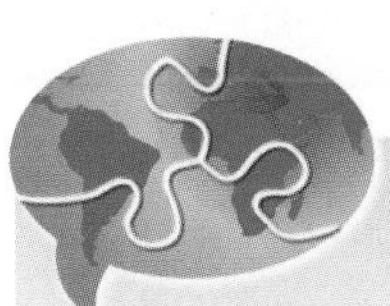

Compare

¿Qué programas de televisión conoce que hablen de deportes? ¿Qué piensa de ellos?

¡Dato curioso!

En Argentina existe un programa que se llama Pasión sin Violencia. Su objetivo es crear un espacio abierto de reflexión sobre la violencia en el deporte y en el fútbol específicamente. Busca la participación de todos: niños, jóvenes y adultos en prevenir los actos violentos en los espacios deportivos. Dicen que el fútbol, los otros deportes y los encuentros en las canchas son espacios para disfrutar con fiestas populares que promueven la amistad, el encuentro, el intercambio, la sana competencia y la pasión por la camiseta.

¡A escuchar!

46 Los fármacos

Esta grabación trata del uso de drogas por los deportistas. La grabación dura aproximadamente 5 minutos. ¿Qué sabe del dopaje, o doping, en los deportes? Lea las posibles respuestas primero y después escuche "Un doble enfoque de la utilización de los fármacos: ¿dopaje o salud?" Escoja la mejor respuesta para cada pregunta. Después resuma lo que escuchó en una frase.

1. Según el artículo, ¿por qué hace el hombre el ejercicio físico?
    a. Para mejorar su cuerpo
    b. Para transformar los buenos hombres en los mejores
    c. Para transformar los hombres normales en muy buenos y los discapacitados en personas capaces
    d. Todas las respuestas anteriores

2. ¿Dónde hay mucha desinformación en esta área?
    a. Hay mucha desinformación entre los que usan productos naturales y productos artificiales.
    b. Hay mucha desinformación entre los atletas y las empresas.
    c. Hay mucha desinformación entre los entrenadores y los atletas.
    d. Hay mucha desinformación en toda la industria farmacéutica.

3. ¿Cuál es el mejor método de usar esos fármacos?
    a. Bajo la supervisión de un entrenador
    b. Bajo la supervisión de un doctor
    c. Sin supervisión
    d. Las respuestas a y b

4. ¿Qué es la creatina?
    a. Es un producto natural con el que se obtienen resultados.
    b. Es un producto que ayuda en los deportes de resistencia.
    c. Es un producto que ayuda en el transporte de oxígeno hasta el músculo.
    d. Las respuestas b y c

5. ¿Quién usa el dopaje sanguíneo para obtener ventajas a los demás?
    a. Los aficionados, los deportistas profesionales y los deportistas jóvenes
    b. Los atletas del ciclismo profesional y esquí de fondo
    c. Los culturistas y levantadores de pesas
    d. Ningún grupo específico

6. ¿Cuál es la definición del dopaje según el Comité Olímpico Internacional?
    a. Obtener una ventaja sobre los demás
    b. Aumentar el desempeño del atleta en una competición
    c. Obtener ayuda para competir mejor
    d. Todas las respuestas anteriores

47 La UNESCO

Esta grabación trata de la actitud de la UNESCO frente a la lucha contra el dopaje. La grabación dura aproximadamente 2 minutos. ¿Qué sabe de la UNESCO (la Organización de las Naciones Unidas para la Educación, la Ciencia y la Cultura)? ¿Piensa que esta organización tiene mucho poder en el mundo deportivo? Escuche la grabación "UNESCO se dispone a adoptar primer texto vinculante contra dopaje" y luego conteste las siguientes preguntas.

1. ¿Cuándo votará La Conferencia General de la UNESCO un Convenio? ¿De qué se trata el Convenio?
2. ¿Cómo va a entrar en vigor el Convenio?
3. ¿Cuál es la única excepción que admite el Convenio para contar con sustancias prohibidas?
4. ¿Qué acciones propone el Convenio para prevenir el uso de sustancias prohibidas?
5. ¿Qué sugerencias ofrece el Convenio para persuadir que no se usen las sustancias prohibidas?
6. ¿Cuál es el objetivo de la grabación?
7. ¿Cómo resumiría lo que escuchó en una frase?
8. ¿Qué pregunta sería apropiada para hacerle al autor después de escuchar la grabación?
9. ¿Cuál es el propósito del artículo? ¿Analizar diferentes soluciones/problemas, resumir diferentes opiniones, presentar una situación, criticar una situación?

48 Un resumen

Vuelva a escuchar la grabación anterior y escriba un resumen de ella.

49 Participe en una conversación

Ud. va a participar en una conversación. Primero lea la descripción de la conversación y piense en algunas palabras o expresiones que le serían útiles. Organice sus ideas, haciendo predicciones sobre lo que se le pueda preguntar o comentar. Una descripción de lo que va a escuchar aparece abajo en color. Participe en la conversación grabando las respuestas o escribiéndolas en su cuaderno.

Escena: Se ha anunciado un nuevo programa de antidopaje en el lugar donde estudia. Ud. es deportista y no usa fármacos, pero está preocupado/a porque una amiga —que también es deportista—, le pide su opinión.

Su amiga:	Su amiga plantea el problema.
Ud.:	• Dígale lo que piensa del nuevo programa.
Su amiga:	Sigue la conversación y le pide su opinión.
Ud.:	• Dele su opinión.
Su amiga:	Le hace una pregunta y un comentario.
Ud.:	• Contéstele.
Su amiga:	Sigue la conversación y le pide un consejo.
Ud.:	• Dele su opinión. Explique las razones.
Su amiga:	Sigue la conversación y le hace otra pregunta.
Ud.:	• Contéstele y despídase.

¡A escribir!

50 Texto informal: los deportes del futuro 

Escriba en un blog, hablando del deporte en el siglo XXI.

- Mencione cómo imagina que será el deporte a finales de este siglo.
- Mencione dos o tres aspectos que Ud. espera que cambien en el deporte.
- Mencione cómo el dopaje, la violencia y el nacionalismo van a figurar en el mundo deportivo.
- Termine con el momento más memorable de un deporte.

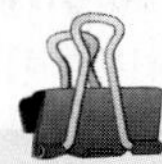

Consejo
Antes de empezar, lea las pautas para escribir textos informales en la pág. 480 del Apéndice. Mientras escribe el texto tenga presente los objetivos. Cuando termine, verifique que ha cumplido con todo lo que se describe en la lista y reflexione sobre el trabajo que hizo.

51 Texto informal: la violencia en los deportes 

En un foro editorial del periódico de su escuela o universidad, describa un incidente de violencia durante un partido de básquetbol (real o imaginario) durante el fin de semana.

- Plantee el incidente y las causas.
- Exprese su opinión.
- Ofrezca sugerencias para disminuir la posibilidad de otro incidente similar en el futuro.

52 Ensayo: los toros  

Lea los siguientes artículos sobre los toros, y luego escriba un ensayo que hable sobre los corridas de toros y su historia. Diga si se deberían prohibir todas o no.

El arte de torear

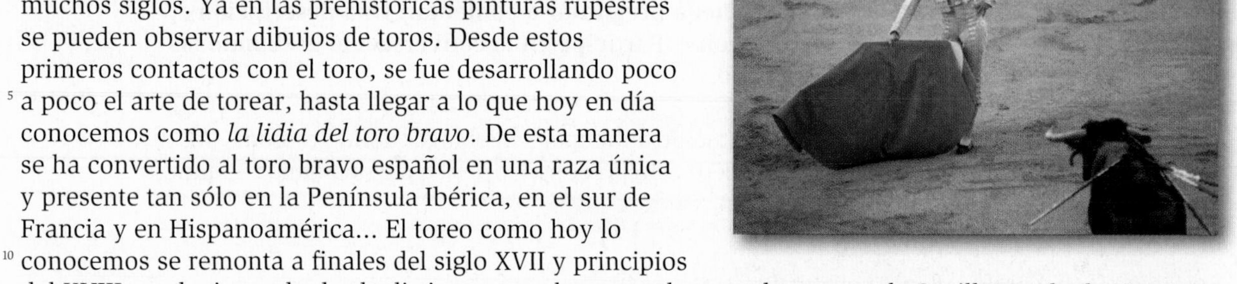

El arte de torear está arraigado en España desde hace muchos siglos. Ya en las prehistóricas pinturas rupestres se pueden observar dibujos de toros. Desde estos primeros contactos con el toro, se fue desarrollando poco a poco el arte de torear, hasta llegar a lo que hoy en día conocemos como *la lidia del toro bravo*. De esta manera se ha convertido al toro bravo español en una raza única y presente tan sólo en la Península Ibérica, en el sur de Francia y en Hispanoamérica... El toreo como hoy lo conocemos se remonta a finales del siglo XVII y principios del XVIII, evolucionando desde distintas escuelas, entre las que destacaron la Sevillana y la de Navarra. Este espectáculo sin igual en el mundo, donde el hombre arriesga su vida y desata pasiones en el ritual del arte y la muerte, ha formado parte de la cultura universal, siendo base importantísima de otras manifestaciones culturales como la literatura, la pintura, la escultura, la música, el cine, etc. Destacados artistas de los últimos siglos se han fijado en la tauromaquia a la hora de desarrollar su actividad: Goya, José Ortega y Gasset, Pablo Picasso, Ernest Hemingway y Orson Welles son una buena muestra de ello.

La prohibición de los toros

En España, el Parlamento Catalán votó a favor de prohibir las corridas de toros en la comunidad catalana. Desde 2012 las tardes taurinas forman parte del pasado. Muchos, satisfechos con la aprobación de la nueva ley, celebran haber puesto fin a una actividad cruel, otros, nostálgicos por una tradición ya extinguida, lamentan la pérdida de un arte tan singular.

53 Ensayo: los deportes 

Escriba un ensayo que explique lo que se aprende de los deportes.

54 Ensayo: los atletas 

Escriba un ensayo que explique los obstáculos y los beneficios de ser un/a atleta profesional o universitario/a.

55 En parejas

Intercambie sus ensayos con los de un/a compañero/a. Exprésele su opinión sobre el contenido y el uso del idioma.

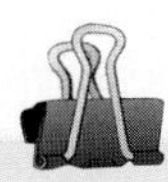

Consejo

Antes de empezar, lea las pautas para escribir ensayos en la pág. 480 del Apéndice. Mientras escribe el ensayo tenga presente los objetivos y no se olvide de ponerle un título original. Cuando termine, verifique que ha cumplido con todo lo que se describe en la lista y reflexione sobre su trabajo.

¡A hablar!

56 Charlemos en el café 

Ud. va a debatir los siguientes temas con un/a compañero/a. Uno estará a favor de lo que se ha dicho y otro en contra. El debate durará varios minutos. El/La estudiante que esté de acuerdo comenzará el debate y hablará por unos dos minutos. Cuando el/la profesor/a lo indique, el/la otro/a estudiante tomará la palabra y expresará su opinión por otros dos minutos y así sucesivamente.

1. Los atletas profesionales y/o famosos merecen el prestigio que tienen y el dinero que ganan.
2. El tráfico de niños atletas es positivo en los países desarrollados, porque en estos países los jóvenes no quieren ser atletas profesionales.
3. Los porristas juegan un papel muy importante en una competición deportiva.
4. El número y el apoyo de los espectadores siempre le da la ventaja al equipo que juega en su propio estadio.
5. Los gobiernos deben financiar todos los gastos de los atletas en las competiciones como los Juegos Olímpicos.

57 ¿Qué opinan?

Converse con un/a compañero/a sobre estas situaciones o preguntas.

1. Ud. es universitario/a y también atleta. Si le ofrecieran la oportunidad de hacerse atleta profesional pero con la condición de abandonar los estudios, ¿lo haría? Explique por qué.
2. ¿Existe discriminación en los deportes? ¿Piensa que hay paridad de acceso a todos los deportes entre hombres y mujeres? ¿Y entre jóvenes y mayores?
3. Se dice que los sobornadores y los apostadores fijan los resultados de la mayoría de las competiciones deportivas profesionales. ¿Es verdad? ¿Qué haría Ud. si supiera que había una competición fijada por un soborno?

58 Presentemos en público 

Conteste una de las siguientes preguntas o haga una presentación oral sobre uno de los temas durante varios minutos en clase. Organice sus ideas antes de hacer la presentación, busque las palabras necesarias y, después de practicar, presente en clase sin mirar las notas.

1. ¿Cree que la globalización de los deportes los ha afectado demasiado? ¿Qué haría Ud. para promocionar la idea de que el deporte es una competición deportiva y no un negocio?
2. ¿Qué deporte profesional es el más exigente? ¿Por qué? Hable de los aspectos físicos (entrenamiento, talento, nivel de competencia) y la preparación mental. Mencione los sacrificios y los obstáculos (viajar y estar lejos de la familia, el dopaje, la presión por ser el número uno, los sobornos, etc.).
3. Opine sobre los contratos que reciben los atletas para promocionar productos. No se olvide de mencionar si los atletas los merecen, sobre todo el dinero que reciben para promocionar estos productos.
4. Su hermanita participa en un equipo de fútbol, pero el entrenador ha renunciado y el equipo está buscando a otro/a. Explique por qué Ud. sería (o no) el/la candidato/a ideal.

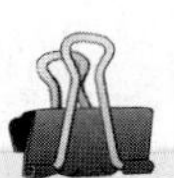

Consejo

Antes de empezar, lea las pautas para presentaciones formales en la pág. 481 del Apéndice. Mientras formula su presentación tenga presente los objetivos. Cuando termine la presentación, verifique que ha cumplido con todo lo que se describe en la lista y reflexione sobre el trabajo que hizo.

Proyectos

59 ¡Manos a la obra! 

Trabaje en un grupo de cuatro o cinco estudiantes para llevar a cabo uno de los siguientes proyectos y presentarlo a la clase.

1. Muchos dicen que ni las corridas de toros ni la lucha libre son deportes. Entonces, ¿en qué consiste un deporte? Establezcan unos criterios y aplíquenlos a un deporte. Después usen el ejemplo de la lucha libre o las corridas de toros y expliquen por qué no son deportes.
2. ¿Recuerdan las siguientes citas de la lección?: *Cuando somos buenos, nadie nos recuerda, cuando somos malos, nadie nos olvida. En esta vida no te perdonan si te dejas ganar y te odian si ganas siempre.* Piensen en un atleta o equipo que tenga mala fama o reputación. Organicen un plan de marketing para mejorar su imagen.
3. Hagan un anuncio para promover la práctica de un deporte sin violencia. Decidan qué deporte será, qué deportistas profesionales van a aparecer en el anuncio y a quiénes van a dirigir el anuncio.

Vocabulario

Verbos

aliviar	to relieve
apostar (ue)	to bet
brindar	to offer
contradecir	to contradict
descalificar	to disqualify
destacarse	to stand out
disminuir	to lessen
emigrar	to emigrate
empatar	to tie (*a score*)
enmarcar	to frame, form the backdrop
entrenar	to train, coach
estar entrenándose	to be in training
favorecer	to favor
hacer atletismo	to practice track and field
hacer competencia	to have a rivalry
hacer deporte(s)	to do/practice sports
juzgar	to judge
patrocinar	to sponsor
perdurar	to last, endure
permanecer	to stay
promocionar	to promote
reavivar	to rekindle; to revive
remitir	to send
seleccionar	to select
señalar	to point out
sobornar	to bribe
solucionar	to (re)solve
torear	to fight bulls

Verbos con preposición

verbo + a:

acercarse a	to approach, get close to
precipitarse a	to hurry to

verbo + con:

competir (i) con	to compete with

verbo + de:

evolucionar de	to evolve from

verbo + en:

enmarcarse en	to be in line with
fijarse en	to pay attention to, notice
iniciarse en	to begin
recaer en	to go to (*prize, award*)
tener un efecto en	to have an effect on

Sustantivos

el	**ámbito**	atmosphere
el/la	**apostador(a)**	bettor (person who bets)
el	**apoyo**	support
la	**apuesta**	bet
el	**atletismo**	track and field
el	**cansancio**	tiredness
la	**carrera**	race; career
el	**castigo**	punishment
la	**corrida de toros**	bullfight
el/la	**culturista**	bodybuilder
los/las	**demás**	the rest, others
el/la	**discapacitado/a**	handicapped person
el	**dopaje sanguíneo**	blood enhancement
el	**empate**	tie (*score*)
el	**empeño**	determination, effort
el/la	**entrenador(a)**	trainer
el	**fármaco**	medication
el	**fracaso**	failure
el	**galardón**	award, prize
el/la	**galardonado/a**	prizewinner
el/la	**hincha**	fan, supporter
la	**inversión**	investment
la	**jabalina**	javelin
el	**lanzamiento de disco**	discus throwing
el/la	**levantador(a) de pesas**	weight lifter
la	**marca**	brand name
la	**minusvalía**	handicap, disability
el/la	**minusválido/a**	handicapped person
el	**ocio**	leisure time
la	**paridad**	equality
la	**permanencia**	stay; continuance
la	**pértiga**	pole vault
la	**polémica**	controversy
el/la	**porrista**	cheerleader
el	**premio**	prize, award
el	**prestigio**	prestige
el/la	**propagador(a)**	promoter
la	**receta**	prescription
el	**respaldo**	endorsement
el/la	**sobornador(a)**	person who bribes
el	**soborno**	bribe
el/la	**testigo**	witness
el	**tiro al arco**	archery
el	**toreo**	(art of) bullfighting
el/la	**torero/a**	bullfighter
la	**trayectoria**	path, trajectory
la	**valla**	hurdle

Adjetivos

alcanzable	reachable
disponible	available
empírico, -a	empirical (from experience)
motriz	motor
taurino, -a	related to bullfighting

Expresiones

asimismo	also
ciudad organizadora	organizing (host) city
dar pie a	to take hold, allow
entrar en vigor	to go into effect

A tener en cuenta

Palabras problemáticas

to ask	
to ask for something	pedir
to ask a question	preguntar, hacer una pregunta
to ask for someone	preguntar por
to wonder	preguntarse
to fail	
to fail a course	suspender, reprobar (a alguien)
to be unsuccessful	fracasar
to stop doing something	dejar de
to miss; to be lacking	faltar (a)
to leave	
to leave behind, abandon	dejar
to go out, depart, leave (a place)	salir
to go away	irse, marcharse
to take	
to take an exam	examinarse
to take a course	seguir una asignatura
to take out	sacar
to take place	tener lugar
to take away	quitar
to take time	tardar, demorar(se)
to take something the wrong way	tomárselo mal, interpretarlo mal

time	
a period or duration of time	tiempo
once, one time	una vez
all the time (constantly)	constantemente
each time	cada vez
once again	otra vez
at times	a veces
time of day	hora
a short time, a while	un rato
time during a season, historical time	época
to have a good time	divertirse, pasarlo bien
to buy time	ganar tiempo
to have time on one's hands	sobrarle tiempo
against time	contra reloj
in time	a tiempo
to have a hard time convincing someone	costarle muchísimo convencerlo/la
(to arrive) anytime now	(llegar) en cualquier momento
it's about time (you practiced a sport)	ya es hora (de que practiques un deporte)

Capítulo 7

¡Conéctese a su mundo!

Temas

- Inventos y tecnología
- Idiomas
- Ecología

Lección A

Objetivos

Comunicación

- Hablar del impacto de la tecnología
- Hablar de la importancia de los idiomas
- Describir los problemas ecológicos

Gramática

- Repaso de tiempos verbales
- Repaso del comparativo y superlativo
- Verbos con preposición
- Pronombres relativos
- Palabras negativas y afirmativas
- Expresiones impersonales con subjuntivo

"Tapitas" gramaticales

- pronombres relativos
- la terminación *-quiera*
- reconocer ciertos tiempos verbales
- formas apócopes
- *ambos*

Cultura

- La tecnología
- Latinoamérica (período precolombino, religión y diversidad étnica)
- Los telegramas
- Móviles
- El español en EE.UU.
- Internet y su efecto
- Los bosques
- El Amazonia

Para empezar

1 Conteste las preguntas

Piense en las respuestas a las siguientes preguntas. Ud. puede tomar notas si lo considera necesario. Cuando termine, compare sus respuestas —pero sin mirar sus notas— con las de un/a compañero/a.

1. ¿Cómo ha cambiado nuestro mundo desde principios del siglo XX hasta principios del siglo XXI?
2. Haga una lista con los cinco inventos más importantes del siglo XX y luego haga otra con los cinco inventos más importantes de este siglo.
3. ¿Tiene un teléfono celular? ¿Cuándo lo usa? ¿Por qué?
4. ¿Qué opina en general de la educación en los Estados Unidos, en su región, estado, escuela o universidad?
5. ¿Qué opina de la necesidad de aprender español en nuestra sociedad?
6. En las carreras del futuro, ¿será importante hablar español? ¿Por qué?
7. ¿Estaría interesado/a en una carrera donde tuviera que hablar español? ¿En cuál? ¿Por qué está interesado/a en esta carrera?
8. ¿Qué países de habla hispana cree que presentan el mayor crecimiento tecnológico? ¿Y el menor?
9. ¿Qué religiones se practican en Latinoamérica?
10. ¿Hay mucha diversidad étnica en Latinoamérica?
11. ¿Manda cartas o dejó de hacerlo?
12. ¿Se debería poder usar el móvil en la clase?
13. ¿Cómo ayuda el Amazonia al mundo?

Un invento fundamental del siglo XX: la computadora portátil

2 Mini-diálogos 

Ud. va a crear un mini-diálogo con un/a compañero/a. Lea la descripción de la conversación en la página siguiente antes de empezar. Puede tomar notas para organizar sus ideas, pero no las mire mientras conversa. Le pueden servir algunas de las palabras del recuadro.

la oferta	hacer un convenio
el plan de llamadas	el número de minutos permitidos
sin cargo móvil a móvil	minutos al mes
el programa de mensajes	el cobro de servicio de navegación en la red inalámbrica
el ciberespacio	la Red Mundial (WWW)
la Red	el programa buscador
la factura	poner atención a las letras pequeñas del contrato

continúa

Escena: Dos amigos/as están mirando anuncios en el periódico para teléfonos celulares porque uno/a de ellos ("B") quiere comprar uno nuevo. El/La otro/a ("A") le ayuda a decidir cuál debe comprar.

A:	Entable una conversación sobre los teléfonos celulares. Pregúntele a su compañero/a sobre las características que él/ella busca en su nuevo teléfono.
B:	Hable sobre las características.
A:	Después de mirar un anuncio del periódico, hable de las características de este teléfono y el precio.
B:	Haga unos comentarios sobre este teléfono y hágale preguntas sobre otro anuncio.
A:	Conteste las preguntas con información adicional de los anuncios.
B:	Reaccione y pídale que mire otro anuncio.
A:	Haga un comentario sobre el tercer anuncio.
B:	Tome una decisión e invítelo/la a acompañarlo/la a la tienda donde se venden teléfonos celulares.
A:	Reaccione a la decisión y a la invitación.

¿Qué características busca Ud. en un teléfono celular?

Proverbio

No puede impedirse el viento. Pero pueden construirse molinos.
—Proverbio holandés

¿Cómo aplicaría este proverbio a la naturaleza? ¿Y a otros ámbitos de la vida cotidiana? Comparta su opinión con un/a compañero/a.

¡Dato curioso!

Aunque hay inventos que son bastante recientes, como el taladro dental inventado por un mecánico estadounidense, esto no impidió a odontólogos como el egipcio Hesi-Re en el año 3000 a. de J. C. arreglar los dientes de los faraones, o a un médico cordobés en operar de cataratas a sus pacientes alrededor del año 800 en España. Hay muchos inventos a los que no les damos importancia; no obstante, su reciente uso ha mejorado la calidad de vida de muchas personas, como también es el caso de los pañales o el plástico entre muchos otros.

10 Amplíe su vocabulario

Escriba frases con las palabras que aparecen en azul en el texto. Después decida qué otras ocho palabras que aparecen en el texto anterior considera importantes aprender. Comparta su lista con un compañero/a.

11 "Tapitas" gramaticales

Conteste estas preguntas relacionadas con el artículo anterior.

1. ¿Por qué se usa *la que* y no *que*?
2. ¿Por qué se usa *ningún país* y no *ninguno país*? ¿Y *algunos rituales*?

12 Los pronombres relativos

Complete cada oración con el pronombre relativo adecuado de la lista: *quien, que, el que, la(s) que, lo(s) que, el cual, la cual, los cuales, las cuales*.

1. ___ tenga más habilidades, ganará el premio.
2. El portavoz hablaba sin cesar, ___ irritaba al público.
3. ¡No te lo vas a creer! Vi un documental anoche, ___ mencionaba dos lugares de los que te hablé ayer.
4. Los juguetes con ___ juegan los niños fueron hechos en fábricas del sudor.
5. Isabel, ___ sabe más de estos asuntos, está de baja por enfermedad.
6. Los chinos fueron ___ fabricaron ese coche.
7. El señor, del ___ te hablé el otro día, falleció esta mañana.

13 Las palabras negativas y afirmativas

Imagine que es una persona que no está de acuerdo con nada de lo que se afirma aquí. Cambie las oraciones de positivas a negativas o viceversa, usando la expresión contraria.

1. ¡Yo jamás haría eso!
2. Todo el mundo la conoce.
3. Nunca he oído hablar de ningún ritual religioso.
4. Varios países viven debajo de la línea de la pobreza. Bolivia, Haití y también Paraguay son los más desiguales.
5. Alguna vez me gustaría investigar más sobre esta religión.
6. Algunos rituales de origen africano se entremezclan con prácticas propiamente cristianas.
7. ¡Ni puedo ni quiero hacerlo!
8. Ya me conoces y sabes que nunca se lo diría.

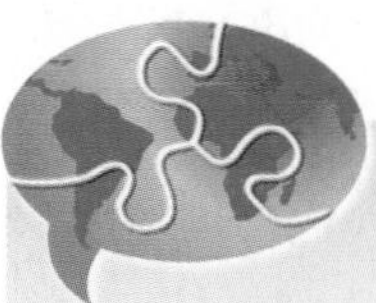

Compare

¿Cuáles son las zonas más pobres en su país? ¿A qué cree que se debe?

¡Dato curioso!

La desigualdad social y la pobreza siguen siendo los principales desafíos de toda la región: según informes de la CEPAL América Latina es la región más desigual del mundo. En total en América Latina, el 33,0% de la población vivió bajo la línea de la pobreza el pasado año. Unos 180 millones de latinoamericanos vivieron debajo de la línea de pobreza. Los tres países más desiguales, basándose en el Coeficiente de Gini, fueron Bolivia, Haití y Paraguay. Por su parte los más igualitarios fueron: Venezuela, Uruguay y Ecuador.

14 Escriba un correo electrónico 

Ha recibido un correo electrónico de un amigo pidiéndole información acerca de la santería. El padre de la chica con quien está saliendo su amigo la practica, y su amigo quiere saber más sobre los rituales. Responda con su propio mensaje en el que le da información acerca de la santería. Le puede servir alguna información y vocabulario del artículo anterior.

15 La gente de América Latina 

Lea el artículo y complete cada espacio con las palabras adecuadas. Después piense en cómo resumiría el artículo en tres o cuatro frases.

La diversidad étnica de los países de América Latina

América Latina __1.__ (*es / está*) la zona del planeta con mayor diversidad étnica. Se pueden __2.__ (*distinguen / distinguir*) cuatro grupos predominantes: amerindios, mestizos, criollos, y afroamericanos (negros, mulatos y zambos).

Amerindios

__3.__ (*Los / X*) amerindios __4.__ (*son / están*) la población primigenia de América. Poblaciones [5] provenientes de Asia __5.__ (*entraban / entraron*) a través del estrecho de Bering durante la __6.__ (*última / mejor*) glaciación, __7.__ (*hace / x*) 25.000 años __8.__ (*hace / x*), y colonizaron los dos subcontinentes. Aunque no __9.__ (*quedan / queden*) casi poblaciones sin __10.__ (*algún / alguno*) grado de mestizaje, los países donde el porcentaje de amerindios __11.__ (*es / está*) mayor __12.__ (*son / están*) Guatemala y Bolivia. También existen significativas comunidades indígenas en México, Ecuador, El Salvador, [10] Nicaragua, Honduras, Panamá, Colombia, Venezuela, Argentina, Brasil, Paraguay y Chile.

Mestizos

__13.__ (*Un / Una*) considerable parte del mestizaje en la América hispánica __14.__ (*se hizo / se hacía*) entre blancos e indios, pero también de blancos con negros, negros con amerindios o el mestizaje secundario de mestizos con amerindios y negros. Los países con predominio __15.__ (*en / de*) población mestiza son: Colombia, El Salvador, Honduras, México, Ecuador, Nicaragua, Panamá, Paraguay y [15] Venezuela. También existen cifras significativas de población mestiza en países como Bolivia, Brasil, Chile, Costa Rica, Perú, Guatemala y República Dominicana.

Criollos

Se denominan criollos __16.__ (*a / x*) los hijos descendientes de padres europeos __17.__ (*nacieron / nacidos*) en los antiguos territorios españoles de América. Los países con __18.__ (*mayor / mayoría*) población con esta ascendencia son Argentina, Brasil, Costa Rica, Chile, Uruguay y Puerto Rico.

[20] A la inmigración de España y Portugal durante la conquista y, sobre todo, durante la colonia, se sumaron __19.__ (*posterior / posteriormente*) inmigrantes de otros países europeos, principalmente de Italia, Alemania, Reino Unido, Francia, Irlanda y Croacia. Argentina, Brasil y Uruguay incrementaron __20.__ (*notable / notablemente*) su población en la segunda mitad del siglo XIX, principalmente de Italia y España en el caso de Argentina y Uruguay. Puerto Rico recibió también inmigración europea, [25] principalmente de la __21.__ (*misma / igual*) España y también de Francia. Colombia, Paraguay y México recibieron inmigración europea en el siglo XX.

Venezuela, __22.__ (*sea / siendo*) hoy en día un país mestizo, tuvo gran inmigración también en el siglo XX, especialmente de españoles, portugueses, italianos, y un pequeño porcentaje de alemanes, gracias __23.__ (*por / al*) crecimiento económico por el descubrimiento del petróleo.

Afrodescendientes

[30] Los países con una población de origen predominantemente africano o mulato (mestizo europeo-africano) __24.__ (*son / están*) Cuba, Haití y la República Dominicana. En menor proporción países como Brasil, Colombia, Costa Rica, Belice, Ecuador, Guatemala, Honduras, Perú, Puerto Rico, Venezuela,

Uruguay y Bolivia poseen también población negra y mulata. La inmigración africana se diferenció de las otras en __25.__ (*que / lo que*) mayoritariamente fue forzosa fruto del tráfico __26.__ (*de / por*) esclavos. Cabe también mencionar a los zambos (mestizos africano-amerindios) con comunidades presentes en Brasil, Colombia, Ecuador, Perú, Venezuela y costa caribe de Centroamérica.

Asiáticos del este y del sureste

Latinoamérica también ha recibido __27.__ (*menor / minorías*) de inmigrantes del Lejano Oriente, tanto de Asia del Este como del Sureste Asiático. Estos inmigrantes se han ido __28.__ (*mezclados / mezclando*) progresivamente con la población local dando lugar a nuevos tipos de mestizaje. __29.__ (*Promueven / Provienen*) principalmente de China, Taiwán, Japón, Filipinas, Corea y Laos, formando en ciertos países importantes comunidades: japoneses __30.__ (*principal / principalmente*) en Brasil, México, Perú, Colombia, Argentina, Paraguay y Bolivia; chinos y taiwaneses en Argentina, Venezuela, Bolivia, Chile, Colombia, Costa Rica, Cuba, México, Nicaragua, Paraguay, Perú y Puerto Rico; filipinos en Argentina, México y Puerto Rico; coreanos en Brasil, Paraguay, Argentina, Perú, y Chile; laosianos en Argentina. Cabe destacar que la comunidad china y japonesa en el Perú es una __31.__ (*de / desde*) las más importantes y numerosas de la región.

Mediorientales

Desde fines del siglo XIX ha llegado a América Latina __32.__ (*un / una*) importante cantidad de inmigrantes provenientes del Oriente Próximo, principalmente de origen árabe y judío, aunque no exclusivamente. La __33.__ (*mayor / mayoría*) parte proviene directamente de países como Líbano, Siria, Turquía, Israel o los Territorios Palestinos. Se instalaron principalmente en países __34.__ (*tal / como*) Colombia y Venezuela. Es significativo, por ejemplo, el flujo de palestinos que llegó a Chile desde el siglo XIX; estos inmigrantes forman actualmente la colonia palestina más importante y numerosa fuera del mundo árabe con alrededor __35.__ (*de / x*) 450.000 - 500.000 miembros. Los judíos, por su parte, emigraron principalmente a Argentina, donde forman la comunidad hebrea más numerosa __36.__ (*en / de*) Latinoamérica, así como a Brasil, Chile, México, Panamá y Colombia, desde Europa y el Oriente Próximo. __37.__ (*De hecho / Actualmente*) la población de judíos se estima en: Argentina 185.000, Brasil 96.700, Chile 75.000, Panamá 54.600 y México 39.800. La __38.__ (*mayor / mayoría*) parte de los judíos que llegaron a Latinoamérica es de origen askenazí provenientes de Europa del Este. También __39.__ (*son / están*) numerosos los judíos de origen sefardí, __40.__ (*cuyos / los cuales*) provenían de los Balcanes, Turquía y Palestina.

16 ¿El subjuntivo o el indicativo?

Complete los espacios con el tiempo adecuado.

1. Me dijeron que era necesario que yo ___ (*integrar*) a todas las personas en mi correo electrónico.
2. Es verdad que a menudo yo no ___ (*conseguir*) lo que quiero.
3. Era injusto que ___ (*expulsar*) a las minorías de sus tierras.
4. Será preciso que yo ___ (*investigar*) más sobre las diferentes razas que componen Latinoamérica.
5. Es bueno que se ___ (*traducir*) algunos documentos oficiales a algunas de las muchas lenguas que se hablan.

17 Expresiones impersonales

Haga frases originales utilizando las siguientes expresiones e información del texto anterior.

Es increíble que	Es preciso que	Es menester que	Es evidente que
No hay duda que	Es que	No es que	Más vale que

18 Haga un gráfico

Haga un gráfico en el que muestre los diez idiomas más hablados en los EE.UU.

Idioma

19 Familia de palabras

Complete la tabla con el verbo, sustantivo o adjetivo apropiado, y la traducción correspondiente.

Verbos		Sustantivos		Adjetivos	
___	*to learn*	___	___	___	___
computar	___	___	*computer*	___	*computed*
educar	___	el/la educador(a)	___	___	___
___	*to study*	___	___	___	*studious*
___	*to teach*	___	___	___	*taught*
hablar	___	___	*speaker*	___	___
___	*to invent*	el invento, ___	*invention*	___	*invented*
usar	___	el uso; el/la usuario/a	___; ___	___	*used*

20 ¿Verbo, sustantivo o adjetivo?

Complete las oraciones usando la forma correcta de las palabras que aparecen en la tabla, ya sea verbo, sustantivo o adjetivo. En el caso del sustantivo puede que necesite artículo.

1. En enero de 2006, Michele Bachelet ganó la presidencia de Chile en unas elecciones contra Sebastián Piñera, un multimillonario ___ (*educar*) en la Universidad de Harvard en los Estados Unidos.
2. El quechua era la lengua del Imperio Inca y hoy día hay más de 10 millones de ___ (*hablar*).
3. Con el incremento de la globalización, ___ (*enseñar*) de lenguas extranjeras se hace más importante.
4. Se puede conceder protección legal a ___ (*inventar*) por medio de una patente.
5. Las primeras ___ (*computar*) digitales eran de gran tamaño y se utilizaban principalmente para hacer cálculos científicos.
6. Si ___ (*estudiar*) más, ella habría salido mejor en el examen.
7. El número de ___ (*usar*) de teléfonos celulares aumenta a un ritmo increíble.
8. ___ (*Aprender*) de una lengua no es obligatorio, pero es sumamente importante en nuestro mundo.
9. ¿___ (*Enseñar*) su profesor exclusivamente en español en su clase?
10. Como ellos ___ (*estudiar*) día y noche, sus amigos les llaman ___ (*estudiar*).

Cita

Recurrimos a la televisión para apagar el cerebro, y a la computadora para encenderlo.

—Steve Jobs, (1955-2011) CEO de Apple Computer

¿Está de acuerdo con lo que dice el autor de esta cita? ¿Por qué? Hable sobre las ventajas y desventajas de la televisión y de la computadora. Comparta sus opiniones con un/a compañero/a.

¡Dato curioso!

El prototipo más antiguo del despertador fue inventado por los griegos en torno a 250 a. de J. C. Construyeron uno que funcionaba con la marea: cuando el nivel del agua llegaba a un determinado nivel, hacía sonar un pájaro mecánico. Tal y como lo conocemos hoy, lo inventó un relojero, Levi Hutchins, en 1787. Entonces, la gente confiaba en el sol para despertarse, pero a las 4 de la mañana, la hora en que se levantaba Hutchins, no había sol. Así que el relojero colocó una palanca en el número 4 de un reloj, que a su vez hacía sonar una campana cuando la manecilla llegaba a la hora.

www.quo.es

21 El último telegrama 

Lea el artículo y decida cuál de las dos palabras entre paréntesis es la correcta para completar cada oración. Después conteste las siguientes preguntas:

- ¿Cuál es el propósito del artículo?
- ¿Cómo resumiría el artículo en una frase?
- ¿Qué pregunta sería apropiada para hacerle al autor después de leer el artículo?

El último telegrama

Carlos Chirinos de BBC Mundo, Washington

Western Union abandona el negocio que __1.__ (*era / fue*) su razón de existir __2.__ (*de / desde*) hace siglo y medio: el envío de mensajes __3.__ (*por / para*) telégrafo o telegramas. El telegrama tuvo su apogeo durante las décadas 20 y 30. "Envíe un mensaje que diga más que palabras" fue la promesa publicitaria de Western Union por __4.__ (*más que / más de*) 150 años, cuando empezó el negocio de enviar telegramas, el primer medio de comunicación instantánea. Hoy hay muchas otras y, sobre todo, mucho más baratas. Por eso la empresa __5.__ (*decidía / decidió*) eliminar el servicio que monopolizaba en el territorio estadounidense. La noticia pasó desapercibida. Un sencillo anuncio en la página web de Western Union advierte __6.__ (*al fin / el fin*) de una era y agradece a los clientes por su fidelidad. Es irónico que __7.__ (*es / sea*) en la Web que se anuncie la muerte de los telegramas en EE.UU. Al fin y __8.__ (*al cabo / el cabo*) en gran parte su desaparición es culpa de la Internet y el correo electrónico. Pero no fue el único verdugo. El telegrama no pudo con el bajo costo de las llamadas telefónicas, la expansión de los teléfonos celulares y con ellos __9.__ (*el / la*) sistema de envío de textos y hasta con el fax, por cierto otra tecnología en decadencia. Los telegramas registraron momentos históricos.

En los últimos tiempos enviar un telegrama resultaba caro. Según Western Union, se pagaba US$10 por textos cortos de no más de 20 palabras. En 2005 se enviaron 55 telegramas diarios en promedio, __10.__ (*comparando / comparado*) con los más de medio millón que se manejaban diariamente en los años 30, cuando el servicio vivió sus tiempos de gloria. De ahí __11.__ (*por adelante / en adelante*) todo fue declive. Incluso técnicamente el telégrafo, con sus kilómetros de tendidos entre ciudades, __12.__ (*dejaba / dejó*) de existir en los años 60, cuando los mensajes empezaron a ser enviados por microondas o satélites. Western Union no sufre por el cierre de esa división. Sólo completa una transición que desde los años 60 la __13.__ (*llevó a / llevó de*) ser una empresa de servicios de comunicaciones a ser una de servicios financieros. Millones de personas mandan remesas a sus países de origen a través de la compañía, que tiene una fuerte presencia en América Latina.

Aunque Western Union recibió el __14.__ (*primer / primero*) mensaje en 1844, el negocio tuvo un repunte durante la Segunda Guerra Mundial (1939–1945) cuando el gobierno contrató a la empresa para informar a las familias de la suerte de sus familiares que combatían en los varios frentes abiertos en el extranjero. Para decenas de miles de familias en EE.UU. la llegada de un mensaje de Western Union __15.__ (*anunció / anunciaba*) un momento doloroso. Es una imagen algo manida por el cine. En una apartada granja se ve llegar un vehículo oficial. De él se baja un militar impecable que sin mediar palabra entrega un sobre a la madre quien, inconsolable, __16.__ (*se deja / se deja de*) caer en el umbral de la casa. En el sobre iba el telegrama de Western Union.

Esperando fuera de Western Union en Miacatitilán (Morelos), México

En sus inicios, algunos veían la "corrupción del lenguaje" como un mal asociado al telegrama. Como cada letra costaba, había que decir lo más con las menos posibles. __17.__ (*Ese / Eso*) llevó a abreviaciones que a algunos puristas parecían injustificables ni por la economía, ni en aras de la inmediatez de la comunicación. Desaparecido el telegrama no desaparece el problema porque el espíritu del telegrama seguirá vivo en la manera sintética en que se redactan los mensajes de textos telefónicos que millones de personas envían cada día __18.__ (*por / desde*) sus celulares.

www.paginadigital.com

22 ¿Qué significa?

Empareje las palabras de la primera columna con su traducción correspondiente de la segunda columna.

1. apogeo	a. for the sake of
2. desapercibido	b. remittance
3. fidelidad	c. hackneyed
4. culpa	d. threshold
5. verdugo	e. solitary farm
6. resultar caro	f. cable laid
7. declive	g. to write
8. tendido	h. without saying a word
9. cierre	i. executioner
10. remesa	j. zenith, peak
11. tener un repunte	k. loyalty
12. frente	l. to have a rally
13. manido	m. decline
14. apartada granja	n. unnoticed
15. sin mediar palabra	o. blame
16. umbral	p. to turn out to be expensive
17. en aras de	q. front
18. redactar	r. closing

23 Los teléfonos móviles en clase

Lea el artículo y decida cuál de las palabras entre paréntesis es la correcta para completar cada oración. Después conteste las siguientes preguntas:

- ¿Cómo resumiría el artículo en una frase?
- ¿Qué pregunta sería apropiada para hacerle al autor después de leer el artículo?

Una herramienta para usar el móvil en clase

¿Tus alumnos se distraen durante las clases por culpa del teléfono móvil? En lugar de __1.__ (*hagan / hacer*) desaparecer este dispositivo del aula, LectureTools propone otra solucion: __2.__ (*que / cuales*) los teléfonos formen parte del aprendizaje. Perry Samson, profesor de Ciencias Atmosféricas de la Universidad de Michigan (EE.UU.), diseñó la herramienta __3.__ (*como / para*) una forma de mejorar la interacción y retención de los estudiantes en las disertaciones largas. "La clave está en 'enganchar' a los estudiantes __4.__ (*x / a*) través de sus portátiles o teléfonos móviles de manera que no se vayan a las redes sociales", aseguar Samson, que ha tenido buenos resultados __5.__ (*a / con*) sus alumnos __6.__ (*hasta / hacia*) el momento.

Este otoño más __7.__ (*que / de*) 4.000 estudiantes de la Universidad de Michigan de veinte clases diferentes pondrán a prueba la herramienta, que entre otras cosas permite __8.__ (*tomar / tomen*) apuntes, hacer preguntas y __9.__ (*las responder / responderlas*), mostrar el contenido de la clase con diapositivas, y que los profesores __10.__ (*plantean / planteen*) tareas interactivas __11.__ (*x / a*) los alumnos. Las preguntas respondidas se hacen visibles, aunque de forma anónima, __12.__ (*por / para*) todos los estudiantes en la clase, y se guardan en un archivo de preguntas de los estudiantes. Los teléfonos móviles se convierten así en ayudas __13.__ (*por / para*) el aprendizaje en lugar de __14.__ (*estar / ser*) aparatos __15.__ (*que / cuales*) distraen.

De hecho, un estudio realizado __16.__ (*por / para*) el Centro de la Universidad de Michigan __17.__ (*por / para*) la Investigación del Aprendizaje y la Enseñanza __18.__ (*en / sobre*) la versión de investigación de LectureTools ha demostrado que su uso incrementa significativamente la participación y la atención __19.__ (*en / de*) los estudiantes. Ahora Samson y sus colegas __20.__ (*comercialicen / han comercializado*) la tecnología. "Realmente hace que las clases grandes __21.__ (*parecen / parezcan*) más pequeñas; esta herramienta incrementa la interacción, también, al viejo estilo", explica Mika Lavaque-Manty, otra de las profesoras que lo __22.__ (*haya puesto / ha puesto*) a prueba. "Más estudiantes levantan __22.__ (*el / la*) mano", añade.

www.muyinteresante.es

24 Una nueva propuesta tecnológica

¿Puede pensar en una aplicación que podría tener mucho éxito? Después de leer el artículo anterior, piense en cómo se puede usar la tecnología en clase. Proponga una nueva aplicación para el móvil o tableta electrónica. Escriba un párrafo describiendo esa nueva aplicación. Use la lista de preguntas que está al lado para generar y organizar sus ideas. Trata de utilizar el vocabulario que aparece en azul en el texto.

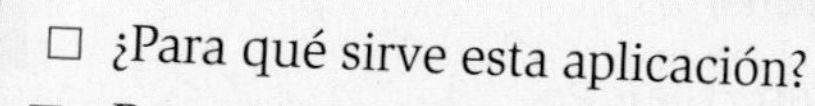

- ☐ ¿Para qué sirve esta aplicación?
- ☐ ¿Por qué puede ser interesante para un posible comprador?
- ☐ ¿Quién la usará?
- ☐ Haga un boceto de la apariencia. ¿Cómo será el icono? ¿Y las pantallas?
- ☐ ¿Cómo le haría publicidad a su aplicación?
- ☐ ¿Qué problemas anticipa?
- ☐ ¿Piensa cobrar por su aplicación? ¿Cuál es su pronóstico de ingresos?
- ☐ ¿Cuáles son las tres aplicaciones que más admira e inspiran para conseguir un éxito similar? ¿En qué consisten?

A muchos jóvenes les encanta la tecnología. ¿Y a Ud.?

25 Lea, escuche y escriba/presente 

Vuelva a leer los textos completos de las Actividades 21 y 23, y luego escuche "Hacker noruego descubre manera de piratear protección de Apple" y tome las notas necesarias. Escriba un ensayo o haga una presentación en clase contestando la pregunta, "¿Cómo ha revolucionado la tecnología a nuestro mundo?" No se olvide de citar las fuentes debidamente.

Compare

Piense en inventos que revolucionaron a este país a lo largo de la historia.

Cita

El progreso consiste en el cambio.
—Miguel de Unamuno (1864–1936), escritor y filósofo español

¿Está de acuerdo con esta cita? ¿Por qué? ¿A qué situaciones se puede aplicar? ¿Qué opina de los cambios recientes en nuestro mundo? ¿Siempre son positivos o a veces son negativos? Dé ejemplos tanto de cambios positivos como negativos. Comparta sus respuestas con un/a compañero/a.

¡Dato curioso! Una revista hispana dice que las profesiones más populares entre personas bilingües en los Estados Unidos son (en orden de popularidad): 1. Comunicación, 2. Traducciones, 3. Política, 4. Cuidado de la salud, 5. Discurso profesional, 6. Leyes y abogacía, 7. Bienes raíces, 8. Préstamos y Finanzas, 9. Educación, 10. Ventas.

26 El español en EE.UU. 

Lea el artículo y decida cuál de las dos palabras entre paréntesis es la correcta para completar cada oración. Después conteste las siguientes preguntas:

- ¿Cuál es el propósito del artículo?
- Si quisiera consultar otra fuente, ¿podría pensar en un posible título de una publicación?

Buscan expansión del español en EE.UU.

Manuel E. Avendaño

Casi la mitad de la población de los Estados Unidos será capaz de hablar y entenderse en español __1.__ (*por / para*) el año 2050, de acuerdo __2.__ (*de / con*) una proyección anunciada __3.__ (*por / para*) el presidente de la comunidad de Castilla y León en España, Juan Vicente Herrera, revelando un plan para intensificar la enseñanza del español en coordinación con la asociación que agrupa a los profesores de esta lengua en la Unión Americana. __4.__ (*Era / Fue*) precisamente la ciudad española de Salamanca, en Castilla y León, __5.__ (*el elegido / la elegida*) por la Asociación Americana de Profesores de Español y Portugués (AATSP) para realizar su reciente Conferencia Anual, en __6.__ (*el cual / la cual*) se delinearon los

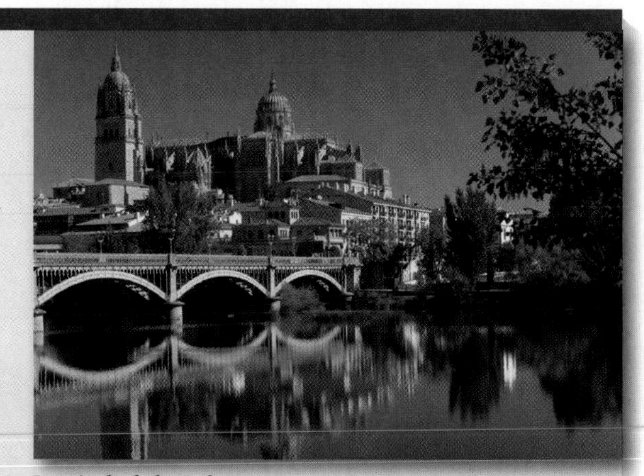

La ciudad de Salamanca

detalles para incrementar la enseñanza del español a ciudadanos estadounidenses. Herrera indicó que hoy en día se tiene a 30,000 estudiantes extranjeros que llegan a __7.__ (*esa / ese*) región española para estudiar el idioma de Cervantes. Sin embargo, la meta es ambiciosa y se espera que para el año 2010 esa cifra __8.__ (*se duplica / se duplique*), según explicó. "En este plan tenemos tres avales: la relación directa de Castilla y León con el nacimiento 30 del español (que nació castellano); un sistema pujante comprometido con la lengua; y un plan iniciado sólo hace __9.__ (*año / un año*) y medio para lograr los 60,000 estudiantes para el 2010, ofreciendo dentro 35 de nuestra 'oferta turística' la enseñanza del español", dijo Herrera Campos. "La conferencia __10.__ (*contaba / contó*) con los principales representantes de la institución que agrupa a 700 profesores titulares y un 40 total de 12,000 profesores asociados. __11.__ (*Era / Ha sido*) un encuentro muy importante porque __12.__ (*había tenido / tendrá*) repercusiones", dijo Herrera al comentar la reunión de profesores en la 45 histórica ciudad de Salamanca. "Primero, en la relación directa con la asociación más importante de profesores en Estados Unidos y, segundo, por la relación con todos los estudiantes de español que ya sabrán que 50 el lugar más adecuado para perfeccionar el idioma que están aprendiendo es __13.__ (*viajar y realizar / viajando y realizando*) ese turismo cultural, idiomático, a Salamanca y al conjunto de Castilla y León", agregó. Herrera 55 dijo que el español es __14.__ (*lengua / una lengua*) "que hoy te permite perfectamente __15.__ (*desenvolverse / desenvolverte*) en todos los ámbitos de la vida, desde los científicos, financieros, culturales, 60 a los ámbitos más cotidianos del desenvolvimiento turístico, sin necesidad de dominar el inglés, como __16.__ (*es / está*) mi caso". Indicó a continuación que "este hecho da a entender la extraordinaria 65 presencia del español en Estados Unidos: 44 millones de hispanos censados. Pero, sobre todo, la comprensión de un mundo práctico, de un mundo inteligente —como es el mundo anglosajón— que ha entendido 70 que hoy el español es una clave, no __17.__ (*sola / solamente*) para el mercado interno de los EE.UU., __18.__ (*pero / sino*) una clave en el ámbito mundial, con esos 400 ó 600 millones de seres humanos que ya lo 75 hablamos." El presidente de Castilla y León enfatizó que actualmente "Estados Unidos __19.__ (*abre / abren*) inmensas posibilidades para la expansión del idioma español, con __20.__ (*el / los*) 60% de los estudiantes 80 universitarios que han escogido este idioma en el desarrollo de su carrera. El español es, sin duda, una realidad cultural en el mundo. Actualmente, debe considerarse que sólo ocho idiomas en todo el mundo 85 superan los 100 millones de habitantes y entre ellos figura el español". E indicó seguidamente que "Estos datos __21.__ (*les / nos*) demuestran que nos encontramos ante un fenómeno social y cultural, con 90 el aprendizaje de un español realmente dinámico y de importante crecimiento. El español __22.__ (*crecía / ha crecido*) en un 10% en los últimos ocho años, dando lugar a 32 millones de nuevos hispanohablantes, 95 sólo __23.__ (*de / desde*) 1998". El señor Herrera finalmente sentenció: "como dicen los expertos, de seguir esta tendencia, a mediados del siglo XXI, la cuarta parte de la población mundial __24.__ (*habla / hablará*) 100 español".

www.eldiariony.com

27 Amplíe su vocabulario

Después de leer el artículo anterior, haga frases originales utilizando las palabras que aparecen en azul.

28 Lea y escriba

Lea el artículo que sigue. Después reaccione con un mensaje sobre el uso de su red social favorita. Le puede servir alguna información y vocabulario del artículo.

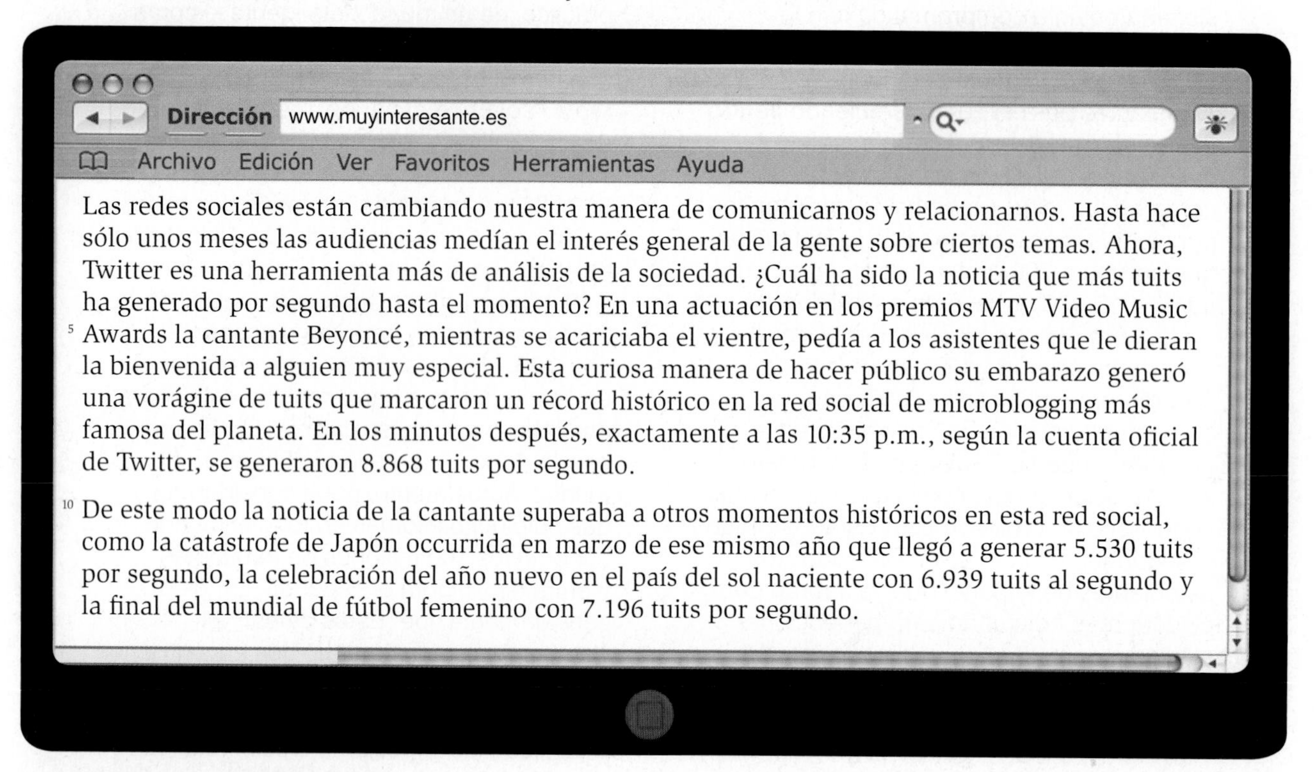

Las redes sociales están cambiando nuestra manera de comunicarnos y relacionarnos. Hasta hace sólo unos meses las audiencias medían el interés general de la gente sobre ciertos temas. Ahora, Twitter es una herramienta más de análisis de la sociedad. ¿Cuál ha sido la noticia que más tuits ha generado por segundo hasta el momento? En una actuación en los premios MTV Video Music Awards la cantante Beyoncé, mientras se acariciaba el vientre, pedía a los asistentes que le dieran la bienvenida a alguien muy especial. Esta curiosa manera de hacer público su embarazo generó una vorágine de tuits que marcaron un récord histórico en la red social de microblogging más famosa del planeta. En los minutos después, exactamente a las 10:35 p.m., según la cuenta oficial de Twitter, se generaron 8.868 tuits por segundo.

De este modo la noticia de la cantante superaba a otros momentos históricos en esta red social, como la catástrofe de Japón occurrida en marzo de ese mismo año que llegó a generar 5.530 tuits por segundo, la celebración del año nuevo en el país del sol naciente con 6.939 tuits al segundo y la final del mundial de fútbol femenino con 7.196 tuits por segundo.

29 Influencia de la Internet 

Échele una ojeada al artículo que sigue para ver de qué se trata, prestando atención a las palabras en azul, ya que se le harán preguntas sobre ellas. Luego lea el artículo y decida cuáles de los verbos del recuadro completan mejor las oraciones y escríbalos.

cogías	conoce	ha cambiado	ha evolucionado	mantener
parecen	realizado	se celebra	se convirtió	se trata
seguido	tecleas	utiliza		

Internet cambia la economía, la cultura y hasta las relaciones personales

En mayo __1.__ el Día Mundial de las Telecomunicaciones y de la Sociedad de la Información. __2.__ de un día en el que celebramos la creación de la mayor innovación de la historia moderna: Internet. Así __3.__ nuestras vidas, tanto a nivel económico como social.

Hace unos años, si querías saber cómo se decía *iglesia* en inglés te acercabas a la estantería por el diccionario, ahora lo __4.__ en un traductor; si querías saber qué película ver el sábado por la noche __5.__ el periódico, ahora lo buscas en una guía de ocio; incluso si querías ligar te ibas de bares, ahora te creas un perfil en una web de contactos. Es innegable que Internet ha cambiado nuestra vida diaria en todos los aspectos.

En el caso de España, con los datos en la mano, la incidencia de esta nueva forma de comunicarnos, buscar información, comprar, etcétera ha sido más que notable. Según el estudio sobre Comercio Electrónico 2010 del Minsterio de Industria, Turismo y Comercio,

España __6.__ el año pasado en el tercer país de la UE con mayor comercio electrónico. Según los datos, en 2009 el 41,5 por ciento realizó compras online y 9 de cada 10 las
15 realizó desde su casa. Es más, a nivel económico la Internet ya aporta 23.400 millones de euros al PIB español, según un estudio __7.__ por el Boston Consulting Group. Igualmente las relaciones sociales han cambiado con el nacimiento de la Internet. Las redes sociales se han convertido en "el dorado" de la Red en los últimos meses, con miles de millones de visitas, usuarios únicos y unas posibilidades de desarrollo que, a día de hoy, __8.__
20 infinitas. Segun el estudio "Ola del Observatorio de redes Sociales" realizado por The Cocktail Analysis, el 78 por ciento de los españoles __9.__ Facebook, __10.__ de Tuenti con el 35 por ciento y Twitter con un 14 por ciento de los usuarios de nuestro país.

Incluso en relaciones personales más intrínsecas y amorosas Internet ha cambiado nuestra forma de interactuar. ¿Quién no __11.__ a algún amigo que conoció a su actual
25 novia, o viceversa, a través de webs de búsqueda de pareja? ¿Quién no conoce alguna persona cercana que ha podido __12.__ su relación a distancia gracias a servicios de llamadas gratuitas como Skype?

La Internet __13.__ mucho desde que nació hace ya más de dos décadas, y la sociedad está evolucionando a marchas forzadas de su mano.

www.muyinteresante.es

30 Use el vocabulario 

Escriba un párrafo sobre compañías de Internet que vendan productos en línea que le resulten interesantes y su impacto en el consumidor. Utilice las palabras que aparecen en azul en el artículo anterior y que están en el recuadro. No se olvide de citar las fuentes debidamente.

31 Haga un gráfico

Busque información sobre el uso de las redes sociales y cualquier otra herramienta que usen los estadounidenses estos días. Haga un gráfico y preséntelo a un/a compañero/a o a la clase. Si es posible, compare la información obtenida con la de hace unos años y con los datos que se esperan para el futuro. No se olvide de citar las fuentes debidamente.

Compare

Debido a que los mensajes de SMS tienen un límite en el número de letras que se pueden usar, los jóvenes han terminado creando un lenguaje propio de SMS. Aquí tienes algunas abreviaciones populares: **stoy**: estoy; **s3**: estrés; **aki**: aquí; **bs**: beso; **bss**: besos; **cn**: con; **d**: de; **ers**: eres; **mñn**: mañana; **msj**: mensaje; **mxo**: mucho; **fa**: por favor; **¿pq?**: ¿por qué?; **¿q?**: ¿qué?; **tb**: también; **t2**: todos; **¿kdms?**: **¿quedamos?**; **tkm**: te quiero mucho. ¿Puede compararlas con otras que se usen en su país?

Cita

La vida es muy peligrosa. No por las personas que hacen el mal, sino por las que se sientan a ver lo que pasa.
—Albert Einstein (1879–1955), científico estadounidense de origen alemán

¿Qué responsabilidad tenemos con la sociedad? ¿De qué manera puede uno ayudar? Comparta sus opiniones con un/a compañero/a.

¡Dato curioso!

El español avanza fuerte en el mundo real, pero tiene menos pegue en el mundo virtual. Se dice que 550 millones de personas van a hablar español a mediados de este siglo, pero aunque el español ya tiene gran potencial de crecimiento en el mundo digital, el inglés es el idioma que goza de una especie de monopolio en la Red.

¡A leer!

32 Antes de leer 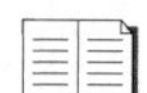

¿Piensa que es importante conservar la biodiversidad terrestre? ¿Por qué? ¿Qué sabe de la deforestación? ¿Qué podemos o debemos hacer para reducirla?

33 Los bosques

Lea con atención el siguiente artículo. Después conteste las siguientes preguntas:

- ¿Cuál es el propósito del artículo?
- ¿Cómo resumiría el artículo en una frase?
- Si quisiera consultar otra fuente, ¿podría pensar en un posible título de una publicación?

Árboles para la Tierra

Los bosques, tanto primarios como secundarios, ofrecen a la humanidad toda una serie de beneficios insuficientemente valorados y pueden ser grandes aliados en la batalla contra el cambio climático y el [5] calentamiento del planeta; siempre que la sociedad en su conjunto comience a plantarlos y cuidarlos y que deje de destruirlos. Los árboles y otras plantas verdes, que utilizan únicamente la luz solar como fuente de energía, absorben de la atmósfera el dióxido [10] de carbono, causante del cambio climático; liberan oxígeno, fuente de vida y almacenan el carbono —el efecto invernadero— de forma segura y útil, mientras armonizan y mejoran la calidad de vida de los habitantes de las ciudades y ofrecen las condiciones [15] ideales para el ecoturismo y la apreciación de la naturaleza en zonas apartadas. La deforestación, fenómeno que se registra con intensidad y descaro en Panamá y en todo el mundo tiene un efecto doblemente nocivo: reduce el número de árboles que [20] pueden recuperar el dióxido de carbono producido por las actividades humanas, y libera en la atmósfera el carbono contenido en los árboles que se talan, aumentando el calentamiento global sin obviar la reducción inmediata de flora y fauna. El valor de los [25] árboles como fuente de madera y leña, y el de la tierra que ocupan y que puede utilizarse para viviendas o actividades agrícolas, suele ser de corta duración e insostenibles en el tiempo. De hecho, estos beneficios suelen ser una cuestión de supervivencia en algunas [30] regiones y de acaparamiento por parte de algunos "empresarios" inescrupulosos. El valor de los bosques para impedir el calentamiento atmosférico, producir agua, conservar la biodiversidad terrestre y dar sosiego a los ciudadanos, por el contrario, son actividades [35] a largo plazo, y favorecen a todos; mejor dicho, es un comportamiento humano sustentable. Tenemos que buscar el medio de conseguir que la expansión y cuidado de los bosques resulten atractivos y eficaces en función de los costos para las poblaciones locales [40] que normalmente deciden su destino y el desarrollo económico del país en su conjunto. No importa que un bosque se encuentre en un lugar o en otro muy distante. Ello puede hacer posibles algunos mecanismos prácticos y soluciones eficientes. En el marco del [45] Protocolo de Kyoto, los países industrializados que no tienen espacio ni opciones rentables para ampliar los bosques en sus propios territorios, pueden compensar parcialmente sus emisiones de gases de efecto invernadero pagando los gastos correspondientes al [50] establecimiento y mantenimiento de las áreas verdes protegidas o "sumideros" en nuestro país. El término poco glorioso "sumidero" es el utilizado por los climatólogos para las grandes extensiones de árboles y otras formas de vegetación verde que "eliminan" el [55] gas del efecto invernadero más dominante. Por todo lo anterior, el mejor regalo que podemos hacerle a la Madre Tierra es el llenarla nuevamente de árboles, bosques y sumideros, protegiendo la integridad de nuestros parques nacionales y áreas protegidas. [60] Promover la conservación de los bosques urbanos y los árboles que aun se encuentran en nuestras casas, calles y avenidas; aumentar nuestras áreas recreativas con nuevos parques, como el Eco Parque Panamá, en la cuenca oeste del canal de Panamá; promover, mediante [65] la cultura y la ley, programas masivos de reforestación dentro de nuestro sistema de áreas protegidas y detener de una vez por todas la deforestación del Darién, para así lograr un desarrollo que sea sostenible y que aumente nuestra calidad de vida en la casa de todos, el [70] Planeta Tierra.

www.paginadigital.com

34 ¿Qué significa?

Busque el significado de las palabras en azul en la Actividad 33 según su uso en el artículo y haga frases con ocho de ellas. Comparta sus frases con un/a compañero/a.

35 ¿Ha comprendido?

1. ¿Cómo puede la sociedad recibir los beneficios de los bosques?
   a. Cuando comience a plantar árboles
   b. Cuando comience a cuidar los ríos
   c. Cuando comience a impedir la destrucción del clima amazónico
   d. Todas las respuestas anteriores
2. ¿Cómo ayudan los árboles al ciclo atmosférico?
   a. Armonizan y mejoran la calidad de vida de los habitantes de las ciudades.
   b. Ofrecen las condiciones ideales para el ecoturismo.
   c. Absorben de la atmósfera el dióxido de carbono y liberan oxígeno.
   d. Todas las respuestas anteriores
3. ¿Qué doble efecto tiene la deforestación?
   a. Libera carbono en la atmósfera e impide el calentamiento atmosférico.
   b. Reduce el número de árboles e impide el ecoturismo.
   c. Libera carbono en la atmósfera e impide el ecoturismo.
   d. Reduce el número de árboles y libera carbono en la atmósfera.
4. ¿Cuál *no* es un valor de los bosques?
   a. El bosque genera agua.
   b. El bosque exaspera a los ciudadanos.
   c. El bosque mantiene la biodiversidad terrestre.
   d. El bosque interrumpe la posibilidad del calentamiento atmosférico.
5. ¿Qué solución puede ayudar a los programas de reforestación de los bosques?
   a. Se debe encontrar una manera eficaz que no cueste mucho dinero.
   b. Se debe proponer una solución que incluya todos los puntos políticos de los ciudadanos.
   c. Se debe prometer usar métodos ecológicamente compatibles con el conjunto.
   d. Se debe poner en práctica toda la tecnología disponible de las empresas multinacionales.
6. ¿Qué tipo de solución *no* está mencionada en el artículo?
   a. Una solución cultural
   b. Una solución ambiental
   c. Una solución histórica
   d. Una solución natural
7. Si tuviera que consultar otra fuente, ¿cuál cree que sería la más apropiada para buscar información sobre este tema?
   a. Organizaciones con fines sin ánimo lucro
   b. Biología, ayer y hoy
   c. Los manglares y otros ecosistemas en peligro
   d. El impacto de las nuevas tecnologías en el siglo XXI

36 ¿Cuál es la pregunta?

Según el artículo que acaba de leer, escriba una pregunta lógica para estas respuestas.

1. El cambio climático y el calentamiento del planeta
2. La luz solar
3. Oxígeno
4. Un efecto doblemente nocivo
5. Impiden el calentamiento atmosférico, producen agua, conservan la biodiversidad terrestre y dan sosiego a los ciudadanos.
6. El Protocolo de Kyoto
7. El mejor regalo
8. El Eco Parque Panamá
9. Mediante la cultura y la ley
10. Es la casa de todos

37 ¿Qué piensa Ud.?

¿Qué cree que significa la expresión "lograr un desarrollo que sea sostenible"? Dé sugerencias para este tipo de desarrollo.

38 Eslogan

Busque un par de anuncios en países de habla hispana que promuevan el Día de la Tierra o planes para protegerla. Después piense en una idea para su propio anuncio televisivo.

39 Antes de leer

¿Qué sabe de la selva amazónica y su importancia? ¿Qué sabe de la soja? ¿Qué opina de la biodiversidad y de la deforestación?

Cita

Sólo cuando el último árbol esté muerto, el último río envenenado, y el último pez atrapado, te darás cuenta de que no puedes comer dinero.

—Sabiduría indo-americana

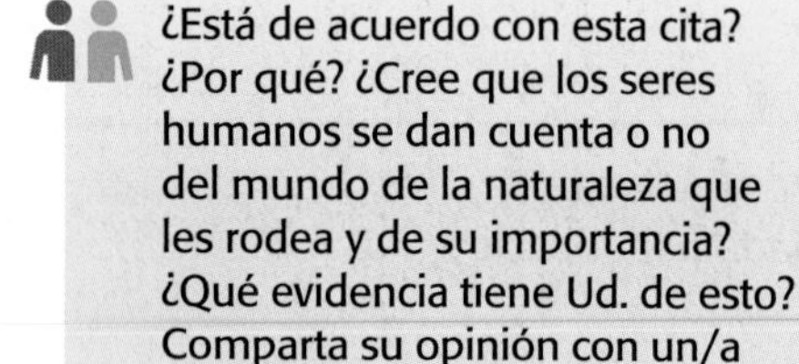

¿Está de acuerdo con esta cita? ¿Por qué? ¿Cree que los seres humanos se dan cuenta o no del mundo de la naturaleza que les rodea y de su importancia? ¿Qué evidencia tiene Ud. de esto? Comparta su opinión con un/a compañero/a.

Reciclar protege nuestro planeta.

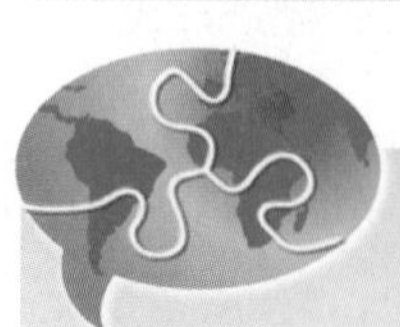

Compare

¿Qué está haciendo EE.UU. para proteger los bosques? ¿Qué acciones tomó en el pasado que han tenido un gran impacto en lo que es EE.UU. en la actualidad? ¿Qué zonas piensa que están en peligro?

¡Dato curioso!

El Día de la Tierra se celebró por primera vez en 1970 en los Estados Unidos y desde entonces se busca llamar la atención sobre temas que afectan al medio ambiente. Uno de estos temas es el calentamiento global y los cambios atmosféricos que son consecuencia del descongelamiento de la capa de hielo en los polos. Este fenómeno, a su vez, puede determinar el alza del nivel de los océanos.

40 La Amazonia 

Lea con atención el siguiente artículo. Después conteste las siguientes preguntas:

- ¿Cuál es el propósito del artículo?
- ¿Cómo resumiría el artículo en una frase?
- ¿Qué pregunta sería adecuada hacerle al periodista sobre lo que escribió?

Arrasando la Amazonia en nombre del progreso (de las multinacionales)

Hernán L. Giardini

Destrucción de la selva amazónica por el avance del monocultivo de soja

La selva amazónica es la mayor extensión de Bosque Primario del planeta y en ella viven el 50% de las especies vegetales y animales conocidas, y 220.000 indígenas de 180 pueblos diferentes. Pero está desapareciendo a un ritmo alarmante. Todas las medidas que se han tomado para atajar esta situación se están revelando inútiles, ya que la tasa de deforestación continúa aumentando. Este aumento se debe, en buena parte, a un nuevo agente de deforestación, que se suma a la actividad maderera ilegal, y que se ha agravado durante los últimos años: la plantación de soja transgénica en zonas de selva previamente deforestadas.

El viaje en avión desde Manaus hacia Santarém fue de lo más revelador: pude comprobar la inmensidad de la Amazonia y deslumbrarme con el imponente río Amazonas y sus brazos; pero también pude observar con mis propios ojos la destrucción de miles de hectáreas de bosque. La vastísima y compleja red fluvial que configura el río Amazonas y sus innumerables afluentes es el mayor reducto de biodiversidad intacta que queda en el mundo y su reducción es un problema de escala global. Cubriendo el 5% de la superficie terrestre, la Amazonia se extiende por aproximadamente 7,8 millones de kilómetros cuadrados en nueve países (Brasil, Bolivia, Colombia, Ecuador, Guayana, Perú, Surinam, Guayana Francesa y Venezuela). Del total, más de 5 millones de km² se concentran en Brasil. La región amazónica posee 25 mil kilómetros de ríos navegables y contiene cerca del 20% del agua dulce del planeta, y se estima que allí viven el 50% de las especies vegetales y animales conocidas:

- 350 especies de mamíferos, siendo 62 sólo de primates.
- 1.000 especies de pájaros.
- 60.000 especies de plantas, siendo 5.000 sólo de árboles.
- 3.000 especies de peces.
- 100 variedades de anfibios.
- 30 millones de especies de insectos.
- Millones de invertebrados.

En las profundidades de la selva amazónica habitan unos 180 pueblos originarios diferentes (unas 220.000 personas) que, junto con muchas más comunidades tradicionales, dependen del bosque que les proporciona todo lo que necesitan, desde alimento y cobijo hasta herramientas y medicinas, y que juega un papel crucial en su vida espiritual.

La soja, nueva amenaza

El cultivo de soja se ha convertido en uno de los principales agentes de la destrucción de la selva amazónica brasileña. Se calcula que, hasta el momento, 1,2 millones de hectáreas de selva han sido arrasadas para cultivar soja. La expansión del monocultivo de soja en la Amazonia implica la pérdida de biodiversidad y en muchos casos la contaminación del agua de las reservas indígenas. Entre agosto de 2003 y agosto de 2004 se han perdido en un solo año 27.200 km² de selva amazónica, un área del tamaño de Bélgica, y tres cuartas partes de dicha destrucción fueron ilegales. Se calcula que se pierden más de 3 km² por hora.

En 2004 y 2005 se plantaron más de un millón de hectáreas de soja dentro del bioma amazónico. Soja que, por su alto valor proteico, se utiliza principalmente para producir el alimento del ganado que comen en Europa. Lo cierto es que empresas multinacionales están devorando la Amazonia para plantar soja. Y la carne alimentada con esta soja (pollos, cerdos y vacas) termina en los estantes de los supermercados europeos y en los mostradores de empresas de comida rápida como Kentucky Fried Chicken y McDonald's. El gigante agroalimentario Cargill es la mayor firma privada de los Estados Unidos, con unos ingresos cercanos a los 63.000 millones de dólares en 2003. Es el rey indiscutible del comercio mundial de grano. Compra, vende, transporta, mezcla, muele, moltura, refina y distribuye por todo el planeta. La deforestación de la Amazonia por el avance de la frontera agrícola debe ser imperiosamente detenida, tanto por lo que implica la importante pérdida de biodiversidad como por su influencia en las condiciones meteorológicas de la región y sobre el cambio climático global, dada la capacidad de los árboles de fijar el dióxido de carbono y producir oxígeno. Además, la quema de la selva, como paso previo a la plantación de soja transgénica, produce el 75% de las emisiones de efecto invernadero de Brasil.

www.eldiariony.com

41 Amplíe su vocabulario

Mire las palabras que aparecen en la primera columna y busque su correspondiente sinónimo o definición entre las palabras de la segunda.

1. atajar	a. pulverizar, moler
2. tasa	b. contener
3. transgénico	c. tributario
4. imponente	d. dominadoramente
5. afluente	e. relacionado con la comida y la agricultura
6. agua dulce	f. ámbito
7. mamífero	g. talado
8. anfibio	h. refugio
9. cobijo	i. agua que llena la mayoría de los ríos y lagos mundiales
10. arrasado	j. grandioso
11. monocultivo	k. ritmo
12. bioma	l. animal que puede vivir en tierra o sumergido en el agua
13. agroalimentario	m. modificado genéticamente
14. molturar	n. animal vertebrado cuyos críos se alimentan con leche
15. imperiosamente	o. cultivo único o predominante de una especie vegetal

42 ¿Ha comprendido?

1. ¿Por qué no han tenido éxito en detener la deforestación de la selva amazónica?
   a. Se ha hecho todo a un ritmo alarmante.
   b. Han hecho cosas inútiles.
   c. Se ha hecho todo lo posible, pero no es suficiente.
   d. Han hecho poco porque hay mucha oposición.

2. ¿Qué ha aumentado la deforestación de la selva amazónica?
   a. Se ha plantado soja.
   b. Se ha talado más árboles.
   c. Se ha inundado el río Amazonas.
   d. Las respuestas a y c

3. ¿Por qué se puede decir que la Amazonia es una región enriquecida?
   a. Porque tiene muchos brazos del río Amazonas, mucha vegetación y mucha soja
   b. Porque tiene la quinta parte mundial del agua dulce, y mucha flora y fauna
   c. Porque tiene muchos minerales y recursos naturales mundiales
   d. Las respuestas b y c

4. ¿Qué proporciona la Amazonia a la gente que vive allí?
   a. Comida, refugio y medicina
   b. Conexión al mundo exterior
   c. Fuente de soja para la mayoría de ellos
   d. Todas las respuestas anteriores

5. ¿Por qué la soja es la nueva amenaza para la región amazónica?
   a. Se pierde la biodiversidad con la plantación de la soja.
   b. Se contamina el agua con la plantación de la soja.
   c. Se promueve la soja como sustituto a la alimentación para el ganado.
   d. Las respuestas a y b

6. ¿Qué propone el autor?
   a. Detener el avance del frente agrícola
   b. Dar multas a las empresas multinacionales para financiar programas de reforestación
   c. Investigar métodos para mejorar las condiciones meteorológicas de la región e invertir el cambio climático global
   d. Aumentar la quema de la selva

43 Responda brevemente

¿Cree que el cultivo de la soja justifica la deforestación de la Amazonia? Si su respuesta es afirmativa, ¿por qué? Si su respuesta es negativa, ¿hay algo que justifique la deforestación? ¿Qué es? ¿Por qué opina así?

44 Se titula...

Piense en otro título para esta lectura. ¿Por qué lo ha escogido?

45 Lea, escuche y escriba/presente 

Vuelva a leer "Arrasando la Amazonia en nombre del progreso (de las multinacionales)" y luego escuche "La Tierra no 'crece' más". Esta grabación trata del hecho de que hoy en día consumimos más alimentos de los que producimos. La grabación dura aproximadamente 3.5 minutos. ¿Cuál es el propósito de la grabación? Luego escriba un ensayo o haga una presentación en clase sobre el siguiente tema: "La Madre Tierra y el ser humano moderno". No se olvide de citar las fuentes debidamente. Si quisiera consultar otra fuente, ¿podría pensar en un posible título de una publicación?

Cita

Ningún hombre es una isla, algo completo en sí mismo; todo hombre es un fragmento del continente, una parte de un conjunto.

—John Donne (1572–1631), poeta, prosista y clérigo inglés

¿Cómo cree que sus acciones pueden afectar el mundo que le rodea? ¿Cree que puede hacer algún tipo de cambio en su entorno? ¿De qué modo? Comparta sus opiniones con un/a compañero/a.

¡Dato curioso!

¿Sabía que muchos científicos sostienen que la vida empezó en el mar y que las especies primitivas se aprovecharon de la luz solar para evolucionar en la flora y fauna que existe hoy? Hay muchas zonas climáticas e infinidad de ecosistemas que aún no se han estudiado muy a fondo hasta ahora; un buen ejemplo es la selva tropical, donde hay una gran riqueza de plantas y animales. Se han identificado alrededor de 1.700.000 especies, pero algunos científicos estiman que hay unos cinco millones de especies distintas en la Tierra.

La selva amazónica

Compare

¿Qué ha estudiado en su clase de ciencias o ha leído sobre la deforestación?

¡A escuchar!

amor
madre
esperanza
camino
caravana
desasosiego

46 La palabra más bella del castellano

Esta grabación trata de una votación que se llevó a cabo para elegir la palabra más bella del castellano. La grabación dura aproximadamente 6 minutos. Lea las posibles respuestas primero y después escuche "Se busca la palabra más bella del castellano". Escoja la mejor respuesta para cada pregunta. Después piense en cuál sería una pregunta apropiada para hacerle al autor. Si quisiera consultar una fuente para saber más sobre este tema, ¿qué fuente consultaría? Explique por qué.

1. ¿Quién patrocina el concurso?
   a. El gobierno de España
   b. La Escuela de Escritores
   c. La Real Academia Española
   d. Los internautas hispanohablantes

2. ¿Quién va a elegir la palabra?
   a. El gobierno de España
   b. La Escuela de Escritores
   c. La Real Academia Española
   d. Los internautas hispanohablantes

3. ¿Cómo se caracterizan las palabras que ya se han enviado?
   a. Por la belleza de su construcción y sonoridad de la palabra
   b. Por el significado de la palabra
   c. Por lo que representa la palabra
   d. Todas las respuestas anteriores

4. ¿Por qué escogió Ana María Matute la palabra resplandor?
   a. Porque tiene latín, tiene mar, historia, aroma y memoria
   b. Porque es una palabra que en sí misma, sin estar inscrita entre otras, tiene mucha poesía
   c. Porque tiene cuatro sílabas sonoras, cada una terminando en una *a*
   d. Porque es donde siempre he andado y me hace pensar en tomarlo sin tener que imaginar dónde me lleve

5. ¿Qué característica es aceptable para la palabra más bella del castellano?
   a. Que es un nombre propio
   b. Que es una palabra reconocida en los diccionarios de la lengua española
   c. Que la palabra debe aparecer en la Red
   d. Que es una palabra compuesta

47 Celularmanía

Esta grabación es sobre el mercado de los celulares. La grabación dura aproximadamente 6 minutos. ¿Cuál es el objetivo del artículo? Lea las posibles respuestas primero y después escuche la grabación "Celularmanía". Escoja la mejor respuesta para cada pregunta. Después piense en cuál sería una pregunta apropiada para hacerle al autor.

1. ¿Qué son prácticos, convenientes y cada vez más pequeños?
   a. Los teléfonos celulares
   b. Los planes de teléfonos celulares
   c. Los teléfonos fijos
   d. Los resultados telefónicos

2. ¿Qué función no es parte de las compañías de telecomunicaciones y fabricantes de teléfonos celulares inalámbricos?
   a. Componer música
   b. Información del tiempo atmosférico
   c. Los resultados deportivos
   d. Los informes de las acciones

3. ¿Cuántas personas usan teléfonos celulares en los Estados Unidos?
   a. 10 millones
   b. 110 millones
   c. Un millón
   d. 500 millones

4. ¿Qué compañía ofrece un período de 14 días para que los usuarios se decidan por un plan?
   a. Verizon
   b. Sprint PCS
   c. AT&T
   d. Todas las respuestas anteriores

5. ¿Quién tendrá que subastar nuevas frecuencias para que Verizon pueda implementar tecnologías más avanzadas?
   a. El gobierno
   b. Las otras compañías de telecomunicaciones
   c. Los usuarios telefónicos
   d. Las repuestas a y c

48 Participe en una conversación

Ud. va a participar en una conversación. Primero lea la descripción de la conversación y piense en algunas palabras o expresiones que le serían útiles; le pueden servir algunas expresiones del recuadro. Organice sus ideas, haciendo predicciones sobre lo que se le pueda preguntar o comentar. Una descripción de lo que va a escuchar aparece abajo en color. Participe en la conversación grabando las respuestas o escribiéndolas en su cuaderno.

el maremoto	el sismo	el terremoto	de una magnitud de (7) grados
la ola	el pueblo costero	ahogarse	

Escena: Ud. y una amiga suya, Soledad, están hablando de un desastre natural.

Soledad:	Le habla de algún desastre natural que ocurrió y le hace unas preguntas.
Ud.:	• Conteste sus preguntas.
Soledad:	Le hace otra pregunta.
Ud.:	• Contéstela.
Soledad:	Hace un comentario y le hace otra pregunta.
Ud.:	• Reaccione a su comentario y conteste su pregunta.
Soledad:	Sigue la conversación y le pide información.
Ud.:	• Conteste su pregunta y hágale una sugerencia.
Soledad:	Reacciona a su sugerencia.
Ud.:	• Reaccione positivamente.

¡A escribir!

49 Texto informal: Tengo una tableta, ¿para qué sirve? 

Ud. ha recibido de su abuela el correo electrónico que está a continuación. Responda con su propio mensaje en el que explica para qué sirve una tableta electrónica.

Enviar | Guardar ahora | Descartar

Para: Mis nietos

Asunto: Mi tableta nueva

Adjuntar un archivo Insertar: Invitación

Queridos nietos,
¿Cómo estáis todos? Os escribo para saludaros y para daros noticias. Por lo visto, he ganado una tableta electrónica en un concurso de la residencia. Todavía no sé ni lo que es, pero me han dicho que vosotros sí lo sabréis y que estaríais muy contentos de que la tuviera. Pero, ¿qué es eso? ¿Para qué sirve?
Os quiere,
Vuestra abuela

En la respuesta a su abuela incluya lo siguiente:

- Hable sobre lo que es una tableta.
- Háblele de las ventajas en general.
- Háblele de cómo puede usarla en su vida diaria.
- Comparta alguna historia y anécdota personal o ajena.

50 Texto informal: romper por Facebook 

Ud. ha recibido el correo electrónico que está a continuación de su amiga Paula. Responda con su propio mensaje en el que reacciona a lo que le ha contado y hable sobre el uso de la tecnología en las relaciones personales.

Enviar | Guardar ahora | Descartar

Para: amigo@emcp.com

Asunto: ¡No te lo vas a creer!

Adjuntar un archivo Insertar: Invitación

Querido Amigo,

¡No te lo vas a creer! Anoche estaba a punto de dormirme cuando vi un mensaje en mi celular en el que me decía María que se alegraba de la noticia. "¿Qué noticia?" le pregunté. Y me dijo, "Lo de tú y Antonio. Y tuve que enterarme por Facebook!" me dijo ofendida. Así que me metí en Facebook inmediatamente y vi que Antonio ponía en su perfil que estaba soltero. ¡Soltero! En ese momento me di cuenta de que él estaba disponible en el chat, y cuando traté de hablar con él para que me diera una explicación, se desconectó del chat. ¡Estoy con la boca abierta! Creo que soy la única con la que rompen por Internet.

51 Ensayo: expresando sentimientos en las redes sociales 

Cada vez más personas hablan de sus sentimientos íntimos en las redes sociales o en su teléfono. Escriba un ensayo en el que compare los pros y los contras de hacerlo.

52 Ensayo: los inventos

Escriba un ensayo en el que compare las ventajas y desventajas de algunos inventos nuevos.

53 En parejas

Intercambie sus ensayos con los de un/a compañero/a. Exprésele su opinión sobre el contenido y el uso del idioma.

¡A hablar!

54 Charlemos en el café

Ud. va a debatir los siguientes temas con un/a compañero/a. Uno estará a favor de lo que se ha dicho y otro en contra. El debate durará varios minutos. El/La estudiante que esté de acuerdo comenzará el debate y hablará por unos dos minutos. Cuando el/la profesor/a lo indique, el/la otro/a estudiante tomará la palabra y expresará su opinión por otros dos minutos, y así sucesivamente.

1. Los inventos más necesarios ya han sido inventados.
2. La fuga de talentos en países es un gran problema.
3. EE.UU. tiene los mejores científicos del mundo.
4. Hasta la llegada de Cristóbal Colón no había apenas avances en Latinoamérica.
5. No se debería usar el móvil en la clase.
6. La moda de las redes sociales desaparecerá.
7. El acceso a la tecnología debería estar limitado a los jóvenes.
8. Algunas tribus que siempre han estado aisladas en el amazonas están empezando a usar Internet. Es un gran error.

55 ¿Qué opinan?

Converse con un/a compañero/a sobre estas preguntas.

1. ¿Cree que la gente se cansará de las redes sociales?
2. ¿Qué piensa de poner constantemente fotos en las redes sociales?
3. ¿Cuántos "amigos" se suelen tener como media en las redes sociales? ¿Cree que se deben tener menos o más?
4. Si creara un grupo en una red social para hablar sobre una causa que afecte al futuro de la humanidad, ¿qué grupo crearía?
5. ¿Cree que las cartas, los carteros y las oficinas de correos desaparecerán al igual que lo hizo en su día el telégrafo?
6. Hable de la población en Latinoamérica.
7. ¿Cómo afectan los avances científicos nuestras vidas?

56 Presentemos en público 

Haga una presentación sobre uno de los temas durante varios minutos. Organice sus ideas antes de hacer la presentación, busque las palabras necesarias y, después de practicar, presente en clase sin mirar las notas.

1. Hable de cómo afectan los avances tecnológicas nuestras vidas.
2. Hable sobre las innovaciones tecnológicas.
3. Hable del Amazonas (geografía, historia, fauna y flora, lenguas, economía y deforestación).
4. Hable sobre las minorías en Latinamérica.
5. Hable sobre los afrocolombianos en Colombia.
6. Hable sobre Cuba: su geografía, historia, gobierno y cultura (arte, cocina y literatura).
7. Hable sobre Chile: su geografía, historia, gobierno y cultura (arte, cocina y literatura).
8. Hable sobre España: su geografía, historia, gobierno y cultura (arte, cocina y literatura).

Proyectos

57 ¡Manos a la obra!

Trabaje en un grupo de cuatro o cinco estudiantes para llevar a cabo uno de los siguientes proyectos y presentarlo en clase.

1. Les han encargado que desarrollen un nuevo plan de estudios en su escuela o universidad. Decidan los diferentes temas; por ejemplo, el horario, las asignaturas y la metodología que deberían usar los profesores. No se olviden de incluir idiomas extranjeros en su plan.
2. Hagan un anuncio para promover el Día de la Tierra en su comunidad. Decidan si va a ser un anuncio gráfico, de radio o de televisión.
3. Presenten un plan para disminuir la contaminación del aire en su comunidad, ciudad, región o estado. Hablen de las causas de la contaminación del aire ahora y dé soluciones para disminuirla en los próximos cinco años.
4. Hagan un cartel con los diez inventos de los últimos cincuenta años que han tenido más impacto en nuestras vidas. No se olviden de explicar un poco la historia y la importancia de cada invento.

El corazón artificial Jarvik-7, uno de los inventos clave de los últimos años

Vocabulario

Verbos

acercarse	to approach
avisar	to notify
complacer	to please
descargar	to unload, download
promover	to promote
proponer	to propose
proporcionar	to provide, supply
realizar	to achieve, fulfill
redactar	to write, draft
regalar	to give away
respaldar	to back up
sobrevivir	to survive
talar	to cut down, to fell (*trees*)

Verbos con preposición

verbo + con:

acabar con	to eliminate
conectarse con	to connect with, relate to

verbo + de:

disponer de	to have something at one's disposal
manifestarse (ie) en contra de	to speak out against

Sustantivos

el **apogeo**	peak
el **aprendizaje**	apprenticeship, learning
la **armonía**	harmony
el **bienestar**	well-being
el **carácter**	character, personality
el **cohete**	rocket
la **creación**	creation
el **descaro**	shamelessness
el **deterioro**	damage, deterioration
la **epidemia**	epidemic
la **época**	time period
la **factura**	bill
la **gama**	range
la **ganancia**	profit
la **grabadora**	tape recorder
el **informe**	report
la **innovación**	innovation
el **invento**	invention
el **maremoto**	tidal wave
el **medio ambiente**	environment
la **oferta**	offer
el **oído**	hearing; ear
el **ordenador**	computer
la **plataforma**	platform
las **redes sociales**	social networks
el **retroceso**	backward step
la **sede**	headquarters
las **telecomunicaciones**	telecommunications
el **usuario**	user
la **ventaja**	advantage

Adjetivos

arquitectónico, -a	architectural
corriente	common, usual
costero, -a	coastal
desapercibido, -a	unnoticed
desechable	disposable
deshidratado, -a	dehydrated, dried
enriquecedor(a)	enriching
imprescindible	essential
imprevisible	unforeseeable
innegable	undeniable
inalámbrico, -a	wireless
infinito, -a	infinite, limitless
insuperable	unbeatable
jubilado, -a	retired
nocivo, -a	harmful
sencillo	simple
tecnológico, -a	technological
vivaz	lively

Adverbios

laboriosamente	laboriously
mundialmente	worldwide, throughout the world
seguidamente	next

Expresiones

a largo plazo	in the long run
a marchas forzadas	against the clock
a mediados de	in the middle of
a través de	through
el agua dulce	fresh water
el (programa) buscador	search engine
el calentador de aire	fan heater
el calentamiento global	global warming
el (ordenador/computador) portátil	laptop computer
dar lugar a	to provoke, give rise to
dar origen a	to give birth to (*an idea*)
el dominio de lenguas	command of languages
el efecto invernadero	greenhouse effect
en el caso de	in the case of
en todos los aspectos	in every way
es más	furthermore
la esperanza de vida	life expectancy
la fuerza laboral	labor force
igualmente	likewise
lo que sucede	what happens
mediante	by means of

no poder con	to be unable to cope with	**el teléfono celular, teléfono móvil**	cell phone
el orden cronológico	chronological order	**el teléfono fijo**	landline phone
letras pequeñas del contrato	small print of the contract	**o viceversa**	or viceversa
la red inalámbrica	wireless network		

A tener en cuenta

La puntuación

el punto [.]	se usa al final de una oración y después de algunas abreviaturas Decimos *punto seguido* para separar oraciones en un párrafo. Decimos *punto y aparte* para separar dos párrafos distintos. Decimos *punto final* para cerrar el párrafo.
la coma [,]	indica una pausa dentro de una oración separa las palabras de una enumeración, pero no antes de y, e, o, u, ni: Estudio francés, geografía, matemáticas e historia. separa los miembros de una cláusula independiente: Estudié español, preparé los ejercicios, escribí el ensayo. separa el nombre en vocativo: Juan, ven aquí. se usa con una aposición exclamativa: Celia Cruz, gran cantante cubana, murió en 2003.
el punto y coma [;]	se usa para separar los miembros de una oración que ya tienen alguna coma: No fui al café, ni al teatro, ni a la reunión; me quedé en casa leyendo.
dos puntos [:]	preceden una enumeración (Hay dos coches: uno rojo y otro azul.) y las palabras que se citan en una oración (Mari dijo: No hay que temer nada.). También siguen el encabezamiento de una carta (Estimada María:).
los puntos suspensivos [...]	indican una pausa inesperada o cuando se suprime algún texto
la interrogación [¿?]	encierra una oración interrogativa
la exclamación [¡!]	indica una oración o frase cargada de emoción
los paréntesis [( )]	aislan una observación
los corchetes [ ]	se usan como los paréntesis, pero cuando se introducen en una frase que ya va entre paréntesis
la raya [—]	se usa como los paréntesis y para indicar diálogo

Lección B

Objetivos

Comunicación

- Discutir algunos temas ecológicos
- Hablar del proceso de aprender idiomas

Gramática

- El subjuntivo
- El progresivo
- El participio presente y pasado
- Repaso de los tiempos verbales
- El infinitivo

"Tapitas" gramaticales

- verbos seguidos de preposiciones
- *lo* y *lo que*
- *por, por qué, para* y *para que*
- transformar adjetivos en adverbios
- los usos y omisión del artículo definido
- los adjetivos y pronombres demostrativos

Cultura

- El problema del narcotráfico
- El idioma y la Internet
- Adicciones a las redes sociales
- El problema del agua
- Los océanos en peligro

Go online EMCLanguages.net

Para empezar

1 Conteste las preguntas

Piense en las respuestas a las siguientes preguntas. Ud. puede tomar notas si lo considera necesario. Cuando termine, compare sus respuestas —pero sin mirar sus notas— con las de un/a compañero/a.

1. ¿Piensa que todos los inventos y tecnología de los últimos cien años han mejorado nuestro mundo? ¿Por qué? ¿Nos han perjudicado alguna vez? Explique su respuesta.
2. ¿Piensa que en la actualidad es más fácil o difícil inventar algo nuevo? ¿Por qué?
3. ¿Ha mejorado la tecnología nuestra vida o solamente ha acelerado el ritmo de nuestras rutinas diarias? Explique su respuesta.
4. Los teléfonos celulares: ¿han mejorado o han complicado nuestra vida cotidiana? ¿Cómo?
5. ¿Tiene derecho a una educación universitaria todo el mundo? ¿Debe ser gratis o a un costo bajo? ¿Por qué?
6. ¿Qué opina de tener una lengua oficial en los Estados Unidos? ¿Cree que algún día tendremos dos lenguas oficiales? ¿Cuándo y cómo podría ocurrir esto?
7. En el futuro, ¿será imprescindible perfeccionar otras fuentes de energía? ¿Por qué? ¿Con qué otras energías alternativas se está ya experimentando?
8. ¿Dónde vive la mayoría de la gente en nuestro planeta: en las costas, en el interior, en áreas metropolitanas o rurales? ¿Por qué?
9. ¿Qué opina de la sobrepoblación y la hambruna mundial? ¿Qué soluciones hay?
10. ¿Piensa que después de los desastres naturales que han causado tanto daño en los últimos cinco años, estamos más preparados para enfrentarnos a ellos? ¿Por qué?

2 Mini-diálogos

Ud. va a crear un mini-diálogo con un/a compañero/a. Lea la descripción de la conversación antes de empezar. Puede tomar notas para organizar sus ideas, pero no las mire mientras conversa.

Escena: Dos amigos/as hablan del futuro mientras miran el noticiero en la televisión. Uno/a tiene una actitud pesimista, y ve un futuro muy negro.

A:	Entable una conversación sobre una noticia (real) de la que están hablando estos días en los medios de comunicación. Haga un comentario pesimista.
B:	Haga unos comentarios sobre la misma noticia.
A:	Hable sobre otra noticia actual, y vuelva a hacer otro comentario donde muestra su pesimismo.
B:	Hable sobre la misma noticia, pero búsquele el lado positivo a la situación.
A:	Muestre que no le interesa lo que le está diciendo. Continúe mostrando su pesimismo al respecto.
B:	Dele ejemplos para convencerle que está equivocado/a.
A:	Reaccione a sus comentarios positivamente. Muestre respeto y admiración.
B:	Despídase cordialmente y con un comentario positivo.

Cita

Cuando la vida te presente razones para llorar, demuéstrale que tienes mil y una razones para reír.
—Anónimo

¿Cómo reacciona cuando ve una noticia triste? ¿Se deprime? ¿Piensa que los noticieros muestran la realidad de nuestro entorno o, por el contrario, buscan el sensacionalismo? Comparta su opinión y experiencias con un/a compañero/a.

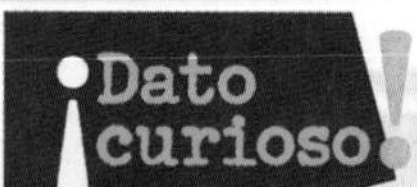

La fabricación de micro-robots para, por ejemplo, explorar el cuerpo humano, es uno de los desafíos actuales de la tecnología. Entre los problemas a resolver se encuentra el desarrollo de una fuente de energía que funcione a nivel microscópico e incluso nanoscópico.

www.quo.es

Vocabulario y gramática en contexto

3 Un foro

Túrnese con un/a compañero/a para leer los comentarios que dos personas han escrito en un foro sobre los teléfonos celulares y la contaminación. Fíjese en las palabras que aparecen en azul (relacionadas con el vocabulario) y en rojo (relacionadas con la gramática), ya que en las siguientes actividades se le harán preguntas sobre ellas.

Los celulares

Gabriela

Me enoja que la gente siga desobedeciendo las advertencias de que tengan que apagar su celular. Con el incremento del uso de teléfonos celulares, esta forma de comunicación requiere cierta educación. Ese aparato conecta, rescata, reconforta y reporta, pero también puede convertirse fácilmente en algo que aísla, amenaza y fastidia.

¿Existe un código de cortesía o no, hoy en día? Se han hecho algunas advertencias de lo peligroso que es manejar y hablar por teléfono al mismo tiempo. Pero hasta ahora, no hay ninguna educación universal sobre la cortesía. Todos los celulares tienen diferentes tipos de timbres —para colmo, la mayoría de los timbres suele ser molesta. Algunas personas comparten mi opinión de que la tecnología deshumaniza a las personas. Cuando se usa un móvil, yo recomiendo tres medidas generales: no hable y maneje, baje el volumen y mire a su alrededor. Muchos usuarios prefieren los celulares por la rapidez con que se obtiene una respuesta. Muchos encuentran la gratificación instantánea con su teléfono celular. Es sumamente importante recordar una cosa: si Ud. está en el cine o en misa, apague su celular, por favor.

La contaminación

Rafael

Aconsejo que se busquen métodos para detener la contaminación del aire que provocan las plantas generadoras de electricidad y refinerías lo más pronto posible. Es fundamental reducir las emisiones de gases que producen el efecto invernadero porque tenemos que pensar en lo que vamos a dejar a nuestros niños, y a los hijos de nuestros hijos. Toda la contaminación es una amenaza a la calidad del aire y la salud pública. Debemos crear una agencia gubernamental y eficaz que expida un informe oficial que limite las emisiones y que establezca un sistema de seguimiento que vigile el cumplimiento de los niveles permitidos para que éstas no contribuyan más al calentamiento global. Las refinerías, plantas termoeléctricas y otras industrias liberan productos químicos que producen contaminación en el aire que respiramos y también promueven el aumento de las temperaturas. El calentamiento global continúa amenazando las reservas de agua, la salud pública, y algunas de las industrias como la agricultura y el turismo. A mi juicio, esto es el tema de más relieve que hay en nuestro tiempo.

4 Amplíe su vocabulario

Clasifique las palabras que aparecen en azul y rojo en las lecturas anteriores según sean sustantivos, adjetivos, verbos o expresiones, y relacionadas con teléfonos celulares o la contaminación del aire.

5 Repaso

Conteste estas preguntas basadas en las lecturas de la Actividad 3.

1. Haga una lista de todos los verbos del subjuntivo en los comentarios del foro y explique su uso.
2. Busque los verbos con *se* (por ejemplo, *convertirse*) y explique el uso de *se* con estos verbos.
3. Busque los mandatos y compare su uso con el del subjuntivo en los comentarios.
4. Explique el uso de los verbos del presente progresivo en los comentarios.
5. Busque los usos diferentes del infinitivo en los comentarios del foro y diga cuáles son, citando ejemplos de los comentarios.

6 Más repaso 

Con un/a compañero/a haga las siguientes actividades.

1. Hagan una lista de los verbos seguidos de una preposición en las lecturas anteriores.
2. Expliquen el uso de *lo* según los ejemplos de las lecturas.
3. Traduzcan la oración "Si Ud. está en el cine o en misa, apague su celular, por favor." Cambien la oración a otros tipos de oraciones con *si*.
4. Traduzcan la oración "Es fundamental reducir las emisiones de gases" y vuelvan a escribirla usando el subjuntivo.

7 "Tapitas" gramaticales

Conteste estas preguntas basadas en las lecturas de la Actividad 3.

1. Haga una lista de las expresiones que exigen el uso del subjuntivo.
2. Explique el uso del verbo *soler* en la frase "la mayoría de los timbres suele ser molesta".
3. Explique por qué se usa el artículo *el* con la palabra *sistema*.

8 Práctica de tiempos

Complete el siguiente texto con el tiempo adecuado de los verbos entre paréntesis.

En algunos países el tráfico ilícito de drogas **1.** (*ser /estar*) motivo de formación y fortalecimiento de grupos armados al margen de la ley, corrupción estatal, desplazamiento **2.** (*forzar*) de población, deterioro de regiones rurales, entre otros. La Primera Guerra del Opio **3.** (*ser / estar*) un esfuerzo por obligar a China a **4.** (*permitir*) a los comerciantes británicos comerciar opio entre la población general de China. Aunque **5.** (*ser / estar*) ilegal, fumar opio **6.** (*ser / estar*) común en el siglo XIX. Los chinos **7.** (*llevar*) el opio a México, y rápidamente **8.** (*darse*) cuenta de que las condiciones climáticas de Sinaloa **9.** (*permitir*) el buen cultivo de esta planta; así **10.** (*ser / estar*) como se iniciaron las primeras rutas de nartcotráfico hacia los Estados Unidos por el territorio mexicano. Colombia **11.** (*ser / estar*) quizás el ejemplo más notorio del deterioro al que **12.** (*poder*) llegar un país a causa del narcotráfico. Políticamente, este país tocó fondo cuando el reconocido narcotraficante Pablo Escobar Gaviria **13.** (*hacer*) parte del Congreso de la República. Actualmente los carteles colombianos **14.** (*ser / estar*) bandas discretas.

9 Aprender inglés

Lea con atención el siguiente artículo e intente averiguar el significado de las palabras en azul por el contexto, ya que se le harán preguntas sobre ellas. Después, resuma lo que leyó en una frase.

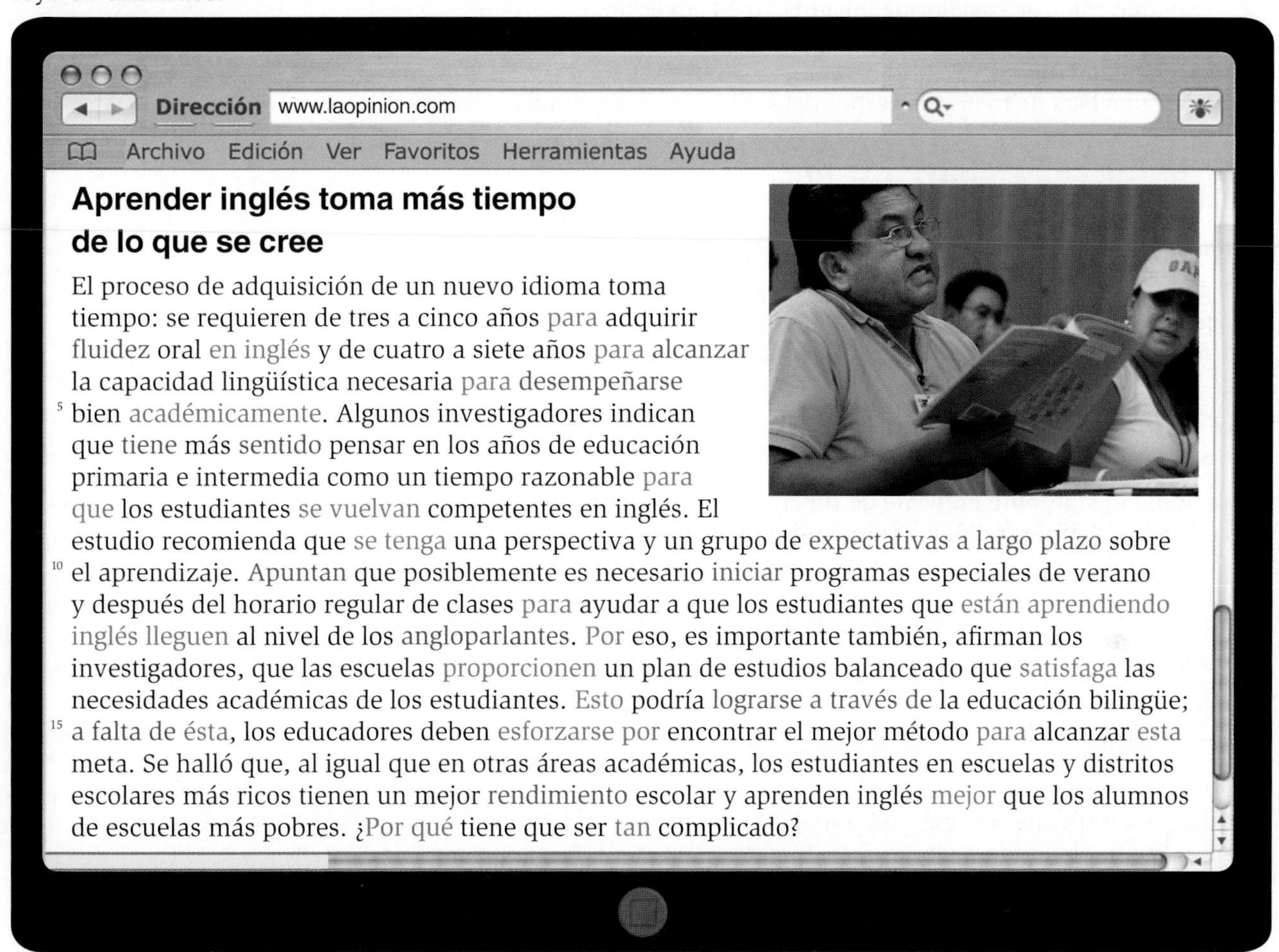
Dirección www.laopinion.com

Archivo Edición Ver Favoritos Herramientas Ayuda

Aprender inglés toma más tiempo de lo que se cree

El proceso de adquisición de un nuevo idioma toma tiempo: se requieren de tres a cinco años para adquirir fluidez oral en inglés y de cuatro a siete años para alcanzar la capacidad lingüística necesaria para desempeñarse bien académicamente. Algunos investigadores indican que tiene más sentido pensar en los años de educación primaria e intermedia como un tiempo razonable para que los estudiantes se vuelvan competentes en inglés. El estudio recomienda que se tenga una perspectiva y un grupo de expectativas a largo plazo sobre el aprendizaje. Apuntan que posiblemente es necesario iniciar programas especiales de verano y después del horario regular de clases para ayudar a que los estudiantes que están aprendiendo inglés lleguen al nivel de los angloparlantes. Por eso, es importante también, afirman los investigadores, que las escuelas proporcionen un plan de estudios balanceado que satisfaga las necesidades académicas de los estudiantes. Esto podría lograrse a través de la educación bilingüe; a falta de ésta, los educadores deben esforzarse por encontrar el mejor método para alcanzar esta meta. Se halló que, al igual que en otras áreas académicas, los estudiantes en escuelas y distritos escolares más ricos tienen un mejor rendimiento escolar y aprenden inglés mejor que los alumnos de escuelas más pobres. ¿Por qué tiene que ser tan complicado?

10 Amplíe su vocabulario 

Escriba la letra que corresponda a la mejor definición de cada palabra de la primera columna.

1. fluidez	a. anotar
2. alcanzar	b. productividad
3. desempeñar	c. sin
4. tener sentido	d. lograr
5. expectativa	e. por
6. a largo plazo	f. después de mucho tiempo
7. apuntar	g. persona que habla inglés
8. iniciar	h. cumplir
9. angloparlante	i. facilidad
10. a través de	j. ser lógico
11. a falta de	k. esperanza de conseguir algo
12. rendimiento	l. comenzar

11 El aprendizaje de lenguas

Con un/a compañero/a haga una lista de las palabras o expresiones que conozcan relacionadas con el aprendizaje de lenguas. Piensen en otras palabras o expresiones relacionadas que les gustaría saber y búsquenlas en el diccionario.

12 Repaso

Conteste estas preguntas basadas en el artículo anterior.

1. Explique el uso de *por, para, por qué* y *para que* que aparecen en el texto.
2. Explique cómo se transforma un adjetivo en adverbio.
3. Explique el uso y la falta del artículo en expresiones como *aprender inglés, en inglés* y *aprendiendo inglés.*
4. Haga una lista de todos los verbos del subjuntivo y explique su uso en la lectura.

13 "Tapitas" gramaticales 

Conteste estas preguntas basadas en el artículo anterior.

1. Explique las diferencias gramaticales entre *esto, ésta* y *esta* en la lectura.
2. Explique el uso de *tan* en la expresión *tan complicado.*
3. ¿Qué función gramatical tiene la palabra *mejor* en la frase *aprenden inglés mejor*?

14 Escriba un correo electrónico 

Ha recibido el siguiente mensaje de un amigo/a. Responda al correo dándole al menos tres consejos, y animándole para que no se desanime.

Enviar | Guardar ahora | Descartar

Para: amigo@emcp.com

Asunto: Échame una mano

Adjuntar un archivo Insertar: Invitación

Amigo,

Acabo de ver un anuncio para un trabajo. Piden inglés. Mi inglés es malísimo. ¿Me puedes ayudar a pensar en un plan para mejorarlo?

15 El fraude 

Lea el artículo y complete los espacios con las palabras adecuadas. Después conteste las siguientes preguntas:

- ¿Cuál es el propósito del artículo?
- ¿Cómo resumiría el artículo en dos frases?

Fraudes en teléfonos celulares

Lo que pensaba que en un momento le podría salvar la vida a ella o a su familia en caso de una emergencia, le ha costado a Martha Ramírez dolores de cabeza, corajes y cuentas que ni pidiendo ___1.___ (*prestar*) ha podido pagar. Ahora el servicio de teléfono celular le ha sido suspendido y para restaurarlo o cancelarlo definitivamente ___2.___ (*tener*) que pagar más. Ramírez hizo un convenio en marzo por tres teléfonos celulares con mil minutos al mes, sin cargo móvil a móvil y con ___3.___ (*uno*) programa de 200 mensajes para su hija de 17 años, todo por 89 dólares. Parecía perfecto para la familia, hasta que le ___4.___ (*llegar*) la primera factura en abril de 2005. El cobro fue de 300 dólares y luego de semanas de tratar de encontrar respuestas con los representantes de la compañía proveedora, ella terminó ___5.___ (*pagar*) el total del dinero. Nadie le ayudó, ni le aclaró nada, sólo le ___6.___ (*decir*) que su hija había recibido esos mensajes. Los siguientes meses continuaron ___7.___ (*igual*). Su hija afirmaba que sólo recibía dos mensajes diarios y Ramírez pagaba cantidades similares a los 300 dólares. Lo peor es que había hecho un contrato por dos años y si cancelaba el servicio ___8.___ (*tener*) que pagar 175 dólares por línea cancelada, o ___9.___ (*ser*) 525 dólares.

Finalmente Ramírez ya no __10.__ (*poder*) pagar y la compañía le suspendió el servicio. Ahora tendrá que pagar 25 dólares para restaurarlo. En cinco meses habrá pagado cerca de 1.500 dólares y todavía debe más de 200. Elizabeth Yaeger, coordinadora de la oficina de fraude a los consumidores del Centro de Recursos Centroamericanos (CARECEN) indicó que este caso no es aislado y que en tres años tiene __11.__ (*ciento*) de quejas de personas que reportan abusos en cobros, particularmente entre la comunidad latina. De acuerdo con información de AT&T, cada año los consumidores pagan cerca de 4.000 millones de dólares en cargos fraudulentos. Además, los latinos pagan hasta un 25% más por factura que el promedio nacional. "Mientras que el teléfono celular ya es una necesidad más que un lujo, principalmente en tiempos de crisis y emergencias, más y más consumidores continúan __12.__ (*firmar*) contratos en inglés que no entienden", dijo Yaeger. "Y lo malo es que el no poner atención a las letras más pequeñas del contrato puede llevar a pagar mensualidades estratosféricas". El Departamento del Consumidor del Condado de Los Ángeles (DCA) indicó que algunas de las quejas más comunes son malos entendidos entre lo que se promete verbalmente y lo que __13.__ (*decir*) el contrato como servicios de llamadas internacionales, número de minutos permitidos y cobro de servicio de navegación en la red inalámbrica. Pero agregó que, últimamente, con los servicios de Internet, el problema se ha extendido a números de mensajes, juegos y otro tipo de servicios que en la mayoría de los casos la gente no sabe que tiene y un error al marcar __14.__ (*poder*) significar un cobro extra. "Si el convenio se explica verbalmente en español, se puede exigir que el contrato escrito también se __15.__ (*dar*) en español", dijo Rigoberto Reyes, supervisor de DCA. "El cliente tiene el derecho a que le __16.__ (*explicar*) en forma clara los servicios que está adquiriendo, pero si lo engañan, entonces se comete un fraude y aunque __17.__ (*firmar*), el cliente puede reclamar y posiblemente recuperar su dinero". El investigador instó a la gente a quejarse y denunciar todo tipo de abuso ya sea por servicios que no autorizaron o si __18.__ (*sentirse*) engañados a la hora de hacer el contrato, y ahora les cobran servicios que no solicitaron. Uno de los aspectos importantes de los convenios es que cualquier contrato puede terminarse al año, sin importar que __19.__ (*ser*) firmado por dos o tres años. "La ley los protege; la gente puede cancelar durante un período de 30 días antes de terminar su primer año de servicio y sin cargos extras". La Comisión de Servicios Públicos del estado, encargada de regular las compañías de teléfono celular, indicó que el mayor número de quejas es por confusión en los contratos y los cargos por rompimiento del convenio. Esta entidad subrayó que sólo se encarga de regular los términos y las condiciones del convenio, pero que si los clientes se quejan y hay forma de verificar que las llamadas o el servicio no lo __20.__ (*hacer*) ellos, entonces la ley los apoya. Mark Siagel, portavoz de Cingular, una de las compañías acusadas, expresó que no podía comentar al respecto, sólo si veía casos específicos, pero __21.__ (*enfatizar*) que la compañía siempre busca la satisfacción del cliente, particularmente de la comunidad latina. Indicó no saber si la empresa __22.__ (*poder*) proveer contratos en español. Yaeger agregó que en los tres años ha investigado cientos de casos, algunos de hasta por 1.500 dólares, y es por eso que recomendó a la gente denunciar cualquier tipo de abuso. Ella no especificó el nombre de cierta compañía, pero subrayó que __23.__ (*todo*) son parte del problema de fraude que existe en todo el país donde más de 180 millones de personas tienen un celular y un 31% de los latinos lo utilizan como su única fuente de comunicación.

Es bueno saber:

- Todo contrato se puede cancelar durante los 30 días previos al término del primer año, aunque el convenio __24.__ (*ser*) de dos años.
- Si el convenio es verbal en español, Ud. puede exigir un contrato en el mismo idioma; si se siente engañado, no dude en denunciarlo.
- Muchos de los puestos en centros comerciales no trabajan para la empresa, sino que son negocios que venden el contrato a las compañías celulares y resulta más difícil arreglar problemas con ellos.
- Siempre que hable para quejarse, __25.__ (*pedir*) el nombre completo de la persona con la que habló y su número de identificación como representante.
- Todo lo que se le prometa pídalo por escrito.

www.laraza.com

16 Amplíe su vocabulario

Según el contexto del artículo anterior, ¿cuál es la mejor traducción de cada palabra?

1. coraje
   a. courage b. anger
   c. moment of despair d. moment of frustration
2. convenio
   a. promise b. convention
   c. agreement d. offer
3. sin cargo
   a. without charge b. without a contract
   c. without extras d. without debit
4. aclarar
   a. to declare b. to offer
   c. to order d. to explain
5. lo peor
   a. the poor thing b. the worst thing
   c. the bad thing d. the evil thing
6. deber
   a. to owe b. to have to
   c. to be in debt d. must
7. de acuerdo
   a. from the agreement b. in agreement
   c. in order d. from the order
8. lujo
   a. gift b. feature
   c. part of the contract d. luxury
9. al marcar
   a. when they turn on the phone b. when they text-message
   c. when they use d. when they dial the Internet
10. instar
    a. to explain b. to challenge
    c. to urge d. to demand
11. denunciar
    a. to report b. to protect
    c. to reject d. to trick
12. solicitar
    a. to accept b. to request
    c. to use d. to propose
13. al respecto
    a. respectfully b. with no relation
    c. in the matter d. about any aspect
14. 30 días previos
    a. the same 30 days b. the previous 30 days
    c. the first 30 days d. the next 30 days
15. puesto
    a. employee b. booth
    c. company d. contract

17 Un pequeño repaso

Conteste estas preguntas basadas en el texto de la Actividad 15.

1. ¿Qué participios presentes y pasados se han usado en el texto con un tiempo verbal? Haga una lista de ellos. Haga otra lista de los participios pasados usados como adjetivos.
2. Haga una lista de los verbos en el pretérito e imperfecto. ¿Qué expresan estos dos tiempos verbales?
3. Haga una lista de los verbos que aparecen en el subjuntivo en las respuestas de la Actividad 15 y explique su uso.

18 "Tapitas" gramaticales

Conteste estas preguntas basadas en el texto de la Actividad 15.

1. Explique el uso de preposiciones delante de números. Cite los casos en que los números no van precedidos por preposiciones.
2. Explique la función general de los adjetivos y cómo se determinan su género y número. Cite por lo menos quince adjetivos que se usaron en el artículo de la Actividad 15.
3. Explique los usos de la palabra *lo* y cite ejemplos del artículo.

Cita

No progresas mejorando lo que ya está hecho, sino esforzándote por lograr lo que aún queda por hacer.
—Kahlil Gibran (1883–1931), escritor y pintor libanés

¿Piensa que siempre es mejor progresar, o quedarse satisfecho con lo que hay ahora en el mundo? ¿Cómo interpreta "lo que aún queda por hacer"?

Idioma

19 Familia de palabras

Complete la tabla con el verbo, sustantivo o adjetivo apropiado, y la traducción correspondiente.

Verbos		**Sustantivos**		**Adjetivos**	
advertir	___	___	___	advertido	___
___	*to threaten*	___	*threat*	___	*threatened*
___	___	el aumento	___	___	*increased*
___	___	___	*warming*	calentado	___
conectar	___	___	*connection*	___	*connected*
___	*to pollute*	___	*pollution*	contaminado	___
generar	___	el generador	___	generado	___
___	*to oblige*	___	___	obligado	___
___	___	___	*provocation*	___	___

20 ¿Verbo, sustantivo o adjetivo? 

Complete las oraciones usando la forma correcta de las palabras que aparecen en la tabla, ya sea verbo, sustantivo o adjetivo. En el caso del sustantivo puede que necesite artículo.

1. Los problemas ___ (*generar*) por la contaminación del medio ambiente son graves.
2. Uno de los problemas de mayor importancia es ___ (*contaminar*) del aire.
3. Otro gran problema es ___ (*calentar*) global que afecta el clima en muchas partes del planeta.
4. Hace mucho tiempo que la deforestación ___ (*amenazar*) la selva amazónica.
5. Si ella fuera menor, sus padres le ___ (*obligar*) a ir acompañada.
6. Me encanta usar mi computadora inalámbrica, pero me fastidia cuando ___ (*conectar*) no funciona bien.
7. ¡Ojalá que sus comentarios no ___ (*provocar*) tal reacción!
8. ___ (*Advertir*): ¡Apague su celular!
9. Los chicos no pueden comprar un nuevo celular con cámara porque ___ (*aumentar*) el precio.
10. Hay que buscar nuevos ___ (*generar*) de energía para reemplazar la electricidad y nuestra dependencia del petróleo.

Cita

Produce una inmensa tristeza pensar que la naturaleza habla mientras el género humano no escucha.

—Víctor Hugo (1802–1885), escritor francés

Explique la cita. ¿Cómo reaccionaría el escritor con la situación de la contaminación en el siglo XXI? ¿Por qué? Comparta su opinión con un/a compañero/a.

Hacer trabajos voluntarios en su comunidad suena para muchos estudiantes como un verdadero sacrificio, pero los que se acostumbran a hacerlo opinan todo lo contrario. Aparte de la satisfacción de hacer un bien para alguien en su comunidad sin esperar nada a cambio, las personas que llevan a cabo esta labor experimentan vivencias únicas que recuerdan toda la vida.

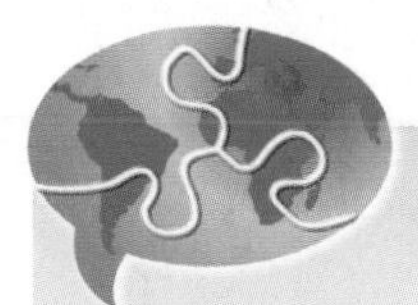

Compare

¿Puede pensar en cinco acontecimientos históricos (recientes o muy anteriores) en los que la gente se ofreció como voluntaria en los EE.UU. para ayudar a alguna causa?

21 Un taxista 

Lea el artículo y decida cuál de las palabras entre paréntesis es la correcta para completar cada oración. Después conteste las siguientes preguntas:

- ¿Cuál es el propósito del artículo?
- ¿Qué pregunta sería apropiada para hacerle al taxista después de leer el artículo?

Por hablar español taxista expulsa a pasajero

En represalia por hablar español __1.__ (*adentro / dentro*) de su taxi, un conductor expulsó de su vehículo a un hombre de negocios colombiano procedente del Aeropuerto Internacional George Bush. __2.__ (*El / La*) taxista Tony Mitchell interrumpió el viaje de su pasajero __3.__ (*hacia / hacía*) el Hotel Adams Mark cuando escuchó al colombiano Mauricio Camargo __4.__ (*hablar / hablando*) en español por su teléfono celular. Luego orilló su taxi fuera de la carretera, sacó el portafolio del pasajero de la cajuela y utilizó la fuerza física __5.__ (*por / para*) desalojar a Camargo del automóvil. Ambos hombres llamaron a la policía, y los alguaciles del Condado de Harris que se presentaron en el lugar del incidente multaron al taxista, __6.__ (*bajo el / bajo del*) cargo menor de asalto; otro taxi de la misma compañía llevó a Camargo a su hotel. Las autoridades dijeron que las acciones del taxista no violan ningún reglamento de la ciudad y que no __7.__ (*es / está*) claro si sus acciones, que incluyeron la remoción del portafolio de Camargo de la cajuela, representan una violación de las leyes federales sobre los derechos civiles. "El taxista estaba haciendo declaraciones sin sentido __8.__ (*cerca de / sobre*) terroristas", dijo el capitán M.H. Talton, perteneciente al Departamento de Alguaciles. Dentro del taxi, el conductor llevaba un letrero __9.__ (*advertencia / advirtiendo*): "Inglés Solamente". Citado por el *Houston Chronicle*, Camargo dijo tener "una mala impresión sobre la ciudad", adonde se dirigió para acudir a una conferencia de negocios. "Es completamente absurdo que en una ciudad como Houston, tan cercana a México, una persona no __10.__ (*puede / pueda*) hablar español en un taxi. Si la ciudad está tratando de atraer negocios, __11.__ (*este / esto*) no es un aliciente", dijo Camargo. No es usual en Houston que los taxistas, que en su

mayoría operan como contratistas independientes para compañías que son dueñas de los vehículos, discriminen contra personas que __12.__ (*hablan / hablen*) un idioma extranjero, pues para cerca de un tercio de la población el inglés no es su idioma materno. Mientras que el taxista no ha declarado ante los medios, la compañía para __13.__ (*el cual / la cual*) trabaja, Liberty Cab Co., finalizó su contrato basándose en la violación de un reglamento municipal que prohíbe a un conductor abandonar a un pasajero en la carretera. De acuerdo con el *Chronicle*, Camargo acudió a Houston para la conferencia de la Asociación Nacional de Organizaciones Estadounidenses de Colombia. Luego de __14.__ (*darse / darle*) una tarjeta con la dirección del hotel al taxista, recibió dos llamadas por su celular, una de ellas de su esposa, quien pertenece al servicio exterior colombiano en Washington, y otra de su jefe en Bogotá. Fue entonces que el conductor usó la fuerza física para sacarle del taxi. La legislación federal sobre derechos civiles prohíbe que empleadores __15.__ (*oblijen / obliguen*) a sus trabajadores a hablar inglés en el trabajo, al tiempo que hace ilegal que un hotel, por ejemplo, se niegue a prestar servicios debido al idioma que se habla. Hasta ahora no se han presentado casos semejantes que __16.__ (*han puesto / hayan puesto*) en tela de juicio la legalidad de acciones como las del taxista, dijeron abogados especializados en derechos civiles citados por el *Chronicle*.

www.laraza.com

22 ¿Qué significa?

Según el contexto del artículo anterior, empareje cada palabra de la primera columna con su definición o sinónimo en la segunda.

1. represalia
2. procedente de
3. orillar
4. cajuela
5. desalojar
6. alguacil
7. multar
8. violar
9. remoción
10. acudir
11. aliciente
12. contratista
13. debido a
14. en tela de juicio

a. expulsar
b. a causa de
c. parar a un lado y terminar el viaje
d. desobedecer
e. estímulo
f. maletero de un automóvil
g. imponer una penalidad
h. venganza
i. funcionario del gobierno local
j. expulsión
k. asistir
l. en duda
m. proveniente de
n. empresario

23 Adicción a Facebook 

Lea el artículo y decida cuál de las palabras o expresiones entre paréntesis es la correcta para completar cada oración. Después conteste las siguientes preguntas:

- ¿Cuál es el propósito del artículo?
- ¿Cómo resumiría el artículo en dos frases?
- ¿Qué pregunta sería apropiada para hacerle a un usuario de las redes sociales?

¿Eres adicta a Facebook?

____1.____ (*Tal / Rara*) vez tu afición a Facebook comenzó como un simple deseo de estar en contacto con tus amigos o hacer nuevos amigos ____2.____ (*por / para*) Internet. Pero ahora Facebook se ha convertido ____3.____ (*sobre / en*) una adicción y te resulta difícil llevar a cabo tu vida sin estar ____4.____ (*revisar / revisando*) tu cuenta constantemente. Si estás buscando una manera de salir de esta adicción, ____5.____ (*siga / sigue*) la siguiente guía.

1. **Reconoce que tienes una adicción**. El primer paso ____6.____ (*por / para*) resolver un problema ____7.____ (*es / está*) reconocerlo.
2. **Define tus metas en Facebook.** Haz una lista de ____8.____ (*que / lo que*) realmente quieres lograr con la actividad que llevas ____9.____ (*en / a*) cabo en tu cuenta. Tal vez deseas estar al tanto de los cumpleaños de tus amigos, tener un medio de contacto con ellos, encontrar viejos amigos, etc. Define exactamente cuáles ____10.____ (*están / son*) las metas que buscas lograr con tu cuenta y anótalas.
3. **Calcula cuánto tiempo por semana necesitas ____11.____ (*por / para*) lograr esas metas.** Desglosa el tiempo de acuerdo a cada objetivo como chequear los cumpleaños, saludar espontáneamente a tus amigos, etc.
4. **Establece una agenda ____12.____ (*por / para*) el tiempo que le vas a dedicar a Facebook y síguela.** Escribe un horario ____13.____ (*por / para*) tu actividad en Facebook, de tal manera que no ____14.____ (*interfiere / interfiera*) con tus demás actividades. Y ____15.____ (*lo / el*) más importante, tienes que seguirla.
5. **Encuentra un sustituto ____16.____ (*por / para*) el tiempo que ya no le vas a dedicar a Facebook.** Este paso no te será difícil. Si ____17.____ (*estás / eres*) adicto a Facebook, seguramente has estado

continúa

[25] descuidando otras áreas importantes de tu vida. Así que ocupa tu tiempo en actividades productivas.

Puedes usar algún programa para bloquear tu acceso a Facebook si __18.__ (*caes / caigas*) en la tentación de usarlo fuera del horario establecido. Puedes eoncontrar algunos programas en la Red __19.__ (*que / cuales*) funcionan como controles de horario y parentales. Algunos de [30] estos programas __20.__ (*son / están*) gratuitos. Otras cosas que puedes hacer son desactivar las notificaciones por email, borrar el muro, usar grupos privados de Facebook con los amigos y la familia, quitar a algunos "amigos", desconéctate del chat, instala __21.__ (*un / una*) programa que __22.__ (*controla / controle*) cuánto tiempo pasas.

Si después de llevar a cabo estos pasos para limitar tu uso de Facebook no logras deshacerte [35] de tu adicción, cierra tu cuenta. Este sería el último recurso y no es fácil llevarlo__23.__ (*a / en*) cabo, pero si tu vida se está trastocando debido __24.__ (*x / a*) esta adicción, entonces es una decisión razonable.

http://es.wikihow.com/dejar-la-adicci%C3%B3n-al-Facebook

24 Escriba un correo 

Ha recibido el siguiente correo electrónico de un amigo. Responda con su propio mensaje en el que le da su opinión y consejos acerca de su supuesta adicción a las redes sociales. Incluya detalles en su mensaje e intente usar vocabulario de los artículos anteriores.

Enviar | Guardar ahora | Descartar

Para: amigo@emcp.com

Asunto: ¿Soy adicto?

Adjuntar un archivo Insertar: Invitación

Amigo,

Creo que tengo un problema con las redes sociales. No paro de conectarme una y otra vez, hasta cuando voy al baño. Estoy constantemente pendiente de lo que otras personas ponen o dicen. Lo que al principio pensaba que era divertido, me está empezando a preocupar. ¿Tú crees que es algo serio? ¿Soy adicto a las redes sociales?

25 Lea, escuche y escriba/presente

Después de leer los textos completos de las Actividades 21 y 23, escuche "Más de 1,5 millones de palabras del quechua en Windows y Office" y tome las notas necesarias. Escriba un ensayo sobre el mundo multilingüe en que vivimos y el impacto de las redes sociales en diferentes comunidades (más o menos desarrolladas). No se olvide de citar las fuentes debidamente.

Cita

Vivimos bajo el mismo techo, pero no tenemos el mismo horizonte.

—Konrad Adenauer (1876–1967), político alemán

¿Qué es lo más importante en el mundo que le rodea? ¿En qué se diferencia de los retos, los sueños y los miedos de otras comunidades en países menos desarrollados? Comparta sus opiniones con un/a compañero/a.

¡Dato curioso!

Quienes están acostumbrados a viajar en el transporte público también lo están a la siguiente escena: un vagón lleno de pasajeros con cables de los audífonos enchufados a los oídos. En los autos, los niños ya no charlan con su familia o se pelean; ahora escuchan su música con auriculares. En lugar de charlar, comentar jugadas o jugar a las cartas en el autobús como en otros tiempos, los futbolistas viajan ahora con los auriculares puestos.

26 Bolsas de plástico

Lea el artículo y decida cuál de las palabras entre paréntesis es la correcta para completar cada oración. Después conteste las siguientes preguntas:

- ¿Qué otro título le daría al artículo?
- ¿Qué dos preguntas serían apropiadas para hacerles a dos personas de países en desarrollo?

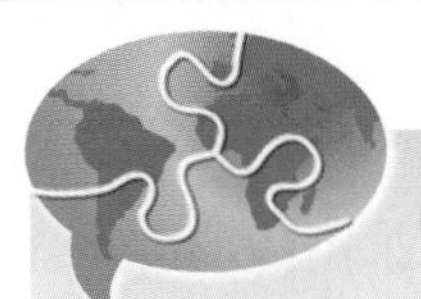

Compare

¿Cómo se distraían antes las personas cuando viajaban? ¿Cómo lo hacen ahora? ¿Cuál es el impacto que tiene esto?

Las bolsas de plástico y las preocupaciones ambientales

Mucha gente tiene preocupaciones __1.__ (*sobre / acerca*) de las bolsas de plástico tiradas: las bolsas tiradas __2.__ (*están / son*) antiestéticas y pueden crear un peligro para la vida animal. Se __3.__ (*realizan / están realizando*) esfuerzos para controlar el exceso de consumo, reducir la basura y para aumentar la reutilización y el reciclaje. Tirar basura es __4.__ (*en / a*) menudo un problema mayor en los países en desarrollo, donde la infraestructura de recolección de basura es menos desarrollada __5.__ (*cual / que*) en los países desarrollados. Los plásticos y los materiales sintéticos son los dos tipos de basura marina más común y __6.__ (*son / están*) responsables __7.__ (*en / de*) la mayor parte de los problemas que sufren los animales y aves marinas. Se conocen __8.__ (*a / al*) menos 267 especies diferentes que se han enredado o han ingerido restos marinos, entre ellas se cuentan aves, tortugas, focas, leones marinos, ballenas y peces. El lecho marino, especialmente cerca de las regiones costeras, también está contaminando, sobre todo con bolsas de basura. Los plásticos __9.__ (*son / están*) también presentes en las playas __10.__ (*desde / de*) las regiones más pobladas __11.__ (*hasta / para*) las costas de islas remotas y deshabitadas.

De las fábricas __12.__ (*de / en*) todo el mundo salieron el año pasado aproximadamente 4 o 5 billones de bolsas de plástico, desde bolsas de basura de __13.__ (*gran / grande*) tamaño hasta bolsas gruesas para la compra y más finas para alimentos. Aunque __14.__ (*son / sean*) prácticas, livianas y baratas, __15.__ (*estén / están*) fabricadas con un derivado del petróleo, una fuente de energía no renovable y cada vez más cara. Así, además __16.__ (*x / de*) colaborar al agotamiento de este recurso, potenciamos la enorme contaminación que origina su obtención, transporte y transformación en plástico. Cuando las bolsas de plástico están serigrafiadas todavía es __17.__ (*mejor / peor*) __18.__ (*ya / ya que*) las tintas contienen residuos metálicos también contaminantes. Las pinturas de impresión __19.__ (*contengan / contienen*) plomo y cadmio, metales pesados altamente tóxicos. Su incineración también genera gases altamente tóxicos.

Muchos plásticos son casi indestructibles y algunos pueden permanecer estables por 400 años. __20.__ (*X / Hace*) cincuenta años __21.__ (*x / hace*), era impensable utilizar las bolsas de plástico una sola vez, y ahora las utilizamos unos minutos y contaminan nuestro medio ambiente durante décadas. Pero las actitudes sociales evolucionan y hay un amplio deseo de cambio. Por eso __22.__ (*ya / ya que*) se están estudiando todas las opciones, __23.__ (*incluida / incluya*) la de una prohibición de las bolsas __24.__ (*en / de*) plástico en algunos países.

http://es.wikipedia.org/wiki/Bolsa_de_pl%C3%A1stico

27 Haga una lista

Haga una lista con las quince o veinte palabras más importantes del artículo anterior. Compártalas con un compañero/a.

28 Lea, escuche y escriba/presente

Busque un video y/o podcast en el que muestre los daños que causan los plásticos y otras basuras a las tortugas gigantes y delfines. Tome notas de las fuentes y escriba un ensayo o haga una presentación en clase sobre la influencia del hombre en la desaparición de estas especies. No se olvide de citar las fuentes debidamente.

29 Lenguas indígenas 

Échele una ojeada al artículo que sigue para ver de qué se trata, prestando atención a las palabras en azul, ya que se le harán preguntas sobre ellas. Lea el artículo que sigue y decida cuál de las palabras o expresiones entre paréntesis es la correcta para completar cada oración y escríbala.

Lenguas indígenas en agonía

DIEGO CEVALLOS

Cientos de lenguas desaparecieron en ___1.___ (*américa / América*) Latina y el Caribe en los últimos 500 años, y varias de las más de 600 que aún sobreviven podrían correr la misma suerte dentro ___2.___ (*de / en*) poco. Agencias de la Organización de las Naciones Unidas (ONU) y algunos expertos sostienen que se trata de una tragedia evitable, pero hay quienes lo ven como un destino consustancial a toda lengua. Enfrentadas a la cultura occidental y a la presencia dominante del castellano, portugués e inglés, lenguas indígenas como el kiliwua en México, el ona y el puelche en Argentina, el amanayé en Brasil, el záparo en Ecuador y el mashco-piro en Perú, apenas sobreviven ___3.___ (*para / por*) el uso que hacen de ellas pequeños grupos de personas, en su mayoría ancianos. Pero también hay otras como el quechua, aymará, guaraní, maya y náhuatl, cuyo futuro parece más halagüeño, pues en conjunto las hablan más ___4.___ (*de / que*) 10 millones de personas, y muchos gobiernos apadrinan su existencia con distintos programas educativos, culturales y sociales. En el mundo hay alrededor de siete mil lenguas en uso y cada año desaparecen veinte. Además, la mitad de las existentes están bajo amenaza de extinción, según la Organización de las Naciones Unidas para la Educación y la Cultura (UNESCO).

Esta agencia, que promueve la preservación y diversidad de las lenguas en el mundo, sostiene que la desaparición de un idioma es una tragedia, pues con ella se esfuma una cosmovisión y una cultura particulares. Pero no todos ___5.___ (*lo / el*) ven así. "La extinción de lenguas es un fenómeno consustancial con la existencia misma de ellas, y ha venido sucediendo desde que el hombre emitió su primer sonido con valor lingüístico", dijo a Tierramérica José Luis Moure, filólogo de la Universidad de Buenos Aires y miembro de la Academia Argentina de Letras. ___6.___ (*En / X*) contraste, Gustavo Solís, lingüista peruano experto en lenguas vernáculas y autor de estudios sobre el tema en la Amazonia, afirma que "no hay nada en las lenguas que diga que deba desaparecer una y mantenerse otra. Toda desaparición de lengua y cultura es una tragedia mayor de la humanidad. Cuando ocurre, se extingue una experiencia humana única e irrepetible", declaró Solís a Tierramérica. Según ___7.___ (*este / esta*) especialista, hay experiencias que indican que es posible planificar la revitalización de lenguas para que no __8.__, (*mueren / mueran*) pero que los esfuerzos que se hacen al respecto en América Latina y el Caribe son aun pequeños. Cuando llegaron los europeos a América, en el __9.__ (*año / siglo*) XV, había entre 600 y 800 lenguas sólo en América del Sur, pero con el proceso colonizador "la inmensa mayoría desapareció y en este mismo momento, hay lenguas en proceso de extinción por el contacto desigual entre la sociedad occidental y algunas sociedades indígenas", expresó. Fernando Nava, director del gubernamental Instituto Nacional de Lenguas Indígenas de México (INALI), señaló a Tierramérica que las lenguas desaparecen por evolución natural, lo que es entendible, o por la presión cultural y por la "discriminación" que sufren sus hablantes. Es contra la segunda causa que muchos gobiernos, agencias internacionales y académicos enfocan sus esfuerzos, pues se trata __10.__ (*x / de*) algo inaceptable, declaró.

"En este campo, en América Latina y el Caribe estamos apenas transitando por una etapa de 'sensibilización'", opinó. Según la Unesco, la mitad de las lenguas existentes en el mundo podría perderse dentro de "pocas generaciones", debido a su marginación de Internet, presiones culturales y económicas y el desarrollo de nuevas tecnologías que favorecen la homogeneización. El organismo difundirá __11.__ (*por / en*) mayo un amplio estudio sobre las lenguas en la Amazonia, varias de __12.__ (*las / ellas*) habladas por muy pocos individuos, con lo que aspiran a llamar la atención sobre el fenómeno. En las selvas amazónicas sobreviven pueblos indígenas aislados, que se niegan __13.__ (*a / x*) tener contacto con el mundo occidental y su "progreso". Suman unas cinco mil personas pertenecientes a varias etnias, entre ellas, los tagaeri en Ecuador, los ayoreo en Paraguay, los korubo en Brasil y los mashco-piros y ashaninkas en Perú. De acuerdo __14.__ (*a / con*) Rodolfo Stavenhagen, relator especial de la ONU sobre Derechos Humanos y Libertades Fundamentales de los Indígenas, esos nativos enfrentan un "verdadero genocidio cultural". "Me temo que en las circunstancias actuales es muy difícil que sobrevivan muchos años más, pues el llamado desarrollo niega el derecho de esos pueblos a seguir __15.__ (*son / siendo*) pueblos", ha dicho. Aunque el universo de idiomas y dialectos en uso en el mundo es alto, la gran mayoría de la población habla apenas un puñado de ellos, como el inglés o el español. Para garantizar que la diversidad lingüística se mantenga, la comunidad internacional acordó en los últimos años una batería de instrumentos internacionales, y expertos organizan periódicas citas donde analizan el tema. Una de esas últimas reuniones se celebró del 31 de marzo __16.__ (*a / al*) 2 de abril en el central estado estadounidense de Utah, donde funcionarios y estudiosos del tema de toda América debatieron sobre cómo evitar la desaparición de docenas de lenguas en la región. Desde 1999 y por iniciativa de la Unesco, cada 21 de febrero se __17.__ (*celebra / celebrará*) el Día Internacional de la Lengua Materna. Además, existen acuerdos en el sistema de la ONU, como la Declaración Universal sobre la Diversidad Cultural y su Plan de Acción, de 2001, y la Convención para la Salvaguardia del Patrimonio Cultural Inmaterial, de 2003. También está la Recomendación sobre la Promoción y el Uso del Plurilingüismo y el Acceso Universal al Ciberespacio, de 2003, y la Convención sobre la Protección y Promoción de la Diversidad de las Expresiones Culturales, de 2005. Según el argentino Moure, es importante __18.__ (*luchen / luchar*) por la preservación de las lenguas, aunque el número de sus usuarios __19.__ (*son / sea*) pequeño, pues "son marcas de identidad que merecen el máximo respeto y atención científica". Pero "no estoy tan seguro de que la muerte de una lengua implique necesariamente la desaparición de la cosmovisión que conlleva, porque sus hablantes nunca dejan __20.__ (*x / de*) hablar (a menos que los extermine una enfermedad o un genocidio) sino que, después de un período de bilingüismo, adoptan otra lengua que les resulta más útil por su mayor inserción en el mundo", apuntó. "Esto es un hecho de la realidad, y creo que debe admitírselo sin apelar a excesivas teorías conspirativas", añadió.

www.paginadigital.com

30 Resumen de lo que leyó

¿Qué significan las palabras que aparecen en azul en el artículo anterior? Escriba su significado y haga un resumen de un párrafo sobre lo que leyó usando todas las palabras.

Compare la desaparición de estas lenguas con la de los indios nativos de Norteamérica.

31 Escriba

Según el artículo anterior, "en el mundo hay alrededor de siete mil lenguas en uso y cada año desaparecen veinte". Proponga un plan para evitar la desaparición de tantos idiomas cada año. Defienda el programa y sugiera la financiación del mismo. Use una variedad de tiempos verbales e intente usar algunas de las "tapitas" gramaticales y vocabulario que ha repasado en esta lección.

Cita

En el corazón de todos los inviernos vive una primavera palpitante, y detrás de cada noche, viene una aurora sonriente.
—Kahlil Gibran (1883–1931), escritor y pintor libanés

¿Qué piensa de esta cita? ¿Cree que los indígenas miran al futuro con esta misma actitud? Comparta su opinion con un/a compañero/a.

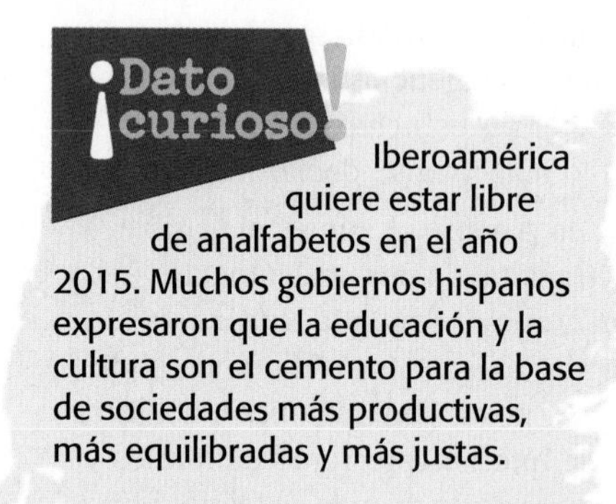

Iberoamérica quiere estar libre de analfabetos en el año 2015. Muchos gobiernos hispanos expresaron que la educación y la cultura son el cemento para la base de sociedades más productivas, más equilibradas y más justas.

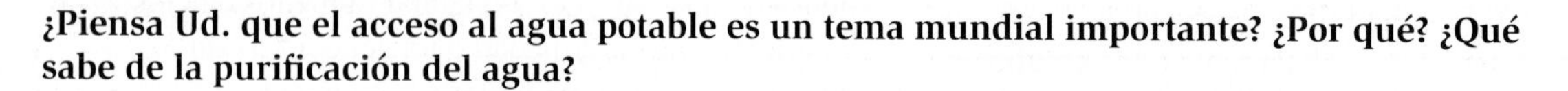

32 Antes de leer

¿Piensa Ud. que el acceso al agua potable es un tema mundial importante? ¿Por qué? ¿Qué sabe de la purificación del agua?

Planta de tratamiento de agua.

33 El agua

Lea con atención el siguiente artículo. Después conteste las siguientes preguntas:

- ¿Cuál es el propósito del artículo?
- ¿Cómo resumiría el artículo en una frase?
- Si quisiera consultar otra fuente, ¿podría pensar en un posible título de una publicación?

El agua, tema central de análisis internacional

KARLA WUCUAN OCHOA

La sequía, la calidad y seguridad del agua, y el uso de la tecnología para el desarrollo de infraestructura que permita su administración y abastecimiento adecuado frente a los desafíos legislativos en torno a este vital líquido, fueron los temas que dominaron la convención anual de la Asociación Estadounidense de Obras Hidráulicas (AWWA).

Andrew Hudson, jefe de relaciones públicas de la AWWA, señaló que desde los ataques terroristas del 11 de septiembre de 2001 la seguridad del agua se ha vuelto una prioridad.

"Antes de los ataques sólo nos preocupábamos por las personas que echaban algún químico en el agua —como pintura—, pero ahora tenemos que vigilar más en caso de que los terroristas quieran verter alguna sustancia dañina en el agua", dijo Hudson. Más de 500 compañías relacionadas con el agua exhibieron sus productos y avances tecnológicos para garantizar la calidad del vital líquido que llega a los hogares.

"La convención estuvo abierta al público; sin embargo, la mayoría de los asistentes eran miembros de la organización AWWA, que son personas que están muy involucradas en la industria del agua, como empresarios o personas que trabajan para el gobierno", señaló Sabrina McKenzie, portavoz de la AWWA.

Virgilio Martínez, gerente internacional de Leopold Underdrain para América Latina, uno de los expositores más grandes en la convención, comentó que es importante dar a conocer los equipos de tratamiento de agua que se usan en las ciudades para la seguridad de sus habitantes. "Nosotros estamos en el mercado desde 1924, y año tras año mejoramos nuestros productos", dijo el gerente. "Este año trajimos un equipo que cuenta con un material de filtración, como cama de soporte, grava y arena, y cuando se introduce el agua se purifica automáticamente".

Este año más de 32 países visitaron la conferencia de la AWWA, entre los cuales se encontraban Brasil, Puerto Rico, Colombia y México. "Es la primera vez que asisto a este tipo de eventos y creo que es muy importante que todas las personas participen y se preocupen por el medio ambiente" , dijo Juan Felipe Serrato, de la Comisión Estatal de Servicios Públicos de Mexicali. "Además", continuó Serrato, "busco la mejor tecnología que ofrezca un buen proceso de filtración y limpieza de agua".

La conferencia anual del tratado de agua, que incluía más de 70 sesiones y 13 talleres con diferentes expertos del tratado del agua, fue inaugurada el 15 de junio y concluyó el 19 del mismo mes en el Centro de Convenciones de Anaheim. Hudson agregó que aparte de informar a las personas que están dentro de la industria del agua, también están tratando de alcanzar a todos los latinos y cambiar su cultura sobre el agua de la llave . Según un estudio publicado por la AWWA, los latinos son los más propensos a comparar la calidad del agua de la llave que hay en Estados Unidos con la de sus países de origen. "Los latinos por lo general no consumen el agua de la llave que hay aquí, pues temen que sea igual a la de sus países de origen, cuando la calidad del agua de aquí es muy buena y puede ser bebida sin ningún problema", comentó Hudson. Casi la mitad de los latinos toman sólo agua embotellada y como grupo están dispuestos a pagar más por agua de alta calidad, según el estudio de la AWWA. Serrato agregó que espera que en el futuro se le haga más difusión a este tipo de eventos, pues en México se necesita concienciar más a la ciudadanía y al gobierno sobre la importancia de tener un buen sistema de purificación.

34 ¿Qué significa?

Según el contexto del artículo anterior, ¿cuál es la mejor traducción para cada palabra de la primera columna?

1. sequía	a. tap water
2. abastecimiento	b. to pour
3. verter	c. inclined to
4. dañino	d. drought
5. agua de la llave	e. supply
6. propenso	f. bottled water
7. agua embotellada	g. to make aware
8. concienciar	h. harmful

35 ¿Ha comprendido?

1. ¿Cuáles fueron los temas que dominaron la convención anual de la Asociación Estadounidense de Obras Hidráulicas?
   a. La sequía y la calidad y seguridad del agua
   b. La sequía, la calidad y seguridad del agua y un plan de aprovisionamiento de agua por el gobierno federal
   c. La sequía, la calidad y seguridad del agua y un plan para aprovisionar el agua según las leyes que existen
   d. La sequía, la calidad y seguridad del agua y sugerencias de cómo transformar el agua salada en agua dulce

2. Según el artículo, ¿cuáles son dos tipos de ataques al agua que temen las autoridades?
   a. Verterle al agua algún producto químico o pintura
   b. El ataque al agua por parte de terroristas y por productos químicos
   c. Los ataques a la calidad del agua en las grandes ciudades y a nivel internacional
   d. Ninguna de las respuestas anteriores

3. ¿Qué exhibieron 500 compañías relacionadas con el agua?
   a. Productos para transformar el agua salada en agua dulce
   b. Productos para garantizar la seguridad del agua
   c. Productos para garantizar la calidad del agua
   d. Productos contra la sequía

4. ¿Qué producto ayuda a purificar el agua automáticamente?
   a. Una cama de soporte, grava y arena
   b. No hay ningún producto eficaz y no se lo menciona en el artículo.
   c. Existen algunos productos, pero son muy costosos y no se los mencionan en el artículo.
   d. Un producto que se usa también en las ciudades para la seguridad de sus habitantes

5. ¿Qué buscaba uno de los oficiales mexicanos durante la conferencia?
   a. La ayuda de otros países latinos para solucionar los problemas con el agua
   b. La ayuda de otros países latinos para purificar el agua
   c. La mejor tecnología que ofrezca un buen proceso para la seguridad del agua
   d. La mejor tecnología que ofrezca un buen proceso de filtración y limpieza del agua

6. ¿Cuál era uno de los propósitos de la conferencia?
   a. Proponer más uso del agua embotellada en las culturas latinas
   b. Proponer más uso del agua de la llave en las culturas latinas
   c. Proponer a todos los países latinos un mejor sistema de purificación del agua
   d. Ninguna de las respuestas anteriores

36 ¿Cuál es la pregunta?

Según el artículo que acaba de leer, escriba una pregunta lógica para estas respuestas.

1. Un tema central de análisis internacional
2. En la convención anual de AWWA
3. El 11 de septiembre de 2001
4. Personas que están muy involucradas en la industria del agua
5. Leopold Underdrain para América Latina
6. Brasil, Puerto Rico, Colombia y México
7. En Anaheim
8. El agua de la llave
9. El agua embotellada
10. Agua de alta calidad

37 ¿Qué piensa Ud.? 

¿Cuáles son al menos cinco sinónimos, que se usan en el artículo, de *personas* en general? ¿Puede pensar en otras? Escríbalas.

38 Campaña publicitaria 

Piense en una campaña publicitaria para hacer consciente a la gente de su escuela la importancia del ahorro de agua. Piense en dónde haría la publicidad y cómo. Después, busque al menos un anuncio para la televisión de algún país de habla hispana y muéstrelo a sus compañeros.

Cita

Tres facultades hay en el hombre: la razón que esclarece y domina; el coraje o ánimo que actúa; y los sentidos, que obedecen.

—Platón (427–347 a. de J. C.), filósofo griego

¿Está de acuerdo con la cita? ¿En qué situaciones ha podido observar esto? ¿Qué facultades dominan al ser humano que se preocupa por el medio ambiente? Comparta sus opiniones con un/a compañero/a.

¡Dato curioso!

Las Naciones Unidas recuerda todos los años, desde 1993, que el agua es un elemento tan valioso como escaso. Más de 1.100 millones de personas no disponen de agua potable y 2.600 millones carecen de sistemas de saneamiento adecuados. Según la ONU, el agua en malas condiciones provoca la muerte cada año de unos dos millones y medio de personas.

www.quo.es

Compare

¿Qué lugares en los EE.UU. tienen o han tenido problemas con el agua (ya sea por sequías o inundaciones)?

39 Antes de leer

¿Qué sabe de los océanos? ¿Qué opina de la sobreexplotación de las especies que habitan los océanos? ¿Qué sabe de los tiburones? ¿Qué son el atún, la albacora y la merluza?

40 Los océanos 

Lea con atención el siguiente artículo. Después conteste las siguientes preguntas:

- ¿Cuál es el propósito del artículo?
- Si quisiera consultar otra fuente, ¿podría pensar en un posible título de una publicación?

Los océanos y el planeta en peligro

RICARDO NATALICHIO

Una gran cantidad de las diferentes especies que habitan los océanos del planeta se encuentran en una situación de alerta roja. La fundación Oceana calcula que el 75% de las que el hombre consume están sobreexplotadas, o siendo explotadas al límite de su capacidad, y que el 90% de la población de los peces grandes (tiburones, atunes, albacoras, etc.) ha desaparecido de los océanos desde el surgimiento de la pesca industrial. Quinientas toneladas de tiburón se requieren para obtener unas 12 toneladas de aletas, las cuales son vendidas como afrodisíaco principalmente en Asia. Estos animales se cazan, se mutilan y se devuelven vivos al mar, donde mueren ahogados y desangrados. Por cada merluza pescada, dos son devueltas al mar por no alcanzar la talla mínima para ser vendida. Muchas veces los peces han muerto antes de ser devueltos. Si este ritmo de sobreexplotación continúa, la FAO prevé que en cuatro años se vivirá un colapso global de las pesquerías, afectando a más de 2 mil 500 millones de personas, que obtienen del mar su principal fuente de proteínas. La sobreexplotación pesquera está acabando con la pesca a nivel planetario, poniendo en riesgo la supervivencia de los ecosistemas, las especies, y la viabilidad del propio sector pesquero. Greenpeace estima que cada cuatro segundos, un área marina del tamaño de 10 campos de fútbol es barrida por buques de arrastre. En el transcurso del Día Mundial de los Océanos una flota de unos 300 arrastreros que faenan en aguas internacionales habrá barrido con

sus pesadas redes unos 1.500 km^2 de fondos marinos profundos, en uno de los hábitats más diversos y más frágiles del planeta. De ahí que sea tan importante una moratoria sobre la pesca de arrastre en alta mar para detener la destrucción de estos ecosistemas únicos. La inmensidad de los océanos muchas veces provoca que perdamos de vista la fragilidad de sus ecosistemas, y la velocidad con la que los estamos degradando es una muestra más de la forma insostenible y destructiva con la que nos estamos manejando con respecto a los recursos del planeta. La importancia de mantener saludables a los ecosistemas oceánicos es tal que posiblemente su degradación llevaría a la extinción misma del ser humano entre otras especies, o al menos causaría graves efectos en varios miles de millones de personas en todo el planeta. La semana que viene Naciones Unidas se reúne en Nueva York para discutir medidas urgentes de protección de las profundidades marinas. Por el momento, en el Día de los Océanos, no tenemos nada que festejar.

www.paginadigital.com

41 Amplíe su vocabulario

Mire las palabras de la primera columna y busque su correspondiente sinónimo o definición entre las palabras de la segunda.

1. sobreexplotado
2. surgimiento
3. aleta
4. ecosistema
5. pesquero
6. barrer
7. arrastre
8. faenar
9. festejar

a. comunidad de seres vivos interrelacionados por el medio ambiente
b. celebrar
c. relacionado con los peces
d. acción de tirar
e. limpiar el suelo con una escoba
f. pescar en el mar
g. extraído demasiado
h. aparición
i. apéndice que se utiliza para moverse en el agua

42 ¿Ha comprendido?

1. Según el artículo, ¿qué está en una situación de alerta roja?
   a. Los peces grandes
   b. La calidad y la seguridad del agua
   c. Muchas especies marinas
   d. Las repuestas a y c
2. ¿Qué ha desaparecido desde el surgimiento de la pesca industrial?
   a. El 25% de las especies de peces
   b. El 10% de las especies de los peces grandes
   c. El 75% de las especies de peces
   d. El 90% de las especies de los peces grandes
3. ¿En cuántos años se calcula que habrá un colapso global de las pesquerías?
   a. En doce
   b. En cuatro
   c. A finales de este siglo
   d. Ninguna de las respuestas anteriores
4. ¿Por qué no se vende la mayoría de las merluzas pescadas?
   a. No hay ningún mercado que apoye toda la merluza pescada.
   b. Su popularidad ha disminuido.
   c. Son demasiado pequeñas.
   d. Todas las respuestas anteriores
5. ¿Qué hicieron los 300 arrastreros el Día Mundial de los Océanos?
   a. Celebraron ese día en el mar.
   b. Soltaron todos los peces que habían pescado ese día.
   c. Protestaron esa celebración.
   d. Trabajaron en los océanos como siempre.
6. ¿Por qué no es tan obvia la fragilidad del ecosistema marino?
   a. Porque los océanos son muy grandes
   b. Porque la mayoría de la gente del planeta no vive cerca de un océano
   c. Porque no hay mucha información disponible sobre el tema
   d. Porque, hasta ahora, no había ninguna plataforma internacional para discutir
7. Si tuviera que consultar otra fuente para tener mayor información, ¿cuál cree que sería más útil?
   a. La historia de los petroleros
   b. Las previsiones de Julio Verne
   c. La fragilidad del ecosistema marino
   d. Las futuras cruciales reuniones en las Naciones Unidas

43 Responda brevemente

¿Cree que las reuniones en las Naciones Unidas pueden establecer medidas urgentes de protección de las profundidades marinas? ¿Por qué? ¿Tiene Ud. algunas sugerencias que hacer para mejorar la situación? ¿Cuáles son? ¿Por qué es importante proteger el ecosistema marino?

44 Se titula...

Piense en otro título para esta lectura. ¿Por qué lo ha escogido?

45 Lea, escuche y escriba/presente 

Después de leer "El agua, tema central de análisis internacional" y "Los océanos y el planeta en peligro" escuche "El verdadero valor del agua" y tome las notas necesarias de las fuentes. ¿Cuál es el propósito de la grabación? ¿Cómo resumiría lo que escuchó en una frase? Escriba un ensayo o haga una presentación en clase sobre el tema, "La calidad del agua, los océanos y la industria pesquera: crisis del siglo XXI". No se olvide de citar las fuentes debidamente.

Cita

Si viéramos realmente el Universo, tal vez lo entenderíamos.

—Jorge Luis Borges (1899–1986), escritor argentino

¿Por qué escribió Borges *Universo* con mayúscula? Explique lo que quiere decir Borges. ¿Está de acuerdo con él? ¿Por qué piensa que pudo haber hecho este comentario? Comparta sus opiniones con un/a compañero/a.

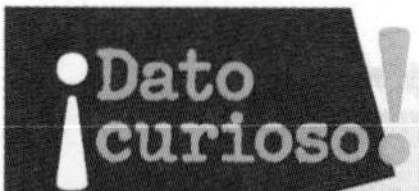

El ecoturismo consiste en viajar por áreas naturales sin perturbarlas, con el fin de disfrutar, apreciar y estudiar sus atracciones naturales: los paisajes, la flora y la fauna y las manifestaciones culturales que se puedan encontrar allí. Hay muchos países latinoamericanos donde este tipo de turismo es muy popular.

Las Torres de Paine, Chile.

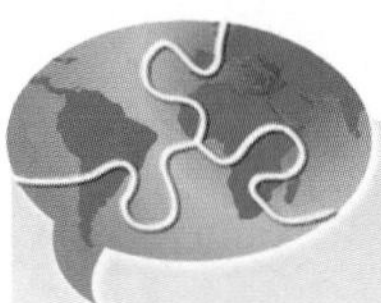

Compare

¿Qué lugares en los EE.UU. son famosos por el ecoturismo? ¿Es algo que le interesa?

¡A escuchar!

46 No existe relación entre celulares y tumores cerebrales 

Esta grabación trata de un estudio realizado sobre la relación entre celulares y tumores cerebrales. La grabación dura aproximadamente 4 minutos. Lea las posibles respuestas primero y después esuche "No existe relación entre celulares y tumores cerebrales." Conteste las preguntas y después piense en una pregunta apropiada para hacerle al periodista.

1. ¿De qué país eran los médicos que hicieron este estudio?
   a. De Dinamarca
   b. De los Estados Unidos
   c. De Finlandia
   d. De Holanda

2. ¿Cuántas personas en total entrevistaron para este estudio?
   a. 427 personas
   b. 822 personas
   c. Más de mil personas
   d. Casi dos mil personas

3. ¿Qué resultado señalaron los doctores?
   a. Ningún cambio importante en el número de tumores cerebrales vinculado a la frecuencia del uso de celulares
   b. Ningún aumento en el número de tumores cerebrales vinculado a la frecuencia del uso de celulares
   c. Ninguna reducción importante en el número de tumores cerebrales vinculado a la frecuencia del uso de celulares
   d. Ninguna de las respuestas anteriores

4. ¿Qué otro estudio cita el artículo?
   a. Uno de Suiza
   b. Uno de los Estados Unidos
   c. Uno de Suecia
   d. Uno de Austria

5. ¿Encontraron los médicos algunos tumores causados por el uso del celular?
   a. Sí, con las personas que usaron su celular muy frecuentemente
   b. No, porque la mayoría de las personas entrevistadas no usaron su celular frecuentemente
   c. Sí, pero no podían atribuir la aparición de los tumores debido al uso del celular
   d. No, porque hay otros factores que podían explicar la aparición de los tumores

47 Pros y contras de restringir el uso del celular

Esta grabación es sobre las ventajas y desventajas de restringir el uso de celulares. La grabación dura aproximadamente 3 minutos. Conteste las preguntas y después piense en una pregunta apropiada para hacerle al periodista.

1. ¿Qué significa la sigla NHTSA en español?
2. ¿Por qué recomienda la NHTSA que no se conduzca mientras se usa el celular?
3. ¿Por qué se recomienda que los conductores dejen las manos libres mientras manejan?
4. ¿Cuál es un beneficio del uso sin restricciones del celular mientras se conduce?
5. ¿Cuáles son dos beneficios potenciales de la legislación con respecto al uso del celular?
6. ¿Cuál es el objetivo de la grabación?
7. ¿Cómo resumiría lo que escuchó en una frase?
8. ¿Cuál es el propósito del artículo? ¿Analizar diferentes soluciones/problemas, resumir diferentes opiniones, presentar una situación, criticar una situación?
9. ¿Qué dicen las investigaciones más recientes sobre este tema?

48 Participe en una conversación

Ud. va a participar en una conversación. Primero lea la descripción de la conversación y piense en algunas palabras o expresiones que le serían útiles. Organice sus ideas, haciendo predicciones sobre lo que se le pueda preguntar o comentar. Una descripción de lo que va a escuchar aparece abajo en color. Participe en la conversación grabando las respuestas o escribiéndolas en su cuaderno.

Escena: Ud. y otros estudiantes están planeando un programa ecológico en su colegio o universidad. Un día, Ud. entra en la oficina del director para hablar de este asunto.

El director: Le saluda y le pide algo.

Ud.: • Conteste.

El director: Le pregunta sobre el programa.

Ud.: • Conteste su pregunta.

El director: Le hace otra pregunta.

Ud.: • Conteste su pregunta afirmativamente.

El director: Le hace otra pregunta.

Ud.: • Contéstele y dele detalles sobre lo que le pide.

El director: Le hace más preguntas sobre el programa.

Ud.: • Háblele sobre sus preferencias para este programa. Explique las razones.

El director: Sigue la conversación y luego se despide.

Ud.: • Haga un comentario y despídase.

¡A escribir!

49 Texto informal: los teléfonos celulares 

Ud. es el/la director/a de su escuela o universidad, detallando cómo se deben usar los teléfonos celulares mientras está en su colegio o universidad. Incluya lo siguiente:

- Las horas del uso de los celulares
- Las restricciones sobre el uso de los celulares
- Las sanciones contra los estudiantes que no sigan las reglas sobre el uso de los celulares
- Unas frases o expresiones que se puedan usar en los carteles u otros anuncios para describir esta política

50 Texto informal: las lenguas indígenas 

En un foro alguien pide consejos para aprender una lengua indígena. Contéstele e incluya lo siguiente:

- Háblele de la importancia de hablar una lengua indígena.
- Sugiérale centros donde se puede aprender una de estas lenguas.
- Enumere los beneficios de aprender una lengua indígena.
- Mencione la posibilidad de vivir entre los indígenas para aprender dicha lengua.

51 Ensayo: el impacto de la ecología en nuestras vidas 

Escriba un ensayo sobre el impacto de la ecología en nuestras vidas. Compárelo con otros países de habla hispana y también con la época en la que vivieron sus abuelos.

52 Ensayo: el narcotráfico 

Escriba un ensayo en el que describa el problema del narcotráfico. Busque videos o podcasts con noticias recientes sobre este tema. Compare este problema entre Latinoamérica y los EE.UU.

53 En parejas 

Intercambie sus ensayos con los de un/a compañero/a. Exprésele su opinión sobre el contenido y el uso del idioma.

Los coches híbridos como éste son más ecológicamente correctos, puesto que gastan menos petróleo.

¡A hablar!

54 Charlemos en el café

Ud. va a debatir los siguientes temas con un/a compañero/a. Uno estará a favor de lo que se ha dicho y otro en contra. El debate durará varios minutos. El/La estudiante que esté de acuerdo comenzará el debate y hablará por unos dos minutos. Cuando el/la profesor/a lo indique, el/la otro/a estudiante tomará la palabra y expresará su opinión por otros dos minutos, y así sucesivamente.

1. Tenemos obligación de elevar la conciencia ecológica del mundo.
2. Los políticos deberían prestar más atención a los programas ecológicos que protegen el planeta.
3. El mejor ciudadano es el ciudadano que hable varios idiomas.
4. El petróleo crea la mayoría de las guerras.
5. Es necesario buscar nuevas formas de energía.
6. Soy adicto/a a mis redes sociales.
7. Gracias a las redes sociales tengo más amigos.
8. Es una ventaja tener una tele en el cuarto.
9. Hoy hacemos guerras por el petróleo, dentro de muy poco las haremos por el agua.

55 ¿Qué opinan?

Converse con un/a compañero/a sobre estas preguntas.

1. Si pudiera inventar cualquier cosa para mejorar nuestra ecología, ¿qué le gustaría inventar y por qué?
2. ¿Cree que la educación primaria debe incluir la enseñanza de idiomas extranjeros? ¿Por qué? Si Ud. fuera director(a) de una escuela primaria, ¿qué idiomas se enseñarían en la escuela? ¿Por qué?
3. ¿Es adicto/a a su teléfono móvil/celular?
4. ¿Es adicto/a las redes sociales?
5. ¿Qué piensa de la basura que es arrojada al mar? ¿Qué especies sufren principalmente?
6. ¿Es voluntario/a para alguna causa social? ¿Cuál/cuáles?
7. ¿Qué piensa del comercio legal de drogas ilegales?

56 Presentemos en público

Haga una presentación sobre uno de los temas durante varios minutos. Organice sus ideas antes de hacer la presentación, busque las palabras necesarias y, después de practicar, presente en clase sin mirar las notas.

1. ¿Cómo han cambiado las redes sociales nuestra vida?
2. Si pudiera cambiar un aspecto de nuestra rutina diaria y eliminar un elemento de contaminación en nuestro mundo, ¿cuáles le gustaría cambiar o eliminar? ¿Por qué? ¿Cómo lo haría?
3. Ud. es un gran experto sobre los nuevos carros híbridos. Presente una lista de los carros híbridos que existen ahora a la clase. Hable de su eficacia, los beneficios y las desventajas de estos carros.
4. Piense en un problema ecológico que afecta a su comunidad y presente un plan eficaz para solucionar el problema.
5. Hable de las tortugas gigantes y el peligro de extinción.
6. Presente una fundación que proteja el medio ambiente o los animales en un país de habla hispana.
7. Hable sobre el problema del narcotráfico en Latinoamérica y los EE.UU.

Proyectos

57 ¡Manos a la obra! 

Trabaje en un grupo de cuatro o cinco estudiantes para llevar a cabo uno de los siguientes proyectos y presentarlo a la clase.

1. Diseñen el teléfono celular perfecto. Hagan un folleto mostrando las características.
2. Hagan una campaña para proteger las especies en peligro de extinción.
3. Escriban tres minutos de una telenovela que trate alguno de los problemas presentados en esta unidad. Muéstrenla en la clase. Si tienen tiempo muéstrenle el fragmento filmado (incluso puede añadir un anuncio). Si no tienen mucho tiempo pueden mostrarle a su clase el guión.
4. Hagan un gráfico en el que muestren cómo la contaminación está afectando a algunas

Vocabulario

especies.

Verbos

aclarar	to clarify, explain
acoger	to welcome
agarrar	to seize
aislar	to isolate
alcanzar	to reach
amenazar	to threaten
apadrinar	to sponsor
concienciar	to make aware
consumir	to consume, to use
dejar	to leave behind
desalojar	to vacate
desempeñarse	to fulfill, make out
detener	to stop
elogiar	to praise
esfumarse	to vanish, fade away
faenar	to fish
fastidiar	to bother
festejar	to celebrate
hallar	to find
iniciar	to begin
instar	to urge
inundarse	to flood
liberar	to free
manejar	to drive; to manage
multar	to fine
ocasionar	to cause, bring about
padecer	to suffer
permitir	to allow
prevalecer	to prevail
prohibir	to prohibit, to ban
rechazar	to reject
reconfortar	to comfort
rescatar	to rescue
sobreexplotar	to overexploit
solicitar	to request
sostener	to support
verter (ie)	to pour, spill

Verbos con preposición

verbo + a:

contribuir a	to contribute to

verbo + por:

esforzarse (ue) por	to make an effort to

Sustantivos

el	**abastecimiento**	supply
el/la	**activista**	activist
la	**advertencia**	warning
la	**albacora**	albacore tuna
la	**aleta**	fin
el	**alguacil**	sheriff
el	**aliciente**	incentive
el	**alrededor**	surrounding area
la	**amenaza**	threat
las	**andanzas**	adventures
la	**aportación**	contribution
el	**arrastre**	trawling
el	**atún**	tuna fish
la	**ayuda humanitaria**	humanitary aid
la	**carencia**	deficiency
el	**contrabando**	smuggling
el/la	**contratista**	contractor
el	**convenio**	agreement
la	**corrupción**	corruption
la	**cortesía**	courtesy
el	**crimen**	crime
el	**cumplimiento**	fulfillment
el	**desastre natural**	natural disaster
el	**empeño**	persistence
la	**expectativa**	expectation
el	**huracán**	hurricane
la	**inundación**	flooding
el	**incremento**	increase

el/la	**internauta**	Internet user
el	**juicio**	judgment
el	**lujo**	luxury
la	**marginación**	marginalization
la	**medida**	measure
la	**merluza**	hake (whitefish)
la	**orilla**	shore
la	**ortografía**	spelling
la	**refinería**	refinery
la	**remoción**	removal
el	**rendimiento**	performance
la	**represalia**	retaliation
la	**salvaguardia**	safeguard
el	**seguimiento**	tracking, monitoring
la	**sequía**	drought
el	**surgimiento**	emergence
la	**sustancia tóxica**	toxic substance
el	**terremoto**	earthquake
el	**tiburón**	shark
el	**tornado**	tornado
el/la	**usuario/a**	user
la	**violencia**	violence

Adjetivos

dañino, -a	harmful
deteriorado, -a	run down, damaged
disponible	available
eficaz	efficient
halagüeño, -a	flattering
ineficaz	inefficient
inoportuno, -a	inopportune
insostenible	unsustainable
irrepetible	unrepeatable
lejano, -a	distant
molesto, -a	bothersome
oportuno, -a	opportune, timely
perjudicial	damaging, harmful
propenso, -a	prone

Expresiones

a falta de	for want of
el agua de la llave	tap water
el agua embotellada	bottled water
al límite de su capacidad	to the limit of their capacity
al respecto	in the matter
la calidad del aire	air quality
el cartel de aviso	warning poster
de ahí que *(+ subjuntivo)*	that is why
denunciar *(un abuso)*	to report (*abuse*)
efectos perjudiciales para la salud	effects harmful to one's health
en alta mar	on the high seas
la lengua materna	mother tongue
la planta termoeléctrica	thermoelectrical plant
poner en tela de juicio	to put something in doubt
ponerse en el lugar *(de alguien)*	to put yourself in someone's place
procedente de	coming from
la salud pública	public health
si tan siquiera	if only
sustancias controladas	controlled substances
sin prescripción médica	without a prescription
sustancias estupefacientes	narcotics
el tráfico ilícito de drogas	illegal drug trafficking

A tener en cuenta

Expresiones con *hacer/hacerse*

hacer buenas/malas migas con alguien	to hit it off well/badly with someone
hacer cargo	to take charge
hacer caso	to pay attention
hacer daño	to hurt; (*of food*) to disagree with
hacer época	to be sensational, mark a new era
hacer escala	to make a stopover
hacer las paces	to make up with someone
hacer el tonto	to play the fool
hacer la vista gorda	to turn a blind eye, pretend not to notice
hacerse + me/te/le/etc.	to get the feeling (*Se nos hace que no están aquí.* We get the feeling that they're not here.)
hacerse a algo	to get used to (*No me hago al frío.* I can't get used to the cold.)
hacerse llamar	to go by the name (*Se hacía llamar María.* She went by the name of María.)

Festival de Arte

Temas

- El arte
- El baile
- La música
- El cine, la radio y la televisión

Lección A

Objetivos

Comunicación

- Hablar de las bellas artes
- Comprender el arte de varios artistas hispanos
- Entender el impacto de la población hispana en la televisión norteamericana
- Comparar las telenovelas en el mundo hispano y EE.UU.

Gramática

- Tiempos perfectos
- El imperfecto del subjuntivo
- Repaso de tiempos en pasado

"Tapitas" gramaticales

- *gran* y *grande*
- *y* o *sin*
- el género de los sustantivos
- números ordinales
- *ser* y *estar*
- *por* y *para*
- los sustantivos compuestos

Cultura

- El Museo Guggenheim Bilbao
- Fernando Botero
- La televisión hispana en Estados Unidos
- Pablo Picasso
- Frida Kahlo
- Las telenovelas

Para empezar

1 Conteste las preguntas

Piense en las respuestas a las siguientes preguntas. Puede tomar notas si lo considera necesario. Cuando termine, compare sus respuestas —pero sin mirar sus notas— con las de un/a compañero/a. Busque información en Internet si lo considera necesario.

1. ¿Quién es su artista favorito? ¿Le gusta el arte tradicional o el moderno?
2. ¿Le gusta la escultura? ¿Por qué? Nombre a algunos escultores hispanos. ¿Cuáles son algunas de sus esculturas famosas?
3. ¿Qué sabe de lo siguiente: el arte clásico, el arte del Renacimiento, el arte moderno, el arte abstracto, el realismo, el surrealismo y el arte impresionista? Nombre a algunos pintores o cuadros asociados con cada período o estilo de arte.
4. Cuando visita un museo, ¿generalmente va solo/a, con amigos o con un grupo? ¿Le gustan las visitas guiadas en los museos? ¿Piensa que los guías del museo le ayudan a uno/a a apreciar el arte, o prefiere apreciar y mirar el arte por su cuenta?
5. En un museo, ¿ha visto a algunas personas pintando copias de cuadros famosos? ¿Por qué los pintarán? ¿Qué aprenden esas personas del artista y de la pintura en general? ¿Le gustaría copiar un cuadro famoso? ¿Cuál? ¿Por qué?
6. ¿Qué tipo de música le gusta? ¿Qué opina de la música hispana? Nombre a algunos cantantes hispanos y algunas de sus canciones.
7. Algunos músicos o actores cambian su nombre; por ejemplo, el puertorriqueño Raymond Ayala es mejor conocido como Daddy Yankee. Otros artistas usan su nombre verdadero como el dominicano Juan Luis Guerra. ¿Por qué será? ¿Cuáles son las ventajas y las desventajas de usar su propio nombre cuando uno es famoso?
8. ¿Qué sabe del baile profesional, del ballet clásico o del ballet folclórico? Algunos dicen que la actividad física de los bailarines es más exigente que la de los atletas profesionales. ¿Qué opina?
9. ¿Ha visto muchas películas extranjeras? ¿Y en español? ¿A qué actores o directores de cine hispanos conoce? ¿De dónde son ellos?
10. ¿Qué cadenas de televisión hispanas conoce? ¿Conoce algunos programas o actores en estas cadenas? ¿Cuáles?

2 Mini-diálogos

Va a crear un mini-diálogo con un/a compañero/a. Lea la descripción de la conversación antes de empezar. Puede tomar notas para organizar sus ideas, pero no las mire mientras conversa. Le pueden servir los artistas en el recuadro de la página siguiente, pero hay muchos más. Búsquelos en Internet e investigue algo sobre su arte.

Escena: En la clase de español, la profesora acaba de anunciar que tienen que hacer una presentación sobre un artista hispano. Ud. y un/a compañero/a de clase hablan de los artistas hispanos que conocen.

continúa

De España:
El Greco, Velázquez, Goya, Zurbarán, Murillo, Gaudí, Sorolla, Picasso, Miró, Gris, Dalí

De las Américas:
Botero (colombiano), Roberto Matta (chileno), Francisco Zúñiga (costarricense), Wilfredo Lam (cubano), José Guadalupe Posada (mexicano), Diego Rivera (mexicano), Frida Kahlo (mexicana), José Clemente Orozco (mexicano), David Alfaro Siqueiros (mexicano), Rufino Tamayo (mexicano), María Izquierdo (mexicana), Gil de Castro (peruano), Joaquín Torres-García (uruguayo), Juan Carlos Castagnino (argentino), Prilidiano Pueyrredón (argentino)

A:	Salúdelo/la y pregúntele qué tipo de arte le gusta.
B:	Contéstele, y pídale que le sugiera un par de artistas.
A:	Dele el nombre de dos artistas muy conocidos y hable brevemente sobre ellos.
B:	Reaccione negativamente a sus sugerencias. Muestre interés por uno menos conocido.
A:	Reaccione con sorpresa. Intente convencerle de lo contrario.
B:	Reaccione cordialmente, pero rechace la sugerencia y decida qué artista va a escoger.
A:	Haga un comentario sobre su reacción. Despídase un poco ofendido/a.
B:	Despídase cordialmente.

Cita

- *La pintura abstracta es buena para hacer cortinas y forrar muebles.*
- *Cuando comienzas una pintura es algo que está fuera de ti. Al terminarla, parece que te hubieras instalado dentro de ella.*
- *En mis cuadros hay cosas improbables, no imposibles.*

—Fernando Botero (1932-), artista colombiano

Elija su cita preferida de Botero. Comparta su elección con su compañero/a.

¡Dato curioso!

¿Sabía que el pintor y escultor colombiano Fernando Botero es considerado un icono de la cultura latinoamericana? Botero nació en 1932 en Medellín, Colombia, y se conoce su obra por las figuras grandes y gorditas. A partir de 1983, Botero comenzó una serie de exposiciones a nivel mundial, y en las avenidas y plazas más famosas de muchas ciudades ya se ven sus populares esculturas.

Botero: *Una pareja*

3 Las bellas artes

Túrnese con un/a compañero/a para leer los comentarios que dos personas han escrito en un blog sobre sus intereses en el arte y la danza. Fíjese en las palabras que aparecen en azul (relacionadas con el vocabulario) y en rojo (relacionadas con la gramática), ya que en las siguientes actividades se le harán preguntas sobre ellas.

El arte y la danza

Ramón **Las artes**

Goya: *Los fusilamientos de la Moncloa* (Madrid, Museo del Prado)

En la historia de la humanidad, muchos fueron los que se destacaron en el mundo de las artes. Sería imposible incluir aquí a todos los grandes genios de la pintura, la escultura, la arquitectura o la música, pero entre ellos hay muchos hispanos que ampliaron la expresión artística del ser humano a través de los siglos. Las danzas españolas e hispanas folclóricas y la gran variedad de música hispana han mejorado la vida de muchos. Actualmente, la música no está identificada ni por regiones ni por países. La globalización de los cantantes y de los ritmos, la tecnología de los instrumentos musicales y un mundo abierto a las diversas letras de las canciones han creado una música sin fronteras. Shakira Isabel Mebarak Ripoll, más conocida como Shakira, es un buen ejemplo del fenómeno musical. Ella nació en 1977 en Barranquilla, Colombia, de padre de ascendencia libanesa, y de madre colombiana. Shakira canta en español, en inglés y en árabe y tiene éxito en casi todo el mundo. Muchos de los grandes pintores, escultores y arquitectos internacionales han sido y son hispanos. Hay tres conocidos maestros españoles: Diego Rodríguez de Silva y de Velázquez (1599–1660), El Greco, cuyo nombre verdadero fue Domenikos Theotokopoulos (1541–1614) y Francisco José de Goya y Lucientes (1746–1828). También hay influencias del muralista y pintor mexicano Diego Rivera (1886–1957), del pintor y escultor colombiano Fernando Botero (1932–), del impresionista español Joaquín Sorolla y Bastida (1863–1923) y del gran arquitecto barcelonés Antonio Gaudí (1852–1926), entre muchos más que han pasado por nuestro planeta. El arte es la expresión máxima del alma y muchos artistas hispanos nos han inspirado y nos seguirán inspirando. Las bellas artes embellecen nuestras vidas. Todo esto me apasiona.

Francesca **El baile**

Soy estudiante de danza y quiero hacerme bailarina profesional. Desde la antigüedad, el ser humano ha bailado. Me siento conectada al mundo cuando bailo. El baile siempre ha sido un signo representativo del grado de cultura o civilización de un pueblo. No sé pero. . .me siento más culta cuando bailo. A través de sus danzas, los hombres y mujeres han expresado sus sentimientos religiosos, sus costumbres sociales y políticas, sus afanes agrícolas y guerreros, sus amores y pasiones, sus emociones nobles y felices. Tres de mis danzas hispanas favoritas son la salsa, el tango y el flamenco. La música salsa es música caribeña latinoamericana que mezcla ritmos tradicionales latinos con elementos del jazz según el ejemplo del mambo y del chachachá. La música del tango se interpretaba en locales de Buenos Aires y Montevideo, en las dos últimas décadas del siglo XIX, con violín, flauta y guitarra, pero a comienzos del siglo XX se extendió por muchos rincones del mundo. Un argentino, Carlos Gardel, fue cantante y compositor de tangos, y es considerado el más importante tanguero de la primera mitad del siglo XX. El flamenco nació y se desarrolló en la región española de Andalucía durante el período que va desde el siglo XVIII hasta el siglo XX. El flamenco es una mezcla de varios estilos musicales populares con influencia judía, morisca, gitana, castellana y africana. Además del baile, el flamenco se expresa a través del cante y las palmas. He pensado en empezar un club y busco a gente que esté interesada. ¿Te apuntas?

4 Amplíe su vocabulario

Clasifique las palabras que aparecen en azul y rojo en las lecturas anteriores según sean sustantivos, adjetivos, verbos o expresiones, y relacionadas con las artes o la danza.

5 Un repaso

Complete el texto con el tiempo perfecto apropiado de los verbos entre paréntesis.

Shakira __1.__ (*actuar*) muchísimas veces en España últimamente. Ojalá yo la __2.__ (*ver*) actuar alguna vez de las que vino, pero no __3.__ (*tener*) esa suerte por ahora. Te aseguro que si Shakira __4.__ (*dar*) un concierto cuando yo estaba por aquí, yo __5.__ (*ir*). Lamentablemente nunca lo hizo cuando yo estaba, y yo __6.__ (*ser / estar*) viajando mucho al extranjero estos últimos años. Mi hermano en cambio, me imagino que no __7.__ (*perderse*) casi ni uno; es un gran admirador. Calculo que __8.__ (*asistir*) a al menos seis. Reconozco que es una mujer que engancha y que parece tener siempre una gran fuerza en el escenario. La verdad es que no me extraña porque creo que __9.__ (*prepararse*) muchísimo durante su vida para ser la artista que hoy en día es. Desde que era pequeña __10.__ (*ser / estar*) bailando y cantando, y no es que me lo __11.__ (*inventar*) yo; eso es lo que me __12.__ (*decir*).

6 "Tapitas" gramaticales

Complete las oraciones con la palabra adecuada.

a. Elija entre *gran* o *grande*.
Shakira es una __1.__ artista. Siempre actúa en un escenario muy __2.__. Por supuesto, tiene un __3.__ equipo que trabaja para ella. Además utiliza una __4.__ variedad de estilos. ¡Qué __5.__ artista!

b. Elija entre *y* o *ni*.
1. Yo no sé bailar ___ cantar.
2. No tengo ganas de ir al concierto ___ tampoco al cine.
3. Tengo que comprar las entradas del concierto ___ bajarme alguna canción para ir aprendiendo las letras.
4. ¿No me invitas ___ al cine? ¡Cómo eres!

7 ¿Qué opina?

Reaccione a lo que cada persona ha escrito en los blogs de la Actividad 3 y comparta su opinión con un/a compañero/a. Incluya palabras del vocabulario nuevo que aparecen en azul.

8 El Guggenheim

Lea el artículo que sigue, prestando atención a las palabras en azul y rojo.

El Guggenheim celebra con dos días de entrada libre su octavo aniversario

El Museo Guggenheim Bilbao no cobrará la entrada durante este fin de semana para celebrar con sus visitantes el octavo aniversario de su inauguración. El Guggenheim cumplió ocho años de vida el pasado 19 de octubre, pero la celebración del
[5] aniversario se retrasó hasta este fin de semana a la espera de que estuviese abierta al público la exposición más importante del otoño, "Arquiescultura". Los visitantes también podrán disfrutar de la muestra "Informalismo y expresionismo abstracto" en las

El Museo Guggenheim Bilbao

colecciones Guggenheim, que finaliza el domingo, y de "La materia del tiempo", el montaje de ocho gigantescas [10] esculturas de acero de Richard Serra, que ocupan la sala más grande. Desde su apertura en 1997, el Guggenheim ha recibido cerca de ocho millones de visitantes. En este tiempo, su oferta ha alcanzado las 80 exposiciones, entre muestras temporales y presentaciones de obras de su colección. En la actualidad, cuenta con el apoyo de 139 empresas e instituciones en sus programas de miembros corporativos y casi 14.500 personas forman parte del colectivo de Amigos del Museo.

www.elpais.es

9 Amplíe su vocabulario

Mire las palabras de la primera columna, que aparecen en el artículo anterior, y busque su definición o sinónimo en la segunda.

1. entrada libre	a. en expectativa de
2. cobrar	b. acto de abrir
3. retrasarse	c. coordinación de los elementos
4. a la espera de	d. ayuda
5. disfrutar	e. metal
6. muestra	f. compañía
7. montaje	g. llegar tarde
8. acero	h. exposición
9. apertura	i. recibir dinero
10. actualidad	j. gozar
11. apoyo	k. tiempo presente
12. empresa	l. permiso de entrar gratis

10 El Museo Guggenheim de Bilbao

El edificio original del Museo Guggenheim de Bilbao fue diseñado por el arquitecto canadiense Frank O. Gehry. Su forma original tiene una gran influencia en el éxito que ha tenido. ¿Puede pensar en otros museos emblemáticos? Trabaje con un/a compañero/a y hagan una lista de otros museos con una forma original que ha contribuido a su fama.

11 El imperfecto de subjuntivo en oraciones temporales en pasado

Complete las oraciones usando la forma correcta del imperfecto del subjuntivo de los verbos entre paréntesis.

1. Hasta que no ___ (*venir*) todas las obras, no podían abrir el Guggenheim.
2. Antes de que les ___ (*invitar*) los Amigos del Museo, nunca habían estado allí.
3. No podían empezar a trabajar hasta que no ___ (*llegar*) las esculturas de Richard Serra.
4. Antes de que las esculturas se ___ (*instalar*), todos estaban muy nerviosos.
5. Bilbao era una ciudad muy industrial y poco conocida antes de que ___ (*construirse*) el Guggenheim.

12 El pasado

Complete las oraciones usando la forma correcta del verbo entre paréntesis en un tiempo del pasado.

Frank Gehry __1.__ (*realizar*) innumerables obras arquitectónicas pero para los españoles su nombre siempre se asocia a Bilbao. Esta ciudad en los años anteriores a la construcción del museo __2.__ (*ser / estar*) famosa por ser terriblemente industrial. El edificio del museo es espectacular. Desde el exterior parece un barco pero se dice que Frank Gehry __3.__ (*inspirarse*) en un pez para realizarlo. Es más, cuentan que cuando __4.__ (*ser / estar*) pequeño, __5.__ (*ser / estar*) fascinado por el movimiento de ciertos peces. Hasta el año pasado yo nunca lo __6.__ (*visitar*) pero es cierto que me __7.__ (*causar*) una muy buena impresión. ¿Y tú? ¿ __8.__ (*ser / estar*) alguna vez en Bilbao?

13 "Tapitas" gramaticales

Complete las oraciones con la palabra adecuada.

a. **Elija entre *el* o *la*.**
   1. ___ inauguración fue el pasado sábado.
   2. ___ celebración del octavo aniversario fue un éxito.
   3. ___ colección plasma los principales momentos.

b. **Escriba los números ordinales en letra en los mini-diálogos según las pistas.**

-¿Éste fue su __1.__ (1°) cuadro?
-No, fue el __2.__ (2°).

-Éste es el __3.__ (3°) proyecto que rechaza.
-¿El __4.__ (3°)? ¿En serio?

-Es la __5.__ (1°) vez que estoy en Bilbao.
-Pues ésta es la __6.__ (5°) para mí.

14 Escriba un SMS

En el Museo Guggenheim de Bilbao, Ud. ha recibido este mensaje de su amigo/a. Antes de responderle con sus primeras impresiones, busque más información sobre el museo.

Oye, te llamé por teléfono el martes pero no contestaste. Tu madre me acaba de decir que estás de viaje. ¿Dónde estás?

15 Fernando Botero

Lea el artículo y decida qué artículo o preposición completa de mejor manera cada oración.

Botero tendrá su propio museo

Botero: *La Venus de Broadgate*

La "Ciudad Botero", un museo con 14 esculturas monumentales y más __1.__ (*que / de*) 100 cuadros de las famosas figuras gordas de Fernando Botero, será abierta el 15 de octubre en Medellín, la ciudad natal __2.__ (*de / del*) célebre artista. Ya están en Medellín 75 obras y __3.__ (*a / al*) puerto de Cartagena llegaron cuatro esculturas gigantes procedentes de Italia y donadas __4.__ (*por / para*) el pintor. "Para Medellín, esto es __5.__ (*lo / el*) más grande que le ha pasado, porque aparte __6.__ (*de / para*) la belleza y el valor de las obras donadas por Botero, esto es un proyecto de ciudad", dijo hoy Pilar Velilla, directora del Museo de Antioquia. "Estamos saliendo __7.__ (*que / de*) ser la ciudad del cartel de Medellín (el epicentro del mayor cartel de la cocaína en la década de los años 80) a ser una ciudad de cultura y creación", agregó Velilla __8.__ (*en / a*) una entrevista telefónica. Como recuerdo de aquella época de terror cuando Medellín era el epicentro de carros-bomba, asesinatos y secuestros ordenados por Pablo Escobar, __9.__ (*un / una*) finado líder del cartel de la droga, Botero envió dos cuadros: *Escobar muriendo en un tejado ante las balas de la ley* y *La explosión de* __10.__ (*una / un*) *carro-bomba*. Botero es el artista colombiano más conocido internacionalmente. Sus esculturas han sido expuestas en las ciudades más importantes del orbe. __11.__ (*Unos / Los*) parisinos las vieron en los Campos Elíseos, estuvieron en Park Avenue en Nueva York, así como en Florencia y Tokio, entre otras famosas plazas artísticas. La donación de sus obras y su colección personal de otros artistas está avaluada en más __12.__ (*de / que*) 60 millones de dólares y será __13.__ (*la / el*) más grande del artista en el mundo. Bogotá también recibirá más __14.__ (*que / de*) 100 cuadros y 17 esculturas de Botero, conocido __15.__ (*por / para*) sus figuras rollizas. Botero dirigirá personalmente __16.__ (*lo / el*) montaje de sus obras tanto en Bogotá como __17.__ (*en / para*) Medellín.

www.eldiariohoy.com

16 Amplíe su vocabulario

Según el artículo que acaba de leer, complete cada oración con una breve definición que muestre que comprende el significado de las palabras.

1. Un cuadro es un objeto que... .
2. Mi ciudad natal es donde... .
3. Una escultura que ha sido donada es aquélla que... .
4. Un recuerdo es algo que... .
5. El tejado es la parte de la casa que... .
6. Un parisino es una persona que... .
7. Una persona que está rolliza es alguien que... .

17 Ser y estar

Complete el correo electrónico usando la forma correcta del verbo *ser* o *estar*.

Enviar | Guardar ahora | Descartar

Para: Elisa

Asunto: La exposición de Botero

Adjuntar un archivo Insertar: Invitación

Hola Elisa,

¿Sabes que la exposición de Botero ya __1.__ abierta? Ayer __2.__ allí con mi madre y le encantó. Ella también me dijo que __3.__ increíble lo buenas que __4.__ sus obras. La mayoría __5.__ esculturas inmensas de mujeres que __6.__ muy gorditas. Es posible que las modelos no lo __7.__ en verdad, pues hasta los muebles y las plantas los dibuja así. Tú ya me conoces, y no es que yo __8.__ la persona experta en arte, de hecho yo __9.__ muy verde en este tema. Pero te prometo que __10.__ una muestra muy interesante; te aseguro que si vas, __11.__ una de esas noches que no olvidarás. Yo creo que la exposición __12.__ un éxito total porque ayer ya todas las salas __13.__ llenas y todos __14.__ comentando los aspectos interesantes de la obra. Desde luego que todos __15.__ entusiasmados. ¿ __16.__ libre el sábado que viene? Hay una charla sobre toda su obra. __17.__ en el mismo museo a las siete. ¿Te apetece ir? Cuando __18.__ libre, escribe de vuelta.

Besitos, Ana

18 "Tapitas" gramaticales

Conteste estas preguntas relacionadas con el artículo sobre Botero.

1. ¿Por qué se usa *célebre artista* y no *artista célebre*? ¿Qué diferencia hay?
2. ¿Por qué se usa *para* y no *por* en la frase "Para Medellín, esto es"? ¿Qué quiere decir *esto* en este caso?
3. Hable sobre la formación de las palabras como *el carro-bomba*. ¿Cómo se determina el género de los sustantivos compuestos? ¿Cuál sería el plural de esta palabra? ¿Hay una regla en general? Explíquela. Piense en tres otros ejemplos de sustantivos compuestos.

Compare

¿Qué tres libros o películas han causado polémica en los EE.UU.?

¡Dato curioso!

¿Sabía que la película *El código Da Vinci* fue un éxito taquillero? Ganó 224 millones de dólares en todo el mundo durante los tres primeros días a pesar de una fuerte polémica en torno a la película. La película despertó la ira de la iglesia católica por decir que Jesucristo tuvo descendencia con María Magdalena. *El código* es el segundo éxito taquillero más grande de la historia, después de la película *Star Wars*. El libro de Dan Brown también fue un éxito, con más de 40 millones de copias vendidas en todo el mundo desde su publicación en 2003.

Idioma

19 Familia de palabras

Complete la tabla con el arte, la persona que lo hace, el verbo asociado, y la traducción correspondiente.

Arte		Persona		Verbos	
la arquitectura	______	el/la arquitecto/a	______	construir, edificar; diseñar	*to construct, build;* ______
el baile, la danza	______	el/la bailarín (a)	______	______	______
______	*song*	el/la cantante	______	______	______
el dibujo	______	el/la dibujante	______	______	______
la escultura	______	el/la escultor (a)	______	esculpir	______
la película;	*film, movie;*	el/la director (a);	______;	filmar, rodar una película	______
		el/la productor (a);	______;		
la cinematografía;	______	el/la cinematógrafo/a;	______;		
el guión	______	el/la guionista	______		
el mural	______	el/la muralista	______	______	______
la música	______	______	*musician*	______	______
la pintura, el cuadro	*painting*	______	*painter*	______	______
la obra de teatro	______	______ ______	*actor, actress*	hacer/interpretar un papel	______

20 ¿Verbo, sustantivo o adjetivo?

Complete las oraciones usando la forma correcta de las palabras que aparecen en la tabla, ya sea verbo, sustantivo o adjetivo. En el caso del sustantivo puede que necesite artículo.

1. Dan Brown, el autor de *El código Da Vinci,* también fue uno de ___ (*guión*) de la película basada en la novela que tuvo gran fama por todo el mundo.
2. Había una muestra en el Prado de Madrid de unos cincuenta ___ (*dibujar*) hechos por Goya durante sus últimos años de vida. Francisco de Goya era un gran pintor y ___ (*dibujo*).
3. ¿Sabía que ___ (*cantar*) cubana-americana, Gloria Estefan, se ha recuperado de un accidente que casi le cuesta la vida en 1990 y que le produjo graves lesiones en la espalda?
4. Muchos aficionados del ___ (*cine*) asistieron al festival de cine de Cantinflas, actor y cómico mexicano.

5. El ___ (*arquitectura*) español Antonio Gaudí nunca terminó su obra cumbre, la Catedral de la Sagrada Familia en Barcelona. Trabajó en ella hasta su muerte en 1926.
6. Sería muy interesante hablar con Fernando Botero, ___ (*pintar*) y ___ (*esculpir*) colombiano, antes de que él empezara a ___ (*escultura*) una de sus creaciones gigantescas.

7. Los bailarines del Ballet Folclórico de México presentarán ___ (*bailar*) típicos del pueblo mexicano antes de la toma de posesión del nuevo presidente mexicano.
8. ___ (*Pintar*) mexicana Frida Kahlo se casó dos veces con Diego Rivera, ___ (*mural*) mexicano: en 1932 y 1940.
9. Con películas en tres idiomas como *Volver* del director español Pedro Almodóvar, *Vanilla Sky* con Tom Cruise y *Belle Epoque*, ___ (*actor*) Penélope Cruz ha hecho diversos ___ (*actor*) que muestran su gran talento.
10. En 1997, la película y la música de *Buena Vista Social Club* mostró las vidas y las carreras de algunos ___ (*música*) cubanos de los años 40 en Cuba.

Cita

Hija de una isla rica, esclava de una sonrisa, soy calle y soy carnaval, calle, corazón y tierra, mi sangre es de azúcar negra, es amor y es música. ¡Azúcar!

—Letra de la canción "Azúcar negra" de Celia Cruz (1929–2003), cantante cubana, Reina de la Salsa

¿Conoce a Celia Cruz, su famoso grito de "¡Azúcar!" y su música? ¿Conoce a otros músicos con expresiones peculiares? ¿Quiénes son, y qué dicen? ¿En qué consiste ser "reina" o "rey" de la música? ¿Quiénes son otros reyes o reinas de la música? Comparta sus respuestas con un/a compañero/a.

¡Dato curioso!

¿Sabía que Diego de Silva y Velázquez, pintor español (1599–1660), pintaba retratos de la corte del rey Felipe IV para ganarse la vida? En la vida artística de este gran pintor hay tres nombres claves: El Greco, que tenía ya 70 años cuando el joven Velázquez lo visitó en su estudio de Toledo; el pintor italiano Caravaggio (1573–1610); y Pedro Pablo Rubens, pintor flamenco (1577–1640). De todos Velázquez aprendió técnicas importantes.

Celia Cruz

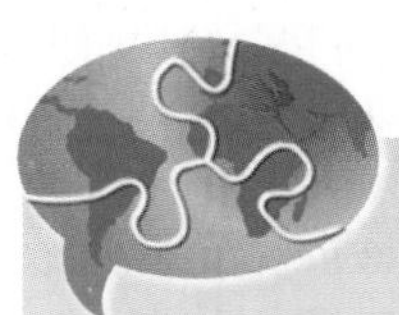

Compare

¿Cuáles son los dos cantantes más influyentes de los últimos años en los EE.UU. en música country? ¿Y de otros dos tipos de música? ¿Y los pintores? ¿Y los bailarines? Compare su estilo e influencia con la de algún artista latino.

21 Frida

Lea el siguiente artículo con atención, fijándose en las palabras en azul, ya que se le harán preguntas sobre ellas.

Dirección www.eldiariony.com

Archivo Edición Ver Favoritos Herramientas Ayuda

Los mundos de Frida Kahlo

Con un enfoque único de la obra de una de las artistas más representativas del siglo XX, el Museo de Arte de Ponce, Puerto Rico, (MAP), presenta la muestra "Frida Kahlo y sus mundos". Más de 250 objetos presentes en esta exhibición evidencian la gran influencia que ejerció el trabajo de la mexicana en el arte popular. Las 21 pinturas sobre tela, metal, madera y papel, 16 dibujos, diez bocetos y dos grabados y acuarelas elaboradas por Kahlo desde 1925 integran esta muestra, además de la obra de otros artistas como Diego Rivera, Rufino Tamayo, Abraham Ángel, Hemernegildo Bustos, José María Velasco, Guillermo Kahlo, entre otros. "El positivismo, una enseñanza popular", "El estudio fotográfico y el retrato" y "La educación cultural y artística" son los títulos de tres de las cinco secciones que conforman la exposición. Cada una de ellas refleja las influencias y la evolución del arte de Kahlo. La primera presenta cómo el desarrollo del sistema educativo post revolucionario mexicano predominó en el trabajo de la artista. Dentro de las obras destacadas en esta sección se encuentran los bocetos de José María Velasco, que hacen alusión al desarrollo evolutivo de las especies basado en la teoría "darwiniana". En "Diego Rivera, Frida Kahlo y el arte popular", otra de las secciones presentes, se muestran objetos de arte folklórico, trajes indígenas tradicionales y joyería y cerámica precolombina, que eran coleccionados por Kahlo y Rivera para posteriormente representarlos en sus trabajos. También se pueden apreciar obras como *Autorretrato en la frontera de México y Estados Unidos* y *Allí cuelga mi vestido* realizados por la mexicana durante el período que acompañara a su esposo en sus viajes a Estados Unidos para pintar murales. Las dos últimas secciones están conformadas por fotografías de primera clase de Kahlo en su reconocida Casa Azul, que se convirtiera en museo después de su muerte.

Kahlo: *Raíces*

22 Amplíe su vocabulario

Mire las palabras de la primera columna, que aparecen en el artículo anterior, y busque su definición o sinónimo en la segunda.

1. enfoque	a. ropa típica de un país
2. ejercer	b. retrato que se hace uno de sí mismo
3. tela	c. tener
4. boceto	d. después
5. grabado	e. pruebas que hace un artista con un dibujo antes de su obra final
6. acuarela	f. forman, constituyen
7. conformar	g. hecho, llevado a cabo
8. obra destacada	h. forma en la que se trata un problema
9. traje indígena	i. tejido, material con el que haces ropa o un lienzo
10. posteriormente	j. arte en el que se graba o inscribe sobre una superficie
11. autorretrao	k. importante trabajo
12. realizado	l. pintura realizada con colores diluidos en al agua

23 ¿Ha comprendido?

1. ¿Por qué escogió el Museo de Arte de Ponce, Puerto Rico, la obra de Frida Kahlo?
   a. Ya tiene una gran colección de su obra en el museo y era lógico escogerla.
   b. Hay mucha variedad en la obra de Frida Kahlo.
   c. La obra de Frida Kahlo es muy exclusiva, según el museo, y quería presentar a un solo artista.
   d. La obra de Frida Kahlo influyó mucho en el arte popular.
2. ¿Cuántas secciones en total hay en la muestra?
   a. Dos
   b. Tres
   c. Cuatro
   d. Cinco
3. ¿Cuál es el tema de la primera sección de la obra de Frida Kahlo?
   a. La enseñanza como influencia sobre Frida
   b. Recuerdos de su casa donde creció
   c. La revolución mexicana
   d. El darwinismo
4. ¿Cuál es el tema de otra sección de la obra de Frida Kahlo?
   a. Los autorretratos
   b. El arte folklórico
   c. El darwinismo
   d. Todas las respuestas anteriores
5. ¿Cuántos mundos de Frida Kahlo están presentes en la muestra?
   a. Dos
   b. Tres
   c. Cinco
   d. No se precisa.
6. Si tuviera que consultar otra fuente, ¿cuál de estos libros consideraría más interesante para escribir sobre lo que leyó?
   a. Frida Kahlo y la fotografía
   b. Casas azules famosas
   c. Las influencias y la evolución del arte de Frida
   d. Las joyas y cerámica precolombinas

Cita

Los espejos sirven para verse la cara, el arte para verse el alma.
—Frida Kahlo (1907–1954), pintora mexicana

Frida empezó a pintar durante una larga convalecencia después de sufrir un trágico accidente. Pintaba imágenes de su cuerpo destrozado con expresiones alucinantes, y a veces brutales. ¿Qué revela esto del alma de Frida? Busque sus obras en Internet y úselas para contestar la pregunta. Comparta su opinión con un/a compañero/a.

24 Las cadenas en español 

Échele una ojeada al pasaje que sigue para ver de qué se trata, prestando atención a las palabras en azul, ya que se le harán preguntas sobre ellas. Luego lea el artículo y decida qué forma de las palabras entre paréntesis es la correcta para completar cada oración y escríbala. No se olvide de escribir y acentuar las palabras correctamente.

Televisión hispana busca captar más audiencia con nueva programación

Las grandes cadenas de televisión en español de Estados Unidos presentaron esta semana una nueva programación para la próxima temporada, con __1.__ (*el*) que esperan aumentar su audiencia y, sobre todo, 5 sus ingresos publicitarios. Los primeros en hacerlo fueron TV Azteca y Telemundo, y hoy le __2.__ (*tocar*) el turno a Univisión, que durante su presentación —para __3.__ (*el*) cual contó con varias de sus principales figuras—, inició con un musical tipo Broadway, e 10 insistió a los representantes de agencias de publicidad que ellos son la mejor alternativa para colocar sus anuncios. Los principales ejecutivos de Univisión, desde su presidente Ray Rodríguez, destacaron las estadísticas que la colocan como la primera cadena en 15 español y __4.__ (*el quinto*) en EE.UU. en __5.__ (*ambos*) idiomas, con 2,2 millones de televidentes entre los 18 y 49 años. En ese sentido, la empresa destacó además que en 146 de las 231 noches de esta temporada hasta la fecha, Univisión superó a ABC, CBS, NBC 20 o Fox, captando la audiencia adulta entre los 18 y 34 años. Aunque las cadenas no comentan sobre el tema, analistas __6.__ (*consultado*) por el *Wall Street Journal* aseguran que con la presentación de hoy, Univisión busca generar hasta mil millones de dólares en 25 publicidad, __7.__ (*sobrepasar*) la cifra de 850 millones del año pasado. Para la nueva temporada, __8.__ (*cuyo*) fecha de inicio no indicaron, la cadena anunció en primer lugar su programación deportiva, en particular el Mundial del Fútbol en Alemania, aunque 30 no será hasta el verano del 2006, con una audiencia que se espera alcance los 45 millones de espectadores. También lo que ha sido su fórmula __9.__ (*ganador*), los melodramas, y para ello continuarán su relación con Televisa —socia fundadora de Univisión— pese a la 35 disputa que involucra a ambas compañías y que incluye renuncias y una demanda en la corte federal de Nueva York por regalías. Rodríguez recordó, en conferencia de prensa al __10.__ (*culminar*) la presentación, que el contrato con Televisa __11.__ (*seguir*) vigente hasta el 40 2017, "por lo que seguiremos transmitiendo novelas" producidas por esa empresa. Televisa, el mayor productor de contenido para la televisión hispana, suple el 70 por ciento de la programación del horario estelar de Univisión, empresa en la que además tiene 45 una participación cerca del 10,9 por ciento. Rodríguez aseguró que las renuncias de ejecutivos de Televisa a la junta de directores de Univisión (molestos por el nombramiento de Rodríguez) no afectará la programación que ofrecen a la comunidad latina. Los 50 melodramas en horario estelar __12.__ (*incluir*) "El amor no tiene precio", producida en EE.UU., "Contra viento y marea", realizada en México y Latinoamérica, "Alborada", desarrollada en el México de los 1800, y "Piel de Otoño", con filmaciones en España. Mientras 55 Univisión, empresa que además incluye Galavisión y TeleFutura, presentó una programación que no produce en su totalidad, Telemundo __13.__ (*basar*) su estrategia publicitaria en destacar precisamente sus propias producciones. Telemundo enfatizó en su 60 presentación, también en Nueva York y un día antes que Univisión, que producirá o coproducirá los cuatro culebrones que formarán parte de su nuevo bloque en horario estelar. También producirá __14.__ (*el*) serie "Pedro Navaja", basada en la canción del cantautor 65 panameño Rubén Blades. Alicia Falcón, gerente de Operaciones de Univisión, dijo que la cadena produce varios programas, entre __15.__ (*el*) destacó "Despierta América" y otros que presentan las cadenas hermanas. "Punto de encuentro", un programa de 70 discusión y análisis que se transmite los domingos a cargo del periodista Jorge Ramos, "¡Ay qué noche!", con entrevistas exclusivas a personalidades, y los especiales "En exclusiva con Myrka Dellanos" y "Soñando contigo", que conducirá Cristina Saralegui, 75 forman parte de lo nuevo de Univisión. También los premios Grammy Latino, el próximo 3 de noviembre, cuyo contrato de exclusividad __16.__ (*ser*) firmado hace dos semanas, y que antes presentó CBS. En cuanto a TeleFutura, __17.__ (*el*) nuevo incluye el 80 espacio noticioso "En vivo y en directo", películas premiadas con un Oscar, la novela infantil "Sueños y caramelos" y deportes, mientras que en Galavisión debutarán el programa interactivo "Acceso máximo", "En profundidad", de análisis de noticias, y "El rastro 85 del crimen". El evento de Univisión culminó con la presentación de David Bisbal y contó además con la ganadora de Objetivo Fama, Anaís Martínez.

www.laraza.com

25 ¿Qué significa?

Según el contexto del artículo anterior, empareje las palabras de la primera columna con su traducción correspondiente en la segunda.

1. temporada	a. long and melodramatic soap opera
2. ingresos publicitarios	b. to put or place
3. tocar el turno	c. sister channels
4. colocar	d. come hell or high water
5. sobrepasar	e. to continue to be in force
6. pese a	f. singer-songwriter
7. involucrar	g. to surpass
8. renuncia	h. profits from ads
9. regalía	i. to emphasize
10. seguir vigente	j. led by
11. contra viento y marea	k. dawn
12. alborada	l. news slot
13. enfatizar	m. season
14. culebrón	n. in spite of
15. cantautor	o. royalty
16. cadenas hermanas	p. resignation
17. a cargo de	q. to be next
18. espacio noticioso	r. to involve

26 Lea, escuche y escriba/presente

Vuelva a leer el texto completo de la Actividad 24. Luego escuche "Radio hispana: un negocio que nadie se quiere perder" y tome las notas necesarias. Escriba un ensayo o haga una presentación en clase sobre "El público hispano: mercado abierto en la televisión y en la radio". No se olvide de citar las fuentes debidamente.

Cita

Un pintor es un hombre que pinta lo que vende. Un artista, en cambio, es un hombre que vende lo que pinta. Yo pinto las cosas no como las veo, sino como las pienso.

—Pablo Picasso (1881–1973), pintor español

¿Qué diferencia hay entre pintar lo que uno ve y pintar lo que uno piensa? Comparta opiniones con un/a compañero/a.

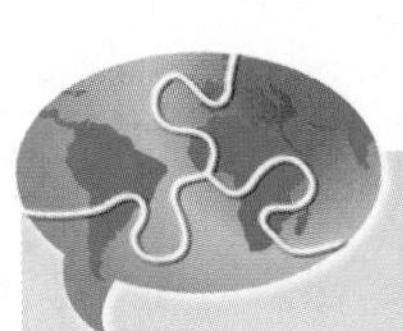

Compare

¿En qué series aparecen actores latinos? ¿Cree que tienen una gran presencia en la pantalla? ¿Qué series o programas cree que son de interés para la audiencia latina en los EE.UU.? ¿Qué piensa de los premios ALMA? ¿Piensa que son vistos por audiencia no latina? ¿En qué se diferencian los premios ALMA de los Oscares?

¡Dato curioso!

¿Sabía que después del gran éxito de *American Idol*, Sony Entertainment presenta *Latin American Idol* y así esperan unir a países latinos a través de la música? Se anticipa que toda Latinoamérica estará unida con un solo propósito: ver nacer al próximo ídolo de la canción en español. La música borra las fronteras y éste será un claro ejemplo de ello. El programa se estrenó en julio de 2006, en Buenos Aires, Argentina.

27 Picasso 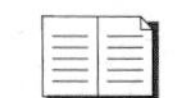

Lea el artículo y decida cuál de las palabras entre paréntesis es la correcta para completar cada oración. Después conteste las siguientes preguntas:

- ¿Cuál es el propósito del artículo y cómo lo resumiría en una frase?
- Si quisiera consultar otra fuente, ¿podría pensar en un posible título de una publicación?
- ¿Qué pregunta sería apropiada para hacerle al autor después de leer el artículo?

Un Picasso recuperado de los nazis, en subasta de arte moderno

Un retrato del período neoclásico del pintor español Pablo Picasso, robado por los nazis y luego restituido al coleccionista que lo __1.__ (*adquiría / adquirió*), es el plato fuerte de la temporada de subastas de arte moderno que se inicia esta semana en Nueva York. *Tête et Main de Femme* (1921), un "ejemplo supremo" del llamado período neoclásico del maestro español, que __2.__ (*sale / salga*) a subasta el 4 de mayo, no tiene un precio de venta estimado __3.__ (*por / para*) los expertos de Christie's, pero éstos creen que podría venderse por entre 13 y 15 millones de dólares. Este retrato de una mujer de enormes manos y mirada baja, __4.__ (*pintado / pintada*) con tonos ocres, __5.__ (*era / fue*) adquirido por el coleccionista francés Alphonse Kann en la Galerie Simon de París, en 1923, y robado de su casa por los nazis en 1940, durante la ocupación de la capital __6.__ (*francés / francesa*). La obra pasó por otras manos hasta que fue restituida a la familia Kann en 2003, año en que __7.__ (*el / la*) vendieron a un coleccionista privado que ahora la pone a la venta, __8.__ (*explicó / explicaron*) los especialistas de Christie's en una presentación a la prensa. Sotheby's también pondrá a la venta una obra de Picasso, titulada *Les Femmes d'Alger* (1955), que __9.__ (*está / es*) parte de la serie homónima integrada por quince lienzos que plasman harenes de mujeres del Norte de África. La obra, con un precio estimado por los expertos de entre 15 y 20 millones de dólares, fue adquirida por los coleccionistas neoyorquinos John A. Cook y su esposa en 1962, y desde entonces no __10.__ (*salió / ha salido*) a subasta, por lo que se

espera que __11.__ (*despierta / despierte*) especial interés en el mercado. La pintura es una de las representaciones más detalladas de la serie de Picasso __12.__ (*sobre / en*) las mujeres de Argelia; en 1956 la serie fue adquirida en su totalidad por __13.__ (*los / las*) coleccionistas Víctor y Sally Ganz por 212.000 dólares. En la venta de Christie's también destaca el óleo de Cézanne, *Les grands arbres au Jas de Bouffan*, un paisaje con valor estimado de entre 12 y 16 millones de dólares y que representa una ruptura con el __14.__ (*estilo anterior / anterior estilo*) de este máximo exponente del Impresionismo.

www.laraza.com

28 Amplíe su vocabulario 

Mire las palabras de la primera columna, que aparecen en el artículo anterior, y busque su definición o sinónimo en la segunda.

1. recuperar	a. puja
2. subasta	b. devolver
3. restituir	c. separación
4. tonos ocres	d. tonos tierra
5. poner a la venta	e. reponer
6. lienzo	f. tela
7. plasmar	g. sacar al mercado
8. ruptura	h. figura máxima
9. máximo exponente	i. reflejar

29 Lea y escriba/presente

Vuelva a leer el artículo completo anterior. Luego escriba un ensayo o haga una presentación en clase sobre el tema "El valor del arte en las subastas de obras de arte".

30 Picasso

Lea el artículo y complete los espacios con las palabras adecuadas. Después conteste las siguientes preguntas:

- ¿Cuál es el propósito del artículo?
- ¿Cómo resumiría el artículo en una frase?

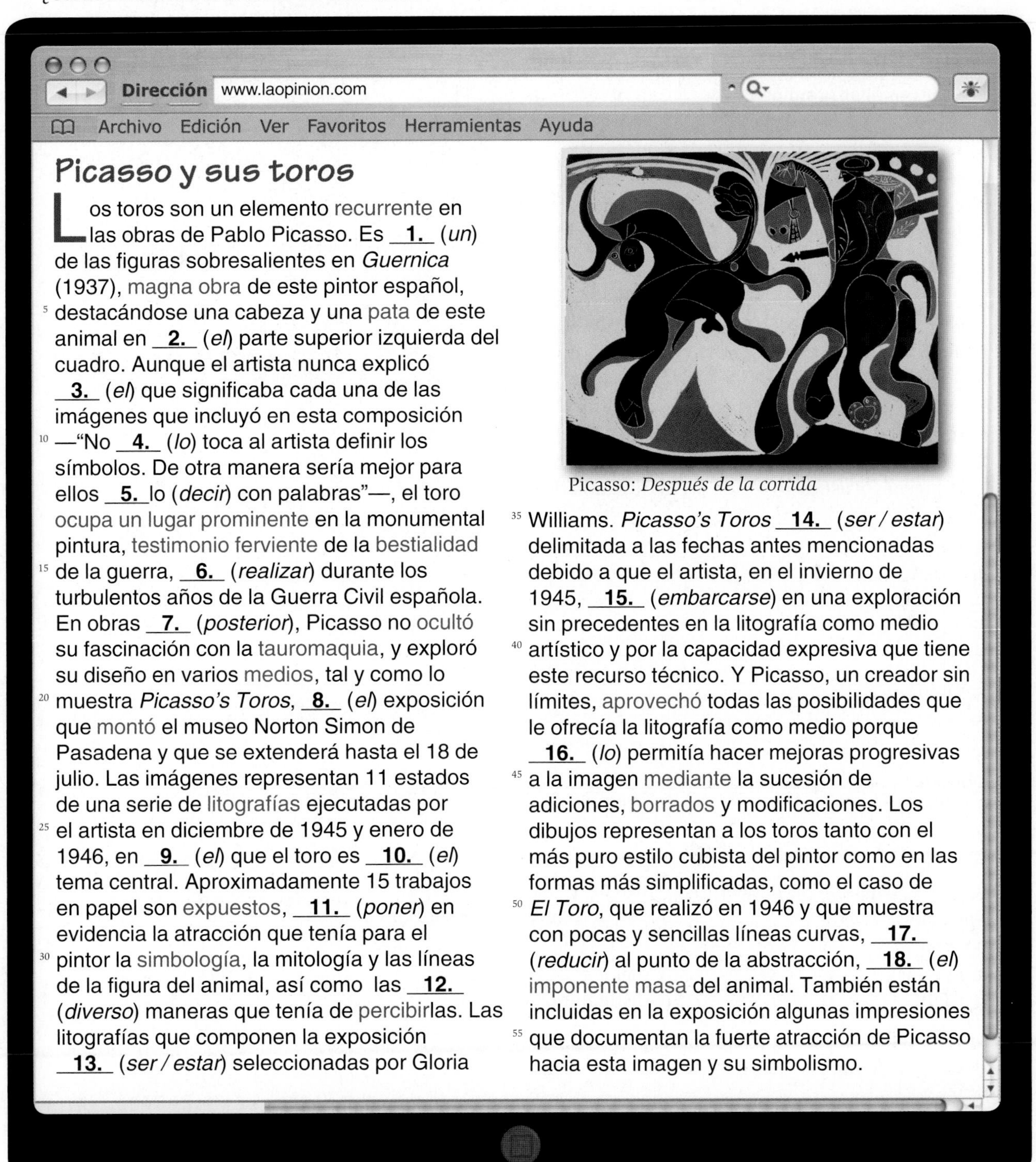

Picasso y sus toros

Los toros son un elemento recurrente en las obras de Pablo Picasso. Es __1.__ (*un*) de las figuras sobresalientes en *Guernica* (1937), magna obra de este pintor español, destacándose una cabeza y una pata de este animal en __2.__ (*el*) parte superior izquierda del cuadro. Aunque el artista nunca explicó __3.__ (*el*) que significaba cada una de las imágenes que incluyó en esta composición —"No __4.__ (*lo*) toca al artista definir los símbolos. De otra manera sería mejor para ellos __5.__ lo (*decir*) con palabras"—, el toro ocupa un lugar prominente en la monumental pintura, testimonio ferviente de la bestialidad de la guerra, __6.__ (*realizar*) durante los turbulentos años de la Guerra Civil española. En obras __7.__ (*posterior*), Picasso no ocultó su fascinación con la tauromaquia, y exploró su diseño en varios medios, tal y como lo muestra *Picasso's Toros*, __8.__ (*el*) exposición que montó el museo Norton Simon de Pasadena y que se extenderá hasta el 18 de julio. Las imágenes representan 11 estados de una serie de litografías ejecutadas por el artista en diciembre de 1945 y enero de 1946, en __9.__ (*el*) que el toro es __10.__ (*el*) tema central. Aproximadamente 15 trabajos en papel son expuestos, __11.__ (*poner*) en evidencia la atracción que tenía para el pintor la simbología, la mitología y las líneas de la figura del animal, así como las __12.__ (*diverso*) maneras que tenía de percibirlas. Las litografías que componen la exposición __13.__ (*ser / estar*) seleccionadas por Gloria Williams. *Picasso's Toros* __14.__ (*ser / estar*) delimitada a las fechas antes mencionadas debido a que el artista, en el invierno de 1945, __15.__ (*embarcarse*) en una exploración sin precedentes en la litografía como medio artístico y por la capacidad expresiva que tiene este recurso técnico. Y Picasso, un creador sin límites, aprovechó todas las posibilidades que le ofrecía la litografía como medio porque __16.__ (*lo*) permitía hacer mejoras progresivas a la imagen mediante la sucesión de adiciones, borrados y modificaciones. Los dibujos representan a los toros tanto con el más puro estilo cubista del pintor como en las formas más simplificadas, como el caso de *El Toro*, que realizó en 1946 y que muestra con pocas y sencillas líneas curvas, __17.__ (*reducir*) al punto de la abstracción, __18.__ (*el*) imponente masa del animal. También están incluidas en la exposición algunas impresiones que documentan la fuerte atracción de Picasso hacia esta imagen y su simbolismo.

Picasso: *Después de la corrida*

31 Amplíe su vocabulario

Según el contexto del artículo anterior, ¿cuál es la mejor definición o sinónimo de cada palabra?

1. recurrente
   a. actual — b. moderno
   c. repetido — d. profundo
2. magna obra
   a. libro muy grande — b. cuadro extraordinario
   c. empresa espaciosa — d. función ilustre
3. pata
   a. pie y pierna de un animal — b. nariz de un animal
   c. forma femenina de pato — d. pierna pequeña
4. ocupar un lugar prominente
   a. estimar — b. señalar sutilmente
   c. tener fama — d. destacarse
5. testimonio ferviente
   a. confirmación apasionada — b. justificación débil
   c. prueba sin pasión — d. explicación ridícula
6. bestialidad
   a. amistad — b. crueldad
   c. sensibilidad — d. suavidad
7. ocultar
   a. aparecer — b. mostrar
   c. descubrir — d. esconder
8. tauromaquia
   a. relacionado con las máquinas — b. relacionado con los toros
   c. expresión artística — d. ninguna de las respuestas anteriores
9. medio
   a. forma — b. condición artística
   c. artista — d. bosquejo
10. montar
    a. pagar — b. alquilar
    c. recoger — d. organizar
11. litografía
    a. óleo — b. acuarela
    c. dibujo — d. arte de reproducir dibujos
12. expuesto
    a. protegido — b. exhibido
    c. escondido — d. omitido
13. simbología
    a. uso de perspectivas diferentes — b. uso de lienzos diferentes
    c. uso de símbolos — d. uso de colores para expresar emociones
14. percibir
    a. ignorar — b. oler
    c. sentir — d. distinguir

15. aprovechar
    a. emplear
    b. perder
    c. disminuir
    d. dañar
16. mediante
    a. para
    b. por
    c. desde
    d. hacia
17. borrado
    a. producto final
    b. óleo
    c. tachado
    d. raya
18. imponente masa
    a. conjunto minúsculo
    b. conjunto grandioso
    c. unidad imperceptible
    d. totalidad mediana

32 Lea, escuche y escriba/presente

Vuelva a leer los dos artículos completos sobre Picasso, y luego escuche "MoMa restaura *Las señoritas de Aviñón*" y tome las notas necesarias. Escriba un ensayo o haga una presentación en clase sobre "Pablo Picasso: maestro del siglo XX". Si quiere, busque más información sobre el arte de Picasso en Internet. No se olvide de citar las fuentes debidamente.

Cita

La única diferencia entre un loco y yo, es que el loco cree que no lo está, mientras yo sé que lo estoy.

—Salvador Dalí (1904–1989), pintor surrealista español

¿Conoce Ud. el arte de Dalí? Si no, busque muestras de su arte en Internet. ¿Es difícil de interpretar su arte? ¿Por qué? ¿Cree que Dalí estaba loco o, por el contrario, fue un valiente por actuar y pintar de la forma en que lo hizo? Comparta su opinión con un/a compañero/a.

¡Dato curioso!

¿Sabía que Goya, además de ser pintor y dibujante, revolucionó la industria de los tapices, pintando escenas de la vida cotidiana en ellos? También fue un gran amante de las corridas de toros y en su vejez hizo una serie de grabados sobre la tauromaquia. Las figuras de estos grabados —hechas de memoria— son de un realismo increíble. Goya admiraba el peligro que afrontaba el torero y sentía cierta atracción hacia el riesgo.

Goya: *La corrida*

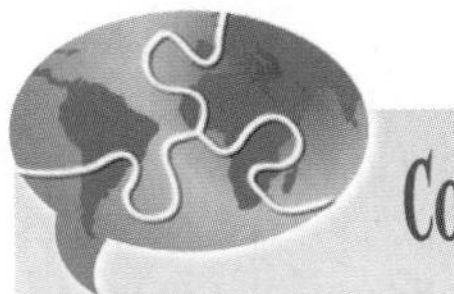

Compare

A Dalí siempre le gustaba llamar la atención y escandalizar. ¿Puede pensar en cinco famosos/as en los EE.UU. que tienen o tuvieron una personalidad similar?

¡A leer!

33 Antes de leer

¿Sabe algo de las telenovelas? ¿Le parecen interesantes? ¿Ha visto alguna o parte de alguna en un canal en español? Si así es, cuéntele a su compañero/a de qué se trataba y qué le pareció.

34 Las telenovelas

Lea con atención el siguiente artículo. Después conteste las siguientes preguntas:

- ¿Cuál es el propósito del artículo?
- ¿Cómo resumiría el artículo en una frase?
- Si quisiera consultar otra fuente, ¿podría pensar en un posible título de una publicación?
- ¿Qué pregunta sería apropiada para hacerle al autor después de leer el artículo?

El impacto de las telenovelas

El término es el resultado de la fusión de las palabras: tele (de televisión) y novela (el género literario romántico). Es también conocida como teleromance, llamada novela de TV o simplemente novela en Brasil; teleteatro o tira en Argentina; culebrón (por su larga duración) en España y Venezuela; seriado (por la cronología) en Colombia.

El habla cotidiana en países latinoamericanos acepta el uso de novela como apócope para referirse a la obra audiovisual. En Europa, se prefiere usar telenovela, con el fin de distinguir el trabajo audiovisual de la obra literaria.

Impacto económico

Las telenovelas se pueden comparar mejor al cine hollywoodense más que a las soap operas por la importancia económica que tienen en países como México, Colombia, Argentina o Brasil. Destinan grandes presupuestos sabiendo que obtendrán grandes beneficios. Sólo en 1997, las ventas de Televisa por telenovelas fueron aproximadamente 100 millones de dólares y en 2008 las ventas sumaron 400 millones de dólares, es decir sólo un poco menos que los ingresos de la BBC de Gran Bretaña y comparables a los 500 millones de dólares en ventas de la estadounidense Warner Brothers. En muchos canales, las telenovelas actúan como una columna vertebral de la programación de la estación, ya que si éstas son exitosas, ayudan a mejorar los niveles de audiencia del resto de la oferta televisiva de la señal. Es ésta otra razón por la que las estaciones televisivas destinan grandes presupuestos en la producción de este tipo de programas.

Además las telenovelas son un producto de exportación en que los derechos de transmisión y los derechos de formato para su adaptación local son vendidos a otros países del mundo, generando aún más ganancias. Los países latinoamericanos que más exportan novelas al mundo son México, Argentina, Brasil y Colombia. Este último ha logrado posicionar en el mundo cerca de 84 historias, todas con un rotundo éxito. La telenovela colombiana *Yo soy Betty, la fea*, uno de los éxitos televisivos más grandes de la historia de los dramatizados, ha sido exportada a numerosos países y en todos ha alcanzado elevados ratings de audiencia, incluso en el 2010 entró al libro de los Guinness World Records como la telenovela más exitosa de la historia. Entre sus muchas adaptaciones se encuentran: *La fea más bella* en México, *Ne rodis krasivoy* en Rusia, y *Ugly Betty* producida por Salma Hayek para la ABC de Estados Unidos.

Impacto cultural

Las telenovelas gozan de gran popularidad en toda América Latina y en países como Portugal, España, Europa del Este, África e incluso en China. De acuerdo con un reportaje de la Unesco, en Costa de Marfil muchas mezquitas adelantaron sus horarios de oraciones durante 1999 para permitir a los televidentes disfrutar de la telenovela *Marimar*, protagonizada por la mexicana Thalía. Dos años antes, la misma actriz fue recibida en Filipinas con honores reservados para jefes de estado. En Rusia, querían que las actrices mexicanas Verónica Castro y Victoria Ruffo actuaran en comerciales para las elecciones de 1993. Estas dos actrices eran consideradas entonces las más populares de toda la historia de Rusia.

El papel social de las telenovelas

Sin atenernos a un país concreto, las telenovelas causan gran impacto en la sociedad. Por ejemplo, en Brasil hay una nueva tendencia en la que se tratan temas sociales a través de las telenovelas. Las investigaciones corroboran que esta fórmula funciona. Ya son muchos los países que las usan como herramienta para estos mensajes. El impacto ha sido muy positivo en la lucha de causas importantes como contra la propagación del SIDA, para

proteger el medio ambiente, para animar a las mujeres contra la violencia familiar, el control de la natalidad,
[35] animar a los mujeres a que se hagan revisiones para prevenir el cáncer de pecho, entre muchos otros. Para esto, los escritores son conscientes de que deben de escribir sobre estos temas de forma muy sútil y cuidadosa, ya que a nadie le gusta saber que está siendo aleccionado como si estuviera en una clase.

35 Amplíe su vocabulario

Mire las palabras de la primera columna, que aparecen en el artículo anterior, y busque su definición o sinónimo en la segunda.

1. sumar	a. producir
2. destinar	b. prever
3. presupuesto	c. agregar
4. generar	d. instruido
5. rotundo	e. estimular
6. reportaje	f. estimación
7. oración	g. informe
8. fórmula	h. rezo
9. herramienta	i. meticuloso
10. animar	j. instrumento
11. prevenir	k. trajante
12. cuidadoso	l. asignar
13. aleccionado	m. regla

36 ¿Ha comprendido?

1. El término culebrón hace referencia a...
   a. la naturaleza maligna de los personajes.
   b. los temas de las telenovelas.
   c. la gran cantidad de capítulos.
2. Se destinan grandes presupuestos a la producción de telenovelas debido a...
   a. que sirven para aleccionar a los televidentes.
   b. que mejoran la oferta televisiva de la cadena.
   c. se genera un gran impacto cultural de la población.
3. *Betty, la fea* entró en el libro de los *Guinness World Records* en el año 2010 por...
   a. haber sido la telenovela más adaptada.
   b. haber sido la telenovela más exitosa.
   c. haber sido la más rentable económicamente.
4. En Brasil, se han utilizado telenovelas para...
   a. educar a la sociedad.
   b. manipular a la población políticamente.
   c. hacer que la población se sienta mejor.
5. Los escritores de telenovela deben escribir sobre ciertos temas de forma muy cuidadosa...
   a. porque el público no posee mucha cultura.
   b. porque el público no debe ser consciente de estar siendo educado.
   c. porque los televidentes no quieren saber sobre temas sociales.

37 ¿Cuál es la respuesta?

Conteste las siguientes preguntas.

1. ¿En qué sentido son las telenovelas comparables a las series de Hollywood? ¿Son realmente comparables?
2. ¿Por qué querían algunos políticos rusos utilizar la imagen de actrices de telenovelas mexicanas en sus comerciales? ¿Piensa que era una buena idea?
3. ¿En qué temas se ha podido concienciar a la población? ¿De qué forma pueden servir las telenovelas para estos fines? ¿Cómo pueden ser incorporados estos temas en los episodios?

38 ¿Qué piensan? 

¿Piensa que es una buena idea utilizar las telenovelas para educar a la población menos culta? ¿Cuáles son los aspectos positivos de esta cuestión? ¿Hay aspectos negativos? ¿Hay series televisivas norteamericanas que educan a la población? ¿Qué temas sociales sugeriría? Comparta su opinión con un/a compañero/a.

39 Y ahora. . . escriban y actúen 

En grupos de tres elijan uno de los temas presentados a continuación y preparen una escena de una telenovela para representar delante de la clase. Elijan los personajes y no olviden que su objetivo es aleccionar a su público.

1. Control de la natalidad
2. La violencia en casa

40 Antes de leer 

¿Cómo cree que alcanzan la fama los artistas? ¿Se debe sólo al talento, o influyen también los contactos que tienen en el mundo del arte, el apoyo de la familia o la época en qué pintan? Dé ejemplos. ¿Qué importancia tiene el papel de los críticos en el éxito de los artistas?

41 Frida Kahlo

Lea con atención el siguiente artículo. Después conteste las siguientes preguntas:

- ¿Cuál es el propósito del artículo?
- ¿Cómo resumiría el artículo en una frase?
- ¿Qué pregunta sería apropiada para hacerle al autor después de leer el artículo?

Crítica de arte reprueba comercialización de Frida Kahlo

La crítica de arte mexicana Raquel Tibol, quien conoció de cerca los últimos años de vida de la artista mexicana Frida Kahlo, reprobó la comercialización de que ha sido objeto la pintora en los últimos tiempos. En una entrevista, la escritora de origen argentino lamentó el uso que los familiares de Kahlo, en particular su sobrina nieta Mara de Anda, han hecho de los derechos que tienen sobre el nombre de "Frida", transformado en una marca. Tibol considera que la reciente comercialización de una muñeca con ese nombre es un ejemplo más de los múltiples negocios que está impulsando de forma "vulgar" y "oportunista" la familia. "Hay muchas maneras de sobrevivir sin hacer negocios tan abyectos", dijo Tibol, quien lamentó que además de tequilas y muñecas marca "Frida" se estén vendiendo incluso "calzones" (ropa interior femenina).

Tibol cuenta que conoció a Frida en 1953, poco antes de que a la artista le amputaran la pierna en agosto de ese año, cuando la escritora comenzó a colaborar con Diego Rivera, esposo de la pintora, como secretaria. La de entonces "era una Frida muy dolida, que se drogaba en exceso. Sin embargo, tenía un encanto y una posibilidad de embelesar a todos a su alrededor", confesó. Para el centenario del natalicio de la pintora, Tibol está preparando una nueva edición de *Las escrituras de Frida Kahlo*, uno de sus libros.

Explicó que la primera edición de ese libro se basó en 150 documentos de Frida, que luego aumentó en nuevas ediciones y que ahora ascienden a 300. "Los documentos ya están en manos de la editorial para integrarlos a la nueva edición", dijo. "Hay muchas sorpresas, pero prefiero no adelantar nada. Hay que esperar a que esté el libro", aseguró. Anoche, dentro de las actividades de la Feria del Libro que se celebra en el Palacio de Minería de la capital mexicana, conversó con el público mexicano sobre otro de los que ha escrito, *Frida Kahlo en su luz más íntima* (Lumen, 2005), una reedición de *Frida Kahlo: una vida abierta* (Oasis, 1983).

Frida Kahlo (1907–1954) nació y murió en el barrio de Coyoacán, al sur del Distrito Federal. Su verdadero nombre era Magdalena Carmen Frida Kahlo Calderón y empezó a pintar durante una larga convalecencia del accidente que sufrió cuando era adolescente. Como artista, primero fue realista y pintó retratos de amigos y familiares, flores y otros temas. Luego, a causa del dolor y los nuevos sentimientos que vivió con un cuerpo destrozado por un accidente de tránsito que la dejó semi-inválida, pintó más y más su propia imagen combinada con expresiones oníricas a veces brutales. Así, se transformó en una pintora surrealista, cuya obra estaba centrada en los sentimientos femeninos más íntimos y en el dolor. En 1938 montó su primera exposición individual en la Julien Levy Gallery de Nueva York. En la actualidad, instituciones de la importancia del Museo de Arte Moderno de Nueva York y el Georges Pompidou de París alojan obras suyas.

www.laraza.com

42 Amplíe su vocabulario 

Según el contexto del artículo anterior, empareje las palabras de la primera columna con su correspondiente sinónimo o definición entre las palabras de la segunda.

1. crítica	a. grosero
2. en los últimos tiempos	b. juguete
3. lamentar	c. suben a
4. los derechos	d. control legal
5. marca	e. persona que sabe aprovechar
6. muñeca	f. albergar
7. vulgar	g. atormentado
8. oportunista	h. en los años pasados
9. amputaran	i. que juzga las cualidades de una obra
10. dolido	j. que casi no puede andar
11. tenía un encanto	k. quejarse
12. ascienden a	l. cortar
13. destrozado	m. tener atractivo, seducir
14. semi-inválida	n. fragmentado
15. alojar	o. algo de uso exclusivo

43 ¿Qué son?

Trabaje con un/a compañero/a y escriban oraciones completas que expliquen cada una de las siguientes ideas en el contexto del artículo.

1. La comercialización
2. Una marca
3. Oportunista
4. Una larga convalecencia
5. Artista realista
6. Pintora surrealista

44 ¿Ha comprendido?

1. ¿Cuándo conoció la crítica de arte a Frida Kahlo?
   a. Cuando eran niñas
   b. Cuando se casó con Diego Rivera
   c. En una muestra de su arte
   d. Poco antes de su muerte
2. ¿Qué productos comerciales llevan el nombre de Frida?
   a. Juguetes y alcohol
   b. Alcohol, juguetes y ropa
   c. Cuadros, juguetes y ropa
   d. Cuadros, juguetes, ropa y alcohol
3. ¿Quiénes se oponen a la comercialización del nombre de Frida?
   a. Los familiares
   b. Los críticos de arte
   c. Los artistas
   d. Ninguna de las respuestas anteriores
4. ¿Por qué le amputaron una pierna a Frida?
   a. Le dolía demasiado.
   b. Tenía cáncer.
   c. Usaba muchas drogas en esta época.
   d. No se precisa.
5. ¿Por qué pintó Frida escenas tan brutales?
   a. Quería mostrar cosas desagradables en sus cuadros.
   b. Quería representar su realidad en sus cuadros.
   c. Tenía el cuerpo semi-inválido y no podía pintar de otra manera.
   d. Todas las respuestas anteriores
6. Si quisiera consultar otra fuente, ¿cuál de estos artículos consultaría?
   a. Los temas políticos en la obra de Frida Kahlo
   b. El miedo y Frida
   c. El dolor y su representación artística
   d. El abandono y la fantasía

45 Lea, escuche y escriba/presente

Vuelva a leer los dos artículos anteriores sobre Frida Kahlo. Luego escuche "Inaugurada mayor exposición en España de obras de Frida Kahlo" y tome las notas necesarias. Luego escriba un ensayo o haga una presentación en clase sobre "El arte y la vida de Frida Kahlo". Si lo desea, busque más información en Internet sobre la vida y el arte de esta artista mexicana. No se olvide de citar las fuentes debidamente.

¡A escuchar!

46 Cristina Saralegui

Esta grabación es sobre la famosa Cristina Saralegui y el premio que recibió por su labor humanitaria. La grabación dura aproximadamente 3.5 minutos. Escuche "Cristina Saralegui premiada como humanitaria". Luego escoja la mejor respuesta para cada pregunta. Después piense en cuál sería una pregunta apropiada para hacerle a Cristina Saralegui y el posible título de una publicación si quisiera consultar otra fuente.

1. ¿Por qué recibió Cristina Saralegui este premio?
   a. Por su labor humanitaria y su visión mundial
   b. Por su programa para los hispanohablantes
   c. Por su organización Mujeres en el Cine y la Televisión Internacional
   d. Por su promoción del cine y la televisión latinoamericana

2. ¿Qué es Celebración Latina?
   a. Un programa de televisión
   b. Una fiesta y una ceremonia
   c. Una película
   d. Todas las respuestas anteriores

3. ¿Qué forma parte de la Celebración Latina?
   a. Una película de la televisión hispana
   b. Un concurso de cine
   c. Una competencia hispana en la televisión
   d. Ninguna de las respuestas anteriores

4. ¿Quiénes estarán presentes durante la Celebración Latina?
   a. Afanes del cine
   b. Invitados importantes
   c. Deportistas
   d. Las respuestas a y b

5. ¿De qué nacionalidad es la presentadora del premio?
   a. Es neozelandesa.
   b. Es hispana.
   c. Es española.
   d. No se precisa.

6. ¿Quién es activista social y luchadora en contra del SIDA?
   a. Cristina Saralegui
   b. Fiona Milburn
   c. Las dos señoras
   d. Ninguna de estas señoras

Cristina Saralegui

47 "Don Francisco"

Esta grabación es sobre el homenaje que recibió el famosísimo presentador de televisón Don Francisco. La grabación dura aproximadamente 3.5 minutos. Antes de escuchar "'Don Francisco' recibe homenaje de congresistas" repase las palabras del recuadro. Luego conteste las siguientes preguntas con oraciones completas. Después piense en cuál sería una pregunta apropiada para hacerle a "Don Francisco".

la escalinata *step*	**emitir** *to broadcast*	**el compromiso** *pledge, commitment*
cerrar la brecha *to close the gap*	**merecedor** *deserving*	**entretener** *to entertain*
tras *after*	**fiel** *loyal*	

1. ¿Quién es Mario Kreutzberger?
2. ¿Por qué recibió un homenaje de los congresistas estadounidenses?
3. ¿Dónde y por cuántos años ha aparecido su programa *Sábado gigante*?
4. Según la congresista de la Florida, ¿qué brecha cierra "Don Francisco" con su programa?
5. ¿Dónde ha pasado "Don Francisco" sus 44 años en la televisión?
6. Explique la oración de "Don Francisco": "Nadie se retira".
7. ¿A qué dos grupos agradece "Don Francisco"?
8. ¿Cuál es el objetivo de la grabación?

"Don Francisco"

48 Participe en una conversación

Ud. va a participar en una conversación. Primero lea la descripción de la conversación y piense en algunas palabras o expresiones que le serían útiles. Organice sus ideas, haciendo predicciones sobre lo que se le pueda preguntar o comentar. Una descripción de lo que va a escuchar aparece abajo en color. Participe en la conversación grabando las respuestas o escribiéndolas en su cuaderno.

Escena: Su tía, quien tiene unos cincuenta años, le habla de los cambios en la música contemporánea. Conteste sus preguntas.

Su tía:	Empieza la conversación y le hace una pregunta.
Ud.:	• Conteste negativamente.
Su tía:	Le hace un comentario sobre la música y le hace otra pregunta.
Ud.:	• Dele detalles sobre lo que le pregunta.
Su tía:	Le pregunta sobre sus gustos en la música.
Ud.:	• Dele detalles sobre lo que le pide.
Su tía:	Hace un comentario y le hace una pregunta.
Ud.:	• Conteste y háblele sobre sus preferencias. Explique las razones.
Su tía:	Se lo agradece y se despide.
Ud.:	• Despídase. Haga un comentario o use una expresión nueva de la lección.

¡A escribir!

49 Texto informal: una carta 

Ud. es el director de la empresa a la que va dirigida esta carta. Contéstela incluyendo lo siguiente:

- Escríbale una respuesta cordial.
- Dígale que quiere colaborar.
- Háblele de lo que su empresa hace.
- Pídale detalles sobre el desfile y los diseños.
- Exprese duda/precaución por el estilo de los diseños.
- Conteste las preguntas que le hace.
- Termine con una nota optimista.

Estimado señor:

Me llamo Alicia García y le escribo en nombre de nuestra escuela Pino Alto. Nuestra escuela tiene unos mil estudiantes, y contamos con una fantástica asociación de padres que ayuda a los estudiantes en viajes, asambleas, materiales escolares y otras actividades para ayudarnos a mejorar nuestra educación. Durante el año, tratamos de recaudar fondos a través de otras actividades, como vendiendo tartas, haciendo bailes, limpiando coches cuando los padres vienen a los partidos y muchos otros eventos más.

En esta ocasión nos gustaría pedirle a su empresa que colaborara para uno de ellos. Un grupo de talentosos estudiantes a los que les interesa mucho el diseño y la moda han propuesto hacer un desfile de modelos. Sería una oportunidad increíble para ellos poder llevar a cabo este evento, al mismo tiempo toda la comunidad se vería beneficiada.

Si estuviera interesado en hacer una donación, ¿podría contestar a esta carta diciendo cuánto podría subvencionar y cómo querría que se le diera publicidad a su empresa? Nos gustaría saber su opinión sobre nuestra propuesta y si tiene alguna pregunta.

Atentamente,

Alicia García
Presidenta de la asociación de alumnos

50 Texto informal: un correo electrónico

Juan le ha mandado a Ud. un correo electrónico. Contéstele dándole detalles.

Enviar | Guardar ahora | Descartar

Para: amigo@emcp.com

Asunto: El baile flamenco

Adjuntar un archivo Insertar: Invitación

Amigo,
Me han invitado a un espectáculo de flamenco. Tengo las entradas, pero la verdad es que no sé muy bien qué es eso. Tú sabes algo más del tema, ¿me lo podrías explicar? Es mañana por la noche. Si te apetece, podríamos ir juntos. ¡Te invito! Hace mucho tiempo que no te veo.
Un abrazo,
Juan

- Explíquele lo que es el flamenco.
- Exprese interés por este arte.
- Déle una excusa para no ir (no se lleva bien con su amigo últimamente).
- Anímele a asistir.

51 Texto formal: un ensayo

Escriba un ensayo sobre los artistas que denuncian temas sociales o políticos a través del arte. Puede hablar de artistas como Picasso (y el *Guernica*) o Diego Rivera (y sus murales), entre otros. También puede compararlos con alguno en los EE.UU.

52 Texto formal: un ensayo 

Escriba un ensayo sobre Pedro Almodóvar. Incluya detalles sobre sus comienzos, sus películas y su impacto en el cine. Busque alguna video-entrevista al director o sobre él en Internet, y cítela en su ensayo.

53 En parejas

Intercambie sus ensayos con los de un/a compañero/a. Exprésele su opinión sobre el contenido y el uso del idioma.

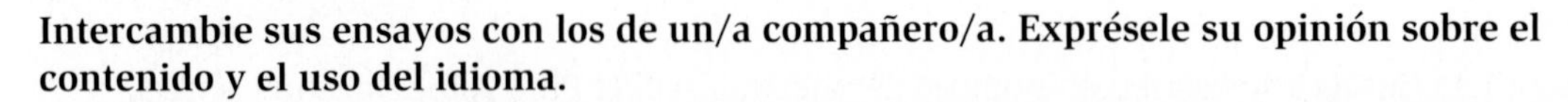

¡A hablar!

54 Charlemos en el café

Ud. va a debatir los siguientes temas con un/a compañero/a. Uno estará a favor de lo que se ha dicho y otro en contra. El debate durará varios minutos. El/La estudiante que esté de acuerdo comenzará el debate y hablará por unos dos minutos. Cuando el/la profesor/a lo indique, el/la otro/a estudiante tomará la palabra y expresará su opinión por otros dos minutos y así sucesivamente.

1. No todos tienen el don para poder apreciar el arte.
2. Todos deberían estudiar arte de manera obligatoria hasta que se gradúen de la universidad.
3. Albert Einstein tenía razon: "Los bailarines son los atletas de Dios".
4. Estoy totalmente de acuerdo con Oscar Wilde cuando dijo: "Ningún artista ve las cosas como son en realidad; si lo hiciera, dejaría de ser artista".
5. El requisito para la grandeza de un artista es su propia muerte.

55 ¿Qué opinan?

En parejas conversen sobre estas situaciones o preguntas.

1. ¿Qué piensa de los diferentes diseños que aparecen a diario en la página de Google? ¿Los considera arte?
2. ¿Es la moda un arte? ¿Hay algún diseñador que te guste?
3. ¿Cuál cree que es el edificio más famoso de EE.UU.?
4. ¿Qué opina del cine latinoamericano o el cine de España? ¿Quiénes son algunos actores y actrices de origen hispano? ¿Cree que serían más famosos si interpretaran papeles en inglés en el cine estadounidense? ¿Por qué?
5. ¿Cuáles son las cinco obras de arte que Ud. más valora del mundo?
6. ¿Cuál es la canción más bonita que jamás se ha escrito?

Cita

El cine latinoamericano es de los mejores que se hacen en el mundo, pues tiene contenido y calidad, aunque no cuenta con grandes presupuestos.

—Edward James Olmos (1947–), actor estadounidense de origen mexicano

¿Conoce algunas de las películas de Olmos, como *American Me* (1992), *My Family* (1995) y *Selena* (1997)? ¿Conoce alguna otra película latinoamericana? ¿Y española? ¿Puede nombrarlas? ¿Está de acuerdo con lo que dice Olmos? Comparta su opinión con un/a compañero/a.

56 Presentemos en público 

Haga una presentación oral sobre alguno de los temas listados abajo durante varios minutos en clase. Organice sus ideas antes de hacer la presentación, busque las palabras necesarias y, después de practicar, presente en clase sin mirar las notas.

1. El arte es como un naranjo, que precisa un suelo y un clima adecuados para florecer y dar fruto. Relate sus experiencias con el arte y use este símil para hacerlo.
2. "La música no se hace, ni debe hacerse jamás, para que se comprenda, sino para que se sienta": Manuel de Falla, compositor español (1876–1946). Escoja un tipo de música; preséntelo y explíquelo según la cita de Falla.
3. Haga una presentación sobre Indetex (su tienda más popular es Zara).
4. Haga una presentación sobre el flamenco, el tango o la salsa.
5. Hable sobre su cantante favorito en español y comparta la canción suya que más le gusta.

Proyectos

57 ¡Manos a la obra! 

Trabaje en un grupo de cuatro o cinco estudiantes para llevar a cabo uno de los siguientes proyectos y presentarlo en clase.

1. Uds. son grandes expertos de la vida y obras de un artista hispano. Presenten al artista, o a la artista, a sus compañeros de clase. Hablen de su vida, el arte que ha producido y su impacto en el mundo artístico.
2. Uds. son grandes expertos de la vida y obras de un músico hispano. Presenten al músico, o a la música, a sus compañeros de clase. Hablen de su vida, la música que ha producido y su impacto en el mundo musical.
3. Hagan un anuncio para promover las artes en su comunidad. Decidan qué medios van a usar para hacer la publicidad, y a qué grupos ésta va dirigida: a los niños, los jóvenes, los adultos, los jubilados o a todo el mundo.
4. Van a crear un museo de bellas artes en su escuela o universidad. Decidan cuál de las bellas artes quieren representar y por qué, qué tipo de exposiciones piensan tener, cómo van a recaudar fondos para financiar los costos y quiénes van a exponer sus obras allí. No se olviden de ponerle un nombre al museo.

¡Dato curioso! Pocos imaginaron que el reggaetón, un género musical nacido en Panamá en 1989 como una versión en español del reggae jamaiquino, iba a terminar convirtiéndose en todo un fenómeno de ventas para la industria musical latina. Hoy día, el reggaetón tiene fama internacional debido a estrellas puertorriqueñas como el actor y productor Daddy Yankee.

El Palacio de Bellas Artes, México, D.F.

Vocabulario

Verbos

agradecer	to thank
alegrar	to make happy
animar	to encourage
aportar	to contribute
construir	to build
destacarse	to stand out
diseñar	to design
doblar	to dub
donar	to donate
entretener	to entertain
filmar	to film
involucrar	to involve
lograr	to attain, achieve
otorgar	to grant, give
pintar	to paint
recuperar	to recover
retirarse	to retire
retrasar	to delay
subastar	to auction
superar	to excel

Verbos con preposición

verbo + a:

asistir a	to attend
sonar a	to sound like

verbo + en:

confiar en	to trust

Sustantivos

el	**acero**	steel
la	**acuarela**	watercolor
el	**afán**	zeal, eagerness
el/la	**aficionado/a**	fan, enthusiast
la	**alegría**	happiness
la	**apertura**	opening
el/la	**arquitecto/a**	architect
la	**arquitectura**	architecture
el	**autorretrato**	self-portrait
el/la	**bailarín/bailarina**	dancer
las	**bellas artes**	fine arts
la	**belleza**	beauty
el	**beneficio**	benefit, profit
el	**boceto**	sketch
el/la	**cantante**	singer
el/la	**coleccionista**	collector
el/la	**compositor(a)**	composer
el	**contrincante**	competitor, rival
la	**crítica**	critique, criticism
el/la	**crítico/a**	critic
la	**danza**	dance
el	**dolor**	pain
el	**efecto**	effect
la	**encuesta**	survey
el	**enfoque**	focus
la	**escena**	scene
el	**escenario**	stage
el/la	**escultor(a)**	sculptor
la	**escultura**	sculpture
el	**espectáculo**	show
el	**estilo**	style
el	**fenómeno**	phenomenon
el	**fondo**	fund
la	**forma**	form, shape
el	**genio**	genius
la	**globalización**	globalization
el	**grabado**	engraving
la	**inspiración**	inspiration
la	**letra**	lyric, word
el	**lienzo**	canvas
la	**litografía**	lithograph
el/la	**maestro/a**	master
la	**manera**	way
la	**marca**	brand name
el	**marco**	frame (*of a painting*)
el	**medio**	medium
la	**moda**	fashion
el	**montaje**	assembly, show
la	**muerte**	death
la	**muestra**	show, sample
el/la	**muralista**	muralist
la	**música**	music
el/la	**músico/a**	musician
el	**óleo**	oil painting
el	**paisaje**	landscape
la	**pasarela**	runway (fashion)
la	**pasión**	passion
el	**presupuesto**	budget
la	**publicación**	publication
el	**rechazo**	rejection
la	**regalía**	royalty
la	**renuncia**	resignation
el	**ritmo**	rhythm
la	**ruptura**	break
la	**subasta**	auction
el	**subtítulo**	subtitle
el	**sueño**	dream
la	**tela**	cloth, fabric
la	**telenovela**	soap opera
la	**temporada**	season
el	**toque**	touch, beat
la	**tristeza**	sadness

Adjetivos

abstracto, -a	abstract
artístico, -a	artistic
caribeño, -a	Caribbean
culto, -a	cultured, refined
divino, -a	divine
encantador, -a	charming
espectacular	spectacular
extravagante	extravagant
fiel	faithful, loyal
folclórico, -a	folkloric
impactante	shocking, powerful
incomprendido, -a	misunderstood
incomprensible	incomprehensible
influyente	influential
inspirador, -a	inspiring
inválido, -a	handicapped
judío, -a	Jewish
moderno, -a	modern
raro, -a	strange
rollizo, -a	stocky, plump
vivo, -a	lively
vulgar	vulgar

Expresiones

la cadena de televisión	TV station
la entrada libre	free admittance
escribir un guión	to write a script
el éxito taquillero	box-office hit
gozar de gran popularidad	to enjoy great popularity
hacer un papel	to act, play a part
el horario estelar	prime time
interpretar un papel	to play a (movie, television) role
la lucha contra el SIDA	the fight against AIDS
poner a la venta	to put up for sale
rodar una película	to film a movie
seguir vigente	to continue to be valid
según el punto de vista	according to (one's) point of view
ser de buena/mala calidad	to be of good/bad quality
ser la fuente de inspiración	be the source of inspiration
ser un fracaso	to be a failure
sin fronteras	without limits (borders)
tener gran éxito taquillero/televisivo	to be successful at the box office/on television

A tener en cuenta

Palabras compuestas

Las palabras compuestas se forman de varias maneras:

sustantivo + sustantivo:

el aguafiestas	party pooper, wet blanket
la bocacalle	street entrance
el camposanto	cemetery, graveyard
la telaraña	spider's web, cobweb

sustantivo + adjetivo:

boquiabierto	astonished, aghast
caradura	shameless, brazen
pelirrojo	redhead

verbo + sustantivo:

el abrebotellas	bottle opener
el abrecartas	letter opener
el abrelatas	can opener
el bajamar	low tide
el cascanueces	nutcracker
el paraguas	umbrella
el paracaídas	parachute
el pasamano	handrail, banister
el portafolios	briefcase
el portamonedas	pocketbook, coin purse
el portaviones	aircraft carrier
el quitamanchas	stain remover
el quitanieves	snowplow
el quitasol	sunshade, parasol
el rompecabezas	jigsaw puzzle

verbo + verbo:

el duermevela	nap, snooze
el hazmerreír	laughingstock
el vaivén	rocking, swaying motion; *pl.*, ups and downs

adverbio + verbo:

menospreciar	to despise, look down on

adverbio + adverbio:

anteayer	the day before yesterday

de varias funciones gramaticales:

el limpiaparabrisas	windshield wiper
el nomeolvides	forget-me-not
el sabelotodo	know-it-all

Lección B

Objetivos

Comunicación
- Hablar de arte
- Discutir las clasificaciones de películas
- Hablar de la moda
- Hablar del cine
- Debatir sobre la controversia en el arte

Gramática
- Los pronombre relativos
- Las preposiciones
- El presente perfecto

"Tapitas" gramaticales
- la posición de los adjetivos
- las preposiciones
- el uso de *lo*
- el sufijo *-azo*
- el género de los sustantivos
- *sino* y *pero*
- la omisión del artículo
- formas apócopes
- los nexos

Cultura
- El arte moderno
- La Ruta Quetzal
- La ópera
- El arte para ciegos
- "Accidentes" millonarios
- Salvador Dalí
- La Oreja de Van Gogh
- Shakira y su obra social
- La moda de Zara
- Polémica en los museos
- El cine

Para empezar

1 Conteste las preguntas

Piense en las respuestas a las siguientes preguntas. Puede tomar notas si lo considera necesario. Cuando termine, compare sus respuestas —pero sin mirar sus notas— con las de un/a compañero/a.

1. ¿Existe el arte por el arte? ¿Piensa que los artistas esculpen o pintan cuadros para que las masas aprecien la vida y la belleza de nuestro mundo? ¿O piensa que lo hacen sólo para vender su arte, ganar fama y hacerse ricos?
2. ¿Cree que sólo la elite asiste a los espectáculos de las bellas artes como la ópera, conciertos de música clásica, el ballet y el teatro, o que van las masas también?
3. Para ser un artista legítimo, ¿es necesario que uno estudie en una Facultad de Arte? ¿Existe el arte callejero? ¿Son las pintadas (el graffiti) una forma de arte? ¿Por qué?
4. En general, ¿qué prefiere: el arte plástico o la música? ¿Por qué?
5. Si estuviera solo/a en una isla, ¿qué música llevaría? Identifique tres CDs que llevaría y explique por qué.
6. ¿Qué opina de las películas documentales? ¿Ha visto algunos documentales? ¿Cree que el objetivo de ellos es simplemente informar sobre un tema, o sirven de propaganda? Explique por qué piensa así. ¿Por qué no suelen tener mayor distribución?
7. ¿Qué opina de la piratería de los DVDs de películas? ¿Le parece un problema mundial o nacional? ¿Cómo se puede solucionar el problema?
8. ¿Qué opina de la piratería de los CDs de música? ¿Es un gran problema internacional? ¿Cómo se puede solucionarlo?
9. ¿Qué opina de la censura de las letras de los CDs de música? ¿Le parece bien que haya censura? ¿Por qué? ¿Cree que es buena idea incluir una advertencia en las etiquetas de los CDs si hay alguna letra "problemática"? ¿Por qué?
10. ¿Qué opina de la censura de las películas cuando las ponen en la televisión normal y corriente (o sea, no en el cable) o en los aviones? ¿Qué le parece más perjudicial para los chicos de 16 años: la desnudez (no pornográfica) o la violencia? ¿Por qué?

El Palacio de las Artes Reina Sofía, Valencia, España (obra de Santiago Calatrava)

2 Mini-diálogos

Ud. va a crear un mini-diálogo con un/a compañero/a. Lea la descripción de la conversación antes de empezar. Puede tomar notas para organizar sus ideas, pero no las mire mientras conversa. Le pueden servir las palabras del recuadro.

el retrato	el autorretrato	el paisaje	la naturaleza muerta
el dibujo	la acuarela	el óleo	colores vivos
colores oscuros	el fondo		

Escena: En un museo de arte moderno, un/a amigo/a ("B") lo/la saluda mientras va caminando por las salas. Los dos tienen que escribir un informe sobre el arte para el próximo lunes.

A: Salude a su amigo/a y pregúntele por qué está en el museo.

B: Conteste, y pregúntele qué tipo de arte le gusta.

A: Conteste con dos ejemplos de cuadros que ha visto en el museo hoy.

B: Reaccione a los dos cuadros y mencione otro que le gusta mucho más y que ha visto en el museo.

A: Intente convencerle de que debe considerar uno de esos dos cuadros que Ud. mencionó.

B: Reaccione cordialmente, pero rechace la sugerencia.

A: Haga un comentario sobre su reacción. Despídase cordialmente.

B: Despídase cordialmente.

Cita

El arte es maravillosamente irracional, no tiene el menor sentido y, a pesar de todo, es necesario.

—Günter Grass (1927–), autor alemán y Premio Nobel de Literatura

¿Es difícil comprender el arte en general o sólo el arte moderno? ¿Le gusta el arte moderno? ¿Por qué? ¿Conoce el arte de Picasso, Dalí o Miró? ¿Le gusta? ¿Por qué? ¿Es imprescindible interpretar el arte de estos grandes maestros para apreciarlo? Comparta sus opiniones con un/a compañero/a.

¿Sabía que recientemente en Londres unos expertos de una casa de subastas vendieron tres cuadros "pintados" por Congo, un chimpancé, por US$22.000 a un estadounidense entusiasta del arte moderno? Congo produjo cerca de 400 obras a finales de los años 1950, las cuales fueron recibidas por el mundo del arte con una mezcla de burla y escepticismo.

¿Qué obras conoce que hayan creado gran polémica por quien las hizo? ¿Qué piensa de eso?

Vocabulario y gramática en contexto

3 Un blog

Túrnese con un/a compañero/a para leer los comentarios que dos estudiantes han escrito en un blog sobre el arte y sobre las clasificaciones de películas. Fíjese en las palabras que aparecen en azul (relacionadas con el vocabulario) y en rojo (relacionadas con la gramática), ya que en las siguientes actividades se le harán preguntas sobre ellas.

Arte moderno

Paulina, Estudiante De Arte

Arte moderno. El concepto de arte moderno no es cronológico, sino estético; de estilo, de sensibilidad o incluso de actitud: un pintor academicista como William Adolphe Bouguereau (fallecido en 1905) no hace arte moderno, mientras que Vincent van Gogh (fallecido en 1890) indudablemente sí.

El arte moderno representa como innovación frente a la tradición artística del arte occidental una nueva forma de entender la estética, la teoría y la función del arte, en que el valor dominante (en pintura o escultura) ya no es la imitación de la naturaleza o su representación literal. No se debe olvidar que la invención de la fotografía había hecho esta función obsoleta. En su lugar, los artistas comenzaron a experimentar con nuevos puntos de vista, con nuevas ideas sobre la naturaleza, nuevos materiales y funciones artísticas, y por supuesto, con las formas abstractas.

Ante la ruptura de las formas anteriores, el rechazo al arte moderno fue muy fuerte desde que comenzó a acuñarse el concepto. En el caso del nazismo, se identificó el arte moderno con lo que dominó arte de los dementes y de las razas inferiores, en contraste con los valores de una pretendida estética aria o arte ario. No obstante, la persecución a los judíos y la ocupación alemana de Europa durante la Segunda Guerra Mundial dio oportunidad para el expolio de muchas piezas de arte moderno por parte de los dirigentes nazis (que no lo destruían, sino que en muchos casos se lo apropiaban). En contraposición, en un mismo período, el capitalismo estadounidense asumió con gran dinamismo el arte moderno, implicándolo en el proceso productivo y aprovechando sus grandes posibilidades para el mercado.

La obra de Marcel Duchamp *Fuente* (1917) tuvo gran importancia en el postmodernismo ya que supuso el cuestionamiento de la institución del arte al utilizar un objeto cotidiano (un urinario puesto al revés), y exhibirlo provocativamente como obra de arte.

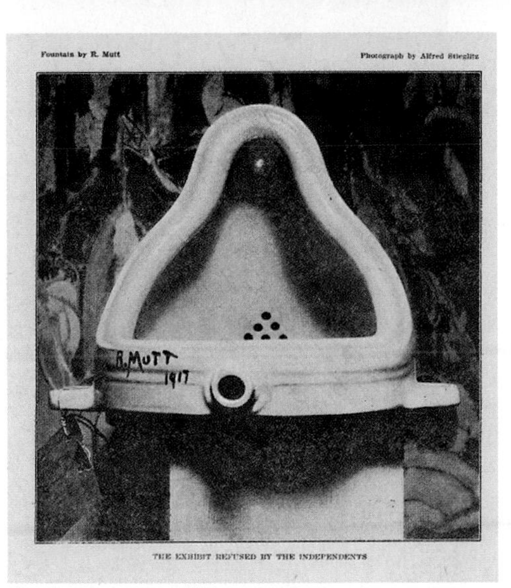

Fuente: Duchamp, 1917

Cita

Las obras de arte se dividen en dos categorías: las que me gustan y las que no me gustan. No conozco ningún otro criterio.

— Antón Pavlovich Chéjov (1860–1904), dramaturgo y autor de relatos rusos

¿Está de acuerdo con esta cita? ¿Puede pensar en otra(s) categoría(s) en las que se puede dividir el arte? ¿Cuál sería su criterio para clasificarlo? Comparta sus opiniones con un/a compañero/a.

Clasificaciones de películas

Felipe

¡No puedo creerlo, pero el Consejo Municipal piensa censurar la nueva película de *El Señor de los Anillos* en mi pueblo! Es increíble que la Oficina de Clasificación de Películas mantenga tanto control sobre las clasificaciones de películas y aun peor que nuestro Consejo Municipal consolide con más rigor las decisiones suyas. Esta discusión me hace recordar la decisión que tomó la Oficina de Clasificación de Películas Británica en 2001 cuando los espectadores británicos tuvieron que conformarse con una versión "light" de *Lara Croft: Tomb Raider*, por decisión de la Oficina de Clasificación de Películas que había decidido cortar las escenas más violentas de la cinta de acción, como las que incluyen cabezazos y golpes en la garganta, para poder autorizarla a los mayores de 12 años. En opinión de la Oficina, Lara Croft, la heroína nacida de un videojuego y que ha tomado forma humana en Angelina Jolie, es la estrella de una película para niños, pero con escenas que son demasiado violentas para los espectadores más jóvenes. El público habitual de Lara Croft es de entre 12 y 15 años de edad, pero las normas de clasificación dejan claro que a los 12 años, la "glamourización" de las armas, como cuchillos, y la ilustración gráfica de técnicas peligrosas, como los cabezazos o los golpes en la garganta, son inaceptables. Era evidente que la oficina les había causado dificultades a muchos cineastas, pero éstos sugirieron que el público fanático de Lara Croft encontrara manera de ver la versión inédita por medio del Internet o por ventas del DVD fuera de Gran Bretaña. Intento imitarlos y comprar una versión pirateada de la nueva película de *El Señor de los Anillos* sin la censura absurda del Consejo Municipal. No es que me apetezca ver más violencia, es que quiero que me muestren las películas con su versión original, tal y como las creó el director. ¡Qué ridículo! Tengo 17 años y soy casi un adulto. Voy a votar el próximo año. ¿Por qué no puedo ver las películas como quiera?

Adaptado de: www.elmundo.es

4 Amplíe su vocabulario 

Busque el significado de las palabras en azul en el artículo anterior y explíquele a un/a compañero/a lo que significan.

5 Pronombres relativos 

En cada número transforme las dos oraciones en una sola usando pronombres relativos. Si hay más de una manera de combinarlas, escriba todas las posibilidades.

1. El arte moderno es un término. Nos referimos con este término a la mayor parte de la producción artística desde finales del siglo XIX.
2. He visitado un museo. En este museo hay muchos cuadros de arte abstracto.
3. El cuadro estaba en el primer piso, en la sala. Estoy pensando todo el tiempo.

Angelina Jolie en el papel de Lara Croft

6 "Tapitas" gramaticales

Conteste estas preguntas basadas en los blogs de la Actividad 3.

1. En el primer texto, ¿con qué propósito se usan las palabras que aparecen en rojo en el artículo sobre el modernismo? ¿Qué significan? Haga una lista de otras ocho que considere importantes para escribir textos formales. Haga una frase con cada palabra o expresión.
2. En el primer texto, aparece la palabra "judíos" en minúscula. ¿Cuál es la regla? ¿Qué otros ejemplos recuerda en los que no se usa mayúscula en español pero sí en inglés?
3. En el segundo texto, aparecen expresiones de subjuntivo. Haga una lista de las expresiones y diga en qué tiempo va el verbo que le sigue. ¿Puede escribir ocho expresiones impersonales que van seguidas de subjuntivo?
4. ¿Qué género tiene la palabra "arma"? ¿Sigue la regla o es una excepción?
5. ¿Qué significa *no puedo creerlo*? ¿Podría ser *no lo puedo creer*? ¿Por qué? Busque *llevarlo, autorizarla* e *imitarlos*. Explique el uso de los pronombres en cada caso y ofrezca otra variación como, por ejemplo, *no lo puedo creer*, si es posible.
6. Compare los pronombres de objeto directo e indirecto.
7. ¿Qué significa "las que"? Escriba otro ejemplo.
8. ¿Qué significa "cabezazo"? ¿Qué sufijo se le añadió al final? ¿Puede pensar en otros ejemplos en los que pueda usar este sufijo?

7 ¿Qué opina?

Si el famoso urinario de Duchamp es arte, ¿puede ser el un tenedor, una cuchara, un teléfono o un cepillo arte? Comparta su opinión con un/a compañero/a. Incluya palabras de las lecturas que aparecen en azul.

8 La Ruta Quetzal 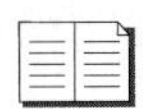

Lea con atención el siguiente artículo. Después resuma lo que leyó en una frase.

La Ruta Quetzal acaba en el Guggenheim tras 40 días de recorrido por Perú y España

Trescientos cincuenta jóvenes de 16 y 17 años soltaron ayer su mochila tras haber andado durante 40 días en Perú y España. La 20ª edición de la Ruta Quetzal, el programa que lleva a centenares de chavales de decenas de países a recorrer tierras americanas y españolas y descubrir ambas civilizaciones, acabó ayer con la entrega de sus diplomas en el Museo Guggenheim. Muchos de los participantes no pudieron contener las lágrimas el penúltimo día que pasaban juntos, antes de ganar Madrid y regresar a sus hogares. La palabra más repetida por los "expedicionarios" a la hora de definir lo que aprendieron era la de "tolerancia". Los jóvenes vienen de 52 países diferentes y han sabido establecer vínculos transnacionales. Xavier Bernadó, un participante originario de Lleida, explica que lo importante no es el diploma, sino la amistad que ha nacido durante el viaje. Para Carlos Berzosa, rector de la Universidad Complutense de Madrid, este diploma es algo más que simbólico, la prueba de una aventura humana que podrán colocar en su currículum. El proyecto que patrocina la BBVA fue creado hace 26 años por sugerencia del Rey y el afán del periodista Miguel de la Quadra Salcedo.

El Museo Guggenheim Bilbao

www.elpais.es

9 Amplíe su vocabulario

Según el contexto del artículo anterior, empareje las palabras de la primera columna con su definición o sinónimo en la segunda.

1. soltar	a. chico
2. centenar	b. participante
3. chaval	c. dejar
4. recorrer	d. distribución
5. entrega	e. enlace, unión
6. penúltimo	f. deseo fuerte
7. ganar Madrid	g. ciento
8. expedicionario	h. cruzar una región
9. vínculo	i. indicio o señal
10. prueba	j. poner
11. colocar	k. llegar a Madrid
12. afán	l. inmediatamente antes del final

10 La Ruta Quetzal

Con un/a compañero/a, describa cómo sería la Ruta Quetzal que hicieron los jóvenes en Perú y en España. Describan lo que aprendieron estos chicos de las culturas latinoamericanas y de la cultura española.

11 Las preposiciones 

Lea el artículo. Decida cuál de las dos palabras entre paréntesis es la correcta para completar cada oración y escríbala.

Cerca __1.__ (*de / en*) un millón de colombianos viven de forma directa o indirecta del sector __2.__ (*de / x*) la artesanía, particularmente dinámico en el país. Este sector, que contribuye notablemente __3.__ (*con / a*) la economía nacional, cuenta __4.__ (*con / x*) unos 350.000 artesanos, de los cuales aproximadamente __5.__ (*x / en*) el 60% procede de zonas rurales y de comunidades indígenas, y el 65% son mujeres.

12 Más preposiciones 

Lea el artículo. Decida cuál de las dos palabras entre paréntesis es la correcta para completar cada oración y escríbala.

El arte precolombino milenario era particularmente rico. Las figuras construidas __1.__ (*en / por*) oro y las piezas de joyería fueron bastante codiciadas __2.__ (*por / para*) los colonizadores españoles, que __3.__ (*en / por*) algunos casos desataron auténticas masacres __4.__ (*para / con*) el fin de poseerlas (más por los materiales preciosos usados en ellas que por su valor artístico). Muchas de esas piezas fueron llevadas a España, donde fueron destruidas __5.__ (*por / para*) usar el oro y otras piedras preciosas en otros objetos. Las excavaciones arqueológicas han revelado muchos __6.__ (*de / en*) estos objetos, que aún hoy en día son una pequeña ventana hacia la opulencia artística __7.__ (*de / del*) pasado de este pueblo. Las artesanías producidas __8.__ (*por / para*) los grupos étnicos son igualmente ricas y bastante apreciadas, tanto __9.__ (*por / para*) los locales como __10.__ (*por / para*) los turistas.

13 Escriba un SMS

Está en un museo. Ha recibido este mensaje de su amigo/a. Responda con su propio SMS contándole que alguien ha robado un cuadro famoso. Incluya detalles en su mensaje e intente usar vocabulario de los artículos anteriores.

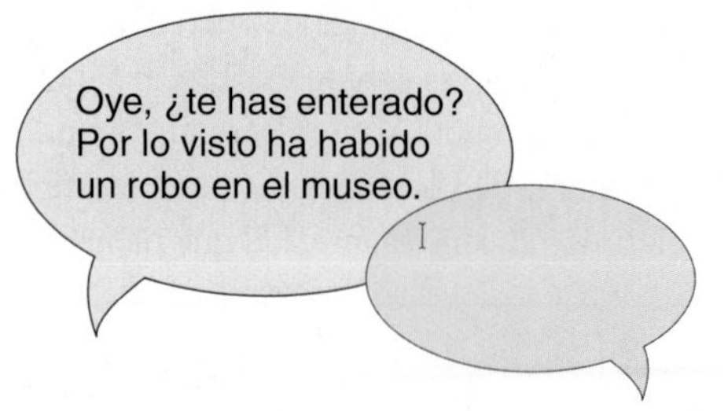

Oye, ¿te has enterado? Por lo visto ha habido un robo en el museo.

14 Escriba un correo electrónico

Ha recibido el siguiente correo electrónico de un/a amigo/a. Responda con su propio mensaje en el que contrasta un par de películas. Le pueden servir las palabras del recuadro que ha visto en lecturas anteriores.

Eso me hace recordar	en opinión de	por tanto	en cambio
en su lugar	mientras	no obstante	al contrario de

Enviar | Guardar ahora | Descartar

Para: amigo@emcp.com

Asunto: Una recomendación

Adjuntar un archivo Insertar: Invitación

Hola,
Me apetece ir al cine este fin de semana. ¿Has visto alguna película que merezca la pena últimamente? Anda, mándame un par de recomendaciones, ¿de acuerdo?

15 El presente perfecto

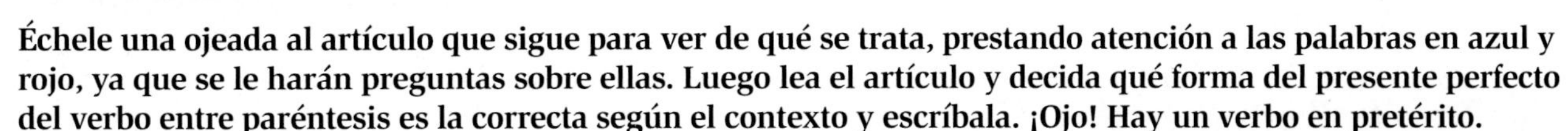

Échele una ojeada al artículo que sigue para ver de qué se trata, prestando atención a las palabras en azul y rojo, ya que se le harán preguntas sobre ellas. Luego lea el artículo y decida qué forma del presente perfecto del verbo entre paréntesis es la correcta según el contexto y escríbala. ¡Ojo! Hay un verbo en pretérito.

La ópera

La nómina de cantantes hispanohablantes en la Ópera Metropolitana de Nueva York (Met) se __1.__ (*ver*) notablemente incrementada esta temporada, ya que a los célebres habituales —y ya casi decanos— Plácido Domingo y Joan Pons __2.__ (*añadirse*) la presencia del barítono español Carlos Álvarez, que __3.__ (*cantar*) ya en las anteriores cuatro temporadas, la mezzo canaria Nancy Fabiola Herrera, el director Jesús López Cobos y la soprano puertorriqueña Ana María Martínez. Domingo, con una agenda muy apretada, interviene en varias óperas, aunque destaca su papel en dos: Sansón, en la ópera de Saint-Saëns, y Cyrano de Bergerac, en la reaparición que __4.__ (*llevarse*) a cabo de este título del desconocido Franco Alfano. Con una voz fuerte y una disposición dulce, la soprano puertorriqueña Ana María Martínez debutó en el Met la semana pasada y a juzgar por los aplausos, parece tener un futuro prometedor. Martínez, quien interpretó el papel de Micaela en la obra *Carmen* de Bizet, recibió una fuerte ovación por su aria del tercer acto y otra más durante los aplausos de despedida. La soprano nació en Puerto Rico pero creció en Nueva York, donde recibió varios títulos de Juilliard. Ella ya __5.__ (*tener*) presentaciones exitosas como Violetta en *La Traviata* de Verdi con la Ópera Real de Londres y como la Condesa en *Le Nozze di Figaro* de Mozart en la Gran Ópera de Houston. Durante algunas de las presentaciones de Martínez como Micaela, coincidirá en el escenario con la mezzo-soprano Nancy Fabiola Herrera, gran amiga suya y ex-compañera en la escuela Juilliard.

Metropolitan Opera House, Nueva York

16 Amplíe su vocabulario 

Mire las palabras de la primera columna, que aparecen en el artículo anterior, y busque su definición o sinónimo en la segunda.

1. notablemente	a. función, rol
2. incrementada	b. período, tiempo
3. anteriores	c. previas, pasadas
4. temporada	d. considerando
5. agenda muy apretada	e. agenda muy llena
6. papel	f. que subió
7. llevarse a cabo	g. tener lugar
8. a juzgar por	h. con muy posible éxito
9. un futuro prometedor	i. parte del teatro donde se actúa y presenta
10. el escenario	j. considerablemente

17 ¿Qué función gramatical tienen?

Explique qué función gramatical tienen las siguientes palabras en el artículo de la Actividad 15, y tradúzcalas.

1. *Ya que* en la línea 4
2. *Que* (cantar) en la línea 7
3. *Aunque* en la línea 14
4. *Que* (llevarse a cabo) en la línea 18
5. *Quien* en la línea 26
6. *Donde* en la línea 31

18 "Tapitas" gramaticales

Conteste estas preguntas basadas en el artículo de la Actividad 15.

1. ¿Por qué se dice *cantantes hispanohablantes* y no *cantantes en español*?
2. Explique el uso del pretérito en la oración "Martínez, quien interpretó el papel de Micaela en la obra *Carmen* de Bizet, recibió una fuerte ovación por su aria del tercer acto..." Explique también por qué decimos "el tercer acto".
3. ¿Por qué no se usó el subjuntivo en el artículo? Vuelva a escribir dos oraciones con el modo subjuntivo; haga cualquier cambio que sea necesario.

Cita

La pintura se aprende en los museos.

— Pierre-Auguste Renoir (1841–1919), impresionista francés

¿Está de acuerdo con esta cita? ¿Cree que más personas "aprenderían" arte si las entradas a los museos fueran gratis? ¿Cree que es el deber del estado ofrecer entradas gratis a los museos? Comparta sus opiniones con un/a compañero/a.

¿Cuáles son los museos más conocidos cerca de donde Ud. vive? ¿Qué piensa de ellos? ¿Qué museos le gustaría visitar?

Idioma

19 Familia de palabras

Complete la tabla con el verbo, sustantivo o adjetivo apropiado, y la traducción correspondiente.

Verbos		Sustantivos		Adjetivos	
aplaudir	___	___	___	aplaudido	___
___	*to attract*	la atracción	___	___	___
crear	___	el/la creador(a); la creación; la creatividad	___; ___; ___	creativo	___
donar	___	la donación	___	___	*donated*
enloquecer, estar loco/a por	___, ___	el/la loco/a; la locura	*crazy person;* ___	___	___
imaginar	___	___	___	___	*imaginative*
piratear	___	el/la pirata; la piratería	___; ___	___	*pirated*
quedarse ciego	___	el/la ciego/a, el/la invidente	*blind person*	ciego	___
saber	___	la sabiduría; el/la sabio/a	*wisdom; wise person*	___	___
seguir	___	el/la seguidor(a)	___	___	___
ver	___	el/la vidente	*clairvoyant*	visto	___

20 ¿Verbo, sustantivo o adjetivo?

Complete las oraciones usando la forma correcta de las palabras que aparecen en la tabla, ya sea verbo, sustantivo o adjetivo. En el caso del sustantivo puede que necesite artículo.

1. En muchos países se venden películas ___ (*piratear*) en la calle.
2. Cada vez que sale un nuevo CD de mi banda favorita, ___ (*enloquecer*) comprarlo lo más pronto posible.
3. Se ___ (*creación*) la cueca, el baile nacional de Chile, como recuerdo del heroísmo de los que lucharon por la independencia del país en 1810.
4. El público ___ (*aplauso*) al cantaor de flamenco cuando terminó su interpretación del cante jondo.
5. El filántropo ___ (*donación*) muchas obras de arte de su colección personal al Museo de Bellas Artes.
6. A veces las canciones y las películas fracasan a pesar de ___ (*sabio*) de los expertos.
7. Si la película tiene mucha acción y efectos especiales, ___ (*atracción*) a muchos para que vayan al cine a verla porque no querrán esperar hasta que llegue en versión DVD.
8. ONCE es la Organización Nacional de ___ (*ciego*) Españoles.
9. ___ (*Ver*) de tarot consultan sus tarjetas y la astrología de sus clientes.
10. Algunos ___ (*seguir*) de George Lucas, el director de *Star Wars*, prefieren la película *Star Wars: Episodio III—La venganza de los Sith*.
11. Me quedé aturdido cuando vi la obra musical *El Rey León* en Broadway. ___ (*Imaginar*) y ___ (*crear*) de la directora/productora Julie Taymor son tremendas.

Cita

Lea las siguientes famosas frases de cine:

- *Hazlo o no lo hagas, pero no lo intentes.* –De la película *Star Wars Episode V: Empire Strikes Back*
- *La vida es como una caja de bombones, nunca sabes lo que te va a tocar.* –De la película *Forrest Gump*
- *Volveré.* –De la película *The Terminator*
- *No ayudo a personas que tienen problemas con caballos, de hecho, ayudo a caballos que tienen problemas con personas.* –De la película *The Horse Whisperer*

¿Cuál es su favorita? ¿Recuerda alguna otra frase famosa? Dígale en español a un/a compañero/a que trate de averiguar de qué película es.

¡Dato curioso! Los premios Goya en España son los equivalentes a los Óscar en EE.UU. y a los César en Francia. En España no se empezaron a premiar los Goya hasta el año 1987.

21 Ciudadparaciegos 

Lea el artículo y completa el espacio con la palabra adecuada. Después conteste las siguientes preguntas:

- ¿Cuál es el propósito del artículo?
- ¿Qué pregunta sería apropiada para hacerle al pintor cubano?

Pintor cubano dedica una exposición a los ciegos

El pintor cubano Arturo Montoto, fiel a __1.__ (*vincular*) su obra con el entorno urbano, ha dedicado una singular exposición a los invidentes, "Ciudadparaciegos", una mezcla 5 de obra pictórica, vídeo y "performance". El proyecto de Montoto es __2.__ (*el primero*) muestra colateral abierta al público de la IX Bienal de Artes Plásticas de La Habana, que será __3.__ (*inaugurar*) oficialmente mañana con 10 el título de "Dinámicas de la cultura urbana". Muy en sintonía con la temática de la Bienal, que ocupará varios espacios y galerías de la capital cubana durante un mes, el artista __4.__ (*explicar*) que con esta exhibición pretende hacer 15 una llamada de atención sobre los invidentes, "ese sector minoritario de la población que __5.__ (*andar*) en la ciudad y que casi nadie tiene en cuenta".

" __6.__ (*Hacerse*) una exposición de artes 20 visuales y pienso que sería interesante que ellos (los ciegos) aun cuando no __7.__ (*ver*), son los principales invitados a un evento artístico, a ver a su manera, y en el que siempre van a ver por la descripción (a través del sistema braille)", señaló. 25 Montoto apuntó que para "Ciudadparaciegos" __8.__ (*construir*) un recorrido por la ciudad, que "son fragmentos de las obras __9.__ (*mío*), de __10.__ (*alguno*) modo yuxtapuestas, en los que aparecen obstáculos, que pueden hacer daño al 30 ciego".

"Ellos con su tacto van __11.__ (*descubrir*) que hay textos descriptivos que les van __12.__ (*decir*) aquí hay una pared, un obstáculo, aquí hay sombra, luz y ellos, como van __13.__ (*leer*), se van __14.__ 35 (*imaginar*) el paisaje", añadió. En el proyecto —instalado en el Museo de Arte Colonial del centro histórico de La Habana Vieja— __15.__ (*colaborar*) la Asociación Nacional del Ciego (ANCI), entre otras instituciones cubanas, y el Museo 40 Tiflológico de la Organización Nacional de Ciegos Españoles (ONCE).

www.eldiariony.com

22 ¿Qué significa? 

Mire las palabras de la primera columna, que aparecen en la lectura anterior, y busque su traducción en la segunda columna.

1. entorno	a. tocando con las manos
2. mezcla	b. combinación
3. en sintonía	c. cooperar
4. temática	d. producir dolor
5. recorrido	e. lo que te rodea
6. hacer daño	f. tema
7. tacto	g. en armonía
8. colaborar	h. camino

Cita

La calidad de un pintor depende de la cantidad del pasado que lleve consigo.

—Pablo Picasso (1881–1973), pintor español

¿Piensa que la obra de un artista es su vida y su historia personal? ¿Cree que los mejores artistas son los mayores, puesto que han tenido más experiencias? Comparta su opinión con un/a compañero/a.

23 Lea, escriba/presente 

Vuelva a leer el artículo anterior y piense en cómo contestaría las siguientes preguntas: ¿Cree que el arte es solamente un fenómeno visual? ¿Cómo ayudó el pintor cubano Arturo Montoto a los ciegos a apreciar el arte? Luego escriba un ensayo o haga una presentación en clase sobre el tema.

24 Un accidente en el Metropolitan 

Lea con atención el siguiente artículo. Después piense en una pregunta apropiada para hacerle a la señora que dañó el cuadro.

Una mujer daña un Picasso en el Metropolitan en Nueva York

La expresión "dar un mal paso en la vida" ha cobrado un significado muy particular para una señora de Nueva York. Matriculada en una clase de historia del arte para adultos, la alumna formaba parte el pasado viernes por la tarde de una visita guida a través de la enciclopédica colección del Metropolitan. Todo muy pedagógico, cultural y divulgativo, hasta que el grupo se acercó al famoso lienzo *El actor* de Pablo Picasso (1881-1973). De forma inopinada, la señora perdió su sentido del equilibrio y se precipitó sobre el cuadro de cerca de dos metros de largo y más de un metro de ancho, con un valor estimado en más de 130 millones de dólares. El resultado de la colisión ha sido un desgarro irregular de aproximadamente unos quince centímetros en la esquina inferior derecha del cuadro.

Como el Metropolitan no sigue la política de algunas tiendas que equiparan ese tipo de percances involuntarios a una compra instantánea ("you break it, you buy it"), el conocido cuadro de la etapa rosa de Picasso fue traslado urgentemente al estudio de conservación del museo. Después de un cuidadoso estudio, los especialistas del Metropolitan consideran que el daño registrado no afecta a ningún "punto focal de la composición". Y que la reparación de esa raja vertical "no será prominente".

Al dar noticia sobre de lo occurrido, el Metropolitan ha insistido en la naturaleza estrictamente accidental de lo ocurrido, lo que parece excluir una posible intervención de las autoridades o acciones legales. El museo también ha declinado identificar a la involuntaria agresora del Picasso, salvo para dejar claro que la señora no resultó herida como consecuencia de sus traspiés con *El actor*, exhibido en el piso segundo del museo junto a otros ejemplos de las primeras frases de la legendaria obra de Picasso.

Los trabajos de reparación se van a realizar sin demora durante las próximas semanas. Ya que el Metropolitan espera contar con el dañado lienzo para una de las exposiciones incluidas para su programación de primavera-verano. En concreto, una muestra que desde el 27 de abril al 1 de agosto ofrecerá al público la posibilidad de contemplar 250 obras de Picasso que forman parte de los fondos propios del gran museo de arte de Nueva York.

El actor: Pablo Picasso, 1904-5

El actor fue donado en el año 1952 al Metropolitan por la multimillonaria Thelma Chrysler Foy, heredera del imperio automovilístico fundado por su padre, Walter P. Chrysler. Pintado en París durante el invierno de 1904 sobre un lienzo ya usado con anterioridad, el cuadro marca el inicio de la transición estética realizada por Pablo Picasso desde su fase azul a su período rosa.

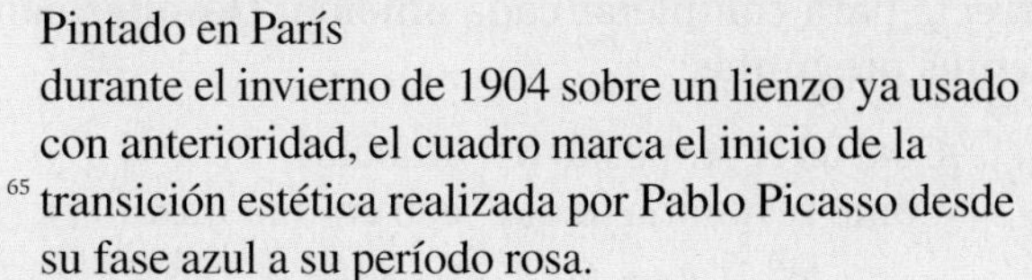

Se supone que el pintor malagueño utilizó como modelo a un vecino para este cuadro de fondo abstracto. La obra supone el arranque de una sensibilidad estética de colores diferentes, poblada por imágenes teatrales y circenses, y con imágenes recurrentes de acróbatas y artistas ambulantes inspirados por el género dramático italiano de la *Commedia dell'Arte*.

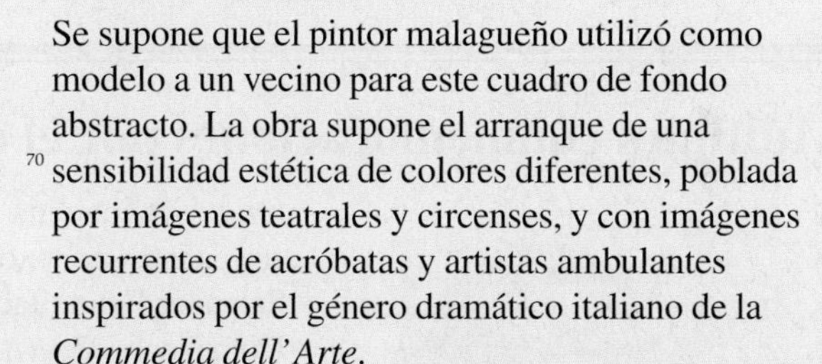

El percance en el Metropolitan ha recordado a la célebre colisión que el multimillonario Stephen Wynn tuvo hace tres años con otro lienzo de Picasso, *Le Rêve*, retrato de una de las amantes del pintor español realizado en 1932. El gran empresario de los casinos, con un problema de visión periférica, propinó un fortuito y perforador codazo al cuadro que había adquirido por casi cincuenta millones de dólares en 1997. Como consecuencia del accidente, Wynn reconsideró la decisión de vender este Picasso. Y ahora, el cuadro reparado forma parte de la decoración de su despacho.

www.abc.es – Martes, 26-01-10 a las 09:24

25 Amplíe su vocabulario 

Busque el significado de estas palabras según el artículo que acaba de leer, y escriba una frase con cada una que muestre que comprende su significado.

1. dar un mal paso en la vida
2. visita guiada
3. lienzo
4. percances involuntarios
5. la etapa rosa de Picasso
6. daño
7. acciones legales
8. traspiés
9. está valorado en
10. demora
11. una muestra
12. fue donado por
13. célebre
14. empresario
15. codazo

¡Dato curioso! Después de vender por 139 millones de dólares el famoso cuadro de Picasso *El sueño*, Stephen Wynn rompió el lienzo sin querer mientras que se lo enseñaba a un grupo de amigos. Éste era el precio más alto que jamás se ha pagado por una obra. En cuanto pasó el accidente lo primero que dijo fue "Gracias a Dios que he sido yo". *El sueño* de Picasso se terminó convirtiendo en una "pesadilla" para el multimillonario

26 Escriba un SMS

Está en una galería de arte y acaba de destrozar una importante obra, sin querer (de forma accidental). Mándele un SMS a un/a amigo/a, contándole qué pasó. Incluya detalles en su mensaje e intente usar vocabulario de los artículos anteriores.

Cita

La inspiración existe, pero tiene que encontrarte trabajando.
—Pablo Picasso, (1881–1973), artista español

¿Cómo piensa que los artistas encuentran su inspiración? Mucha gente dice que su inspiración viene cuando uno menos lo piensa —por ejemplo, mientras uno se ducha por la mañana. ¿Esto le pasa a Ud.? ¿Cuál fue su última "inspiración", y cuándo le llegó? ¿Se realizó? Comparta sus opiniones y respuestas con un/a compañero/a.

27 Dalí 

Lea el artículo y decida cuál de las palabras entre paréntesis es la correcta para completar cada oración. Después conteste las siguientes preguntas:

- ¿Cuál es el propósito del artículo?
- ¿Cómo resumiría lo que leyó en una frase?

Múltiples conmemoraciones por el centenario de Salvador Dalí

El centenario del nacimiento de Salvador Dalí, quizás el personaje más excéntrico de la historia del arte español, concita __1.__ (*este / aquel*) año decenas de exposiciones, ediciones de libros y otras actividades que __2.__ (*repasa/ repasan*) una vida y una obra surrealistas por excelencia. Salvador Felipe Jacinto Dalí Domenech __3.__ (*nacía / nació*) en Figueras, en la región de Cataluña, en la esquina __4.__ (*nororiental / nororientala*) española, el 11 de mayo de 1904, y murió en la misma villa el 23 de enero de 1989, víctima de un paro cardíaco. __5.__ (*Por / Para*) celebrar el natalicio de Dalí, diversas entidades públicas y privadas han reunido obras y __6.__ (*recuperado / recuperados*) textos para satisfacer la gran curiosidad de los seguidores de su trabajo y de los que __7.__ (*se acercan / se acerquen*) a él por primera vez. Tal vez la exposición más importante, por su contenido, es la organizada en Barcelona por Caixaforum, "Dalí, cultura de masas", que será inaugurada el 5 de febrero __8.__ (*en / con*) unas 400 obras, entre dibujos, fotografías, recortes, portadas de revistas, postales, objetos variopintos, manuscritos y películas. La exposición —que irá después a Madrid y luego a EE.UU. y a Holanda— explora la relación de Dalí con la cultura de masas y __9.__ (*como / cómo*) su universo visual reflejó los grandes cambios tecnológicos y económicos del siglo XX, que __10.__ (*le / lo*) fascinaron. Fuera de España, una muestra importante será la antológica "Dalí" —con 150 óleos representativos de todas las vertientes creativas del pintor, especialmente surrealismo y **11.** (*vanguardista / vanguardia*)—, en el Palazzo Grassi de Venecia, y que será llevada luego al Museo de Arte de Filadelfia, en Estados Unidos. La Fundación Gala-Salvador Dalí ha organizado la exposición "El Quijote según Salvador Dalí", con los dibujos y acuarelas que utilizó para ilustrar la obra de Cervantes, y **12.** (*otro / otra*) de dibujos dalinianos en el Museo Municipal de Cadaqués. En Barcelona, el gobierno regional **13.** (*promueve / promueva*) "Dalí. Afinidades electivas", muestra que analizará las influencias literarias y estéticas del pintor. El Centro de Arte Reina Sofía, en Madrid, montará las exposiciones "La huella de Dalí" — **14.** (*como / cómo*) modelo seguido por otros artistas—, "Dalí y la cultura de masas" y "Dalí lector", que hurgará en las lecturas que el artista tenía en su biblioteca de Figueras. La galería madrileña Blanquerna ha reunido una serie de retratos de Dalí hechos **15.** (*por / para*) catorce autores catalanes entre 1951 y 1979 en la exposición "Dalí y el retrato cómplice". El comisario de esta exposición, Balsells, recordó la mitomanía y la calculada excentricidad del genio que acostumbraba a decir a los fotógrafos: "para fotografiarme esperad a que me **16.** (*viste / vista*) de Dalí". En el terreno editorial destaca la publicación de *Rostros ocultos*, la única novela de Dalí, escrita en 1943, que ahora se publica con fragmentos que en su época **17.** (*eran / fueron*) censurados. Y hasta la gastronomía catalana rinde homenaje a Dalí: treinta restaurantes y sendos cocineros regionales recuerdan el interés que manifestó hacia el buen comer y por eso sirven esta **18.** (*estación / temporada*) menús con ingredientes relacionados con su vida y obra: huevos, crustáceos, ocas, patas de cerdo, caracoles y chocolate. Todas estas y muchas otras actividades previstas, entre ciclos de cine, conciertos, monográficos sobre la obra daliniana, contenidos en Internet (www.salvador-dali.org o www.daliphoto.com), **19.** (*pretenden / pretendan*) satisfacer la gran atracción que ejerce la figura de Dalí.

www.eldiariony.com

28 Amplíe su vocabulario

Según el contexto del artículo que acaba de leer, empareje las palabras de la primera columna con su traducción correspondiente en la segunda.

1. excéntrico	a. goose
2. por excelencia	b. affinity
3. paro cardíaco	c. eccentricity
4. recuperar	d. magazine cover
5. recorte	e. mark
6. portada de revista	f. from Dalí
7. variopinto	g. eccentric
8. vertiente	h. from Madrid
9. vanguardia	i. highlights
10. daliniano	j. to pay
11. promover	k. aspect
12. afinidad	l. to rummage
13. huella	m. par excellence
14. hurgar	n. snail
15. madrileño	o. clipping
16. excentricidad	p. anticipated
17. destaca	q. crustacean
18. rendir	r. heart attack
19. crustáceo	s. movement that is foremost in its field
20. oca	t. to recover
21. caracol	u. to promote
22. previsto	v. miscellaneous

¡Dato curioso! En 1939 Dalí aceptó la decoración de un escaparate de los almacenes Bonwit Teller en la Quinta Avenida de Nueva York. Hizo una polémica composición. Se realizaron modificaciones sin permiso del autor, y Dalí, en protesta, acabó lanzando la bañera contra el vidrio del escaparate. Fue detenido y debió pagar los desperfectos. El juzgado le absolvió, pues argumentó que defendía su obra. Se entendió esta protesta como una defensa de los derechos del autor.

29 Lea y escriba/presente

Vuelva a leer el texto completo sobre el centenario de Dalí y, si lo desea, consulte las fuentes citadas en el artículo u otras para aprender más sobre la vida del artista. Luego escriba un ensayo o haga una presentación en clase sobre "Salvador Dalí: el artista de las masas". No se olvide de citar las fuentes debidamente.

30 La Oreja de Van Gogh

Lea el artículo y decida cuál de las palabras entre paréntesis es la correcta para completar cada oración. Después conteste la siguiente pregunta: ¿Qué pregunta sería apropiada para hacerle al grupo musical?

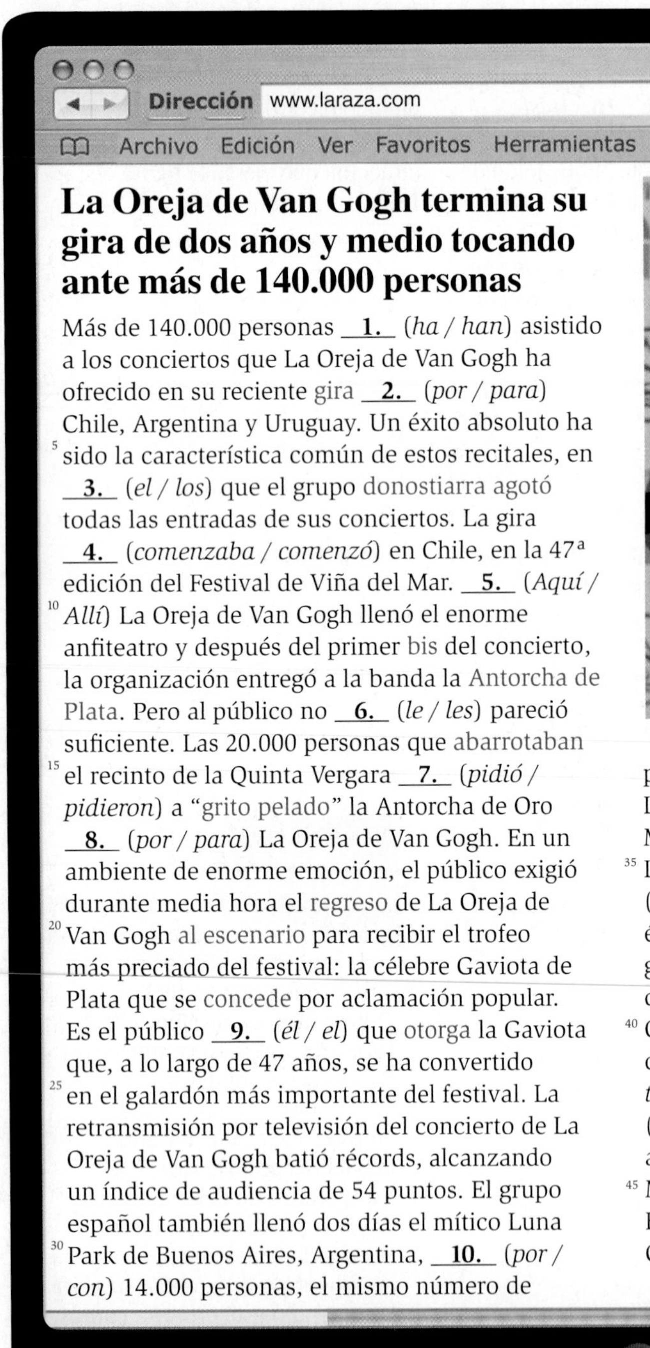

Dirección www.laraza.com

Archivo Edición Ver Favoritos Herramientas Ayuda

La Oreja de Van Gogh termina su gira de dos años y medio tocando ante más de 140.000 personas

Más de 140.000 personas ___1.___ (*ha / han*) asistido a los conciertos que La Oreja de Van Gogh ha ofrecido en su reciente gira ___2.___ (*por / para*) Chile, Argentina y Uruguay. Un éxito absoluto ha sido la característica común de estos recitales, en ___3.___ (*el / los*) que el grupo donostiarra agotó todas las entradas de sus conciertos. La gira ___4.___ (*comenzaba / comenzó*) en Chile, en la 47ª edición del Festival de Viña del Mar. ___5.___ (*Aquí / Allí*) La Oreja de Van Gogh llenó el enorme anfiteatro y después del primer bis del concierto, la organización entregó a la banda la Antorcha de Plata. Pero al público no ___6.___ (*le / les*) pareció suficiente. Las 20.000 personas que abarrotaban el recinto de la Quinta Vergara ___7.___ (*pidió / pidieron*) a "grito pelado" la Antorcha de Oro ___8.___ (*por / para*) La Oreja de Van Gogh. En un ambiente de enorme emoción, el público exigió durante media hora el regreso de La Oreja de Van Gogh al escenario para recibir el trofeo más preciado del festival: la célebre Gaviota de Plata que se concede por aclamación popular. Es el público ___9.___ (*él / el*) que otorga la Gaviota que, a lo largo de 47 años, se ha convertido en el galardón más importante del festival. La retransmisión por televisión del concierto de La Oreja de Van Gogh batió récords, alcanzando un índice de audiencia de 54 puntos. El grupo español también llenó dos días el mítico Luna Park de Buenos Aires, Argentina, ___10.___ (*por / con*) 14.000 personas, el mismo número de personas que asistió a la primera presentación de La Oreja de Van Gogh en Montevideo, Uruguay. Más tarde el grupo regresó a Chile para actuar en La Serena, Pucón y Santiago, este último ___11.___ (*antes / ante*) más de 30.000 personas remató el éxito de la gira. En este país, el grupo también ganó el Premio de la Popularidad al recibir más de 100.000 votos a través de llamadas telefónicas. Con estos conciertos, La Oreja de Van Gogh cierra la gira internacional del álbum *Lo que te conté mientras te hacías la dormida*. ___12.___ (*Desde / Durante*) dos años y medio el grupo ha actuado en 12 países: Estados Unidos, Francia, México, Puerto Rico, El Salvador, Panamá, Ecuador, Colombia, Chile, Argentina, Uruguay y Guatemala.

31 ¿Qué significa?

Según el contexto del artículo que acaba de leer, elija la mejor traducción para cada palabra.

1. gira
   a. show b. audition
   c. tour d. none of these
2. donostiarra
   a. very generous b. from San Sebastián
   c. popular d. universal
3. agotar
   a. to sell out b. to resell
   c. to bring out d. to print
4. bis
   a. show b. applause
   c. both d. encore
5. Antorcha de Plata
   a. Silver Prize b. Silver Torch
   c. Silver Medal d. Silver Reward
6. abarrotar
   a. to applaud b. to shout with approval
   c. to sit d. to jam-pack
7. grito pelado
   a. fiery applause b. subtle encouragement
   c. wild cheers d. angry screams
8. regreso al escenario
   a. return to the audience b. return to the stage
   c. return to the scene d. exit from the stage
9. conceder
   a. to give up b. to oblige
   c. to award d. to distribute
10. otorgar
    a. to grant b. to permit
    c. to disagree d. to choose
11. rematar
    a. to kill b. to prevent
    c. to fail d. to finish off

32 Lea, escuche y escriba/presente 

Vuelva a leer el artículo completo sobre La Oreja de Van Gogh. Luego escuche "Guadalajara se inaugura como capital de la cultura" y tome las notas necesarias. Escriba un ensayo o haga una presentación en clase sobre "El impacto del arte y cultura en la comunidad". No se olvide de citar las fuentes debidamente.

¡A leer!

33 Antes de leer

¿Qué artistas conoce que estén involucrados/as con una causa social? ¿Cuáles cree que son las razones que le llevan a ello? ¿Qué piensa Ud. de todo esto? ¿Cree que deberían todos los famosos hacer lo mismo? ¿Y Ud.? ¿Colabora o piensa colaborar en el futuro con alguna causa humanitaria?

34 Shakira y su obra social

Lea con atención el siguiente artículo. Después conteste la siguiente pregunta:

- ¿Cuál seria una pregunta apropiada para hacerle a Shakira?

Shakira y las causas humanitarias

. . . Shakira también se ha dedicado a la fundación que creó en 1995, llamada Pies Descalzos, con el fin de ayudar a niños de Colombia y de países del tercer mundo. La cantante colombiana, gracias a su labor con esta fundación, fue escogida por la UNICEF como embajadora de buena voluntad. En abril de 2006, Shakira recibió una mención honorífica en una ceremonia de la Organización de las Naciones Unidas por la creación de la fundación Pies Descalzos. En el acto de entrega declaró: “No olvidemos que al final del día cuando todos se vayan a casa, 960 niños habrán muerto en Latinoamérica”.

La marca española de automóviles SEAT se unió con Shakira para crear un auto que lleva como nombre Pies Descalzos y se subastó en 2007 entre quienes donaron dinero a la fundación. También ese año la cantante colombiana participó en la iniciativa Clinton, donde ella, en nombre de los miembros de la Fundación ALAS (América Latina en Acción Solidaria), donó más de 40 millones de dólares a la gente de Perú y de Nicaragua por los hechos ocurridos en ambos países y 5 millones más para proyectos de educación en Latinoamérica. Además, en mayo de 2008 participó en uno de los conciertos benéficos de la ALAS.

A principios de 2009, se inauguró la Institución Educativa y Centro Comunitario Fundación Pies Descalzos. Ésta está enfocada en dar una mejor educación a las personas que viven en La Playa, a las afueras de Barranquilla, los cuales son en su gran parte artesanos y pescadores. Este colegio comenzó labores el día en que Shakira cumplió 32 años. En octubre de ese mismo año Shakira representó a Colombia en una campaña transmitida a nivel mundial para la fundación One Drop, para preservar el agua, donde actuaron el fundador del Cirque du Soleil, Lila Downs, U2, Salma Hayek, Al Gore y otras personalidades de talla mundial. Este acto se transmitió en la página de Internet de la fundación, en Estados Unidos, Canadá y otros países del mundo.

Shakira

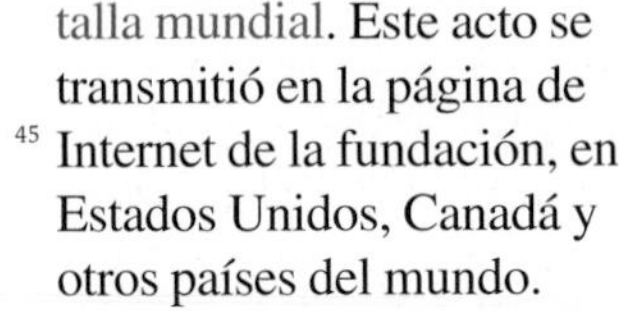

Política

En octubre de 2010 Shakira expresó su desacuerdo con la política del presidente francés, Nicolás Sarkozy, de expulsar a los gitanos rumanos del país. En la edición española de la revista *GQ* dedicó también unas palabras a Sarkozy: “Todos somos gitanos”. En la entrevista dejó su punto de vista muy claro. “Lo que les pasa ahora a ellos - por los gitanos - les pasará a nuestros hijos y a los hijos de nuestros hijos. Debemos recurrir a la acción ciudadana por los derechos fundamentales del ser humano y denunciar todo lo que nos parece denunciable”, sentenció. En octubre de 2011 el presidente de los Estados Unidos Barack Obama la nombra asesora de la Comisión para la Excelencia Educativa de los Hispanos.

http://es.wikipedia.org/wiki/Shakira#Activismo_social

35 Amplíe su vocabulario

Haga un resumen del artículo anterior en no más de cinco líneas. Use las palabras en azul y enuméralas.

36 ¿Ha comprendido?

1. Según el artículo anterior, ¿cuál es el objetivo de la fundación?
   a. Promocionar a la cantante
   b. Ayudar a los niños de Colombia
   c. Crear una nueva fundación en los países del tercer mundo
   d. Ayudar a los niños necesitados y países subdesarrollados y en Colombia
2. ¿Con qué motivo se subastó un coche de la marca SEAT en uno de los eventos?
   a. Para animar y motivar a los que hicieron donativos
   b. Para donar dinero a la fundación
   c. Para promocionar la marca de coches
   d. Para regalárselo a los niños pobres del tercer mundo
3. ¿Cómo ayuda la fundación Pies Descalzos en la zona de La Playa, a las afueras de Barranquilla?
   a. Preservando el agua
   b. Educando a los niños
   c. Haciendo conciertos benéficos
   d. Denunciando las injusticias
4. ¿A qué se refiere la frase "expresó su desacuerdo con la política del presidente francés"?
   a. Al rechazo de todos los artistas por la posición del presidente frente a los gitanos
   b. A la denuncia que hizo Shakira por la expulsión de los gitanos de Francia
   c. A la dificultad que tenemos todos en este mundo por ser gitanos
   d. Al hecho de que Shakira y el presidente encontraron una solución para ayudar a los gitanos
5. ¿Cuál es el propósito del artículo?
   a. Denunciar la situación de los niños pobres en los países del tercer mundo
   b. Criticar la postura de gobiernos, como el francés, frente a los gitanos
   c. Resumir la labor humanitaria de la cantante
   d. Promocionar el álbum de Shakira llamado Pies Descalzos
6. Si quisiera buscar información adicional, ¿cuál de las siguientes publicaciones consultaría?
   a. Los niños y su educación en las zonas pobres de Colombia
   b. Los famosos y sus viajes por causas benéficas
   c. SEAT y sus causas humanitarias
   d. Los desafíos de los gitanos hoy en día

¡Dato curioso! ¿Sabía que el esfuerzo del cantante colombiano Juanes en el concierto "Colombia sin minas" dio sus frutos, al lograr recaudar 350 mil dólares para las víctimas de las minas antipersonales en su país? Todas las colectas están relacionadas con la gala musical y la fundación "Mi sangre" de Juanes. Juanes nació Juan Esteban Aristizábal en Medellín, Colombia. Es cantante, guitarrista, productor y autor de la música y letra de todos los temas que canta. En los últimos cuatro años, Juanes ha ganado nueve Grammy Latinos, cinco Premios MTV y seis Premios Lo Nuestro, entre otros reconocimientos internacionales.

Compare

¿Cuáles son los famosos de su país más involucrados con causas sociales? Compare sus labores sociales con las de otros artistas de habla hispana.

37 Lea, escuche y escriba/presente 

Vaya a la página oficial de la fundación de Shakira, Pies Descalzos. Investigue sobre la organización y vea algunos de sus videos. Luego escriba un ensayo o haga una presentación en clase sobre esta organización, sus comienzos y su labor humanitaria.

38 La moda española 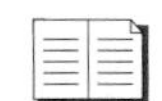

Lea con atención el siguiente artículo. Después conteste las siguientes preguntas:

- ¿Cuál es el propósito del artículo?
- ¿Cómo resumiría el artículo en una frase?
- Si quisiera consultar otra fuente, ¿podría pensar en un posbile título de una publicación?

La moda española, un gran imperio

Zara es una de las empresas más importantes en España y es una de las tiendas españolas más conocidas internacionalmente. Es parte del grupo Inditex. Zara fue fundada por Amancio Ortega al igual que otras muchas empresas de moda como de la compañía. Hoy en día, hay más de 1500 Zaras en unos 76 países. Zara ha tenido éxito porque tiene una estrategia única. Normalmente, para un diseño de moda llegar en una tienda, el proceso dura seis meses. No obstante, Amancio Ortega y su grupo creían que una prenda de vestir solo necesita dos semanas para llegar en una tienda. Esto le permite a Zara producir 10.000 estilos unevos al año. Produce prendas de calidad que se parecen a las que hacen los grandes diseñadores de moda (a un alto precio). Todos los estilos en Zara son completamente diferentes cada semana. Por esta razón, los compradores siempre están ilusionados y deseando pasar por las tiendas para ver qué diseños nuevos tienen.

La moda de España con su estilo único es una de las más reconocidas a nivel mundial. Algunas de sus diseñadores populares son: Ágatha Ruiz de la Prada, Fernando Sánchez, Cristóbal Balenciaga, Paco Rabanne, Custo (famoso por sus camisetas), Mariano Fortuny, Elena Benarroch, Manolo Blahnik (creador de los famosísimos zapatos) y Amaya Arzuaga entre muchos otros. Junto a estos artistas tenemos a creadores latinoamericanos destacados como es el caso de Oscar de la Renta, Carolina Herrera o Ángel Sánchez.

Una tienda Zara en Sevilla, España

Mientras que muchos valoran la creatividad de estos diseñadores y marcas, otros, sin embargo, critican a los mismos al definir los tamaños de ropa de las mujeres. El tamaño de muchas de las marcas al igual que las modelos que usan para lucirlas hace que muchos jóvenes se sientan inseguros de sus cuerpos y comiencen una dieta extrema y peligrosa.

39 Haga una entrevista

El fundador de Zara, Amancio Ortega, es conocido por no hacer muchas entrevistas. A pesar de ser un exitoso empresario, y su nombre aparecer en la revista *Fortune* como uno de los más ricos del mundo, pocos han conseguido hacerle una entrevista. Hoy Ud. tiene una gran oportunidad para hacerla. Después de leer el artículo, escriba 10 preguntas para él. Incluya información y vocabulario del artículo en sus preguntas.

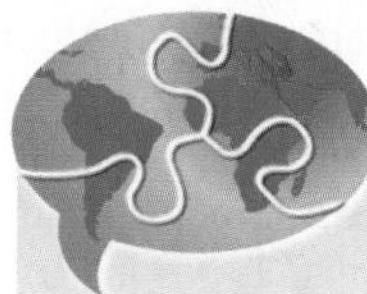

Compare

¿Cuáles son las marcas más conocidas de ropa en los EE.UU. para gente de su edad? Compare el estilo de una de ellas con el estilo de Zara.

40 Antes de leer  

¿Deberían los museos del mundo devolver el patrimonio cultural de otros países? ¿Qué pasaría con las investigaciones que financian estas instituciones? ¿Habrían sobrevivido estas piezas en su lugar de origen? ¿Cree que hubiéramos podido conocer estas obras de no haber sido rescatadas? ¿Cómo se garantiza la seguridad y preservación del patrimonio en países de escasos recursos?

41 El patrimonio en los museos

Lea con atención el siguiente artículo. Después conteste las siguientes preguntas:

- ¿Cuál es el propósito del artículo?
- ¿Cómo resumiría el artículo en tres frases?
- Si quisiera consultar otra fuente, ¿podría pensar en un posible título de una publicación?
- ¿Qué pregunta sería apropiada para hacerle al autor del artículo?

Polémica sobre los patrimonios de la humanidad en los museos

Alrededor de los grandes museos de antigüedades, sobre todo el Museo del Louvre (Francia) y el Museo Británico, siempre se ha mantenido la polémica sobre la obtención de ciertas obras de arte ya que muchos sectores lo consideran un expolio. Muchos países que se consideran expoliados, han pedido en repetidas ocasiones la devolución de ciertas obras por parte de las autoridades británicas. El Gobierno británico responde diciendo que según una ley promulgado por el Parlamento en el año 1753, se prohíbe la salida del país de cualquier pieza a no ser que sea un duplicado, para preservar toda esta cantidad de obras. Además, el Gobierno británico esgrime como argumento el que esas obras no podrían haber sido conservadas adecuadamente en sus países de origen.

El caso más paradigmático del Museo Británico, es el de los frisos y esculturas del frontón del Partenón. El gobierno de Grecia lleva solicitando formalmente desde hace varios años la devolución de los restos de este templo. El Gobierno británico dice que el estado compró oficialmente los restos del Partenón que se conservan en el museo a Lord Elgin, y que éste a su vez se lo compró al Imperio Otomano y es la postura oficial desde la página web del museo.

A raíz de las exigencias del gobierno griego, muchos otros países también están pidiendo la devolución de materiales, como Nigeria y Egipto. De momento, el Museo Británico se ha negado a devolver toda pieza, aunque la presión de estos países es cada vez mayor.

El saqueo del patrimonio artístico se ha llevado a cabo en todos los tiempos y por todo tipo de gentes, incluso con autorización de los gobiernos nacionales para abastecer los museos, pues en todo tiempo ha existido el coleccionismo. Los romanos fueron unos grandes coleccionistas de antigüedades griegas. A partir del siglo III a. de C. los ricos conquistadores comenzaron a formar colecciones y participaron en una primera fase del pillaje a gran escala de la Grecia Clásica.

En el siglo XVII se abre el periodo de los grandes viajes, especialmente a Grecia. El coleccionismo es entendido como un acto de prestigio por parte de aficionados, a veces animado por un verdadero deseo de conocer la antigüedad. Los viajes aumentan más en el siglo XVIII. Se extiende la costumbre en las universidades de hacer un "grand tour" mediterráneo tras los estudios universitarios para aprender idiomas e iniciar colecciones. Al final del XVIII y comienzo del XIX la demanda de antigüedades por parte de los estados y los coleccionistas se hace tan grande que se crean los grandes museo, como el Museo Británico en 1753, uno de los más polémicos y criticados junto al Louvre, por la forma en la que ha conseguido

continúa

55 hacerse con ese patrimonio. Muchos países como Grecia, Egipto o Nigeria se consideran expoliados por Inglaterra y piden la devolución de las obras de arte a su lugar de origen.

Se crean los primeros museos americanos (el Metropolitan 60 Museum de Nueva York y el Boston Museum of Fine Arts en 1870), y surge una nueva demanda de antigüedades clásicas y, también, de arqueología precolombina. La arqueología en el siglo XX empieza a ser especialmente sensible el saqueo inexperto de los bienes culturales. 65 Según Interpol y Scotland Yard, el mercado de arte robado y de antigüedades expoliadas representa una cifra astronómica de dólares y constituye la segunda gran fuente de criminalidad organizada tras el tráfico de droga, a pesar de las convenciones internacionales y las tomas 70 de posición de numerosas asociaciones profesionales y académicas. El pillaje continúa y aumenta sin parar, con métodos modernos como los detectores de metales y los *bulldozers*, aprovechándose de la pobreza de algunos países o con empresas enteras más o menos legales o 75 paralegales dedicadas a este comercio, en particular si se trata de arqueología submarina. Los "Indiana Jones" actuales destruyen todo lo que tocan con su impaciencia y su falta de preparación, y pierden para siempre objetos que podrían suministar una valiosa información sobre el 80 pasado.

Hiram Bingham es considerado culpable de extraer de manera ilegal 46.332 piezas arqueológicas incas, propiedad del pueblo peruano, llevándoselas a la Universidad de Yale, en Estados Unidos. La Universidad 85 de Yale va a devolver casi 50.000 piezas retiradas de Machu Picchu hace casi un siglo. Los artefactos fueron excavados por Hiram Bingham, que descubrió la ciudad perdida de los incas, y llevados a la prestigiosa universidad norteamericana.

es.wikipedia.org

42 Amplíe su vocabulario

Haga una frase con cada una de las palabras que aparecen en azul mostrando que comprende su significado.

43 ¿Verdadero o falso?

Según la lectura anterior, decida si las siguientes frases son verdaderas o falsas. Escriba la frase verdadera en los casos en que una sea falsa.

1. El museo que causa mayor polémica es el Museo del Louvre.
2. Las obras no se hubieran podido conservar si no llega a ser por el Museo Británico.
3. Grecia quiere que le devuelvan los objetos del Partenón.
4. El saqueo es algo nuevo que cada vez es peor, debido al tráfico entre los coleccionistas.
5. El tráfico de antigüedades junto con las drogas son las dos grandes actividades del crimen organizado.

El Museo Británico

¡Dato curioso! Se denomina expolio, saqueo o pillaje arqueológico y artístico al delito consistente en la incautación del patrimonio histórico, arqueológico y artístico por parte de profesionales con afán de lucro, por coleccionistas, por arqueólogos aficionados e inexpertos, anticuarios sin escrúpulos o turistas, sin el permiso ni la información previa de las autoridades civiles y gubernativas de los lugares saqueados ni respeto a las leyes de protección de bienes culturales.

44 Haga preguntas

Escriba cinco preguntas sobre el texto anterior.

45 Lea, escuche y escriba/presente 

Después de leer el artículo anterior, busque un video en Internet o un podcast que hable del regreso de los artefactos a Machu Picchu. Luego, escriba un ensayo o haga una presentación en clase sobre el siguiente tema: ¿Cree que los museos deben de devolver las piezas a los países de origen? No se olvide de citar las fuentes debidamente.

Cita

Todo tiene sus límites.
— Quinto Horacio Flaco (65– 8 a. de J. C.), poeta latino

Comente esta cita con un/a compañero/a

Machu Picchu, Perú

¡A escuchar!

46 Vida de niños de la calle al cine

Esta grabación es sobre el documental que realizó la periodista Mercedes Jiménez Ramírez sobre los niños de la calle en la República Dominicana. La grabación dura aproximadamente 4.5 minutos. Primero, repase las palabras del recuadro porque le ayudarán a entender mejor la grabación. Luego lea las preguntas y sus posibles respuestas y después escuche "Vida de niños de la calle al cine". Escoja la mejor respuesta para cada pregunta. Después piense en cuál sería una pregunta apropiada para hacerle al director del documental. Si quisiera consultar otra fuente para aprender más sobre este tema, ¿podría pensar en el título de una publicación?

el limpiabotas	*shoeshine boy*	**lucir**	*to seem*	**las sobras**	*leftovers*
el pegamento	*glue*	**intercaladas**	*interwoven*		

1. ¿Qué cosas le impresionaron a la periodista durante su visita a la República Dominicana?
   a. La belleza del país, el folklore y la gente
   b. La pobreza del país y la personalidad de un joven
   c. El folklore y la riqueza de personalidades de allí
   d. El folklore y la malnutrición

2. ¿Qué es Boca Chica?
   a. Un pueblo
   b. El apodo del muchacho
   c. Un mercado
   d. Unos zapatos

3. ¿Cómo es la familia del joven?
   a. Matriarcal con pocos hermanos
   b. Grande sin madre
   c. Patriarcal con muchos hermanos
   d. Grande y sin padre

4. ¿Qué comen los niños de la calle?
   a. Lo que pueden encontrar
   b. Las aves
   c. El cemento
   d. Todas las respuestas anteriores

5. ¿De qué tipo de pegamento se habla en el documental?
   a. El cemento de las llantas
   b. El cemento de exportación
   c. La goma del zapatero
   d. La goma que se usa para pegar azulejos al suelo

6. ¿Qué premio recibió la película?
   a. Mejor Drama
   b. Mejor Documental
   c. Mejor Película Cubana del Año
   d. Ninguna de las respuestas anteriores

47 La piratería musical

Primero, repase las palabras del recuadro porque le ayudarán a entender mejor la grabación. Luego escuche "La piratería musical generó 4.600 millones de dólares en 2004" y conteste las preguntas que siguen.

hacer estragos	*to wreak havoc*	**avivar**	*to intensify*
la puesta en marcha	*setting in motion*	**promover**	*to promote*
superar	*to exceed*	**actuación**	*performance*

1. Normalmente se anuncia el Informe Mundial de Piratería Discográfica en Londres. ¿Por qué lo decidieron hacer en Madrid en 2004?
2. ¿Cuál es el problema en Paraguay?
3. ¿Cómo se ha tratado de solucionar el problema en Paraguay?
4. ¿Qué han hecho en Guadalajara, México, para cambiar la situación de la piratería?
5. ¿Qué ha hecho el Gobierno mexicano para cambiar la situación de la piratería?
6. Se mencionan tres efectos de la piratería. Nombre dos.
7. Se mencionan dos tipos de piratería. Una es la piratería musical. ¿Cuál es la otra?
8. ¿Cómo resumiría lo que escuchó en una frase?
9. ¿Cuál es el propósito del artículo?

48 Participe en una conversación 

Ud. va a participar en una conversación. Primero lea la descripción de la conversación y piense en algunas palabras o expresiones que le serían útiles. Organice sus ideas, haciendo predicciones sobre lo que se le pueda preguntar o comentar. Una descripción de lo que va a escuchar aparece abajo en color. Participe en la conversación grabando las respuestas o escribiéndolas en su cuaderno.

Escena: Se distribuirán los Oscar (o cualquier otro programa de premios) este domingo. Su amiga, Susana, está conversando sobre los que puedan ganar. Ella le pide sus opiniones. Conteste sus preguntas.

Susana: Plantea el problema y le hace una pregunta.

Ud.: • Conteste con detalles.

Susana: Hace un comentario y pregunta sobre una categoría en particular.

Ud.: • Dele detalles sobre lo que le ha preguntado.

Susana: Pregunta sobre otra categoría.

Ud.: • Dele detalles sobre otra nominación en esta categoría.

Susana: Hace un comentario y le hace otra pregunta.

Ud.: • Háblele sobre sus preferencias. Explique las razones y conteste su pregunta.

Susana: Hace un comentario y se despide.

Ud.: • Despídase. Haga un comentario e intente usar una expresión nueva de la lección.

¡A escribir!

49 Texto informal: un blog 

Escriba en un blog. Responda a la persona de abajo.

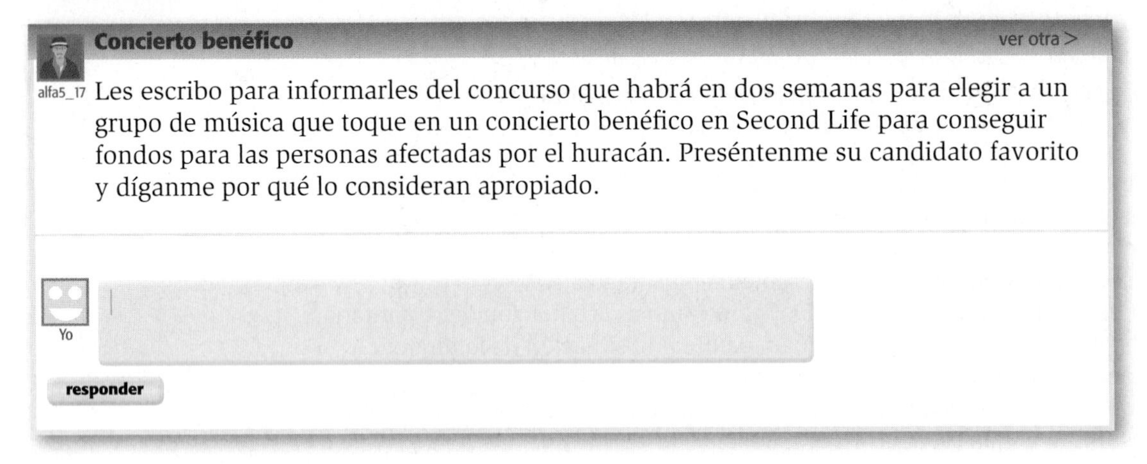

Concierto benéfico ver otra >

alfa5_17 Les escribo para informarles del concurso que habrá en dos semanas para elegir a un grupo de música que toque en un concierto benéfico en Second Life para conseguir fondos para las personas afectadas por el huracán. Preséntenme su candidato favorito y díganme por qué lo consideran apropiado.

Yo

responder

- Nombre al grupo con detalles sobre los miembros, la nacionalidad, la fama alcanzada y los premios ganados.
- Mencione qué tipo de música tocan y los nombres de algunos de sus éxitos.
- Explique claramente por qué le gusta su música. Dé detalles.
- Termine con unas recomendaciones para convencer al público de que debe escuchar el grupo.
- Diga por qué cree que sería bueno para esta causa.

50 Texto informal: una carta 

Lea esta carta con atención y respondale a la señora Amparo. Simpatice con su situación, cuéntele alguna anécdota y ofrézcale más ayuda y colaboración.

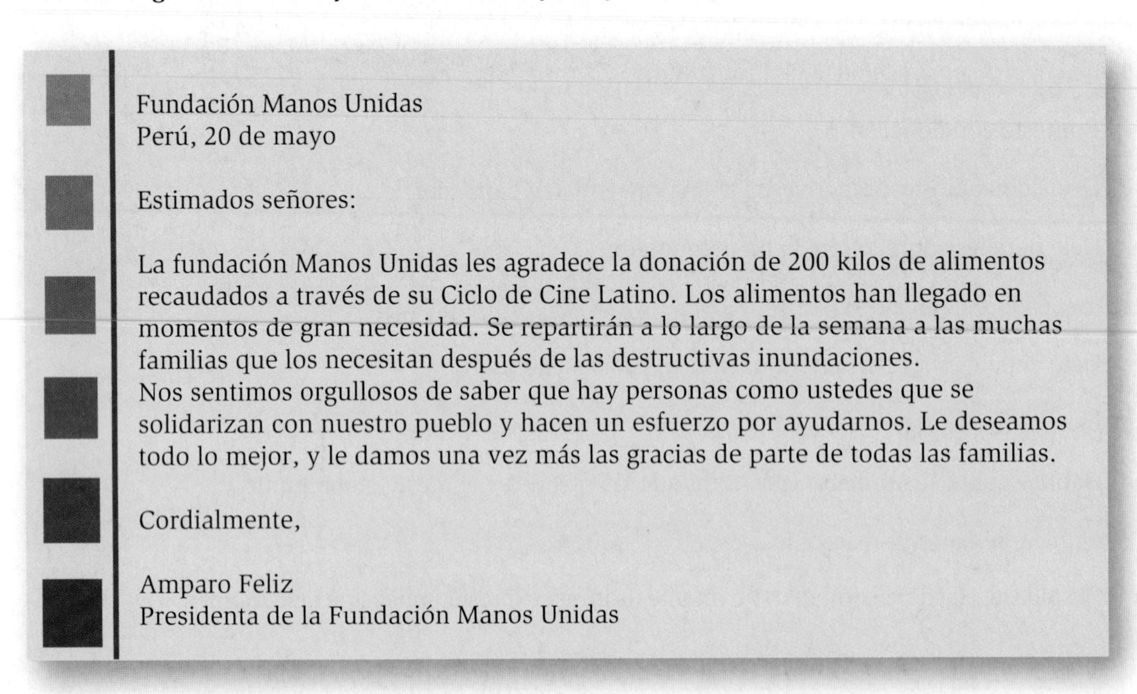

Fundación Manos Unidas
Perú, 20 de mayo

Estimados señores:

La fundación Manos Unidas les agradece la donación de 200 kilos de alimentos recaudados a través de su Ciclo de Cine Latino. Los alimentos han llegado en momentos de gran necesidad. Se repartirán a lo largo de la semana a las muchas familias que los necesitan después de las destructivas inundaciones.
Nos sentimos orgullosos de saber que hay personas como ustedes que se solidarizan con nuestro pueblo y hacen un esfuerzo por ayudarnos. Le deseamos todo lo mejor, y le damos una vez más las gracias de parte de todas las familias.

Cordialmente,

Amparo Feliz
Presidenta de la Fundación Manos Unidas

51 Ensayo: el cine y la televisión

Escriba un ensayo en el que compare las diferencias y semejanzas entre el cine y la televisión en los Estados Unidos y el cine y la televisión en los países hispanohablantes. Busque información en Internet antes de empezar el ensayo.

52 Ensayo: los actores hispanos 

Escriba un ensayo sobre "El impacto social de los actores hispanos en el cine y en la televisión hoy en día". Busque información en Internet antes de empezar el ensayo.

53 En parejas

Intercambie sus ensayos con los de un/a compañero/a. Exprésele su opinión sobre su contenido y el uso del idioma.

¡A hablar!

54 Charlemos en el café

Ud. va a debatir los siguientes temas con un/a compañero/a. Uno estará a favor de lo que se ha dicho y otro en contra. El debate durará varios minutos. El/La estudiante que esté de acuerdo comenzará el debate y hablará por unos dos minutos. Cuando el/la profesor/a lo indique, el/la otro/a estudiante tomará la palabra y expresará su opinión por otros dos minutos, y así sucesivamente.

1. No se deberían devolver las piezas de los museos a países pobres o con problemas políticos.
2. Todo lo que haga un artista es arte.
3. Almodóvar es un genio. Es uno de los mejores directores de la historia.
4. Los precios de las entradas para el cine y otros espectáculos son demasiado caros. Tienen que bajar los precios.
5. Los padres deben poner controles en los televisores para que los menores de 18 años no vean programas inapropiados.

Pedro Almodóvar

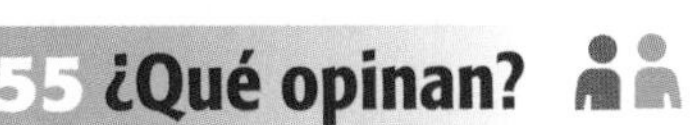

55 ¿Qué opinan?

En parejas conversen sobre estas preguntas.

1. ¿Cuáles son las películas que ha visto últimamente que tratan temas sociales?
2. ¿Por qué "vende" en la taquilla la violencia de las películas?
3. Dalí usaba mucho simbolismo en su obra. ¿Qué cree que representaban los huevos, las hormigas o los relojes blandos?
4. Algunos DJs ganan muchísimo dinero por un concierto. ¿Cree que se lo merecen igual que los otros músicos más tradicionales? ¿Quiénes son los pinchas/DJs más conocidos?

56 Presentemos en público 

Haga una presentación sobre alguno de los temas de abajo durante varios minutos en clase. Organice sus ideas antes de hacer la presentación, busque las palabras necesarias y, después de practicar, presente en clase sin mirar las notas.

1. ¿Cree que la música contemporánea ha afectado demasiado a los jovenes? ¿Cómo? ¿Por qué piensa que la música es tan importante en la vida de muchos jóvenes?
2. Haga una presentación sobre las excentricidades de Dalí y de otros artistas.
3. Haga una presentación sobre los artistas y su colaboración en obras humanitarias.
4. Haga una presentación sobre muebles y ropa de famosos artistas (por ejemplo el famoso sofá de Dalí de los labios, el teléfono langosta, etc.).

Proyectos

57 ¡Manos a la obra! 

Trabaje en un grupo de cuatro o cinco estudiantes para llevar a cabo uno de los siguientes proyectos y presentarlo en clase.

1. Investiguen el arte azteca y presenten la información. Acompañen los datos con ilustraciones, fotos y videos.
2. Diseñen un museo original. Puede ser de cuadros, esculturas o de música, cine o baile, o una combinación de todos. Describan con detalles las muestras que piensan presentar esta temporada. Denle un nombre al museo, nombren a un/a director(a) y establezcan las tarifas de las entradas.

Cita

- *A los seis años quería ser cocinero. A los siete quería ser Napoleón. Mi ambición no ha hecho más que crecer; ahora sólo quiero ser Salvador Dalí y nada más. Por otra parte, esto es muy difícil, ya que, a medida que me acerco a Salvador Dalí, él se aleja de mí.*
- *El que quiere interesar a los demás tiene que provocarlos.*
- *Es curioso, a mí me interesa mucho más hablar, o estar en contacto con la gente que piensa lo contrario de lo que yo pienso, que de los que piensan lo mismo que pienso yo.*
- *Sólo hay dos cosas malas que pueden pasarte en la vida, ser Pablo Picasso o no ser Salvador Dalí.*

—Salvador Dalí (1904-1989), artista español

 Elija su cita preferida de Dalí. Comparta su elección con su compañero/a.

Dalí Theatre-Museum, Figueres, España

Vocabulario

Verbos

abarrotar	to jam-pack
admirar	to admire
adorar	to adore
adquirir	to acquire
alabar	to praise
aplaudir	to applaud
censurar	to censor
colaborar	to collaborate
colocar	to put, place
conceder	to award
crear	to create
denunciar	to denounce
enloquecer	to become irrational, go crazy
fascinar	to fascinate
hallar	to find, discover
ingresar	to enter, enroll
instalarse	to settle, establish oneself
patrocinar	to sponsor
piratear	to rob, pirate
promover	to promote
rechazar	to reject
recorrer	to travel, cross
recuperar	to recover, retrieve
soltar	to let go of; to untie

Sustantivos

la	**causa humanitaria**	humanitarian cause
el	**cuestionamiento**	questioning
el	**entorno**	environment
la	**entrega**	delivery, distribution
la	**estrella**	star
la	**falsificación**	forgery
el	**fraude**	fraud
la	**fundación**	foundation
la	**exposición**	exposition, show
el	**fondo**	background
el	**galardón**	award, prize
la	**gira**	tour
la	**inversión**	investment
la	**jornada**	the (working) day
el	**legado**	legacy
el	**mercado**	market
la	**naturaleza muerta**	still life
el	**paisaje**	landscape
el	**papel**	role
el	**penúltimo**	second to last
el	**pincel**	paintbrush
la	**piratería**	piracy
el	**poder**	power
la	**polémica**	controversy
el	**proyecto**	project
la	**prueba**	proof, sign, test
el	**recorte**	clipping
el	**retrato**	portrait
la	**sabiduría**	wisdom
el/la	**sabio/a**	wise person
el	**sector**	sector
el/la	**seguidor(a)**	follower
el	**tacto**	(*sense of*) touch
la	**tela**	cloth, fabric, material
la	**temporada**	season
el/la	**vidente**	clairvoyant
el	**videojuego**	videogame
el	**vínculo**	link, bond

Adjetivos

anterior	previous
codiciado, -a	desirable
creativo, -a	creative
dañado, -a	damaged
denunciable	indictable
inaceptable	unacceptable
innovador(a)	innovative
irracional	irrational
provocativo, -a	provocative
variopunto, -a	miscellaneous

Expresiones

abarrotar un recinto	to pack the premises
a juzgar por	judging by
al aire libre	outdoors
a grito pelado	wild cheers
apta para mayores de 18 años	suitable for those over 18 years old
el arte por el arte	art for art's sake
las clasificaciones de películas	movie ratings
colores vivos	bright colors
como consecuencia de	as a result of
dar concierto benéfico	to give a benefit concert
de nuevo	again
gracias a su labor humanitaria	thanks to his/her humanitarian work
llevarse a cabo	to carry out
lo bueno (malo) es que	the good (bad) thing is
prácticamente	practically
los pros y los contras	the pros and cons
el público fanático	fans
la puesta en marcha	setting in motion
quedarse ciego	to become blind
ser conocido internacionalmente	to be known internationally
ser un éxito rotundo	to be a resounding success
ser un fracaso	to be a failure

A tener en cuenta

Abreviaturas y siglas

a. de J. C./a. C./a. J. C.	B.C.
Cía.	compañía
C.P.	código postal
D.	don
D.ª	doña
d. J. C./d. C.	A.D.
dcha.	derecha
D.E.P.	descanse en paz
Dr., Dra.	doctor, doctora
EE. UU.	Estados Unidos
ej.	ejemplo, ejemplar
etc.	etcétera
g	gramo/gramos
I.V.A.	impuesto de valor añadido
izq., izqda.	izquierda
JJ. OO.	Juegos Olímpicos
Km, km	kilómetro, kilómetros
l	litro, litros
m	metro, metros
ONU	Organización de las Naciones Unidas
OTAN	Organización del Tratado del Atlántico Norte (NATO)
pág., págs.	página, páginas
p. ej.	por ejemplo
Prof., Prof.ª	profesor, profesora
S.A.	Sociedad Anónima
Sr., Sra.	señor, señora
Sres., Srs.	señores
Srta.	señorita
SS. MM.	Sus Majestades
UE	Unión Europea

Apéndice

Antes de empezar

Complete este cuestionario antes de hacer la actividad.

1. ¿Cúal es mi objetivo? ¿Qué pretendo producir?
   a. Un texto escrito informal ☐
   b. Un texto escrito formal (ensayo) ☐
   c. Un diálogo ☐
   d. Una presentación oral informal ☐
   e. Una presentación oral formal ☐
2. ¿Qué necesito tener en cuenta?
   a. __________
   b. __________
   c. __________
   d. __________
   e. __________
3. ¿Cómo organizaré mis ideas: cómo comenzaré, desarrollaré y terminaré? Escriba los temas sobre los que va a escribir o hablar.
   a. __________
   b. __________
   c. __________
   d. __________
   e. __________
   f. __________
4. ¿Qué expresiones conozco que pueden servir en este contexto?
   a. __________
   b. __________
   c. __________
   d. __________
5. ¿Qué palabras o expresiones de la lección que he estudiado puedo usar?
   a. __________
   b. __________
   c. __________
   d. __________
   e. __________
   f. __________
6. ¿Hay elementos culturales presentes o alguno al que pueda referirme? ¿Cuáles son?
   a. __________
   b. __________
   c. __________
   d. __________

Pautas para textos informales

Reflexione sobre su trabajo y marque la casilla correspondiente.

	Estoy muy satisfecho/a	Estoy algo satisfecho/a	Regular	Debo mejorarlo
1. ¿Usé el registro correcto?	❑	❑	❑	❑
2. ¿Cuántas tareas debía completar? ¿Las completé todas?	❑	❑	❑	❑
3. ¿Fue buena mi organización? ¿Organicé mis ideas de forma lógica: con una introducción, oraciones completas que expresan ideas bien conectadas en párrafos coherentes y una conclusión o despedida?	❑	❑	❑	❑
4. ¿Terminé de forma adecuada?	❑	❑	❑	❑
5. Si era un texto entre varias personas, ¿mostré buenas destrezas interpersonales?	❑	❑	❑	❑
6. ¿Integré apropiadamente estructuras simples y de uso común?	❑	❑	❑	❑
7. ¿Usé correctamente algunas estructuras más complejas?	❑	❑	❑	❑
8. ¿Usé expresiones idiomáticas frecuentemente y de manera apropiada?	❑	❑	❑	❑
9. ¿Varié los tiempos verbales? ¿Cuántos usé, más o menos?	❑	❑	❑	❑
10. ¿Usé el vocabulario y la sintaxis apropiadamente?	❑	❑	❑	❑
11. ¿Revisé la ortografía, incluyendo la acentuación y la puntuación?	❑	❑	❑	❑

Pautas para ensayos

Reflexione sobre su trabajo y marque la casilla correspondiente.

	Estoy muy satisfecho/a	Estoy algo satisfecho/a	Regular	Debo mejorarlo
1. ¿Usé el registro correcto?	❑	❑	❑	❑
2. ¿Escribí un buen párrafo introductorio?	❑	❑	❑	❑
3. ¿Desarrollé mis ideas de una forma coherente?	❑	❑	❑	❑
4. ¿Usé los nexos — las palabras que unen ideas — correctamente?	❑	❑	❑	❑
5. ¿Cité todas las fuentes correctamente?	❑	❑	❑	❑
6. ¿Interpreté todas las fuentes adecuadamente: analicé la información, hice predicciones, evalué datos u opiniones y saqué conclusiones?	❑	❑	❑	❑
7. ¿Integré apropiadamente estructuras simples y de uso común?	❑	❑	❑	❑
8. ¿Usé correctamente algunas estructuras más complejas?	❑	❑	❑	❑
9. ¿Varié los tiempos verbales?	❑	❑	❑	❑
10. ¿Usé el vocabulario y la sintaxis apropiadamente?	❑	❑	❑	❑
11. ¿Reconocí elementos culturales?	❑	❑	❑	❑
12. ¿Terminé con una buena conclusión?	❑	❑	❑	❑
13. ¿Revisé la ortografía, incluyendo la acentuación y la puntuación?	❑	❑	❑	❑

Pautas para presentaciones informales

Reflexione sobre su trabajo y marque la casilla correspondiente.

	Estoy muy satisfecho/a	Estoy algo satisfecho/a	Regular	Debo mejorarlo
1. ¿Usé el registro correcto?	❑	❑	❑	❑
2. ¿Usé una buena entonación, evitando un solo tono?	❑	❑	❑	❑
3. ¿Pronuncié las palabras bien, sobre todo las con las letras *s, d, t, v, b* y *p*?	❑	❑	❑	❑
4. ¿Evité las pausas demasiado largas? ¿Uní las palabras apropiadamente para evitar sonar como un "robot"?	❑	❑	❑	❑
5. ¿Le dediqué el tiempo adecuado a cada parte de la presentación?	❑	❑	❑	❑
6. ¿Integré apropiadamente las estructuras simples y de uso común?	❑	❑	❑	❑
7. ¿Usé correctamente algunas estructuras más complejas?	❑	❑	❑	❑
8. ¿Elegí bien el vocabulario?	❑	❑	❑	❑
9. ¿Usé la sintaxis adecuadamente?	❑	❑	❑	❑
10. ¿Usé algunas expresiones nuevas de la lección?	❑	❑	❑	❑
11. ¿Incluí alguna referencia cultural?	❑	❑	❑	❑
12. ¿Mostré de forma adecuada lo que es una conversación entre dos personas — por ejemplo, al hacer las preguntas lógicas y usar expresiones que demuestran que sigo la conversación?	❑	❑	❑	❑
13. ¿Me comprendieron mis compañeros?	❑	❑	❑	❑

Pautas para presentaciones formales

Reflexione sobre su trabajo y marque la casilla correspondiente.

	Estoy muy satisfecho/a	Estoy algo satisfecho/a	Regular	Debo mejorarlo
1. ¿Logré usar el registro correcto?	❑	❑	❑	❑
2. ¿Tuvo mi presentación inicial un impacto positivo?	❑	❑	❑	❑
3. ¿Presenté la información de una manera adecuada para narrar, informar, describir, mostrar acuerdo, persuadir o refutar?	❑	❑	❑	❑
4. ¿Desarrollé mis ideas de una forma coherente?	❑	❑	❑	❑
5. ¿Hice referencia a varias fuentes?	❑	❑	❑	❑
6. ¿Interpreté las fuentes de una manera apropiada: analicé la información, hice predicciones, evalué datos u opiniones y saqué conclusiones?	❑	❑	❑	❑
7. ¿Integré apropiadamente las estructuras simples y de uso común?	❑	❑	❑	❑
8. ¿Usé correctamente algunas estructuras más complejas?	❑	❑	❑	❑
9. ¿Varié los tiempos verbales?	❑	❑	❑	❑
10. ¿Utilicé el vocabulario y la sintaxis apropiadamente?	❑	❑	❑	❑
11. ¿Hice una buena conclusión?	❑	❑	❑	❑
12. ¿Se desarrolló la presentación dentro del tiempo permitido?	❑	❑	❑	❑
13. ¿Logré conectar con la audiencia?	❑	❑	❑	❑

Vocabulario español-inglés

A

a falta de for want of *(7B)*
a fin de cuentas when it comes down to it, when all's said and done *(4A)*
a grito pelado wild cheers *(8B)*
a juzgar por judging by *(8B)*
a largo plazo in the long run *(7A)*
a las afueras de in the outskirts of *(1A)*
a lo largo de along, through *(1A)*
a lo mejor maybe *(4A)*
a marchas forzadas against the clock *(7A)*
a mediados de in the middle of *(7A)*
a menudo often *(1A)*
a pesar de in spite of *(2A)*
a pesar de in spite of *(4A)*
a tiempo in time *(6B)*
a través de through *(7A)*
a veces at times *(6B)*
el **abandono** abandonment *(2B)*
abanico de posibilidades range of possibilities *(4A)*
abarrotar to jam-pack *(8B)*
abarrotar un recinto to pack the premises *(8B)*
el **abastecimiento** supply *(7B)*
abordar to approach *(2B)*
un **abrazo** A hug *(6A)*
el **abrebotellas** bottle opener *(8A)*
el **abrecartas** letter opener *(8A)*
el **abrelatas** can opener *(8A)*
abrigarse con to keep warm with *(1A)*
abrir el apetito to whet someone's appetite *(3A)*
abrocharse to fasten *(1A)*
abrocharse to fasten (2A)
abstracto, -a abstract *(8A)*
lo **absurdo de la situación** the absurdity of the situation *(4A)*
aburrir to bore *(1B)*
abusar de to abuse *(2B)*
acabar con to finish off, end *(1B)*
acabar con to eliminate *(7A)*
acabar de + infinitivo to have just finished doing something *(1A)*
el **aceite de oliva** olive oil *(3A)*
acercarse to approach *(7A)*
acercarse a to approach, get close to *(6B)*
el **acero** steel *(8A)*
el **acierto** wise decision/move *(2B)*
aclamado, -a acclaimed *(4B)*
aclarar to be clear, to clear up *(3A)*
aclarar to clarify, explain *(7B)*
aclararse la voz to clear one's throat *(5B)*
acogedor(a) cozy, welcoming *(3A)*
acogedor(a) cozy, welcoming *(4A)*
acoger to welcome *(2B), (7B)*
la **acogida** welcome, reception *(1B)*
acomodarse a sus anchas (to make oneself) at home *(1A)*
acontecer to happen *(2B)*
el **acontecimiento** event *(2B)*
acordar (ue) to decide *(2B)*
acordarse (ue) de to remember *(3A)*
acostumbrarse to get used to *(5A)*
acostumbrarse a to get accustomed to *(1B)*
la **actitud** stance, attitude *(2B)*
el/la **activista** activist *(7B)*
la **actualidad** the present (time), nowadays *(5A)*
actualizarse to be up-to-date *(3A)*
actualmente nowadays, at the present time *(4A), (5A)*
actuar to act *(4B)*
la **acuarela** watercolor *(8A)*
el **acuerdo de paz** peace treaty *(1B)*
adecuado, -a appropriate *(3A)*
adelgazar to get thin, lose weight *(3B)*
además de besides, apart from *(3A)*
el/la **adepto/a** follower, supporter *(2A)*
adinerado, -a rich *(1A)*
adivinar to guess *(4B), (5B)*
admirar to admire *(4A), (8B)*
adorar to adore *(8B)*
adquirir to acquire *(8B)*
la **advertencia** warning *(7B)*
advertir (ie) to warn *(3A)*
el **afán** zeal, eagerness *(3B), (8A)*
afectuosamente affectionately *(6A)*
el/la **aficionado/a** fan, enthusiast *(8A)*
afortunado, -a lucky, fortunate *(4B)*
afrontar to face, face up to *(4B)*
agarrar to seize *(7B)*
agradar to be pleasing, please *(1B)*
agradecer to thank *(6A), (8A)*
el **agradecimiento** gratitude *(2A)*
agravar to make worse *(2B)*
agregar to add *(2B)*
agregar a to add to *(6A)*
el **agua de la llave** tap water *(7B)*
el **agua dulce** fresh water *(7A)*
el **agua embotlada** bottled water *(7B)*
el **agua potable** drinking water *(3B)*
el **aguafiestas** party pooper, wet blanket *(8A)*
aguantar, soportar to tolerate, stand, bear *(4A)*
ahogarse en un vaso de agua to get worked up about nothing *(4A)*
ahorrar to save *(2B)*
al aire libre outdoors *(8B)*
aislar to isolate *(7B)*
aislarse de to isolate oneself from *(6A)*
ajustado, -a tight *(2A)*
alabar to praise *(8B)*
alardear to boast *(3A)*
alarmante alarming *(2B)*
la **albacora** albacore tuna *(7B)*
albergar to house *(1A)*
alcanzable reachable *(6B)*
alcanzar to reach, catch up with *(1B), (3B), (7B)*
alegrar to make happy *(8A)*
alegrarse de to be happy about *(3B)*
la **alegría** happiness *(8A)*
alejarse de to move away from *(1A)*
la **aleta** fin *(7B)*
el **alguacil** sheriff *(7B)*
el **aliciente** incentive *(7B)*
la **alimentación** nourishment, feeding *(3B)*
el **alimento** food *(3B)*
aliviar to relieve *(3B), (6B)*
aliviar to relieve *(6B)*
el **alojamiento** accommodations *(1A), (6A)*
alojarse en to stay in *(1A)*
alrededor around *(2A)*
el **alrededor** surrounding area *(7B)*
la **altura** height *(4A)*
alzarse to rise up *(5A)*
amable gracious *(2B)*
amargo, -a bitter *(3A)*
el **ámbito** atmosphere *(6B)*
la **amenaza** threat *(4B), (7B)*
amenazador(a) threatening *(3A)*
amenazar to threaten *(7B)*

amenazar con to threaten to/ with *(1B), (3B)*
ameno, -a enjoyable, pleasant *(4B)*
la **amistad** friendship *(2A)*
amortiguar to lessen, cushion, absorb *(2B)*
amplio, -a wide *(3A), (4A)*
añadir to add *(3A)*
añadir a to add to *(3A)*
el/la **anciano/a** elderly man/ woman *(2A)*
las **andanzas** adventures *(7B)*
el/la **anfitrión/anfitriona** host, hostess *(1A)*
animar to cheer somebody up *(5B)*
animar to encourage *(8A)*
el **ánimo por suo** to be feeling down hearted *(5B)*
añorar to miss *(2A)*
añorar/echar de menos to miss *(5B)*
anteayer the day before yesterday *(8A)*
el/la **antepasado/a** ancestor *(1B), (4B)*
anterior previous *(8B)*
los **antibióticos** antibiotics *(3B)*
anticuado, -a old-fashioned, out of style *(4B)*
la **antigüedad** antiquity *(3B)*
antojarse to have a craving for, feel like *(3A)*
el **antojo** craving *(1B)*
anual annual *(1B)*
apadrinar to sponsor *(7B)*
apasionado, -a enthusiastic *(1A)*
apasionarse por to become very interested in *(2B)*
apenado, -a sad *(5B)*
apenas hardly, scarcely *(1B), (5A)*
la **apertura** opening *(8A)*
apetecer to feel like *(1A)*
apetecer to crave, yearn for *(1B)*
el **apetito** appetite *(3A)*
aplaudir to applaud *(8B)*
el **apogeo** peak *(7A)*
la **aportación** contribution *(7B)*
aportar to contribute *(3B), (8A)*
el/la **apostador(a)** bettor (person who bets) *(6B)*
apostar (ue) to bet *(6B)*
apostar por to bet on *(3A), (6A)*
apoyar to support *(2B)*
apoyarse en to lean/rely on *(2A)*
el **apoyo** support *(6B)*
aprender a to learn to *(1B)*
el **aprendizaje** apprenticeship, learning *(7A)*
aprovecharse de to take advantage of *(1B)*
apta para mayores de 18 años suitable for those over 18 years old *(8B)*
la **apuesta** bet *(6B)*
apuesto, -a good-looking *(4B)*
el/la **árbitro/a** referee, judge *(6A)*
la **arcilla** clay *(6A)*
arder to burn *(3A)*
la **arena** sand *(1A)*
el arma (f.) weapon (2B)
la **armonía** harmony *(7A)*
el **aroma** aroma *(3A)*
el/la **arquero/a, portero/a** goalie *(6A)*
el/la **arquitecto/a** architect *(8A)*
arquitectónico, -a architectural *(7A)*
la **arquitectura** architecture *(8A)*
arraigado, -a deeply rooted *(2B)*
arraigarse to take root, establish oneself in a place *(1B)*
arrancar to pull up/out, start *(1A)*
arrasar to have success, victory *(4B)*
el **arrastre** trawling *(7B)*
arrebatar to snatch away *(6A)*
arrepentirse (ie) de to repent; to regret *(2B)*
arriesgarse a to risk *(2A)*
arrugar(se) to wrinkle *(1A)*
arruinarse to be ruin *(4B)*
el **arte por el arte** art for art's sake *(8B)*
artístico, -a artistic *(8A)*
el **asa (f.)** handle *(3A)*
ascender (ie) to raise *(1A)*
asegurar to ensure *(1A)*
asegurar to assure *(2A), (4A)*
asentir (ie, i) to agree, consent *(1B)*
asimismo also *(6B)*
asistir a to attend *(8A)*
asombroso, -a amazing, astonishing *(1A)*
la **aspiración** aspiration, wish *(5A)*
asumir to assume, take on *(2A)*
el **atasco** bottleneck *(1A)*
atentamente/le saluda atentamente sincerely, yours truly *(6A)*
aterrar to terrify *(5B)*
el **aterrizaje** landing *(1A)*
el/la **atleta** athlete *(6A)*
el **atletismo** track and field *(6B)*
atraer to attract *(4A)*
el **atraso** delay *(6A)*
atravesar to go through *(2A)*
atreverse a to dare to *(1A)*
atrevido, -a daring *(2A), (5B)*
atroz atrocious *(5B)*
el **atún** tuna fish *(7B)*
la **audacia** audacity, boldness *(4B)*
la **autobiografía** autobiography *(4B)*
la **autoestima** self-esteem *(2A), (3B)*
el **autógrafo** autograph *(4B)*
el **automovilismo** race-car driving *(6A)*
el **autorretrato** self-portrait *(8A)*
aventurero, -a adventurous *(1A)*
avergonzado embarrassed *(2B)*
avergonzarse (ue) de to be ashamed of *(2A)*
avisar to notify *(7A)*
la **ayuda humanitaria** humanitary aid *(7B)*
ayudar a to help *(5B)*
el **ayuno** fast *(3B)*
el **azar** chance, random happening *(5B)*

B

el/la **bailarín/bailarina** dancer *(8A)*
el **bajamar** low tide *(8A)*
el/la **baloncestista** basketball player *(6A)*
el **baloncesto** basketball *(6A)*
el **barro** clay *(3A)*
el **básquetbol** basketball *(6A)*
el/la **basquetbolista** basketball player *(6A)*
bastante sufficiently, quite *(1B)*
bastar to suffice, be enough *(1B), (6A)*
el **batido de chocolate** milk shake, chocolate milk *(3A)*
batir to beat *(3A)*
la **bebida carbónica** carbonated drink *(3B)*
la **bebida energética** energy drink *(6A)*
el/la **beisbolista** baseball player *(6A)*
las **bellas artes** fine arts *(8A)*
la **belleza** beauty *(1A), (8A)*
beneficiar de to benefit from *(3B)*
el **beneficio** benefit, profit *(1B), (8A)*
Besos y abrazos hugs and kisses *(6A)*
bien educado, -a well-mannered *(1B)*
el **bienestar** well-being *(2B), (7A)*
la **bienvenida** welcome *(1A)*
el **billete** bill *(1B)*
la **biografía** biography *(4B)*
el **bizcocho** sponge cake *(3A)*
la **bocacalle** street entrance *(8A)*
el/la **bocazas** big mouth, blabbermouth *(4B)*
el **boceto** sketch *(8A)*
bombardear con to bombard with *(3B)*

el **bombón** chocolate candy *(4A)*
boquiabierto astonished, aghast *(8A)*
brillante brilliant *(4B)*
brindar to provide *(2B)*
brindar to offer *(6B)*
brusco, -a abrupt *(4A)*
lo bueno (malo) es que the good (bad) thing is *(8B)*
el **bullicio** uproar *(2B)*
burlarse de to make fun of *(2A)*

C

caber to fit *(1A)*
cada cual con sus manías everyone with their funny little ways *(4A)*
cada vez each time *(6B)*
cada vez que each time that *(4A)*
la **cadena** chain *(4B)*
la **cadena de televisión** TV station *(8A)*
el **café** coffee *(4A)*
caído, -a fallen; hanging, droopy *(2A)*
calculador(a) calculating *(5B)*
el **caldo** broth *(3B)*
la **calefacción** heat *(1A)*
el **calentador de aire** fan heater *(7A)*
el **calentamiento global** global warming *(7A)*
calentar to heat *(3A)*
la **calidad** quality *(3B)*
la **calidad del aire** air quality *(7B)*
la **calidez** warmth *(4B)*
callado quiet *(2B)*
la **caminata** long walk *(1A)*
la **campaña** campaign *(4B)*
la **campaña publicitaria** advertising campaign *(3B)*
el/la **campeón(a)** champion *(6A)*
el **campeonato** championship *(6A)*
el/la **campesino/a** agricultural worker; peasant *(1B)*
el **camposanto** cemetery, graveyard *(8A)*
la **canela** cinnamon *(3A)*
el **cansancio** tiredness *(6B)*
cansarse de to become tired of *(2A)*
el/la **cantante** singer *(8A)*
la **cantidad** quantity *(3B)*
canturrear to hum *(3A)*
la **capacidad** ability *(4A)*
capacitado, -a qualified, trained *(2A)*
capaz capable *(4A)*
caprichoso, -a capricious, impulsive *(3B)*
el **carácter** character *(2A), (7A)*
carácter personality *(2B)*
caracterizarse por to be characterized by *(5B)*
caradura shameless, brazen *(8A)*
carecer de to be lacking *(5B)*
la **carencia** deficiency *(7B)*
el **cargo** position, job *(4B)*
caribeño, -a Caribbean *(8A)*
el **cariño** affection; in direct speech:darling *(1A)*
Cariño Darling *(6A)*
cariñosamente affectionately *(4A)*
cariñoso, -a affectionate *(4A)*
cariñosos saludos de fondly, fond greetings from *(6A)*
carismático, -a charismatic *(4B)*
la **carrera** career, race, college degree *(2A), (5A), (6B)*
el **cart de aviso** warning poster *(7B)*
el **cascanueces** nutcracker *(8A)*
la **cáscara** rind, (egg) shell *(3A)*
castigar to punish *(2A)*
el **castigo** punishment *(6B)*
la **causa humanitaria** humanitarian cause *(8B)*
la **ceguera** blindness *(5B)*
celebérrimo, -a very famous *(3B)*
el **cemento** cement *(6A)*
la **censura** censorship *(1B)*
censurar to censor *(8B)*
el **cerebro** brain *(2B)*
cesar to cease, stop *(2B)*
el **ciclismo** cycling *(6A)*
el/la **ciclista** cyclist *(6A)*
la **ciencia ficción** science fiction *(5A)*
la **cifra** figure *(1A)*
el **cinturón** seatbelt, belt *(1A)*
ciudad organizadora organizing (host) city *(6B)*
el/la **ciudadano/a** citizen *(1B)*
las **clasificaciones de películas** movie ratings *(8B)*
la **clave** key *(2B)*
la **clave** key (solution) *(4A)*
la **cobertura** coverage *(6A)*
cobrar to charge *(1B)*
cocer (ue) to cook *(3A)*
la **cocina** stone *(3A)*
codiciado, -a desirable *(8B)*
el **cohete** rocket *(7A)*
colaborar to collaborate *(8B)*
el/la **coleccionista** collector *(8A)*
colgar (ue) to hang (up) *(1A)*
colocar to put, place *(2B), (8B)*
colores vivos bright colors *(8B)*
la **comedia** comedy *(5A)*
el/la **comediante** comedian *(4B)*
el/la **comensal** table guest *(3A)*
el/la **comentarista** commentator *(4B)*
cometer to commit *(2B)*
la **comida basura (rápida)** junk (fast) food *(3B)*
la **comida exótica** exotic food *(3B)*
la **comida orgánica** organic food *(3B)*
comida para llevar take-out food *(3A)*
la **comida vegetariana** vegetarian food *(3B)*
el/la **comisionado/a** commissioner (6A)
como consecuencia as a result/ consequence *(4A)*
como consecuencia de as a result of *(8B)*
¿Cómo está permitido? How is it allowed? *(2B)*
como resultado as a result *(4A)*
la **compañía** company, business *(3B)*
compartir to share *(1B)*
compasivo sympathetic *(2B)*
la **competencia** competition, rivalry *(6A)*
la **competición** competition, contest *(6A)*
competir (i) con to compete with *(6B)*
complacer to please *(7A)*
complejo, -a complex *(2A), (4A)*
complicado, -a complicated *(5B)*
componerse de to be composed of *(5B)*
el **comportamiento** behavior *(2A), (4A)*
comportarse to behave *(4B)*
el/la **compositor(a)** composer *(8A)*
comprensivo sympathetic *(2B)*
comprometerse a to promise to *(3B)*
el **computador** laptop/computer *(7A)*
con buena cara with good humor *(4B)*
con retraso delayed *(1A)*
con tal de que provided that *(2B)*
conceder to award *(8B)*
concentrarse en to concentrate on *(6A)*
el **concepto** concept, idea *(2A)*
concienciar to make aware *(7B)*
conducir a to drive to *(1A)*
conducir por to drive by *(1A)*
la **conducta** conduct *(4A)*
conectarse con to connect with, relate to *(7A)*
conferencia lecture *(2B)*
confesar (ie) to confess *(2B)*
la **confianza** confidence *(4A)*
confiar en to trust *(8A)*
el **conflicto armado** armed conflict *(2B)*

conformarse con to be satisfied with *(2A)*
congelado, -a frozen *(3A)*
congreso conference *(2B)*
conmovedor(a) moving *(5A)*
conseguir (i) to achieve, obtain *(1B)*
consentido, -a; mimado, -a spoiled *(4B)*
conservador(a) conservative *(4B)*
conservar to conserve, keep *(1B)*
consolar (ue) to console, comfort *(2A)*
constantemente all the time (constantly) *(6B)*
constar de to consist of *(5B)*
construir to build *(8A)*
el/la **consumidor(a)** consumer *(3B)*
consumir to consume, to use *(3B)*, *(7B)*
el **consumo** consumption *(3B)*
contar (ue) con to count on *(2B)*
contemporáneo, -a contemporary *(5A)*
el **contenido** contents *(5A)*
contentarse con to be happy/ satisfied with; to make do with *(2A)*
contra reloj against time *(6B)*
el **contrabando** smuggling *(7B)*
contradecir to contradict (6B)
el/la **contratista** contractor *(7B)*
contrato contract *(7A)*
contribuir a to contribute to *(5B)*, *(7B)*
el **contrincante** competitor, rival *(8A)*
contundente convincing, conclusive *(3A)*
convencer to convince *(1A)*
convencerlo/la convincing someone *(6B)*
el **convenio** agreement *(7B)*
convenir (ie) to be advisable, convenient *(1B)*, *(4A)*
la **convivencia** coexistence, living together *(2B)*
convivir con to live together with *(2A)*, *(5A)*
copioso, -a abundant *(3A)*
coquetear con to flirt with *(4A)*
coraje anger, rage *(2B)*
un **cordial saludo** Warm greetings *(6A)*
Cordialmente Cordially *(6A)*
corre la voz de que word (rumor) has it that *(5B)*
el/la **corredor(a) en base** base runner *(6A)*
correr el riesgo de to run the risk of *(6A)*
la **corrida de toros** bullfight *(6B)*
corriente common, usual *(7A)*
la **corrupción** corruption *(7B)*
cortar to cut *(3A)*
cortés polite, gracious *(1B)*, *(2B)*
la **cortesía** courtesy *(7B)*
la **corteza** skin (of fruit) *(3A)*
costar (ue) to find difficult; to cost *(4A)*
costarle muchísimo to have a hard time *(6B)*
costero, -a coastal *(7A)*
la **costumbre** custom *(5A)*
cotidiano, -a daily *(6A)*
cotizado, -a sought-after (6A)
la **creación** creation *(7A)*
crear to create *(8B)*
creativo, -a creative *(8B)*
creciente growing *(2B)*
el **crecimiento** growth *(1B)*
la **creencia** belief *(2B)*
el **crimen** crime *(7B)*
el/la **crío/a** child *(4A)*
la **crisis económica** economic crisis *(1B)*
la **crítica** critique, criticism *(8A)*
la **crítica, reseña** critique, review *(5A)*
criticar to criticize *(5A)*
el/la **crítico/a** critic *(8A)*
la **cruda realidad** the harsh reality *(5A)*
crudo, -a raw *(3A)*
cualquiera que sea su destino/ punto de vista/ raza whatever the destination/point of view/ race *(1B)*
cuanto antes as soon as possible *(1B)*
el **cubierto** cover (plate, napkin, etc. set for each comensal) cutlery *(3A)*
cubierto, -a covered *(3A)*
el **cuento** short story *(5A)*
el **cuero** leather *(2A)*
el **cuestionamiento** questioning *(8B)*
culpable guilty *(2B)*
culpar to blame *(3B)*
el **cultivo** crop *(3A)*
culto, -a educated *(2B)*
culto, -a cultured, refined *(8A)*
el/la **culturista** bodybuilder *(6B)*
el **cumplimiento** fulfillment *(7B)*
cumplir con to comply with, carry out, do the right thing *(4B)*
curar(se) to get well *(4A)*
curiosamente curiously *(4A)*
la **curiosidad** curiosity *(4B)*

D

dañado, -a damaged *(8B)*
dañar to damage, harm *(3B)*
dañino, -a harmful *(7B)*
el **daño** pain, damage *(2B)*
la **danza** dance *(8A)*
dar concierto benéfico to give a benefit concert *(8B)*
dar la bienvenida to welcome *(1A)*
dar lugar a to provoke, give rise to *(7A)*
dar origen a to give birth to (an idea) *(7A)*
dar pánico to get scared by smthg *(1A)*
dar pie a to take hold, allow *(6B)*
dar saltos to jump *(1A)*
darle ánimos a alguien to encourage somebody, *(5B)*
darle asco not to stand something, make someone sick *(3A)*
darle hambre to make someone hungry *(3A)*
darle rabia a alguien to make someone angry *(3A)*
darle sed to make someone thirsty *(3A)*
darlo todo to give it one's all, to be fully committed to something *(5B)*
darse cuenta de to realize *(3B)*
no darse por vencido, -a not to give up *(5B)*
datar de to date from *(1A)*
de ahí que (+subjuntivo) that is why *(7B)*
de carne y hueso of flesh and blood; to have feelings *(4A)*
de golpe suddenly *(4B)*
de hecho in fact *(4A)*
de la misma manera in the same way *(5B)*
de modo que so that *(1B)*
de nuevo again *(8B)*
de otra forma in another way *(1B)*
de poco presupuesto low budget *(4B)*
de primera mano firsthand *(6A)*
de primeras, en principio at first *(1A)*
de pronto suddenly *(2A)*
de última generación most recent *(2A)*
de verdad really *(2A)*
debidamente properly *(1B)*
débil weak *(4A)*
la **debilidad** weakness *(3A)*
la **década** decade *(4B)*
decepción disappointment *(2B)*

decir algo en tono de reproche to say something with a reproachful tone *(5B)*
declararse to propose *(5B)*
dedicarse a to devote oneself to *(4B)*
la **defensa** defense (defensive player) *(6A)*
degradar to humiliate, degrade *(4B)*
degustar to taste, sample *(3A)*
dejar to leave behind, abandon *(6B)*
dejar to leave behind *(7B)*
dejar de to stop *(2B)*
dejar de to quit *(2B)*
dejar de to stop doing something *(6B)*
dejar huella to leave a trace, mark *(1B)*
el **delantero** forward (player) *(6A)*
la **delincuencia** crime, delinquency *(2B)*
el/la **delincuente** delinquent, criminal *(2B)*
la **demanda** demand *(2B)*
los/las **demás** the rest, others *(6B)*
demasiado too, too much *(1A)*
demostrar (ue) to demonstrate, show *(2B)*
denigrar to discredit *(1B)*
denunciable indictable *(8B)*
denunciar to denounce *(8B)*
denunciar (un abuso) to report (abuse) *(7B)*
depender de to depend on *(2A)*
deplorar to lament, deplore *(6A)*
el **deporte de equipo** team sport *(6A)*
el **deporte por pareja** two-person sport *(6A)*
los **deportes de riesgo** extreme sports *(2A)*
el/la **deportista** sportsman/sportswoman *(6A)*
deprimido, -a depressed *(4A)*
los **derechos humanos** human rights *(2A)*
derrotar to defeat *(6A)*
desafiante challenging *(1A)*
desafiar to challenge *(1A)*
el **desafío** challenge *(5B)*
desalojar to vacate *(7B)*
desamparado, -a defenseless, vulnerable *(2B)*
desanimar to discourage *(2A)*
desapercibido, -a unnoticed *(3A)*
desapercibido, -a unnoticed *(7A)*
el **desastre natural** natural disaster *(7B)*
descalificar to disqualify *(6B)*
descargar to unload, download *(7A)*
el **descaro** shamelessness *(7A)*
descartar to eliminate, put aside *(4A), (6A)*
desconocido, -a unknown *(4B)*
desde el punto de vista de from the point of view of *(2A)*
desear to wish, to want, desire *(2A), (4A)*
desechabledisposable (7A)
desempeñar to carry out, fulfill *(2B)*
desempeñar to play, perform *(3B)*
desempeñarse to fulfill, make out *(7B)*
el **desempleo** unemployment *(2A)*
el **desengaño** disappointment *(5B)*
el **desequilibrio** imbalance *(3B)*
desesperado, -a desperate *(1B)*
el **desfile** parade *(1B)*
deshidratado, -a dehydrated, dried *(7A)*
desmayarse to faint *(5B)*
desmesurado, -a vast, enormous, excessive *(2B), (3B)*
desnivelado, -a uneven *(1A)*
la **desnutrición** malnutrition *(3B)*
desolador(a) devastating *(5A)*
desorrollarse to develop, to take place *(5A)*
la **despedida** good-bye *(1A)*
el **despegue** takeoff *(1A)*
despiadado, -a ruthless *(5B)*
desplazar to displace, move *(2B)*
destacado, -a outstanding, distinguished *(6A)*
destacarse to stand out *(6B), (8A)*
el **destino** destination *(1A)*
la **destreza** skill *(2B), (5B)*
la **desventaja** disadvantage *(1B)*
detener to stop *(7B)*
deteriorado, -a run down, damaged *(7B)*
el **deterioro** damage, deterioration *(7A)*
diario, -a daily *(1B)*
el **dibujo animado** cartoon *(4B)*
el **diente (de ajo)** clove (of garlic) *(3A)*
la **dieta** diet *(3B)*
difundir to spread *(2B)*
la **dignidad** dignity *(4B)*
el **dilema** dilemma *(1B)*
dimitir to quit *(2B)*
dirigirse a to go to, head toward *(1B)*
el/la **discapacitado/a** handicapped person *(6B)*
discurrir to go by (time, life) *(1A)*
el **discurso** speech *(1B)*
diseñar to design *(8A)*
el **diseño** design *(2A)*
disfrutar (de) to enjoy (doing something) *(1A)*
disminuir to lessen *(6B)*
disparar to shoot *(2B)*
el **disparate** silly/stupid thing or action *(2A)*
disponer to dispose *(2B)*
disponer de to have something at one's disposal *(7A)*
disponible available *(6B), (7B)*
dispuesto, -a willing *(1A)*
disputarse to fight, challenge *(6A)*
distinguido/a; estimado/a dear *(6A)*
distinto, -a different *(2B)*
divertirse, pasarlo bien to have a good time *(6B)*
divino, -a divine *(8A)*
doblar to dub *(8A)*
doler (ue) to hurt *(1B)*
el **dolor** pain *(8A), (2B)*
el **domicilio** home address, legal residence *(2B)*
el **dominio** domain *(6A)*
el **dominio de lenguas** command of languages *(7A)*
donar to donate *(2A), (8A)*
el **dopaje sanguíneo** blood enhancement *(6B)*
drástico, -a drastic *(4A)*
el/la **dueño/a** owner *(1A), (6A)*
el **duermevela** nap, snooze *(8A)*
el **dulce** candy *(3A)*
durar to last; to take time *(2A), (5B)*
duro, -a hard, harsh *(5B)*

E

echar de menos to miss *(2A)*
la **economía** economy *(1B)*
la **edad adulta** adulthood *(2A)*
la **edificación** building *(1A)*
efectivamente effectively *(2A)*
el **efecto** effect *(8A)*
el **efecto invernadero** greenhouse effect *(7A)*
efectos perjudiciales para la salud harmful effects to one's health *(7B)*
la **eficacia** effectiveness *(6A)*
eficaz effective, efficient *(3A), (7B)*
efímero, -a ephemeral, of short duration *(5B)*
el/la **ejecutivo/a** executive *(4B)*
el **ejercicio físico** physical exercise *(6A)*
el **ejército** army *(2B)*

elogiar to praise *(5B), (7B)*
emanciparse to emancipate, gain independence *(2B)*
embarazada pregnant *(2B)*
emigrar to emigrate *(6B)*
emocionante exciting *(6A)*
empatar to tie (a score) *(6B)*
el **empate** tie (score) *(6B)*
empeñarse en to make an effort to, insist on *(2A)*
el **empeño** determination, effort, persistence *(6B), (7B)*
empezar (ie) a to begin to *(3B)*
empezar (ie) por to start by *(5B)*
el **empleo** employment *(1B)*
emprender to undertake, to set about, to undertake *(3B), (6A)*
la **empresa** business, company *(3B)*
el/la **empresario/a** businessman/ woman *(2B)*
el **empuje** push, drive *(1B)*
en alta mar on the high seas *(7B)*
en conclusión in conclusion *(4A)*
en el caso de in the case of *(7A)*
en el fondo deep down *(1B)*
en homenaje in homage *(6A)*
en la mayoría de las ocasiones most of the time *(1B)*
en primer lugar, en segundo lugar in the first place, in the second place *(4A)*
en realidad actually *(4A)*
en resumen to summarize *(4A)*
en serio seriously *(2A)*
en todos los aspectos in every way *(7A)*
en tono cariñoso in an affectionate tone of voice *(5B)*
en torno a around *(5A)*
en última instancia ultimately *(2B)*
enaltecer to praise *(6A)*
enamoradizo, -a inclined to fall in love easily; easily infatuated *(4A)*
enamorarse de to fall in love with *(4A)*
encabezar to lead, head *(1A)*
encajar to fit in *(2A)*
encantador, -a charming *(4B), (8A)*
encantar to delight, charm *(1B)*
encargado, -a in charge *(6A)*
encargar to put in charge, entrust *(2B, (6A))*
encargarse de to take charge of *(3B)*
encomendarse (ie) a to commend oneself to *(2B)*
la **encuesta** poll, survey *(2B, (8A)*
el **enfoque** focus *(8A)*
enfrentar to confront, to face *(5A)*
enfrentarse to face *(1B)*
enfrentarse con to face up to *(3B)*
engañar to trick, deceive *(3B)*
engaño deception *(2B)*
engordar to get fat, put on weight *(3B)*
enloquecer to become irrational, to go crazy *(5B), (8B)*
enmarcar to frame, form the backdrop *(6B)*
enmarcarse en to be in line with *(6B)*
enmudecer to fall silent *(5B)*
enredarse con to get tangled in *(5B)*
enriquecedor(a) enriching *(7A)*
el/la **ensayista** essayist *(5A)*
el **ensayo** essay *(5A)*
ensuciarse to get dirty *(3A)*
enterarse de to find out about *(4A), (5B)*
la **entereza** integrity *(4B)*
enternecedor(a) moving, touching *(5B)*
enterrar (ie) to bury *(2B)*
el **entorno** environment, surroundings *(1A), (8B)*
la **entrada libre** free admittance *(8A)*
entrar en to go into *(1B)*
no entrar en la cabeza to not understand *(3A)*
entrar en vigor to go into effect *(6B)*
no entrar por los ojos to be easy (hard) on the eyes *(3A)*
entre la vida y la muerte between life and death *(4A)*
la **entrega** delivery, distribution *(8B)*
el/la **entrenador(a)** trainer *(6B)*
el **entrenamiento** training *(6A)*
entrenar to train, coach *(6B)*
entretener to entertain *(8A)*
entretenerse con to amuse oneself with *(2A)*
la **entrevista** interview *(1B)*
entusiasmado, -a excited *(1A)*
la **envidia** envy *(4A)*
la **epidemia** epidemic *(7A)*
la **época** period, time period, time during a season, historical time *(1A), (6B), (7A)*
el **equilibrio** balance *(3B)*
el **equipaje** luggage *(1A)*
el **equipo contrario** opposing team *(6A)*
equivocarse to be wrong, be mistaken *(1B)*
es decir that is to say *(5B)*
es más furthermore *(7A)*
el **esbozo** outline *(5B)*
la **escasez** shortage *(3B)*
la **escena** scene *(5A), (8A)*
el **escenario** stage *(8A)*
escribir un guión to write a script *(8A)*
el/la **escritor(a)** writer *(5A)*
el/la **escultor(a)** sculptor *(8A)*
la **escultura** sculpture *(8A)*
esforzarse (ue) en to try very hard to *(2A)*
esforzarse (ue) por to make an effort to *(7B)*
el **esfuerzo** effort *(2B)*
esfumarse to vanish, fade away *(7B)*
esmerado, -a careful, meticulous *(3A)*
espantoso, -a horrible *(1A)*
esparcido, -a scattered *(6A)*
espectacular spectacular *(8A)*
el **espectáculo** show *(8A)*
el/la **espectador(a)** spectator *(6A)*
espeluznante horrifying, terrifying *(3A)*
la **esperanza** hope *(2B)*
la **esperanza de vida** life expectancy *(7A)*
espeso, -a thick *(3A)*
la **espontaneidad** spontaneity *(4B)*
estable stable *(2B)*
estado de ánimo state of mind *(5B)*
estar a cargo de to be in charge of *(3A)*
estar a punto de to be about to *(4A)*
estar al alcance de to be reachable, obtainable *(1A)*
estar al tanto de to be up-to-date *(1A)*
estar bajo de ánimo/con to be in very low spirits, *(5B)*
estar como un flan to be nervous (shaking like a flan) *(3B)*
estar con unos kilos/ unas libras de más to be with a few extra kilos/ pounds *(3B)*
estar de buen (mal) humor to be in a good (bad) mood *(4A)*
estar deprimido, -a to be depressed *(5B)*
estar dispuesto a to be willing to *(1A)*
estar dispuesto, -a to be willing *(4B)*
estar en las nubes to be absentminded *(4A)*
estar entrenándose to be in training *(6B)*

estar falto de sueño to have the lack of sleep *(1B)*
estar harto de to be fed up with *(3A)*
estar muerto de cansancio/sueño/hambre to be dead tired/sleepy/hungry *(1B)*
estar muy verde to be far from ready *(6A)*
estar para chuparse los dedos to be finger-licking good *(3A)*
estar pasado, -a de moda to be out of fashion *(4B)*
estar rellenito to be chubby *(3B)*
la **estatura** height, stature *(4B)*
el **estereotipo** stereotype *(4B)*
el **estilo** style *(8A)*
estimado/a director(a) dear (esteemed) director *(6A)*
estrecho, -a narrow *(1A)*
la **estrella** star *(8B)*
estremecer to make shudder *(5B)*
estricto, -a strict *(2B)*
la **estrofa** stanza *(5B)*
estupendo, -a wonderful *(1A)*
la **etapa** stage *(2A)*
étnico ethnic *(3A)*
evolucionar de to evolve from *(6B)*
examinarse to take an exam *(6B)*
el **éxito** success *(3A)*
el **éxito taquillero** box-office hit *(8A)*
exitoso, -a successful *(4B)*
la **expectativa** expectation *(7B)*
experimentar con to experiment with *(5A)*
explorar to explore *(2B)*
exponerse a to expose oneself to *(2A)*
la **exposición** exposition, show *(8B)*
extrañar to miss *(4A)*
el **extranjero** foreigner *(1B)*
extravagante extravagant *(8A)*

F

el **fabricante** manufacturer *(3B)*
la **facha** appearance (colloquial) *(2A)*
facilitar to make easy; to offer *(2B)*
la **factura** bill *(7A)*
faenar to fish *(7B)*
fallecer to die *(4B)*
el **fallofault, mistake** (2A)
la **falsificación** forgery *(8B)*
falta de (the) lack of *(1A)*
la **falta de ortografía** spelling mistake *(2A)*
faltar (a) to miss; to be lacking, *(1B)*, *(6B)*
el/la **fanático, -a** fan *(6A)*
fantástico, -a fantastic, imaginary *(5A)*
el **fármaco** medicine, medication *(1B)*, *(6B)*
fascinar to fascinate *(1B)*, *(8B)*
fastidiar to bother, annoy *(1B)*, *(7B)*
favorecer to favor *(6B)*
el **fenómeno** phenomenon *(8A)*
festejar to celebrate *(7B)*
la **fibra** fiber *(3B)*
fiel faithful, loyal *(5B)*, *(8A)*
la **figura** figure *(4B)*
fijarse en to pay attention to, notice *(6B)*
el/la **filántropo/a** philanthropist *(4B)*
filmar to film *(8A)*
el **filón** gold mine (colloquial) *(2A)*
al fin y cabo finally *(2A)*, *(3A)*
fingir to pretend *(1B)*, *(4A)*, *(5A)*
el **fogón** stove *(3A)*
folclórico, -a folkloric *(8A)*
fomentar to encourage *(5B)*
el **fondo** fund, background *(8A)*, *(8B)*
la **forma** shape, form *(5B)*, *(8A)*
la **forma de vida** lifestyle *(5A)*
la **formación** training *(5A)*
la **fortuna** fortune *(4B)*
forzado, -a forced *(1A)*
fracasar to be unsuccessful *(6B)*
el **fracaso** failure *(6B)*
el **fraude** fraud *(8B)*
freír (i) to fry *(3A)*
fructífero, -a productive, fruitful *(5A)*
la **fuente** source *(6A)*
fuera del país outside the country *(6A)*
la **fuerza boral** labor force *(7A)*
funcionar to work *(1B)*
la **fundación** foundation *(8B)*

G

el **galardón** award, prize *(6B)*, *(8B)*
el/la **galardonado/a** prize winner *(6B)*
la **gama** range *(7A)*
la **gamberrada** total lack of manners; hooliganism *(4B)*
la **ganancia** profit *(7A)*
ganar tiempo to buy time *(6B)*
el **gasto** expense *(2B)*
el **género literario** literary genre *(5A)*
el **genio** genius *(8A)*
la **gestión** step, action *(4B)*
el **gesto** gesture *(2B)*
la **gimnasia** gymnastics *(6A)*
el/la **gimnasta** gymnast *(6A)*
la **gira** tour *(8B)*
la **globalización** globalization *(8A)*
el/la **gobernante** leader *(1B)*
gol soccer goal;scored point *(2B)*
la **golosina** candy *(3A)*
goloso, -a having a sweet tooth *(3A)*
golpear to hit, to beat (up) *(1A)*, *(2B)*, *(6A)*
gozar de gran popularidad to enjoy great popularity *(8A)*
el **grabado** engraving *(8A)*
la **grabadora** tape recorder *(7A)*
gracias a su labor humanitaria thanks to his/her humanitarian work *(8B)*
gracioso, -a funny *(2A)*, *(2B)*
la **grasa** fat *(3A)*
grasiento, -a greasy *(3B)*
grave serious, solemn; serious; seriously ill *(2B)*, *(4A)*
la **gravedad** seriousness *(3B)*
guiar to guide *(1A)*
el **guión** script *(1A)*, *(5A)*
el **gusto** taste *(3A)*
al gusto (de) to order, to individual taste *(3A)*

H

haber para todos los gustos to be for all the tastes *(1B)*
la **habilidad** skill *(4A)*
habitar to inhabit *(2B)*
hablar en voz baja to speak in a low voice *(5B)*
hace un rato a while ago *(3A)*
hacer atletismo to practice track and field *(6B)*
hacer buenas/malas migas con alguien to hit it off well/badly with someone *(7B)*
hacer cargo to take charge *(7B)*
hacer caso to pay attention *(7B)*
hacer cola **to wait in line** (1A)
hacer competencia to have a rivalry *(6B)*
hacer daño to hurt; (of food) to disagree with *(7B)*
hacer deporte(s) to do/practice sports *(6B)*
hacer el tonto to play the fool *(7B)*
hacer época to be sensational, mark a new era *(7B)*
hacer escala to make a stopover *(7B)*
hacer falta to need *(1B)*
hacer la vista gorda to turn a blind eye, pretend not to notice *(7B)*
hacer las paces to make up with someone *(7B)*

hacer locuras to do crazy things *(2A)*
hacer soñar a alguien to make someone dream *(4B)*
hacer todo lo posible to do whatever is possible *(1B)*
hacer un papel to act, play a part *(8A)*
hacerle caso a to pay attention to *(4B)*
hacerse la boca agua to make one's mouth water *(3A)*
el **halago** praise, flattery *(4A)*
halagüeño, -a flattering *(7B)*
hallar to find, discover *(7B), (8B)*
el **hambre** hunger *(3B)*
la **harina** flour *(3A)*
la **hazaña** heroic deed, exploit *(4B)*
el **hazmerreír** laughingstock *(8A)*
la **herencia** inheritance; heritage *(4A)*
el/la **héroe/heroína** hero, heroine *(4B)*
el **heroísmo** heroism *(4B)*
la **herramienta** tool *(1A)*
hervir (ie) to boil *(3A)*
hidratar to hydrate *(6A)*
la **hierba** grass *(6A)*
el **hierro** iron (mineral) *(3B)*
el/la **hincha** fan, supporter *(6B)*
hipercalórico, -a with high caloric content *(3B)*
la **hipocresía** hypocrisy *(4B)*
el **hockey sobre hielo** ice hockey *(6A)*
el **hogar** home *(1A)*
hojear to leaf through *(5A)*
hondo, -a deep *(5B)*
hora time of day *(6B)*
hora de vuelo flight time *(1A)*
el **horario** schedule *(1A)*
el **horario estelar** prime time *(8A)*
las **hormonas** hormones *(3B)*
el **horno (de leña)** (wood-burning) oven *(3A)*
la **huelga de hambre** hunger strike *(4B)*
el **hueso** bone *(3B)*
huir de to run away from *(1B)*
humillar to humiliate *(6A)*
el **huracán** hurricane *(7B)*
huraño, -a unsociable *(4A)*
el **hurto** robbery, theft *(2B)*

I

la **idea principal** the main idea *(5B)*
idolatrar to worship, idolize *(4B)*
igual quelike, just like (1B)
la **igualdad** equality *(1B), (5A)*
igualmente likewise *(7A)*
la **imagen** image *(5B)*
impactante powerful, impressive, shocking *(4B), (8A)*
impedir (i) to impede, to forbid, to prevent *(2B), (3B)*
impensado, -a unexpected, unthinkable *(3B)*
imponer to impose *(4B)*
importar to matter *(1B)*
imprescindible essential *(5B), (7A)*
impreso, -a printed *(6A)*
imprevisible unforeseeable *(7A)*
inaceptable unacceptable *(8B)*
inalámbrico, -a wireless *(7A)*
la **incidencia** effect, impact; incidence *(5A)*
incluir en to include in/on *(1B)*
incomprendido, -a misunderstood *(8A)*
incomprensible incomprehensible *(8A)*
inconsciente irresponsible; unaware *(4A)*
¡Es increíble! It's unbelieveable! *(2B)*
el **incremento** increase *(7B)*
inculto, -a uncultured, uneducated *(2A)*
indescriptible indescribable *(4A)*
indignarse to get angry *(4A)*
ineficaz inefficient *(7B)*
inesperado, -a unexpected *(4A)*
la **infancia** childhood *(2B)*
infinito, -a infinite, limitless *(7A)*
la **influencia** influence *(5A)*
influir to influence, have influence *(1A)*
influir en to influence *(2B), (5A)*
influyente influential *(1B), (2A), (8A)*
el **informe** report *(7A)*
ingresar to enter, enroll *(8B)*
el **ingreso** entry *(2A)*
iniciar to begin *(7B)*
iniciarse en to begin in *(6B)*
inmóvil motionless *(2B)*
innegable undeniable *(7A)*
la **innovación** innovation *(7A)*
innovador(a) innovative *(8B)*
la **inocencia** innocence *(5A)*
inolvidable unforgettable *(1A)*
inoportuno,-ainopportune (7B)
inscribirse en to register, enroll in *(6A)*
inseguro, -a unsafe; insecure *(2A)*
insípido, -a tasteless, insipid *(3B)*
insistir en to insist on *(3A)*
insólito, -a unusual *(5B)*
insoportable unbearable *(4A)*
insostenible unsustainable *(7B)*
la **inspiración** inspiration *(8A)*
inspirador, -a inspiring *(8A)*
instalarse to settle, establish oneself *(8B)*
instar to urge *(7B)*
instar a to urge *(5B)*
insuperable unbeatable *(7A)*
integrar to integrate *(5A)*
intentar to try *(1A)*
interesar to interest *(1B)*
interesarse por to take an interest in *(2A)*
internacionalmente internationally *(8B)*
el/la **internautainternet user** (7B)
interpretar to interpret, perform *(4B)*
interpretar un papel to play a (movie, television) role *(8A)*
íntimo, -a close, intimate *(2B)*
intuir to sense, intuit, to suspect *(4A), (5B)*
la **inundación** flooding *(7B)*
inundarse to flood *(7B)*
inválido, -a handicapped *(8A)*
el **invento** invention *(7A)*
la **inversión** investment *(6B), (8B)*
involucrado, -ainvolved (6A)
involucrar to involve *(8A)*
involucrarse en to be involved in *(4A)*
ir bien/mal to go well/badly *(4B)*
la **ironía** irony *(5B)*
irónico, -a ironic *(5B)*
irracional irrational *(8B)*
irreemplazable irreplaceable (3B)
irrepetible unrepeatable *(7B)*
irse, marcharse to go away *(6B)*

J

la **jabalina** javelin *(6B)*
el **jardinero derecho** right fielder *(6A)*
la **jerga** slang *(2A)*
el **jonrón** home run *(6A)*
la **jornada** the (working) day *(8B)*
jubilado, -a retired *(7A)*
judío, -a Jewish *(8A)*
el **juego de pelota** ball game *(6A)*
el/la **jugador(a)** player *(6A)*
el **juicio** judgment *(7B)*
jurar to swear (an oath) *(6A)*
justificar to justify *(2B)*
la **juventud** youth *(2B)*
juzgar to judge *(6B)*

L

laboriosamente laboriously *(7A)*
el **lanzamiento de disco discus throwing** (6B)
lanzar to throw *(1A)*
lanzar(se) a la fama to rush to fame *(4B)*
latir to beat *(4A)*
laureado, -a laureate, awarded a prize *(5A)*
el **lazo** link *(2A)*
leal loyal *(2A)*
leer por placer to read for pleasure *(5B)*
el **legado** legacy *(8B)*
legendario, -a legendary *(4B)*
lejano, -a distant *(7B)*
la **lengua materna** mother tongue *(7B)*
el **lenguaje** language *(5B)*
la **lentitud** slowness *(1A)*
letal deadly *(4B)*
la **letra** lyric, word *(8A)*
las **letras** Letters (literature) *(5A)*
letras pequeñas del small print of the *(7A)*
el **letrero** sign *(1B)*
el/la **levantador(a) de pesas** weight lifter *(6B)*
liberar to free *(7B)*
la **libertad** freedom *(5A)*
el/la **líder** leader *(1B)*
liderar to lead, head *(4B)*
el **lienzo** canvas *(8A)*
al límite de su capacidad to the limit of their capacity *(7B)*
el **limpiaparabrisas** windshield wiper *(8A)*
la **litografía** lithograph *(8A)*
llamar la atención to attract attention *(4A)*
el **llanto** crying, weeping *(5B)*
la **llegada** arrival *(1A)*
llegar a to arrive at *(1A)*
llegar a ser campeón(a) to become champion *(6A)*
llegar en cualquier momento to arrive anytime now *(6B)*
llenarse de to fill up with *(3A)*
lleno, -a full *(3A)*
llevarse a cabo to carry out *(8B)*
el **local** premises, home team *(3B)*, *(6A)*
lógicamente logically *(1A)*
lograr to achieve, to obtain, to attain *(1A)*, *(8A)*
el **logro** achievement *(4B)*
la **lucha contra el SIDA** the fight against AIDS *(8A)*
la **lucha libre** wrestling *(6A)*
el/la **luchador(a)** wrestler *(6A)*
luchar por to fight for (1B)
el **lujo** luxury *(4A)*, *(7B)*
lujoso, -a luxurious *(1A)*

M

madrugar to wake up early *(1B)*
madurar to mature *(4A)*
maduro, -a mature *(2A)*
el/la **maestro/a** master *(8A)*
magro, -a lean *(3B)*
la **mala educación** rudeness *(4B)*
la **maldad** evil *(4A)*
maltratar to mistreat, abuse *(4A)*
el **maltrato** abuse *(5A)*
manchar to spot, soil *(4B)*
el **mando** remote control *(2A)*
mandón/mandona bossy (4A)
manejar to handle, to drive, to manage *(2A)*, *(4A)*, *(7B)*
el **manejo** handling, management *(5B)*
la **manera** way *(8A)*
la **manía** obsession, funny little way *(4A)*
manifestarse (ie) en contra de to speak out against *(7A)*
manipular to manipulate *(2B)*
el **manjar** special dish, delicacy *(3A)*
mantener to maintain *(5A)*
la **máquina dispensadora** vending machine *(3B)*
la **marca** brand, brand name *(2A)*, *(6B)*, *(8A)*
marcado distinct *(2B)*
el/la **marcador(a)** goal scorer *(6A)*
marcar un gol to score a goal *(6A)*
marcharse de to go away from *(1A)*
el **marco** frame (of a painting) *(8A)*
mareado, -a dizzy, seasick *(1A)*
el **maremoto** tidal wave *(7A)*
al margen de separate from, on the margin (fringes) of *(4B)*
la **marginación** marginalization *(7B)*
el **más allá** the other world *(5A)*
más vale prevenir que curar better safe than sorry *(3B)*
la **masa** dough *(3A)*
masificado, -a overcrowded *(1A)*
la **mayoría de las veces** most of the time *(1B)*
la **mayúscula capital letter** (2A)
la **mazorca** corncob *(3A)*
mediante by means of *(7A)*
mediar to intervene, come between *(6A)*
el **medicamento** medicine *(4A)*
la **medida** measure *(7B)*
el **medio** midfieldman, medium *(6A)*, *(8A)*
el **medio ambiente** environment *(7A)*
los **medios** means *(4B)*
los **medios (de comunicación)** media *(2B)*
la **mejora** improvement *(2B)*
melenudo, -a long-haired *(4B)*
el/la **menor** minor, underage person *(2B)*
al menos at least *(4A)*
menos mal thank goodness *(1B)*
menospreciar to despise, look down on *(8A)*
mensual monthly *(1B)*
la **mente** mind *(4A)*
mentiroso, -a lying *(4A)*
el **mercado** market *(8B)*
merecer / valer la penato be worth it *(3A)*
la **merluzahake (whitefish)** (7B)
la **meta** goal *(1B)*, ***(2B)***
la **metáfora** metaphor *(5B)*
meter la pata to make a mistake, stick one's foot (in one's mouth) *(4B)*
la **mezcla** mixture *(3A)*
mezclado, -a mixed *(4B)*
mezclar to mix *(3A)*
mi querido/a + nombre my dear + name *(6A)*
el **miel** honey *(3A)*
la **miga (de pan)** inside part of bread *(3A)*
mimado, -a spoiled (4A)
minuciosamente thoroughly *(2B)*
la **minusvalía** handicap, disability *(6B)*
el/la **minusválido/a** handicapped person *(6B)*
la **mirada** look *(4A)*, *(5B)*
mirar de reojo to look out of the corner of one's eye *(4B)*
mis recuerdos a tu familia my regards to your family *(6A)*
la **miseria** extreme poverty *(5A)*
el **mito** myth *(4B)*
la **moda** fashion *(8A)*
moderno, -a modern *(8A)*
el **modo** way *(2B)*
mojar to soak, wet *(3A)*
molestar to bother *(1B)*
molesto, -a bothersome *(7B)*
la **moneda** coin, currency *(1B)*
monoparental relating to a single parent *(3B)*
el **montaje** assembly, show *(8A)*
morder to bite *(3A)*

la **mortalidad** mortality *(2B)*
motriz motor *(6B)*
muchas gracias de antemano to thank beforehand *(1A)*
la **muchedumbre** rowd *(1A)*
la **muerte** death *(8A)*
la **muestra** show, sample *(8A)*
multar to fine *(7B)*
la **multitudcrowd** (2B)
mundialmente worldwide, throughout the world *(6A), (7A)*
¡El mundo se hace más pequeño gracias a . . .! The world becomes smaller thanks to . . . ! *(5A)*
el/la **muralista** muralist *(8A)*
el **murmullo** murmur *(2B)*
la **música** music *(8A)*
el/la **músico/a** musician *(8A)*
muy estimado/a Señor/Señora (+ apellido) dear (Esteemed) Sir/Madam/Mr./Ms (+ last name) *(6A)*
muy señor mío (señora mía) dear Sir/Madam *(6A)*

N

nacer to be born *(2B)*
nada de nada nothing at all *(4A)*
el/la **nadador(a)** swimmer *(6A)*
nadie en su sano juicio no one in his/her right mind *(4B)*
narrar to narrate *(5A)*
la **natación** swimming *(6A)*
la **naturaleza muerta** still life *(8B)*
la **navaja** pocketknife, penknife *(2A)*
la **niebla** fog *(1A)*
la **niñez** childhood *(2A)*
no estar para bromas not to be in a joking mood *(2A)*
¡No faltaba más! don't mention it! *(4A)*
¡No hay derecho! That's not fair! *(2B)*
¡No me digas! You don't say!/I don't believe it! *(2B)*
¡No me lo puedo creer! i just can't believe it! *(2B)*
no obstante/sin embargo nevertheless, however *(5B)*
no perder de ojo/vista to not lose sight of *(1A)*
no poder con to be unable to cope with *(7A)*
no poder ni ver algo (o alguien) not to be able to stand something (or someone) *(3A)*
no ser para tanto it's not such a big deal *(2A)*
no tener ánimos de/ para nada not to feel up to anything *(5B)*
no tener más remedio que to have no other choice *(4B)*
nocivo, -a harmful *(7A)*
nocturno, -a night, nocturnal *(1A)*
el **nomeolvides** forget-me-not *(8A)*
la **nominación** nomination *(4B)*
nominar to nominate *(4B)*
la **nube** cloud *(1A)*
nutritivo, -a nutritious *(3B)*

O

o viceversa or viceversa *(7A)*
la **obesidad** obesity *(3B)*
obeso, -a obese *(3B)*
objetivo goal *(2B)*
la **obra de teatro** play *(5A)*
las **obras benéficas** charity *(2B)*
las **obras literarias** literary works *(5A)*
ocasionar to cause, bring about *(7B)*
el **ocio** leisure, free time *(6A), (6B)*
oculto, -a hidden *(5B)*
la **oda** ode *(5A)*
el **odio** hatred *(4A)*
la **oferta** offer *(7A)*
el **oído** hearing; ear *(7A)*
el **óleo** oil painting *(8A)*
olvidarse de to forget about *(1B)*
oponerse a to oppose *(2B)*
oportuno, -a opportune, timely *(7B)*
oprimido, -a oppressed *(2B)*
oprimir to oppress *(2B)*
opulento, -a affluent *(1B)*
la **oratoria** oratory *(5A)*
el **orden cronológico** chronological order *(7A)*
el **ordenador** computer *(7A)*
el **ordenador** laptop/computer *(7A)*
la **organización sin ánimo de lucro** nonprofit organization *(2B)*
el **orgullo** pride *(5B)*
orgulloso, -a proud *(2A), (5B)*
la **orilla** shore, riverbank *(1A), (7B)*
la **ortografía** spelling *(7B)*
otorgar to grant, to give *(2A), (6A), (8A)*
otra vez once again *(6B)*
¡oye! hey!, excuse me *(4A)*

P

la **paciencia** patience *(4A)*
el **pacifismo** pacifism *(2A)*
padecer to suffer *(1A), (3B), (7B)*
padecer de to suffer from *(3B)*
el **paisaje** landscape, scenery *(1A), (8A), (8B)*
el **papel** role *(2B), (8B)*
para colmo on top of that (4A)
para ser sincero to be sincere *(2A)*
para todos los gustos for all tastes *(1A)*
el **paracaídas** parachute *(8A)*
el **parador** roadside inn, state-owned hotel *(3A)*
el **paraguas** umbrella *(8A)*
el **paraíso** paradise *(1A)*
¡Me parece fatal! it seems terrible/ awful! *(2B)*
parecer to seem *(1B)*
parecerse to look like *(2A)*
la **paridad** equality *(6B)*
el/la **pariente/a** relative, family member *(1A)*
la **parodia** parody *(5B)*
particular distinct *(2B)*
partirse de risa to laugh one's head off, split one's sides laughing *(4A)*
la **pasa** raisin *(3A)*
el **pasamano** handrail, banister *(8A)*
pasar (mucha/ un poco de) hambre to be starving, to not be starving *(3B)*
pasar a la posteridad to pass on to posterity *(4B)*
pasar por to go by *(1A)*
la **pasarela** runway (fashion) *(8A)*
pasarse to go too far *(2A)*
pasársele rápido to get over (something) quickly *(4A)*
la **pasión** passion *(8A)*
el **paso** step *(2A), (5A)*
la **pastilla** tablet, pill *(3A)*
el **pasto** grass *(6A)*
patear to kick *(6A)*
el/la **patinador(a)** skater *(6A)*
el **patinaje** skating *(6A)*
la **patria** homeland *(4B)*
el **patrimonio** heritage *(3B)*
patrocinar to sponsor *(6B), (8B)*
la **pauta** guideline *(4A)*
la **pechuga** breast (of fowl) *(3A)*
el **pedazo** piece *(3A)*
pedir to ask for something *(6B)*
pedirle la mano a alguien to propose *(5B)*
pedirle peras al olmo to ask for something impossible *(3B)*
pegajoso, -a sticky *(3A)*
peligroso, -a dangerous *(1A)*
pelirrojo redhead *(8A)*
la **pelota vasca** Basque ball game *(6A)*
la **pena** grief, shame, sorrow, embarrassment *(2B), (5A)*
el **pensamiento** thought *(5A)*
pensar (ie) en to think of *(4A)*

el **penúltimo** second to last *(8B)*
el **percance** accident, mishap *(1A), (4B)*
la **pérdida** loss *(4B)*
perdonar to forgive *(5B)*
perdurar to last, endure *(6B)*
perfeccionista perfectionist *(4A)*
el **periodismo** journalism *(5A)*
el/la **periodista** journalist *(5A)*
perjudicial damaging, harmful *(7B)*
permanecer to stay *(6B)*
la **permanencia** stay; continuance *(6B)*
permitir to allow *(7B)*
perseguir (i) to pursue *(1A)*
la **persona ideal** ideal person *(4A)*
el/la **personaje** character *(2B), (5B)*
la **personificación** personification *(5B)*
pertenecer to belong *(1B), (5A)*
pertenecer a to belong to *(2A)*
la **pértiga** pole vault *(6B)*
perturbar to disturb *(1B)*
el **peso** weight *(2A)*
los **pesticidas** pesticides *(3B)*
picar to snack; to chop *(3A), (3B)*
la **piedra** stone *(1A)*
la **piel** skin *(3A)*
el/la **piloto de Fórmula 1** Formula 1 race-car driver *(6A)*
el **pincel** paintbrush *(8B)*
la **pinta** appearance *(2A)*
pintar to paint *(8A)*
piratear to rob, pirate *(8B)*
la **piratería** piracy *(8B)*
la **pista** court *(6A)*
la **planta termoeléctrica** thermoelectrical plant *(7B)*
plantearse to take into consideration *(2B)*
la **plataforma** platform *(7A)*
la **población** town; population *(2B)*
poblado, -a populated *(1A)*
¡Pobrecitos! Poor things! *(2B)*
la **pobreza** poverty *(1B)*
el **poder** power *(6A), (8B)*
el **poder adquisitivo** purchasing power *(3A)*
poderoso, -a powerful *(4B)*
el **poema** poem *(5A)*
la **polémica** controversy *(6A), (6B), (8B)*
poner a la venta to put up for sale *(8A)*
poner el mantel / la mesa to set the table *(3A)*
poner en marcha to set into motion *(6A)*
poner en tela de juicio to put something in doubt *(7B)*
ponerse to become; to place oneself *(2A)*
ponerse a to begin to *(4A)*
ponerse como un tomate to get very red *(3A)*
ponerse como una sopa to get soaked *(3A)*
ponerse en el lugar (de alguien) to put yourself in someone's place *(7B)*
ponerse manos a la obra let's get to work *(3A)*
ponerse sentimental to get sentimental *(5B)*
por ciento percent *(1B)*
por consiguiente thus, therefore *(4A)*
por culpa de because of, through the fault of *(1B)*
por desgracia unfortunately *(1B), (4A)*
por eso for that reason *(4A)*
por esta razón for this reason *(4A)*
por este motivo for this reason, motive *(4A)*
por lo general in general *(4A)*
por lo que by what *(1B)*
por lo tanto thus, therefore *(4A)*
por lo visto apparently *(2A)*
por más que no matter how hard *(2A)*
por mucho no matter how much *(4A)*
por poco by little *(2A)*
por si acaso if by any chance, just in case *(2A), (4A)*
por supuesto of course *(2A)*
por todas partes everywhere *(2A)*
por último finally *(2A)*
el/la **porrista** cheerleader *(6B)*
la **portada** cover (of a book,magazine), front page, cover (of a book) *(2B), (6A)*
el **portafolios** briefcase *(8A)*
el **portal** doorway *(2A)*
el **portamonedas** pocketbook, coin purse *(8A)*
portarse to behave *(2A)*
el **portátil** laptop/computer *(7A)*
el **portaviones** aircraft carrier *(8A)*
el/la **portavoz** spokesperson *(1A)*
el/la **portero/a** goalie *(6A)*
la **postura** position *(4A)*
prácticamente practically *(8B)*
precipitarse a to hurry to *(6B)*
predecir to predict *(5B)*
una **pregunta retórica** a rhetorical question *(5B)*
preguntar por to ask for someone *(6B)*
preguntar, hacer una pregunta to ask a question *(6B)*
preguntarse to wonder *(6B)*
el **prejuicio** prejudice *(4B)*
premiar to give an award *(4B)*
el **premio** prize, award *(2B), (6B)*
el **Premio Nob de Literatura** Nobel Prize in Literature *(5A)*
preocupante worrisome, worrying *(2A)*
preocupar to worry *(1B)*
preocuparse por to worry about, get worried about *(1B), (4A)*
el **prestigio** prestige *(6B)*
prestigioso, -a prestigious, famous *(4B)*
presumir de to think one is, boast of being *(2A)*
el **presupuesto** budget *(3B), (8A)*
pretender to expect, to try *(1A)*
prevalecer to prevail (7B)
lo primero que the first (thing) that *(1A)*
probar (ue) to taste *(3B)*
procedente de coming from *(7B)*
proceder de to originate from *(3B)*
procurar to try to, endeavor to *(3B)*
prodigioso, -a marvelous *(2A)*
la **profundidad** depth *(1A)*
profundo, -a deep *(1A)*
el **programa buscador** search engine *(7A)*
programar to program *(6A)*
prohibir to prohibit, to ban *(7B)*
el **promedio** average *(1A)*
promocionar to promote *(6B)*
promover (ue) to promote *(7A), (3B), (8B)*
el/la **propagador(a)** promoter *(6B)*
propenso, -a prone *(7B)*
el/la **propietario/a** owner *(3A), (6A)*
propio, -a own *(1B)*
proponer to propose *(6A), (7A)*
proporcionar to supply, to provide *(2B), (7A)*
la **prosa** prose *(5A)*
el/la **protagonista** protagonist, main character *(4A), (5A)*
protagonizar to take a leading part in *(6A)*
provechoso, -a profitable, worthwhile *(1B)*
provenir de to come from *(3A)*
provocado, -a provoked; angered *(4A)*

provocar to cause *(1A)*
provocativo, -a provocative *(8B)*
el **proyecto** project *(8B)*
la **prueba** proof, sign, test *(8B)*
la **publicación** publication *(8A)*
el **público fanático** fans *(8B)*
el **puerto** port *(3A)*
la **puesta en marcha** setting in motion *(8B)*
el **puesto** stand *(3B)*
puesto que since, because *(4A)*
el **puñado** handful, fistful *(3A)*

Q

Qué barbaridad! How terrible/awful! *(2B)*
¡Qué cruel! How cruel! *(2B)*
¡Qué injusticia! What injustice! *(2B)*
¡Qué lata! What a bore! *(2A)*
¡Qué lío! What a mess! *(2A)*
lo que sucede what happens *(7A)*
¡Qué tontería! How silly *(4A)*
¡Qué va! No way! *(1A)*
¡Qué vergüenza! How shameful!, How embarrassing! *(4A)*
quedar to be left *(1B)*
quedar bien/mal con to make a good/bad impression on *(2A)*
quedar con to arrange to meet with *(1A)*
quedar en + infinitivo to agree to do something *(1A)*
quedar en ver a alguien to agree to see someone *(4B)*
quedarse to stay *(3A)*
quedarse ciego to become blind *(8B)*
quedarse mudo, -a to be speechless *(4B)*
quejarse de to complain about *(2A)*
quemar to burn *(3A)*
Querido/a + nombre Dear + name *(6A)*
quieto still, calm *(2B)*
los **químicos** chemicals *(3B)*
el/la **quinceañero/a** fifteen-year-old *(2A)*
el **quitamanchas** stain remover *(8A)*
el **quitanieves** snowplow *(8A)*
quitar to remove, to take away *(2B), (3A), (6B)*
el **quitasol** sunshade, parasol *(8A)*

R

la **raíz** root *(2B)*
rara vez rarely, not usually *(1A)*
raro, -a strange *(1B), (8A)*
el **rasgo** feature, physical characteristic *(2A), (4A)*
un **rato** a short time, a while *(6B)*
raza race (ethnicity) *(2B)*
el **realismo mágico** magical realism *(5A)*
realista realistic *(2A), (5A)*
realizar to carry out, to accomplish, to achieve, fulfill *(2B), (6A), (7A)*
realmente really; actually *(4A)*
reavivar to rekindle; to revive *(6B)*
rebajado, -a reduced *(1A)*
rebajar to lower *(1A)*
rebelde rebellious *(2A)*
rebuscado, -a complicated *(5B)*
recaer en to go to (prize, award) *(6B)*
la **receta** prescription *(6B)*
rechazar to reject *(1B), (3A), (7B), (8B)*
el **rechazo** denial, rejection *(1B), (8A)*
Recibe un abrazo muy fuerte de tu amigo/a + nombre A big hug from + name *(6A)*
reciente recent *(1A), (5A)*
el **recipiente** container *(3A)*
recoger to pick up *(1A)*
reconfortar to comfort *(7B)*
recorrer to go through; to travel, to cross *(1A), (6A), (8B)*
el **recorte** clipping *(8B)*
el **recuerdo** memory *(2A)*
recuperar to recover, retrieve *(8A), (8B)*
recurrir a to turn to, resort to *(5B)*
la **red inalámbrica** wireless network *(7A)*
redactar to draft; to write *(5B), (7A)*
las **redes sociales** social networks *(7A)*
reducir to reduce *(4A)*
referirse (ie) a to refer to *(5B)*
la **refinería** refinery *(7B)*
regalar to give (a present) *(4A), (7A)*
la **regalía** royalty *(8A)*
regañar to scold, rebuke, tell off *(2A)*
el **régimen** diet *(3B)*
el **régimen político** political regime *(1B)*
regresar a to return to *(1A)*
regresar de to return from *(1A)*
el **relato** tale, story *(1A)*
el/la **remero/a** rower *(6A)*
remitir to send *(6B)*
el **remo** rowing *(6A)*
la **remoción** removal *(7B)*
remontarse a to go back to *(5B)*
el **rendimiento** performance *(6A), (7B)*
reñir (i) to quarrel *(1A)*
rentable profitable, worthwhile *(3B)*
la **renuncia** resignation *(8A)*
renunciar to quit, renounce *(4B)*
renunciar a to resign *(1B)*
el **reparto** cast (of characters); distribution *(3B), (4B)*
repentino, -a sudden *(2B)*
reponer fuerzas to recover *(2A)*
la **represalia** retaliation *(7B)*
el **requisito** requirement *(4B)*
rescatar to rescue *(4A), (7B)*
reserva de plaza reservation *(1A)*
residir to live, reside *(1B)*
resignado, -a resigned *(5B)*
resistirse a to resist *(2B)*
respaldar to back up *(7A)*
el **respaldo** endorsement *(6B)*
al respecto in the matter *(7B)*
respetado, -a respected *(4B)*
Respetuosamente suyo/a Respectfully yours *(6A)*
retar to challenge *(2A)*
retirarse to retire *(8A)*
el **reto** challenge *(1A), (5B)*
retrasar to delay *(8A)*
el **retraso** delay *(4B)*
el **retrato** portrait *(8B)*
el **retroceso** backward step *(7A)*
revoltoso, -a rebellious *(2A)*
rico, -a good, delicious *(3A)*
ridículo, -a ridiculous, absurd *(4B)*
el **riesgo** risk *(1B)*
la **rima** rhyme *(5B)*
el **rincón** corner *(1B), (5A)*
el **ritmo** rhythm *(8A)*
el **rocío** dew *(5B)*
rodar (ue) to film *(4B)*
rodar una película to film a movie *(8A)*
rodeado, -a surrounded *(1A)*
rodear(se) to be surrounded *(4A)*
rogar (ue) to beg, plead *(3B)*
rollizo, -a stocky, plump *(8A)*
el **rollo** bore (slang) *(2A)*
romántico, -a romantic *(5B)*
el **rompecabezas** jigsaw puzzle *(8A)*
romper con to break up with *(2A)*

el **rostro** face *(1A)*
rotundo, -a categorical, flat (denial, statement, etc.) *(6A)*
la **rueda de prensa** press conference *(4A)*
la **ruptura** break *(8A)*

S

el **sabelotodo** know-it-all *(8A)*
saber a ciencia cierta to know for sure *(5A)*
la **sabiduría** wisdom *(1A), (8B)*
sabio, -a wise *(4B)*
el/la **sabio/a** scholar, learned/wise man/woman *(5A), (8B)*
el **sabor** flavor *(3A)*
sacar to take out *(6B)*
sacar partido de to profit from *(2A)*
salado, -a salty *(3A)*
salir to go out, depart, leave (a place) *(6B)*
salir bien to go well, turn out well *(2B)*
el **salón** living room *(1A)*
el **salto a la fama** jump to fame *(4B)*
la **salud pública** public health *(7B)*
saludable healthy *(2B), (3B)*
la **salvaguardia** safeguard *(7B)*
salvar to save *(2B)*
sano, -a healthy *(3B)*
la **sátira** satire *(5A)*
la **sazón** flavoring, seasoning *(3A)*
se mire por donde se mire wherever one looks *(2A)*
seco, -a dry *(3A)*
el **sector** sector *(8B)*
la **sed** seat, headquarters *(6A), (7A)*
sedentario, -a sedentary *(3B)*
seguidamente next *(7A)*
el/la **seguidor(a) follower** (8B)
el **seguimiento** tracking, monitoring *(7B)*
seguir una asignatura to take a course *(6B)*
seguir vigente to continue to be valid *(8A)*
según according to *(1B)*
según el punto de vista according to (one's) point of view *(8A)*
seleccionar to select *(6B)*
el **sello** stamp *(1A)*
sembrado, -a sown, seeded *(4B)*
la **semilla** seed *(3A)*
la **señal** sign, signal *(4A)*
señalar to point (to), to point out *(2A), (6B)*
sencillo, -a simple *(1A), (5B), (7A)*
sensato sensible *(2B)*
sensible sensitive *(2B)*
sentarse (ie) en to sit down in/ on *(1A)*
el **sentido del humor** sense of humor *(4B)*
el **sentimiento** feeling *(4A), (5B)*
sentirse con ánimos para seguir to feel up to going on *(5B)*
la **sequía** drought *(7B)*
ser bulímico/a, anoréxico/a to be bulimic/anorexic *(3B)*
ser como pan comido to be easy *(3A)*
ser conocido to be known *(8B)*
ser de buena/mala calidad to be of good/bad quality *(8A)*
ser delicado con la comida to be picky with the food *(3B)*
ser indispensable to be indispensable *(4A)*
ser la fuente de inspiración be the source of inspiration *(8A)*
ser más bueno que el pan to be very good *(3A)*
ser parte de to be part of *(6A)*
el **ser querido** loved one *(2B)*
ser reacio a to be reluctant to *(4A)*
ser un éxito rotundo to be a resounding success *(8B)*
ser un flechazo to be love at first sight *(5B)*
ser un fracaso to be a failure *(8A), (8B)*
servir (i) con to serve with *(3A)*
servir (i) de to serve as *(5A)*
si tan siquiera if only *(7B)*
siguiente paso (the) next step *(1A)*
silencioso quiet *(2B)*
la **silla eléctrica** electric chair *(4B)*
silvestre wild *(1A)*
simpático nice *(2B)*
sin cesar ceaseless, non-stop *(4A)*
sin embargo nevertheless *(2A)*
sin fronteras without limits (borders) *(8A)*
sin ninguna duda without (any) doubt *(2A)*
sincero, -a sincere *(5B)*
el **síntoma** symptom *(2A)*
el/la **sinvergüenza** shameless person, rascal, scoundrel *(4A)*
el/la **sobornador(a)** person who bribes (6B)
sobornar to bribe *(6A), (6B)*
el **soborno** bribe *(6B)*
sobrar to be more than enough, be too much *(1B)*
sobrarle tiempo to have time on one's hands *(6B)*
sobrecogerse to be moved, deeply affected *(4A)*
sobreexplotar to overexploit *(7B)*
el **sobrepeso** excessive weight *(3B)*
sobrevivir to survive *(2B), (7A)*
sofreír (i) to sauté, fry lightly *(3A)*
la **soja** soya *(3B)*
la **soledad** loneliness; solitude *(1A)*
soler (ue) to be in the habit of *(1A)*
solicitar to ask for, to request *(2B), (7B)*
la **solicitud** application *(1B)*
solidario, -a in solidarity, supportive *(2A)*
soltar to let go of; to untie *(8B)*
solucionar to solve *(4A), (6B)*
soñar (ue) con to dream about *(1B)*
sonar a to sound like *(8A)*
el **sondeo** poll *(2A)*
sonrojarse to blush *(4B)*
soportar to stand, bear, to tolerate *(2A), (2B), (5A)*
sorprendente surprising *(3A)*
sorprender to surprise *(1B)*
el **sosiego** serenity, peace *(1A)*
soso, -a bland *(3A)*
la **sospecha** suspicion *(2B)*
sostener to support *(7B)*
el **sostenimiento** maintenance, support *(6A)*
Su seguro/a servidora(a) Yours faithfully *(6A)*
la **subasta** auction *(8A)*
subastar to auction *(8A)*
súbito, -a sudden *(6A)*
el **subtítulo** subtitle *(8A)*
suceder to occur, happen *(2A)*
sudoroso, -a sweaty *(4A)*
el **sueldo** salary *(2B)*
el **sueño** dream *(8A)*
sufrir en su propia carne to suffer in one's own skin *(4B)*
sujeto (persona) individual (2B)
superar to excel *(8A)*
superarse to excel *(2B)*
el **suplicio** torture *(4B)*
el **surgimiento** emergence *(7B)*
surgir to come up *(1A)*
suspender to fail a course *(6B)*
la **sustancia tóxica** toxic substance (7B)
sustancias controladas sin prescripción médica controlled substances without a prescription *(7B)*
sustancias estupefacientes narcotics *(7B)*

T

el **tablón de anuncios** bulletin board *(1A)*
el **tacto** (sense of) touch *(8B)*
tajante definitive (answer,remark) *(6A)*
tajantemente categorically *(2B)*
talar to cut down, to fell (trees) *(7A)*
talentoso, -a talented *(4B)*
el **tamaño** size *(2A)*
tapar to cover *(3A)*
tardar en to take time to *(1B)*
tardar, demorar(se) to take time *(6B)*
tarde o temprano sooner or later *(2A)*
tartamudear to stutter *(2A), (4B)*
el **tatuaje** tattoo *(2A)*
taurino, -a related to bullfighting *(6B)*
la **taza** cup *(3A)*
tecnológico, -a technological *(7A)*
el **téfono cular, téfono móvil** cell phone *(7A)*
el **téfono fijo** landline phone *(7A)*
la **tela** cloth, fabric, material *(8A), (8B)*
la **telaraña** spider's web, cobweb *(8A)*
las **telecomunicaciones** telecommunications (7A)
la **telenovela** **soap opera** (4B), (8A)
tema subject, topic *(2B), (5B)*
temblar to shake, to shiver *(5B)*
temblarle la voz a alguien to have a shaky voice *(5B)*
el **temor** fear *(2A), (5A)*
la **temporada** (sports) season *(1A), (6A), (8A), (8B)*
temprano early *(1A)*
tender a to tend to, incline *(3B)*
tener alergia a (los frutos de cáscara, cacahuetes, al polen,...) to be allergic to nuts, peanuts, pollen) *(3B)*
tener anemia to have anemia *(3B)*
tener buen olfato to have good judgment *(4B)*
tener buena (mala) pinta to look good (bad) *(3A)*
tener certidumbre/incertidumbre to be sure/unsure *(5B)*
tener el alma en vilo to be worried *(2B)*
tener falta de sueño to be deprived of sleep *(1A)*
tener ganas de to feel like *(2B)*
tener gran éxito taquillero/televisivo to be successful at the box office/on television *(8A)*
tener la oportunidad de to have the opportunity to *(6A)*
tener la voz tomada to have a hoarse voice *(5B)*
tener lugar to take place *(2B), (6B)*
tener mala cara to look bad/sick *(1A)*
tener malas uvas to be nasty *(3A)*
tener miedo de to be afraid of *(1B)*
tener motivos para to have reasons for *(2A)*
tener por to take for, considered *(2A)*
tener tiempo libre to have free time *(6A)*
tener un don to have a special gift (for doing something) *(4A)*
tener un efecto en to have an effect on *(6B)*
tener un éxito rotundo to have a resounding success *(4B)*
tener una manera peculiar de contar algo to have a peculiar way of saying something *(5A)*
tener una salud (o voluntad) de hierro to have strong health? *(3B)*
tener vigencia to be in effect *(6A)*
tenerlo claro to have no doubt about something *(1B)*
teñido, -a dyed *(2A)*
el/la **tenista** tennis player *(6A)*
tenso tense, stressed *(2B)*
tentar to tempt *(5A)*
el **tercio** (one) third *(1A)*
terminar por to end up *(2B)*
la **ternura** tenderness *(4B)*
el **terremoto** earthquake *(7B)*
el **terreno** field *(2A)*
el **tesón** determination, tenacity *(4B)*
el/la **testigo** witness *(6B)*
el **tiburón** shark *(7B)*
tiempo a period or duration of time *(6B)*
tiempo verbal tense (of a verb) *(2B)*
tiene la manía de he/she has this little thing/ obsession about *(4A)*
la **tierra batida** clay *(6A)*
la **timidez** shyness *(4A)*
el **tipo** type, sort, guy *(2A)*
no tirar la toalla not to give up *(5B)*
el **tiro al arco** archery *(6B)*
tolerante tolerant *(2A)*
tolerar to tolerate *(2B)*
tomárselo mal, interpretarlo mal to take something the wrong way *(6B)*
el **tono** pitch *(5B)*
el **tono en que lo dijo** the tone in which s/he said it *(5B)*
la **tontería** silly/stupid thing *(4A)*
el **toque** touch, beat *(1A), (8A)*
torear to fight bulls *(6B)*
el **toreo** (art of) bullfighting *(6B)*
el/la **torero/a** bullfighter *(6B)*
el **tornado** tornado *(7B)*
torpe clumsy *(4B)*
el **trabalenguas** tongue twister *(5B)*
el **tráfico ilícito de drogas** illegal drug trafficking *(7B)*
la **tragedia** tragedy *(5A)*
la **trampa** trap *(4A)*
transcurrir to pass, to go by *(5A)*
tras after, behind *(5A)*
el **trastorno** disorder *(4A)*
tratar de to try to *(1B)*
tratarse de to be about *(3B)*
el **trato** deal, treatment *(4B)*
la **trayectoria** trajectory, path *(4B), (5A), (6B)*
el/la **treintañero/a** thirty-year-old *(2A)*
tremendo, -a terrible, tremendous *(4A)*
tres cuartos de three quarters of *(1A)*
la **tristeza** sadness *(8A)*
triunfar to triumph, to succeed *(2B), (5A)*
trocear to chop, to cut *(3A)*
tropezar (ie) con to bump into *(4B)*
tumbarse to lie down *(2A)*

U

últimamente lately *(2B)*
último, -a last *(1A)*
el **usuario** user *(7A)*
el/la **usuario/a** user *(7B)*

V

la **vainilla** vanilla *(3A)*
el **vaivén** rocking, swaying motion *(8A)*
la **valentía** courage, valor *(2B), (4B), (5A)*
valer la pena to be worth it *(5B)*
valiente brave *(4B)*
la **valla** hurdle *(6B)*
el **valor** value, courage *(2B), (5A)*
valorar to value, to give importance *(1B), (3B)*

variopunto, -a miscellaneous *(8B)*
el/la **veinteañero/a** twenty-year-old *(2A)*
la **vejez** old age *(2B)*
la **velada** evening, get-together *(3A)*
velar por to watch out for *(6A)*
vencer to defeat *(6A)*
¡venga ya! are you kidding/serious? (4B)
venir a to come to *(6A)*
la **ventaja** advantage *(7A)*
ver todo "color de rosa" to see everything through rose-colored glasses *(4A)*
la **vergüenza** shame, embarrassment *(4A)*
verosímil plausible, credible *(5B)*
el **verso libre** free verse *(5B)*
verter (ie) to pour, spill *(7B)*
una **vez** once, one time *(6B)*
el/la **viajero/a** traveler *(1A)*
el/la **vidente** clairvoyant *(8B)*
el **videojuego** videogame *(8B)*
el **vínculo** link, bond *(8B)*
la **violencia** violence *(5A), (7B)*
el/la **visionario/a** visionary *(4B)*
la **vista** view *(1A)*
la **viuda** widow *(1A)*
vivaz lively *(7A)*
vivo, -a lively *(8A)*
volar (ue) to fly *(1A)*
el **voluntariado** voluntary service *(2A)*
el/la **voluntario/a** volunteer *(2B)*
volver(se) (ue) to go back, to become *(1A)*
volverse (ue) to turn into *(4A)*
el/la **votante** voter *(4B)*
la **voz** voice *(5B)*
la **voz de conciencia** the voice of one's conscience *(5B)*
vulgar vulgar *(8A)*

Y

ya no no longer *(1B)*
ya que since *(4A)*
yacer to lie (recline) *(2B)*

Z

la **zapatilla** sneaker, tennis shoe *(6A)*

English-Spanish Vocabulary

A

abandonment el abandono *(2B)*
ability la capacidad *(4A)*
abrupt brusco, -a *(4A)*
abstract abstracto, -a *(8A)*
the absurdity of situation lo absurdo de la situación *(4A)*
abundant copioso, -a *(3A)*
abuse el maltrato *(5A)*
to abuse abusar de, maltratar *(2B)* *(4A)*
accident el percance *(1A)* *(4B)*
acclaimed aclamado, -a *(4B)*
accommodations el alojamiento *(1A)* *(6A)*
according to según *(1B)*
according to (one's) point of view según el punto de vista *(8A)*
to achieve conseguir (i), lograr, realizar *(1A)* *(1B)* *(2B)* *(6A)* *(7A)* *(8A)*
achievement el logro *(4B)*
to acquire adquirir *(8B)*
to act actuar *(4B)*
action la gestión *(4B)*
activist el/la activista *(7B)*
actually en realidad *(4A)*
to add agregar, añadir *(2B)* *(3A)*
to add to agregar a, añadir a *(6A)* *(3A)*
to admire admirar *(4A)* *(8B)*
to adore adorar *(8B)*
adulthood la edad adulta *(2A)*
advantage la ventaja *(7A)*
adventures las andanzas *(7B)*
adventurous aventurero, -a *(1A)*
advertising campaign la campaña publicitaria *(3B)*
affectionate cariñoso, -a *(4A)*
affectionately afectuosamente, cariñosamente *(4A)* *(6A)*
affluent opulento, -a *(1B)*
after tras *(5A)*
again de nuevo *(8B)*
against the clock a marchas forzadas *(7A)*
against time contra reloj (6B)
to agree asentir (ie, i) *(1B)*
to agree do something quedar en + infinitivo *(1A)*
to agree see someone quedar en ver a alguien *(4B)*
agreement el convenio *(7B)*
agricultural worker; peasant el/la campesino/a *(1B)*
air quality la calidad del aire *(7B)*
aircraft carrier el portaviones *(8A)*
alarming alarmante *(2B)*
albacore tuna la albacora *(7B)*
all the time (constantly) constantemente *(6B)*
to allow permitir *(7B)*
along a lo largo de *(1A)*
also asimismo *(6B)*
amazing asimismo *(6B)*
to amuse oneself with entretenerse con *(2A)*
ancestor el/la antepasado/a *(1B)* *(4B)*
anger coraje *(2B)*
annual anual *(1B)*
antibiotics los antibióticos *(3B)*
antiquity la antigüedad *(3B)*
apart from además de *(3A)*
apparently por lo visto *(2A)*
appearance la pinta, la facha *(2A)*
appetite el apetito *(3A)*
to applaud aplaudir *(8B)*
application la solicitud *(1B)*
apprenticeship el aprendizaje *(7A)*
to approach abordar, acercarse *(2B)* *(6B)* *(7A)*
appropriate adecuado, -a *(3A)*
archery el tiro al arco *(6B)*
architect el/la arquitecto/a *(8A)*
architectural arquitectónico, -a *(7A)*
architecture la arquitectura *(8A)*
are you kidding/serious? ¡venga ya! *(4B)*
armed conflict el conflicto armado *(2B)*
army el ejército *(2B)*
aroma el aroma *(3A)*
around alrededor, en torno a *(2A)* *(5A)*
to arrange meet with quedar con *(1A)*
arrival la llegada *(1A)*
to arrive anytime now llegar en cualquier momento (6B)
to arrive at llegar a *(1A)*
art for art's sake el arte por el arte *(8B)*
art of bullfighting el toreo *(6B)*
artistic artístico, -a *(8A)*
as a result/consequence como resultado/consecuencia *(4A)* *(8B)*
as soon as possible cuanto antes *(1B)*
to ask a question preguntar, hacer una pregunta *(6B)*
to ask for solicitar *(2B)* *(7B)*
to ask for someone preguntar por *(6B)*
to ask for something pedir (6B)
to ask for something impossible pedirle peras al olmo *(3B)*
aspiration, wish la aspiración *(5A)*
assembly el montaje *(8A)*
to assume asumir *(2A)*
to assure asegurar *(2A)* *(4A)*
astonished boquiabierto *(8A)*
astonishing asombroso, -a *(1A)*
at first de primeras, en principio *(1A)*
at least al menos *(4A)*
at the present time actualmente *(4A)*
at times a veces *(6B)*
athlete el/la atleta *(6A)*
atmosphere el ámbito *(6B)*
atrocious atroz *(5B)*
to attend asistir a *(8A)*
attitud la actitud *(2B)*
to attract atraer *(4A)*
to attract attention llamar la atención *(4A)*
auction la subasta *(8A)*
to auction subastar *(8A)*
audacity la audacia *(4B)*
autobiography la autobiografía *(4B)*
autograph el autógrafo *(4B)*
available disponible *(6B)* *(7B)*
average el promedio *(1A)*
award el premio, el galardón *(2B)* *(6B)* *(8B)*
to award conceder *(8B)*
awarded a prize laureado, -a *(5A)*

B

to back up respaldar *(7A)*
backward step el retroceso *(7A)*
balance el equilibrio *(3B)*
ball game el juego de pelota *(6A)*
barely apenas *(1B)*
base runner el/la corredor(a) en base *(6A)*
baseball player el/la beisbolista *(6A)*
basketball el baloncesto, el básquetbol *(6A)*

basketball player el/la baloncestista, el/la basquetbolista *(6A)*
Basque ball game la pelota vasca *(6A)*
to be a failure ser un fracaso *(8A)* *(8B)*
to be a resounding success ser un éxito rotundo *(8B)*
to be about tratarse de *(3B)*
to be about to estar a punto de *(4A)*
to be absentminded estar en las nubes *(4A)*
to be advisable, convenient convenir (ie) *(4A)*
to be afraid of tener miedo de *(1B)*
to be allergic nuts, peanuts, pollen) tener alergia a (los frutos de cáscara, cacahuetes, al polen,...) *(3B)*
to be ashamed of avergonzarse (ue) de *(2A)*
to be born nacer *(2B)*
to be bulimic/anorexic ser bulímico/a, anoréxico/a *(3B)*
to be characterized by caracterizarse por *(5B)*
to be chubby estar rellenito *(3B)*
to be clear aclarar *(3A)*
to be composed of componerse de *(5B)*
to be convenient convenir *(1B)*
to be dead tired/sleepy/hungry estar muerto de cansancio/ sueño/hambre *(1B)*
to be deeply affected sobrecogerse *(4A)*
to be depressed estar deprimido, -a *(5B)*
to be deprived of sleep tener falta de sueño *(1A)*
to be easy ser como pan comido *(3A)*
to be easy (hard) on the eyes no entrar por los ojos *(3A)*
to be enough bastar *(6A)*
to be far from ready estar muy verde *(6A)*
to be fed up with estar harto de *(3A)*
to be feeling down hearted el ánimo por suo *(5B)*
to be finger-licking good estar para chuparse los dedos *(3A)*
to be for all the tastes haber para todos los gustos *(1B)*
to be happy about alegrarse de *(3B)*
to be happy/satisfied with; make do with contentarse con *(2A)*
to be in a good (bad) mood estar de buen (mal) humor *(4A)*
to be in charge of estar a cargo de *(3A)*
to be in effect tener vigencia *(6A)*
to be in line with enmarcarse en *(6B)*
to be in the habit of soler (ue) *(1A)*
to be in training estar entrenándose *(6B)*
to be in very low spirits estar bajo de ánimo/con *(5B)*
to be indispensable ser indispensable *(4A)*
to be involved in involucrarse en *(4A)*
to be known ser conocido *(8B)*
to be lacking carecer de, faltar *(5B)* *(1B)* *(6B)*
to be left quedar *(1B)*
to be love at first sight ser un flechazo *(5B)*
to be more than enough, be too much sobrar *(1B)*
to be nasty tener malas uvas *(3A)*
to be nervous (shaking like a flan) estar como un flan *(3B)*
to be of good/bad quality ser de buena/mala calidad *(8A)*
to be out of fashion estar pasado, -a de moda *(4B)*
to be part of ser parte de *(6A)*
to be picky with the food ser delicado con la comida *(3B)*
to be pleasing agradar *(1B)*
to be reachable estar al alcance de *(1A)*
to be reluctant to ser reacio a *(4A)*
to be ruin arruinarse *(4B)*
to be satisfied with conformarse con *(2A)*
to be sensational hacer época *(7B)*
to be sincere para ser sincero *(2A)*
to be speechless quedarse mudo, -a *(4B)*
to be starving pasar (mucha/ un poco de) hambre *(3B)*
to be successful at the box office/ on television tener gran éxito taquillero/televisivo *(8A)*
to be sure/unsure tener certidumbre/ incertidumbre *(5B)*
to be surrounded rodear(se) *(4A)*
be the source of inspiration ser la fuente de inspiración *(8A)*
to be unable cope with no poder con *(7A)*
to be unsuccessful fracasar *(6B)*
to be up-to-date actualizarse, estar al tanto de *(3A)* *(1A)*
to be very good ser más bueno que el pan *(3A)*
to be willing estar dispuesto, -a *(1A)* *(4B)*
to be with a few extra kilos/ pounds estar con unos kilos/ unas libras de más *(3B)*
to be worried tener el alma en vilo *(2B)*
to be worth it merecer / valer la pena *(3A)* *(5B)*
to be wrong equivocarse *(1B)*
to beat batir, latir *(3A)* *(4A)*
to beat (up) golpear *(1A)* *(2B)* *(6A)*
beauty la belleza *(1A)* *(8A)*
because puesto que *(4A)*
because of por culpa de *(1B)*
to become ponerse *(2A)*
to become blind quedarse ciego *(8B)*
to become champion llegar a ser campeón(a) *(6A)*
to become irrational, go crazy enloquecer *(5B)* *(8B)*
to become tired of cansarse de *(2A)*
to become very interested in apasionarse por *(2B)*
to beg rogar (ue) *(3B)*
to begin iniciar *(7B)*
to begin in iniciarse en *(6B)*
to begin to empezar (ie) a, ponerse a *(3B)* *(4A)*
to behave comportarse, portarse *(4B)* *(2A)*
behavior el comportamiento *(2A)* *(4A)*
behind tras *(5A)*
belief la creencia *(2B)*
to belong pertenecer *(1B)* *(5A)*
to belong to pertenecer a *(2A)*
benefit el beneficio *(1B)*
to benefit from beneficiar de *(3B)*
besides además de *(3A)*
bet la apuesta *(6B)*
to bet apostar (ue) *(6B)*
to bet on apostar por *(3A)*
better safe than sorry más vale prevenir que curar *(3B)*
bettor (person who bets) el/la apostador(a) *(6B)*
between life and death entre la vida y la muerte *(4A)*
a big hug from + name Recibe un abrazo muy fuerte de tu amigo/a + nombre *(6A)*
big mouth **el/la bocazas** (4B)
bill el billete, la factura *(1B)* *(7A)*
biography la biografía *(4B)*
to bite morder *(3A)*
bitter amargo, -a *(3A)*
blabbermouth el/la bocazas *(4B)*
to blame culpar *(3B)*

bland soso, -a *(3A)*
blindness la ceguera *(5B)*
blood enhancement el dopaje sanguíneo *(6B)*
to blush sonrojarse *(4B)*
to boast alardear *(3A)*
bodybuilder el/la culturista *(6B)*
to boil hervir (ie) *(3A)*
to bombard with bombardear con *(3B)*
bone el hueso *(3B)*
to bore aburrir *(1B)*
bore el rollo *(2A)*
bossy mandón/mandona *(4A)*
to bother molestar, fastidiar *(1B) (7B)*
bothersome molesto, -a *(7B)*
bottle opener el abrebotellas *(8A)*
bottled water el agua embotlada *(7B)*
bottleneck **el atasco** (1A)
box-office hit el éxito taquillero *(8A)*
brain el cerebro *(2B)*
brand name la marca *(2A) (6B) (8A)*
brave valiente *(4B)*
break la ruptura *(8A)*
to break up with romper con *(2A)*
breast (of fowl) la pechuga *(3A)*
bribe el soborno *(6B)*
to bribe sobornar *(6A) (6B)*
briefcase el portafolios *(8A)*
bright colors colores vivos *(8B)*
brilliant brillante *(4B)*
broth el caldo *(3B)*
budget el presupuesto *(3B) (8A)*
to build construir *(8A)*
building la edificación *(1A)*
bulletin board el tablón de anuncios *(1A)*
bullfight la corrida de toros *(6B)*
bullfighter **el/la torero/a** (6B)
to bump into tropezar (ie) con *(4B)*
to burn arder, quemar *(3A)*
to bury enterrar (ie) *(2B)*
business la empresa *(3B)*
businessman/woman el/la empresario/a *(2B)*
to buy time ganar tiempo (6B)
by little por poco *(2A)*
by means of mediante *(7A)*
by what por lo que *(1B)*

C

calculating calculador(a) *(5B)*
campaign la campaña *(4B)*
can opener el abrelatas *(8A)*
candy el el dulce, la golosina *(3A)*
canvas el lienzo *(8A)*
capable capaz *(4A)*
capital letter la mayúscula *(2A)*
capricious caprichoso, -a *(3B)*
carbonated drink la bebida carbónica *(3B)*
career la carrera *(2B)*
careful esmerado, -a *(3A)*
Caribbean caribeño, -a *(8A)*
to carry out llevarse a cabo *(8B)*
cartoon el dibujo animado *(4B)*
cast (of characters) el reparto *(3B) (4B)*
to catch up with alcanzar *(3B)*
categorically tajantemente *(2B)*
to cause provocar, ocasionar *(1A) (7B)*
to cease, stop cesar *(2B)*
ceaseless sin cesar *(4A)*
to celebrate festejar *(7B)*
cell phone el téfono cular, téfono móvil (7A)
cement el cemento *(6A)*
cemetery el camposanto *(8A)*
to censor censurar *(8B)*
censorship la censura *(1B)*
chain la cadena *(4B)*
challenge el el desafío, el reto *(1A) (5B)*
to challenge desafiar, retar *(1A) (2A)*
challenging desafiante *(1A)*
champion el/la campeón(a) *(6A)*
championship el campeonato *(6A)*
chance el azar *(5B)*
character el carácter, el/la personaje *(2A) (2B) (5B)*
to charge cobrar *(1B)*
charismatic carismático, -a *(4B)*
charity las obras benéficas *(2B)*
charming **encantador, -a** (4B) (8A)
to cheer somebody up animar *(5B)*
cheerleader el/la porrista *(6B)*
chemicals los químicos *(3B)*
child el/la crío/a *(4A)*
childhood la infancia, la niñez *(2A) (2B)*
chocolate candy el bombón *(4A)*
chocolate milk el batido de chocolate *(3A)*
chocolate milk shake el batido de chocolate *(3A)*
to chop trocear, picar *(3A) (3B)*
chronological order el orden cronológico *(7A)*
cinnamon la canela *(3A)*
citizen el/la ciudadano/a *(1B)*
clairvoyant el/la vidente (8B)
to clarify aclarar *(7B)*
clay la arcilla, el barro, la tierra batida *(3A) (6A)*
to clear one's throat aclararse la voz *(5B)*
clipping el recorte *(8B)*
close, intimate íntimo, -a *(2B)*
cloth la tela *(8A) (8B)*
cloud la nube *(1A)*
clove (of garlic) el diente (de ajo) *(3A)*
clumsy torpe *(4B)*
coastal costero, -a *(7A)*
coexistence, living together **la convivencia** (2B)
coffee el café *(4A)*
coin la moneda *(1B)*
coin purse el portamonedas *(8A)*
to collaborate colaborar *(8B)*
collector el/la coleccionista *(8A)*
to come from provenir de *(3A)*
to come to venir a *(6A)*
to come up surgir *(1A)*
comedian el/la comediante *(4B)*
comedy la comedia *(5A)*
to comfort reconfortar *(7B)*
coming from procedente de *(7B)*
command of languages el dominio de lenguas *(7A)*
to commend oneself to encomendarse (ie) a *(2B)*
commentator el/la comentarista *(4B)*
commissioner el/la comisionado/a *(6A)*
to commit cometer *(2B)*
common corriente *(7A)*
company la empresa, la compañía *(3B)*
to compete with competir (i) con *(6B)*
competition la competencia *(6A)*
competitive la competición *(6A)*
competitor el contrincante *(8A)*
to complain about quejarse de *(2A)*
complete amplio, -a *(4A)*
complex complejo, -a *(2A) (4A)*
complicated complicado, -a, rebuscado, -a *(5B)*
to comply with cumplir con *(4B)*
composer el/la compositor(a) *(8A)*
computer el computador, el ordenador, el portátil *(7A)*
to concentrate on concentrarse en *(6A)*
concept el concepto *(2A)*
conduct la conducta *(4A)*

conference congreso (2B)
to **confess** confesar (ie) *(2B)*
confidence la confianza *(4A)*
to **confront** enfrentar *(5A)*
to **connect with** conectarse con *(7A)*
conservative conservador(a) *(4B)*
to **conserve** conservar *(1B)*
to **consist of** constar de *(5B)*
to **console** consolar (ue) *(2A)*
to **consume** consumir *(3B) (7B)*
consumer el/la consumidor(a) *(3B)*
consumption el consumo *(3B)*
container el recipiente *(3A)*
contemporary contemporáneo, -a *(5A)*
contents el contenido *(5A)*
to **continue be valid** seguir vigente *(8A)*
contract contrato *(7A)*
contractor el/la contratista *(7B)*
to **contradict** contradecir *(6B)*
to **contribute** aportar *(3B) (8A)*
to **contribute to** contribuir a *(5B) (7B)*
contribution la aportación *(7B)*
controlled substances without a prescription sustancias controladas sin prescripción médica *(7B)*
controversy la polémica *(6A) (6B) (8B)*
to **convince** convencer *(1A)*
convincing contundente (3A)
convincing someone convencerlo/la *(6B)*
to **cook** cocer (ue) *(3A)*
Cordially Cordialmente *(6A)*
corncob la mazorca *(3A)*
corner el rincón *(1B) (5A)*
corruption la corrupción *(7B)*
to **cost** costar (ue) *(4A)*
to **count on** contar (ue) con *(2B)*
courage la valentía, el valor *(2B) (4B) (5A)*
court la pista *(6A)*
courtesy la cortesía *(7B)*
to **cover** tapar *(3A)*
cover (of a book,magazine), front page, cover (of a book) la portada *(2B) (6A)*
cover (plate, napkin, etc. set for each comensal) cutlery el cubierto *(3A)*
coverage la cobertura *(6A)*
covered cubierto, -a *(3A)*
cozy acogedor(a) *(3A)*
to **crave** apetecer *(1B)*
craving el antojo *(1B)*
to **create** crear *(8B)*
creation la creación *(7A)*
creative creativo, -a *(8B)*
credible verosímil *(5B)*
crime el crimen *(7B)*
critic el/la crítico/a *(8A)*
criticism la crítica *(8A)*
to **criticize** criticar *(5A)*
critique la crítica *(8A)*
crop el cultivo *(3A)*
crowd la muchedumbre, la multitud *(1A) (2B)*
crying el llanto *(5B)*
cultured culto, -a *(8A)*
cup la taza *(3A)*
curiosity la curiosidad, curiosamente *(4B) (4A)*
currently actualmente *(5A)*
custom la costumbre *(5A)*
to **cut** cortar *(3A)*
to **cut down** talar *(7A)*
cycling el ciclismo *(6A)*
cyclist el/la ciclista *(6A)*

D

daily cotidiano, -a, diario, -a *(6A) (1B)*
damage el deterioro, el daño *(2B) (7A)*
to **damage** dañar *(3B)*
damaged dañado, -a *(8B)*
damaging perjudicial *(7B)*
dance la danza *(8A)*
dancer el/la bailarín/bailarina *(8A)*
dangerous peligroso, -a *(1A)*
to **dare to** atreverse a *(1A)*
daring atrevido, a *(2A) (5B)*
darling el cariño *(1A)*
Darling Cariño *(6A)*
to **date from** datar de *(1A)*
the day before yesterday anteayer *(8A)*
deadly letal *(4B)*
deal el trato *(4B)*
dear distinguido/a; estimado/a *(6A)*
dear (esteemed) director estimado/a director(a) *(6A)*
dear (Esteemed) Sir/Madam/ Mr./Ms (+ last name) muy estimado/a Señor/Señora (+ apellido) *(6A)*
Dear + name Querido/a + nombre *(6A)*
dear Sir/Madam muy señor mío (señora mía) *(6A)*
death la muerte *(8A)*
decade la década *(4B)*
deception engaño (2B)
to **decide** acordar (ue) *(2B)*
deep hondo, -a, profundo, -a *(5B) (1A)*
deep down en el fondo *(1B)*
deeply rooted arraigado, -a *(2B)*
to **defeat** derrotar, vencer *(6A)*
defense (defensive player) la defensa *(6A)*
defenseless desamparado, -a *(2B)*
deficiency la carencia *(7B)*
definitive (answer,remark) tajante *(6A)*
dehydrated deshidratado, -a *(7A)*
delay el retraso, el atraso *(4B) (6A)*
to **delay** retrasar *(8A)*
delayed con retraso *(1A)*
delicious rico, -a *(3A)*
to **delight** encantar *(1B)*
delinquency la delincuencia *(2B)*
delinquent, criminal el/la delincuente *(2B)*
delivery, distribution la entrega *(8B)*
demand la demanda *(2B)*
to **demonstrate** demostrar (ue) *(2B)*
denial el rechazo *(1B) (8A)*
to **denounce** denunciar *(8B)*
to **depend on** depender de *(2A)*
to **deplore** deplorar *(6A)*
depressed deprimido, -a *(4A)*
depth la profundidad *(1A)*
design el diseño *(2A)*
to **design** diseñar *(8A)*
desirable codiciado, -a *(8B)*
desperate desesperado, -a *(1B)*
to **despise** menospreciar *(8A)*
destination el destino *(1A)*
determination el empeño, el tesón *(4B) (6B) (7B)*
devastating desolador(a) *(5A)*
to **develop** desorrollarse *(5A)*
to **devote oneself to** dedicarse a *(4B)*
dew el rocío *(5B)*
to **die** fallecer *(4B)*
diet la dieta, el régimen *(3B)*
different distinto, -a *(2B)*
dignity la dignidad *(4B)*
dilemma el dilema *(1B)*
disability la minusvalía *(6B)*
disadvantage la desventaja *(1B)*
disappointment el desengaño, decepción *(5B) (2B)*
to **discourage** desanimar *(2A)*
to **discover** hallar *(7B) (8B)*
to **discredit** denigrar *(1B)*

discus throwing el lanzamiento de disco (6B)
disorder el trastorno (4A)
to displace desplazar (2B)
disposable desechable (7A)
to dispose disponer (2B)
to disqualify descalificar (6B)
distinct marcado, lejano, -a, particular (2B) (7B)
to disturb perturbar (1B)
divine divino, -a (8A)
dizzy mareado, -a (1A)
to do crazy things hacer locuras (2A)
to do whatever is possible hacer todo lo posible (1B)
to do/practice sports hacer deporte(s) (6B)
domain el dominio (6A)
don't mention it! ¡No faltaba más! (4A)
to donate donar (2A)
doorway el portal (2A)
dough la masa (3A)
to download descargar (7A)
to draft redactar (5B) (7A)
drastic drástico, -a (4A)
dream el sueño (8A)
to dream about soñar (ue) con (1B)
dried deshidratado, -a (7A)
drinking water el agua potable (3B)
to drive by conducir por (1A)
to drive to conducir a (1A)
drought la sequía (7B)
dry seco, -a (3A)
to dub doblar (8A)
dyed teñido, -a (2A)

E

each time cada vez (6B)
each time that cada vez que (4A)
eagerness el afán (8A)
early temprano (1A)
earthquake el terremoto (7B)
economic crisis la crisis económica (1B)
economy la economía (1B)
educated culto, -a (2B)
effect la el efecto, la incidencia (3A) (5A)
effective eficaz (8A)
effectively efectivamente (2A)
effectiveness la eficacia (6A)
efficient eficaz (7B) (8A)
effort el esfuerzo (2B)
elderly man/woman el/la anciano/a (2A)
electric chair la silla eléctrica (4B)
to eliminate acabar con, descartar (7A) (4A)
to emancipate emanciparse (2B)
embarrassed avergonzado (2B)
embarrassment la pena (2B) (5A)
emergence el surgimiento (7B)
to emigrate emigrar (6B)
emphatic rotundo, -a (6A)
employment el empleo (1B)
to encourage animar, fomentar (8A) (5B)
to encourage somebody darle ánimos a alguien (5B)
to end up terminar por (2B)
endorsement el respaldo (6B)
to endure perdurar (6B)
energy drink la bebida energética (6A)
engraving el grabado (8A)
to enjoy (doing something) disfrutar (de) (1A)
to enjoy great popularity gozar de gran popularidad (8A)
enjoyable ameno, -a (4B)
enriching enriquecedor(a) (7A)
to enroll ingresar (8B)
to ensure asegurar (1A)
to entertain entretener (8A)
enthusiastic apasionado, -a (1A)
entry el ingreso (2A)
environment el medio ambiente, el entorno (7A) (1A) (8B)
envy la envidia (4A)
ephemeral efímero, -a (5B)
epidemic la epidemia (7A)
equality la igualdad, la paridad (1B) (5A) (6B)
essay el ensayo (5A)
essayist el/la ensayista (5A)
essential imprescindible (5B) (7A)
to establish oneself instalarse (8B)
ethnic étnico (3A)
evening la velada (3A)
event el acontecimiento (2B)
everyone with their funny little ways cada cual con sus manías (4A)
everywhere por todas partes (2A)
evil la maldad (4A)
to evolve from evolucionar de (6B)
to excel superar, superarse (8A) (2B)
excessive desmesurado, -a (2B)
excessive weight el sobrepeso (3B)
excited entusiasmado, -a (1A)
exciting emocionante (6A)
executive el/la ejecutivo/a (4B)
exotic food la comida exótica (3B)
to expect pretender (1A)
expectation la expectativa (7B)
expense el gasto (2B)
to experiment with experimentar con (5A)
exploit la hazaña (4B)
to explore explorar (2B)
to expose oneself to exponerse a (2A)
exposition la exposición (8B)
extravagant extravagante (8A)
extreme poverty la miseria (5A)
extreme sports los deportes de riesgo (2A)

F

fabric la tela (8A) (8B)
face el rostro (1A)
to face enfrentarse (1B)
to face up to enfrentarse con, afrontar (3B) (4B)
to fail a course suspender (6B)
failure el fracaso (6B)
to faint desmayarse (5B)
faithful fiel (5B) (8A)
to fall in love with enamorarse de (4A)
to fall silent enmudecer (5B)
fallen caído, -a (2A)
family member el/la pariente/a (1A)
fan el/la fanático, -a (6A)
fan heater el calentador de aire (7A)
fan, enthusiast el/la aficionado/a (8A)
fan, supporter el/la hincha (6B)
fans el público fanático (8B)
fantastic fantástico, -a (5A)
to fascinate fascinar (1B) (8B)
fashion la moda (8A)
fast el ayuno (3B)
to fasten abrocharse (1A)
fat la grasa (3A)
fault el fallo (2A)
to favor favorecer (6B)
fear el temor (2A) (5A)
feature el rasgo (2A) (4A)
feeding la alimentación (3B)
to feel like apetecer, tener ganas de (1A) (2B)

to feel up going on sentirse con ánimos para seguir *(5B)*
feeling el sentimiento *(4A) (5B)*
fiber la fibra *(3B)*
field el terreno *(2A)*
fifteen-year-old el/la quinceañero/a *(2A)*
to fight disputarse *(6A)*
the fight against AIDS la lucha contra el SIDA *(8A)*
to fight bulls torear *(6B)*
to fight for luchar por *(1B)*
figure la cifra, la figura *(1A) (4B)*
to fill up with llenarse de *(3A)*
to film filmar, rodar (ue) *(8A) (4B)*
to film a movie rodar una película *(8A)*
fin la aleta *(7B)*
finally al fin y cabo, por último *(2A) (3A)*
to find out about enterarse de *(4A) (5B)*
to fine multar *(7B)*
fine arts las bellas artes *(8A)*
to finish off acabar con *(1B)*
the first (thing) that lo primero que *(1A)*
firsthand de primera mano *(6A)*
to fish faenar *(7B)*
to fit caber *(1A)*
to fit in encajar *(2A)*
flattering halagüeño, -a *(7B)*
flavor el sabor *(3A)*
flavoring la sazón *(3A)*
flight time hora de vuelo *(1A)*
to flirt with coquetear con *(4A)*
to flood inundarse *(7B)*
flooding la inundación *(7B)*
flour la harina *(3A)*
to fly volar (ue) *(1A)*
focus el enfoque *(8A)*
fog la niebla *(1A)*
folkloric folclórico, -a *(8A)*
follower el/la seguidor(a), el/la adepto/a *(2A) (8B)*
fondly cariñosos saludos de *(6A)*
food el alimento *(3B)*
for all tastes para todos los gustos *(1A)*
for that reason por eso *(4A)*
for this motive por este motivo *(4A)*
for this reason por esta razón *(4A)*
for want of a falta de *(7B)*
forced forzado, -a *(1A)*
foreigner el extranjero *(1B)*
forgery la falsificación *(8B)*
to forget about olvidarse de *(1B)*
forget-me-not el nomeolvides *(8A)*
to forgive perdonar *(5B)*
Formula 1 race-car driver el/la piloto de Fórmula 1 *(6A)*
fortunate afortunado, -a *(4B)*
fortune la fortuna *(4B)*
forward (player) el delantero *(6A)*
foundation la fundación *(8B)*
to frame enmarcar *(6B)*
frame (of a painting) el marco *(8A)*
fraud el fraude *(8B)*
to free liberar *(7B)*
free admittance la entrada libre *(8A)*
free verse el verso libre *(5B)*
freedom la libertad *(5A)*
fresh water el agua dulce *(7A)*
friendship la amistad *(2A)*
from the point of view of desde el punto de vista de *(2A)*
frozen congelado, -a *(3A)*
fruitful fructífero, -a *(5A)*
to fry freír (i) *(3A)*
to fulfill desempeñar, desempeñarse *(2B) (7B)*
fulfillment el cumplimiento *(7B)*
full lleno, -a *(3A)*
fund el fondo *(8A) (8B)*
funny gracioso, -a *(2A) (2B)*
funny little way la manía *(4A)*
furthermore es más *(7A)*

G

genius el genio *(8A)*
gesture el gesto *(2B)*
to get accustomed to acostumbrarse a *(1B)*
to get angry indignarse *(4A)*
to get dirty ensuciarse *(3A)*
to get fat, put on weight engordar *(3B)*
to get over (something) quickly pasársele rápido *(4A)*
to get scared by smthg dar pánico (1A)
to get sentimental ponerse sentimental *(5B)*
to get soaked ponerse como una sopa (3A)
to get tangled in enredarse con *(5B)*
to get thin adelgazar *(3B)*
to get used to acostumbrarse (5A)
to get very red ponerse como un tomate *(3A)*
to get well curar(se) *(4A)*
to get worked up about nothing ahogarse en un vaso de agua *(4A)*
get-together la velada *(3A)*
to give (a present) regalar *(4A) (7A)*
to give a benefit concert dar concierto benéfico *(8B)*
to give an award premiar *(4B)*
to give birth (an idea) dar origen a *(7A)*
to give it one's all darlo todo *(5B)*
global warming el calentamiento global *(7A)*
globalization la globalización *(8A)*
to go (prize, award) recaer en *(6B)*
to go away irse, marcharse (6B)
to go away from marcharse de *(1A)*
to go back to remontarse a *(5B)*
to go back, become volver(se) (ue) *(1A)*
to go by pasar por *(1A)*
to go by (time, life) discurrir *(1A)*
to go ineffect entrar en vigor *(6B)*
to go into entrar en *(1B)*
to go out, depart, leave (a place) salir (6B)
to go through atravesar *(2A)*
to go through; travel, cross recorrer (1A) (6A) (8B)
to go too far pasarse *(2A)*
to go well/badly ir bien/mal *(4B)*
goal la meta, objetivo *(1B) (2B)*
goal scorer el/la marcador(a) (6A)
goalie el/la arquero/a, portero/a *(6A)*
gold mine (colloquial) el filón *(2A)*
good rico, -a *(3A)*
the good (bad) thing is lo bueno (malo) es que *(8B)*
good-bye la despedida *(1A)*
good-looking apuesto, -a *(4B)*
gracious amable, cortés *(2B)*
to grant otorgar *(2A) (6A) (8A)*
grass la hierba, el pasto *(6A)*
gratitude el agradecimiento *(2A)*
graveyard el camposanto *(8A)*
greasy grasiento, -a *(3B)*
greenhouse effect el efecto invernadero *(7A)*
grief la pena *(2B) (5A)*
growing creciente *(2B)*
growth el crecimiento *(1B)*
to guess adivinar *(4B) (5B)*
to guide guiar *(1A)*
guideline la pauta *(4A)*
guilty culpable *(2B)*
gymnast el/la gimnasta *(6A)*
gymnastics a gimnasia *(6A)*

H

hake (whitefish) la merluza *(7B)*
handful el puñado *(3A)*
handicap la minusvalía *(6B)*
handicapped inválido, -a *(8A)*
handicapped person el/la discapacitado/a, el/la minusválido/a *(6B)*
handle el asa (f.) *(3A)*
to handle manejar *(2A) (4A) (7B)*
handling el manejo *(5B)*
handrail el pasamano *(8A)*
to hang (up) colgar (ue) *(1A)*
to happen) acontecer *(2B)*
happiness) la alegría *(8A)*
hard) duro, -a *(5B)*
hardly) apenas *(5A)*
harmful) dañino, -a, nocivo, -a *(7A) (7B)*
harmful effects to one's health) efectos perjudiciales para la salud *(7B)*
harmony) la armonía *(7A)*
the harsh reality) la cruda realidad *(5A)*
hatred) el odio *(4A)*
to have a craving for) antojarse *(3A)*
to have a good time) divertirse, pasarlo bien (6B)
to have a hard time) costarle muchísimo (6B)
to have a hoarse voice tener la voz tomada *(5B)*
to have a peculiar way of saying something) tener una manera peculiar de contar algo *(5A)*
to have a resounding success) tener un éxito rotundo *(4B)*
to have a rivalry) hacer competencia *(6B)*
to have a shaky voice) temblarle la voz a alguien *(5B)*
to have a special gift (for doing something) tener un don *(4A)*
to have an effect on) tener un efecto en *(6B)*
to have anemia tener anemia *(3B)*
to have free time tener tiempo libre *(6A)*
to have good judgment tener buen olfato *(4B)*
to have influence influir *(1A)*
to have just finished doing something acabar de + infinitivo *(1A)*
to have no doubt about something tenerlo claro *(1B)*
to have no other choice no tener más remedio que *(4B)*
to have reasons for tener motivos para *(2A)*
to have something at one's disposal disponer de *(7A)*
to have strong health? tener una salud (o voluntad) de hierro *(3B)*
to have success, victory arrasar *(4B)*
to have the lack of sleep estar falto de sueño *(1B)*
to have the opportunity to tener la oportunidad de *(6A)*
to have time on one's hands sobrarle tiempo (6B)
having a sweet tooth goloso, -a *(3A)*
he/she has this little thing/ obsession about tiene la manía de *(4A)*
to head toward dirigirse a *(1B)*
healthy saludable, sano, -a *(2B) (3B)*
hearing; ear el oído *(7A)*
heat la calefacción *(1A)*
to heat calentar *(3A)*
height la altura *(4A)*
height, stature la estatura *(4B)*
to help ayudar a *(5B)*
heritage el patrimonio, la herencia *(3B) (4A)*
hero el héroe *(4B)*
heroic deed la hazaña *(4B)*
heroine la heroína *(4B)*
heroism el heroísmo *(4B)*
hey!, excuse me ¡oye! *(4A)*
hidden oculto, -a *(5B)*
historical time la época *(1A) (6B) (7A)*
to hit it off well/badly with someone hacer buenas/malas migas con alguien *(7B)*
home el hogar *(1A)*
home address el domicilio *(2B)*
home run el jonrón *(6A)*
homeland la patria *(4B)*
honey el miel *(3A)*
hope la esperanza *(2B)*
hormones las hormonas *(3B)*
horrible espantoso, -a *(1A)*
horrifying espeluznante *(3A)*
host el anfitrión *(1A)*
hostess la anfitriona *(1A)*
to house albergar *(1A)*
How cruel! ¡Qué cruel! *(2B)*
How is it allowed? ¿Cómo está permitido? *(2B)*
How shameful!, How embarrassing! ¡Qué vergüenza! *(4A)*
How silly ¡Qué tontería! *(4A)*
How terrible/awful! ¡Qué barbaridad! *(2B)*
however no obstante/sin embargo *(5B)*
a hug unabrazo *(6A)*
hugs and kisses besos y abrazos *(6A)*
to hum canturrear *(3A)*
human rights los derechos humanos *(2A)*
humanitarian cause la causa humanitaria *(8B)*
humanitary aid la ayuda humanitaria *(7B)*
to humiliate humillar, degradar *(6A) (4B)*
hunger el hambre *(3B)*
hunger strike la huelga de hambre *(4B)*
hurdle la valla *(6B)*
hurricane el huracán *(7B)*
to hurry to precipitarse a *(6B)*
to hurt doler (ue) *(1B)*
to hurt; (of food) disagree with hacer daño *(7B)*
to hydrate hidratar *(6A)*
hypocrisy la hipocresía *(4B)*

I

I just can't believe it! ¡No me lo puedo creer! *(2B)*
ice hockey el hockey sobre hielo *(6A)*
ideal person la persona ideal *(4A)*
if by any chance, just in case por si acaso *(2A) (4A)*
if only si tan siquiera *(7B)*
illegal drug trafficking el tráfico ilícito de drogas *(7B)*
image la imagen *(5B)*
imbalance el desequilibrio *(3B)*
impact la el efecto, la incidencia *(3A) (5A)*
to impede impedir (i) *(2B) (3B)*
to impose imponer *(4B)*
improvement la mejora *(2B)*
impulsive caprichoso, -a *(3B)*
in an affectionate tone of voice en tono cariñoso *(5B)*
in another way de otra forma *(1B)*
in charge encargado, -a *(6A)*
in conclusion en conclusión *(4A)*
in every way en todos los aspectos *(7A)*
in fact de hecho *(4A)*
in general por lo general *(4A)*
in homage en homenaje *(6A)*
in solidarity solidario, -a *(2A)*
in spite of a pesar de *(2A) (4A)*

in the case of en el caso de *(7A)*
in the first place en primer lugar *(4A)*
in the long run a largo plazo *(7A)*
in the matter al respecto *(7B)*
in the middle of a mediados de *(7A)*
in the outskirts of a las afueras de *(1A)*
in the same way de la misma manera *(5B)*
in the second place en segundo lugar *(4A)*
in time a tiempo (6B)
incentive el aliciente *(7B)*
incidence la el efecto, la incidencia *(3A) (5A)*
inclined to fall in love easily enamoradizo, -a *(4A)*
to include in/on incluir en *(1B)*
incomprehensible incomprensible *(8A)*
increase el incremento *(7B)*
indescribable indescriptible *(4A)*
indictable denunciable *(8B)*
individual sujeto (persona) *(2B)*
individual taste al gusto (de) *(3A)*
inefficient ineficaz *(7B)*
infinite infinito, -a *(7A)*
influence la influencia *(5A)*
to influence influir en *(2B) (5A)*
influential **influyente** (1B) (2A) (8A)
to inhabit habitar *(2B)*
inheritance la herencia *(4A)*
innocence la inocencia *(5A)*
innovation la innovación *(7A)*
innovative innovador(a) *(8B)*
inopportune inoportuno,-a *(7B)*
inside part of bread la miga (de pan) *(3A)*
to insist on insistir en *(3A)*
inspiration la inspiración *(8A)*
inspiring inspirador, -a *(8A)*
to integrate integrar *(5A)*
integrity la entereza *(4B)*
to interest interesar *(1B)*
internationally internacionalmente *(8B)*
Internet user el/la internauta *(7B)*
to interpret interpretar *(4B)*
to intervene mediar *(6A)*
interview la entrevista *(1B)*
to intuit intuir *(4A) (5B)*
invention el invento *(7A)*
investment la inversión *(6B) (8B)*
to involve involucrar *(8A)*
involved involucrado, -a *(6A)*
iron (mineral) el hierro *(3B)*
ironic irónico, -a *(5B)*
irony la ironía *(5B)*
irrational irracional *(8B)*
irreplaceable irreemplazable *(3B)*
irresponsible inconsciente *(4A)*
to isolate aislar *(7B)*
to isolate oneself from aislarse de *(6A)*
It seems terrible/awful! ¡Me parece fatal! *(2B)*
it's not such a big deal no ser para tanto *(2A)*
It's unbelieveable! ¡Es increíble! *2B)*

J

to jam-pack abarrotar *(8B)*
javelin la jabalina *(6B)*
Jewish judío, -a *(8A)*
jigsaw puzzle el rompecabezas *(8A)*
journalism el periodismo *(5A)*
journalist el/la periodista *(5A)*
judge el/la árbitro/a *(6A)*
to judge juzgar *(6B)*
judging by a juzgar por *(8B)*
judgment el juicio *(7B)*
to jump dar saltos *(1A)*
jump to fame el salto a la fama *(4B)*
junk (fast) food la comida basura (rápida) *(3B)*
just like igual que *(1B)*
to justify justificar *(2B)*

K

to keep warm with abrigarse con *(1A)*
key la clave *(2B)*
key (solution) la clave *(4A)*
to kick patear *(6A)*
to know for sure saber a ciencia cierta *(5A)*
know-it-all el sabelotodo *(8A)*

L

labor force la fuerza boral *(7A)*
laboriously laboriosamente *(7A)*
lack of falta de *(1A)*
landing el aterrizaje *(1A)*
landline phone el téfono fijo *(7A)*
landscape el paisaje *(1A) (8A) (8B)*
language el lenguaje *(5B)*
laptop el computador, el ordenador, el portátil *(7A)*
last último, -a *(1A)*
to last durar *(5B)*
lately últimamente *(2B)*
to laugh one's head off partirse de risa *(4A)*
laughingstock el hazmerreír *(8A)*
laureate laureado, -a *(5A)*
to lead encabezar, liderar *(1A) (4B)*
leader el/la gobernante, el/la líder *(1B)*
to leaf through hojear *(5A)*
lean magro, -a *(3B)*
to lean/rely on apoyarse en *(2A)*
to learn to aprender a *(1B)*
leather˜el cuero (2A)
to leave a trace dejar huella *(1B)*
to leave behind dejar *(7B)*
lecture conferencia *(2B)*
legacy el legado *(8B)*
legendary legendario, -a *(4B)*
leisure, free time el ocio *(6A) (6B)*
to lessen, cushion, absorb amortiguar, disminuir *(2B) (6B)*
to let go of; untie soltar *(8B)*
let's get to work ponerse manos a la obra *(3A)*
letter opener el abrecartas *(8A)*
Letters (literature) las letras *(5A)*
to lie (recline) yacer *(2B)*
to lie down tumbarse *(2A)*
life expectancy la esperanza de vida *(7A)*
lifestyle la forma de vida *(5A)*
likewise igualmente *(7A)*
limitless infinito, -a *(7A)*
link el lazo, el vínculo *(2A) (8B)*
literary genre el género literario *(5A)*
literary works las obras literarias *(5A)*
lithograph la litografía *(8A)*
to live together with convivir con *(5A)*
to live with convivir con *(2A)*
lively vivaz, vivo, -a *(7A) (8A)*
living room el salón *(1A)*
logically lógicamente *(1A)*
loneliness la soledad *(1A)*
long walk la caminata *(1A)*
long-haired melenudo, -a *(4B)*
look la mirada *(4A) (5B)*
to look bad/sick tener mala cara *(1A)*
to look good (bad) tener buena (mala) pinta *(3A)*
to look like parecerse *(2A)*
to look out of the corner of one's eye mirar de reojo *(4B)*

to **loose weight** adelgazar *(3B)*
loss la pérdida *(4B)*
loved one el ser querido *(2B)*
low budget de poco presupuesto *(4B)*
low tide el bajamar *(8A)*
to **lower** rebajar *(1A)*
loyal leal *(2A)*
lucky afortunado, -a *(4B)*
luggage el equipaje *(1A)*
luxurious lujoso, -a *(1A)*
luxury el lujo *(4A) (7B)*
lying mentiroso, -a *(4A)*
lyric la letra *(8A)*

M

magical realism el realismo mágico *(5A)*
the main idea la idea principal *(5B)*
to maintain mantener *(5A)*
maintenance el sostenimiento *(6A)*
to make a good/bad impression on quedar bien/mal con *(2A)*
to make a mistake, stick one's foot (in one'smouth) meter la pata *(4B)*
to make a stopover hacer escala *(7B)*
to make an effort to esforzarse (ue) por *(7B)*
to make an effort to empeñarse en *(2A)*
to make aware concienciar *(7B)*
to make easy facilitar (2B)
to make fun of burlarse de *(2A)*
to make happy alegrar *(8A)*
to make one's mouth water hacerse la boca agua *(3A)*
to make shudder estremecer *(5B)*
to make someone angry darle rabia a alguien *(3A)*
to make someone dream hacer soñar a alguien *(4B)*
to make someone hungry darle hambre *(3A)*
to make someone thirsty darle sed *(3A)*
to make up with someone hacer las paces *(7B)*
to make worse agravar *(2B)*
malnutrition la desnutrición *(3B)*
management el manejo *(5B)*
to manipulate manipular *(2B)*
manufacturer el fabricante *(3B)*
marginalization la marginación *(7B)*
market el mercado *(8B)*
marvelous prodigioso, -a *(2A)*
master el/la maestro/a *(8A)*
material la tela *(8A) (8B)*
to matter importar *(1B)*
mature maduro, -a *(2A)*
to mature madurar *(4A)*
maybe a lo mejor *(4A)*
means los medios *(4B)*
measure la medida *(7B)*
media los medios (de comunicación) *(2B)*
medicine el medicamento, el fármaco *(1B) (4A) (6B)*
medium el medio *(6A) (8A)*
memory el recuerdo *(2A)*
metaphor la metáfora *(5B)*
meticulous esmerado, -a *(3A)*
midfieldman el medio *(6A) (8A)*
mind la mente *(4A)*
minor el/la menor *(2B)*
miscellaneous variopunto, -a *(8B)*
mishap el percance *(1A) (4B)*
to miss añorar/echar de menos, extrañar *(2A) (5B) (4A)*
mistake el fallo *(2A)*
misunderstood incomprendido, -a *(8A)*
to mix mezclar *(3A)*
mixed mezclado, -a *(4B)*
mixture la mezcla *(3A)*
modern moderno, -a *(8A)*
monitoring el seguimiento *(7B)*
monthly mensual *(1B)*
mortality la mortalidad *(2B)*
most of the time en la mayoría de las ocasiones, la mayoría de las veces *(1B)*
most recent de última generación *(2A)*
mother tongue la lengua materna *(7B)*
motionless inmóvil *(2B)*
motor motriz *(6B)*
to move away from alejarse de *(1A)*
movie ratings las clasificaciones de películas *(8B)*
moving conmovedor(a) *(5A)*
moving, touching enternecedor(a) *(5B)*
muralist el/la muralista *(8A)*
murmur el murmullo *(2B)*
music la música *(8A)*
musician el/la músico/a *(8A)*
my dear + name mi querido/a + nombre *(6A)*
my regards to your family mis recuerdos a tu familia *(6A)*
myth el mito *(4B)*

N

nap, snooze el duermevela *(8A)*
narcotics sustancias estupefacientes *(7B)*
to narrate narrar *(5A)*
narrow estrecho, -a *(1A)*
natural disaster el desastre natural *(7B)*
to need hacer falta *(1B)*
nevertheless sin embargo, no obstante/sin embargo *(2A) (5B)*
next seguidamente *(7A)*
nice simpático *(2B)*
night nocturno, -a *(1A)*
no longer ya no *(1B)*
no matter how hard por más que *(2A)*
no matter how much por mucho (4A)
no one in his/her right mind nadie en su sano juicio *(4B)*
No way! ¡Qué va! *(1A)*
Nobel Prize in Literature el Premio Nob de Literatura *(5A)*
nocturnal nocturno, -a *(1A)*
to nominate nominar *(4B)*
nomination la nominación *(4B)*
nonprofit organization la organización sin ánimo de lucro *(2B)*
non-stop sin cesar *(4A)*
to not lose sight of no perder de ojo/vista *(1A)*
not to be able to stand something (or someone) no poder ni ver algo (o alguien) *(3A)*
not to be in a joking mood no estar para bromas *(2A)*
not to feel up to anything no tener ánimos de/ para nada *(5B)*
not to give up no darse por vencido, -a, no tirar la toalla *(5B)*
not to stand something darle asco *(3A)*
to not understand no entrar en la cabeza *(3A)*
nothing at all nada de nada *(4A)*
to notice fijarse en *(6B)*
to notify avisar *(7A)*
nourishment la alimentación *(3B)*
nowadays actualmente *(4A) (5A)*
nutcracker el cascanueces *(8A)*
nutritious nutritivo, -a *(3B)*

O

obese obeso, -a *(3B)*
obesity la obesidad *(3B)*
obsession la manía *(4A)*
to occur suceder *(2A)*

ode la oda *(5A)*
of course por supuesto *(2A)*
of flesh and blood de carne y hueso *(4A)*
offer la oferta *(7A)*
to offer brindar *(6B)*
often a menudo *(1A)*
oil painting el óleo *(8A)*
old age la vejez *(2B)*
old-fashioned anticuado, -a *(4B)*
olive oil el aceite de oliva *(3A)*
on the high seas en alta mar *(7B)*
on top of that para colmo *(4A)*
once unavez *(6B)*
once again otra vez *(6B)*
one third el tercio *(1A)*
opening la apertura *(8A)*
opportune oportuno, -a *(7B)*
to oppose oponerse a *(2B)*
opposing team el equipo contrario *(6A)*
to oppress oprimir *(2B)*
oppressed oprimido, -a *(2B)*
or viceversa o viceversa *(7A)*
oratory la oratoria *(5A)*
organic food la comida orgánica *(3B)*
organizing (host) city ciudad organizadora *(6B)*
to originate from proceder de *(3B)*
the other world el más allá *(5A)*
outdoors al aire libre *(8B)*
outline el esbozo *(5B)*
outside the country fuera del país *(6A)*
outstanding, distinguished destacado, -a *(6A)*
overcrowded masificado, -a *(1A)*
to overexploit sobreexplotar *(7B)*
own propio, -a *(1B)*
owner el/la dueño/a, el/la propietario/a *(1A) (3A) (6A)*

P

pacifism el pacifismo *(2A)*
to pack the premises abarrotar un recinto *(8B)*
pain el dolor *(2B) (8A)*
to paint pintar *(8A)*
paintbrush el pincel *(8B)*
parachute el paracaídas *(8A)*
parade el desfile *(1B)*
paradise el paraíso *(1A)*
parody la parodia *(5B)*
party pooper el aguafiestas *(8A)*
to pass transcurrir *(5A)*
to pass on posterity pasar a la posteridad *(4B)*
passion la pasión *(8A)*
patience la paciencia *(4A)*
to pay attention hacer caso *(7B)*
to pay attention to hacerle caso a *(4B)*
peace treaty el acuerdo de paz *(1B)*
peak el apogeo *(7A)*
penknife la navaja *(2A)*
percent por ciento *(1B)*
perfectionist perfeccionista *(4A)*
to perform desempeñar *(3B)*
performance el rendimiento *(6A) (7B)*
period la época *(1A) (6B) (7A)*
a period or duration of time tiempo *(6B)*
person who bribes el/la sobornador(a) *(6B)*
personality el carácter *(2B) (7A)*
personification la personificación *(5B)*
pesticides los pesticidas *(3B)*
phenomenon el fenómeno *(8A)*
philanthropist el/la filántropo/a *(4B)*
physical characteristic el rasgo *(2A) (4A)*
physical exercise el ejercicio físico *(6A)*
to pick up recoger *(1A)*
piece el pedazo *(3A)*
pill la pastilla *(3A)*
piracy la piratería *(8B)*
pitch el tono *(5B)*
to place colocar *(2B)*
platform la plataforma *(7A)*
plausible verosímil *(5B)*
play la obra de teatro *(5A)*
to play a (movie, television) role interpretar un papel *(8A)*
to play a part hacer un papel (8A)
to play the fool hacer el tonto *(7B)*
player el/la jugador(a) *(6A)*
pleasant ameno, -a *(4B)*
to please complacer *(7A)*
pocketbook el portamonedas *(8A)*
pocketknife la navaja *(2A)*
poem el poema *(5A)*
to point (to) señalar *(2A) (6B)*
pole vault la pértiga *(6B)*
polite cortés *(1B)*
political regime el régimen político *(1B)*
poll el sondeo, la encuesta *(2A) (2B) (8A)*
Poor things! ¡Pobrecitos! *(2B)*
populated poblado, -a *(1A)*
population la población *(2B)*
port el puerto *(3A)*
portrait el retrato *(8B)*
position la postura, el cargo *(4A) (4B)*
to pour verter (ie) *(7B)*
poverty la pobreza *(1B)*
power el poder *(6A) (8B)*
powerful poderoso, -a, impactante *(4B) (8A)*
practically prácticamente *(8B)*
to practice track and field hacer atletismo *(6B)*
praise el halago *(4A)*
to praise alabar, elogiar, enaltecer *(8B) (6A) (5B) (7B)*
to predict predecir *(5B)*
pregnant embarazada *(2B)*
prejudice el prejuicio *(4B)*
premises el local *(3B) (6A)*
prescription la receta *(6B)*
the present (time) la actualidad *(5A)*
press conference la rueda de prensa *(4A)*
prestige el prestigio *(6B)*
prestigious prestigioso, -a *(4B)*
to pretend fingir *(1B) (4A) (5A)*
to prevail prevalecer *(7B)*
previous anterior *(8B)*
pride el orgullo *(5B)*
prime time el horario estelar *(8A)*
printed impreso, -a *(6A)*
prize el premio *(2B) (6B)*
prize winner el/la galardonado/a *(6B)*
productive fructífero, -a *(5A)*
profit el beneficio, la ganacia *(7A) (8A)*
to profit from sacar partido de (2A)
profitable, worthwhile provechoso, -a, rentable *(1B) (3B)*
to program programar *(6A)*
to prohibit prohibir *(7B)*
project el proyecto *(8B)*
to promise to comprometerse a *(3B)*
to promote promover (ue), promocionar *(7A) (3B) (8B) (6B)*
promoter el/la propagador(a) *(6B)*
prone propenso, -a *(7B)*
proof la prueba *(8B)*
properly debidamente *(1B)*
to propose pedirle la mano a alguien, declararse, proponer *(5B) (6A) (7A)*

prose la prosa *(5A)*
protagonist el/la protagonista *(4A) (5A)*
proud orgulloso, -a *(2A) (5B)*
to provide brindar *(2B)*
provided that con tal de que *(2B)*
provocative provocativo, -a *(8B)*
to provoke dar lugar a *(7A)*
provoked provocado, -a *(4A)*
public health la salud pública *(7B)*
publication la publicación *(8A)*
to pull up/out arrancar *(1A)*
to punish castigar *(2A)*
punishment el castigo *(6B)*
purchasing power el poder adquisitivo *(3A)*
to pursue perseguir (i) *(1A)*
push el empuje *(1B)*
to put in charge encargar *(2B (6A))*
to put in place colocar *(8B)*
to put something in doubt poner en tela de juicio *(7B)*
to put up for sale poner a la venta *(8A)*
to put yourself in someone's place ponerse en el lugar (de alguien) *(7B)*

Q

qualified capacitado, -a *(2A)*
quality la calidad *(3B)*
quantity la cantidad *(3B)*
to quarrel reñir (i) *(1A)*
questioning el cuestionamiento *(8B)*
quiet callado, silencioso *(2B)*
to quit dejar de, dimitir *(2B)*

R

race (ethnicity) raza *(2B)*
race (sports) carrera *(2B)*
race, (college) degree la carrera *(5A)*
race; career la carrera *(6B)*
race-car driving el automovilismo *(6A)*
rage coraje *(2B)*
to raise ascender (ie) *(1A)*
raisin la pasa *(3A)*
random happening el azar *(5B)*
range la gama *(7A)*
range of possibilities abanico de posibilidades *(4A)*
rarely rara vez *(1A)*
raw crudo, -a *(3A)*
to reach alcanzar *(1B) (7B)*
reachable alcanzable *(6B)*
to read for pleasure leer por placer *(5B)*
realistic realista *(2A) (5A)*
to realize darse cuenta de *(3B)*
really de verdad, realmente *(2A) (4A)*
rebellious rebelde, revoltoso, -a *(2A)*
recent reciente *(1A) (5A)*
to ecover reponer fuerzas *(2A)*
redhead pelirrojo *(8A)*
to reduce reducir *(4A)*
reduced rebajado, -a *(1A)*
to refer to referirse (ie) a *(5B)*
referee el/la árbitro/a *(6A)*
refined culto, -a *(8A)*
refinery la refinería *(7B)*
to register inscribirse en *(6A)*
to regret arrepentirse (ie) de *(2B)*
to reject rechazar, descartar *(1B) (3A) (7B) (8B) (6A)*
rejection el rechazo *(1B) (8A)*
to rekindle; revive reavivar *(6B)*
related to bullfighting taurino, -a *(6B)*
relating to a single parent monoparental *(3B)*
relative el/la pariente/a *(1A)*
to relieve aliviar *(3B) (6B)*
to remember acordarse (ue) de *(3A)*
remote control el mando *(2A)*
removal la remoción *(7B)*
to renounce renunciar *(4B)*
report el informe *(7A)*
to report (abuse) denunciar (un abuso) *(7B)*
requirement el requisito *(4B)*
to rescue rescatar *(4A) (7B)*
reservation reserva de plaza *(1A)*
to reside residir *(1B)*
to resign renunciar a *(1B)*
resignation la renuncia (8A)
resigned resignado, -a *(5B)*
to resist resistirse a *(2B)*
respected respetado, -a *(4B)*
Respectfully yours Respetuosamente suyo/a *(6A)*
the rest, others los /las demás *(6B)*
retaliation la represalia *(7B)*
to retire retirarse *(8A)*
retired jubilado, -a *(7A)*
to retrieve recuperar *(8A) (8B)*
to return from regresar de *(1A)*
to return to regresar a *(1A)*
review la crítica, reseña *(5A)*
a rhetorical question unapregunta retórica *(5B)*
rhyme la rima *(5B)*
rhythm el ritmo *(8A)*
rich adinerado, -a *(1A)*
ridiculous ridículo, -a *(4B)*
right fielder el jardinero derecho *(6A)*
rind la cáscara *(3A)*
to rise up alzarse *(5A)*
risk el riesgo *(1B)*
to risk arriesgarse a *(2A)*
riverbank la orilla *(1A) (7B)*
roadside inn el parador *(3A)*
to rob piratear *(8B)*
robbery el hurto *(2B)*
rocket el cohete *(7A)*
role el papel *(2B) (8B)*
romantic romántico, -a *(5B)*
root la raíz *(2B)*
rower el/la remero/a *(6A)*
rowing el remo *(6A)*
royalty la regalía *(8A)*
rudeness la mala educación *(4B)*
to run away from huir de *(1B)*
run down deteriorado, -a *(7B)*
to run the risk of correr el riesgo de *(6A)*
runway (fashion) la pasarela *(8A)*
to rush fame lanzar(se) a la fama *(4B)*
ruthless despiadado, -a *(5B)*

S

sad apenado, -a *(5B)*
sadness la tristeza *(8A)*
safeguard la salvaguardia *(7B)*
salary el sueldo *(2B)*
salty salado, -a *(3A)*
sand la arena *(1A)*
satire la sátira *(5A)*
to sauté sofreír (i) *(3A)*
to save ahorrar, salvar *(2B)*
to say something with a reproachful tone decir algo en tono de reproche *(5B)*
scarcely apenas *(5A)*
scattered esparcido, -a *(6A)*
scene la escena *(5A) (8A)*
schedule el horario *(1A)*
scholar el/la sabio/a *(5A) (8B)*
science fiction la ciencia ficción *(5A)*
to scold regañar *(2A)*
to score a goal marcar un gol *(6A)*
script el guión *(1A) (5A)*
sculptor el/la escultor(a) *(8A)*
sculpture la escultura *(8A)*
search engine el programa buscador *(7A)*
seasick mareado, -a *(1A)*
seasoning la sazón *(3A)*

seat la sede *(6A) (7A)*
seatbelt el cinturón *(1A)*
second to last el penúltimo *(8B)*
sector el sector *(8B)*
sedentary sedentario, -a *(3B)*
to see everything through rose-colored glasses ver todo "color de rosa" *(4A)*
seed la semilla *(3A)*
to seem parecer *(1B)*
to seize agarrar *(7B)*
to select seleccionar *(6B)*
self-esteem la autoestima *(2A) (3B)*
self-portrait el autorretrato *(8A)*
to send remitir *(6B)*
sense of humor el sentido del humor *(4B)*
sense of touch el tacto *(8B)*
sensible sensato *(2B)*
sensitive sensible *(2B)*
separate from al margen de *(4B)*
serenity el sosiego *(1A)*
serious grave *(2B) (4A)*
seriously en serio *(2A)*
seriousness la gravedad *(3B)*
to serve as servir (i) de *(5A)*
to serve with servir (i) con *(3A)*
to set inmotion poner en marcha *(6A)*
to set the table poner el mantel / la mesa *(3A)*
setting in motion la puesta en marcha *(8B)*
shame la pena, la vergüenza *(2B) (4A) (5A)*
shameless caradura *(8A)*
shameless person el/la sinvergüenza *(4A)*
shamelessness el descaro *(7A)*
shape la forma *(5B) (8A)*
to share compartir *(1B)*
shark el tiburón *(7B)*
shell (egg) la cáscara *(3A)*
sheriff el alguacil *(7B)*
to shiver temblar *(5B)*
to shoot disparar *(2B)*
short story el cuento *(5A)*
a short time unrato (6B)
shortage la escasez *(3B)*
show el espectáculo *(8A)*
show, sample la muestra *(8A)*
shyness la timidez *(4A)*
sign el letrero, la señal *(1B) (4A)*
silly/stupid thing la tontería *(4A)*
silly/stupid thing or action el disparate *(2A)*
simple sencillo, -a *(1A) (5B) (7A)*
since ya que *(4A)*
sincere sincero, -a *(5B)*
sincerely atentamente/le saluda atentamente *(6A)*
singer el/la cantante *(8A)*
to sit down in/on sentarse (ie) en *(1A)*
size el tamaño *(2A)*
skater el/la patinador(a) *(6A)*
skating el patinaje *(6A)*
sketch el boceto *(8A)*
skill la destreza, la habilidad *(2B) (4A)*
skin la piel *(3A)*
skin (of fruit) la corteza *(3A)*
slang la jerga *(2A)*
slowness la lentitud *(1A)*
small print of the letras pequeñas del (7A)
smuggling el contrabando *(7B)*
to snatch away arrebatar *(6A)*
sneaker la zapatilla *(6A)*
snowplow el quitanieves *(8A)*
so that de modo que *(1B)*
to soak mojar *(3A)*
soap opera la telenovela *(4B) (8A)*
soccer goal gol *(2B)*
social networks las redes sociales *(7A)*
to soil manchar *(4B)*
solitude la soledad *(1A)*
to solve solucionar *(4A) (6B)*
sooner or later tarde o temprano *(2A)*
sorrow la pena *(2B) (5A)*
sought-after cotizado, -a *(6A)*
to sound like sonar a *(8A)*
source la fuente *(6A)*
sown sembrado, -a *(4B)*
soya la soja *(3B)*
to speak in a low voice hablar en voz baja *(5B)*
to speak out against manifestarse (ie) en contra de *(7A)*
special dish el manjar *(3A)*
spectacular espectacular *(8A)*
spectator el/la espectador(a) *(6A)*
speech el discurso *(1B)*
spelling la ortografía *(7B)*
spelling mistake la falta de ortografía *(2A)*
spider's web la telaraña *(8A)*
spoiled consentido, -a; mimado, -a *(4A) (4B)*
spokesperson el/la portavoz *(1A)*
sponge cake el bizcocho *(3A)*
to sponsor apadrinar, patrocinar *(7B) (6B) (8B)*
spontaneity la espontaneidad *(4B)*
sports season la temporada *(1A) (6A) (8A) (8B)*
sportsman/sportswoman el/la deportista *(6A)*
to spread difundir *(2B)*
stable estable *(2B)*
stage el escenario, la etapa *(2A) (8A)*
stain remover el quitamanchas *(8A)*
stamp el sello *(1A)*
stand el puesto *(3B)*
to stand out destacarse *(6B) (8A)*
stanza la estrofa *(5B)*
star la estrella *(8B)*
to start by empezar (ie) por *(5B)*
state of mind estado de ánimo *(5B)*
stay la permanencia *(6B)*
to stay permanecer, quedarse *(6B) (3A)*
to stay in alojarse en *(1A)*
steel el acero *(8A)*
step el paso *(2A) (5A)*
stereotype el estereotipo *(4B)*
sticky pegajoso, -a *(3A)*
still quieto *(2B)*
still life la naturaleza muerta *(8B)*
stocky rollizo, -a *(8A)*
stone la piedra *(3A) (1A)*
to stop dejar de, detener *(2B) (7B)*
to stop doing something dejar de *(6B)*
story el relato *(1A)*
stove el fogón *(3A)*
strange raro, -a *(1B) (8A)*
street entrance la bocacalle *(8A)*
strict estricto, -a *(2B)*
to stutter tartamudear *(2A) (4B)*
style el estilo *(8A)*
subject tema *(2B) (5B)*
subtitle el subtítulo *(8A)*
success el éxito *(3A)*
successful exitoso, -a *(4B)*
sudden repentino, -a, súbito, -a (2B) (6A)
suddenly de golpe, de pronto *(4B) (2A)*
to suffer padecer *(1A) (3B) (7B)*
to suffer from padecer de *(3B)*
to suffer in one's own skin sufrir en su propia carne *(4B)*
to suffice bastar *(1B)*
sufficiently bastante *(1B)*
suitable for those over 18 years old apta para mayores de 18 años *(8B)*

to summarize en resumen *(4A)*
sunshade el quitasol *(8A)*
supply el abastecimiento *(7B)*
to supply proporcionar *(2B) (7A)*
support el apoyo *(6B)*
to support apoyar, sostener *(2B) (7B)*
to surprise sorprender *(1B)*
surprising sorprendente *(3A)*
surrounded rodeado, -a *(1A)*
surrounding area el alrededor *(7B)*
survey la encuesta *(2B (8A)*
to survive sobrevivir *(2B) (7A)*
suspicion la sospecha *(2B)*
swaying motion el vaivén *(8A)*
to swear (an oath) jurar *(6A)*
sweaty sudoroso, -a *(4A)*
swimmer el/la nadador(a) *(6A)*
swimming la natación *(6A)*
sympathetic compasivo, comprensivo *(2B)*
symptom el síntoma (2A)

T

table guest el/la comensal *(3A)*
to take a course seguir una asignatura *(6B)*
to take a leading part in protagonizar *(6A)*
to take advantage of aprovecharse de *(1B)*
to take an exam examinarse *(6B)*
to take an interest in interesarse por *(2A)*
to take away **quitar** (2B) (3A) (6B)
to take chargehacer cargo (7B)
to take charge of encargarse de *(3B)*
to take for, considered tener por *(2A)*
to take hold, allow dar pie a *(6B)*
to take inconsideration plantearse *(2B)*
to take out sacar *(6B)*
to take place tener lugar *(2B) (6B)*
to take root, establish oneself in a place arraigarse *(1B)*
to take something the wrong way tomárselo mal, interpretarlo mal *(6B)*
to take time durar *(2A)*
to take time tardar, demorar(se) *(6B)*
to take time to tardar en *(1B)*
takeoff el despegue *(1A)*
take-out food comida para llevar *(3A)*
talented talentoso, -a *(4B)*
tap water el agua de la llave *(7B)*
tape recorder la grabadora *(7A)*
taste el gusto *(3A)*
to taste probar (ue), degustar *(3B) (3A)*
tasteless, insipid insípido, -a *(3B)*
tattoo el tatuaje *(2A)*
team sport el deporte de equipo *(6A)*
technological tecnológico, -a *(7A)*
telecommunications las telecomunicaciones *(7A)*
to tempt tentar *(5A)*
to tend to, incline tender a *(3B)*
tenderness la ternura (4B)
tennis player el/la tenista *(6A)*
tense (of a verb) tiempo verbal (2B)
tense, stressed tenso *(2B)*
terrible tremendo, -a *(4A)*
to terrify aterrar *(5B)*
to thank agradecer *(6A)*
to thank beforehand muchas gracias de antemano *(1A)*
thank goodness menos mal *(1B)*
thanks to his/her humanitarian work gracias a su labor humanitaria *(8B)*
that is to say es decir *(5B)*
that is why de ahí que (+subjuntivo) *(7B)*
That's not fair! ¡No hay derecho! *(2B)*
to the limit of their capacity al límite de su capacidad *(7B)*
the next step siguiente paso *(1A)*
theft el hurto *(2B)*
thermoelectrical plant la planta termoeléctrica *(7B)*
thick espeso, -a *(3A)*
to think of pensar (ie) en *(4A)*
to think one is, boast of being presumir de *(2A)*
thirty-year-old el/la treintañero/a *(2A)*
thoroughly minuciosamente *(2B)*
thought el pensamiento *(5A)*
threat la amenaza *(4B) (7B)*
to threaten amenazar *(7B)*
to threaten to/with amenazar con *(1B)*
threatening amenazador(a) *(3A)*
three quarters of tres cuartos de *(1A)*
through a lo largo de, a través de *(1A) (7A)*
through the fault of por culpa de *(1B)*
to throw lanzar *(1A)*
thus, therefore por consiguiente, por lo tanto *(4A)*
tidal wave el maremoto *(7A)*
to tie (a score) empatar *(6B)*
tie (score) el empate *(6B)*
tight ajustado, -a *(2A)*
time during a season la época *(1A) (6B) (7A)*
time of day hora (6B)
time period la época *(1A) (6B) (7A)*
tiredness el cansancio *(6B)*
tolerant tolerante *(2A)*
to tolerate, stand, bear aguantar, soportar, tolerar *(2A) (2B) (5A)*
the tone in which s/he said it el tono en que lo dijo *(5B)*
tongue twister el trabalenguas *(5B)*
too much demasiado *(1A)*
tool la herramienta *(1A)*
tornado el tornado *(7B)*
torture el suplicio *(4B)*
total lack of manners la gamberrada *(4B)*
touch el toque *(1A) (8A)*
tour la gira *(8B)*
toxic substance la sustancia tóxica *(7B)*
track and field el atletismo *(6B)*
tragedy la tragedia *(5A)*
to train, coach entrenar *(6B)*
trainer el/la entrenador(a) *(6B)*
training el entrenamiento, la formación *(6A) (5A)*
trajectory la trayectoria *(4B) (5A) (6B)*
trap la trampa *(4A)*
traveler el/la viajero/a *(1A)*
trawling el arrastre *(7B)*
treatment el trato *(4B)*
to trick, deceive engañar *(3B)*
to triumph, succeed triunfar *(2B) (5A)*
to trust confiar en *(8A)*
to tryintentar (1A)
to try to, endeavor to procurar, tratar de *(3B) (1B)*
to try very hard to esforzarse (ue) en *(2A)*
tuna fish el atún *(7B)*
to turn a blind eye hacer la vista gorda *(7B)*
to turn into volverse (ue) *(4A)*
to turn out well salir bien *(2B)*
to turn to, resort to recurrir a *(5B)*
TV station la cadena de televisión *(8A)*
twenty-year-old el/la veinteañero/a *(2A)*
two-person sport el deporte por pareja *(6A)*
type el tipo *(2A)*

U

ultimately en última instancia *(2B)*
umbrella el paraguas *(8A)*
unacceptable inaceptable *(8B)*
unaware inconsciente *(4A)*
unbearable insoportable *(4A)*
unbeatable insuperable *(7A)*
uncultured inculto, -a *(2A)*
undeniable innegable *(7A)*
underage person el/la menor *(2B)*
to **undertake** emprender *(3B) (6A)*
unemployment el desempleo *(2A)*
uneven desnivelado, -a *(1A)*
unexpected inesperado, -a *(4A)*
unforeseeable imprevisible *(7A)*
unforgettable inolvidable *(1A)*
unfortunately por desgracia *(1B) (4A)*
unknown desconocido, -a *(4B)*
unnoticed desapercibido, -a *(3A)*
unrepeatable irrepetible *(7B)*
unsafe inseguro, -a *(2A)*
unsociable huraño, -a *(4A)*
unsustainable insostenible *(7B)*
unthinkable impensado, -a *(3B)*
unusual insólito, -a *(5B)*
uproar el bullicio *(2B)*
to **urge** instar *(7B)*
user el/la usuario/a *(7B)*
usual corriente *(7A)*

V

to **vacate** desalojar *(7B)*
to **value** valorar *(1B) (3B)*
vanilla la vainilla *(3A)*
to **vanish** esfumarse *(7B)*
vast desmesurado, -a *(3B)*
vegetarian food la comida vegetariana *(3B)*
vending machine la máquina dispensadora *(3B)*
very famous celebérrimo, -a *(3B)*
videogame el videojuego *(8B)*
view la vista *(1A)*
violence la violencia *(5A) (7B)*
visionary el/la visionario/a *(4B)*
voice la voz *(5B)*
the **voice of one's conscience** la voz de conciencia *(5B)*
voluntary service el voluntariado *(2A)*
volunteer el/la voluntario/a *(2B)*
voter el/la votante *(4B)*
vulgar vulgar *(8A)*
vulnerable desamparado, -a *(2B)*

W

to **wait in line** hacer cola *(1A)*
to **wake up early** madrugar *(1B)*
to **want, desire** desear *(4A)*
Warm greetings uncordial saludo *(6A)*
warmth la calidez *(4B)*
to **warn** advertir (ie) *(3A)*
warning la advertencia *(7B)*
warning poster el cart de aviso *(7B)*
to **watch out for** velar por *(6A)*
watercolor la acuarela *(8A)*
way la manera, el modo *(8A) (2B)*
weak débil *(4A)*
weakness la debilidad *(3A)*
weapon el arma (f.) *(2B)*
weeping el llanto *(5B)*
weight el peso *(2A)*
weight lifter el/la levantador(a) de pesas *(6B)*
to **welcome** acoger, dar la bienvenida *(2B) (7B) (1A)*
welcome la bienvenida *(1A)*
welcome, reception la acogida *(1B)*
welcoming acogedor(a) *(4A)*
well-being el bienestar *(7A)*
well-mannered bien educado, -a *(1B)*
What a bore! ¡Qué lata! *(2A)*
What a mess! ¡Qué lío! *(2A)*
what happens lo que sucede *(7A)*
What injustice! ¡Qué injusticia! *(2B)*
whatever the destination/point of view/race cualquiera que sea su destino/punto de vista/ raza *(1B)*
when it comes down to it a fin de cuentas *(4A)*
wherever one looks se mire por donde se mire *(2A)*
to **whet someone's appetite** abrir el apetito *(3A)*
a **while** un rato *(6B)*
a **while ago** hace un rato *(3A)*
wide amplio, -a *(3A) (4A)*
widow la viuda *(1A)*
wild silvestre *(1A)*
wild cheers a grito pelado *(8B)*
willing dispuesto, -a *(1A)*
windshield wiper el limpiaparabrisas *(8A)*
wireless inalámbrico, -a *(7A)*
wireless network la red inalámbrica *(7A)*
wisdom la sabiduría *(1A) (8B)*
wise sabio, -a *(4B)*
wise decision/move el acierto *(2B)*
to **wish** desear *(2A)*
with good humor con buena cara *(4B)*
with high caloric content hipercalórico, -a *(3B)*
without (any) doubt sin ninguna duda *(2A)*
without limits (borders) sin fronteras *(8A)*
witness el/la testigo *(6B)*
to **wonder** preguntarse (6B)
wonderful estupendo, -a *(1A)*
wood-burning oven el horno (de leña) *(3A)*
word (rumor) has it that corre la voz de que *(5B)*
to **work** funcionar *(1B)*
the **working day** la jornada *(8B)*
the **world becomes smaller thanks to . . . !** ¡El mundo se hace más pequeño gracias a . . .! *(5A)*
worldwide mundialmente *(6A) (7A)*
worrisome preocupante *(2A)*
to **worry** preocupar *(1B)*
to **worry about** preocuparse por *(1B) (4A)*
to **worship** idolatrar *(4B)*
wrestler el/la luchador(a) *(6A)*
wrestling la lucha libre *(6A)*
to **wrinkle** arrugar(se) *(1A)*
to **write a script** escribir un guión *(8A)*
writer el/la escritor(a) *(5A)*

Y

You don't say! ¡No me digas! *(2B)*
Yours faithfully Su seguro/a servidora(a) *(6A)*
youth la juventud *(2B)*

Z

zeal el afán *(3B)*

Verbos

Verbos regulares

Infinitivo Participio presente Participio pasado	Presente		Pretérito		Imperfecto	
hablar hablando hablado	hablo hablas habla	hablamos habláis hablan	hablé hablaste habló	hablamos hablasteis hablaron	hablaba hablabas hablaba	hablábamos hablábais hablaban
comer comiendo comido	como comes come	comemos coméis comen	comí comiste comió	comimos comisteis comieron	comía comías comía	comíamos comíais comían
vivir viviendo vivido	vivo vives vive	vivimos vivís viven	viví viviste vivió	vivimos vivisteis vivieron	vivía vivías vivía	vivíamos vivíais vivían

Tiempos progresivos

Presente		Imperfecto	
estoy estás está estamos estáis están	hablando comiendo viviendo	estaba estabas estaba estábamos estabais estaban	hablando comiendo viviendo

Verbos reflexivos

Infinitivo Participio presente	Presente	Pretérito	Subjuntivo
levantarse levantándose	me levanto te levantas se levanta nos levantamos os levantáis se levantan	me levanté te levantaste se levantó nos levantamos os levantasteis se levantaron	me levante te levantes se levante nos levantemos os levantéis se levanten

Verbos regulares *continuación*

Futuro		Condicional		Presente del subjuntivo		Imperfecto del subjuntivo	
hablaré hablarás hablará	hablaremos hablaréis hablarán	hablaría hablarías hablaría	hablaríamos hablaríais hablarían	hable hables hable	hablemos habléis hablen	hablara/hablase hablaras/hablases hablara/hablase	habláramos/hablásemos hablarais/hablaseis hablaran/hablasen
comeré comerás comerá	comeremos comeréis comerán	comería comerías comería	comeríamos comeríais comerían	coma comas coma	comamos comáis coman	comiera/comiese comieras/comieses comiera/comiese	comiéramos/comiésemos comierais/comieseis comieran/comiesen
viviré vivirás vivirá	viviremos viviréis vivirán	viviría vivirías viviría	viviríamos viviríais vivirían	viva vivas viva	vivamos viváis vivan	viviera/viviese vivieras/vivieses viviera/viviese	viviéramos/viviésemos vivierais/vivieseis vivieran/viviesen

Tiempos perfectos

Presente perfecto	Pluscuamperfecto	Futuro perfecto
he has ha hemos habéis han } hablado / comido / vivido	había habías había habíamos habíais habían } hablado / comido / vivido	habré habrás habrá habremos habréis habrán } hablado / comido / vivido
Condicional perfecto	**Presente perfecto del subjuntivo**	**Pluscuamperfecto del subjuntivo**
habría habrías habría habríamos habríais habrían } hablado / comido / vivido	haya hayas haya hayamos hayáis hayan } hablado / comido / vivido	hubiera/hubiese hubieras/hubieses hubiera/hubiese hubiéramos/ hubiésemos hubierais/hubieseis hubieran/hubiesen } hablado / comido / vivido

Verbos con cambios en la raíz

Verbos en *-ar*

Infinitivo	**cerrar** (e > ie)		**contar** (o > ue)		**jugar** (u > ue)	
Presente del indicativo	**cierro** **cierras** **cierra**	cerramos cerráis **cierran**	**cuento** **cuentas** **cuenta**	contamos contáis **cuentan**	**juego** **juegas** **juega**	jugamos jugáis **juegan**
Presente del subjuntivo	**cierre** **cierres** **cierre**	cerremos cerréis **cierren**	**cuente** **cuentes** **cuente**	contemos contéis **cuenten**	**juegue** **juegues** **juegue**	juguemos juguéis **jueguen**
Imperativo **afirmativo**	— cierra cierre	cerremos cerrad cierren	— cuenta cuente	contemos contad cuenten	— juega juegue	juguemos jugad jueguen
negativo	— no cierres no cierre	no cerremos no cerréis no cierren	— no cuentes no cuente	no contemos no contéis no cuenten	— no juegues no juegue	no juguemos no juguéis no jueguen
Semejantes a **cerrar**:	acrecentar, apretar, calentar, comenzar, confesar, despertar, empezar, encerrar, encomendarse, enterrar, fregar, manifestarse, merendar, negar, pensar, quebrar, recomendar, regar, sentarse, temblar, tropezar					
Semejantes a **contar**:	acordar, acostarse, almorzar, apostar, colgar, consolar, costar, demostrar, encontrar, esforzarse, mostrar, probar, recordar, reforzar, rodar, rogar, sonar, soñar, volar					

Verbos en *-er*

Infinitivo	**entender** (e > ie)		**mover** (o > ue)	
Presente del indicativo	**entiendo** **entiendes** **entiende**	entendemos entendéis **entienden**	**muevo** **mueves** **mueve**	movemos movís **mueven**
Presente del subjuntivo	**entienda** **entiendas** **entienda**	entendamos entendáis **entiendan**	**mueva** **muevas** **mueva**	movamos mováis **muevan**
Imperativo **afirmativo**	— entiende entienda	entendamos entended entiendan	— mueve mueva	movamos moved muevan
negativo	— no entiendas no entienda	no entendamos no entendáis no entiendan	— no muevas no mueva	no movamos no mováis no muevan
Semejantes a **entender**:	ascender, defender, descender, encender, extender, perder, tender, verter			
Semejantes a **mover**:	cocer, devolver *(part. pasado*: **devuelto**), doler, envolver (*part. pasado*: **envuelto**), moler, morder, promover, resolver (*part. pasado*: **resuelto**), soler, torcer, volver (*part. pasado*: **vuelto**)			

Verbos en *-ir*

Infinitivo	**pedir** (e > i, i)		**preferir** (e > ie, i)		**dormir** (o > ue, u)	
Presente del indicativo	**pido**	pedimos	**prefiero**	preferimos	**duermo**	dormimos
	pides	pedís	**prefieres**	preferís	**duermes**	dormís
	pide	**piden**	**prefiere**	**prefieren**	**duerme**	**duermen**
Presente del subjuntivo	**pida**	**pidamos**	**prefiera**	**prefiramos**	**duerma**	**durmamos**
	pidas	**pidáis**	**prefieras**	**prefiráis**	**duermas**	**durmáis**
	pida	**pidan**	**prefiera**	**prefieran**	**duerma**	**duerman**
Imperativo						
afirmativo	—	pidamos	—	prefiramos	—	durmamos
	pide	pedid	prefiere	perferid	duerme	dormid
	pida	pidan	prefiera	prefieran	duerma	duerman
negativo	—	no pidamos	—	no prefiramos	—	no durmamos
	no pidas	no pidáis	no prefieras	no prefiráis	no duermas	no durmáis
	no pida	no pidan	no prefiera	no prefieran	no duerma	no duerman
Participio presente	**pidiendo**		**prefiriendo**		**durmiendo**	
Pretérito	pedí	pedimos	preferí	preferimos	dormí	dormimos
	pediste	pedisteis	preferiste	preferisteis	dormiste	dormisteis
	pidió	**pidieron**	**prefirió**	**prefirieron**	**durmió**	**durmieron**
Imperfecto del subjuntivo						
(-ra)	**pidiera**	**pidiéramos**	**prefiriera**	**prefiriéramos**	**durmiera**	**durmiéramos**
	pidieras	**pidierais**	**prefirieras**	**prefirierais**	**durmieras**	**durmierais**
	pidiera	**pidieran**	**prefiriera**	**prefirieran**	**durmiera**	**durmieran**
(-se)	**pidiese**	**pidiésemos**	**prefiriese**	**prefiriésemos**	**durmiese**	**durmiésemos**
	pidieses	**pidieseis**	**prefirieses**	**prefirieseis**	**durmieses**	**durmieseis**
	pidiese	**pidiesen**	**prefiriese**	**prefiriesen**	**durmiese**	**durmiesen**
Semejantes a **pedir**:	competir, conseguir, corregir (*g > j*), despedir, elegir (*g > j*), impedir, medir, perseguir, repetir, seguir, servir, vestirse					
Semejantes a **preferir**:	advertir, arrepentirse, asentir, convertir, divertirse, herir, hervir, ingerir, invertir, mentir, referir, requerir, sentir, sugerir					
Semejantes a **dormir**:	morir (*part. pasado:* **muerto**)					

Verbos con formas irregulares

Verbos con cambios ortográficos y de acento

1. **acercar** **-car** **c > qu** delante de la *e*

Pretérito **acerqué**, acercaste, acercó, acercamos, acercasteis, acercaron

Pres. del subj. **acerque, acerques, acerque, acerquemos, acerquéis, acerquen**

Imperativo acerca (no **acerques**), **acerque**, **acerquemos**, acercad (no **acerquéis**), **acerquen**

Semejantes a **acercar**:

abarcar, aparcar, aplacar, arrancar, atacar, buscar, chocar, colocar, complicar, comunicar, convocar, criticar, dedicar, desbancar, desembarcar, destacarse, edificar, embarcar, enmarcar, equivocarse, explicar, inculcar, indicar, justificar, marcar, pescar, picar, platicar, practicar, sacar, salpicar, secar, significar, suplicar, tocar

2. **agradecer** **-cer** **c > zc** en la primera persona singular del presente

Presente **agradezco**, agradeces, agradece, agradecemos, agradecéis, agradecen

Pres. del subj. **agradezca, agradezcas, agradezca, agradezcamos, agradezcáis, agradezcan**

Imperativo agradece (no **agradezcas**), **agradezca**, **agradezcamos**, agradeced (no **agradezcáis**), **agradezcan**

Semejantes a **agradecer**:

acontecer (*sólo en tercera persona*), amanecer, aparecer, apetecer, carecer, complacer, conocer, crecer, desaparecer, enaltecer, entristecerse, establecer, favorecer, merecer, nacer, obedecer, ofrecer, padecer, parecer, permanecer, pertenecer, prevalecer, reconocer

3. **apagar** **-gar** **g > gu** delante de la *e*

Pretérito **apagué**, apagaste, apagó, apagamos, apagasteis, apagaron

Pres. del subj. **apague, apagues, apague, apaguemos, apaguéis, apaguen**

Imperativo apaga (no **apagues**), **apague**, **apaguemos**, apagad (no **apaguéis**), **apaguen**

Semejantes a **apagar**:

agregar, ahogarse, albergar, arriesgar, arrugar, asegurar, cargar, castigar, colgar (ue), conjugar, derogar, descargar, despegar, desplegar, encargarse, entregar, erogar, fregar (ie), hurgar, jugar (ue), llegar, madrugar, navegar, negar (ie), otorgar, pagar, pegar, regar (ie), rogar (ue), sojuzgar, tragar

4. **averiguar** **-guar** **gua > güe**

Pretérito **averigüé**, averiguaste, averiguó, averiguamos, averiguasteis, averiguaron

Pres. del subj. **averigüe, averigües, averigüe, averigüemos, averigüéis, averigüen**

Imperativo averigua (no **averigües**), **averigüe**, **averigüemos**, averiguad (no **averigüéis**), **averigüen**

Semejantes a **averiguar**:

amortiguar, apaciguar

5. **conseguir** **-guir** (e > i, i) **gu > g** delante de la *o, a*

Presente **consigo, consigues, consigue**, conseguimos, conseguís, **consiguen**

Pretérito conseguí, conseguiste, **consiguió**, conseguimos, conseguisteis, **consiguieron**

Pres. del subj. **consiga, consigas, consiga, consigamos, consigáis, consigan**

Imperf. del subj. **consiguiera, consiguieras, consiguiera, consiguiéramos, consiguierais, consiguieran**
consiguiese, consiguieses, consiguiese, consiguiésimos, consiguieseis, consiguiesen

Imperativo **consigue** (no **consigas**), **consiga**, **consigamos**, conseguid (no **consigáis**), **consigan**

Semejantes a **conseguir**:

perseguir, proseguir, seguir

6. **continuar** **-uar** **u > ú** en las formas singulares y tercera persona plural del presente

Presente **continúo, continúas, continúa**, continuamos, continuáis, **continúan**

Pres. del subj. **continúe, continúes, continúe**, continuemos, continuéis, **continúen**

Imperativo **continúa** (no **continúes**), **continúe**, continuemos, continuad (no continuéis), **continúen**

Semejantes a **continuar**:

actuar, graduarse, puntuar

Verbos con formas irregulares

Verbos con cambios ortográficos y de acento

7. **cruzar** **-zar** **z > c** delante de la *e*

Pretérito **crucé**, cruzaste, cruzó, cruzamos, cruzasteis, cruzaron
Pres. del subj. **cruce, cruces, cruce, crucemos, crucéis, crucen**
Imperativo cruza (no **cruces**), **cruce**, **crucemos**, cruzad (no **crucéis**), **crucen**

Semejantes a **cruzar**:
abrazar, alcanzar, almorzar (ue), alzar, amenazar, amenizar, analizar, aterrizar, avanzar, avergonzarse (ue), comenzar (ie), concientizar, desplazar, empezar (ie), encabezar, esforzarse, especializarse, forzar, garantizar, gozar, lanzar, localizar, protagonizar, puntualizar, realizar, rechazar, reforzar, rezar, tranquilizar, trazar, tropezar (ie), utilizar, valorizar

8. **dirigir** **-gir** **g > j** delante de la *o, a*

Presente **dirijo**, diriges, dirige, dirigimos, dirigís, dirigen
Pres. del subj. **dirija, dirijas, dirija, dirijamos, dirijáis, dirijan**
Imperativo dirige (no **dirijas**), **dirija**, **dirijamos**, dirigid (no **dirijáis**), **dirijan**

Semejantes a **dirigir**:
afligirse, exigir, fingir, surgir, sumergir

9. **distinguir** **-guir** **gu > g** delante de la *o, a*

Presente **distingo**, distingues, distingue, distinguimos, distinguís, distinguen
Pres. del subj. **distinga, distingas, distinga, distingamos, distingáis, distingan**
Imperativo distingue (no **distingas**), **distinga, distingamos**, distinguid (no **distingáis**), **distingan**

10. **elegir** **-gir** (e > i, i) **g > j** delante de la *o, a*

Presente **elijo**, **eliges**, **elige**, elegimos, elegís, **eligen**
Pretérito elegí, elegiste, **eligió**, elegimos, elegisteis, **eligieron**
Pres. del subj. **elija, elijas, elija, elijamos, elijáis, elijan**
Imperativo **elige** (no **elijas**), **elija, elijamos**, elegid (no **elijáis**), **elijan**

Semejante a **elegir**:
corregir

11. **recoger** **-ger** **g > j** delante de la *o, a*

Presente **recojo**, recoges, recoge, recogemos, recogéis, recogen
Pres. del subj. **recoja, recojas, recoja, recojamos, recojáis, recojan**
Imperativo recoge (no **recojas**), **recoja**, **recojamos**, recoged (no **recojáis**), **recojan**

Semejantes a **recoger**:
acoger, coger, escoger, proteger

12. **reñir** **-ñir** **e > i**

Presente **riño, riñes, riñe**, reñimos, reñís, **riñen**
Pretérito reñí, reñiste, **riñó**, reñimos, reñisteis, **riñeron**
Pres. del subj. **riña, riñas, riña, riñamos, riñáis, riñan**
Imperf. del subj. **riñera, riñeras, riñera, riñéramos, riñerais, riñeran**
riñese, riñeses, riñese, riñésemos, riñeseis, riñesen
Imperativo **riñe** (no **riñas**), **riña**, **riñamos**, reñid (no **riñáis**), **riñan**
Part. presente **riñendo**

Semejantes a **reñir**:
ceñir, constreñir, desteñir, estreñir, teñir

Verbos con formas irregulares

Verbos con cambios ortográficos y de acento

13. **variar** **-iar** **i > í** en las formas singulares y tercera persona plural del presente

Presente	**varío, varías, varía**, variamos, variáis, **varían**
Pres. del subj.	**varíe, varíes, varíe**, variemos, variéis, **varíen**
Imperativo	**varía** (no **varíes**), **varíe**, variemos, variad (no variéis), **varíen**

Semejantes a **variar**:
ampliar, confiar, criar, desafiar, desviar, enfriar, enviar, esquiar, fiar, guiar, resfriarse, vaciar

14. **vencer** **-cer** **c > z** delante de la *a, o*

Presente	**venzo**, vences, vence, vencemos, vencéis, vencen
Pres. del subj.	**venza, venzas, venza, venzamos, venzáis, venzan**
Imperativo	vence (no **venzas**), **venza**, **venzamos**, venced (no **venzáis**), **venzan**

Semejantes a **vencer**:
convencer, esparcir, torcer (ue)

Verbos irregulares

1. adquirir

Presente	**adquiero, adquieres, adquiere**, adquirimos, adquirís, **adquieren**
Pres. del subj.	**adquiera, adquieras, adquiera**, adquiramos, adquiráis, **adquieran**
Imperativo	**adquiere** (no **adquieras**), **adquiera**, adquiramos, adquirid (no adquiráis), **adquieran**

2. andar

Pretérito	**anduve, anduviste, anduvo, anduvimos, anduvisteis, anduvieron**
Imperf. del subj.	**anduviera, anduvieras, anduviera, anduviéramos, anduvierais, anduvieran** **anduviese, anduvieses, anduviese, anduviésemos, anduvieseis, anduviesen**

3. caber

Presente	**quepo**, cabes, cabe, cabemos, cabéis, caben
Pretérito	**cupe, cupiste, cupo, cupimos, cupisteis, cupieron**
Futuro	**cabré, cabrás, cabrá, cabremos, cabréis, cabrán**
Condicional	**cabría, cabrías, cabría, cabríamos, cabríais, cabrían**
Pres. del subj.	**quepa, quepas, quepa, quepamos, quepáis, quepan**
Imperf. del subj.	**cupiera, cupieras, cupiera, cupiéramos, cupierais, cupieran** **cupiese, cupieses, cupiese, cupiésemos, cupieseis, cupiesen**
Imperativo	cabe (no **quepas**), **quepa**, **quepamos**, cabed (no **quepáis**), **quepan**

4. caer

Presente	**caigo**, caes, cae, caemos, caéis, caen
Pretérito	caí, **caíste, cayó, caímos, caísteis, cayeron**
Pres. del subj.	**caiga, caigas, caiga, caigamos, caigáis, caigan**
Imperf. del subj.	**cayera, cayeras, cayera, cayéramos, cayerais, cayeran** **cayese, cayeses, cayese, cayésemos, cayeseis, cayesen**
Part. presente	**cayendo**
Part. pasado	**caído**
Imperativo	cae (no **caigas**), **caiga, caigamos**, caed (no **caigáis**), **caigan**

Semejantes a **caer**:
decaer, recaer

5. dar

Presente	**doy**, das, da, damos, **dais**, dan
Pretérito	**di, diste, dio, dimos, disteis, dieron**
Pres. del subj.	**dé, des, dé, demos, deis, den**
Imperf. del subj.	**diera, dieras, diera, diéramos, dierais, dieran** **diese, dieses, diese, diésemos, dieseis, diesen**
Imperativo	da (no **des**), **dé**, demos, dad (no **deis**), **den**

6. **decir**

Presente	**digo, dices, dice,** decimos, decís, **dicen**
Pretérito	**dije, dijiste, dijo, dijimos, dijisteis, dijeron**
Futuro	**diré, dirás, dirá, diremos, diréis, dirán**
Condicional	**diría, dirías, diría, diríamos, diríais, dirían**
Pres. del subj.	**diga, digas, diga, digamos, digáis, digan**
Imperf. del subj.	**dijera, dijeras, dijera, dijéramos, dijerais, dijeran** **dijese, dijeses, dijese, dijésemos, dijeseis, dijesen**
Part. presente	**diciendo**
Part. pasado	**dicho**
Imperativo	**di** (no **digas**), **diga**, **digamos**, decid (no **digáis**), **digan**

Semejantes a **decir**:
contradecir, predecir (*futuro*: predeciré, predecirás, etc.; *condicional*: predeciría, predecirías, etc.; *imperativo*: predice)

7. **estar**

Presente	**estoy, estás, está, estamos, estáis, están**
Pretérito	**estuve, estuviste, estuvo, estuvimos, estuviste, estuvieron**
Pres. del subj.	**esté, estés, esté, estemos, estéis, estén**
Imperf. del subj.	**estuviera, estuvieras, estuviera, estuviéramos, estuvierais, estuvieran** **estuviese, estuvieses, estuviese, estuviésemos, estuvieseis, estuviesen**
Imperativo	**está** (no **estés**), **esté**, **estemos**, estad (no **estéis**), **estén**

8. **haber**

Presente	**he, has, ha, hemos**, habéis, **han**
Pretérito	**hube, hubiste, hubo, hubimos, hubisteis, hubieron**
Futuro	**habré, habrás, habrá, habremos, habréis, habrán**
Condicional	**habría, habrías, habría, habríamos, habríais, habrían**
Pres. del subj.	**haya, hayas, haya, hayamos, hayáis, hayan**
Imperf. del subj.	**hubiera, hubieras, hubiera, hubiéramos, hubierais, hubieran** **hubiese, hubieses, hubiese, hubiésemos, hubieseis, hubiesen**

9. **hacer**

Presente	**hago**, haces, hace, hacemos, hacéis, hacen
Pretérito	**hice, hiciste, hizo, hicimos, hicisteis, hicieron**
Futuro	**haré, harás, hará, haremos, haréis, harán**
Condicional	**haría, harías, haría, haríamos, haríais, harían**
Pres. del subj.	**haga, hagas, haga, hagamos, hagáis, hagan**
Imperf. del subj.	**hiciera, hicieras, hiciera, hiciéramos, hicierais, hicieran** **hiciese, hicieses, hiciese, hiciésemos, hicieseis, hiciesen**
Part. pasado	**hecho**
Imperativo	**haz** (no **hagas**), **haga**, **hagamos**, haced (no **hagáis**), **hagan**

Semejante a **hacer**:
satisfacer

Verbos irregulares

10. **huir**

Presente: **huyo, huyes, huye**, huimos, huís, **huyen**
Pretérito huí, huiste, **huyó**, huimos, huisteis, **huyeron**
Pres. del subj. **huya, huyas, huya, huyamos, huyáis, huyan**
Imperf. del subj. **huyera, huyeras, huyera, huyéramos, huyerais, huyeran**
huyese, huyeses, huyese, huyésemos, huyeseis, huyesen
Imperativo **huye** (no **huyas**), **huya**, **huyamos**, huid (no **huyáis**), **huyan**

Semejantes a **huir**:
atribuir, concluir, constituir, construir, contribuir, destituir, destruir, disminuir, distribuir, excluir, incluir, influir, instruir, recluir, restituir, sustituir

11. **ir**

Presente **voy, vas, va, vamos, vais, van**
Imperfecto **iba, ibas, iba, íbamos, ibais, iban**
Pretérito **fui, fuiste, fue, fuimos, fuisteis, fueron**
Pres. del subj. **vaya, vayas, vaya, vayamos, vayáis, vayan**
Imperf. del subj. **fuera, fueras, fuera, fuéramos, fuerais, fueran**
fuese, fueses, fuese, fuésemos, fueseis, fuesen
Part. presente **yendo**
Part. pasado **ido**
Imperativo **ve** (no **vayas**), **vaya**, **vamos** (no **vayamos**), id (no **vayáis**), **vayan**

12. **leer**

Pretérito leí, **leíste, leyó, leímos, leísteis, leyeron**
Imperf. del subj. **leyera, leyeras, leyera, leyéramos, leyerais, leyeran**
leyese, leyeses, leyese, leyésemos, leyeseis, leyesen
Part. presente **leyendo**
Part. pasado **leído**

Semejantes a **leer**:
creer, poseer, proveer (part. pasado: **provisto** o **proveído**)

13. **oír**

Presente **oigo, oyes, oye**, oímos, oís, **oyen**
Pretérito oí, oíste, **oyó**, oímos, oísteis, **oyeron**
Futuro **oiré, oirás, oirá, oiremos, oiréis, oirán**
Condicional **oiría, oirías, oiría, oiríamos, oiríais, oirían**
Pres. del subj. **oiga, oigas, oiga, oigamos, oigáis, oigan**
Imperf. del subj. **oyera, oyeras, oyera, oyéramos, oyerais, oyeran**
oyese, oyeses, oyese, oyésemos, oyeseis, oyesen
Part. presente **oyendo**
Part. pasado **oído**
Imperativo **oye** (no **oigas**), **oiga**, **oigamos**, oíd (no **oigáis**), **oigan**

14. **oler**

Presente **huelo, hueles, huele**, olemos, oléis, **huelen**
Pres. del subj. **huela, huelas, huela**, olamos, oláis, **huelan**
Imperativo **huele** (no **huelas**), **huela**, olamos, oled (no oláis), **huelan**

15. **poder**

Presente	**puedo, puedes, puede**, podemos, podéis, **pueden**
Pretérito	**pude, pudiste, pudo, pudimos, pudisteis, pudieron**
Futuro	**podré, podrás, podrá, podremos, podréis, podrán**
Condicional	**podría, podrías, podría, podríamos, podríais, podrían**
Pres. del subj.	**pueda, puedas, pueda**, podamos, podáis, **puedan**
Imperf. del subj.	**pudiera, pudieras, pudiera, pudiéramos, pudierais, pudieran** **pudiese, pudieses, pudiese, pudiésemos, pudieseis, pudiesen**
Part. presente	**pudiendo**

16. **poner**

Presente	**pongo**, pones, pone, ponemos, ponéis, ponen
Pretérito	**puse, pusiste, puso, pusimos, pusisteis, pusieron**
Futuro	**pondré, pondrás, pondrá, pondremos, pondréis, pondrán**
Condicional	**pondría, pondrías, pondría, pondríamos, pondríais, pondrían**
Pres. del subj.	**ponga, pongas, ponga, pongamos, pongáis, pongan**
Imperf. del subj.	**pusiera, pusieras, pusiera, pusiéramos, pusierais, pusieran** **pusiese, pusieses, pusiese, pusiésemos, pusieseis, pusiesen**
Part. pasado	**puesto**
Imperativo	**pon** (no **pongas**), **ponga**, **pongamos**, poned (no **pongáis**), **pongan**

Semejantes a **poner**:
componer, disponer, exponer, imponer, oponer, proponer, reponer, suponer

17. **querer**

Presente	**quiero, quieres, quiere**, queremos, queréis, **quieren**
Pretérito	**quise, quisiste, quiso, quisimos, quisisteis, quisieron**
Futuro	**querré, querrás, querrá, querremos, querréis, querrán**
Condicional	**querría, querrías, querría, querríamos, querríais, querrían**
Pres. del subj.	**quiera, quieras, quiera**, queramos, queráis, **quieran**
Imperf. del subj.	**quisiera, quisieras, quisiera, quisiéramos, quisierais, quisieran** **quisiese, quisieses, quisiese, quisiésemos, quisieseis, quisiesen**
Imperativo	**quiere** (no **quieras**), **quiera**, queramos, quered (no queráis), **quieran**

18. **reír**

Presente	**río, ríes, ríe, reímos, reís, ríen**
Pretérito	reí, **reíste, rió, reímos, reísteis, rieron**
Futuro	**reiré, reirás, reirá, reiremos, reiréis, reirán**
Condicional	**reiría, reirías, reiría, reiríamos, reiríais, reirían**
Pres. del subj.	**ría, rías, ría, riamos, riáis, rían**
Imperf. del subj.	**riera, rieras, riera, riéramos, rierais, rieran** **riese, rieses, riese, riésemos, rieseis, riesen**
Part. presente	**riendo**
Part. pasado	**reído**
Imperativo	**ríe** (no **rías**), **ría**, **riamos**, reíd (no **riáis**), **rían**

Semejantes a **reír**:
freír (*part. pasado*: **frito**), sonreír

Verbos irregulares

19. saber

Presente **sé**, sabes, sabe, sabemos, sabéis, saben
Pretérito **supe, supiste, supo, supimos, supisteis, supieron**
Futuro **sabré, sabrás, sabrá, sabremos, sabréis, sabrán**
Condicional **sabría, sabrías, sabría, sabríamos, sabríais, sabrían**
Pres. del subj. **sepa, sepas, sepa, sepamos, sepáis, sepan**
Imperf. del subj. **supiera, supieras, supiera, supiéramos, supierais, supieran**
supiese, supieses, supiese, supiésemos, supieseis, supiesen
Imperativo sabe (no **sepas**), **sepa**, **sepamos**, sabed (no **sepáis**), **sepan**

20. salir

Presente **salgo**, sales, sale, salimos, salís, salen
Futuro **saldré, saldrás, saldrá, saldremos, saldréis, saldrán**
Condicional **saldría, saldrías, saldría, saldríamos, saldríais, saldrían**
Pres. del subj. **salga, salgas, salga, salgamos, salgáis, salgan**
Imperativo **sal** (no **salgas**), **salga**, **salgamos**, salid (no **salgáis**), **salgan**

21. ser

Presente **soy, eres, es, somos, sois, son**
Imperfecto **era, eras, era, éramos, erais, eran**
Pretérito **fui, fuiste, fue, fuimos, fuisteis, fueron**
Pres. del subj. **sea, seas, sea, seamos, seáis, sean**
Imperf. del subj. **fuera, fueras, fuera, fuéramos, fuerais, fueran**
fuese, fueses, fuese, fuésemos, fueseis, fuesen
Imperativo **sé** (no **seas**), **sea**, **seamos**, sed (no **seáis**), **sean**

22. tener

Presente **tengo, tienes, tiene**, tenemos, tenéis, **tienen**
Pretérito **tuve, tuviste, tuvo, tuvimos, tuvisteis, tuvieron**
Futuro **tendré, tendrás, tendrá, tendremos, tendréis, tendrán**
Condicional **tendría, tendrías, tendría, tendríamos, tendríais, tendrían**
Pres. del subj. **tenga, tengas, tenga, tengamos, tengáis, tengan**
Imperf. del subj. **tuviera, tuvieras, tuviera, tuviéramos, tuvierais, tuvieran**
tuviese, tuvieses, tuviese, tuviésemos, tuvieseis, tuviesen
Imperativo **ten** (no **tengas**), **tenga**, **tengamos**, tened (no **tengáis**), **tengan**

Semejantes a **tener**:
abstenerse, contener, detener, mantener, obtener, sostener

23. traducir

Presente **traduzco**, traduces, traduce, traducimos, traducís, traducen
Pretérito **traduje, tradujiste, tradujo, tradujimos, tradujisteis, tradujeron**
Pres. del subj. **traduzca, traduzcas, traduzca, traduzcamos, traduzcáis, traduzcan**
Imperf. del subj. **tradujera, tradujeras, tradujera, tradujéramos, tradujerais, tradujeran**
tradujese, tradujeses, tradujese, tradujésemos, tradujeseis, tradujesen
Imperativo traduce (no **traduzcas**), **traduzca**, **traduzcamos**, traducid (no **traduzcáis**), **traduzcan**

Semejantes a **traducir**:
conducir, producir

24. traer	
Presente	**traigo,** traes, trae, traemos, traéis, traen
Pretérito	**traje, trajiste, trajo, trajimos, trajisteis, trajeron**
Pres. del subj.	**traiga, traigas, traiga, traigamos, traigáis, traigan**
Imperf. del subj.	**trajera, trajeras, trajera, trajéramos, trajerais, trajeran** **trajese, trajeses, trajese, trajésemos, trajeseis, trajesen**
Part. presente	**trayendo**
Part. pasado	**traído**
Imperativo	trae (no **traigas**), **traiga**, **traigamos**, traed (no **traigáis**), **traigan**
Semejantes a **traer**: atraer, contraer	
25. valer	
Presente	**valgo**, vales, vale, valemos, valéis, valen
Futuro	**valdré, valdrás, valdrá, valdremos, valdréis, valdrán**
Condicional	**valdría, valdrías, valdría, valdríamos, valdríais, valdrían**
Pres. del subj.	**valga, valgas, valga, valgamos, valgáis, valgan**
Imperativo	vale (no **valgas**), **valga**, **valgamos**, valed (no **valgáis**), **valgan**
26. venir	
Presente	**vengo, vienes, viene**, venimos, venís, **vienen**
Pretérito	**vine, viniste, vino, vinimos, vinisteis, vinieron**
Futuro	**vendré, vendrás, vendrá, vendremos, vendréis, vendrán**
Condicional	**vendría, vendrías, vendría, vendríamos, vendríais, vendrían**
Pres. del subj.	**venga, vengas, venga, vengamos, vengáis, vengan**
Imperf. del subj.	**viniera, vinieras, viniera, viniéramos, vinierais, vinieran** **viniese, vinieses, viniese, viniésemos, vinieseis, viniesen**
Part. presente	**viniendo**
Imperativo	**ven** (no **vengas**), **venga**, **vengamos**, venid (no **vengáis**), **vengan**
Semejantes a **venir**: convenir, intervenir	
27. ver	
Presente	**veo**, ves, ve, vemos, veis, ven
Imperfecto	**veía, veías, veía, veíamos, veíais, veían**
Pretérito	**vi**, viste, **vio**, vimos, visteis, vieron
Pres. del subj.	**vea, veas, vea, veamos, veáis, vean**
Part. pasado	**visto**
Imperativo	**ve** (no **veas**), **vea**, **veamos**, ved (no **veáis**), **vean**

Verbos con participios pasados irregulares

abrir	**abierto**	escribir	**escrito**
cubrir	**cubierto**	imprimir	**impreso, imprimido**
describir	**descrito**	morir	**muerto**
descubrir	**descubierto**	romper	**roto**

Art Credit

p. 209, *El Zorro* by Clara Rodrigo; p. 251, *The Don's Misadventure* by Gustave Doré, 1863; p. 252, *Don Quixote and Sancho Setting Out* by Gustave Doré, 1863; p. 256 *Don Quixote and Sancho Panza*, Honoré Daumier (1808-79); p. 321, *Harry Potter* by Gabriel F. Antille; p. 401, *Adicto* by Gabriel F. Antille p. 420, *Guernica* by Pablo Picasso (top); p. 422, *Una pareja (A Couple)*, 1982, Fernando Botero (b. 1932); p. 423, *The Third of May, 1808* by Francisco José de Goya y Lucientes; p. 426, *Broadgate Venus* by Fernando Botero; p. 435, *After the Bullfight* by Pablo Picasso; p. 437, *The Bullfight* by Francisco de Goya; p. 438, *Raíces* (1943) by Frieda Kahlo; p. 450, (center) *The Persistence of Memory* by Salvador Dalí; p. 453, *Ball at the Moulin de la Galette, Montmartre* by Pierre-Auguste Renoir.

Photo Credit

66 North Photography / iStockphoto: 249
Abad, Eduardo EFE/Corbis: 240
Agenturfotograf/ iStockphoto: 23
Agnew & Sons, London, UK/Bridgeman Art Library: 256
Anasztazia / Shutterstock: 360 (welcome sign)
Andrearoad / iStockphoto: 468
Andriy, Petrenko/Shutterstock: 130
Angelescu, Andreea/Corbis: 464
Anzuoni, Mario/Reuters/Corbis: 206, 216
AP/World Wide Photos: 32 (bl), 33, 305, 429, 434, 458
Archivo Iconografico, S.A./Corbis: 237, 420 (t), 423 (t)
Arnau Design / iStockphoto: 366
Art on File/Corbis: 214

BananaStock, Royalty Free: 282
Bejar Latonda, Mónica: 297
Bettmann/Corbis: 224, 243 (l, r), 247, 275, 314, 363 (l, r), 388, 440, 450 (c), 462
Bock, Edward/Corbis: 374
Bolivia Web Photo Gallery: 46
Brindicci, Marcos/Reuters/Corbis: 348
Burstein Collection/Corbis: 435
Butchovsky-Houser, Jan/Corbis: 118 (t)

Captura/iStockphoto: 189
Cardoso, Fabio/Corbis: 330 (t)
CEFutcher / istock: 301
Christie's Images/Corbis: 422
Churchill, Robert / iStockphoto: 368
Clevenger, Steve/Corbis: 114
Cohen, Stuart/The Image Works: 315
Colita/Corbis: 428
Comstock/Royalty Free: 145 (b)
Cooke, Richard A./Corbis: 469
Cooper, Andrew/Columbia/Spyglass/Bureau L.A. Collection/Corbis: 175, 260
Cooper, Ashley/Corbis: 426
Corbis Sygma: 454
Corbis/Royalty Free: 2 (b), 3, 8, 34 (t, b), 59, 60 (t, c), 69, 74, 85, 91, 102, 124 (t), 137, 145(c), 155, 170 (t), 172 (b), 176 (t, c), 177, 193, 267 (t), 287, 326, 337, 354, 360 (c), 361, 364 (t), 380, 383, 391 (c), 392, 404, 412, 420 (b), 423 (b)
Corral Vega, Pablo/Corbis: 381
cotesebastien/ iStockphoto: 1

Daemmrich, Bob/PhotoEdit: 93
Dannemiller, Keith/Corbis: 88 (c), 371
Darrin Klimek/ Thinkstock: 28
De Niz, Bernardo / Reuters / Corbis: 251
del Pozo, Marcelo/Reuters/Corbis: 232, 359
Denny, Mary Kate/PhotoEdit: 430
Duomo/Corbis: 304 (b)

Eastimages / Shutterstock: 302 (b)
EdStock/iStockphoto: 205, 475
Elias, Nir/Reuters/Corbis: 450 (b)
Englebert, Victor: 32 (t)
Epa/Corbis: 249
Eric Hood Photography / iStockphoto: 304 (b)

Faris, Randy/Corbis: 304 (t)
Folkks, Rufus F./Corbis: 212
Footstock: 267 (b)
foto pfluegl/iStockphoto: 331 (t)
Fraile, Victor/Reuters/Corbis: 330 (b)
Franken, Owen/Corbis: 120, 124 (b), 158, 323, 331 (b)
Fredrickson, Allen/Reuters/Corbis: 205 (b)
Fried, Robert: 12, 13, 27, 447
Friedman, Rick/Corbis: 72
Fuste Raga, José/Corbis: 451

Gambarini, Maurizio/dpa/Corbis: 100
Gannet77/ iStockphoto: 37
Gea, Albert/Reuters/Corbis: 236 (t)
Getty Images: 395
Girarte, José Luis/iStockphoto: 341
Glumak, Ben: 79
Goldberg, Beryl: 32 (r)
Greenberg, Jeff/PhotoEdit: 89, 271

hadynyah/ iStockphoto: 48
Hellier, Chris/Corbis: 252
Hemera/Thinkstock: 119, 242, 393
Henley, John/Corbis: 60 (b)
Hillery, John/Reuters/Corbis: 415
Horner, Jeremy/Corbis: 106
Houghton, Kit/Corbis: 156

Houser, Dave G./Corbis: 9

Inkout / iStockphoto: 248
iStockphoto / Thinkstock: 272, 391, 393, 403, 406, 407, 410
iStockphoto/ Royalty Free: 23

Jenner, Michael/Corbis: 145 (t)
Juanmonino/iStockphoto: 131

Karnow, Catherine: 138 (t)
Kashi, Ed/Corbis: 294
Kobby Dagan/ Shutterstock: 56
Kolesidis, John/Reuters/Corbis: 330 (c)
Krist, Bob/Corbis: 146 (t)
kupicoo / istockphoto: 372

La Feria Internacional del Libro de Guadalajara: 235
Lamont, Dan/Corbis: 364 (b)
Leeuwtje/ iStockphoto: 48
Lehman, Danny/Corbis: 146 (b), 378
Lemmens, Frans/zefa/Corbis: 170 (b)
Lérida, Manuel/Corbis: 39
Lewis, Barry/Corbis: 472
Lovell, Craig/Corbis: 164

Magentaphoto / iStockphoto: 242 (b)
Maica/iStockphoto: 132
Malo, Miguel/iStockphoto: 131
Manning, Lawrence/Corbis: 61
Mason, Leo/Corbis: 344
Mayer, Francis G./Corbis: 437
McCarthy, Tom & Dee Ann/Corbis: 263
McCormick, Howie/Icon SMI/Corbis: 306
McNamee, Wally/Corbis: 311
Mcswin / iStockphoto: 292
Mikkelwilliam/iStockphoto: 186
Monkey Business Images/iStockphoto: 55
Montserrat, Odile/Sygma/Corbis: 238
Moos, Viviane/Corbis: 167

Newman, Michael/PhotoEdit: 284
Nicholson, Lucy/Reuters/Corbis: 308
nokhoog_buchachon / Shutterstock: 360 (man with tablet)

ODonnell Photograf/ iStockphoto: 16 (t)
Onorati, Claudio/epa/Corbis: 340
Orban, Thierry/Corbis: 273

Pacho, Sonja /zefa/Corbis: 68
Peirini, Javier/Corbis: 420 (c)
Pelikh, Anastasia/iStockphoto: 333
Perrin, Pierre; Gerard Rancinan/Sygma/Corbis: 316
Peterson, Chip and Rosa Maria de la Cueva: 71
Photodisc Red/Getty Images: 2 (c)
Picture Finders Ltd./eStock Photo: 2 (t)
Prevosto,Olivier/TempSport/Corbis: 339

Ragazzini, Enzo & Paolo: 138 (b)
Rain, Andy/epa/Corbis: 419
Rangel, Francisco: 172 (t)
Rapid Eye Media / iStockphoto: 362
Reuters NewMedia Inc./Corbis: 309
Reuters/Corbis: 217, 218, 236 (b), 277, 302 (t, c), 313, 325, 346, 444
Royalty Free/BannanaStock: 160
Royaly Free/Thinkstock: 152, 373

Salter, Jeffery Allan/Corbis Saba: 443
Sarasang/iStockphoto: 131
Schwettmann, Mark / Shutterstock: 312
Sciarrino, Robert/Star Ledger/Corbis: 269
SeanPavonePhoto / Stock photo: 457
SF Photo / iStockphoto: 335
sharply_done/ iStockphoto: 37
Shugerman, Stephen/Getty Images: 44
Simson, David: 176 (b), 421
Sirhan/iStockphoto: 196
Skelley, Ariel/Corbis: 88 (t)
Skynesher / iStockphoto: 195, 295
Spencer, Grant/PhotoEdit: 267 (c)
Stockbyte / thinkstockphoto: 438
Strewe, Oliver/Lonely Planet Images: 424
Syldavia / iStockphoto: 245

Talymel/iStockphoto: 179
thebroker/ iStockphoto: 16 (b)
TheThirdMan/ Shutterstock: 21
Time & Life Pictures/Getty Images: 236 (c)
Tinkus Cochambamba: 97
Top Photo Group / thinkstockphoto: 476
Tourist Office of Spain: 118 (c, b), 122
track5/ iStockphoto: 27
Trapper, Frank/Corbis: 113
Trotman, Chris/NewSport/Corbis: 310
Turnley, David/Corbis: 153

Vidal, Miguel/Reuters/Corbis: 387
Vidler, Steven/Eurasia Press/Corbis: 455
Villamilk/ iStockphoto: 48

Wave Break Media Ltd. / Shutterstock: 360 (girl with computer)
Wells, David H./Corbis: 96
Wikipedia: 215, 220, 246, 261, 453, 461, 466, 470, 471
Wilson, Peter M./Corbis: 142

Yamashita, Michael S./Corbis: 391 (t)
Young-Wolff, David/PhotoEdit: 450 (t)

Zahranichny , Mikhail/Shutterstock: 117